逐　条
学校教育法

第９次改訂版

鈴木　勲　編著

学陽書房

第九次改訂版はしがき

前回の改訂から六年余り経過した。この間、教育再生実行会議の提言等を踏まえ、学校教育法関係の法令改正とともに、学校教育に影響する他の制度改正や新たな制度の導入が図られた。今次の改訂はこれらに対応したものである。

学校教育法の改正は三回行われた。

第一は、平成二九年法律第四一号による改正で、専門職大学及び専門職短期大学が創設された。これは、教育再生実行会議の提言や中央教育審議会の答申を踏まえ、専門性が求められる職業を担うための実践的かつ応用的な能力を展開させることを目的とする新たな高等教育機関を大学として位置づけたものである。合わせて専門職大学設置基準などの関係法令の整備が図られた。

第二は、平成三〇年法律第三九号による学習者用デジタル教科書の導入である。これにより、紙の教科書の内容の全部をそのまま記録した電磁的記録である教材（学習者用デジタル教科書）がある場合には、文部科学大臣の定めるところにより、児童生徒の教育の充実を図るため必要があると認められる教育課程の一部について、紙の教科書に代えて学習者用デジタル教科書が使用できるようになった。デジタル教科書の全面的導入については、議論が進行中であり、教育のデジタル化を踏まえた学習者の学びの充実という観点から、今後さらに進展していくことが想定される。

第三は、令和元年法律第一一号による大学教育の質の保障と向上を図るための改正である。大学の教育研究等の状

況を評価する認証評価において、認証評価機関に、当該教育研究等の状況が大学評価基準に適合しているか否かの認定を行うことを義務づけ、また、大学は大学評価基準に適合している旨の認証評価機関の認証を受けるよう、その教育研究水準の向上に努めなければならないとされた。

次に、学校教育法施行令の関係では、いわゆるキッズウィーク導入のための改正が行われた。即ち、教育再生実行会議の提言を踏まえて、学校休業日の分散化が図られた。これは、長期休業日の一部を別の時期に移して親子で休暇を取ること、保護者の有給休暇の取得を促進するという政府の方針を踏まえて行われた。

休業日の分散化とともに、学校における働き方改革、教員の長時間勤務対策も大きく前進した。具体的には、中央教育審議会の答申を踏まえ、「公立の義務教育諸学校等の教育職員の給与等に関する特別措置法」が改正され、在校等時間の上限を定める「指針」の策定及び休日まとめ取りのための一年単位の変形労働時間制の適用が実現した。

教育条件整備の関係でも大きな進展が見られた。

その第一は、小学校三五人学級のための教職員定数改善である。既に、小学校第一学年三五人学級は実現していたが、令和三年度から五年かけて小学校全学年の学級編制標準を三五人に引き下げることになった。

第二は、教育再生実行会議の提言を踏まえ、学校ＩＣＴ環境整備、すなわち児童生徒の一人に一端末を配備するＧＩＧＡスクール構想が、新型コロナウイルス感染症の感染拡大に伴う学校教育の授業改善とも関連して急速に実現した。

そして第三は、「子ども・子育て支援法の一部を改正する法律」及び「大学等における修学の支援に関する法律」などを経て、幼児教育・保育の無償化と高等教育における授業料減免、給付型奨学金の支給などが実現した。

学校教育法施行規則以下のレベルでは多くの法令改正が行われた。

その第一は、教育再生実行会議から、アクティブ・ラーニングの推進などが提言され、教育内容・方法に関しては

中央教育審議会での議論を踏まえて、学校種ごとの学習指導要領の改訂が行われた。

第二に、教員支援スタッフの制度化である。まず、スクールカウンセラー、スクールソーシャルワーカー及び部活動指導員の法制化が図られ、更に、医療的ケア看護職員、特別支援教育支援員、教員業務支援員などについても、職の名称及び職務内容が規定された。

第三に、「義務教育の段階における普通教育に相当する教育の機会の確保等に関する法律」の制定を踏まえ、中学校夜間学級の設置促進に向けた体制整備が図られ、学校教育法の関係では、学齢超過者のための教育課程編成の特例について規定された。

第四に、いわゆるネット授業に関連して、多様なメディアを高度に利用して行う授業の教室外履修について制度化が図られた。

その他、高等学校の普通科改革に伴う、スクールポリシーの制度化や高等学校設置基準の改正、特別支援教育に関しては、教室不足等、特別支援学校の教育環境を改善する観点から、特別支援学校設置基準の制定がなされた。また、大学関係では、いわゆるリカレント教育の推進（学修証明書の交付など）、実務家教員の参加促進などのほか、国際共同利用・協働研究拠点の認定、学部等連係課程実施基本組織の設置、大学等連携推進法人の認定、法科大学院制度の見直しなどが図られた。

学校を取り巻く現下の大きな環境の変化、とりわけデジタル化の進展、新型コロナウイルス感染症対策を踏まえた教育の在り方、脱炭素社会に向けた環境問題、人生百年時代に対応する教育の在り方など、対応の容易でない多くの課題が顕在化している。学校教育は、児童生徒等及び保護者、そして国民の信頼に応えるべく、これらの課題に迅速かつ柔軟に対応して行かなければならない。そのためには、現行の学校教育制度がどのように運営され、どのような課題を抱えているかを的確に理解することが不可欠となる。本書が、そのような要請に応え得る有効な資料として関

係者の一助となることを願ってやまない。

なお、本書の改訂に当たっては、佐藤禎一、加茂川幸夫、松坂浩史、黒沼一郎、長谷浩之、田中義恭、石川雅史、渡邉浩人、酒井啓至、若林徹、平野博紀、今田潤、金城太一、板倉寛、則本浩佑の諸氏のご協力を得た。特に、加茂川氏、松坂氏、黒沼氏、長谷氏には綿密な照合による補正の労を煩わせた。

今後とも、読者のご叱正をまって、内容の更なる充実を期すこととしたい。

令和四年六月

鈴　木　　勲

はしがき

学校教育法は、戦後の教育改革の柱である新学制の根幹をなす法律であり、憲法、教育基本法に示された教育理念を具体化したものである。

学校教育法の法としての特色は、第一に、従来各級の学校ごとに定められていた各種の学校令を統一して一つの法律に一元的にまとめたことであり、第二に、その法形式として、勅令でなく法律という形式によったことである。第二の点は、今日の時点でみると格別のことではないように思われるが、学校教育法制定当初は画期的なことであった。これによって教育法規の法律主義の原則が確立されたのである。このことは、学校制度が一元的に統一的に法律によって定められ、その改変は、国会の意思によってのみ認められるということである。換言すれば、教育制度が国民の意思によって形成されることを意味する。今日まで学校教育法は時代の要請に応じていくたびかの改正が加えられてきたが、その跡をたどってみれば、学校教育に対する国民の意思とその変化の方向を知ることができる。

学校教育法の理念として、提案理由によれば、教育の機会均等、普通教育の普及向上と男女差の撤廃、学制の単純化、学術文化の進展の四つをあげることができる。

教育の機会均等は、憲法に由来する新学制の基本理念であり、いわゆる六・三・三・四の単線型の学校体系により、前期中等教育が義務教育としてすべての子女に与えられ、卒業者は後期中等教育としての高等学校に進むことができ、高等学校卒業者のすべてに高等教育の機会が保障された。さらに実質的な教育機会の保障として勤労青少年に対し、高等学校、大学における夜間の教育、通信による教育が認められ、さらに、昭和三六年にはいわゆる技能連携

制度が認められて、一層の拡充が図られた。

普通教育の普及向上と男女差の撤廃については、義務教育の年限を九年に延長し、小学校に続いて修業年限三年の中学校のみをおくこととし、これを男女共学とした。また、義務教育の範囲を拡充して心身に故障のある子女に対してもこれを及ぼしたが、昭和五四年度からは養護学校の義務制が施行され、この趣旨が徹底された。今日、高等学校への進学率は九〇パーセントをこえ、女子の進学は男子を凌いでいる。

学制の単純化は、複線型の旧学制を単純化していわゆる六・三制の単線型の学制としたことであり、教育の機会均等の理念を制度的に実現したものである。その後、昭和三六年の法改正により、後期中等教育と高等教育を一貫した五年制の高等専門学校が創設され、また、戦後暫定的な学校制度として発足した短期大学が昭和三九年の法改正により恒久的な制度とされた。さらに、国立学校設置法の体系ではあるが、新構想大学として筑波大学、大学院に重点をおく技術科学大学や教育大学が設けられ、単純化された学校体系に重要な変化がみられる。なお、昭和五〇年の法改正によって、正規の学校とは異なるものの職業や実際生活に必要な知識技術の修得を目的とする専修学校制度が創設された。これらは広い意味での学校教育制度の多様化の方向を示すものである。

また、学校教育法は、大学への門戸開放と大学院の制度の確立により、高度の学術文化水準の維持向上を期しているが、今日、高等教育への進学率は四〇パーセントに近く、大学院も制度的に整備されてきた。

学校教育法の理念は、このようにして、いくぶん修正されつつ、現実の国民的要請にそって拡充されてきているということができる。

学校教育法の中心は、学校の制度と内容に関するものであるが、もう一つの要素は学校行政に関するものである。しかし、昭和二四年に国立学校設置法、昭和二三年に教育委員会法、ついで昭和三一年に地方教育行政の組織及び運営に関する法律、昭和二四年に私立学校法が制定され、それぞれ、国公私立の学校についての学校行政の条章が規定

されたことに伴い、学校教育法上の学校行政に関連する部分は、あるいはその機能を失いあるいは再調整を余儀なくされるなど重要な変化を生じている。

学校教育法は、かくして、時代の要請に即して改正され、それ自身としてかなり変化していると同時に、学校教育関連の諸法制の整備によりこれらとの関係の調整など複雑化しており、今日の時点において、これを統一的に把握することの必要性はきわめて強いものがある。

本書は、このような要請に応ずる意図をもって、学校教育法について全文の逐条解説を試みたものである。この企画は、私の官房総務課勤務当時における同僚諸氏との学校教育法の共同研究会が発端であるが、その後、私も含めメンバーの職場も変わり、地方に出たり、海外勤務に就く者もあったりして若干の間断はあったが、この間も共同研究を続け、企画してから四年余の歳月が経過してしまった。共同研究会のメンバーは、鈴木勲、青柳徹、糟谷正彦、野崎弘、熱海則夫、阿部憲司、佐藤禎一、三浦良雄、中田和夫、小西亘、吉田茂である。全員による数次の共同討議によって企画、執筆方針を定め、これに従って各自が分担執筆した。その後、各条文について逐次討議して修正を加えたものを、鈴木が全篇にわたって加筆しあるいは修正を行い、さらに糟谷が細部にわたって校正を行った。

研究や執筆に当たっては、幾多先輩の貴重な著書や論述を参照させていただいた。いずれも学校教育法の立案、解釈、運用に何らかのかたちで関与された方々の手に成るものであって、はかり知れない恩恵を受けた。その一端であるが、主なる参考文献として巻末に掲げることとした。そのほか、いちいち挙げないが、学校教育法の解説書以外で、大きな示唆をうけた文部省の諸先輩の論述も多い。これらの先学の労作がなければ本書も成り立たなかったと思われる。その学恩に対し深く感謝の意を表する次第である。

いうまでもないことであるが、本書の内容は、幾多の先輩の貴重な論述に負いつつも、未熟ながら現時点におけるわれわれの考え方を基礎としたものであり、文部省の見解とはかかわりのないものであることをおことわりしておき

たいと思う。また、敍述についても能う限り統一を期したが、長い時日を要した関係上、章によってはあるいはいくぶん精疎の気味があり、十分に意を尽さなかったところも少なくない。これらの点については、さらに研究を重ね、読者の叱正を得て他日を期することとしたい。

本書が、学校教育法に対する一般の理解を深め、いささかなりとも教育に関係する方々のお役に立つことができれば、われわれの望外のよろこびである。

最後に、学陽書房の小室修司、恩田成美の両氏に対しては、本書の企画について、当初から熱心にこれを支援され、長い歳月にわたり、遅々たる作業に対しても終始好意ある援助を惜しまれなかったこととともに、事項索引の作成という困難な作業を担当頂いたこととあわせて、深甚の感謝を捧げるものである。

昭和五五年七月

鈴木　勲

改訂版はしがき

本書がはじめて世に出たのは、昭和五五年八月であるが、それ以来、四年近くが経過した。その間、学校教育法の一部改正は、四回に及んでいる。

第一は、昭和五六年六月一一日法律第八〇号であり、放送大学学園法の施行に伴う改正である。

放送大学は、生涯教育・生涯学習の時代に即応し、テレビ・ラジオの放送を効果的に活用した大学教育を行い、広く社会人や家庭婦人に大学教育の機会を提供するとともに、新しい高等教育システムとして今後の高等学校卒業者に対し柔軟かつ流動的な大学進学の機会を提供するための新しい大学である。放送大学学園は、この放送大学を設置し放送大学における教育に必要な放送を行うことを主たる目的とする法人である。従来、大学を含め正規の学校を設置することは、国、地方公共団体および学校法人に限られていたのであるが、この三者以外の特別の法人が設置主体となることを新たに認めたものである。これに伴い、学校教育法の第二条の学校の設置者の規定と、第五四条の二の大学の通信教育の部分の改正その他所要の規定の整備が行われた。

第二は、昭和五七年七月二三日法律第六九号であり、行政事務の簡素合理化に伴う関係法律の整理及び適用対象の消滅等による法律の廃止に関する法律による改正である。行政事務の簡素合理化の一環として、許可、認可等の行政事務の簡素合理化が行われ、学校教育法関係では、第四五条第三項の高等学校の広域の通信制課程に係る文部大臣の承認制を届出制に改めたものである。

第三は、昭和五八年五月二五日法律第五五号であり、大学の獣医学を履修する課程については、修業年限を六年と

したことに伴う改正であり、学校教育法第五五条に当該規定を追加した。

第四は、昭和五八年一二月二日法律第七八号であり、国家行政組織法の一部を改正する法律の施行に伴う関係法律の整理等に関する法律による改正である。

各省庁に置かれている附属機関等を審議会等、施設等機関および特別の機関に区分し、審議会等および施設等機関については、政令で設置の根拠を定めることができるようになったことに伴い、学校教育法関係では、第二一条（教科用図書）、第六〇条（大学設置の認可の諮問）、第六八条（学位）について所要の改正を行ったものである。

改訂に当たっては、以上の法律改正のほか、国立又は公立の大学における外国人教員の任用等に関する特別措置法（昭和五七年法律第八九号）に関連する部分の解説や、大学通信教育設置基準（昭和五六年文部省令第三三号）の制定や、高等学校の入学者選抜についての学校教育法施行規則の改正など、省令の制定・改正に伴うものについて関連する部分の解説を加えている。また、学校教育法第二六条の出席停止について、その解釈や取扱いの基準が示されたことに伴う解説など、行政実例の重要なものがある場合は、改訂または補充することに努めた。

今回の改訂に当たっては、野崎弘、糟谷正彦、佐藤禎一の諸氏の御協力を得た。今後なお、読者の御叱正を得て、さらに充実を期したいと思う。

昭和五九年九月

鈴　木　勲

第三次改訂版はしがき

本書の改訂については、前回の改訂後四年ほど経過した頃から改訂作業に取りかかったが、諸般の事情から一時中断のやむなきにいたった。そのため、今回はほぼ一〇年ぶりの改訂新版刊行の運びとなったが、印刷方法を全面的に改めたり、この間の学校教育法の改正をすべて網羅して解説を加えたので、大方の読者の御要望に応え得るものとなったと思っている。

その間、学校教育法の一部改正の主たるものだけでも、六回に及んでいる。

第一は、昭和六二年九月一〇日法律第八八号であり、臨時教育審議会の答申を受け、我が国の高等教育の在り方を基本的に審議するため大学審議会を創設するとともに、大学設置・学校法人審議会を設けたものである。

第二は、昭和六三年一一月一五日法律第八八号であり、定時制・通信制高等学校の修業年限を短縮し、また、すでに制度として定着していることから、技能連携教育施設指定の権限を文部大臣から都道府県教育委員会に移すこととしたものである。

第三は、平成三年四月二日法律第二三号であり、学士を称号から学位に改め、学位授与機構を新設（国立学校設置法に設置規定を設けた）して大学以外の教育施設で学んだ者に学位を授与できるようにしたものである。

第四は、平成三年四月二日法律第二五号であり、短期大学又は高等専門学校を卒業した者は準学士と称することができることとするとともに、高等専門学校の分野の拡大と専攻科の設置を可能にするものである。

第五は、平成三年五月二一日法律第七九号であり、行政事務に関する国と地方の関係等の整理及び合理化に関する

法律による改正である。行政上の事務処理の簡素化・合理化を図る観点から、指定都市立幼稚園の設置は、都道府県教育委員会へのあらかじめの届出で足りるものと改めた。

第六は、平成五年一一月一二日法律第八九号によるものである。行政運営における公正の確保と透明性の向上を図り、国民の権利利益の保護に資するために行政手続法が制定された。それに伴い、行政手続法の施行に伴う関係法律の整備に関する法律で学校教育法を改正し、義務教育諸学校への就学義務の履行に関する入学期日の通知及び学校の指定の処分については、行政手続法を適用しない旨の第八五条の二の規定を設けたのである。

さらに、改訂に当たっては、高等学校等生徒の留学に関する規定の整備、単位制高等学校教育規程の制定、帰国子女等の高等学校等への入学・編入学機会の拡大、小学校・中学校・高等学校・特殊教育学校・幼稚園の教育課程の基準の改正、大学院設置基準・大学設置基準・短期大学設置基準・高等専門学校設置基準について基準の弾力化・大綱化を図るための一部改正、学位規則の改正、高等学校の総合学科の創設、学校週五日制の導入、専修学校制度の弾力化、心身障害児の通級による指導の充実など、省令の制定・改正に伴うものについて関連する部分の解説を加えている。また、児童の権利に関する条約の発効に伴う通知などをはじめ、重要な行政通知や新しい重要な判決例を補充することに努めた。

今回の改訂に当たっては、熱海則夫、小玉武俊、糟谷正彦、佐藤禎一、加茂川幸夫、板東久美子、本木章喜、辰野裕一、久保公人、徳久治彦、中岡司の諸氏の御協力を得た。特に、佐藤氏には全般に亘って、また、糟谷氏には詳細な照合と補遺や訂正の労を煩わした。

今後とも、読者の御叱正をまって、さらに内容の充実を期したいと思う。

平成七年四月

鈴木　勲

第四次改訂版はしがき

前回の改訂から四年余が経過した。その間、教育改革の進展に伴い教育改革プログラムに沿って、種々の施策が展開されてきた。

学校教育法の改正を伴う制度改革としては、中等教育の多様化を推進するため、中高一貫教育を選択的に導入できるように、中等教育学校制度が創設され、学校教育法に、章が追加された。中等教育制度の多様化は学校教育法上画期的な改正である。

また、完全学校週五日制を視野に入れつつ、各学校がゆとりの中で特色ある教育を展開し、子どもたちが豊かな人間性や基礎・基本を身に付け、個性を生かし、自ら学び自ら考える力を培うことを基本的なねらいとして、教育課程の基準の改善方針が示され、それに基づき、一〇年ぶりに各学校種別の学習指導要領が公布された。

さらに、教育に関する諸制度の規制緩和あるいは弾力化を一層推進するため、関連の政令や省令などの一部改正が施行されている。

地方分権の推進や中央省庁等の改革は、関係法律は成立したが、施行が平成一二年四月一日以降であり、今回の改訂には、平成一一年三月までの改正内容を盛り込むこととした。次回の改訂において補充することとしたい。

今回の改訂に当たっては、糟谷正彦、佐藤禎一、素川富司、土居正、河村潤子、山根徹夫、清木孝悦、徳久治彦、関靖直、山口敏、伯井美徳、岩根靖治、下間康行の諸氏の御協力を得た。

特に、佐藤氏には全般にわたって目をくばっていただき、また、糟谷氏には詳細な点検と訂正の労を取っていただ

いた。

今後とも、読者の御叱正をまって、さらに内容の充実を期したい。

平成一一年七月

鈴木 勲

第五次改訂版はしがき

前回の改訂からほぼ三年が経過した。その間、臨時教育審議会以来展開されてきた多くの改革が進展したが、さらに教育改革国民会議報告（平成一二年一二月）を踏まえた「二一世紀教育新生プラン」に沿った教育改革の進展に伴い、種々の施策が講じられてきている。

学校教育法の改正による制度改正は、二回行われた。

第一は、平成一一年法律第五五号であり、大学の早期卒業（三年以上の在学で卒業を認める）制度の創設、大学に学部長を置く根拠規定の新設、大学院に研究科以外の教育研究上の基本となる組織を置くことができる規定の新設である。

第二は、平成一三年法律第一〇五号であり、小学校等におけるボランティア活動などの体験活動の促進に関する規定の新設、児童等の出席停止制度の要件・手続の明確化、通信教育・夜間授業による大学院研究科の設置、大学・大学院への飛び入学の促進、寮母の寄宿舎指導員への名称変更である。

さらに、教育に関する諸制度の地方分権の推進、規制緩和あるいは弾力化のための関係政省令などの制定や改正が施行されている。たとえば、大学院への入学資格の改正、専門大学院の設置、校長・教頭の資格の緩和、職員会議及び学校評議員に関する規定の新設、他の教育施設での履修の評価の範囲拡大、心身障害児の就学基準の緩和、小・中学校の設置基準の制定などである。

また、地方分権一括法や中央省庁等改革関連法に伴う、行政組織の整備に伴い、多数の関連条文の改正が行われ

た。

なお、今回の改訂では紙数の増加を抑えるため、関連法令の条文そのものの引用は極力少なくし、その要点のみを解説することとし、附則については、なお現在でも意義を有するもののみに絞って注解を加えた。

教育改革の議論を深めていくためには、まず現行制度の仕組及び運用の実態について十分な理解が必要であるが、本書がその一助ともなれば幸いである。

今回の改訂に当たっては、糟谷正彦、佐藤禎一、加茂川幸夫、西阪昇、徳久治彦、小松弥生、池原充洋、山口敏、岩本健吾、安間敏雄、湊屋治夫、亀田徹の諸氏のご協力を得た。特に、佐藤氏には全般に亘って、また、糟谷氏、加茂川氏には綿密な照合による補遺や補正の労を煩わせた。

今後とも、読者の御叱正をまって、さらに内容の充実を期したいと思う。

平成一四年八月

鈴木　勲

第六次改訂版はしがき

前回の改訂から、三年余りが経過した。その間、行財政改革の影響を受け、教育制度も変革を迫られた。規制改革、地方分権、いわゆる三位一体改革などのキャッチフレーズの下、種々の改正が矢継早に実施に移されてきた。期待どおりの成果が実を結ぶか否かは、今後の推移を見守るほかないものも少なくない。

学校教育法そのものの大きな改正は、三回行われた。

第一は、平成一四年法律第一一八号であり、高等教育制度について、事前審査から事後評価によるチェックで質を保証する方向に大きく転換することとなった。その改正の具体的な内容は、次のとおりである。

(1) 学位の大幅な変更等を伴わない学部等の設置について認可を受けることを要しないなど設置認可制度の弾力化

(2) 法令違反の大学等に対する是正措置の整備

(3) 認証評価制度の導入

(4) 法科大学院などの専門職大学院制度の整備と専門職学位の創設

第二は、平成一六年法律第四九号であり、二つの内容を含む。一つは、学校における食に関する指導を充実するため、栄養教諭制度を導入するものである。二つは、大学で薬学を履修する課程のうち実践的能力を培うことを主たる目的とするものの修業年限を六年とするものである。

第三は、平成一七年法律第八三号であり、(1)短期大学卒業者に短期大学士の学位を授与できるようにするとともに、(2)大学等の助教授、助手の職を見直し准教授、助教及び助手の区分に改めそれらの職務を明らかにし、大学等の教員組織の活性化を図るものである。

また、学校教育法本体の改正ではないが、国立大学法人法及び独立行政法人国立高等専門学校機構法が施行された。これらの学校は、いずれも非公務員型の法人に衣替えした。国立学校設置法と国立学校特別会計法が廃止され教育公務員特例法が適用除外になったため、それらの規定を引用して説明していた本書第五章大学の解説部分はかなり書き改めた。関連して学校教育法第二条の規定（学校の設置者）が改正されたが、学校教育法上の設置との整合性のある解釈が定着していない部分もある。教授会の教員人事に関する権限が法令上規定されなくなったため、学校教育法第五九条の規定（教授会）の解釈が重要な意味を持つこととなった。

さらに、構造改革特別区域法によるいわゆる教育特区において種々の規制緩和特別措置が講じられているが、その成果については、一定期間の経過と慎重な評価を経て、明らかにして行く必要がある。また、学校教育法ではなく他の法律で公立学校に学校運営協議会を置くことができる旨の規定が設けられたので、今後、学校が地域に開かれ、その意向を生かした学校運営が一層進展して行くことが期待される。

特殊法人改革の一環で、放送大学学園は、特別な学校法人と位置づけられた。

その他、省令レベルの改正で、高等学校卒業程度認定試験、公立小中学校の学校選択制などが始まった。

教育改革の議論を深めていくためには、まず現行制度の仕組及び運用の実態について十分な理解が必要であるが、本書がその一助ともなれば幸いである。

今回の改訂に当たっては、加茂川幸夫、下間康行、木村直樹、森田正信、絹笠誠、長谷川和弘、高口努、豊岡宏規、日向信和、森孝之、合田哲雄の諸氏のご協力を得た。特に、加茂川氏、下間氏には綿密な照合による補遺や補正の労を煩わせた。

今後とも、読者のご叱正をまって、さらに内容の充実を期したいと思う。

平成一八年三月

鈴木　勲

第七次改訂版はしがき

前回の改訂から三年余りが経過した。その間、教育基本法の改正に伴う教育制度の諸改革の進展が見られた。学校教育法そのものの大きな改正は、二回行われた。

第一は、平成一八年法律第八〇号による改正である。児童生徒の障害の重複化や多様化に対応して、特別支援教育の概念を導入し、従来の盲・聾・養護学校の区分を廃止して特別支援学校に一本化し、同時に小・中学校等への助言・援助を行うセンター的役割を担わせることとしたものである。

第二は、平成一九年法律第九六号による大幅な改正である。教育基本法が、六〇年振りに改正されたことに伴うものである。

すなわち、教育基本法二条の教育の目標として、「道徳心」「公共の精神」「伝統と文化」「我が国と郷土を愛する態度」などが明定されるとともに、義務教育の目的について「各個人の人格形成」と「国家社会の形成者」の育成であることを明記した。これに伴い、学校教育法に義務教育の目標（二一条）が設けられ、義務教育という一つの章が新設され、各学校種の目的・目標の見直しが行われた。

さらに、教育基本法六条二項に「学校においては、教育の目標が達成されるよう、教育を受ける者の心身の発達に応じて、体系的な教育が組織的に行われなければならない」との規定を加え、学校が組織的・体系的な教育の場であることを明記した。これに伴い、学校教育法に、副校長その他の職を創設し、組織運営体制の充実を図る規定、学校の評価及び情報の提供に関する規定などが新設された。

そして、学校教育法に規定する学校種の順序について、教育を受ける者の発達段階及び学校教育の連続性を踏まえ、幼稚園から順次規定することとなり、大幅に条文のずれが生じた。

したがって、省令レベルでも大幅な改正が行われた。

教育改革の議論を深めていくためには、まず現行制度の仕組及び運用の実態について十分な理解が必要であるが、本書がその一助ともなれば幸いである。

今回の改訂に当たっては、糟谷正彦、佐藤禎一、加茂川幸夫、新谷喜之、大谷圭介、牛尾則文、絹笠誠、寺門成真、米原泰裕の諸氏のご協力を得た。特に、糟谷氏、佐藤氏、加茂川氏、絹笠氏には綿密な照合による補遺や補正の労を煩わせた。

今後とも、読者のご叱正をまって、さらに内容の充実を期したいと思う。

平成二一年一〇月

鈴　木　　勲

第八次改訂版はしがき

前回の改訂から、既に六年以上経過した。

この間、内閣に設置された教育再生実行会議の各提言（第一次から第八次）を踏まえて、各種の教育改革が進展した。これに関連して学校教育法の一部改正をはじめとする学校教育法体系の整備が図られた。

第一は、平成二七年法律第四六号による学校教育法の改正である。これは教育再生実行会議第五次提言（平成二六年七月）や中央教育審議会答申（平成二六年一二月）を踏まえたもので、学校教育制度の多様化及び弾力化を推進するため、新しい学校種として義務教育学校が創設され、地方自治体の判断による多様な小中一貫教育の実施が可能となった。

第二は、教育再生実行会議の第一次提言「いじめ問題等への対応について」（平成二五年二月）を踏まえて、道徳教育の在り方について議論が深められ、中央教育審議会は「道徳に係る教育課程の改善等について」（平成二六年一〇月）答申した。これを受けて、道徳を特別の教科として位置づける学校教育法施行規則及び学習指導要領の改正が平成二七年三月に行われた。道徳教育の改善については、「道徳の時間」の導入（昭和三三年）を経て長らく懸案となっていた教科としての位置づけがようやく実現した。

更に、教育再生実行会議の提言に関しては、いじめ防止対策推進法の制定（平成二五年法律第七一号）、地方教育行政の組織及び運営に関する法律の一部改正（平成二六年法律第七六号）などがあり、学校教育の在り方に影響を与えている。

一方、平成二六年法律第八八号による学校教育法の改正が行われた。これは大学の組織及び運営体制を整備するため、副学長の職務内容を改めるとともに、教授会の役割の明確化を図ったものである。特に、教授会については、教育研究に関する事項について審議する機関であり、決定権者である学長等に意見を述べる関係にあることを明確にしている。

また、学校教育法施行令については、障害者の権利に関する条約の批准、障害者基本法の改正及び障害者差別解消法の制定に関連して、就学指定の制度改正（平成二五年政令第二四四号）が行われた。インクルーシブ教育システムに対応するため、障害のある児童生徒の就学校決定について、特別支援学校への就学を原則とせず、障害の状態、本人の教育的ニーズ、本人・保護者及び専門家の意見、学校や地域の状況等を踏まえて総合的な観点から就学校を決定する制度に改められた。

更に、例えば、選挙権年齢の引き下げ（平成二八年六月以降、一八歳。平成二七年法律四三号）に伴い、高等学校等における政治的教養の教育と高校生の政治的活動等に関する指導方針が見直されるなど、他分野の法律改正に伴って学校教育が大きな影響を受ける場面も生じている。

加えて、地方分権・規制緩和の一環として、学校設置廃止等に関する認可手続きが届出に改められる法律改正も行われた。市町村立幼稚園については平成二三年法律第三七号によって、指定都市立の高等学校及び中等教育学校については平成二六年法律第五一号によって、また、指定都市立の特別支援学校については平成二七年法律第五〇号によってそれぞれ措置されている。

児童生徒、学生の多様な学修ニーズ、更には教育の国際化などに柔軟に対応するため、例えば、インターネットを活用した授業形態や学修方法、国際連携や教育情報の公表などの運営方法についても一層の弾力化が図られており、これらは学校教育法施行規則や設置基準などの省令、告示のレベルで措置されている。

社会や時代の変化に適切に対応すると共に、学校教育としての安定性や継続性を確保し、教育に対する国民の信頼を確保できるような学校制度の確立と運用がこれまで以上に求められている。

今後とも教育改革の議論を深め、この要請に応えて行くためには、何よりも現行制度の仕組みや運用実態についての適切な理解が不可欠といえる。本書がそのための一助となることを願ってやまない。

今回の改訂に当たっては、佐藤禎一、糟谷正彦、加茂川幸夫、松坂浩史、植木誠、小倉基靖、竹中千尋、佐々木亨、壹貫田剛史、石川仙太郎、高見英樹、瀬戸麻利江、遠藤翼、牧野美穂、白鳥綱重の諸氏のご協力を得た。特に、佐藤氏、加茂川氏、松坂氏、植木氏、小倉氏には綿密な照合による補遺や補正の労を煩わせた。

今後とも読者のご叱正をまって、内容の更なる充実を期することとしたい。

平成二八年三月

鈴木　勲

逐条 学校教育法〈第九次改訂版〉

目次

凡例

●法令名略称

法	学校教育法
施行令	学校教育法施行令
施行規則	学校教育法施行規則
地教行法	地方教育行政の組織及び運営に関する法律
人材確保法	学校教育の水準の維持向上のための義務教育諸学校の教育職員の人材確保に関する特別措置法
給与法	一般職の職員の給与に関する法律
義務標準法	公立義務教育諸学校の学級編制及び教職員定数の標準に関する法律
高校標準法	公立高等学校の適正配置及び教職員定数の標準等に関する法律

●判例略語

最（大）判	最高裁判所（大法廷）判決
最判	最高裁判所判決
高判	高等裁判所判決
地判	地方裁判所判決
支判	支部判決
民集	最高裁判所民事判例集
刑集	最高裁判所刑事判例集
高民集	高等裁判所民事判例集
高刑集	高等裁判所刑事判例集
下民集	下級裁判所民事裁判例集
下刑集	下級裁判所刑事裁判例集
行裁例集	行政事件裁判例集

逐条　学校教育法

序章

学校教育法は、昭和二二年三月三一日教育基本法と同時に公布、同年四月一日施行された法律であり、我が国の学校制度の基本を定めている。

我が国は、明治五年の「学制」において近代的な学校制度を確立して以来、近代化をめざす日本の歴史とともに幾多の変遷を経て、今日の学校制度をみるに至っている。

とりわけ第二次大戦後の教育改革は学校制度の根本に変革を加えるものであり、それを具体化しその骨組となったのが学校教育法である。

一　戦後の教育改革と学校教育法の制定

昭和二〇年八月の終戦によって、我が国は連合国軍の占領下において、各分野における改革が強く要請されたが、新日本建設の土台となる教育の改革刷新が特に重視された。そしてその改革は、終戦直後の二〇年九月、文部省が民主的・文化的国家建設のために必要と考えて明らかにした「新日本建設の教育方針」等にもみられるように、我が国政府の発意によるところも少なくなかったが、多くは、連合国最高司令部の示唆と強力な指導の下に遂行された。

敗戦の荒廃の中でまず求められたものは、軍国主義と、極端に国家主義的な思想と教育とを早急に排除することであった。昭和二〇年一〇月から一二月にわたって連合国最高司令部から発せられた「日本教育制度の管理」に関する

指令など四つの指令に基づいて、修身等の授業の停止、教科書の回収等の措置が相次いでとられた。

このような終戦処理的な措置とあわせて、旧来の制度を改め日本に民主的な新しい教育を樹立するための措置も進められた。昭和二一年三月、連合国最高司令官の要請により来日した米国教育使節団は、日本側教育専門家の協力も得て、約一か月間にわたり我が国の教育の実情を精力的に調査・検討し、その結果を「米国教育使節団報告書」としてとりまとめ、連合国最高司令官に提出した。

この報告は、教育の基本を個人の価値と尊厳を認めることに置き、そのための教育制度は各人の能力と適性に応じて教育の機会を与えるよう組織すべきであるとの基本理念の下に、新しい学校制度として六・三・三・四制と六・三の九年の義務制、高等教育の拡大と門戸の開放、教員養成制度の改善、民主的かつ地方分権的な教育行政制度等教育制度の全般にわたる改善策を勧告している。この報告を発表するに当たって、連合国最高司令部は、その趣旨を全面的に承認し、日本の教育改革をこれに沿って進める意向を表明しており、この勧告が、戦後の教育改革を大きく方向づけることとなった。

日本政府は、この勧告を受けて、教育改革の具体案を検討することとし、さきに米国教育使節団の調査研究に参画した日本側教育専門家を中心に、昭和二一年八月、内閣に「教育刷新委員会」を設けた。同委員会は直ちに検討に着手し、同年一二月、㈠教育の理念及び教育基本法に関すること、㈡学制に関すること、㈢私立学校に関すること、㈣教育行政に関すること、の四事項について第一回の報告を行った。そのうち学校の組織運営に関する提案は、大要次のとおりである。

① 国民学校初等科に続く教育機関については、国民の基礎教育を拡充し、教育の機会均等の趣旨を徹底するため、修業年限三年の中学校（仮称）のみを置くこととし、これを義務制とし、かつ男女共学とすること。

② 中学校に続くべき教育機関としては、普通教育並びに専門教育を行う三年制の高等学校（仮称）を設けるこ

と。ただし四年制五年制のものを設けても差し支えないこと。また、全日制のほか定時制のものも設けること。なお、男女一八歳未満の者は、一か年一定時間の普通教育を受けるものとすること。

③　高等学校に続く学校は、四年制の大学を原則とする。ただし、大学は三年又は五年としてもよいこと。また、大学にはこれを卒業して後、特に学問の研究をなす者を収容する研究科又は研究所を設けることができること。

④　教員養成は、総合大学及び単科大学において、教育学科を置いて行うこと。

⑤　私立学校の基礎を確実にするには、学校経営主体の健全な発達を助長し、これに公共的民主的性格を付与するため、民法法人とは別個の特別法人とすることが望ましいこと。

⑥　教育行政は、官僚的画一主義を排し、公正な民意を尊重し、地方分権を図る等の観点から抜本的に刷新すること。このため、特に府県及び市町村に公選による教育委員会を設置する等の措置をとること。

一方、この間において、国政の基本を定める憲法の改正作業も進められ、昭和二一年三月「憲法改正案要綱」が発表された。同年六月に開かれた第九〇回帝国議会に「帝国憲法改正案」として提出され、一部修正の上可決、同年一一月三日に公布、翌二二年五月から施行された。この憲法には、その二六条において「①すべて国民は、法律の定めるところにより、その能力に応じて、ひとしく教育を受ける権利を有する。②すべて国民は、法律の定めるところにより、その保護する子女に普通教育を受けさせる義務を負ふ。義務教育は、これを無償とする。」とはじめて教育条項が設けられた。そのほか、その前文をはじめ第三章の「国民の権利及び義務」等、教育の制度、内容に深く関連する諸規定が設けられた。これらの諸規定は、もとより、その後の教育関係立法の基礎となり基本的な指針となるものであった。特に、教育に関する国の定めは、国民主権の原則の下に、憲法の理念と規定に基づき法律によって定めるものとされたことは、それまでの教育関係立法が天皇の独立命令たる勅令によって定められていたいわゆる教育立法

の勅令主義を法律主義に改めるもので、戦後の教育法制を一変させることとなった。

この憲法の理念と法原則の下に、政府は、先に述べた教育刷新委員会の報告に沿って、教育に関する理念と諸原則を盛り込んだ教育基本法と、学校の制度及び内容に関しその大綱を規定する学校教育法の法制化の準備を進め、昭和二二年三月一二日教育基本法案を、引き続き同月一七日学校教育法案をそれぞれ帝国議会に上程し、前者は同月二六日、後者は同月二七日それぞれ成立をみ、両法とも三月三一日付けで公布された。なお、教育基本法は公布と同日に施行され、学校教育法は翌日の四月一日から施行された。

二　学校教育法の特色

学校教育法は、従前の法令に比べて形式・内容ともにその装いを一新し、我が国教育史上画期的なものである。形式的には、従来、学校の種類ごとに個別に定められていた諸学校令を統合して単一の法律をもって定め、各学校種別ごとに、その目的、性格、修業年限、組織編制等について体系的かつ包括的に明らかにしている。

学校教育法の内容は、憲法及び教育基本法に示された教育理念を、前述の教育刷新委員会の報告に沿って具体的に法制化したものであるが、その特色は、教育の機会均等の実現を基本に、学制の単純化、義務教育年限の延長等を図ることとしたことである。

学制の単純化は、教育の機会均等の原則を学校体系に具現したものであるが、旧制度のいわゆる複線型の学校体系を六・三・三・四の単線型の学校体系に改め、進学途上における多くの袋小路や制度上の隘路を除去することとしたものである。すなわち、六年制の国民学校初等科を小学校と改め、これに続く中等教育段階の諸学校を三年制の中学校と三年制の高等学校とに単純化するとともに、高等教育機関を四年制の大学に一本化し、すべての進学希望者がその能力に応じて、各段階の学校に容易に進学できるような学校体系とした。

義務教育年限については、従前の国民学校初等科六年（男子についてのみ青年学校において一定時間の義務課程が付加されていた）を一挙に小・中学校九年に延長し、すべての国民に基礎的な普通教育を受ける機会を保障する体制がとられた。なお、戦前においても義務教育の年限延長は大きな課題とされ、昭和一六年の国民学校令において六年を八年に延長する改正措置はとられていたが、戦時特例として実現をみるに至らなかった経緯がある。

さらに、教育の機会均等を実現する観点から、従来、特に中等・高等教育諸学校への進学あるいは教育内容において数多くみられた男女間の差別的取扱いを是正し、性別による教育上の差別を廃するとともに、経済的理由により就学困難な児童生徒には、就学援助の方途を講じ、勤労青少年のための教育の場として高等学校と大学とに定時制、通信制の課程を正式に認め、また、特別支援学校（従前の盲・聾・養護学校）と特別支援学級（従前の特殊学級）を学校体系の中に正規に位置づけ、あわせて義務就学制をとり視覚障害者等に対する特別支援教育（従前の特殊教育）の制度を確立するなど、この理念の徹底を図ろうとしていることは、本法の大きな特色といえる。

その他、学校教育法は、大学の門戸の開放とあわせて大学院の制度を確立し学術の進歩を企図するとともに、学校の社会教育への協力、開放についても明記するなど我が国の教育・学術・文化の発展の基礎として学校制度を位置づけている点は注目に値するところである。

三　学校教育法制定後の主な改正

学校教育法は昭和二二年に制定施行され、同年度から義務教育とされた小・中学校が、翌昭和二三年度から高等学校が、そして大学は昭和二四年度（一部は昭和二三年度）から発足し、以後逐次新しい学校制度が確立整備されてきたが、今日までの間に、その後の社会・経済等の進展に対応し、制度面においても幾たびかの改善が図られてきた。これらのうち特に重要な制度改善は、短期大学制度の恒久化、高等専門学校制度の創設、専修学校制度の創設、中高一

貫教育制度の創設、特別支援学校制度の創設、義務教育学校制度の創設である。

短期大学は、昭和三九年の学校教育法の改正によって恒久的な制度とされた。

昭和二四年、新制大学への切り替え移行に際し、旧制の専門学校の多くは四年制大学へ転換したが、教員組織・施設・設備が不十分のため大学への転換が困難なものや、また、諸般の事情により転換を希望しないものがあった。これらの旧制の学校をそのまま存続させることはできなかったので昭和二四年五月教育刷新委員会の報告を受けて、学校教育法の一部を改正し、暫定措置として修業年限二年又は三年の大学を設け、これを短期大学と称することとした。こうして発足した短期大学は、短期間における実際的な専門教育機関として、また特に女子の高等教育の場として適切なものであることなどから、その後増加の一途を辿った。このような状況の下で、短期大学を実態に即応した明確な目的・性格をもつ恒久的な制度として確立すべきであるとの要請が各方面から年々強まり、昭和三九年六月の学校教育法の一部改正により、短期大学は恒久的な制度として学校体系のなかで正当な位置づけを得ることとなった。この改正によって、短期大学は、「深く専門の学芸を教授研究し、職業又は実際生活に必要な能力を育成することを主な目的とする」修業年限二年又は三年の大学とし、学部を置かず学科組織をとること、その卒業者は四年制大学に編入できること等の諸規定が設けられた。なお、平成三年の学校教育法の改正により、短期大学及び高等専門学校の卒業者は準学士と称することができることとされ、平成一七年の学校教育法の改正により短期大学士の学位が授与されるようになった。

高等専門学校制度の創設は、昭和三六年の学校教育法の改正によって行われた。

戦後の産業経済の復興発展と科学技術の著しい進歩に伴い、基礎的学力と専門知識を有する中級技術者の養成の必要性が逐次高まり、このような要請に対処するため、昭和二六年には既に独立後の制度改善を企図した政令改正諮問委員会の専修大学の提案をはじめ、中央教育審議会の数次にわたる答申において高等学校三年と大学の二年又は三年

をあわせた五年制の専門職業教育を行う新しい学校の創設を図るべきであるとの提案が示された。これらの提案を受けて昭和三三年以来いわゆる専科大学の創設を内容とする学校教育法の改正案が再三国会に提案されたが、前述の短期大学の恒久化とも関連して成立をみるに至らず、ようやく昭和三六年六月、一応短期大学の恒久化問題と切り離し、工業教育を主体とする高等専門学校制度の創設を内容とする学校教育法の改正が行われ、翌年の三七年度から工業高等専門学校が発足することとなった。この改正の骨子は、高等専門学校は「深く専門の学芸を教授し、職業に必要な能力を育成することを目的と」し、中学校卒業者を受け入れる修業年限五年（後に昭和四五年の改正で追加された商船に関する学科にあっては五年六月）の一貫教育を行う高等教育機関とすること等の諸規定を設けたことである。なお、平成三年の学校教育法の改正により、従来、工業と商船に限られていた学科の分野が、それ以外についても設置できることとされるとともに、専攻科を置くこともできることとなった。

専修学校の制度は、昭和五〇年の学校教育法の改正によって設けられたものである。

専修学校は、各種学校とともにいわゆる一条校とは別種のものであるが、近年、学校教育、社会教育を通じた生涯教育の多様な発展が期待されている時だけに、この種の学校の整備発展のための制度的な基盤が整備されたことは、重要な意味をもつものということができる。従来、学校教育に類する教育を行うものは一括して各種学校として規定されていたが、そこに学ぶ者が一〇〇万人を越え、実際的な職業教育等の面で見逃すことのできない社会的な教育機能を果たすに至っていたことから、その正当な制度上の位置づけと振興策が強く望まれていた。このような要請に対処し、専修学校制度は、それまでの各種学校のうち「職業若しくは実際生活に必要な能力を育成し、又は教養の向上を図ることを目的と」するもので、修業年限一年以上で一定の規模内容の教育を行うものは専修学校として整備しようとするものである。専修学校には入学資格に対応して、高等課程（中学校卒業程度の者を入学させる課程）、専門課程（高等学校卒業程度の者を入学させる課程）又は一般課程（入学資格を特に限定しない課程）が置かれ、高等課程を置く専修学校

は「高等専修学校」と、専門課程を置く専修学校は「専門学校」とそれぞれ称することができることとされた。

中高一貫教育制度は、平成一〇年六月の学校教育法等の改正によって創設された。

近年、ほとんどの生徒が高等学校に進学する状況の下で、平成三年の中央教育審議会の答申では、生徒の能力・適性、興味・関心等の多様化に対応し、中等教育の改革の方向として多様化・個性化の推進を目指すべきものとされた。これを受け、高等学校における総合学科や単位制高校の設置、選択幅の広い教育課程の編成、高等学校入学者選抜方法の多様化・評価尺度の多元化等により、それぞれの学校段階での中等教育の多様化が推進された。このような状況の中で、平成九年の中央教育審議会の答申において、中等教育の多様化を一層推進し、生徒の個性をより重視した教育を実現するため、現行の義務教育制度を前提としつつ、中学校と高等学校の制度に加えて、中高一貫教育制度を選択的に導入することが提言された。これを受けて平成一〇年六月の学校教育法等の一部改正により、「小学校における教育の基礎の上に、心身の発達及び進路に応じて、義務教育として行われる普通教育並びに高度な普通教育及び専門教育を一貫して施すことを目的とする」（平一九法九六にて一部改正）中等教育学校の制度が創設され、平成一一年度から、その設置が可能となった。また、併せて、同一の設置者が設置する中学校及び高等学校においても中等教育学校に準じて中高一貫教育を行うことができることとされた。なお、同時に、中高一貫教育を実施する公立学校に係る行財政措置についても所要の法律改正が行われた。

特別支援学校制度は、平成一八年六月の学校教育法の改正によって創設された。これは平成一七年一二月の中央教育審議会答申「特別支援教育を推進するための制度の在り方について」を受け、従前の盲学校、聾学校及び養護学校の制度を転換したもので、障害種別を超えた新たな学校種を創設したものである。特別支援学校は視覚障害者、聴覚障害者、知的障害者、肢体不自由者又は病弱者（身体虚弱者を含む）に対する教育を行う点では従前と同一であるが、幼児児童生徒の障害の重複化などに応じて、一人一人の教育的ニーズに応じて弾力的な教育の場を提供するため一つ

の学校において複数の障害種に対する教育を行うことができるようにしている。また、特別支援教育の理念を明らかにして、障害の概念や範囲の変化に対してより適切な指導や必要な支援を行うことができるようになった。

義務教育学校の制度は、平成二七年六月の学校教育法等の改正によって創設された。

戦後の我が国の初等中等教育の学校制度は、六・三・三制を基本としてきたが、①小学校への英語教育導入など近年の教育内容の量的・質的充実への対応、②児童生徒の発達の早期化等に関わる現象、③中学校進学時の不登校、いじめ等の急増など、いわゆる「中一ギャップ」への対応、④少子化等に伴う学校の社会性育成機能の強化の必要性等を背景として、全国各地で地域の実情に応じた小中一貫教育が進められるようになってきた。しかしながら、現行制度の運用上の工夫では、小学校・中学校が別々の組織として設置されているため、それぞれに校長や教職員組織が存在しており、意思決定や意思統一に時間がかかる等の課題が指摘されており、義務教育学校を制度化して欲しいという要望が寄せられていた。これらの状況を踏まえ、平成二六年七月、教育再生実行会議は小中一貫教育の制度化を提言、また、平成二六年一二月の中央教育審議会の答申において、小中一貫教育の制度化及び総合的な推進方策について提言された。これを受けて平成二七年六月の学校教育法等の一部改正により、「心身の発達に応じて、義務教育として行われる普通教育を基礎的なものから一貫して施すことを目的とする」義務教育学校の制度が創設され、平成二八年度から、その設置が可能となった。

四　教育基本法の改正と学校教育法の改正

(一)　**教育基本法の改正**

平成一八年一二月一五日、それまでの教育基本法を全面改正する新しい教育基本法（平一八法一二〇）が成立し、同

年一二月二二日に公布、施行された。制定以来、初めての改正である。昭和二二年三月に制定された教育基本法とその下に構築された教育諸制度は、関係者をはじめ国民の地道な努力により、機会均等の理念を実現し、教育水準を高め、社会の発展に大きく寄与してきた。一方で、教育をめぐる状況が大きく変化するとともに、いじめ・校内暴力などの問題行動の発生、子どもの学ぶ意欲の低下や学力の低下傾向、社会性の低下や規範意識の欠如などの様々な課題が生じている。こうした状況を踏まえ、これまでの教育基本法が掲げてきた普遍的な理念は継承しつつ、公共の精神など、日本人が持っていた「規範意識」を大切にすることや、それらを醸成してきた伝統と文化を尊重することなど、今日極めて重要と考えられる理念を明確にしたものである。これらは平成一二年一二月の教育改革国民会議の最終報告を踏まえたもので、改正の内容は多岐にわたるが、学校教育法に特に関わりの深い改正事項は次のとおりである。

① 教育の目的として「人格の完成」、「国家・社会の形成者として心身ともに健康な国民の育成」を引き続き規定し(一条)、この目的を実現するために今日重要と考えられる事柄を「教育の目標」として新たに規定した(二条)。具体的には、「幅広い知識と教養、真理を求める態度、豊かな情操と道徳心、健やかな身体」、「個人の価値の尊重とその能力の伸長、自主・自律の精神、職業と生活の関連、勤労を重んずる態度」、「正義と責任、男女の平等、自他の敬愛と協力、公共の精神」、「生命や自然の尊重、環境の保全」に加えて、「伝統と文化を尊重し、それらをはぐくんできた我が国と郷土を愛するとともに、他国を尊重し、国際社会の平和と発展」に寄与する態度を養うことが規定された。また、新たに、教育の重要な理念として「生涯学習の理念」が規定され(三条)、障害のある者が十分な教育を受けられるように教育上必要な支援を講じなければならないことも規定された(四条二項)。

なお、改正前の教育基本法では、「教育の目的」を実現するためのみちすじ、配慮事項等として「教育の方針」が規定されていたが、改正後の教育基本法では、「教育の目的」を実現するために重要と考えられる具体的な事柄

を五つに整理した「教育の目標」が規定された。これに伴い、改正前に「教育の方針」として規定されていた「学問の自由の尊重」及び「文化の創造と発展」は、「教育の目標」とはやや異なる観点をも包摂しているものの引き続き重要であることから、改正後も「学問の自由の尊重」については二条の柱書きに、「文化の創造と発展」は前文に「文化の創造」として規定されている。

（教育の目的）
第一条　教育は、人格の完成を目指し、平和で民主的な国家及び社会の形成者として必要な資質を備えた心身ともに健康な国民の育成を期して行われなければならない。

（教育の目標）
第二条　教育は、その目的を実現するため、学問の自由を尊重しつつ、次に掲げる目標を達成するよう行われるものとする。
一　幅広い知識と教養を身に付け、真理を求める態度を養い、豊かな情操と道徳心を培うとともに、健やかな身体を養うこと。
二　個人の価値を尊重して、その能力を伸ばし、創造性を培い、自主及び自律の精神を養うとともに、職業及び生活との関連を重視し、勤労を重んずる態度を養うこと。
三　正義と責任、男女の平等、自他の敬愛と協力を重んずるとともに、公共の精神に基づき、主体的に社会の形成に参画し、その発展に寄与する態度を養うこと。
四　生命を尊び、自然を大切にし、環境の保全に寄与する態度を養うこと。
五　伝統と文化を尊重し、それらをはぐくんできた我が国と郷土を愛するとともに、他国を尊重し、国際社会の平和と発展に寄与する態度を養うこと。

（生涯学習の理念）
第三条　国民一人一人が、自己の人格を磨き、豊かな人生を送ることができるよう、その生涯にわたって、あらゆる機会に、あらゆる場所において学習することができ、その成果を適切に生かすことのできる社会の実現が図られなければならない。

（教育の機会均等）
第四条
2　国及び地方公共団体は、障害のある者が、その障害の状態に応じ、十分な教育を受けられるよう、教育上必要な支援を講じなければならない。

②　改正前の教育基本法では、義務教育について、年限（九年）は規定されていたが、その内容については規定されていなかった。しかし、義務教育の年限については既に定着している一方、義務教育の内容や質、国と地方公共団

体の役割分担等が改めて問われていることから、改正後の教育基本法では、義務教育の年限については、弾力的に対応できるように学校教育法に委ねるとともに、義務教育の果たすべき役割にかんがみ、これまで規定されていなかった義務教育の目的や国・地方公共団体の役割と責任が規定された。

（義務教育）

第五条 国民は、その保護する子に、別に法律で定めるところにより、普通教育を受けさせる義務を負う。

2 義務教育として行われる普通教育は、各個人の有する能力を伸ばしつつ社会において自立的に生きる基礎を培い、また、国家及び社会の形成者として必要とされる基本的な資質を養うことを目的として行われるものとする。

3 国及び地方公共団体は、義務教育の機会を保障し、その水準を確保するため、適切な役割分担及び相互の協力の下、その実施に責任を負う。

4 国又は地方公共団体の設置する学校における義務教育については、授業料を徴収しない。

③ 改正前の教育基本法においても、「学校教育」について、法律に定める学校（学校教育法一条に定める学校）が「公の性質」を有するものであることや、設置者が限定されることが規定されていたが、今回の改正により、これらに加え、学校の基本的役割や学校教育において重視されるべき事柄が明確に規定された。

（学校教育）

第六条 法律に定める学校は、公の性質を有するものであって、国、地方公共団体及び法律に定める法人のみが、これを設置することができる。

2 前項の学校においては、教育の目標が達成されるよう、教育を受ける者の心身の発達に応じて、体系的な教育が組織的に行われなければならない。この場合において、教育を受ける者が、学校生活を営む上で必要な規律を重んずるとともに、自ら進んで学習に取り組む意欲を高めることを重視して行われなければならない。

④ 改正前の教育基本法では、個別の学校種についての規定はなく、学校教育法に委ねられていたが、今回の改正では、大学の役割の重要性、特殊性を踏まえ、大学に関する規定が新たに設けられ、大学について、高等教育及び学

術研究を行う機関の中心的な存在としてその基本的な性格・役割と、自主性・自律性等の大学における教育研究の特性が尊重されなければならないことが規定された。

また、幼児期の教育は子どもの基本的な生活習慣を育て、道徳性の芽生えを培い、学習意欲や態度の基礎となる好奇心や探求心を養い、創造性を豊かにするなど、生涯にわたる人格形成の重要な役割を担っている。このような幼児期の教育の重要性にかんがみ、新たに条を設けて、国や地方公共団体がその振興に努めることが規定された。

（大学）

第七条 大学は、学術の中心として、高い教養と専門的能力を培うとともに、深く真理を探究して新たな知見を創造し、これらの成果を広く社会に提供することにより、社会の発展に寄与するものとする。

2 大学については、自主性、自律性その他の大学における教育及び研究の特性が尊重されなければならない。

（幼児期の教育）

第十一条 幼児期の教育は、生涯にわたる人格形成の基礎を培う重要なものであることにかんがみ、国及び地方公共団体は、幼児の健やかな成長に資する良好な環境の整備その他適当な方法によって、その振興に努めなければならない。

⑤ その他、「教員」、「社会教育」、「政治教育」、「宗教教育」に関する規定が見直されるとともに、「私立学校」、「家庭教育」、「学校、家庭及び地域住民等の相互の連携協力」が新たに規定された。また、教育行政についても、国と地方公共団体の役割を明確にするとともに、新たに教育振興基本計画の策定が規定された。

(二) 学校教育法などいわゆる教育三法の改正

教育基本法の改正により、これからの教育のあるべき姿、目指すべき理念が明らかにされた。また、平成一九年一月の教育再生会議第一次報告「社会総がかりで教育再生を～公教育再生への第一歩～」において、教育再生のための緊急対策として、学校教育法をはじめとする関係法律の改正が提言された。中央教育審議会においては、それまでの審議の積み重ねの上に、教育再生会議の第一次報告も参考にしつつ、集中的な審議を行い、同年三月一〇日に答申

「教育基本法の改正を受けて緊急に必要とされる教育制度の改正について」を取りまとめた。これらを踏まえた「学校教育法等の一部を改正する法律（平一九法九六）、「地方教育行政の組織及び運営に関する法律の一部を改正する法律」（平一九法九七）、「教育職員免許法及び教育公務員特例法の一部を改正する法律」（平一九法九八）が同年六月二〇日に可決成立し、同月二七日に公布された。

学校教育法の主な改正事項は、次のとおりである（施行は、副校長等の新しい職を置くことに関わる部分は平成二〇年四月一日、その他の部分は平成一九年一二月二六日）。

第一に、学校教育法の構成の見直しが行われた。義務教育は憲法上にも位置づけられ、国民の権利義務に関わる重要な事項であることや教育基本法の改正を踏まえ、学校教育法上に、義務教育の章が設けられた。また、教育基本法上明示された学校教育の体系性（六条二項）や幼児期の教育の重要性（一一条）を踏まえて、学校種の規定順について見直し、幼稚園から発達段階順に規定が整備された。

第二に、各学校種の目的・目標の見直しが行われた。教育基本法の改正により、教育の目的や目標、義務教育、学校教育等に関する規定について充実又は整備が図られたこと等を踏まえ、学校教育法上に、義務教育の目的を実現するための目標が明示されるとともに、学校教育法における各学校種の目的・目標について改正が行われた。

第三に、学校の評価及び情報提供に関する規定が新設された。平成一七年一〇月の中央教育審議会答申「新しい時代の義務教育を創造する」を踏まえ、学校における教育の質の保証や説明責任、家庭、地域住民等との連携及び協力の推進の観点から、学校の評価や保護者や地域住民等への積極的な情報提供について新たに規定された。

第四に、大学等における履修証明に関する規定が新設された。平成一七年一月の中央教育審議会答申「我が国の高等教育の将来像」を踏まえ、大学等における履修形態の一層の弾力化及び社会人の学習意識の高まり等への対応の観点から、大学等における履修証明について新たに規定された。

第五に、新しい職の設置について規定された。平成一七年一〇月の中央教育審議会答申「新しい時代の義務教育を創造する」を踏まえ、学校における組織運営体制や指導体制の充実を図るため、「副校長」、「主幹教諭」、「指導教諭」という新しい職を置くことが可能となった。

五　学校教育関係法における学校教育法の位置

憲法及び教育基本法が我が国の基本となる理念ないし原則を示していることは前述のとおりであるが、現行の具体的な学校教育の制度・内容は、学校教育法のみならず、これを取り巻く多数の法令によって形づくられている。

学校教育法は、その制定当時、従来の幼稚園から大学に至る各学校令を一本の法律に集大成したものであり、学校の種類、設置、管理、経費の負担、各学校の目的・目標、修業年限、入学資格及び組織編制など、学校教育の基本となる事項について規定し、学校教育の全般にわたる総合立法としての性格を企図したものであった。その後、同法制定当時に既に予想されていた地方教育行政に関する立法、私立学校に関する立法等が行われ、さらに、それ以外にも、学校教育に関する重要な法律が制定・整備された結果、これらの諸法律によって学校教育制度の充実強化が図られてきている。

その一は、学校行政に関する部分である。学校教育法は、国・公・私立学校に関する通則であるが、学校行政等に関しては、国立学校については、国立学校設置法（昭和二四年～平成一五年）、ついで国立大学法人法（平成一五年）、独立行政法人国立高等専門学校機構法（平成一五年）、公立学校については、教育委員会法（昭和二三年～昭和三一年）、ついで地方教育行政の組織及び運営に関する法律（昭和三一年）、地方独立行政法人法（平成一五年）、私立学校については私立学校法（昭和二四年）が制定され、国・公・私のそれぞれの特性に応じた学校行政等に関する制度が構築されている。

その二は、教員の資格に関する部分である。昭和二二年の学校教育法制定時には、校長及び教員の免許状その他の資格に関する事項は監督庁が定めるとされていたが、昭和二四年に教育職員免許法が制定され、幼稚園、小学校、中学校、義務教育学校、高等学校、中等教育学校及び特別支援学校の教員の資格に関する事項のほとんどは同法において定められることとなった。

その三は、学校の組織編制等の設置基準に関する部分である。学校の組織編制等の設置基準は、国・公・私立学校を通じて文部科学大臣が定めることとされている（法三条）。加えて、公立学校に関しては、教育水準の維持向上に資するため、小学校、中学校、義務教育学校、中等教育学校の前期課程並びに特別支援学校の小学部及び中学部については公立義務教育諸学校の学級編制及び教職員定数の標準に関する法律（昭和三三年）が、高等学校、中等教育学校の後期課程及び特別支援学校の高等部については公立高等学校の適正配置及び教職員定数の標準等に関する法律（昭和三六年）が制定され、公立学校の学級編制及び教職員定数は、これらの標準に基づいて行われることとなった。

その他、学校図書館法（昭和二八年）、学校保健法（昭和三三年、平成二一年からは学校保健安全法）等の関係法律が学校の組織運営に関し、それぞれの面から学校教育法を補完している。また、学校教育の振興、助成あるいは就学奨励等の観点から、義務教育費国庫負担法（昭和二七年）、義務教育諸学校施設費国庫負担法（昭和三三年、平成一八年からは義務教育諸学校等の施設費の国庫負担等に関する法律）、理科教育振興法（昭和二八年）、義務教育諸学校の教科用図書の無償措置に関する法律（昭和三八年）、就学困難な児童及び生徒に係る就学奨励についての国の援助に関する法律（昭和三一年）、私立学校振興助成法（昭和五〇年）等の諸法律も制定されている。

また、平成二年には、生涯学習の振興のための施策の推進体制等の整備に関する法律が制定された。学校教育との関連でみれば、生涯学習の振興に資するための都道府県の事業や地域生涯学習振興基本構想の作成などに関して、社会教育に係る学習及び文化活動のみならず学校教育との連携を視野にいれるべきことが期待されている。

このように、学校教育法の制定後、同法を根幹としつつも、多くの関係法令の制定によって、ある部分では変更されつつも、多くの面で発展充実が図られ、これらの諸法令によってその全体系が形作られているということができる。

平成一一年七月に公布された「地方分権の推進を図るための関係法律の整備等に関する法律」（いわゆる地方分権一括法）は、各般の行政を展開する上で国及び地方公共団体が分担すべき役割を明確にし、かつ、地方公共団体の自主性及び自立性を高めることにより、個性豊かで活力に満ちた地域社会の実現を図るため、地方分権を推進しようとするものである。この法律により、学校教育法も改正され、それまで「監督庁」と事務の主体が規定されていた関係条文について、「監督庁」が「文部大臣」、「都道府県の教育委員会」又は「都道府県知事」に書き分けられ、国、都道府県の役割と責任が明確にされた。

平成一三年一月六日から施行された中央省庁等の改革により文部科学省が発足したことに伴い、学校教育法の規定中の「文部大臣」及び「文部省」がそれぞれ「文部科学大臣」及び「文部科学省」に改められた。

また、規制緩和政策の流れの中で、学校の設置主体や設置認可については近年様々な改正が行われている。まず、大学の設置認可については学問の進展や社会の変化等に対応した一層機動的な組織編制を可能とするため、平成一四年の学校教育法等の改正により、学部・学科の設置に当たって、学問分野を大きく変更しないものは、認可を要さず、文部科学大臣にあらかじめ届け出ることで足りることとした。また、国立大学、公立大学及び国立高等専門学校の法人化により、国、地方公共団体及び学校法人のみが学校を設置することができると規定している法二条が改正され、国立大学法人、公立大学法人及び独立行政法人国立高等専門学校機構も学校の設置主体となることが可能となった。

さらに、平成一五年の構造改革特別区域法の改正により、構造改革特別区域において、学校教育法の特例として、学校設置会社（株式会社）による学校設置や、不登校児童生徒やＬＤ（学習障害）、ＡＤＨＤ（注意欠陥／多動性障害）等の

教育上特別な配慮を必要とする児童生徒等に対する教育の実績がある特定非営利活動法人（ＮＰＯ法人）による学校設置が可能となっている。また、平成一七年の改正により、構造改革特別区域において、高等学校と幼稚園に限り、私立学校法の特例として、地方公共団体と民間団体が協力して新たに学校法人（協力学校法人）を設置し公私協力学校を設置運営することも可能となった。

憲法により保障されている義務教育の無償を実現するため、公立の義務教育に要する費用については国及び地方公共団体による手厚い負担が法律上も担保されてきたが、近年では、急速な少子化を背景に、教育費を社会全体で負担する観点から、義務教育以外の幼児教育、高等学校、高等教育についても、授業料に対する支援制度が整備されるようになっている。

まず、平成二二年三月三一日には「公立高等学校に係る授業料の不徴収及び高等学校等就学支援金の支給に関する法律」が成立し、同年四月一日から施行された。これにより、公立高等学校等の生徒の授業料を原則徴収しないこととするとともに、私立高等学校等の生徒等は就学支援金を受けることができることとなった。

その後、平成二五年一一月に同法の一部改正法が成立し（施行は平成二六年四月、名称を「高等学校等就学支援金の支給に関する法律」と改正。）、公立高等学校に係る授業料の不徴収制度を改め、国公私立を問わず高等学校等就学支援金を支給する制度に一本化するとともに、高所得世帯の生徒等については、同就学支援金を支給しないこととした。合わせて、低所得世帯の生徒等に対する高等学校等就学支援金の加算措置等が講じられている。

続いて、令和元年五月に「子ども・子育て支援法の一部を改正する法律」が成立し、令和元年十月一日から施行された。これによって、幼稚園及び幼保連携型認定こども園についても、利用料の無償化又は一定の上限までの費用に対する給付が行われることとなった。

また、同じく令和元年五月に「大学等における修学の支援に関する法律」が成立し、令和二年四月一日から施行さ

れた。これによって、要件確認を受けた大学・短期大学・高等専門学校・専門学校に在学する住民税非課税世帯及びそれに準ずる世帯の学生を対象として、授業料及び入学金の減免制度の創設及び独立行政法人日本学生支援機構が実施する学資支給（給付型奨学金の支給）が拡充された。

第一章　総　則

〔学校の範囲〕

第一条　この法律で、学校とは、幼稚園、小学校、中学校、義務教育学校、高等学校、中等教育学校、特別支援学校、大学及び高等専門学校とする。

【沿　革】　昭三六・六・一七法一四四により、「高等専門学校」を追加した。

昭三六・一〇・三一法一六六により、「聾学校」を「聾（ろう）学校」に改めた。

平一〇・六・一二法一〇一により、「中等教育学校」を追加した。

平一八・六・二一法八〇により、「盲学校、聾（ろう）学校、養護学校」を「特別支援学校」に改めた。

平一九・六・二七法九六により、学校の規定順を「小学校、中学校、高等学校、中等教育学校、大学、高等専門学校、特別支援学校及び幼稚園」から現行のものに改めた。

平二七・六・二四法四六により、「義務教育学校」を追加した。

【参照条文】　法一三五条一項、一四六条。教育基本法一条～九条、一一条。

【注　解】

一　本条は、教育基本法六条一項の「法律に定める学校」であり、九種類の学校を規定している。

教育基本法六条一項は、「法律に定める学校」は、「公の性質」を有するものと規定している。すなわち、「法律に定める学校」における教育は、社会の公共的課題として国民全体のために行われるべきであるという公共的な性格を持つものであり、また、このことを担保するために、その教育の基準等について本法その他の法令の規制を受け、一定の水準を充足することなどが求められることになる。本条の「……とする。」というのは、本条の定める九種類の学校について、このような法的地位にあることを創設的に確認する意味を持つものである。

本条に規定された九種類の学校を「一条校」と呼ぶこともある。

なお、専修学校・各種学校（一一章・一二章参照）については、学校教育法一条には定められておらず、「法律に定める学校」には該当しない。

二　学校は、校長、教員その他の教職員の人的要素と校地、校舎等の物的要素とからなり、一定の教育課程に基づき、継続的に教育という役務を提供する組織体をいう。この概念に含まれるものには、専修学校、各種学校、他の法律に特別の規定のある施設（警察大学校、自治大学校、航空大学校、気象大学校、防衛大学校、防衛医科大学校など）が存在するのであるが、本法では「法律に定める学校」としては、本条に掲げた九種類に限定したわけである。これらの九種類の学校の名称の使用を制限し、その違反について罰則を設けている（法一三五条一項・一四六条）。

三　戦後の教育改革の最大の重点は、従前の学校制度が複雑多岐であったのを改めて、学校制度を単純化したことであった。学校教育法制定の際には、学校の種類は、小学校、中学校、高等学校、大学、盲学校、聾学校、養護学校及び幼稚園の八種類であった。その後、高等専門学校及び中等教育学校が新たに発足する一方、盲学校、聾学校及び養護学校が特別支援学校に改められ、義務教育学校の新設を経て、現在では、九種類の学校が規定されている。なお、短期大学は、大学の範疇に属するものであり、大学として取り扱われる。

①　昭和三六年の改正により、昭和三七年度から高等専門学校が発足し、本条に追加され、高等専門学校の章が大学

の章の後に設けられた（一〇章参照）。

② 平成一〇年の改正により、平成一一年度から中等教育学校が発足し、本条に追加され、中等教育学校の章が高等学校の章の後に設けられた（七章参照）。

③ 平成一八年の改正により、平成一九年度から特別支援学校制度が発足し盲学校、聾学校及び養護学校が特別支援学校と改められ、特殊教育の章が特別支援学校の章に改められた（八章参照）。

④ 平成二七年の改正により、平成二八年度から義務教育学校が発足し、本条に追加され、義務教育学校の章が中学校の章の後に設けられた（五章の二参照）。

四 学校種ごとの規定順については、学校教育法の制定当時には、「小学校、中学校、高等学校、大学、盲学校、聾学校、養護学校、幼稚園」の順に規定されていた。当時、この順に規定した理由は必ずしも明確ではないが、基本的な考え方としては、六・三・三・四制の中心的なものとされた小学校、中学校、高等学校、大学を先に規定し、その次に、一二年を通した特殊教育制度の学校や六・三・三・四制の前段階である幼稚園を規定して、全体の学校教育制度を形作るということであったとされている。

その後、平成一九年の学校教育法の一部改正において

㈠ 幼稚園の普及やその教育内容の充実、教育基本法の改正により幼児期の教育に関する規定や学校教育の体系性に関する規定が新たに設けられたことなどを踏まえ、生涯にわたる人格形成の基礎を培う幼稚園の位置付けや学校教育法の規定全体の構成における学校教育の体系性を明確にするため、幼稚園の規定順を小学校の前とするとともに、

㈡ 特別支援教育の量的・質的な充実、教育基本法の改正により障害のある者に対する教育の規定が明示的に置かれたことを踏まえ、現在の規定順に改められた。

五　本条に掲げるそれぞれの学校の目標、設置基準等については、各章の注解で詳細に説明する。

なお、本章は「第一章　総則」となっていて、一五条から成っており、これらの条文は一〇章までに規定する九種類の学校については、文字通りの総則（それらの学校についての共通事項を定めている章）になっているが、一一章（専修学校）及び一二章（各種学校）については、総則の規定は当然には適用されない書き方になっている。すなわち、専修学校については、法一三三条一項で、五条、六条、九条から一二条まで、一三条一項、一四条、四二条から四四条まで及び一〇五条の規定は専修学校に準用することとし（一〇五条の規定は専門課程を置く専修学校のみ）、各種学校については、四条一項前段、五条から七条まで、九条から一一条まで、一三条一項、一四条及び四二条から四四条までの規定を準用することとしている。したがって、本法の「第一章　総則」は総則とはいっても、九種類の学校に関する規定についての総則ということである。

〔学校の設置者〕

第二条　学校は、国（国立大学法人法（平成十五年法律第百十二号）第二条第一項に規定する国立大学法人及び独立行政法人国立高等専門学校機構を含む。以下同じ。）、地方公共団体（地方独立行政法人法（平成十五年法律第百十八号）第六十八条第一項に規定する公立大学法人（以下「公立大学法人」という。）を含む。次項及び第百二十七条において同じ。）及び私立学校法（昭和二十四年法律第二百七十号）第三条に規定する学校法人（以下「学校法人」という。）のみが、これを設置することができる。

② この法律で、国立学校とは、国の設置する学校を、公立学校とは、地方公共団体の設置する学校を、私立学校とは、学校法人の設置する学校をいう。

【沿　革】　昭二四・一二・一五法二七〇により、第一項中「別に法律で定める法人」を「私立学校法第三条に規定する学校法人（以

下学校法人と称する。）」に、第二項中「別に法律で定める法人」を「学校法人」に改めた。

昭五六・六・一一法八〇により、第三項として、「第一項の規定にかかわらず、放送大学学園は、大学を設置することができる。」を加えた。

平一四・一二・一三法一五六により、第三項が削除された。

平一五・七・一六法一一七により、第一項中「国」の下に「（国立大学法人法（平成十五年法律第百十二号）第二条第一項に規定する国立大学法人及び独立行政法人国立高等専門学校機構を含む。以下同じ。）」を加えた。

平一五・七・一六法一一九により、第一項中「地方公共団体」の下に「（地方独立行政法人法（平成十五年法律第百十八号）第六十八条第一項に規定する公立大学法人を含む。次項において同じ。）」を加えた。

平二八・五・二〇法四七により、第一項中「公立大学法人」の下に「以下「公立大学法人」という。」を、「次項」の下に「及び第百二十七条」を、「私立学校法」の下に「（昭和二十四年法律第二百七十号）」を加え、「以下学校法人と称する」を「以下「学校法人」という」に改めた。

【参照条文】　附則五条、六条。国立大学法人法二条二号、六八条。私立学校法三条。地教行法三〇条。

【注　解】

一　本条は、学校の設置に関する能力規定であり、教育基本法六条一項の「法律に定める学校は、公の性質を有するものであって、国、地方公共団体及び法律に定める法人のみが、これを設置することができる。」という規定を具体的にしたものである。

ただし、教育基本法の「法律に定める法人」は、①私立学校法三条に規定する学校法人、②国立大学法人法二条一項に規定する国立大学法人、③独立行政法人国立高等専門学校機構、④地方独立行政法人法六八条一項に規定する公立大学法人であるが、学校教育法では、国立大学法人、独立行政法人国立高等専門学校機構及び公立大学法人について、国や地方公共団体との同一性から、国や地方公共団体に含めて規定している。

すなわち、国立大学法人を例に具体的に説明すれば、法令上「設置者」とは、設置する学校の土地や建物などの財産を所有・管理し、当該学校を直接運営する者を指すと解されていることから、法人化により国立大学を国の行政組織から切り離して国立大学法人を設立し、国立大学法人が国から財産の出資を受け、それを自らが所有・管理するとともに直接国立大学を運営するものであることから、法令上は国立大学の設置者は国立大学法人となるものである。

ただ、国立大学法人の運営組織については、私立学校のように法人組織と学校とを分離する組織形態ではなく、原則として、国立大学法人の長を学長とし、学長のもとに国立大学法人と国立大学とを一体的に運営することとしている（国立大学法人法一一条一項等）。

また、国立大学法人は「公共上の見地から確実に実施されることが必要な」国の事業を担うものと規定されている（国立大学法人法三五条において準用する独立行政法人通則法三条一項）ことから、各国立大学の設置について法律で定める（国立大学法人法二条二項及び別表第二）とともに、必要な財政措置を行う（国立大学法人法三五条により準用される独立行政法人通則法三条一項及び四六条）など国として責任を果たすことが法制上明確になっている。

このように法人化後も引き続き国は国立大学の教育研究に一定の責任を果たすものであることから、国立大学法人は教育基本法六条一項に規定する「法律に定める法人」に該当するものであるが、学校教育法上の位置づけとしては、法二条の「国」を「国（国立大学法人法第二条第一項に規定する国立大学法人を含む。）」と改正し、国立大学法人が設置する大学を「国立学校」としているところである（公立大学法人及び独立行政法人国立高等専門学校機構についても同様である）。

したがって、国立大学法人が設置する学校及び独立行政法人国立高等専門学校機構が設置する国立高等専門学校はあくまでも「国立学校」であり、法四条の設置認可の規定や法一五条の変更命令の規定等は適用されない。国立大学や国立高等専門学校の設置廃止などは国立大学法人法や独立行政法人国立高等専門学校機構法の改正という方法で行

われる。

教育基本法に関しては、国立大学法人法三七条一項及び同法施行令二二条一項四四号の規定により、教育基本法五条四項（義務教育に関する授業料の不徴収）及び一五条二項（特定の宗教のための宗教教育等の禁止）の規定について、国立大学法人を国とみなして準用している（公立大学法人及び独立行政法人国立高等専門学校機構についても同様である）。

なお、法附則六条の規定により、当分の間、私立幼稚園の設置は、学校法人によることを要せず、宗教法人、社会福祉法人などの各種の法人や個人が設置することも認められている。

二　学校の「設置」とは、一般に、ある施設が学校としての法的地位を取得することをいうが、具体的には、校舎その他の施設をととのえ、教職員等の人員を配置し、教育という役務を提供する体制をととのえ、かつ設置者が学校開設の意思表示をすることである。すなわち、本条の設置主体が本法の設置基準に従い、開設についての公の意思表示を行うことによって、設置の効力が発生する。ただし、公立学校の一部及び私立学校の設置認可等については法四条の【注解】参照。

三　国立学校とは、国（国立学校法人法二条一項に規定する国立大学法人及び独立行政法人国立高等専門学校機構を含む）の設置する学校をいう。国立大学法人は、国立大学を設置する（国立大学法人法二二条一項）ほか、文部科学省令で定めるところにより、小学校、中学校等を国立大学に附属させて設置することができることとされている（同法二三条、法四条の【注解】五参照）。また、独立行政法人国立高等専門学校機構は、国立高等専門学校を設置する（独立行政法人国立高等専門学校機構法一二条一項）。

国立学校は、従来、文部科学大臣の所轄に属するものと規定され、国立学校設置法（これに基づく命令を含む）の定めるところによるとされていた（旧国立学校設置法一条）が、国立大学法人法の制定により、国の行政組織の一部であった国立大学を大学ごとに法人化し、文部科学省の行政組織から独立した法人格を有する組織としたのである。国立大学

の法人化は、大学改革の一環として、国立大学の自主的な運営を確保するとともに、民間的発想のマネジメント手法を導入すること等をねらいとするものである。

なお、日本社会事業大学（昭和三三年三月二五日設置）や自治医科大学（昭和四七年二月五日設置）、産業医科大学（昭和五三年開学）、ものつくり大学（平成一三年四月開学）は国立大学ではなく私立大学である。いずれも、主として国又は地方公共団体からの委託金や補助金で運営されてはいるが、設置主体は、あくまでも、学校法人日本社会事業大学、学校法人自治医科大学、学校法人産業医科大学又は学校法人国際技能工業機構なのである。

四　公立学校とは、地方公共団体（地方独立行政法人法六八条一項に規定する公立大学法人を含む）の設置する学校をいう。「地方公共団体」とは、一定の地域を基盤として構成され、その地域内のすべての住民をその構成員とし、かつ、その地域における公共事務を処理するための公権力を認められた公法人である（地方自治法一条の二・二条）。具体的には、都道府県及び市町村、特別区、地方公共団体の組合及び財産区をいう（地方自治法一条の三）。

「公立大学法人」とは、地方独立行政法人のうち大学又は大学及び高等専門学校の設置及び管理を行うものである（地方独立行政法人法二一条二号、六八条一項）。平成二八年の地方独立行政法人法の改正により、公立大学法人が設置する大学に、当該大学の教育研究上の目的を達成するため、定款で定めるところにより、幼稚園、小学校、中学校、義務教育学校、高等学校、中等教育学校、特別支援学校、幼保連携型認定こども園又は専修学校を附属させて設置することができることとされた（地方独立行政法人法七七条の二第一項）。

公立学校は、地方自治法二四四条一項にいう「公の施設」に該当し、個々の学校の設置は、当該地方公共団体の条例によって定められる（地方自治法二四四条の二第一項、地教行法三〇条）。

なお、公立の小学校及び中学校は市町村の義務設置であり（法三八条・四九条）、公立の特別支援学校は都道府県の義務設置である（法八〇条）。したがって、設置認可を要しない（法四条一項）。

公立高等学校を設置できる市町村については、従前、人口及び財政能力に関する基準が高校標準法上定められていたが、地方分権、規制緩和を推進する観点から、現在では削除されている。

公立学校のうち高等学校、中等教育学校及び特別支援学校の設置については、都道府県教育委員会の認可を受けなければならない（法四条一項）ので、市町村の条例の制定と都道府県教育委員会の認可の二つの要件が具備してはじめて、学校が設置される（ただし、指定都市立の場合の規制緩和については法四条の**【注解】九**参照）。

五　私立学校を設置できるのは、私立学校の設置を目的として私立学校法の定めるところにより設立される学校法人である。私立学校法の規定によれば、学校法人には、民法の規定が多く準用されていた。かつての民法の財団法人に近い性格が与えられているが、学校法人は、財団法人よりも公共性が強い。役員数に制限があり、評議員会の設置、財産目録等の備付け及び閲覧が義務づけられ、一定の収益事業をすることが認められているなど、その設立、管理、解散などについて詳細な定めがある。当該学校法人の設置する私立学校の名称等は、寄附行為の必要的記載事項であり、寄附行為（その変更を含む）の認可によって私立学校設置の効力を生じる（私立学校法三〇条一項・四五条）。

なお、私立の幼稚園の設置は、本条の規定にかかわらず、当分の間、学校法人によることを要しないこととされている（法附則六条）。これらの学校は多くの場合比較的小規模であって、必ずしも学校法人のようにまとまった組織を必要としないことと、当時、これらの学校は発展途上にあるものであって、その質的充実よりも量的普及を期待されるという理由に基づくものと解された（安嶋彌『学校行政法』四七頁）。なお、私立学校振興助成法附則二条五項には「学校法人以外の私立の幼稚園の設置者等で第一項の規定に基づき第九条又は第十条の規定により補助金の交付を受けるものは、当該交付を受けることとなつた年度の翌年度の四月一日から起算して五年以内に、当該補助金に係る幼稚園又は幼保連携型認定こども園が学校法人によつて設置されるように措置しなければならない。」との規定が設けられている。

六　法律に定める法人として学校法人のみを定めているのは、公教育を担う学校教育法に基づく学校の設置主体に、内部組織の強化と学校経営に必要な資産の保有、解散時の手続（所轄庁の認可等）を求めるとともに、財産目録等の備付け及び閲覧を義務づけ、公共的で、安定的、継続的な学校運営を担保する趣旨である。

しかし、平成一五年の構造改革特別区域法の改正により、地方公共団体が、構造改革特別区域において、地域の産業との連携を図り人材育成その他の需要に応ずるため、株式会社の設置する学校によることが効果的であると認められる場合（一二条）、又は不登校児童生徒等を対象として、特別の需要に応じた教育をＮＰＯ法人の設置する学校が行うことにより、特別区域における学校教育の機能が補完されると認められる場合（一三条）には、学校経営に必要な資産の保有や情報公開・評価の実施等の措置を講じた上で、株式会社又はＮＰＯ法人であっても、学校を設置することが認められることとされた。

さらに、平成一七年の同法の改正により、私立学校法の特例として、構造改革特別区域において、地方公共団体と民間団体が協力して新たに学校法人を設置し、当該学校法人（協力学校法人）が、地方公共団体の支援と関与のもとに学校（公私協力学校）を設置運営する仕組みが、高等学校及び幼稚園を対象に可能になった（二〇条、平成一七年一〇月施行）。

七　なお、放送大学学園は現在学校法人である（放送大学学園法三条）が、昭和五六年の放送大学学園法（昭五六法八〇）制定時には特殊法人として創設され、本条三項に「第一項の規定にかかわらず、放送大学学園は、大学を設置することができる。」との学校の設置主体に関する特例規定が設けられていた。平成一四年の放送大学学園法の全部改正（平一四法一五六）により、放送大学の設置主体が特殊法人から学校法人へ転換されたことに伴い、本条三項の規定は削除された。

八　我が国に所在する外国の大学の分校は、学校教育法に基づき認可されたものでない場合は、法一条に規定する

学校ではない。

九　本条は、専修学校及び各種学校には準用されない。学校法人は、法一条に規定する学校のほかに、専修学校又は各種学校を設置することができる（私立学校法六四条二項）。専修学校及び各種学校は、個人等でも設置できる。また、専修学校又は各種学校の設置のみを目的とする法人（準学校法人）の設立も認められている（私立学校法六四条四項）。

○構造改革特別区域法（平一四・一二・一八法一八九）

（学校教育法の特例）

第十二条　地方公共団体が、その設定する構造改革特別区域において、地域の特性を生かした教育の実施の必要性、地域産業を担う人材の育成の必要性その他の特別の事情に対応するための教育又は研究を株式会社の設置する学校（学校教育法（昭和二十二年法律第二十六号）第一条に規定する学校をいう。以下この条及び別表第二号において同じ。）が行うことが適切かつ効果的であると認めて内閣総理大臣の認定を申請し、その認定を受けたときは、当該認定の日以後は、同法第二条第一項中「及び私立学校法（昭和二十四年法律第二百七十号）第三条に規定する学校法人（以下「学校法人」という。）」とあるのは「、私立学校法（昭和二十四年法律第二百七十号）第三条に規定する学校法人（以下「学校法人」という。）及び構造改革特別区域法（平成十四年法律第百八十九号）第十二条第二項に規定する特別の事情に対応するための教育又は研究を行い、かつ、同項各号に掲げる要件の全てに適合している株式会社（次項、第四条第一項第三号、第九十五条及び附則第六条において「学校設置会社」という。）」と、同条第二項中「学校法人」とあるのは「学校法人又は学校設置会社」と、同法第四条第一項第三号中「都道府県知事」とあるのは「都道府県知事（学校設置会社の設置するものにあつては、構造改革特別区域法第十二条第一項の認定を受けた地方公共団体の長。第十条、第十四条、第四十四条（第二十八条、第四十九条、第六十二条、第七十条第一項及び第八十二条において準用する場合を含む。）及び第五十四条第三項（第七十条第一項において準用する場合を含む。）において同じ。）」と、同法第九十五条（同法第百二十三条において準用する場合を含む。）中「諮問しなければならない」とあるのは「諮問しなければならない。学校設置会社の設置する大学について第四条第一項の規定による認可を行う場合（設置の認可を行う場合を除く。）及び学校設置会社の設置する大学に対し第十三条第一項の規定による命令を行う場合も、同様とする」と、同法附則第六条中「学校法人」とあるのは「学校法人又は学校設置会社」とする。

2　前項の規定により学校教育法第四条第一項の認可を受けて学校を設置することができる株式会社（以下この条及び第十九条第一項第一号並びに別表第二号において「学校設置会社」という。）は、その構造改革特別区域に設置する学校において、地域の特性を生かした教育の実施の必要性、地域産業を担う人材の育成の必

要性その他の特別の事情に対応するための教育又は研究を行うものとし、次に掲げる要件のすべてに適合していなければならない。

一　文部科学省令で定める基準に適合する施設及び設備又はこれらに要する資金並びに当該学校の経営に必要な財産を有すること。

二　当該学校の経営を担当する役員が学校を経営するために必要な知識又は経験を有すること。

三　当該学校設置会社の経営を担当する役員が社会的信望を有すること。

3～13　（略）

第十三条　地方公共団体が、その設定する構造改革特別区域において、学校生活への適応が困難であるため相当の期間学校（学校教育法第一条に規定する学校をいい、大学及び高等専門学校を除く。以下この条及び別表第三号において同じ。）を欠席していると認められる児童、生徒若しくは幼児又は発達の障害により学習上若しくは行動上著しい困難を伴うため教育上特別の指導が必要であると認められる児童、生徒若しくは幼児（次項において「不登校児童等」という。）を対象として、当該構造改革特別区域に所在する学校の設置者による教育によっては満たされない特別の需要に応ずるための教育を特定非営利活動法人（特定非営利活動促進法（平成十年法律第七号）第二条第二項の特定非営利活動法人をいう。次項において同じ。）の設置する学校が行うことにより、当該構造改革特別区域における学校教育の目的の達成に資するものと認めて内閣総理大臣の認定を申請し、その認定を受けたときは、当該認定の日以後は、学校教育法第二条第一項中「設置することができる」とあるのは「設置することができる。ただし、構造改革特別区域法（平成十四年法律第百八十九号）第十三条第二項に規定する特別の需要に応ずるための教育を行い、かつ、同項各号に掲げる要件のすべてに適合している特定非営利活動促進法（平成十年法律第七号）第二条第二項の特定非営利活動法人（次項、第四条第一項第三号及び附則第六条において学校設置非営利法人という。）は、大学及び高等専門学校以外の学校を設置することができる」と、同条第二項中「学校法人」とあるのは「学校法人又は学校設置非営利法人」と、同法第四条第一項第三号中「都道府県知事」とあるのは「都道府県知事（学校設置非営利法人の設置するものにあつては、構造改革特別区域法第十三条第一項の認定を受けた地方公共団体の長。第十条、第十四条、第四十四条（第二十八条、第四十九条、第六十二条、第七十条第一項及び第八十二条において準用する場合を含む。）及び第五十四条第三項（第七十条第一項において準用する場合を含む。）において同じ。）」と、同法附則第六条中「学校法人」とあるのは「学校法人又は学校設置非営利法人」とする。

2～5　（略）

（私立学校法の特例）

第二十条　地方公共団体が、その設定する構造改革特別区域において、地域の特性に応じた高等学校又は幼稚園における教育の機会を提供するに当たり、その実現を図ろうとする教育の内容、当該

教育に必要な教職員の編制並びに施設及び設備、地域における当該教育の需要の状況等に照らし、当該地方公共団体の協力により新たに設立される学校法人（私立学校法（昭和二十四年法律第二百七十号）第三条に規定する学校法人をいう。以下この条において同じ。）が高等学校又は幼稚園を設置して当該地方公共団体との連携及び協力に基づき当該教育を実施することが、他の方法により当該教育の機会を提供するよりも、教育効果、効率性等の観点から適切であると認めて内閣総理大臣の認定を申請し、その認定を受けたときは、当該認定の日以後は、当該教育を実施する高等学校又は幼稚園（以下この条及び別表第十号において「公私協力学校」という。）の設置及び運営を目的とする学校法人（以下この条において「協力学校法人」という。）を設立しようとする者であって第六項の指定を受けたもの（第三項において「指定設立予定者」という。）が、所轄庁（同法第四条に規定する所轄庁をいう。以下この条において同じ。）に対し、同法第三十条第一項の規定による寄附行為の認可を申請した場合においては、所轄庁は、同法第三十一条第一項の規定にかかわらず、当該寄附行為の認可を決定するに当たり、同法第二十五条第一項の要件に該当しているかどうかの審査を行わないものとする。

2〜17　（略）

18　教育基本法（平成十八年法律第百二十号）第十五条第二項の規定は、公私協力学校について準用する。

〔学校の設置基準〕

第三条　学校を設置しようとする者は、学校の種類に応じ、文部科学大臣の定める設備、編制その他に関する設置基準に従い、これを設置しなければならない。

【沿　革】　平一一・七・一六法八七により、「監督庁」を「文部大臣」に改めた。
平一一・一二・二二法一六〇により、「文部大臣」を「文部科学大臣」に改めた。

【参照条文】　私立学校法二五条二項、附則一一項。施行規則一条、三六条、四〇条、六九条、七九条の二、八〇条、一〇五条、一〇六条、一一八条、一四二条、一七四条。幼稚園設置基準、小学校設置基準、中学校設置基準、高等学校設置基準、高等学校通信教育規程、単位制高等学校教育規程、特別支援学校設置基準、大学設置基準、大学通信教育設置基準、専門職大学設置基準、大学院設置基準、専門職大学院設置基準、短期大学設置基準、短期大学通信教育設置基準、専門職短期大学設置基準、高等専門学校設置基準。

【注　解】

一　学校の教育水準を保障するためには、学校の種類に応じて、その施設、設備、編制等について一定の基準を保つ必要がある。そのために定められる基準が、学校設置基準と呼ばれるものである。本条は、学校設置基準を制定する根拠規定であるとともに、学校の設置者はそれに従うべきこと（設置基準に従って設置し、設置の際のみならず設置後も学校の管理運営に当たっては設置基準に従うべきこと）を定める規定である。

二　学校設置基準は、文部科学省令で定められる。学校設置基準の設定の主体は、従前、「監督庁」と規定され、「監督庁」とは、当分の間、文部大臣とされていたが（法旧一〇六条一項）、平成一一年の法改正により、このような規定の仕方を改めた。これは学校教育法の多くの条文中見られた「監督庁」という用語に共通することであるが、このような規定の仕方では、個別の条文を見ただけでは各種の基準の設定や許認可等の主体が明らかでないことから、従来の国と都道府県の役割分担を踏襲しつつ、本則中のそれぞれの条文において、その事務の主体を具体的に明確にすることとし、文部科学大臣、都道府県知事又は都道府県の教育委員会と書き分けたのである。

現在、文部科学省令として定められている学校設置基準は、次のとおりである。これらの基準の内容については、それぞれの関連条文の【注解】で解説する。

- 幼稚園設置基準（昭三一文部省令三二）
- 小学校設置基準（平一四文部科学省令一四）
- 中学校設置基準（平一四文部科学省令一五）
- 高等学校設置基準（平一六文部科学省令二〇）
- 高等学校通信教育規程（昭三七文部省令三二）
- 単位制高等学校教育規程（昭六三文部省令六）

・特別支援学校設置基準（令三文部科学省令四五）
・大学設置基準（昭三一文部省令二八）
・大学通信教育設置基準（昭五六文部省令三三）
・専門職大学設置基準（平二九文部科学省令三三）
・大学院設置基準（昭四九文部省令二八）
・専門職大学院設置基準（平一五文部科学省令一六）
・短期大学設置基準（昭五〇文部省令二一）
・短期大学通信教育設置基準（昭五七文部省令三）
・専門職短期大学設置基準（平二九文部科学省令三四）
・高等専門学校設置基準（昭三六文部省令二三）

三　本条では、「設備、編制その他に関する設置基準」を文部科学大臣が定めることになっているが、どのような内容のものを定めなければならないかは、明確でなく、先に述べた現行の一三の設置基準で定めている範囲も学校の種類に応じて、広狭さまざまである。

例えば、短期大学設置基準では、学科、学生定員、教育課程の編成方針・編成方法、単位、授業、卒業の要件、教員組織、教員の資格、校地・校舎等の施設、設備、附属施設、事務組織等について定めているが、幼稚園設置基準では、編制、施設及び設備等について定めているにすぎない。

本条でいう「設備」とは、校地・校舎等の施設と校具・教具を合わせたものをいう。しかし、それぞれの設置基準では、「施設及び設備」というような使い方をしており、本条の用語例にならっているわけではない。

本条でいう「編制」とは、学校を組織する学級数、学級を組織する児童生徒数、学校に配置すべき職員の組織をいう。

本条でいう「その他」の事項の範囲は必ずしも明らかではない（今村武俊・別府哲『学校教育法解説―初等中等教育編』六三頁）。さきに述べた設置基準には、学科の種類、教員の資格に関する事項などについての定めがあるが、これらの事項については、本法中に別に明文上の根拠規定（法八条・五二条・一一六条二項など）があり、それに基づく定めが、便宜上、設置基準という省令に書き込まれたとみることができるからである。

学校法人の設立認可に関しては、その設置する私立学校に必要な施設及び設備についての基準は別に法律で定めることを予定している（私立学校法二五条二項）が、未だにその法律は定められていない。しかし、その「法律が制定施行されるまでは、なお従前の例による。」こととされている（同法附則一一項）。運用の実際は、当時の基準が明確ではなかったこともあって、その後制定された大学設置基準、大学院設置基準、短期大学設置基準、高等専門学校設置基準が用いられている。なお、文部科学大臣が所轄する学校法人が有すべき資産基準については、「学校法人の寄附行為及び寄附行為の変更の認可に関する審査基準」（平一九文部科学省告示四一）において、前記設置基準の定める基準に適合していることを要件としている。都道府県知事が所轄庁となる場合については、各都道府県ごとに審査基準が定められている。平成一四年三月、小学校設置基準及び中学校設置基準が制定されたことに伴い、審査基準の必要な見直しが求められることになった（法二九条の【**通知**】参照）。

四　学校設置基準の内容をなすとみられる規定は、先に挙げた「〇〇設置基準」という文部科学省令に含まれているもののほか、本法及び施行規則中にも散在している。したがって、広義の学校設置基準とは、これらの規定と「〇〇設置基準」とを総体としてとらえたものであるといえる。例えば、施行規則一条では「学校には、その学校の目的を実現するために必要な校地、校舎、校具、運動場、図書館又は図書室、保健室その他の設備を設けなければならない。」と規定している。

なお、施行規則一条二項では「学校の位置は、教育上適切な環境に、これを定めなければならない。」としている。

学校の環境については、旅館業法においても規制が設けられている。すなわち、都道府県知事は、旅館業を経営しようとする者から旅館業の許可の申請を受けた場合、その申請に係る施設の設置場所が、学校教育法一条に規定する学校（大学を除く）の敷地（その用に供するものと決定した土地を含む）の周囲おおむね一〇〇メートルの区域内にあり、かつ、その施設の設置によって、その学校の清純な教育環境が著しく害されるおそれがあるときは、許可しないことができる（旅館業法三条三項）。許可を与える場合には、都道府県知事は、あらかじめ、その施設の設置によって当該学校の清純な教育環境が著しく害されるおそれがないかどうかについて、公立学校については所管の教育委員会、私立学校についてはその所管庁、国立学校については学長の意見を求めなければならないことになっている（旅館業法三条四項）。

五　本条でいう「学校」には、専修学校及び各種学校は含まれないから、「専修学校設置基準」（昭五一文部省令二）及び「各種学校規程」（昭三一文部省令三一）は、本条を根拠に定められたものではない。

専修学校設置基準は、法一二八条の「文部科学大臣の定める基準」として定められたものであり、各種学校規程は、法一三四条三項の「各種学校に関し必要な事項」として定められたものである。

六　「設置しなければならない。」とは、単に設置の時点においてその基準を充足していればよいというのではなく、設置後もこれに従って学校を維持管理しなければならないという義務を負う趣旨である。

【判決例】

○大学設置基準は、個々の学生の個人的利益を擁護するために学校設置者に課された法的制約の性質をもつものではない

（富山地判昭四五・六・六行裁例集二一巻六号八七一頁）

大学設置基準（昭和三一年文部省令二八号）三一条には「大学は、一の授業科目を履修した者に対しては、試験の上単位を与えるものとする。」と規定されているけれども、右設置基準なるものは、

そもそも学校教育法一条に定める学校は、国、地方公共団体および私立学校法三条に規定する学校法人であれば自由に設置できるのである（同法二条）が、それには学校の種類に応じて、設備、編制その他について一定の基準が保たれていなければ、その教育水準にしたがって教育効果の保障を期し難く、各種類に応ずる細部にわたった学校基準の設定が必要であることから、これを監督庁（当分の間は文部大臣。同法一〇六条一項〔編者注：平一一法八七により削除〕）の定めるところに譲ることとされ（同法三条）ているので、設備、編制、学部および学科の種類、学士に関する事項、教員の資格に関する事項その他大学の設置に関する事項の細部にわたる基準として定められたものであって（学校教育法施行規則六六条〔現行一四二条〕）、もちろん、それは、右に掲げられた大学の設置に関する諸条件を教育効果が期待できる一定の水準に維持させるに必要な基準として、学校設置者に対し遵守すべき義務を課したものであり、したがって、大学がこの設置基準より低下した状態にならないようにすることはもとより、この水準の向上を図ることに努力を怠らなければ、その結果挙げうべき教育上の成果はすべて学生に均てんすることになる訳ではあるが、そうだからといって、大学設置基準が個々の学生の個人的利益を擁護するために学校設置者に課された法的制約たるの性質をもつものということはできない。

〔設置廃止等の認可〕

第四条　次の各号に掲げる学校の設置廃止、設置者の変更その他政令で定める事項（次条において「設置廃止等」という。）は、それぞれ当該各号に定める者の認可を受けなければならない。これらの学校のうち、高等学校（中等教育学校の後期課程を含む。）の通常の課程（以下「全日制の課程」という。）、夜間その他特別の時間又は時期において授業を行う課程（以下「定時制の課程」という。）及び通信による教育を行う課程（以下「通信制の課程」という。）、大学の学部、大学院及び大学院の研究科並びに第百八条第二項の大学の学科についても、同様とする。

一　公立又は私立の大学及び高等専門学校　文部科学大臣

二　市町村（市町村が単独で又は他の市町村と共同して設立する公立大学法人を含む。次条、第十三条第二項、第十四条、第百三十条第一項及び第百三十一条において同じ。）の設置する高等学校、中等教育学校及び特別支援学校　都道府県の教育委員会

三　私立の幼稚園、小学校、中学校、義務教育学校、高等学校、中等教育学校及び特別支援学校　都道府県知事

②　前項の規定にかかわらず、同項第一号に掲げる学校を設置する者は、次に掲げる事項を行うときは、同項の認可を受けることを要しない。この場合において、当該学校を設置する者は、文部科学大臣の定めるところにより、あらかじめ、文部科学大臣に届け出なければならない。

一　大学の学部若しくは大学院の研究科又は第百八条第二項の大学の学科の設置であつて、当該大学が授与する学位の種類及び分野の変更を伴わないもの

二　大学の学部若しくは大学院の研究科又は第百八条第二項の大学の学科の廃止

三　前二号に掲げるもののほか、政令で定める事項

③　文部科学大臣は、前項の届出があつた場合において、その届出に係る事項が、設備、授業その他の事項に関する法令の規定に適合しないと認めるときは、その届出をした者に対し、必要な措置をとるべきことを命ずることができる。

④　地方自治法（昭和二十二年法律第六十七号）第二百五十二条の十九第一項の指定都市（以下「指定都市」という。）（指定都市が単独で又は他の市町村と共同して設立する公立大学法人を含む。）の設置する高等学校、中等教育学校及び特別支援学校については、第一項の規定は、適用しない。この場合において、当該高等学校、中等教育学校及び特別支援学校を設置する者は、同項の規定により認可を受けなければならないとされている事項を行おうとするときは、あらかじめ、都道府県の教育委員会に届け出なければならない。

⑤　第二項第一号の学位の種類及び分野の変更に関する基準は、文部科学大臣が、これを定める。

【沿　革】　昭二八・八・一五法二二三により、「監督庁の定める事項」を「政令で定める事項」に改めた。
昭三六・一〇・三一法一六六により、高等学校の全日制の課程、定時制の課程及び通信制の課程についても認可事項とした。

昭三九・六・一九法一一〇により、「第六十九条の二第二項の大学の学科」を加えた。

昭五一・五・二五法二五により、「大学院の研究科」を加えた。

平三・五・二一法七九により、第二項及び第三項を加えた。

平一〇・六・一二法一〇一により、「高等学校」の下に「（中等教育学校の後期課程を含む。）」を加えた。

平一一・七・一六法八七により、第一項の「この法律によつて設置義務を負う者の設置する学校」の下に「及び都道府県の設置する学校（大学及び高等専門学校を除く。）」を加え、「監督庁の許可」を「次の各号に掲げる学校の区分に応じ、それぞれ当該各号に定める者の認可」に改め、各号を規定し、第三項の「監督庁」を「都道府県の教育委員会」に改めた。

平一一・一二・二二法一六〇により、「文部大臣」を「文部科学大臣」に改めた。

平一四・一一・二九法一一八により、第二項の「前項」を「第一項」に改めるとともに後段として「この場合において、当該幼稚園を設置する者は、同項に規定する事項を行おうとするときは、あらかじめ、都道府県の教育委員会に届け出なければならない。」を加え、第三項を「第二項第一号の学位の種類及び分野の変更並びに同項第二号の学科の分野の変更に関する基準は、文部科学大臣が、これを定める。」に改め、第二項及び第三項を第四項及び第五項とし、現行の第二項及び第三項を加えた。

平一四・一二・一三法一五六により、第一項第一号の「並びに放送大学学園の設置する大学」を削除した。

平一七・七・一五法八三により、第二項第一号中「又は」を「若しくは」に改め、「研究科」の下に「又は第六十九条の二第二項の大学の学科」を加え、第二号を削り、第三号を第二号とし、第四号中「前三号」を「前二号」に改め、同号を第三号とし、第五項中「並びに同項第二号の学科の分野の変更」を削った。

平一八・六・二一法八〇により、「盲学校、聾（ろう）学校、養護学校」を「特別支援学校」に改めた。

平一九・六・二七法九六により、学校の規定順を「高等学校、中等教育学校、特別支援学校及び幼稚園」から現行のものに改めるとともに、「第六十九条の二」を「第百八条」に改めた。

平二三・五・二法三七により、第一項中「国立学校、この法律によつて設置義務を負う者の設置する学校及び都道府県の設置する学校（大学及び高等専門学校を除く。）のほか、学校（高等学校（中等教育学校の後期課程を含む。）の通常の課程（以下「全日制の課程」という。）、夜間その他特別の時間又は時期において授業を行う課程（以下「定時制の課程」という。）及び通信による教育を行う課程（以下「通信制の課程」という。）、大学の学部、大学院及び大学院の研究科並びに第

百八条第二項の大学の学科についても同様とする。）」を「次の各号に掲げる学校」に、「は、次の各号に掲げる学校の区分に応じ」を「（次条において「設置廃止等」という。）は」に改めるとともに、後段として「これらの学校のうち、高等学校（中等教育学校の後期課程を含む。）の通常の課程（以下「全日制の課程」という。）、夜間その他特別の時間又は時期において授業を行う課程（以下「定時制の課程」という。）及び通信による教育を行う課程（以下「通信制の課程」という。）、大学の学部、大学院及び大学院の研究科並びに第百八条第二項の大学の学科についても、同様とする。」を加え、同項第二号中「幼稚園、」を削るとともに、第四項を削り、第五項を第四項とした。

平二六・六・四法五一により、第四項を第五項とし、第四項を追加した。

平二七・六・二四法四六により、第一項第三号の「中学校」の下に「、義務教育学校」を加えた。

平二七・六・二六法五〇により、第四項中「及び中等教育学校」を「、中等教育学校及び特別支援学校」に改めた。

平二八・五・二〇法四七により、第一項第二号中「市町村」の下に「（市町村が単独で又は他の市町村と共同して設立する公立大学法人を含む。次条、第十三条第二項、第十四条、第百三十条第一項及び第百三十一条において同じ。）」を加え、第四項中「第五十四条第三項において」を「以下」に改め、「という。）」の下に「（指定都市が単独で又は他の市町村と共同して設立する公立大学法人を含む。）」を加えた。

【参照条文】　法三八条、四九条、八〇条、九五条、一三九条。施行令二三条、二三条の二、二五条～二八条。施行規則二条～一九条。大学の設置等の認可の申請及び届出に係る手続等に関する規則。私立学校法五条、三一条、四五条、附則一二項。

【注　解】

一　本条は、学校教育の公共性にかんがみ、学校の設置廃止、設置者の変更等を認可にかからしめることによって、それらが適正になされることを確保しようとするものである。

二　本条でいう「認可」の法的性格については、考え方の分かれるところである。一つは、本法制定当初に採られていた考え方で、行政法学上、一種の公企業の「特許（特定人のために行政庁が新たに法律上の力を賦与する行為）」という観念としてとらえようとする説である。他の一つは、行政法学上の「認可（行政庁が第三者の法律的行

為を補充して、その法律上の効力を完成させる行為）」と解するものである。

しかし、この点については、監督庁の認可を得ることによってはじめて学校としての法的地位を賦与されるものであるから、学問上の「特許」と考えるのが妥当のように思われる。ただし、平成三年法七九の改正及び平成二六年法五一の改正によって本条第四項が追加され、また、平成二三年法三七の改正によって次条四条の二が設けられており（**【注解】九**参照）、この点についてはなお研究の余地を残している。

三　本条では、学校の設置廃止等について認可を必要とするものについて、設置者及び学校の種類ごとに認可権者を定めている。なお、平成二三年の地域の自主性及び自律性を高めるための改革の推進を図るための関係法律の整備に関する法律（平二三法三七）による改正以前は、「国立学校、この法律によつて設置義務を負う者の設置する学校及び都道府県の設置する学校（大学及び高等専門学校を除く。）のほか、」と冒頭に規定され、これらの学校についてはその設置等を認可にかからしめる必要がないことが明記されていたが、同改正法により幼稚園について認可を要しないこととした際に冒頭の規定は削られた。

法人化後の国立学校（国立大学、附属学校、国立高等専門学校）は、国立大学法人及び独立行政法人国立高等専門学校機構が設置者となるが、これらの学校の個別の設置については、設置者である国立大学法人等の判断で行いうるものではなく、国立大学法人法四条二項及び別表第一（第二欄）、同法二三条並びに独立行政法人国立高等専門学校機構法三条及び別表により定められる。また、国立大学に附属して設置される学校については、国立大学法人法二三条の規定により文部科学省令で定めることとされており、国立大学法人法施行規則四条及び別表第二で具体的な附属学校の設置について規定されている。国立大学法人は、公共上の見地から確実に実施されることが必要な国の事業を担うものであることから、国立大学や附属学校の個別の設置については法令で規定することとするとともに必要な財源措置を行うなど国としてその責任を果たすことを法制上明確にしている。国立大学の学部等の組織編制については、独立行

政法人制度の趣旨を踏まえ、法令上規定しないこととされているが、それ自体が学校教育法上独立した学校である附属学校については、文部科学省令で規定されている。このように国立学校の設置については、法律の制定又は改正によって行われること等から、学校教育法上国立大学法人が設置する学校も「国立学校」と位置づけ、設置認可の対象とはしていない。また、市町村又は都道府県が設置義務を負っている学校、すなわち市町村立の小学校（法三八条）、市町村立の中学校（法四九条）及び都道府県立の特別支援学校（法八〇条）については、義務の履行そのものであり、また、義務教育学校は小学校又は中学校に代えて設置できるものであって、これに対する行政処分をする必要がないからである。また、都道府県立の学校（大学及び高等専門学校を除く）については、管理機関が都道府県の教育委員会そのものであり、設置について自ら判断すればよく、他の機関による認可を必要としないからである。

市町村、指定都市又は都道府県が単独で又は他の自治体と共同で設立する公立大学法人の附属学校の場合は、それぞれ市町村、指定都市又は都道府県が設置する場合と同じ扱いとなる。ただし、公立大学法人が附属学校を設置する場合には、定款の定めが必要であり、定款の変更には設立している地方公共団体の議会の議決を経て総務大臣又は都道府県知事の認可を受けなければ、その効力を生じないこととされている（地方独立行政法人法八条二項）。したがって、附属学校の設置について、本条に基づく認可が必要とされてない場合であっても、公立大学法人のみの判断で行いうるわけではない。なお、設立した地方公共団体の長は、公立大学法人が設置する附属学校に係る法令に基づく事務を行うに当たり、必要と認めるときは、当該設立団体の教育委員会に対し、当該学校における学校教育に関する専門的事項について助言又は援助を求めることができることとされている（同法七七条の二第二項）。

市町村立の幼稚園については、平成二三年の改正（平二三法三七）により設置認可を要しないこととされている。これは、長年にわたり、市町村による設置・管理が行われており、市町村合併が進み、市町村の行政能力が強化されていることや、市町村の自主的な取組を尊重することとする方が地域の実情に応じた幼児教育の実施等その充実を図る

上で適当であるからである。

市町村立の併設型中学校（法七一条）については、設置義務に基づき設置される中学校のほかに付加的に設置されるものであるが、学校の種類としては、市町村が設置する中学校であり「設置義務を負う者の設置する学校」であること、さらに同じ市町村立中学校にあって設置認可が必要なものと不要なものが生ずることは適当ではないことから、設置認可は不要とされている。

四　本条一項に関しては、従来認可権者を「監督庁」と規定していたが、平成一一年の改正（平一一法八七）により、認可の主体を本条において具体的に規定することとした。公立及び私立の大学（大学の学部、大学院及び研究科並びに短大の学科を含む）及び高等専門学校については文部科学大臣、高等学校、中等教育学校、特別支援学校については都道府県の教育委員会、私立の幼稚園、小・中学校、義務教育学校、高等学校、中等教育学校、特別支援学校については都道府県知事が、それぞれ認可権者となっている。

五　認可を受けるべき事項としては、次のものがある。

①　学校の設置廃止、設置者の変更

②　次のものの設置廃止
- 高等学校（中等教育学校の後期課程を含む）の全日制課程、定時制課程及び通信制課程
- 大学の学部、大学院及び大学院の研究科
- 短期大学の学科

③　施行令二三条に規定する事項

（法第四条第一項の政令で定める事項）

第二十三条　法第四条第一項（法第百三十四条第二項において準用する場合を含む。）の政令で定める事項（法第四条の二に規定する幼稚園に係るものを除く。）は、次のとおりとする。

一　市町村（市町村が単独で又は他の市町村と共同して設立する公立大学法人（地方独立行政法人法（平成十五年法律第百十八

号）第六十八条第一項に規定する公立大学法人をいう。以下同じ。）を含む。以下この項及び第二十四条の三において同じ。）の設置する特別支援学校の位置の変更

二　高等学校（中等教育学校の後期課程を含む。第十号及び第二十四条において同じ。）の学科又は市町村の設置する特別支援学校の高等部の学科、専攻科若しくは別科の設置及び廃止

三　特別支援学校の幼稚部、小学部、中学部又は高等部の設置及び廃止

四　市町村の設置する特別支援学校の高等部の学級の編制及びその変更

五　特別支援学校の高等部における通信教育の開設及び廃止並びに大学の学部若しくは大学院の研究科又は法第百八条第二項の大学の学科における通信教育の開設

六　私立の大学の学部の学科の設置

七　専門職大学の課程（法第八十七条の二第一項の規定により前期課程及び後期課程に区分されたものに限る。次条第一項第一号ロにおいて同じ。）の設置及び変更

八　大学の大学院の研究科の専攻の設置及び当該専攻に係る課程（法第百四条第三項に規定する課程をいう。次条第一項第一号ハにおいて同じ。）の変更

九　高等専門学校の学科の設置

十　市町村の設置する高等学校、中等教育学校又は特別支援学校の分校の設置及び廃止

十一　高等学校の広域の通信制の課程（法第五十四条第三項（法第七十条第一項において準用する場合を含む。第二十四条及び第二十四条の二において同じ。）に規定する広域の通信制の課程をいう。以下同じ。）に係る学則の変更

十二　私立の学校（大学を除く。）又は私立の各種学校の収容定員に係る学則の変更

十三　私立の大学の学部若しくは大学院の研究科又は法第百八条第二項の大学の学科の収容定員に係る学則の変更

2　法第四条の二に規定する幼稚園に係る法第四条第一項の政令で定める事項は、分校の設置及び廃止とする。

学校の「設置」とは、所要の人的及び物的要素をもって組織される施設が、法的に学校たるの地位を取得することをいう。そのためには、ある施設が、設置基準を満たした状態にあり、その施設を学校たらしめる意思表示がなければならない。

学校の「設置者の変更」とは、学校という教育施設そのものの同一性を保持しつつ、その設置者すなわちその管理主体及び経営主体が変更されることをいう。

学校の「廃止」とは、学校が法的に学校たるの地位を失うことをいう。本条でいう学校の廃止は、設置者の申請に対する認可による学校の廃止を指すものであり、法令の改廃による廃止（例えば、国民学校令の廃止による国民学校の廃止）及び学校法人の破産による解散等学校の設置者が学校設置能力を失った結果による学校の廃止は含まない。

文部科学大臣は、大学又は高等専門学校について事前届出に係る事項が設置基準等の法令の規定に適合しないと認めるときは、大学設置・学校法人審議会への諮問を経て、届出を行った者に対し、必要な措置をとるべきことを命ずることができる（本条三項・九五条・一二三条、施行令四三条）。

六　大学の学部、大学院の研究科、短期大学の学科の設置廃止については、従来一律に文部科学大臣の認可を受けることとされていたが、規制緩和政策の流れの中で学問の進展や社会の変化等に対応した大学等の一層の機動的組織改革を可能とするため、平成一四年に設置認可制度の弾力化が図られ、学位の大幅な変更を伴わない学部等の設置（法四条二項、施行令二三条の二）については認可を受けることを要しないこととされた。

（法第四条第二項第三号の政令で定める事項）

第二十三条の二　法第四条第二項第三号の政令で定める事項は、次のとおりとする。

一　大学に係る次に掲げる設置又は変更であつて、当該大学が授与する学位の種類及び分野の変更を伴わないもの

イ　私立の大学の学部の学科の設置

ロ　専門職大学の課程の変更（前期課程及び後期課程の修業年限の区分の変更（当該区分の廃止を除く。）を伴うものを除く。）

ハ　大学の大学院の研究科の専攻の設置又は当該専攻に係る課程の変更

二　高等専門学校の学科の設置であつて、当該高等専門学校が設置する学科の分野の変更を伴わないもの

三　大学の学部若しくは大学院の研究科又は法第百八条第二項の大学の学科における通信教育の開設であつて、当該大学が授与する通信教育に係る学位の種類及び分野の変更を伴わないもの

四　私立の大学の学部又は法第百八条第二項の大学の学科の収容定員（通信教育及び文部科学大臣の定める分野に係るものを除く。）に係る学則の変更であつて、当該収容定員の総数の増加を伴わないもの

五　私立の大学の学部又は法第百八条第二項の大学の学科の通信教育に係る収容定員に係る学則の変更であつて、当該収容定員

の総数の増加を伴わないもの

六　私立の大学の大学院の研究科の収容定員（通信教育及び文部科学大臣の定める分野に係るものを除く。）に係る学則の変更

七　私立の大学の大学院の研究科の通信教育に係る収容定員に係る学則の変更

八　私立の高等専門学校の収容定員に係る学則の変更であって、当該収容定員の総数の増加を伴わないもの

2　前項第一号の学位の種類及び分野の変更、同項第二号の学科の分野の変更並びに同項第三号の通信教育に係る学位の種類及び分野の変更に関する基準は、文部科学大臣が定める。

3　前項に規定する基準を定める場合には、文部科学大臣は、中央教育審議会に諮問しなければならない。

届出による設置が可能かどうかについては、「学位の種類及び分野の変更等に関する基準」（平一五文部科学省告示三九）において、学位の種類ごとに、例えば文学関係、法学関係、工学関係といった学問体系が確立した分野を大括りに示し、これらの学位の種類及び分野に変更がなければ届出で足りることとされた。

○学位の種類及び分野の変更等に関する基準（平一五・三・三一文部科学省告示三九）

最終改正　令四・三・一七文部科学省告示三三

（学位の種類及び分野の変更に関する基準）

第一条　大学の学部若しくは学部の学科、大学の大学院の研究科若しくは研究科の専攻若しくは短期大学の学科の設置又は当該専攻に係る課程の変更（以下この項において「設置等」という。）であって、学校教育法（以下「法」という。）第四条第二項第一号又は学校教育法施行令（以下「令」という。）第二十三条の二第一項第一号に該当するものは、次の各号に掲げる要件のいずれにも該当する設置等とする。

一　設置等の前後において、当該大学が授与する別表第一の上欄に掲げる学位の種類の変更を伴わないこと

二　設置等の前後において、別表第一の上欄に掲げる学位の種類に応じ同表の下欄に掲げる学位の分野の変更を伴わないこと

2　前項の規定は、同項に規定する設置等のうち次の各号に掲げる大学の学部若しくは学部の学科又は短期大学の学科の設置については、適用しない。

一　大学又は短期大学が専門職学科（大学設置基準（昭和三十一年文部省令第二十八号）第四十二条の四第一項又は短期大学設置基準（昭和五十年文部省令第二十一号）第三十五条の四に規定する専門職学科をいう。以下この号及び次号において同じ。）を設けていない学位の分野について当該大学が行う専門職学部（大学設置基準第四十二条の四第二項に規定する専門職学部をいう。次号において同じ。）若しくは専門職学科の設置又は当該短期大学が行う専門職学科の設置

二　大学又は短期大学が専門職学科以外の学科を設けていない学位の分野について当該大学が行う専門職学部以外の学部若しくは専門職学科以外の学科の設置又は当該短期大学が行う専門職学科以外の学科の設置

3　大学における通信教育の開設（以下この項において「開設」という。）であって、令第二十三条の二第一項第三号に該当するものは、次の各号に掲げる要件のいずれにも該当する開設とする。

一　開設の前後において、当該大学が授与する別表第一の上欄に掲げる学位の種類の変更を伴わないこと

二　開設の前後において、別表第一の上欄に掲げる学位の種類に応じ同表の下欄に掲げる学位の分野の変更を伴わないこと

（学科の分野の変更に関する基準）

第二条　高等専門学校の学科の設置であって、令第二十三条の二第一項第二号に該当するものは、当該設置の前後において、別表第二に掲げる学科の分野の変更を伴わないものとする。

別表第一

学位の種類	学位の分野
学士、修士及び博士	文学関係、教育学・保育学関係、法学関係、経済学関係、社会学・社会福祉学関係、理学関係、工学関係、農学関係、獣医学関係、医学関係、歯学関係、薬学関係、家政関係、美術関係、音楽関係、体育関係、保健衛生学関係（看護学関係）、保健衛生学関係（リハビリテーション関係）、保健衛生学関係（看護学関係及びリハビリテーション関係を除く。）
専門職学位（法務博士（専門職）及び教職修士（専門職）を除く。）	文学関係、教育学・保育学関係、法学関係、経済学関係、社会学・社会福祉学関係、理学関係、工学関係、農学関係、獣医学関係、医学関係、歯学関係、薬学関係、家政関係、美術関係、音楽関係、体育関係、保健衛生学関係（看護学関係）、保健衛生学関係（リハビリテーション関係）、保健衛生学関係（看護学関係及びリハビリテーション関係を除く。）
専門職学位のうち法務博士（専門職）	法曹養成関係
専門職学位のうち教職修士（専門職）	教員養成関係
短期大学士	文学関係、教育学・保育学関係、法学関係、経済学関係、社会学・社会福祉学関係、理学関係、工学関係、農学関係、家政関係、美術関係、音楽関係、体育関係、保健衛生学関係（看護学関係）、保健衛生学関係（リハビリテーション関係）、保健衛生学関係（看護学関係及びリハビリテーション関係を除く。）

備考　学際領域等右記の区分により難い学位の分野の判定に当

たっては、既設の学部等の廃止を伴い、かつ、設置等又は開設に係る学部等の教員数（大学設置基準（昭和三十一年文部省令第二十八号）その他の法令の規定に基づき必要とされる教員数をいう。以下同じ。）の半数以上が当該既設の学部等に所属していた教員で占められること等により、設置等又は開設の前後において、当該大学が授与する学位の分野の変更を伴わないと認められる場合に限り、第一条第一項第二号又は第二項第二号の規定に該当するものとして取り扱う。

別表第二

学科の種類	学科の分野
高等専門学校の学科	文学関係、教育学・保育学関係、法学関係、経済学関係、社会学・社会福祉学関係、理学関係、工学関係、農学関係、家政関係、美術関係、音楽関係、体育関係、保健衛生学関係（看護学関係）、保健衛生学関係（リハビリテーション関係）、保健衛生学関係（看護学関係及びリハビリテーション関係を除く。）

備考　学際領域等右記の区分により難い学科の分野の判定に当たっては、既設の学科の廃止を伴い、かつ、設置に係る学科の教員数の半数以上が当該既設の学科に所属していた教員で占められること等により、当該設置の前後において、学科の分野の変更を伴わないと認められる場合に限り、第二条の規定に該当するものとして取り扱う。

七　都道府県の教育委員会及び都道府県知事は、通信制の課程のうち広域の通信制の課程に係る認可を行うときは、あらかじめ、文部科学大臣に届け出なければならない（法五四条三項及び七〇条一項）。

八　以上の認可の際に提出すべき書類については、施行規則の三条から一六条までに規定され、その他の細則については、それぞれ認可権者が定める（同一九条）こととされている。

〔学校の設置認可の申請又は届出〕

第三条　学校の設置についての認可の申請又は届出は、それぞれ認可申請書又は届出書に、次の事項（市（特別区を含む。以下同じ。）町村立の小学校、中学校及び義務教育学校（市町村が単独で又は他の市町村と共同して設立する公立大学法人（地方独立行政法人法（平成十五年法律第百十八号）第六十八条第一項に規定する公

立大学法人をいう。以下同じ。）の設置する小学校、中学校及び義務教育学校を含む。第七条において同じ。）については、第四号及び第五号の事項を除く。）を記載した書類及び校地、校舎その他直接保育又は教育の用に供する土地及び建物（以下「校地校舎等」という。）の図面を添えてしなければならない。

一 目的
二 名称
三 位置
四 学則
五 経費の見積り及び維持方法
六 開設の時期

〔学則の記載事項〕

第四条 前条の学則中には、少くとも、次の事項を記載しなければならない。

一 修業年限、学年、学期及び授業を行わない日（以下「休業日」という。）に関する事項
二 部科及び課程の組織に関する事項
三 教育課程及び授業日時数に関する事項
四 学習の評価及び課程修了の認定に関する事項
五 収容定員及び職員組織に関する事項
六 入学、退学、転学、休学及び卒業に関する事項
七 授業料、入学料その他の費用徴収に関する事項
八 賞罰に関する事項
九 寄宿舎に関する事項

② 前項各号に掲げる事項のほか、通信制の課程を置く高等学校（中等教育学校の後期課程を含む。第五条第三項において同じ。）については、前条の学則中に、次の事項を記載しなければならない。

一 （略）
二 通信教育連携協力施設（高等学校通信教育規程（昭和三十七年文部省令第三十二号）第三条第一項に規定する通信教育連携協力施設をいう。第五条第三項において同じ。）に関する事項

③ 第一項各号に掲げる事項のほか、特別支援学校については、前条の学則中に、学校教育法（昭和二十二年法律第二十六号）第七十二条に規定する者に対する教育のうち当該特別支援学校が行うものに関する事項を記載しなければならない。

〔学則の変更〕

第五条 学則の変更は、前条第一項各号、第二項各号、第三項並びに第百八十七条第二項第一号及び第二号に掲げる事項に係る学則の変更とする。

② 学校の目的、名称、位置、学則又は経費の見積り及び維持方法の変更についての認可の申請又は届出は、それぞれ認可申請書又は届出書に、変更の事由及び時期を記載した書類を添えてしなければならない。

③ 高等学校の広域の通信制の課程（学校教育法第五十四条第三項（同法第七十条第一項において準用する場合を含む。）に規定する広域の通信制の課程をいう。）の通信教育連携協力施設ごとの定員（高等学校通信教育規程第四条第二項に規定する通信教育連携協力施設ごとの定員をいう。）又は私立学校の収容定員に係る学

則の変更についての認可の申請又は届出は、それぞれ認可申請書又は届出書に、前項の書類のほか、経費の見積り及び維持方法を記載した書類並びに当該変更後の定員又は収容定員に必要な校地校舎等の図面を添えてしなければならない。

〔分校の設置認可の申請又は届出〕

第七条　分校（私立学校の分校を含む。第十五条において同じ。）の設置についての認可の申請又は届出は、それぞれ認可申請書又は届出書に、次の事項（市町村立の小学校、中学校及び義務教育学校については、第四号及び第五号の事項を除く。）を記載した書類及び校地校舎等の図面を添えてしなければならない。

一　事由

二　名称

三　位置

四　学則の変更事項

五　経費の見積り及び維持方法

六　開設の時期

〔学級編制についての認可の申請又は届出〕

第十条　学級の編制についての認可の申請又は届出は、それぞれ認可申請書又は届出書に、各学年ごとの各学級別の生徒の数（数学年の生徒を一学級に編制する場合にあつては、各学級ごとの各学年別の生徒の数とする。本条中以下同じ。）を記載した書類を添えてしなければならない。

②　学級の編制の変更についての認可の申請又は届出は、それぞれ認可申請書又は届出書に、変更の事由及び時期並びに変更前及び変更後の各学年ごとの各学級別の生徒の数を記載した書類を添えてしなければならない。

〔高等学校の全日制課程、定時制課程等の設置認可の申請又は届出〕

第十一条　高等学校（中等教育学校の後期課程を含む。）の全日制の課程、定時制の課程、通信制の課程、学科、専攻科若しくは別科、特別支援学校の高等部の学科、専攻科若しくは別科、大学の学部、学部の学科、大学院、大学院の研究科若しくは研究科の専攻、短期大学の学科若しくは高等専門学校の学科の設置又は大学院の研究科の専攻に係る課程の変更についての認可の申請又は届出は、それぞれ認可申請書又は届出書に、第七条各号の事項を記載した書類及びその使用に係る部分の校地校舎等の図面を添えてしなければならない。

〔通信教育の開設の認可の申請等〕

第十二条　特別支援学校の高等部又は大学における通信教育の開設についての認可の申請又は届出は、それぞれ認可申請書又は届出書に、第七条各号の事項を記載した書類、通信教育に関する規程及びその使用に係る部分の校地校舎等の図面を添えてしなければならない。

②　特別支援学校の高等部又は大学における通信教育に関する規程の変更についての届出は、届出書に、変更の事由及び時期を記載した書類を添えてしなければならない。

③　特別支援学校の高等部又は大学における通信教育の廃止についての認可の申請又は届出は、それぞれ認可申請書又は届出書に、廃止の事由及び時期並びに生徒又は学生の処置方法を記載した書

類を添えてしなければならない。

〔特別支援学校の幼稚部、小学部等の認可の申請又は届出〕

第十三条　特別支援学校の幼稚部、小学部、中学部又は高等部の設置についての認可の申請又は届出は、それぞれ認可申請書又は届出書に、第七条各号の事項を記載した書類及びその使用に係る部分の校地校舎等の図面を添えてしなければならない。

〔学校設置者の変更についての認可の申請又は届出〕

第十四条　学校の設置者の変更についての認可の申請又は届出は、それぞれ認可申請書又は届出書に、当該設置者の変更に関係する地方公共団体（公立大学法人（地方独立行政法人法（平成十五年法律第百十八号）第六十八条第一項に規定する公立大学法人をいう。以下同じ。）を含む。以下この条において同じ。）又は学校法人（私立の幼稚園を設置する学校法人以外の法人及び私人を含む。）が連署して、変更前及び変更後の第三条第一号から第五号まで（小学校、中学校又は義務教育学校の設置者の変更の場合において、新たに設置者となろうとする者が市町村であるときは、第四号及び第五号を除く。）の事項並びに変更の事由及び時期を記載した書類を添えてしなければならない。ただし、新たに設置者となろうとする者が成立前の地方公共団体である場合においては、当該成立前の地方公共団体の連署を要しない。

〔学校等の廃止についての認可の申請又は届出〕

第十五条　学校若しくは分校の廃止、高等学校（中等教育学校の後期課程を含む。）の全日制の課程、定時制の課程、通信制の課程、学科、専攻科若しくは別科の廃止、特別支援学校の幼稚部、小学部、中学部、高等部若しくは高等部の学科、専攻科若しくは別科の廃止、大学の学部、学部の学科、大学院、大学院の研究科若しくは研究科の専攻の廃止、短期大学の学科の廃止又は高等専門学校の学科の廃止についての認可の申請又は届出は、それぞれ認可申請書又は届出書に、廃止の事由及び時期並びに幼児、児童、生徒又は学生（以下「児童等」という。）の処置方法を記載した書類を添えてしなければならない。

〔学則の記載事項〕

第十六条　学校教育法施行令（昭和二十八年政令第三百四十号）第二十四条の二第四号の文部科学省令で定める学則の記載事項は、第四条第一項第一号（修業年限に関する事項に限る。）及び第五号並びに同条第二項各号に掲げる事項とする。

②　学校教育法施行令第二十四条の二に規定する事項についての認可の届出は、認可申請書に係る書類の写しを添えてしなければならない。

なお、大学、大学の学部、短期大学の学科、大学院及び大学院の研究科及び高等専門学校の設置認可の申請手続、通信教育の開設認可の手続並びに私立の大学の学部の学科の設置認可の申請手続及び収容定員の増加に係る学則の変更認可の申請手続等については、「大学の設置等の認可の申請及び届出に係る手続等に関する規則」（平一八文部科学省

令一二）に定めるところによる。

九　本条四項は、平成三年の行政事務に関する国と地方の関係等の整理及び合理化に関する法律（平三法七九）二二条による本法の一部改正により追加され、指定都市立の幼稚園について、従来の認可制を都道府県教育委員会への事前届出制としていたものであるが、平成二三年の改正（平二三法三七）により幼稚園の設置等について認可を要しないこととされたことに伴い削除された後、平成二六年の改正（平二六法五一）により新設され、指定都市立の高等学校及び中等教育学校について、従来の認可制が都道府県教育委員会への届出制に改められた。なお、平成二七年法律第五〇号による改正により、指定都市立の特別支援学校についても追加された。

指定都市は一般の市町村に比べ行政区域が広域にわたり格段の行財政能力を有するため、行政上の事務処理の簡素化・合理化を図る観点から都道府県教育委員会の関与を緩和したもので、本条一項の特例をなすものである。

一〇　文部科学大臣がする大学又は高等専門学校の設置の認可に関する処分又はその不作為については、審査請求をすることができない（法一三九条）。これは、大学又は高等専門学校の設置の認可に関しては、大学設置・学校法人審議会に諮問しなければならないこととされているため（法九五条・一二三条）、十分慎重な手続を経て処理されるので、審査請求の必要はないとしたわけである。

この「大学又は高等専門学校の設置の認可に関する処分」とは、大学及び高等専門学校の設置のみならず、大学設置・学校法人審議会に諮問しなければならないとされている大学の学部、大学院、大学院の研究科、短期大学の学科、高等専門学校の学科又は私立大学の学部の学科の設置認可申請に関する処分をいうものである。

なお、行政処分に係る事前手続について規定する一般法である行政手続法（平五法八八）が制定され、平成六年一〇月一日から施行された。同法は、行政運営における公正の確保と透明性の向上を図り、もって国民の権利利益の保護に資することを目的とし、申請に対する処分、不利益処分、行政指導及び届出に関し、その審査基準、標準処理期

間、理由の提示等の手続を定めている。本条一項の規定による処分は、同法第二章の「申請に対する処分」に該当し、行政手続法の規定の適用を受けることになる。

一一　本条は、専修学校には準用されない。専修学校についての認可事項及び届出事項は、法一三〇条及び法一三一条に定められている。本条一項は、各種学校には準用される（法一三四条二項）。

一二　本条及び施行令二三条の規定に基づくものではないが、法一四二条の規定に基づき学校に関する一定の事項について設置者が監督庁に届出をなすべきことが施行令二五条及び二六条並びに施行規則二条で定められている。このように同じ届出事項であっても、施行令と施行規則に書き分けられているのは、法一四二条で「地方公共団体の機関が処理しなければならないものについては政令で、その他のものについては文部科学大臣が、これを定める。」としていることによるものである。

なお、法五四条三項の規定による高等学校の広域の通信制の課程に関する届出事項（施行令二四条・二四条の二）、法一三一条の規定による専修学校に関する届出事項（施行令二四条の三）、各種学校に関する届出事項（施行令二六条の二）、特別支援学校の高等部及び大学の通信教育に関する届出事項（施行令二七条）、私立学校の目的変更等の届出（施行令二七条の二）及び私立各種学校の目的の変更等の届出（施行令二七条の三）については、関連する条文の【注解】で説明する。

【通　知】

○学校教育法の一部を改正する法律等の施行について（抄）

（平一五・三・三一　一五文科高一六二号　各国公私立大学長、放送大学長、各国公私立高等専門学校長、国立久里浜養護学校長、大学評価・学位授与機構長、独立行政法人大学入試センター理事長、各都道府県知事、各都道府県教育委員会、大学を設置する各地方公共団体の長、大学又は高等専門学校を設置する各学校法人の理事長、放送大学学園理事長あて　文部科学事務次官通知）

このたび、別添のとおり「学校教育法の一部を改正する法律（平成一四年法律第一一八号）」をはじめとする下表に掲げる法令が公布され、認証評価制度の導入以外に係る改正については平成一五年四月一日から施行され、また、認証評価制度の導入に係る改正については平成一六年四月一日から施行されることとなりました。

これらの法令改正の概要並びに留意すべき事項は左記のとおりですので、十分に御了知の上、その運用に当たって遺漏のないようにお取り計らい下さい。

（略）

記

第一　学校教育法の一部を改正する法律（平成一四年法律第一一八号）

一　改正の趣旨

今回の改正の趣旨は、大学等の一層主体的・機動的な教育研究活動等を促進するため、学位の大幅な変更等を伴わない学部等の設置については認可を受けることを要しないこととするとともに、教育研究活動等の質の保証を図るため、勧告等の是正措置や認証評価制度を設けるものである。また、併せて、大学院における高度専門職業人養成を促進するため、専門職大学院制度を設けるものである。

二　学校教育法の一部改正

㈠　設置認可制度の弾力化

大学の学部、大学院の研究科、短期大学の学科の設置廃止については、これまで一律に文部科学大臣の認可を受けることとされていたが、大学等の主体的な判断による機動的な組織改編を可能とするため、

① 大学の学部又は大学院の研究科の設置
② 短期大学の学科の設置
③ 大学の学部、大学院の研究科又は短期大学の学科の廃止
④ その他政令で定める認可事項（第二の一　学校教育法施行令の一部改正㈠を参照）

について、学位の種類及び分野の変更を伴わない等の一定の要件を満たす場合は認可を不要とし、事前届出に改めたこと。（第四条第二項）

また、この事前届出に係る手続については、文部科学大臣が定めることとしたこと。（第四条第二項）（第三の一三　大学の設置等の認可の申請手続等に関する規則の一部改正㈡を参照）

文部科学大臣は、事前届出に係る事項が設置基準等の法令の規定に適合しないと認めるときは、大学設置・学校法人審議会への諮問を経て、届出をした者に対し必要な措置をとるべきことを命ずることができることとしたこと。（第四条第三項及び第六〇条の二〔現行法九五条〕）

なお、学位の種類及び分野の変更等に関する基準については、中央教育審議会への諮問を経て、文部科学大臣が定めることとしたこと。（第四条第五項及び第六〇条〔現行法九四条〕）（第五　学位の種類及び分野の変更等に関する基準（平成一五年文部科学省告示第三九号）を参照）

(二) 法令違反の大学等に対する是正措置の整備

学校教育法や大学設置基準等の法令に違反している大学等に対する是正措置としては、これまで学校全体の閉鎖命令のみが定められていたが、我が国の大学等の質の確保の観点から、文部科学大臣が法令違反の大学等に対し、大学設置・学校法人審議会への諮問を経て、①改善勧告、②変更命令、③学部等の組織の廃止を命ずる措置を段階的に講じることができることとしたこと。（第一五条第一項から第三項まで及び第六〇条の二（現行法九五条））

また、これらの措置を命ずるに当たり事実関係の確認等の必要があるときは、文部科学大臣は、報告・資料提出を求めることができることとしたこと。（第一五条第四項）

（略）

第二 学校教育法の一部改正に伴う関係政令の整備に関する政令（平成一五年政令第七四号）

一 学校教育法施行令の一部改正

(一) 設置認可の弾力化

私立の大学の学部の学科等の廃止について認可事項から削除するとともに、これまで実態上、認可に準じた取り扱いを講じてきた大学院の研究科の専攻及び当該専攻に係る課程の変更を認可事項として位置付けたこと。（第二三条）

また、文部科学大臣の認可を受けることとされている

① 私立の大学の学部の学科の設置
② 大学院の研究科の専攻の設置及び専攻に係る課程の変更
③ 高等専門学校の学科の設置
④ 私立の大学及び高等専門学校の収容定員に係る学則の変更

のうち、当該大学が授与する学位の種類及び分野の変更を伴わない等の要件を満たす場合は認可を不要とし、事前届出に改めたこと。（第二三条の二第一項）

さらに、学位の種類及び分野の変更に関する基準等について、中央教育審議会に諮問した上で文部科学大臣が定めることとしたこと。（第二三条の二第二項及び第三項）（第五　学位の種類及び分野の変更等に関する基準（平成一五年文部科学省告示第三九号）を参照）

（略）

第三 学校教育法施行規則等の一部を改正する省令（平成一五年文部科学省令第一五号）

一 学校教育法施行規則の一部改正

(一) 設置認可の弾力化に伴う手続規定の整備

届出制度の創設に伴い、大学の学部等の設置等に係る届出に際して届出書に添えて提出する書類を定めたこと。

（略）

第五 学位の種類及び分野の変更等に関する基準（平成一五年文部科学省告示第三九号）

学校教育法第四条第五項及び学校教育法施行令第二三条の二第二項に基づき、大学の学部の設置等のうち、認可を不要とし届出となる要件について、左表のように基準を定めたこと。

認可事項	届出となる要件
・大学の学部の設置 ・学部の学科の設置 ・大学院の研究科の設置 ・研究科の専攻の設置 ・専攻に係る課程の変更	一　設置等の前後において、学位の種類の変更を伴わないこと 二　設置等の前後において、学位の種類に応じ別表第一に掲げる学位の分野の変更を伴わないこと
・大学における通信教育の開設	一　開設の前後において、学位（通信教育学部等の修了者に対して授与する学位。二において同じ。）の種類の変更を伴わないこと 二　開設の前後において、学位の種類に応じ別表第一に掲げる学位分野の変更を伴わないこと
・短期大学の学科の設置 ・高等専門学校の学科の設置	設置の前後において、別表第二に掲げる学科の分野の変更を伴わないこと
・短期大学における通信教育の開設	設置の前後において、別表第二に掲げる学科（通信教育を行う学科）の分野の変更を伴わないこと

なお、学位・学科の分野が学際領域等であるため、別表に掲げる分野の区分により難い場合、新設学部等に必要とされる教員数の半数以上が既設学部等に所属していた教員で占められる場合に限り、設置等の前後において学位・学科の分野の変更を伴わないものとして取り扱うこととしたこと。

これは、例えば①バイオ学部など理学、工学、農学のいずれの学問分野からも発展し得る学問分野に係る学部を設置する場合、②教養学部など複数の学問分野の教員組織を有する学部を基礎として当該教員組織を活用して関連学部を設置する場合は、認可を要せず届出として取り扱うこととするものであること。

第六　平成一五年文部科学省告示第四〇号（学校教育法施行令第二三条の二第一項第五号の規定による分野を定める件）

学校教育法施行令第二三条の二第一項第五号の規定により、認可を要せず事前届出となる私立の大学の収容定員の変更の対象から、医師、歯科医師、獣医師、教員及び船舶職員の養成に係る分野に係る収容定員の変更を除外したこと。

（以下略）

〔幼稚園の設置廃止等の届出〕

第四条の二　市町村は、その設置する幼稚園の設置廃止等を行おうとするときは、あらかじめ、都道府県の教育委員会に届け出なければならない。

【沿　革】　平二三・五・二法三七により新設した。

【参照条文】　法四条。施行令二三条二項。施行規則三条～七条、一四条、一五条。

【注　解】

一　本条は、平成二三年の改正（平二三法三七）により、市町村立の幼稚園の設置・廃止等について都道府県教育委員会の認可を要しないこととされた一方、設置・廃止等に係る都道府県教育委員会への届出制が創設されたことに伴い整備されたものである。

　都道府県は、私立学校を通じて県内に所在する学校について全県的な見地から公教育の適正性を確保する責務を担っている。このため引き続き都道府県がその区域内の市町村立幼稚園の設置状況を把握し、必要に応じて適切な監督を行うことができるようにすることが必要であるとされている。

二　本条が新たに設けられることとされたのは、法四条が認可制及び認可制を前提とした例外としての届出制に関する規定となっているからである。

〔学校の管理及び経費の負担〕

第五条　学校の設置者は、その設置する学校を管理し、法令に特別の定のある場合を除いては、その学校の経費を負担する。

【沿　革】　なし。

【参照条文】　法二条。地方自治法二条二項及び三項、二四四条の二。地教行法二三条、三〇条、三二条、三七条。私立学校法二五条一項。義務教育費国庫負担法。市町村立学校職員給与負担法。義務教育諸学校等の施設費の国庫負担等に関する法律。公立

学校施設災害復旧費国庫負担法。国家賠償法三条。国家戦略特別区域法一二条の三。

【注　解】

一　学校は、国（国立大学法人法二条一項に規定する国立大学法人及び独立行政法人国立高等専門学校機構を含む）、地方公共団体（地方独立行政法人法六八条一項に規定する公立大学法人を含む）及び学校法人のみが設置できる（法二条）。本条は、これらの設置者が、その設置する学校の管理とその経費負担を負うべきことを規定したものである。この原則は、学校についての設置者管理主義及び設置者負担主義といわれている。組織・施設の設置者がその運営の責任を持つということは当然のことであって、この当然の原則を確認的に規定したものといえる。

二　学校の「管理」とは、学校教育という事業を経営する作用をいう。その内容を具体的に区分すれば、人的管理、物的管理、運営管理に大別できる。

(1)　人的管理　学校の人的構成要素である教職員に関する作用――人事管理

なお、市町村立の小・中学校、義務教育学校、中等教育学校（後期課程に定時制課程のみを置くものに限る）、特別支援学校の教職員並びに市（指定都市を除く）町村立の定時制課程の高等学校（中等教育学校の後期課程を含む）の教職員の任命権は、その学校の設置者たる市町村の教育委員会によってではなく、都道府県の教育委員会によって行使されることは、本条に対する特例である（地教行法三七条・六一条）。

(2)　物的管理　学校の物的構成要素である施設、設備等に関する作用――財産管理

(3)　運営管理　学校の教育活動を効果的に実現するための(1)及び(2)以外の作用――児童生徒管理と運営管理

三　「学校の管理」をなしうる主体は、本条が明示するように、学校の設置者であり、国、地方公共団体又は学校法人の権限ある機関が、具体的な管理を行う。すなわち、国立大学法人が設置する学校の場合は国立大学法人の学長

（国立大学法人法一一条一項）、国立高等専門学校については、独立行政法人国立高等専門学校機構の理事長（独立行政法人通則法一九条一項、独立行政法人国立高等専門学校機構法七条）、公立大学法人が設置する学校の場合は公立大学法人の理事長（地方独立行政法人法二一条・六八条）、公立大学法人が設置する大学以外の公立大学の場合は設置者である地方公共団体の長（地教行法二二条）、これら以外の公立学校の場合は設置者である地方公共団体の教育委員会（地教行法二三条）であり、私立学校の場合は学校法人の理事会（私立学校法三六条・三七条）であって、これらが現実に学校の管理をなす権限を有するのである。

四　教育委員会は、所管する学校について施設、設備、組織編制、教育課程、教材の取扱その他学校の管理運営の基本的事項に関して必要な教育委員会規則を定めることとされている（地教行法三三条）。これが、いわゆる学校管理規則と呼ばれるものである。これによって、教育委員会と校長との間における権限の調整を明確にし、能率的な学校の管理がなされるように配慮されている。

五　「法令に特別の定のある場合」には、当該法令に定める者が学校の経費を負担することになる。この「負担」とは、単に財源負担のみならず経費の支弁を意味すると解されるから、「法令に特別の定」としては、厳密な意味では、「市町村立学校職員給与負担法」（昭二三法一三五）を挙げることができるにすぎない。同法によれば、設置者負担主義の原則に対して次のような例外を設けている。

(1)　市（特別区を含む）町村立の小学校、中学校、義務教育学校、中等教育学校の前期課程及び特別支援学校の校長（中等教育学校の前期課程にあっては、当該課程の属する中等教育学校の校長とする）、副校長、教頭、主幹教諭、指導教諭、教諭、養護教諭、栄養教諭、助教諭、養護助教諭、寄宿舎指導員、講師（常勤の者及び地方公務員法二八条の五第一項に規定する短時間勤務の職を占める者に限る）、学校栄養職員及び事務職員の給料、扶養手当、地域手当、住居手当、初任給調整手当、通勤手当、単身赴任手当、特殊勤務手当、特地勤務手当（これに準ずる手当を含む）、へき地手当（これに準ずる手当を

含む）、時間外勤務手当（学校栄養職員及び事務職員に係るものとする）、宿日直手当、管理職員特別勤務手当、管理職手当、期末手当、勤勉手当、義務教育等教員特別手当、寒冷地手当、特定任期付職員業績手当、退職手当、退職年金及び退職一時金並びに旅費並びに定時制通信教育手当（中等教育学校の校長に係るものとする）並びに非常勤の講師の報酬、職務を行うために要する費用の弁償及び期末手当は、都道府県の負担とする（同法一条・附則三項）。

(2)　市（指定都市を除く）町村立の高等学校（中等教育学校の後期課程を含む）で定時制の課程を置くものの校長、定時制の課程に関する校務をつかさどる副校長、定時制の課程の担当の教頭、主幹教諭（定時制の課程に関する校務の一部を整理する者又は定時制の課程の授業を担任する者に限る）並びに定時制の課程の授業を担任する指導教諭、教諭、助教諭及び講師（常勤の者及び地方公務員法二八条の五第一項に規定する短時間勤務の職を占める者に限る）についての高等学校標準法七条の規定に基づき都道府県が定める高等学校等教職員定数に基づき配置される職員（高等学校標準法二四条各号に掲げる者を含む）であるものの給料その他の給与、定時制通信教育手当及び産業教育手当並びに非常勤の講師の報酬等は、都道府県の負担とする（同法二条）。

なお、都道府県が負担した給与費等（退職手当、退職年金及び退職一時金並びに旅費を除く）は、義務教育費国庫負担法により、国が、原則として実支出額の三分の一を負担することになっている。

六　学校教育活動をめぐって事故が発生した場合、設置者は、損害賠償の責を負うことが多い。

公立学校の教職員の過失による事故の場合は、教職員を国家賠償法一条にいう「公権力の行使に当る公務員」と解する判決が多く、公共団体が損害賠償責任を負う。公共団体は、教職員に重過失がある場合にのみ、求償することができるが、実際に求償される事例は稀といえる（近年は、求償される事例が出てきている。請求の結果重過失が認められなかった事例として、平成二九年一〇月二日福岡高等裁判所判決、学校事故の事例ではないが、教育委員会の職員に対する求償が認められた事例として、令和二年七月一四日最高裁判所判決がある。）。なお、いわゆる県費負担教職員の過失による事故の場合は、都道府

県も、連帯して損害賠償責任を負う（国家賠償法三条一項）。

公立学校の施設・設備の瑕疵による事故の場合は、国家賠償法二条の規定により、地方公共団体が損害賠償の責を負う。

私立学校の教職員の過失による事故の場合は、民法七一五条によって、「使用者」（学校法人。個人立等の場合は個人等）が損害賠償の責を負う。この場合、国家賠償法の適用される公立学校の場合と異なり、教職員の加害行為に重大な過失がなく軽過失であっても、使用者は、求償権を行使できる。

私立学校の施設・設備の瑕疵による事故の場合には、民法七一七条一項によって学校法人（個人立等の場合は個人等）が、損害賠償の責を負うことになる。

なお、国立大学法人に対する国家賠償法の適用については、国立大学法人は国とは別の法主体となるため、国立大学法人の役職員等が行った行為等が他人に損害等を及ぼした場合、その損害賠償の責任主体となるのは基本的に国立大学法人であることが前提となる。その際、独立行政法人については、「（国家賠償法一条の）適用においては、当該独立行政法人に属する者の行為が、公権力の行使に該当するか否かの判断が重要であって、それが公権力行使に該当すれば、当該者の属する法人は同条一項の責任主体となる」ものであり（独立行政法人制度研究会編『独立行政法人制度の解説』第一法規）、国家賠償法上の賠償責任を負う主体となり得ることとされている。国立大学法人についても国家賠償法の適用について同様と考えられるところである。この点については、国立大学法人の職員による職務行為は、国家賠償法一条一項の「公務員」による「公権力の行使」にあたるとする判決（平成二一年三月二四日東京地裁判決・後掲【判決例】参照）がある。なお、このように国家賠償法上の賠償責任を国立大学法人が負う場合には、同法三条（費用負担者の賠償責任）の規定により国も責任を負う可能性が否定できないところである。

また、国公私立の幼稚園、小・中・義務教育学校・高等学校・中等教育学校、特別支援学校及び高等専門学校、幼

保連携型認定こども園並びに保育所の設置者が、独立行政法人日本スポーツ振興センターと災害共済給付契約を締結し、共済掛金を支払う場合には、学校及び保育所の管理下における幼児児童生徒学生の災害について、保護者に対して、医療費、障害見舞金又は死亡見舞金を支給することになっている（独立行政法人日本スポーツ振興センター法一五条一項七号・一六条・一七条・一八条・附則八条）。

七　施行規則二八条に規定している学校に備えつける表簿について、便宜上、ここで説明する。

第二十八条　学校において備えなければならない表簿は、概ね次のとおりとする。
一　学校に関係のある法令
二　学則、日課表、教科用図書配当表、学校医執務記録簿、学校歯科医執務記録簿、学校薬剤師執務記録簿及び学校日誌
三　職員の名簿、履歴書、出勤簿並びに担任学級、担任の教科又は科目及び時間表
四　指導要録、その写し及び抄本並びに出席簿及び健康診断に関する表簿
五　入学者の選抜及び成績考査に関する表簿
六　資産原簿、出納簿及び経費の予算決算についての帳簿並びに図書機械器具、標本、模型等の教具の目録
七　往復文書処理簿

②　前項の表簿（第二十四条第二項の抄本又は写しを除く。）は、別に定めるもののほか、五年間保存しなければならない。ただし、指導要録及びその写しのうち入学、卒業等の学籍に関する記録については、その保存期間は、二十年間とする。

③　学校教育法施行令第三十一条の規定により指導要録及びその写しを保存しなければならない期間は、前項のこれらの書類の保存期間から当該学校においてこれらの書類を保存していた期間を控除した期間とする。

指導要録とは、児童等の学習及び健康の状況を記録した書類の原本をいい、施行規則二四条に進学先や転学先へのその抄本又は写しの送付について定められている。これらの表簿の保存期間は、指導要録及びその写しのうち学籍に関する記録の部分についてのみ二〇年とし、他の記録及びその他の表簿は五年とされている（施行規則二八条二項）。

指導要録の記載内容の本人への開示について、情報公開条例や個人情報保護条例に基づく請求がなされることがあ

る。指導要録は、従来、評価が形骸化するおそれや保護者等との信頼関係の保持等の観点から本人への開示を前提としない取扱いがなされてきた。また、調査書とともに指導要録の開示請求に関する裁判所の判断も分かれていた。しかし、指導要録の本人開示については、平成一五年一一月の最高裁判決により、主観に左右される「所見」などを除き、客観的評価の部分の開示を認めるよう判示された（後掲【判決例】参照）。

なお、不登校の児童生徒が学校外の施設において相談・指導を受ける場合、学校への復帰を前提とし、かつ、自立を助ける上で有効・適切であると判断されるものについては、校長は指導要録上出席扱いとすることができる（詳細は、後掲【通知】参照）。

八　本条は、専修学校及び各種学校に準用される（法一三三条一項・一三四条二項）。

九　本条の例外として、国家戦略特別区域法（平二五法一〇七）一二条の三の公立国際教育学校等管理事業が存在する。本事業は、国家戦略特別区域内の都道府県及び指定都市が設置する高等学校と中高一貫校（中等教育学校及び併設型中高一貫校）であって、同法の目的に寄与する人材の育成に対応する教育を行うものの管理を、学校法人等の非営利法人に行わせることができるものである。同法には、地方自治法二四四条の二、三項のいわゆる指定管理者制度と同様、設置者による調査・指示や指定の取消等の関与についても併せて規定されている。

【通　知】

○小学校、中学校、高等学校及び特別支援学校等における児童生徒の学習評価及び指導要録の改善等について（平三一・三・二九　三〇文科初一八四五号　各都道府県教育委員会教育長殿　各指定都市教育委員会教育長殿　各都道府県知事殿　附属学校を置国公立大学長殿　小中高等学校を設置する学校設置会社を所轄する構造改革特別区域法第一二条第一項の認定を受けた各地方公共団体の長殿あて　文部科学省初等中等教育局長通知）

この度、中央教育審議会初等中等教育分科会教育課程部会において、「児童生徒の学習評価の在り方について（報告）」（平成三一年

一月二一日）（以下「報告」という。）がとりまとめられました。

報告においては、新学習指導要領の下での学習評価の重要性を踏まえた上で、その基本的な考え方や具体的な改善の方向性についてまとめられています。

文部科学省においては、報告を受け、新学習指導要領の下での学習評価が適切に行われるとともに、各設置者による指導要録の様式の決定や各学校における指導要録の作成の参考となるよう、学習評価を行うに当たっての配慮事項、指導要録に記載する事項及び各学校における指導要録作成に当たっての配慮事項等を別紙1～5及び参考様式のとおりとりまとめました。

ついては、下記に示す学習評価を行うに当たっての配慮事項及び指導要録に記載する事項の見直しの要点並びに別紙について十分に御了知の上、各都道府県教育委員会におかれては、所管の学校及び域内の市区町村教育委員会に対し、各指定都市教育委員会におかれては、所管の学校に対し、各都道府県知事及び小中高等学校を設置する学校設置会社を所轄する構造改革特別区域法第一二条第一項の認定を受けた各地方公共団体の長におかれては、所轄の学校及び学校法人等に対し、附属学校を置く各国公立大学長におかれては、その管下の学校に対し、新学習指導要領の下で、報告の趣旨を踏まえた学習指導及び学習評価並びに指導要録の様式の設定等が適切に行われるよう、これらの十分な周知及び必要な指導等をお願いします。さらに、幼稚園、特別支援学校幼稚部、保育所及び幼保連携型認定こども園（以下「幼稚園等」という。）と小学校（義務教育学校の前期課程を含む。以下同じ。）及び特別支援学校小学部との緊密な連携を図る観点から、幼稚園等においてもこの通知の趣旨の理解が図られるようお願いします。

なお、平成二二年五月一一日付け二二文科初第一号「小学校、中学校、高等学校及び特別支援学校等における児童生徒の学習評価及び指導要録の改善等について」のうち、小学校及び特別支援学校小学部に関する部分は二〇二〇年三月三一日をもって、中学校（義務教育学校の後期課程及び中等教育学校の前期課程を含む。以下同じ。）及び特別支援学校中学部に関する部分は二〇二一年三月三一日をもって廃止することとし、また高等学校（中等教育学校の後期課程を含む。以下同じ。）及び特別支援学校高等部に関する部分は二〇二二年四月一日以降に高等学校及び特別支援学校高等部に入学する生徒（編入学による場合を除く。）について順次廃止することとします。

なお、本通知に記載するところのほか、小学校、中学校及び特別支援学校小学部・中学部における特別の教科である道徳（以下「道徳科」という。）の学習評価等については、引き続き平成二八年七月二九日付け二八文科初第六〇四号「学習指導要領の一部改正に伴う小学校、中学校及び特別支援学校小学部・中学部における児童生徒の学習評価及び指導要録の改善等について」によるところとし、特別支援学校（知的障害）高等部における道徳科の学習評価等については、同通知に準ずるものとします。

記

1．学習評価についての基本的な考え方

(1)　カリキュラム・マネジメントの一環としての指導と評価

「学習指導」と「学習評価」は学校の教育活動の根幹であり、教育課程に基づいて組織的かつ計画的に教育活動の質の向上を図る「カリキュラム・マネジメント」の中核的な役割を担っていること。

(2) 主体的・対話的で深い学びの視点からの授業改善と評価

指導と評価の一体化の観点から、新学習指導要領で重視している「主体的・対話的で深い学び」の視点からの授業改善を通して各教科等における資質・能力を確実に育成する上で、学習評価は重要な役割を担っていること。

(3) 学習評価について指摘されている課題

学習評価の現状としては、(1)及び(2)で述べたような教育課程の改善や授業改善の一連の過程に学習評価を適切に位置付けた学校運営の取組がなされる一方で、例えば、学校や教師の状況によっては、

- 学期末や学年末などの事後での評価に終始してしまうことが多く、評価の結果が児童生徒の具体的な学習改善につながっていない、
- 現行の「関心・意欲・態度」の観点について、挙手の回数や毎時間ノートをとっているかなど、性格や行動面の傾向が一時的に表出された場面を捉える評価であるような誤解が払拭しきれていない、
- 教師によって評価の方針が異なり、学習改善につなげにくい、
- 教師が評価のための「記録」に労力を割かれて、指導に注力できない、
- 相当な労力をかけて記述した指導要録が、次の学年や学校段階において十分に活用されていない、

といった課題が指摘されていること。

(4) 学習評価の改善の基本的な方向性

(3)で述べた課題に応えるとともに、学校における働き方改革が喫緊の課題となっていることも踏まえ、次の基本的な考え方に立って、学習評価を真に意味のあるものとすることが重要であること。

【1】児童生徒の学習改善につながるものにしていくこと
【2】教師の指導改善につながるものにしていくこと
【3】これまで慣行として行われてきたことでも、必要性・妥当性が認められないものは見直していくこと

これに基づく主な改善点は次項以降に示すところによること。

2. 学習評価の主な改善点について

(1) 各教科等の目標及び内容を「知識及び技能」、「思考力、判断力、表現力等」、「学びに向かう力、人間性等」の資質・能力の三つの柱で再整理した新学習指導要領の下での指導と評価の一体化を推進する観点から、観点別学習状況の評価の観点についても、これらの資質・能力に関わる「知識・技能」、「思考・判断・表現」、「主体的に学習に取り組む態度」の三観点に整理して示し、設置者において、これに基づく適切な観点を設定することとしたこと。その際、「学びに向かう力、人間性等」につ

いては、「主体的に学習に取り組む態度」として観点別学習状況の評価を通じて見取ることができる部分と観点別学習状況の評価にはなじまず、個人内評価等を通じて見取る部分があることに留意する必要があることを明確にしたこと。

(2)　「主体的に学習に取り組む態度」については、各教科等の観点の趣旨に照らし、知識及び技能を獲得したり、思考力、判断力、表現力等を身に付けたりすることに向けた粘り強い取組の中で、自らの学習を調整しようとしているかどうかを含めて評価することとしたこと（各教科等の観点の趣旨は、本通知の別紙４及び別紙５に示している）。

(3)　学習評価の結果の活用に際しては、各教科等の児童生徒の学習状況を観点別に捉え、各教科等における学習状況を分析的に把握することが可能な観点別学習状況の評価と、各教科等の児童生徒の学習状況を総括的に捉え、教育課程全体における各教科等の学習状況を把握することが可能な評定の双方の特長を踏まえつつ、その後の指導の改善等を図ることが重要であることを明確にしたこと。

(4)　特に高等学校及び特別支援学校（視覚障害、聴覚障害、肢体不自由又は病弱）高等部における各教科・科目の評価について、学習状況を分析的に捉える観点別学習状況の評価と、これらを総括的に捉える評定の両方について、学習指導要領に示す各教科・科目の目標に基づき学校が地域や生徒の実態に即して定めた当該教科・科目の目標や内容に照らし、その実現状況を評価する、目標に準拠した評価として実施することを明確にしたこと。

3．指導要録の主な改善点について

指導要録の改善点は以下に示すほか、別紙１から別紙３まで及び参考様式に示すとおりであること。設置者や各学校においては、それらを参考に指導要録の様式の設定や作成に当たることが求められること。

(1)　小学校及び特別支援学校（視覚障害、聴覚障害、肢体不自由又は病弱）小学部における「外国語活動の記録」については、従来、観点別に設けていた文章記述欄を一本化した上で、評価の観点に即して、児童の学習状況に顕著な事項がある場合にその特徴を記入することとしたこと。

(2)　高等学校及び特別支援学校（視覚障害、聴覚障害、肢体不自由又は病弱）高等部における「各教科・科目等の学習の記録」については、観点別学習状況の評価を充実する観点から、各教科・科目の観点別学習状況を記載することとしたこと。

(3)　高等学校及び特別支援学校（視覚障害、聴覚障害、肢体不自由又は病弱）高等部における「特別活動の記録」については、教師の勤務負担軽減を図り、観点別学習状況の評価を充実する観点から、文章記述を改め、各学校が設定した観点を記入した上で、各活動・学校行事ごとに、評価の観点に照らして十分満足できる活動の状況にあると判断される場合に、○印を記入することとしたこと。

(4)　特別支援学校（知的障害）各教科については、特別支援学校の新学習指導要領において、小・中・高等学校等との学びの連

続性を重視する観点から小・中・高等学校の各教科と同様に育成を目指す資質・能力の三つの柱で目標及び内容が整理されたことを踏まえ、その学習評価においても観点別学習状況を踏まえて文章記述を行うこととしたこと。

(5) 教師の勤務負担軽減の観点から、【1】「総合所見及び指導上参考となる諸事項」については、要点を箇条書きとするなど、その記載事項を必要最小限にとどめるとともに、【2】通級による指導を受けている児童生徒について、個別の指導計画を作成しており、通級による指導に関して記載すべき事項が当該指導計画に記載されている場合には、その写しを指導要録の様式に添付することをもって指導要録への記入に替えることも可能とするなど、その記述の簡素化を図ることとしたこと。

4. 学習評価の円滑な実施に向けた取組について

(1) 各学校においては、教師の勤務負担軽減を図りながら学習評価の妥当性や信頼性が高められるよう、学校全体としての組織的かつ計画的な取組を行うことが重要であること。具体的には、例えば以下の取組が考えられること。

- 評価規準や評価方法を事前に教師同士で検討し明確化することや評価に関する実践事例を蓄積し共有すること。
- 評価結果の検討等を通じて評価に関する教師の力量の向上を図ること。
- 教務主任や研究主任を中心として学年会や教科等部会等の校内組織を活用すること。

(2) 学習評価については、日々の授業の中で児童生徒の学習状況を適宜把握して指導の改善に生かすことに重点を置くことが重要であること。したがって観点別学習状況の評価の記録に用いる評価については、毎回の授業ではなく原則として単元や題材など内容や時間のまとまりごとに、それぞれの実現状況を把握できる段階で行うなど、その場面を精選することが重要であること。

(3) 観点別学習状況の評価になじまず個人内評価の対象となるものについては、児童生徒が学習したことの意義や価値を実感できるよう、日々の教育活動等の中で児童生徒に伝えることが重要であること。特に「学びに向かう力、人間性等」のうち「感性や思いやり」など児童生徒一人一人のよい点や可能性、進歩の状況などを積極的に評価し児童生徒に伝えることが重要であること。

(4) 言語能力、情報活用能力や問題発見・解決能力など教科等横断的な視点で育成を目指すこととされた資質・能力は、各教科等における「知識・技能」、「思考・判断・表現」、「主体的に学習に取り組む態度」の評価に反映することとし、各教科等の学習の文脈の中で、これらの資質・能力が横断的に育成・発揮されることが重要であること。

(5) 学習評価の方針を事前に児童生徒と共有する場面を必要に応じて設けることは、学習評価の妥当性や信頼性を高めるとともに、児童生徒自身に学習の見通しをもたせる上で重要であること。その際、児童生徒の発達の段階等を踏まえ、適切な工夫が求められること。

(6)　全国学力・学習状況調査や高校生のための学びの基礎診断の認定を受けた測定ツールなどの外部試験や検定等の結果は、児童生徒の学習状況を把握するために用いることで、教師が自らの評価を補完したり、必要に応じて修正したりしていく上で重要であること。

　このような外部試験や検定等の結果の利用に際しては、それらが学習指導要領に示す目標に準拠したものでない場合や、学習指導要領に示す各教科の内容を網羅的に扱うものではない場合があることから、これらの結果は教師が行う学習評価の補完材料であることに十分留意が必要であること。

(7)　法令に基づく文書である指導要録について、書面の作成、保存、送付を情報通信技術を用いて行うことは現行の制度上も可能であり、その活用を通して指導要録等に係る事務の改善を推進することが重要であること。特に、統合型校務支援システムの整備により文章記述欄などの記載事項が共通する指導要録といわゆる通知表のデータの連動を図ることは教師の勤務負担軽減に不可欠であり、設置者等においては統合型校務支援システムの導入を積極的に推進すること。仮に統合型校務支援システムの整備が直ちに困難な場合であっても、校務用端末を利用して指導要録等に係る事務を電磁的に処理することも効率的であること。

　これらの方法によらない場合であっても、域内の学校が定めるいわゆる通知表の記載事項が、当該学校の設置者が様式を定める指導要録の「指導に関する記録」に記載する事項を全て満たす場合には、設置者の判断により、指導要録の様式を通知表の様式と共通のものとすることが現行の制度上も可能であること。その際、例えば次のような工夫が考えられるが、様式を共通のものとする際には、指導要録と通知表のそれぞれの役割を踏まえることも重要であること。

- 通知表に、学期ごとの学習評価の結果の記録に加え、年度末の評価結果を追記することとすること。
- 通知表の文章記述の評価について、指導要録と同様に、学期ごとにではなく年間を通じた学習状況をまとめて記載することとすること。
- 指導要録の「指導に関する記録」の様式を、通知表と同様に学年ごとに記録する様式とすること。

(8)　今後、国においても学習評価の参考となる資料を作成することとしているが、都道府県教育委員会等においても、学習評価に関する研究を進め、学習評価に関する参考となる資料を示すとともに、具体的な事例の収集・提示を行うことが重要であること。特に高等学校については、今般の指導要録の改善において、観点別学習状況の評価が一層重視されたこと等を踏まえ、教員研修の充実など学習評価の改善に向けた取組に一層、重点を置くことが求められること。国が作成する高等学校の参考資料についても、例えば、定期考査や実技など現在の高等学校で取り組んでいる学習評価の場面で活用可能な事例を盛り込むなど、高等学校の実態や教師の勤務負担軽減に配慮しつつ学習評価の充実を図ることを可能とする内容とする予定であること。

5．学習評価の改善を受けた高等学校入学者選抜、大学入学者選抜の改善について

「1．学習評価についての基本的な考え方」に示すとおり、学習評価は、学習や指導の改善を目的として行われているものであり、入学者選抜に用いることを一義的な目的として行われるものではないこと。したがって、学習評価の結果を入学者選抜に用いる際には、このような学習評価の特性を踏まえつつ適切に行うことが重要であること。

(1) 高等学校入学者選抜の改善について

報告を踏まえ、高等学校及びその設置者において今般の学習評価の改善を受けた入学者選抜の在り方について検討を行う際には、以下に留意すること。

- 新学習指導要領の趣旨を踏まえた各高等学校の教育目標の実現に向け、入学者選抜の質的改善を図るため、改めて入学者選抜の方針や選抜方法の組合せ、調査書の利用方法、学力検査の内容等について見直すこと。
- 調査書の利用に当たっては、そのねらいを明らかにし、学力検査の成績との比重や、学年ごとの学習評価の重み付け等について検討すること。例えば都道府県教育委員会等において、所管の高等学校に一律の比重で調査書の利用を義務付けているような場合には、各高等学校の入学者選抜の方針に基づいた適切な調査書の利用となるよう改善を図ること。
- 入学者選抜の改善に当たっては、新学習指導要領の趣旨等も踏まえつつ、学校における働き方改革の観点から、調査書の作成のために中学校の教職員に過重な負担がかかったり、生徒の主体的な学習活動に悪影響を及ぼしたりすることのないよう、入学者選抜のために必要な情報の整理や市区町村教育委員会及び中学校等との情報共有・連携を図ること。

(2) 大学入学者選抜の改善について

国においては新高等学校学習指導要領の下で学んだ生徒に係る「二〇二五年度大学入学者選抜実施要項」の内容について二〇二一年度に予告することとしており、予告に向けた検討に際しては、報告及び本通知の趣旨を踏まえ以下に留意して検討を行う予定であること。

- 各大学において、特に学校外で行う多様な活動については、調査書に過度に依存することなく、それぞれのアドミッション・ポリシーに基づいて、生徒一人一人の多面的・多角的な評価が行われるよう、各学校が作成する調査書や志願者本人の記載する資料、申告等を適切に組み合わせるなどの利用方法を検討すること。
- 学校における働き方改革の観点から、指導要録を基に作成される調査書についても、観点別学習状況の評価の活用を含めて、入学者選抜で必要となる情報を整理した上で検討すること。

- 別紙一覧
- 参考一覧

【判決例】

○指導要録の客観的評価の部分について開示を認めるが、主観に左右される「所見」などについては、開示すれば指導要録が適切な教育を行う基礎資料とならなくなるおそれがあり非開示が妥当である（最（三小）判平一五・一一・一一判例時報一八四六号三頁）

3　原審は、上記事実関係等の下において、次のとおり判断し、本件処分のうち本件指導要録の裏面を非開示とした部分は適法であるとして、上告人の請求を全部棄却すべきものとした。

本件指導要録の裏面のうち「各教科の学習の記録」欄、「特別活動の記録」欄及び「行動及び性格の記録」欄には、児童等に開示することを予定せずにその評価等がありのまま記載されているから、これを開示すると、当該児童等の誤解や不信感、無用の反発等を招き、担任教師等においても、そのような事態が生ずることを懸念して、否定的な評価についてありのままに記載することを差し控えたり、画一的な記載に終始するなどし、その結果、指導要録の記載内容が形がい化、空洞化し、指導、教育のための基礎資料とならなくなり、継続的かつ適切な指導、教育を困難にするおそれがある。また、本件指導要録の裏面のうち「標準検査の記録」欄に記載された検査等も、児童等に内容を告知することが予定されていないものであり、これを開示すると、児童等が、検査結果を固定的、絶対的なものとして受け止め、とりわけ結果が良好でなかった場合には学習意欲や向上心を失ったり、無用な反発をし、その結果、児童等と担任教師等との間の信頼関係が損なわれ、その後の指導等に支障を来すおそれがあるし、担任教師等においても、そのような事態が生ずることを懸念して検査結果の記載を差し控えるなどし、その結果、継続的かつ適切な指導、教育を困難にするおそれがある。したがって、本件指導要録の裏面の各欄に記録された情報は、いずれも本件条例一〇条二号の非開示情報に該当する。

4　原審の上記判断中、本件指導要録の裏面のうち「各教科の学習の記録」欄中の「Ⅲ　所見」欄、「特別活動の記録」欄及び「行動及び性格の記録」欄の部分に記録されている情報（以下「本件情報一」という。）について、これが本件条例一〇条二号の非開示情報に該当するとした部分は、正当として是認することができるが、本件指導要録の裏面のうち「各教科の学習の記録」欄中の「Ⅰ　観点別学習状況」欄及び「Ⅱ　評定」欄並びに「標準検査の記録」欄の部分に記録されている情報（以下「本件情報二」という。）について、これが同号の非開示情報に該当するとした部分は、是認することができない。その理由は、次のとおりである。

・前記事実関係等によれば、本件情報一は、児童の学習意欲、学習態度等に関する全体的評価あるいは人物評価ともいうべきものであって、評価者の観察力、洞察力、理解力等の主観的要素に左右され得るものであるところ、O区においては、当該情報については、担任教師が、開示することを予定せずに、自らの言葉で、児童の良い面、悪い面を問わず、ありのままを記載し

ていたというのである。このような情報を開示した場合、原審が指摘するような事態が生ずる可能性が相当程度考えられ、その結果、指導要録の記載内容が形がい化、空洞化し、適切な指導、教育を行うための基礎資料とならなくなり、継続的かつ適切な指導、教育を困難にするおそれを生ずることも否定することができない。そうすると、本件情報一が本件条例一〇条二号の非開示情報に該当するとした原審の判断は、正当として是認することができる。本件情報一に関する論旨は、採用することができない。

• 前記事実関係等によれば、本件情報二のうち「各教科の学習の記録」欄中の「Ⅰ　観点別学習状況」欄に記録されているものは、各教科の観点別に小学校学習指導要領に示された目標を基準としてその達成状況を三段階に分けて評価した結果であり、「各教科の学習の記録」欄中の「Ⅱ　評定」欄に記録されているものは、上記の評価を踏まえて各教科別に三段階又は五段階に分けて評価した結果であるというのである。そうすると、以上の各欄に記録された情報は、児童の日常的学習の結果に基づいて学習の到達段階を示したものであって、これには評価者の主観的要素が入る余地が比較的少ないものであり、三段階又は五段階という比較的大きな幅のある分類をして、記号ないし数字が記載されているにすぎず、それ以上に個別具体的な評価、判断内容が判明し得るものではない。そうすると、これを開示しても、原審がいうような事態やおそれを生ずるとはいい難い。したがって、上記各欄に記録された情報は、本件条例一〇条二号の非開示情報に該当しないというべきである。また、前記事実関係等によれば、本件情報二のうち「標準検査の記録」欄に記録されているものは、実施した検査の結果等客観的な事実のみが記載されているというのであるから、これを開示しても、原審がいうような事態やおそれを生ずることは考え難い。したがって、同欄に記録された情報も、同号の非開示情報に該当しないというべきである。

〇国立大学法人の職員による職務行為は、国家賠償法一条一項の「公務員」による「公権力の行使」にあたる（東京地判平二一・三・二四判例時報二〇四一号六七頁）

国立大学法人法は、独立行政法人通則法五一条（みなし公務員）を準用するものでないから、国立大学法人の設置・運営する大学大学院の職員は、みなし公務員ではない（国立大学法人法一九条の適用のある場合を除く。）。しかし、国家賠償法一条一項にいう「公務員」は、国家公務員法、地方公務員法等の定める「公務員」に限られないことはいうまでもなく、国又は公共団体が行うべき公権力を実質的に行使する者も、同条項にいう「公務員」に含まれると解されるところである。

この観点から、国立大学法人の職員が公権力を行使する公務員にあたるといえるか否かについてみると、①国立大学法人の成立の際に存在していた国立大学の職員が職務に関して行った行為は、純然たる私経済作用を除いては一般に公権力の行使にあたると解されていて、大学院の委員会における活動も、すべて公権力の行使にあたると解されていたこと、②国立大学法人は、国立大学を設置し、こ

れを運営することをその業務としており（国立大学法人法二二条一項一号）、その財政は別として、委員会における活動の実態等においては格別の変更はないこと、③国立大学法人等の成立の際に、現に国が有する権利又は義務のうち、各国立大学法人が行う国立大学法人法二二条一項、二九条に規定する業務に関するものは、国立大学法人がこれを承継することとされていること（国立大学法人法附則九条）等を総合すると、国立大学法人は国家賠償法一条一項にいう「公共団体」にあたり、その職員が行う職務は純然たる私経済作用を除いては一般に公権力の行使にあたると解するのが相当である。

〔授業料の徴収〕

第六条　学校においては、授業料を徴収することができる。ただし、国立又は公立の小学校及び中学校、義務教育学校、中等教育学校の前期課程又は特別支援学校の小学部及び中学部における義務教育については、これを徴収することができない。

【沿　革】　制定当初の条文には、次のような第二項があった。

「国立又は公立の学校における授業料その他の費用に関する事項は、監督庁が、これを定める。」

昭二八・八・一五法二一三により、第二項中「又は公立の」を削った。

昭三五・三・三一法一六により、国立学校における授業料その他の費用の免除及び猶予に関する規定が、国立学校設置法に追加されたことに伴い、本条第二項が削除された。

昭三六・一〇・三一法一六六により、「聾学校」を「聾学校」に、「但し」を「ただし」に改めた。

平一〇・六・一二法一〇一により、「中学校又は」を「中学校、」に改め、「養護学校」の下に「又は中等教育学校の前期課程」を加えた。

平一八・六・二一法八〇により、「盲学校、聾学校及び養護学校」を「特別支援学校」に改めた。

平一九・六・二七法九六により、「これらに準ずる特別支援学校又は中等教育学校の前期課程」を「中等教育学校の前期課程又は特別支援学校の小学部及び中学部」に改めた。

平二七・六・二四法四六により、「中学校」の下に「、義務教育学校」を加えた。

【参照条文】 憲法二六条二項後段。教育基本法五条四項。地方自治法二二五条、二二八条、二二九条。国立大学法人法二二条四項、二三条。国立大学等の授業料その他の費用に関する省令。

【注　解】

一　「授業料」の法律的な性格は、公立学校については、学校という営造物（公の施設）の利用につき徴収される使用料である。また、私立学校の授業料は、学校という教育役務を提供する施設の利用に関する私法上の契約により定められた料金である。

本条は、学校経費の設置者負担主義の原則に基づき学校経費を負担する責任を負う設置者に、学校の利用者から学校経費の一部に充てるため授業料を徴収することができる法的根拠を定めたものである。

ただし、国立又は公立の小学校、中学校及び義務教育学校、中等教育学校の前期課程又は特別支援学校の小学部及び中学部における義務教育については、授業料を徴収することができない。憲法二六条二項は「すべて国民は、法律の定めるところにより、その保護する子女に普通教育を受けさせる義務を負ふ。義務教育は、これを無償とする。」と規定している。これを受けて教育基本法五条一項で「国民は、その保護する子に、別に法律で定めるところにより、普通教育を受けさせる義務を負う。」、同条四項で「国又は地方公共団体の設置する学校における義務教育については、授業料を徴収しない。」と規定している。また、学校教育法では、義務教育の年限を九年と定めるとともに（法一六条）、「子の満六歳に達した日の翌日以後における最初の学年の初めから、満十二歳に達した日の属する学年の終わりまで」、小学校、義務教育学校の前期課程又は特別支援学校の小学部に、「子が小学校の課程、義務教育学校の前期課程又は特別支援学校の小学部の課程を修了した日の翌日以後における最初の学年の初めから、満十五歳に達する学年の終わりまで」、中学校、義務教育学校の後期課程、中等教育学校の前期課程又は特別支援学校の中学部に就

学させる義務を負うと定め（法一七条）、これによって、義務教育無償の範囲を具体的に定めたものである。なお、憲法二六条二項後段の「義務教育の無償」とは、保護者に対し子の普通教育の対価（＝授業料）を徴収しないことを定めたものと認められるから、授業料不徴収の意味と解すべきである。したがって、同条の規定は、授業料のほかに義務教育に必要な一切の費用まで無償としなければならないことを定めたものと解することはできない。しかし、国が、保護者の教科書等の費用の負担についても、これをできるだけ軽減するよう配慮、努力することは望ましいのであって、それは、国の財政等の事情を考慮して立法政策の問題として解決すべきことがらである（最判昭三九・二・二六民集一八巻二号三四三頁）。そこで、この憲法の理想を実現するため昭和三八年に「義務教育諸学校の教科用図書の無償措置に関する法律」（昭三八法一八二）が制定され、義務教育諸学校の児童又は生徒に教科書の無償給与が行われている。

私立の小学校、中学校、義務教育学校又は中等教育学校の前期課程への就学は、保護者の自由な選択によるものであるから、公立学校就学に伴う授業料無償の権利を放棄したものと考えられるので、授業料の徴収を禁じられていない。

二 国立大学及び国立大学の附属学校の授業料については、文部科学省令で定めることとされている（国立大学法人法二二条三項）。これは、法人化後の国立大学の授業料については、本来、法人が独自に決定すべき事項であると考えられるが、教育の機会均等の確保や計画的人材の養成は、法人化後の国立大学の果たすべき使命であることから、適正な水準を確保するため、国が授業料等の標準的な額を定める等一定の関与をする必要があると考えられた。このため、国立大学等の授業料その他の費用に関する省令（平一六文部科学省令一六）において、国立大学法人が設置する国立大学及び国立大学に附属して設置される学校において徴収される授業料、入学料、検定料及び寄宿料の標準的な額等を規定している。このうち、小学校、中学校、義務教育学校、中等教育学校の前期課程、特別支援学校の小学部及び中学部については授業料の標準額は定められていない（同省令二条）。

公立学校の授業料に関する事項は、条例で定めなければならない（地方自治法二二五条・二二八条一項）。その条例案を作成する場合、地方公共団体の長は、教育委員会の意見を聴かなければならない（地教行法二九条）。

私立学校の授業料は、学則に定められることにより明確となる。学則は、学校の設置認可の際の添付書類となっているが、設置後の学則の変更（収容定員に係るものを除く）は、届出事項である（施行規則二条一項一号・三条・四条一項七号）。

三　国立学校の授業料の免除及び猶予については、国立大学等の授業料その他の費用に関する省令一一条に定めがあり、経済的理由によって納付が困難であると認められる者その他やむを得ない事情があると認められる者に対して、授業料の全部又は一部を免除又は猶予することができることになっている。

公立学校の授業料についても、授業料条例の中に減免に関する規定が設けられているのが通例である。その場合、普通地方公共団体の公の施設の使用料の賦課徴収に関する事務は、原則として地方公共団体の長の担任するところとされているけれども、授業料の減免はそれによって教育上の成果を期待するものであって、そのような性質を有する事務は教育行政にほかならず、その減免の措置は教育委員会の所掌事務に属するものと解されている（昭二六・六・一五　法務府法意一発三六号　法務府意見局長官回答）。

四　「公立高等学校に係る授業料の不徴収及び高等学校等就学支援金の支給に関する法律」（平二二法一八）は、「学校教育法第六条本文の規定にかかわらず、公立高等学校については、授業料を徴収しないものとする。」（制定時の三条）と規定し、公立高等学校については、本条の例外として、授業料は徴収しないこととしていた。

その後、平成二五年一一月に司法の一部改正法が成立し（施行に平成二六年四月、名称を「高等学校等就学支援金の支給に関する法律」と改正。）、国立・私立高等学校と同様に、公立高等学校についても授業料の不徴収制度を改め、高等学校等就学支援金（以下「就学支援金」という。）を支給する制度に一本化された。

就学支援金は、授業料に充てるためのものであり（一条）、このことを担保するために、学校の設置者が受給権者で

ある生徒等に代わって就学支援金を受領し、これを当該受給権者等授業料に係る債権の弁済に充てる代理受領方式がとられている（七条）。

就学支援金の月額は、高等学校の授業料に相当する額（授業料が政令で定める支給限度額を超える場合には、政令で定める支給限度額まで）とされている（五条一項）。保護者等の収入の状況に照らして特に経済的負担の軽減が必要な、いわゆる低所得世帯の生徒等に対しては就学支援金の額を加算する措置等が講じられている（五条二項）。

就学支援金の支給を受けるためには、在学する高等学校等の設置者を通じて都道府県知事又は都道府県教育委員会に対し、就学支援金の支給を受ける資格を有することの認定を申請し、その認定を受けなければならない（四条）。支給対象となるのは、高等学校（専攻科及び別科を除く。）、中等教育学校の後期課程（専攻科及び別科を除く。）、特別支援学校の高等部、高等専門学校第一学年から第三学年まで並びに専修学校、各種学校及び法律に特別の規定がある教育施設で高等学校の課程に類する課程を置くもの）に在学する生徒等である（二条、三条二項）。ただし、在学期間が三六月（定時制課程等の場合は四八月）を超える場合には支給されない（三条二項二号・三項）。また、高所得世帯の生徒等については、平成二五年の改正により、就学支援金の支給対象から外れることとなった（三条二項三号）。

五　「大学等における修学の支援に関する法律」（令和元法八）は、真に支援が必要な低所得者世帯の者に対し、大学等における修学の支援として、学資支給及び授業料等減免を行うこととしている（一条、三条）。

学資支給は、独立行政法人日本学生支援機構法（平成一五法九四）に規定する独立行政法人日本学生支援機構が行う学資支給金の支給とし、その実施については同法の定めるところによることとされている。（四条、五条）

授業料等減免は、大学等の設置者が行い、当該設置者が国又は地方公共団体から授業料等減免に要する費用の支弁を受けようとする場合には、当該設置者は、文部科学大臣等の国の行政機関の長又は地方公共団体の長に対し、当該大学が、教育の実施体制及び経営基盤等に係る確認要件に適合することの確認を求めることができる（七条）。

確認を受けた大学等の設置者は、文部科学省令で定める基準及び方法に従って、特に優れた学生等であって経済的理由により極めて修学に困難があるものと認められるものを授業料等減免対象者として認定し、この認定を受けた者に対して授業料等減免を行うものとされている（八条）。認定の対象となるのは、大学の学部、短期大学の学科及び専攻科（大学の学部に準ずるものとして文部科学省で定める専攻科に限る。）並びに高等専門学校の学科（第四学年及び第五学年に限る。）及び専攻科（大学の学部に準ずるものとして文部科学省で定める専攻科に限る。）の学生並びに専修学校の専門課程の生徒である（二条二項）。この設置者が行う授業料等減免の額は、確認を受けた大学等の種別その他の事情を考慮して、政令で定めるところによる（八条二項）。

六　授業料滞納に対する制裁について法令には明文の規定がないにもかかわらず、授業料の滞納を理由に学生・生徒の身分を剥奪することは違法ではないかという問題がある。授業料は、学校の利用の対価としてその学生・生徒が当然納付すべきものであって、これを滞納することが学校の利用関係を終了せしめる要因たり得ることは、学校の利用関係の性質上当然のことである。授業料を滞納した場合に退学処分がなされることがあり得る旨をあらかじめ定めているのが通例であるが、特にそのような定めをしていない場合においても、学校と学生・生徒との間の法律関係の性格からみて、授業料の滞納を理由とする退学処分を行うことができると解される。

七　学校の入学に関連して徴収される検定料及び入学料の法的性格は、どのようなものであろうか。

検定料は、入学者選抜（調査書の検討、学力調査、実技検査、身体検査等）に関する手数料である。

入学料は、学校の提供する諸種の便益を受ける学生・生徒等としての地位を取得するについて、一括して支払われる金銭であり、入学に伴って必要な学校側の手続、準備のための諸経費（人件費、印刷費、通信費等）に要する手数料としての性格をも併せ有するものと考えられる。

私立大学では、学則や募集要項等において、入学料、授業料、施設整備費等の学生納付金について、「いったん納

付された学生納付金は理由のいかんを問わず返還しない」、「所定の期限までに入学辞退を申し出た場合に限り、入学金以外の学生納付金を返還する」などの不返還特約を定め、納入後（所定の期限後）は、それらの学生納付金を返還しないこととしているところが多い。判例上も、かつては、このような募集要項等の定めも信義誠実の原則に反しない、又は公序良俗違反とはならないとして学生納付金を返還しないことを是認するものがみられた（最高裁平九・三・二七等）。しかしながら、平成一八年一一月二七日の最高裁判所の判決では、消費者契約法（平一二法六一）の施行（平成一三年四月一日）以降の事例について、在学契約にも消費者契約法が適用されることを前提に次のように判示した。

①　授業料・施設設備費等について

三月三一日までに入学を辞退した場合には、原則として大学は返還する義務を負う。ただし、専願、推薦入学試験等の場合は、他の入学試験等によって代わりの入学者を通常容易に確保することができる時期を経過していないなどの特段の事情がない限り、返還に応じる義務はない。入学辞退の意思表示が口頭によるものであっても、原則として有効な在学契約の解除の意思表示と認めるのが相当である。

四月一日以降に入学を辞退した場合には、原則として返還に応じる義務はない。ただし、要項等に「入学式を無断欠席した場合には、入学を辞退したものとみなす」等の記述がある場合には、入学式の日までに明示又は黙示により入学辞退したときは、返還しなければならない。

②　入学金について

入学金は、その額が不相当に高額であるなど他の性質を有するものと認められる特段の事情のない限り、学生が当該大学に入学し得る地位を取得するための対価としての性質を有するものである。学生は、入学金の納付をもって大学に入学し得る地位を取得するものであるから、その後に在学契約等が解除され、あるいは失効しても、大学はその返還義務を負わない。

また、文部科学省においても、学校法人等に対し、今後、この最高裁判所の判決と同様の司法上の判断がなされる蓋然性が高くなることから、入学試験要項などで受験生及び保護者に対して、今後の入学者選抜における授業料、諸会費等について、この最高裁判所の判決の趣旨を明確にするよう通知を出している（後掲**【通知】**参照）。

○消費者契約法（平一二・五・一二法六一）
最終改正　平三〇・六・一五法五四

（定義）
第二条　この法律において「消費者」とは、個人（事業として又は事業のために契約の当事者となる場合におけるものを除く。）をいう。
2　この法律（第四十三条第二項第二号を除く。）において「事業者」とは、法人その他の団体及び事業として又は事業のために契約の当事者となる場合における個人をいう。
3　この法律において「消費者契約」とは、消費者と事業者との間で締結される契約をいう。
4　この法律において「適格消費者団体」とは、不特定かつ多数の消費者の利益のためにこの法律の規定による差止請求権を行使するのに必要な適格性を有する法人である消費者団体（消費者基本法（昭和四十三年法律第七十八号）第八条の消費者団体をいう。以下同じ。）として第十三条の定めるところにより内閣総理大臣の認定を受けた者をいう。

（消費者が支払う損害賠償の額を予定する条項等の無効）
第九条　次の各号に掲げる消費者契約の条項は、当該各号に定める部分について、無効とする。
一　当該消費者契約の解除に伴う損害賠償の額を予定し、又は違約金を定める条項であって、これらを合算した額が、当該条項において設定された解除の事由、時期等の区分に応じ、当該消費者契約と同種の消費者契約の解除に伴い当該事業者に生ずべき平均的な損害の額を超えるもの　当該超える部分
二　（略）

（消費者の利益を一方的に害する条項の無効）
第十条　消費者の不作為をもって当該消費者が新たな消費契約の申込み又はその承諾の意思表示をしたものとみなす条項その他の法令中の公の秩序に関しない規定の適用による場合に比して消費者の権利を制限し、又は消費者の義務を加重する消費者契約の条項であって、民法第一条第二項に規定する基本原則に反して消費者の利益を一方的に害するものは、無効とする。

八　本条は、専修学校及び各種学校に準用される（法一三三条第一項・一三四条二項）。

【通　知】

○大学、短期大学、高等専門学校、専修学校及び各種学校の入学辞退者に対する授業料等の取扱いについて（平一八・一二・二八　一八文科高五三六号　文部科学大臣所轄各学校法人理事長、各国公私立大学長、各公私立短期大学長、各国公私立高等専門学校長、各都道府県知事、各都道府県教育委員会あて　文部科学省高等教育局長・生涯学習政策局長通知）

私立大学等の授業料、施設設備費等の納付期限や入学辞退に伴う納付金の返還申出期限については、少なくとも国公立大学の後期日程の合格発表日（平成一八年度は三月二四日まで）より後にするなどの配慮をお願いしてきたところです（「私立大学等の平成一七年度入学者に係る学生納付金等調査結果について（通知）」（平成一八年二月一四日文部科学省高等教育局私学部長通知）。

入学辞退者に対する授業料等（授業料のほか、実験実習費、施設設備費、教育充実費などの費目の金員を指す。以下同じ。）及び諸会費等（学生自治会費、同窓会費、父母会費、傷害保険料などを指す。以下同じ。）の取扱いについては、従来の下級審判決において判断が分かれていましたが、平成一八年一一月二七日に「三月三一日までに入学を辞退した者については、原則として大学は返還する義務を負う」旨の最高裁判所判決が下されました。また、一二月二二日には、各種学校に関し、同趣旨の最高裁判所判決が下されました。

これらの最高裁判所判決はそれぞれ私立の大学及び各種学校に関するものでありますが、授業料、諸会費等については、国公私立の大学、短期大学、高等専門学校、専修学校及び各種学校を通じて、今後司法上同様の判断がなされる蓋然性が高くなると考えられます。つきましては、各大学等におかれては、今後の入学者選抜に当たって以下の点について受験生及び保護者に対して明確にしていただくようお願いいたします。

また、各都道府県知事及び都道府県教育委員会におかれては、所管の専修学校及び各種学校に対し、この旨周知くださるようお願いいたします。

記

一　三月三一日までに入学辞退の意思表示をした者（専願又は推薦入学試験（これに類する入学試験を含む。）に合格して大学等と在学契約を締結した学生等を除く。）については、原則として、学生等が納付した授業料等及び諸会費等の返還に応じることを明確にすること。

二　一にかかわらず、入学試験要項、入学手続要項等に、「入学式を無断欠席した場合には入学を辞退したものとみなす」、「入学式を無断欠席した場合には入学を取り消す」などと記載している場合には、入学式の日までに学生等が明示又は黙示に在学契約を解除したときは、授業料等及び諸会費等の返還に応じることを明確にすること。

三　平成二〇年度以降の入学者選抜に当たっては、例えば、あらかじめ入学試験要項、入学手続要項等に記載するなどにより、上記一及び二について明確にすること。なお、平成一九年度の入学者

選抜については、既に入学試験要項等を配付しているなどの事情のある場合には、各大学の判断により、他の方法によって受験生及び保護者に対して明確にすること。

【行政実例】

○区域外就学児童・生徒を対象とした通学在学費を徴収することができるか（昭二六・一〇・三一　法意一発八五号　富士宮市教育長あて　法務府法制意見第一局長回答）

【問題】　地方公共団体は、その区域外にある学齢児童又は学齢生徒に対して、その設置する小学校又は中学校への就学を許した場合に、市外通学在学費なる名目をもってその反対給付を徴収することができるか。

【意見】　お尋ねの点は、消極に解する。

【理由】　学校教育法第六条第一項但書は、憲法第二六条第二項後段及び教育基本法第四条第二項〔編者注：現行教育基本法五条四項〕の規定をうけて、公立の小学校及び中学校における義務教育について、授業料を徴収することができない旨を規定しているが、ここでいう授業料とは、それがいかなる名目をもってよばれるかにかかわらず、小学校又は中学校が教育を施すという事実に対する反対給付一切を包含するものと解すべきことは当然であって、お示しの市外通学在学費なるものも、就学という事実に対する反対給付であるという意味において、ここでいう授業料に当然包含されるものと考える……。

しかしながら、第一に、地方公共団体の営造物についてその住民がこれを利用する権利を有しているということは、当該地方公共団体が住民によるその利用を拒否し得ないということを意味するに止まり、利用に対する反対給付がいかにあるべきかということとは本来無関係であり、第二に、学校教育法第六条第一項但書が国立又は公立の小学校又は中学校について授業料を徴収しない旨を規定したことは、国立又は公立の小学校又は中学校の設置ないし維持管理の経済的基礎が国又は地方公共団体の課税権その他の財政権により維持されていることを前提としていることは否定し得ないけれども、公租公課の納付と小学校又は中学校への就学とはいかなる意味においても対価関係に立つものではないのであるから、学校教育法第六条第一項但書は、いやしくも国立又は公立の小学校又は中学校である限り、何人がこれに就学するとしても、授業料を徴収することはない旨を一般的に宣言したものと解せざるを得ないのである。

以上の理由によって、地方公共団体は、その区域外にある学齢児童又は学齢生徒に対して、その設置する小学校又は中学校への就学を許すか否かは自由であるけれども、それを一度許した以上、授業料を徴収することはできないものと解する。

○授業料減免措置は教育委員会の所掌事務か（昭二六・六・一五　法務府法意一発三六号　文部事務次官あて　法務府意見局長官回答）

【問】　地方公共団体条例が授業料その他教育に関する使用料につい

て減免の措置をとりうることを定めている場合、その減免の措置は教育委員会の所掌事務に属するか。

【答】　授業料その他教育に関する使用料は、地方公共団体のなす教育上の役務に対する反対給付であるが、これについて減免の措置が許されるのは、児童及び生徒に対する授業料が、あるいはその者が成績優秀であることを理由として、あるいはその家庭が貧窮であることを理由として、減免される等の事例からみても、それによって教育上の成果が期待されるからであってこのような性質を有する事務は教育行政そのものに外ならず、教育委員会の権限について規定する教育委員会法第四条〔現行地教行法二一条〕の趣旨に照らし、教育委員会の所掌事務に包括されると解すべきことは当然であろう。教育委員会法第六十一条第三号〔現行規定なし〕は、「授業料その他教育に関する使用料……に関すること」について教育委員会が議案の原案を地方公共団体の長に送付すべきことを規定しているが、この規定は、「授業料その他教育に関する使用料……に関すること」が教育委員会の所掌事務であることを前提としていると解すべきであり、しかして、授業料その他教育に関する使用料の減免の措置が同号の規定する事項に包括されるのは明らかであるから、授業料その他教育に関する使用料の減免の措置は、教育委員会法の規定の上からいっても、教育委員会の所掌事務に属すると解すべきである（教育委員会法第四九条第二一号〔現行地教行法二一条一九号〕参照）。

もっとも、教育委員会法第六〇条第二項〔現行規定なし〕は、「地方公共団体の長は、教育事務に関する収入について、収入を命令する権限を当該地方公共団体の教育委員会に委任することができる。」と規定しているが、ここでいう「収入を命令する権限」とは、単に地方公共団体の収入について義務者に対してその納付すべき金額を告知すべき財政上の権限をいうのであるから、減免の措置とは全然別個のものであり、したがって「収入を命令する権限」が本来長に属するということを理由として、右にのべたところをくつがえすことはできない。

以上の理由によって、地方自治法第一四九条第三号の規定によって普通地方公共団体の営造物の使用料の賦課徴収に関する事務は、原則として長の担任するところとされているけれども、授業料その他教育上の使用料に関する事務はその例外をなすものであってその減免の措置は教育委員会の所掌事務に属するものと解する。

○授業料未納者を退学処分にできるか（昭二八・八・二七　高知県教育委員会あて　文部省地方課長回答）

【照会】　県立学校入学料、入学手数料、授業料条例制定の場合、全国的にこの条例中の罰則の形式で、それぞれの未納者に対しては一定の猶予期間を経過してなお未納の場合は、退学処分に附する旨規定してあるように聴いているが、このように罰則条項を本条例に挿入することが妥当か否か、又妥当でないとしても挿入することが不都合ないものかどうか、至急御指示を仰ぎたく御依頼する。なお、御参考までに本県の現行条例を添記して置きます。（添記条例省略）

【回答】　県立学校入学料、入学手数料及び授業料に関する条例に、それらの使用料、手数料の未納者に対して、おたずねのように一定

の手続を経た後、その者を退学処分に附する旨規定することは差支えないものと解する。

【判決例】

○憲法二六条二項後段の意義は、国が義務教育を提供するにつき有償としないこと、すなわちその対価である授業料を徴収しないことを定めたものであり、教育基本法四条二項〔編者注：現行法五条四項〕及び学校教育法六条ただし書は、憲法のこの趣旨を確認したものである（最（大）判昭三九・二・二六民集一八巻二号三四三頁）

憲法二六条は、すべての国民に対して教育を受ける機会均等の権利を保障すると共に子女の保護者に対し子女をして最少限度の普通教育を受けさせる義務教育の制度と義務教育の無償制度を定めている。しかし、普通教育の義務制ということが必然的にそのための子女就学に要する一切の費用を無償としなければならないものと速断することは許されない。けだし、憲法がかように保護者に子女を就学せしむべき義務を課しているのは、単に普通教育が民主国家の存立、繁栄のため必要であるという国家的要請だけによるものではなくして、それがまた子女の人格の完成に必要欠くべからざるものであるということから、親の本来有している子女を教育すべき責務を完うせしめんとする趣旨に出たものであるから、義務教育に要する一切の費用は、当然に国がこれを負担しなければならないものとはいえないからである。

憲法二六条二項後段の「義務教育は、これを無償とする。」という意義は、国が義務教育を提供するにつき有償としないこと、換言すれば、子女の保護者に対しその子女に普通教育を受けさせるにつき、その対価を徴収しないことを定めたものであり、教育提供に対する対価とは授業料を意味するものと認められるから、同条項の無償とは授業料不徴収の意味と解するのが相当である。そして、かく解することは従来一般に国または公共団体の設置にかかる学校における義務教育には月謝を無料として来た沿革にも合致するものである。また、教育基本法四条二項〔編者注：現行教育基本法五条四項〕および学校教育法六条但書において、義務教育については授業料はこれを徴収しない旨規定している所以も、右の憲法の趣旨を確認したものであると解することができる。それ故、憲法の義務教育は無償とするとの規定は、授業料のほかに、教科書、学用品その他教育に必要な一切の費用まで無償としなければならないことを定めたものと解することはできない。

もとより、憲法はすべての国民に対しその保護する子女をして普通教育を受けさせることを義務として強制しているのであるから、国が保護者の教科書等の費用の負担についても、これをできるだけ軽減するよう配慮、努力することは望ましいところであるが、それは、国の財政等の事情を考慮して立法政策の問題として解決すべき事柄であって、憲法の前記法条の規定するところではないというべきである。

○入学手続時における学生納付金の入学辞退者への返還につい

て、大学は、入学金については返還する義務を負わないが、授業料等については、三月三一日までに入学を辞退した者には原則として返還する義務を負う（最（第二小）判平一八・一一・二七民集第六〇巻九号三五九七頁）

ウ　学生納付金の性質

大学が学則や要項等において、入学手続の際に納付すべきものと定めている学生納付金には、一般に、①入学金、②授業料（通常は初年度の最初の学期分又は初年度分）のほか、③実験実習費、施設設備費、教育充実費などの費目の金員、更には、④学生自治会費、同窓会費、父母会費、傷害保険料などの諸会費等（以下「諸会費等」という。）が含まれるところ、これらのうち②及び③（以下併せて「授業料等」という。）は、その費目の名称に照らしても、一般に、教育役務の提供等、在学契約に基づく大学の学生に対する給付の対価としての性質を有するものと解され、④の諸会費等も、一般に、学生が大学において教育を受け、あるいは学生の地位にあることに付随して必要となる費用として納付されるものであって、その使途が具体的に明示されているにすぎないものと解される。これに対して、①の入学金は、入学時にのみ納付することとされていて、要項等において、他の学生納付金と納付期限に差異が設けられていることも多い上、一定の期限までに入学辞退を申し出た場合に入学金以外の学生納付金のみを返還する旨定められていることが多いなど、一般に他の学生納付金とは異なる取扱いがされており、法令上も授業料とは別に位置付けられている（学校教育法施行規則四条一項七号等）。（中略）入学金は、その額が不相当に高額であるなど他の性質を有するものと認められる特段の事情のない限り、学生が当該大学に入学し得る地位を取得するための対価としての性質を有するものであり、当該大学が合格した者を学生として受け入れるための事務手続等に要する費用にも充てられることが予定されているものというべきである。そして、在学契約等を締結するに当たってそのような入学金の納付を義務付けていることが公序良俗に反するということはできない。

カ　在学契約等への消費者契約法の適用

消費者契約法は、同法二条一項に定める消費者と同条二項に定める事業者との間で締結される契約を消費者契約として、包括的に同法の適用対象としており（同条三項）、営利目的、非営利目的を問わず、公法人や公益法人を含むすべての法人が上記の事業者としての「法人」（同条二項）に該当するものと解されるから、在学契約の当事者である学生及び大学（学校法人等）は、それぞれ上記の消費者及び事業者に当たる。したがって、同法施行後に締結された在学契約等は、同条三項所定の消費者契約に該当することが明らかであり、このことは、在学契約が前記のように取引法の原理にはなじまない側面を有していることによって左右されるものではないというべきである。

そうすると、消費者契約に該当する在学契約に係る不返還特約は、違約金等条項に当たるというべきである。

ク　不返還特約の消費者契約法上の効力

(ア)　消費者契約法九条一号の規定により、違約金等条項は、「当

該消費者契約の解除に伴い当該事業者に生ずべき平均的な損害」（以下「平均的な損害」という。）を超える部分が無効とされるところ、在学契約の解除に伴い大学に生ずべき平均的な損害は、一人の学生と大学との在学契約が解除されることによって当該大学に一般的、客観的に生ずると認められる損害をいうものと解するのが相当である。そして、上記平均的な損害及びこれを超える部分については、事実上の推定が働く余地があるとしても、基本的には、違約金等条項である不返還特約の全部又は一部が平均的な損害を超えて無効であると主張する学生において主張立証責任を負うものと解すべきである。

(イ)（略）

(ウ)（中略）一般に、四月一日には、学生が特定の大学に入学することが客観的にも高い蓋然性をもって予測されるものというべきである。そうすると、在学契約の解除の意思表示がその前日である三月三一日までにされた場合には、原則として、大学に生ずべき平均的な損害は存しないものであって、不返還特約はすべて無効となり、在学契約の解除の意思表示が同日よりも後にされた場合には、原則として、学生が納付した授業料等及び諸会費等は、それが初年度に納付すべき範囲内のものにとどまる限り、大学に生ずべき平均的な損害を超えず、不返還特約はすべて有効となるというべきである。もっとも、要項等に、「入学式を無断欠席した場合には入学を辞退したものとみなす」、「入学式を無断欠席した場合には入学を取り消す」などと記載されている場合には、当該大学は、学生の入学の意思の有無を入学式の出欠により最終的に確認し、入学式を無断で欠席した学生については入学しなかったものとして取り扱うこととしており、学生もこのような前提の下に行動しているものということができるから、入学式の日までに在学契約が解除されることや、入学式を無断で欠席することにより学生によって在学契約が黙示に解除されることがあることは、当該大学の予測の範囲内であり、入学式の日の翌日に、学生が当該大学に入学することが客観的にも高い蓋然性をもって予測されることになるものというべきであるから、入学式の日までに学生が明示又は黙示に在学契約を解除しても、原則として、当該大学に生ずべき平均的な損害は存しないものというべきである。

〔校長及び教員〕

第七条　学校には、校長及び相当数の教員を置かなければならない。

【沿　革】　なし。

【参照条文】　法二七条、三七条、四九条、四九条の八、六〇条、六九条、八二条、九二条、一二〇条。幼稚園設置基準、小学校設

置基準、中学校設置基準、高等学校設置基準、高等学校通信教育規程、単位制高等学校教育規程、大学設置基準、大学通信教育設置基準、専門職大学設置基準、大学院設置基準、専門職大学院設置基準、短期大学設置基準、短期大学通信教育設置基準、専門職短期大学設置基準、高等専門学校設置基準。

【注　解】

一　本条は、学校の人的構成要素として校長及び相当数の教員が不可欠であるということを宣言したものである。本条の校長及び教員の具体的な職名は、学校種別に従い、本法の該当条文及び学校種別ごとの設置基準において規定されている。詳細は、該当条文の**【注解】**で説明する。

例えば、小学校、中学校、義務教育学校、高等学校、中等教育学校、特別支援学校、高等専門学校については「校長」（法三七条・四九条・四九条の八・六〇条・六九条・八二条・一二〇条）、大学（短期大学を含む）については「学長」（法九二条）、幼稚園については「園長」（法二七条）の名称を用いることとしている。

また、教員の種類についても、大学（短期大学を含む）及び高等専門学校では、教授、准教授、助教などの名称を用い（法九二条・一二〇条）、その他の学校では、教頭、教諭、養護教諭のほか、副校長、主幹教諭、指導教諭、栄養教諭などの名称を用いている。

二　「相当数」の教員という場合の具体的な数は、それぞれの学校種別ごとの設置基準によって定められている。なお、小・中学校の大部分を占める市町村立小・中学校については、義務標準法において、国の財政負担との関連で、各都道府県ごとの小・中学校等に置くべき教職員の総数の標準を定めている。直接に個々の学校ごとの職員組織の基準を定めるものではないが、実体的にはそれと同じような効果を生じている。詳細については、該当条文の**【注解】**で説明する。

三　本条は、各種学校に準用される（法一三四条二項）。専修学校については、本条と同趣旨の内容が、法一二九条に規定されている。

〔校長及び教員の資格〕

第八条　校長及び教員（教育職員免許法（昭和二十四年法律第百四十七号）の適用を受ける者を除く。）の資格に関する事項は、別に法律で定めるもののほか、文部科学大臣がこれを定める。

【沿　革】　当初の条文は、「校長及び教員の免許状その他資格に関する事項は、監督庁がこれを定める。」であった。

昭二四・五・三一法一四八により、「校長及び教員（教育職員免許法の適用を受ける者を除く。）の資格に関する事項は、監督庁がこれを定める。」と改めた。

昭二九・六・三法一五九により、「別に法律で定めるものの外」を加えた。

昭三六・一〇・三一法一六六により、「の外」を「のほか」に改めた。

平一一・七・一六法八七により、「監督庁」を「文部大臣」に改めた。

平一一・一二・二二法一六〇により、「文部大臣」を「文部科学大臣」に改めた。

【参照条文】　教育職員免許法。教育公務員特例法。施行規則二〇条～二三条。大学設置基準、専門職大学設置基準、大学院設置基準、専門職大学院設置基準、短期大学設置基準、専門職短期大学設置基準、高等専門学校設置基準。

【注　解】

一　学校の教育水準を維持するためには、学校の人的構成要素である校長、教員に一定の資格が要求される。法九条が校長及び教員の消極的な資格要件を定めるのに対し、本条は、その積極的な資格要件について規定している。

二　校長及び教員の資格に関する事項は、文部科学省令で規定される。従前、「監督庁」が定めると規定され、具

体的には施行規則のほか、各学校種別の設置基準のうち、大学設置基準、専門職大学設置基準、大学院設置基準、専門職大学院設置基準、短期大学設置基準、専門職短期大学設置基準、高等専門学校設置基準に明記されている。

三　教育職員免許法の適用を受ける者とは、幼稚園、小学校、中学校、義務教育学校、高等学校、中等教育学校及び特別支援学校並びに幼保連携型認定こども園の主幹教諭、指導教諭、教諭、助教諭、養護教諭、養護助教諭、栄養教諭、主幹保育教諭、指導保育教諭、保育教諭、助保育教諭及び講師をいう（教育職員免許法二条一項、平二四法六六により幼保連携型認定こども園の保育教諭にも教職員免許法四条二項の適用がある。）。これらの教員となるには、原則として、各相当の免許状を有しなければならない。ただし、中学校・高等学校の免許状による小学校等の専科担任や免許外教科の担任ができることとなっている（教育職員免許法一六条の五・附則二項）。

したがって、本条の規定により、文部科学大臣の定めにより資格が規定されるのは、高等学校以下の学校にあっては、校長、副校長及び教頭についてである。また大学（短期大学を含む）の教員及び高等専門学校の教員については、免許状制度がないので、文部科学大臣が定めることになる。

四　高等学校以下の学校の校長（園長を含む）となる資格は、施行規則二〇条、二一条及び二二条に定められている（学校教育法施行規則の総則に置かれた規定であるから、当然に幼稚園の園長にも適用されると解される）。

校長の資格については、従前、教員免許状を有し、かつ、五年以上「教育に関する職」に就いた経験があることとされていた（施行規則二〇条）。しかし、教育に関する職についての経験、組織運営に関する知識経験に着目して幅広く人材を確保できるよう、施行規則二〇条を改正するとともに、二二条を新設して、次のようにその要件を緩和した。

①　「教育に関する職」の範囲を拡大し、専修学校の校長等を加えた。

②　教員免許状がなくても、一〇年以上「教育に関する職」に就いた経験がある者も資格を有するものとした。

③　教員免許状がなく、「教育に関する職」に就いた経験がなくても、学校運営上特に必要がある場合には、校長の資格を有する者と同等の資質を有すると任命権者が認める者を任命することができることとした。この結果、教員免許状を持たず、また、教育に関する経験もない、いわゆる民間人校長の登用が可能となった。

第二十条　校長（学長及び高等専門学校の校長を除く。）の資格は、次の各号のいずれかに該当するものとする。

一　教育職員免許法（昭和二十四年法律第百四十七号）による教諭の専修免許状又は一種免許状（高等学校及び中等教育学校の校長にあつては、専修免許状）を有し、かつ、次に掲げる職（以下「教育に関する職」という。）に五年以上あつたこと

イ　学校教育法第一条に規定する学校及び同法第百二十四条に規定する専修学校の校長（就学前の子どもに関する教育、保育等の総合的な提供の推進に関する法律（平成十八年法律第七十七号）第二条第七項に規定する幼保連携型認定こども園（以下「幼保連携型認定こども園」という。）の園長を含む。）の職

ロ　学校教育法第一条に規定する学校及び幼保連携型認定こども園の教授、准教授、助教、副校長（幼保連携型認定こども園の副園長を含む。）、教頭、主幹教諭（幼保連携型認定こども園の主幹養護教諭及び主幹栄養教諭を含む。）、指導教諭、教諭、助教諭、養護教諭、養護助教諭、栄養教諭、主幹保育教諭、指導保育教諭、保育教諭、助保育教諭、講師（常時勤務の者に限る。）及び同法第百二十四条に規定する専修学校の教員（以下本条中「教員」という。）の職

ハ　学校教育法第一条に規定する学校及び幼保連携型認定こども園の事務職員（単純な労務に雇用される者を除く。本条中以下同じ。）、実習助手、寄宿舎指導員及び学校栄養職員（学校給食法（昭和二十九年法律第百六十号）第七条に規定する職員のうち栄養教諭以外の者をいい、同法第六条に規定する施設の当該職員を含む。）の職

ニ　学校教育法等の一部を改正する法律（平成十九年法律第九十六号）第一条の規定による改正前の学校教育法第九十四条の規定により廃止された従前の法令の規定による学校及び旧教員養成諸学校官制（昭和二十一年勅令第二百八号）第一条の規定による教員養成諸学校の長の職

ホ　ニに掲げる学校及び教員養成諸学校における教員及び事務職員に相当する者の職

ヘ　海外に在留する邦人の子女のための在外教育施設（以下「在外教育施設」という。）で、文部科学大臣が小学校、中学校又は高等学校の課程と同等の課程を有するものとして認定したものにおけるイからハまでに掲げる者に準ずるものの職

ト　ヘに規定する職のほか、外国の学校におけるイからハまでに掲げる者に準ずるものの職

チ　少年院法（平成二十六年法律第五十八号）による少年院又

は児童福祉法（昭和二十二年法律第百六十四号）による児童自立支援施設（児童福祉法等の一部を改正する法律（平成九年法律第七十四号）附則第七条第一項の規定により証明書を発行することができるもので、同条第二項の規定によりその例によることとされた同法による改正前の児童福祉法第四十八条第四項ただし書の規定による指定を受けたものを除く。）において教育を担当する者の職

リ　イからチまでに掲げるもののほか、国又は地方公共団体において教育事務又は教育を担当する国家公務員又は地方公務員（単純な労務に雇用される者を除く。）の職

ヌ　外国の官公庁におけるリに準ずる者の職

二　教育に関する職に十年以上あつたこと

第二十二条　国立若しくは公立の学校の校長の任命権者又は私立学校の設置者は、学校の運営上特に必要がある場合には、前二条に規定するもののほか、第二十条各号に掲げる資格を有する者と同等の資質を有すると認める者を校長として任命し又は採用することができる。

なお、施行規則二〇条一号の規定中の「教諭の専修免許状又は一種免許状（高等学校及び中等教育学校の校長にあつては、専修免許状）を有し、」とされている部分については、現在、経過措置として次のような扱いとなっている（教育職員免許法施行規則等の一部を改正する省令（平元文部省令三）附則四項・五項）。

(1)　国立及び公立の高等学校、中等教育学校及び幼稚園の校長又は園長の資格については、当分の間、「専修免許状、一種免許状又は二種免許状（高等学校及び中等教育学校の校長にあつては、専修免許状又は一種免許状）」とする。

(2)　小学校、中学校又は特別支援学校の校長の資格について、当分の間、平成元年三月三一日に校長又は教員であった者については、「専修免許状、一種免許状又は二種免許状」とする。

また、高等学校以下の私立学校の校長については、施行規則に次のような特例が定められている。

第二十一条　私立学校の設置者は、前条の規定により難い特別の事情のあるときは、五年以上教育に関する職又は教育、学術に関する業務に従事し、かつ、教育に関し高い識見を有する者を校長として採用することができる。

五　昭和四九年の学校教育法の一部改正により、いわゆる教頭職の法制化が行われ、教頭が独立の職とされたが、教頭の免許状という制度は設けられなかったので、本条の規定に基づき、教頭の資格が、施行規則二三条に定められた。

教頭の資格についても、従前、教員免許状を有し、かつ、五年以上「教育に関する職」に就いた経験があることとされていたが、幅広く人材を確保するため、平成一二年に施行規則二三条の改正により、要件を次のように緩和した（平成一二年四月一日施行）。

①　「教育に関する職」の範囲を拡大し、専修学校の校長等を加えた。

②　教員免許状がなくても、一〇年以上「教育に関する職」に就いた経験がある者も資格を有するものとした。

さらに、平成一八年の施行規則の改正により、教頭についても、地域や学校の実情に応じ、優れた知識や社会経験を有する学校外の多様な人材の登用を図る観点から、資格要件の緩和が行われた（平一八文部科学省令五）。従来、教頭の資格を定めていた施行規則二三条は、校長の資格を定めた規定のうち、二〇条のみを準用していたが、改正により、同条に加え、二一条及び二二条も準用することとされた。この結果、学校の運営上特に必要がある場合には、いわゆる民間人教頭が可能となった。

平成一九年の本法の改正により、新たに副校長の職が設けられたことに伴い、副校長の資格については、本条に基づき、施行規則二三条が改正され、教頭と同様に、校長の資格を定めた二〇条、二一条及び二二条を準用することとなった。いわゆる民間人副校長が可能となった。

第二十三条　前三条の規定は、副校長及び教頭の資格について準用する。

また、教頭の資格についても教育職員免許法施行規則等の一部を改正する省令（平元文部省令三）附則六項におい

て、校長の資格についての経過規定を準用している。

なお、教頭が児童生徒の教育をつかさどる場合には、各相当学校の相当教科の教諭の免許状が必要である（法三七条の【注解】一二参照）。

六　大学の教員の資格については大学設置基準一四条から一七条まで、専門職大学設置基準三八条から四二条まで、大学院設置基準九条及び専門職大学院設置基準五条に規定があり、短期大学の教員の資格については短期大学設置基準二三条から二六条まで、専門職短期大学設置基準三五条から三九条までに規定がある。また、高等専門学校の教員の資格については高等専門学校設置基準一一条から一四条までに規定がある。これらの具体的内容は、それぞれ関係条文の【注解】で説明する。

大学の学長の資格については大学設置基準一三条の二、専門職大学設置基準三七条、短期大学設置基準二二条の二、専門職短期大学設置基準三四条、高等専門学校設置基準一〇条の三（校長の資格）に規定がある。また、公立大学（公立大学法人が設置する大学を除く）の学長については教育公務員特例法三条二項にも規定がある。

七　本条は、専修学校及び各種学校には準用されない。専修学校の校長及び教員の資格については、法一二九条二項及び三項に規定がある。各種学校の校長及び教員の資格については、法に規定はなく、各種学校規程七条及び八条二項に規定がある。

〔校長及び教員の欠格事由〕

第九条　次の各号のいずれかに該当する者は、校長又は教員となることができない。

一　禁錮以上の刑に処せられた者

二　教育職員免許法第十条第一項第二号又は第三号に該当することにより免許状がその効力を失い、当該失効の日

から三年を経過しない者

三　教育職員免許法第十一条第一項から第三項までの規定により免許状取上げの処分を受け、三年を経過しない者

四　日本国憲法施行の日以後において、日本国憲法又はその下に成立した政府を暴力で破壊することを主張する政党その他の団体を結成し、又はこれに加入した者

【沿　革】　当初の条文は次のとおりであった。

第九条　左の各号の一に該当する者は、校長又は教員となることができない。

一　禁治産者及び準禁治産者

二　長期六年の禁錮以上の刑に処せられた者

三　長期六年未満の懲役又は禁錮の刑に処せられ、刑の執行を終り、又は刑の執行を受けることのないことに至らない者

四　前条の免許状取上げの処分を受け、二年を経過しない者

五　昭和二十一年勅令第二百六十三号による教職不適格者

六　性行不良と認められる者

昭二四・五・三一法一四八により、全面改正され、四号による構成となった。

昭三六・一〇・三一法一六六により、「禁こ」を「禁錮」に改めた。

平一一・一二・八法一五一により、第一号の「禁治産者及び準禁治産者」を「成年被後見人又は被保佐人」に改めた。

平一四・五・三一法五五により、第三号を追加し、第四号を改めた。

平一九・六・二七法九八により、第三号の「第二号」が「第二号又は第三号」に、第四号の「又は第二項」が「から第三項まで」に改めた。

令元・六・一四法三七により、第一号を削り、同条第二号中「禁錮（こ）」を「禁錮」に改め、同号を第一号とし、第三号を第二号とし、第四号を第三号とし、第五号を第四号とした。

【参照条文】　刑法九条。教育職員免許法五条一項、一〇条〜一四条の二。破壊活動防止法四条。国家公務員法三八条。地方公務員法一六条。私立学校法三八条八項。

【注　解】

一　本条は、校長、教員の欠格条項であり、本条に掲げる各号のいずれかに該当する者は、国公私立学校を通じて、およそ校長又は教員となることができない。

現に校長又は教員である者が、本条の各号のいずれか一に該当すると、校長又は教員の地位を失うことになる。

二　「禁錮以上の刑に処せられ」るとは、死刑、懲役、禁錮の刑を言渡した判決（執行猶予の言渡しが付いているといないとを問わない）が確定することをいう。禁錮以上の刑の執行猶予の場合には、執行猶予を取り消されることなく、その期間を経過したとき刑の言渡しの効力が消滅するので（刑法二七条）、「禁錮以上の刑に処せられた者」ではなくなり、校長又は教員となる資格を回復する。執行猶予の言渡しが付いていなくて禁錮以上の刑の執行を終わり、又は刑の執行の免除を得た場合には、恩赦法九条による復権を得ないかぎり、罰金以上の刑に処せられることなくしてさらに一〇年を経過してはじめて刑が消滅する（刑法三四条の二）ので、その段階ではじめて校長又は教員となる資格を回復する。

なお、公立学校の校長又は教員は地方公務員としての身分を有するので、地方公務員としての欠格条項に該当する場合は、その資格を有しない。すなわち、地方公務員法一六条に、本条とほぼ同様の欠格条項が定められている。ただ、地方公務員法の場合には、本条二号とは、少し異なり、「禁錮以上の刑に処せられ、その執行を終わるまで又はその執行を受けることがなくなるまでの者」と規定しているので、刑の執行猶予の言渡しの付いていない場合には、刑の執行を終われば、公務員に採用される資格は回復するが、校長又は教員にはなれないわけである。

三　免許状を有する者が、①本条一号及び四号に該当するに至ったとき、②公立の学校の教員であって懲戒免職の処分を受けたとき、③公立学校の教員（条件附任用期間中又は臨時的任用中を除く）であって分限免職（勤務実績の不良又は適格性の欠如による）の処分を受けたときには、その免許状は効力を失う（教育職員免許法五条一項・一〇条）。免許状の失効

は、校長又は教員としての基礎資格の喪失に外ならない。

四　免許状取上げの処分とは、教育職員免許法一一条、一二条及び行政手続法の定めるところにより、①国立学校、公立学校（公立大学法人が設置するものに限る。）又は私立学校の教員が教育公務員の場合における懲戒免職の事由に相当する事由により解雇されたと認められるとき、②国立学校、公立学校（公立大学法人が設置するものに限る。）又は私立学校の教員（試用期間中の者を含む）が教育公務員の場合における分限免職の事由（勤務実績の不良又は適格性の欠如による）に相当する事由により解雇されたと認められるとき、③条件附採用期間中又は臨時的任用中の公立学校の教員が分限免職の事由（勤務実績の不良又は適格性の欠如による）に相当する事由により免職の処分を受けたと認められるとき、④教育職員以外の者で免許状を有する者が、法令の規定に故意に違反し、又は教育職員たるにふさわしくない非行があって、その情状が重いと認められるときに、免許状を取り上げる処分である。

なお、教育職員免許法五条一項一号及び二号で、一八歳未満の者又は高等学校を卒業しない者には教育職員免許状を与えないこととしているので、これらの要件は、免許状を必要とする学校の教育職員の欠格条項でもある。

五　四号にいう、「日本国憲法又はその下に成立した政府を暴力で破壊することを主張する政党その他の団体とは、必ずしも明確でないが、その団体が破壊活動防止法四条一項にいう「暴力主義的破壊活動」を行う破壊的団体とされるかどうかが一つの判断の基準となる。本号の制限は、絶対的かつ終身的なものであり、ひとたび、このような政党その他の団体を結成し、又はこれに加入した者は、その後、これを解散し、又はこれから脱退したとしても、校長又は教員となる資格を有しない。

六　成年被後見人又は被保佐人（制定時は禁治産者及び準禁治産者）が欠格事由として本条に規定されていたが、成年被後見人及び被保佐人の人権が尊重され、成年被後見人又は被保佐人であることを理由に不当に差別されないよう、法律で定められている成年被後見人又は被保佐人に係る欠格条項その他の権利の制限に係る措置の適正化等を図るた

め、「成年被後見人等の権利の制限に係る措置の適正化等を図るための関係法律の整備に関する法律」（令元法三七）により本条が改正され、成年被後見人又は被保佐人が削除された。同法の施行に当たって文部科学省から関係機関に出された通知においては、心身の故障があることをもって直ちに資格等から排除することなく、資格等にふさわしい能力の有無を的確に審査・判断することなど、同法の趣旨や、障害者権利条約、障害者差別解消法の趣旨を踏まえた適切な対応を求めている。

七　法令上明文の規定はないが、「公務員に関する当然の法理」として日本国籍を有しない者を公権力の行使又は国、地方公共団体の意思形成への参画に携わる職に任用することはできず、将来このような職に就くことが予想される職の採用試験に外国人の受験資格を認めることは適当でないとされている（昭二八・三・二五　法制局発二九号　法制意見、昭四八・五・二八　自治公一第二八号　行政実例、平一七・一・二六最高裁大法廷判決では、「公権力行使等地方公務員」という概念を示した。後掲**【判決例】**参照）。

公権力の行使又は公の意思の形成への参画に携わる職であるかどうかは、その職務内容を検討し具体的に決定すべきものである。公立大学の教授あるいは公立学校の教諭の職は、これに該当するものと解されている。

公立大学（公立大学法人が設置するものを除く。）の教授については、公立の大学における外国人教員の任用等に関する特別措置法（昭五七法八九）により、外国人の任用が可能である（法九二条の**【注解】**一三参照）。

公立学校の教員については、「在日韓国人の法的地位と待遇に関する協議」の覚書に基づく平成三年三月の通知で、在日韓国人を含むすべての日本国籍を有しない者について、公立学校の教員採用選考試験の受験を認めるとともに、合格した者については、任用期限を附さない常勤講師として任用する措置を講ずるよう指導されている。また、この常勤講師の給与は、教諭と同じ格付にして差し支えないとする通知が出ている。

八　本条は、専修学校及び各種学校に準用される（法一三三条一項・一三四条二項）。また、本条は、学校法人の役員に

ついても準用されている（私立学校法三八条八項）。

【通　知】

○在日韓国人など日本国籍を有しない者の公立学校の教員への任用について（平三・三・二二　文教地八〇号　各都道府県、指定都市教育委員会あて　文部省教育助成局長通知）

「日本国に居住する大韓民国国民の法的地位及び待遇に関する日本国と大韓民国との間の協定」（昭和四一年一月一七日発効）第二条1の規定に基づく日本国に居住する大韓民国国民（以下「在日韓国人」という。）の法的地位及び待遇に関する協議（いわゆる日韓三世協議）は、本年一月一〇日別紙一（略）のとおり両国の外務大臣が「覚書」に署名し、決着したところであります。

公立学校の教員採用については、覚書の記4の4にあるとおり、在日韓国人について教員採用への途をひらき、日本人と同じ一般の教員採用試験の受験を認めることとするとともに、公務員任用に関する国籍による合理的な差異を踏まえた日本国政府の法的見解を前提としつつ、身分の安定や待遇についても配慮することとされています。

ついては、貴教育委員会におかれては、下記事項に留意しつつ、在日韓国人など日本国籍を有しない者について、平成四年度教員採用選考試験から公立の小学校、中学校、高等学校、盲学校、聾学校、養護学校及び幼稚園（以下「公立学校」という。）の教員への採用選考試験の受験を認めるとともに、選考に合格した者については、任用の期限を附さない常勤講師（以下「常勤講師」という。）として任用するための所要の措置を講ずるよう適切に対処願います。

おって、貴管下市町村教育委員会に対しても周知方お願いします。

記

1　公立学校教員採用選考試験について

今回新たに日本国籍を有しない者について受験を認めることとする教員採用選考試験は、各教育委員会において例年実施している通常の公立学校の教員（一般職の地方公務員として正式任用される教員）の採用選考試験として、日本人と同一の基準で行うものであり、日本国籍を有しない者について別途特別の採用選考試験を実施するものではないこと。

なお、従来、これらの採用選考試験を教諭のみの採用を目的として実施してきている教育委員会にあっては、この常勤講師への採用を含めた教員採用選考試験と改められたいこと。

2　任用する職について

政府は、従来から、「公務員に関する当然の法理」として「公権力の行使又は公の意思の形成への参画に携わる公務員となるためには日本国籍を必要とする」ものと解しており、公立学校の教

論については、校長の行う校務の運営に参画することにより公の意思の形成への参画に携わることを職務としていると認められることから、「公務員に関する当然の法理」の適用があり、日本国籍を有しない者を任用することはできないものとされている。（昭和五八年四月一日付け外国人の公立小・中・高等学校教員任用に関する質問に対する答弁書別紙二（略）参照）

覚書の記の４の「公務員任用に関する国籍による合理的な差異を踏まえた日本国政府の法的見解」は、上記の我が国の政府見解である「公務員に関する当然の法理」を意味するものであること。

しかしながら、公立学校のこの常勤講師は３でのべるように「公務員に関する当然の法理」の適用がある職とは解されないので、在日韓国人など日本国籍を有しない者を任用することが可能であること。

３　講師の職務について

講師は学校教育法第二八条第一〇項〔現行法三七条一六項〕で教諭（又は助教諭）に準ずる職務に従事するとされている。教諭の主たる職務は同条第六項〔現行法三七条一一項〕で「教諭は児童の教育をつかさどる」とされているが、一般的に教諭の職務を大別すれば主として児童・生徒の教育指導に従事することと校長の行う校務運営に参画することの二つの要素があると考えられる。このうち、講師（教諭に準ずる講師）は、普通免許状を有しており、授業の実施など児童・生徒に対する教育指導面においては教諭とほぼ同等の役割を担うものと考えられるが、校長の行う校務の運営に関しては、常に教務主任や学年主任等の主任の指導・助言を受けながら補助的に関与するにとどまるものであり、校務の運営に「参画」する職ではないと解される。

したがって、講師は「公務員に関する当然の法理」の適用のある職とは解されないものであること。

なお、このことは、この常勤講師が、学級担任や教科の担任となること等を妨げるものではない。

また、講師は主任に充てることはできない（学校教育法施行規則第二二条の三第二項等〔現行施行規則四四条三項等〕）。

４　身分の安定等について

日本国籍を有しない者で選考に合格したものについては、できるだけ安定した身分となるよう、一般職の地方公務員として任用の期限を附さずに正式任用される、すなわち定年まで働けるこの常勤講師に任用すること。なお、この常勤講師は、日本国籍を有しない者に限ること。

また、給与その他の待遇についても、今回の覚書による決着の趣旨を踏まえ、可能な限り教諭とこの常勤講師との差が少なくなるよう、配慮されたいこと。

５　その他

上記１から４までの取扱いは、所要の教員免許状を所持している者であれば在日韓国人を含めたすべての日本国籍を有しない者に対してもその効果は及ぶものであること。

○日本国籍を有しない者を任用の期限を附さない常勤講師に任用した場合の教育職給料表の格付について（平三・六・四　三教地四一号　各都道府県、指定都市教育委員会あて　文部

省教育助成局地方課長通知）

　標記の件について、平成三年三月二二日付け文部省教育助成局長通知「在日韓国人など日本国籍を有しない者の公立学校の教員への任用について」（文教地第八〇号）に基づき、日本国籍を有しない者を公立学校の任用の期限を附さない常勤講師（以下「この常勤講師」という。）に任用した場合には、下記のような職務の実態等を考慮し、採用の時点で教諭と同様に教育職給料表の二級として格付して差支えないと考えるので、各都道府県・指定都市教育委員会の実情を踏まえ適切に対処願います。

　なお、このことについては、人事院の了解を得ていることを申し添えます。また、この措置は、日本国籍を有しない者をこの常勤講師に任用した場合に限るものであり、通常のいわゆる期限付講師については、これまでどおり一級格付となることを、念のため申し添えます。

　おって、貴管下市町村教育委員会に対しても周知方お願いします。

記

この常勤講師の職務内容は、次のとおり、通常のいわゆる期限付講師とは異なるものであること。

1　この常勤講師は、日本人の教諭と同じ通常の教員採用選考試験を受験し、同一の基準で選考を行い、合格した場合に採用される。

2　この常勤講師は、定年まで継続的に勤務し、その教職生活の中で、日本人教諭と同様に、初任者研修をはじめとして各種の研修を受け、資質能力の向上を図っていくものである。

3　この常勤講師は、定年まで継続的に勤務することから、日本人の教諭と同様の基準に基づき、広域な範囲で学校間や市町村間の転任等の人事異動が行われ、幅広い経験を積ませ、資質能力の向上にもつながるものである。

4　この常勤講師は、校長の行う校務運営に参画しない点は日本人の教諭と異なるものの、児童・生徒に対する教育指導面や各種の通常の業務の分担面では、任用の期限が附せられず継続的に勤務することから、日本人の教諭とほぼ同様であり、その職務の範囲が広い。

【判決例】

○東京都が管理職に昇任するための資格要件として日本の国籍を有することを定めた措置が労働基準法三条、憲法一四条一項に違反しないとされた事例（最（大）判平一七・一・二六判例時報一八八五号三頁）

(1)　地方公務員法は、一般職の地方公務員（以下「職員」という。）に本邦に在留する外国人（以下「在留外国人」という。）を任命することができるかどうかについて明文の規定を置いていないが（同法一九条一項参照）、普通地方公共団体が、法による制限の下で、条例、人事委員会規則等の定めるところにより職員に在留外国人を任命することを禁止するものではない。

普通地方公共団体は、職員に採用した在留外国人について、国籍を理由として、給与、勤務時間その他の勤務条件につき差別的取扱いをしてはならないものとされており（労働基準法三条、一一二条、地方公務員法五八条三項）、地方公務員法二四条六項〔現行同条五項〕に基づく給与に関する条例で定められる昇格（給料表の上位の職務の級への変更）等も上記の勤務条件に含まれるものというべきである。しかし、上記の定めは、普通地方公共団体が職員に採用した在留外国人の処遇につき合理的な理由に基づいて日本国民と異なる取扱いをすることまで許されないとするものではない。また、そのような取扱いは、合理的な理由に基づくものである限り、憲法一四条一項に違反するものでもない。

管理職への昇任は、昇格等を伴うのが通例であるから、在留外国人を職員に採用するに当たって管理職への昇任を前提としない条件の下でのみ就任を認めることとする場合には、そのように取り扱うことにつき合理的な理由が存在することが必要である。

(2)　地方公務員のうち、住民の権利義務を直接形成し、その範囲を確定するなどの公権力の行使に当たる行為を行い、若しくは普通地方公共団体の重要な施策に関する決定を行い、又はこれらに参画することを職務とするもの（以下「公権力行使等地方公務員」という。）については、次のように解するのが相当である。すなわち、公権力行使等地方公務員の職務の遂行は、住民の権利義務や法的地位の内容を定め、あるいはこれらに事実上大きな影響を及ぼすなど、住民の生活に直接間接に重大なかかわりを有するものである。それゆえ、国民主権の原理に基づき、国及び普通地方公共団体による統治の在り方については日本国の統治者としての国民が最終的な責任を負うべきものであること（憲法一条、一五条一項参照）に照らし、原則として日本の国籍を有する者が公権力行使等地方公務員に就任することが想定されているとみるべきであり、我が国以外の国家に帰属し、その国家との間でその国民としての権利義務を有する外国人が公権力行使等地方公務員に就任することは、本来我が国の法体系の想定するところではないものというべきである。

そして、普通地方公共団体が、公務員制度を構築するに当たって、公権力行使等地方公務員の職とこれに昇任するのに必要な職務経験を積むために経るべき職とを包含する一体的な管理職の任用制度を構築して人事の適正な運用を図ることも、その判断により行うことができるものというべきである。そうすると、普通地方公共団体が上記のような管理職の任用制度を構築した上で、日本国民である職員に限って管理職に昇任することができることとする措置を執ることは、合理的な理由に基づいて日本国民である職員と在留外国人である職員とを区別するものであり、上記の措置は、労働基準法三条にも、憲法一四条一項にも違反するものではないと解するのが相当である。そして、この理は、前記の特別永住者についても異なるものではない。

〔私立学校長の届出〕

第十条　私立学校は、校長を定め、大学及び高等専門学校にあつては文部科学大臣に、大学及び高等専門学校以外の学校にあつては都道府県知事に届け出なければならない。

【沿　革】　平一一・七・一六法八七により、「監督庁」を「大学及び高等専門学校にあつては、文部大臣に、大学及び高等専門学校以外の学校にあつては都道府県知事」に改めた。

平一一・一二・二二法一六〇により、「文部大臣」を「文部科学大臣」に改めた。

【参照条文】　法一三三条、一三四条。施行規則二七条の二。私立学校法三〇条、三八条。

【注　解】

一　本条は、私立学校法の制定の際に削除してもよかったのかもしれないが、私立学校法には、形式的には、校長の届け出に関する規定が置かれていないので、ここに残されたようである。なお、私立学校法でも、学校法人の設立の認可を受ける場合には、校長（校長は、理事となるので、理事としての）の履歴書を添えて申請することになっており、また、私立学校法六条で、所轄庁は必要な報告書を求めることができるとされており、実質的に本条の趣旨は、担保されているといえる。

本条では、大学（短期大学を含む）及び高等専門学校にあっては文部科学大臣に、それ以外の学校にあっては都道府県知事に届け出なければならないと規定されている。

二　本条は、私立の専修学校及び各種学校に準用される（法一三三条一項・一三四条二項）。その場合は、都道府県知事に届け出なければならない旨、読み替え規定が設けられている。

〔児童、生徒及び学生の懲戒〕

第十一条　校長及び教員は、教育上必要があると認めるときは、文部科学大臣の定めるところにより、児童、生徒及び学生に懲戒を加えることができる。ただし、体罰を加えることはできない。

【沿　革】　昭三六・一〇・三一法一六六により、「但し」を「ただし」に改めた。
平一一・七・一六法八七により、「監督庁」を「文部大臣」に改めた。
平一一・一二・二二法一六〇により、「文部大臣」を「文部科学大臣」に改めた。
平一九・六・二七法九六により、「学生、生徒及び児童」を「児童、生徒及び学生」に改めた。

【参照条文】　教育基本法六条二項。法一三三条、一三四条。施行規則二六条、九四条。刑法三五条。民法八二二条。少年院法一一三条。国家賠償法一条、三条。民法七〇九条、七一五条。

【注　解】

一　本条は、学校における懲戒の根拠規定である。しかし、この規定そのものは学校教育法においてはじめて設けられたものではなく、国民学校令にも「国民学校職員ハ教育上必要アリト認ムルトキハ児童ニ懲戒ヲ加フルコトヲ得但シ体罰ヲ加フルコトヲ得ズ」（同令二〇条）との規定があった。本条とほぼ同様の規定である。

二　懲戒とは、親権者、少年院長、教員のように子女の保護、教育、監護の責にある特定の者が、その責に任ずる必要上加える一定の制裁である。民法八二二条では、「親権を行う者は、……監護及び教育に必要な範囲内でその子を懲戒することができる。」と規定し、また、少年院法一一三条では、次のように規定している。

（懲戒の要件等）

第百十三条 少年院の長は、在院者が、遵守事項若しくは第四十条第四項（第四十五条第二項において準用する場合を含む。）に規定する特別遵守事項を遵守せず、又は第八十四条第三項の規定に基づき少年院の職員が行った指示に従わなかった場合には、その在院者に懲戒を行うことができる。

2 懲戒を行うに当たっては、懲戒が行われるべき行為（以下「反則行為」という。）をした在院者の年齢、心身の状態及び行状、反則行為の性質、軽重、動機及び少年院の運営に及ぼした影響、反則行為後におけるその在院者の態度、懲戒がその者の改善更生に及ぼす影響その他の事情を考慮しなければならない。

3 懲戒は、反則行為を抑制するのに必要な限度を超えてはならない。

三 「児童、生徒及び学生」に対してのみ懲戒を加え得るが、幼稚園の園児に対しては懲戒を加えることはできない。校長、教員が懲戒を加え得ることは、校長、教員の行う教育という作用に伴うものであり、心身未発達の幼児の保育という作用には、懲戒という考えは包含されていないからである。

四 「体罰」とは、懲戒の内容が身体的侵害となるものである。

法務調査意見長官回答（昭二三・一二・二二）によれば、「身体に対する侵害を内容とする懲戒——なぐる・けるの類——がこれに該当することはいうまでもないが、さらに被罰者に肉体的苦痛を与えるような懲戒もまたこれに該当する。たとえば、端座・直立等、特定の姿勢を長時間にわたって保持させるというような懲戒は体罰の一種と解せられなければならない」とされていた。

平成一九年二月五日には、教育再生会議の提言を踏まえて文部科学省より、「問題行動を起こす児童生徒に対する指導について」（初等中等教育局長通知、後掲**【通知】**参照）が出された。更に、公立高等学校の部活動中の暴力指導を背景として生徒の自殺事案が発生したことを受けて平成二五年三月一三日には、「体罰の禁止及び児童生徒理解に基づく指導の徹底について」（初等中等教育局長、スポーツ・青少年局長通知、後掲**【通知】**参照）が出され、その別紙として「学校教育法第一一条に規定する児童生徒の懲戒・体罰等に関する参考事例」が示された。今後の懲戒・体罰に関する解

釈・運用については、この通知によるものとされている。

なお、最高裁（三小）判決（平二一・四・二八判決　後掲【判決例】参照）では、具体的事案に則して、有形力の行使であっても、本条ただし書にいう体罰には該当しないと判断している。

五　「文部科学大臣の定め」としては、施行規則二六条に次のような規定がある。

第二十六条　校長及び教員が児童等に懲戒を加えるに当つては、児童等の心身の発達に応ずる等教育上必要な配慮をしなければならない。

② 懲戒のうち、退学、停学及び訓告の処分は、校長（大学にあつては、学長の委任を受けた学部長を含む。）が行う。

③ 前項の退学は、市町村立の小学校、中学校（学校教育法第七十一条の規定により高等学校における教育と一貫した教育を施すもの（以下「併設型中学校」という。）を除く。）若しくは義務教育学校又は公立の特別支援学校に在学する学齢児童又は学齢生徒を除き、次の各号のいずれかに該当する児童等に対して行うことができる。

一　性行不良で改善の見込がないと認められる者

二　学力劣等で成業の見込がないと認められる者

三　正当の理由がなくて出席常でない者

四　学校の秩序を乱し、その他学生又は生徒としての本分に反した者

④ 第二項の停学は、学齢児童又は学齢生徒に対しては、行うことができない。

⑤ 学長は、学生に対する第二項の退学、停学及び訓告の処分の手続を定めなければならない。

施行規則二六条の規定中の「児童等」とは、施行規則一五条で「幼児、児童、生徒又は学生（以下「児童等」という。）」と読み替えがされているので、形式的には幼児を含むことになるが、**三**で述べたとおり、法一一条では、幼児を含めていないので、施行規則二六条の「児童等」には、幼児を含まないと解さなければならない。

懲戒は、学校における教育目的を達成するために児童等に対して行われるものであるから、教育的配慮の下に行われるべきものであり、むしろ教育作用の一環としての性格を有していると考えるべきである。

児童等の懲戒は、二種類に分けて考えられる。一つは、単に叱ったり、授業中一定の時間立たせるなど、法的な効

果を伴わない事実行為として行われるものである。他の一つは、退学や停学など、その懲戒を受ける学生・生徒が学校で授業を受けることができるという法的な地位に変動を及ぼすような法的効果を伴うものである。

六　事実行為としての懲戒を行うことができる者は、校長及び教員である。教員の範囲としては、懲戒が教育活動に伴って行われるというところから、副校長、教頭、主幹教諭、指導教諭、教諭、養護教諭、栄養教諭、助教諭、養護助教諭及び講師並びに大学、高等専門学校の教授、准教授、助教、講師に限られると解すべきである。

教員が懲戒を行う場合、直接担任している児童等のみならず、その学校に在学する児童等に対して全体として教育を行う責任を有しているのであるから、担任であるか否かにかかわらず、懲戒を行うことができる。

七　法的な効果を伴う懲戒としては、退学及び停学がある。

施行規則二六条二項では、退学、停学及び訓告を校長のみが行うことができるとしている。なお、大学の場合は、学長（学長の委任を受けた学部長を含む）が、手続を定めて行うことになる（同条五項）。

高等学校の生徒の退学許可について規定している施行規則九四条の規定は懲戒以外の退学のあることを示している。

訓告は、学生・生徒の教育を受けるという法的な地位については何ら影響を及ぼさないものであるから、厳密にいえば、退学及び停学とは異なった性格を有するが、対外的に校長名で処分の表示をするなどの点で、事実行為としての懲戒と区別する意味から、施行規則二六条二項に掲げられたものと解される。訓告は、非違をいましめ将来にわたってそのようなことのないように注意することをいう。

退学は、学生・生徒の教育を受ける権利を奪うものであり、停学はその権利を一定期間停止するものである。

退学は、義務教育を保障するという観点から、公立の小・中学校（併設型中学校を除く）、義務教育学校、特別支援学校に在学する学齢児童生徒については行うことはできない。しかし、性行不良であって、他の児童の教育に妨げがあ

ると認められるときは、市町村の教育委員会は、その保護者に対して、児童の出席停止を命ずることができる（法三五条）。なお、公立の中等教育学校の前期課程及び併設型中学校並びに国立又は私立の小・中学校等の場合は、退学させられても公立の小・中学校等に就学できることが法的に保障されているので、この制限がない。

停学についても、教育の機会を奪わないために、学齢児童生徒に対しては行うことが禁止されている。停学は、国公私立の小・中学校等を問わず、学齢児童生徒について行うことができないのである。

なお、施行規則二六条二項に規定する「退学」には、除籍、放校等の名称で呼ばれるものも実質的に処分の内容が同じものであるかぎり、これらを含むものである。同様に「訓告」には、譴責、戒告等の処分を含むものである。

八　誤って体罰を課したり、違法に退学処分を加えたりした場合には、校長、教員の側における法的責任と児童・生徒・学生の側における法的救済の問題が生じる。

教員が体罰を加えた場合には、教員は、公務員法上の懲戒処分を受けることがある（私立学校の場合は、就業規則違反ということで懲戒の対象となる）。校長は、自ら行った体罰でない場合でも、監督上の責任を問われることがある。体罰を加えた場合、一般市民法秩序を乱したという観点から、刑事事件として起訴され、刑罰を科されることがある。校長には、校内で体罰などの事件が発生した場合には、告発する義務がある（刑事訴訟法二三九条二項）。

体罰で身体に傷害を受けた場合又は甚しい精神的苦痛を受けた場合、児童等の側から損害賠償を請求することができる。公立学校の場合には、国家賠償法一条・三条の規定により請求し、私立学校の場合には民法七〇九条・七一五条の規定により請求することになる。このような事例の場合の設置者としての責任については、法五条の**【注解】六**参照。

学生・生徒に対する退学処分については、その処分が違法である場合には、裁判所に訴えて争うことができる。公立学校の場合は、行政事件訴訟法に規定する抗告訴訟として、私立学校の場合は民事訴訟として争われることにな

る。裁判所では、学校における内部規律の問題である懲戒処分について、懲戒処分を行うか否か、どの程度の処分とするかは、教育の衝に当たっている者の裁量を尊重することを基本としているが、①懲戒が全く事実の根拠に基づかないと認められる場合、あるいは、②社会通念上著しく妥当性を欠く場合には、裁量権の範囲を越えたものとして、当該懲戒を取消しあるいはその無効を確認することがある。

なお、公立学校の場合には、行政不服審査法により裁判所以外の救済の手段が考えられるが、同法七条一項八号に、審査請求のできない処分として「学校……において、教育……の目的を達成するために、学生、生徒、児童若しくは幼児……に対してされる処分」が掲げられ、学校における児童等に対する懲戒処分については、審査請求ができないこととされている。

また、平成六年一〇月一日から施行された行政手続法では、適用除外事項として、同法三条一項七号に「学校……において、教育……の目的を達成するために、学生、生徒、児童若しくは幼児……に対してされる処分及び行政指導」を掲げている。したがって、公立学校における児童等に対する懲戒処分については、行政手続法は適用されない。

九　「児童の権利に関する条約」（平六条約二）は、世界的な視野から児童の人権の尊重、保護の促進を目指すもので、我が国では平成六年四月に批准、同年五月に公布され、五月二二日から効力を発している。同条約は、適用の対象を一八歳未満とし、児童の意見表明権や表現の自由など様々な権利及び自由を認めるとともに、保護措置等について規定するものである。同条約に規定する児童の権利については、我が国では、すでに法制上も保障されているため、同条約の発効に伴う教育関係法令の改正の必要はないが、本条や法三五条（出席停止）等の規定は同条約の趣旨を踏まえた運用を行うよう配慮する必要がある。

本条に基づき退学、停学の処分を行う際には、同条約一二条（意見を表明する権利）等を踏まえ、当該児童生徒から

事情等を聴取する機会を設けることが必要となる。この点については、施行規則二六条一項に「懲戒を加えるに当っては、児童等の心身の発達に応ずる等教育上必要な配慮をしなければならない。」と規定されているので、この規定に基づき、児童生徒の個々の状況に十分留意し、その措置が単なる制裁にとどまることなく教育的効果をもつものとなるよう配慮することが必要である。

また、学長は、学生に対する退学、停学及び訓告の処分の手続を定めなければならないこととされている（施行規則二六条五項）。

一〇 本条は、専修学校及び各種学校に準用される（法一三三条一項・一三四条二項）。

【通　知】

○「児童の権利に関する条約」について（抄）（平六・五・二〇　文初高一四九号　各都道府県教育委員会、各都道府県知事、各国立学校長などあて　文部事務次官通知）

このたび、「児童の権利に関する条約」（以下「本条約」という。）が平成六年五月一六日条約第二号をもって公布され、平成六年五月二二日に効力を生ずることとなりました。本条約の概要及び全文等は別添（略）のとおりです。

本条約は、世界の多くの児童（本条約の適用上は、児童は一八歳未満のすべての者と定義されている。）が、今日なお貧困、飢餓などの困難な状況に置かれていることにかんがみ、世界的な視野から児童の人権の尊重、保護の促進を目指したものであります。

本条約は、基本的人権の尊重を基本理念に掲げる日本国憲法、教育基本法（昭和二二年三月三一日法律第二五号）並びに我が国が締約国となっている「経済的、社会的及び文化的権利に関する国際規約（昭和五四年八月四日条約第六号）」及び「市民的及び政治的権利に関する国際規約（昭和五四年八月四日条約第七号）」等と軌を一にするものであります。したがって、本条約の発効により、教育関係について特に法令等の改正の必要はないところでありますが、もとより、児童の人権に十分配慮し、一人一人を大切にした教育が行われなければならないことは極めて重要なことであり、本条約の発効を契機として、更に一層、教育の充実が図られていくことが肝要であります。このことについては、初等中等教育関係者のみならず、広く周知し、理解いただくことが大切であります。

また、教育に関する主な留意事項は下記のとおりでありますの

で、貴職におかれましては、十分なご配慮をお願いします。

記

一　学校教育及び社会教育を通じ、広く国民の基本的人権尊重の精神が高められるようにするとともに、本条約の趣旨にかんがみ、児童が人格を持った一人の人間として尊重されなければならないことについて広く国民の理解が深められるよう、一層の努力が必要であること。

この点、学校（小学校、中学校、高等学校、高等専門学校、盲学校、聾（ろう）学校、養護学校及び幼稚園をいう。以下同じ。）においては、本条約の趣旨を踏まえ、日本国憲法及び教育基本法の精神にのっとり、教育活動全体を通じて基本的人権尊重の精神の徹底を一層図っていくことが大切であること。

また、もとより、学校において児童生徒等に権利及び義務をともに正しく理解をさせることは極めて重要であり、この点に関しても日本国憲法や教育基本法の精神にのっとり、教育活動全体を通じて指導すること。

二　学校におけるいじめや校内暴力は児童生徒等の心身に重大な影響を及ぼす深刻な問題であり、本条約の趣旨を踏まえ、学校は、家庭や地域社会との緊密な連携の下に、真剣な取組の推進に努めること。

また、学校においては、登校拒否及び高等学校中途退学の問題について十分な認識を持ち、一人一人の児童生徒等に対する理解を深め、その個性を尊重し、適切な指導が行えるよう一層の取組を行うこと。

三　体罰は、学校教育法第一一条により厳に禁止されているものであり、体罰禁止の徹底に一層努める必要があること。

四　本条約第一二条から第一六条までの規定において、意見を表明する権利、表現の自由についての権利等の権利について定められているが、もとより学校においては、その教育目的を達成するために必要な合理的範囲内で児童生徒等に対し、指導や指示を行い、また校則を定めることができるものであること。

校則は、児童生徒等が健全な学校生活を営みよりよく成長発達していくための一定のきまりであり、これは学校の責任と判断において決定されるべきものであること。

なお、校則は、日々の教育指導に関わるものであり、児童生徒等の実態、保護者の考え方、地域の実情等を踏まえ、より適切なものとなるよう引き続き配慮すること。

五　本条約第一二条1の意見を表明する権利については、表明された児童の意見がその年齢や成熟の度合いによって相応に考慮されるべきという理念を一般的に定めたものであり、必ず反映されるということまでをも求めているものではないこと。

なお、学校においては、児童生徒等の発達段階に応じ、児童生徒等の実態を十分把握し、一層きめ細かな適切な教育指導に留意すること。

六　学校における退学、停学及び訓告の懲戒処分は真に教育的配慮をもって慎重かつ的確に行われなければならず、その際には、当該児童生徒等から事情や意見をよく聴く機会を持つなど児童生徒等の個々の状況に十分留意し、その措置が単なる制裁にとどまる

ことなく真に教育的効果を持つものとなるよう配慮すること。

また、学校教育法第二六条〔現行法三五条〕の出席停止の措置を適用する際には、当該児童生徒や保護者の意見をよく聴く機会を持つことに配慮すること。

七　学校における国旗・国歌の指導は、児童生徒等が自国の国旗・国歌の意義を理解し、それを尊重する心情と態度を育てるとともに、すべての国の国旗・国歌に対して等しく敬意を表する態度を育てるためのものであること。その指導は、児童生徒等が国民として必要とされる基礎的・基本的な内容を身につけるために行うものであり、もとより児童生徒等の思想・良心を制約しようというものではないこと。今後とも国旗・国歌に関する指導の充実を図ること。

八　本条約についての教育指導に当たっては、「児童」のみならず「子ども」という語を適宜使用することも考えられること。

○問題行動を起こす児童生徒に対する指導について（抄）（平一九・二・五　一八文科初一〇一九号　各都道府県教育委員会教育長、各指定都市教育委員会教育長、各都道府県知事、附属学校を置く各国立大学法人学長あて　文部科学省初等中等教育局長通知）

三　懲戒・体罰について

(1)　校長及び教員（以下「教員等」という。）は、教育上必要があると認めるときは、児童生徒に懲戒を加えることができ、懲戒を通じて児童生徒の自己教育力や規範意識の育成を期待することができる。しかし、一時の感情に支配されて、安易な判断のもとで懲戒が行われることがないように留意し、家庭との十分な連携を通じて、日頃から教員等、児童生徒、保護者間での信頼関係を築いておくことが大切である。

(2)　体罰がどのような行為なのか、児童生徒への懲戒がどの程度まで認められるかについては、機械的に判定することが困難である。また、このことが、ややもすると教員等が自らの指導に自信を持てない状況を生み、実際の指導において過度の萎縮を招いているとの指摘もなされている。ただし、教員等は、児童生徒への指導に当たり、いかなる場合においても、身体に対する侵害（殴る、蹴る等）、肉体的苦痛を与える懲戒（正座・直立等特定の姿勢を長時間保持させる等）である体罰を行ってはならない。体罰による指導により正常な倫理観を養うことはできず、むしろ児童生徒に力による解決への志向を助長させ、いじめや暴力行為などの土壌を生む恐れがあるからである。

(3)　懲戒権の限界及び体罰の禁止については、これまで「児童懲戒権の限界について」（昭和二三年一二月二二日付け法務庁法務調査意見長官回答）等が過去に示されており、教育委員会や学校でも、これらを参考として指導を行ってきた。しかし、児童生徒の問題行動は学校のみならず社会問題となっており、学校がこうした問題行動に適切に対応し、生徒指導の一層の充実を図ることができるよう、文部科学省としては、懲戒及び体罰に関する裁判例の動向等も踏まえ、今般、「学校教育法第一一条に規定する児童生徒の懲戒・体罰に関する考え方」（別紙）を取りまとめた。懲戒・体罰に関する解釈・運用については、

今後、この「考え方」によることとする。

別紙

「学校教育法第一一条に規定する児童生徒の懲戒・体罰に関する考え方」

一　体罰について

(1)　児童生徒への指導に当たり、学校教育法第一一条ただし書にいう体罰は、いかなる場合においても行ってはならない。教員等が児童生徒に対して行った懲戒の行為が体罰に当たるかどうかは、当該児童生徒の年齢、健康、心身の発達状況、当該行為が行われた場所的及び時間的環境、懲戒の態様等の諸条件を総合的に考え、個々の事案ごとに判断する必要がある。

(2)　(1)により、その懲戒の内容が身体的性質のもの、すなわち、身体に対する侵害を内容とする懲戒（殴る、蹴る等）、被罰者に肉体的苦痛を与えるような懲戒（正座・直立等特定の姿勢を長時間にわたって保持させる等）に当たると判断された場合は、体罰に該当する。

(3)　個々の懲戒が体罰に当たるか否かは、単に、懲戒を受けた児童生徒や保護者の主観的な言動により判断されるのではなく、上記(1)の諸条件を客観的に考慮して判断されるべきであり、特に児童生徒一人一人の状況に配慮を尽くした行為であったかどうか等の観点が重要である。

(4)　児童生徒に対する有形力（目に見える物理的な力）の行使により行われた懲戒は、その一切が体罰として許されないというものではなく、裁判例においても、「いやしくも有形力の行使と見られる外形をもった行為は学校教育法上の懲戒行為としては一切許容されないとすることは、本来学校教育法の予想するところではない」としたもの（昭和五六年四月一日東京高裁判決）、「生徒の心身の発達に応じて慎重な教育上の配慮のもとに行うべきであり、このような配慮のもとに行われる限りにおいては、状況に応じ一定の限度内で懲戒のための有形力の行使が許容される」としたもの（昭和六〇年二月一二日浦和地裁判決）などがある。

(5)　有形力の行使以外の方法により行われた懲戒については、例えば、以下のような行為は、児童生徒に肉体的苦痛を与えるものでない限り、通常体罰には当たらない。

○　放課後等に教室に残留させる（用便のためにも室外に出ることを許さない、又は食事時間を過ぎても長く留め置く等肉体的苦痛を与えるものは体罰に当たる）。

○　授業中、教室内に起立させる。

○　学習課題や清掃活動を課す。

○　学校当番を多く割り当てる。

○　立ち歩きの多い児童生徒を叱って席につかせる。

(6)　なお、児童生徒から教員等に対する暴力行為に対して、教員等が防衛のためにやむを得ずした有形力の行使は、もとより教育上の措置たる懲戒行為として行われたものではなく、これにより身体への侵害又は肉体的苦痛を与えた場合は体罰には該当しない。また、他の児童生徒に被害を及ぼすような暴力行為に対して、これを制止したり、目前の危険を回避するためにやむ

を得ずした有形力の行使についても、同様に体罰に当たらない。これらの行為については、正当防衛、正当行為等として刑事上又は民事上の責めを免れうる。

二　児童生徒を教室外に退去させる等の措置について

（1）単に授業に遅刻したこと、授業中学習を怠けたこと等を理由として、児童生徒を教室に入れず又は教室から退去させ、指導を行わないままに放置することは、義務教育における懲戒の手段としては許されない。

（2）他方、授業中、児童生徒を教室内に入れず又は教室から退去させる場合であっても、当該授業の間、その児童生徒のために当該授業に代わる指導が別途行われるのであれば、懲戒の手段としてこれを行うことは差し支えない。

（3）また、児童生徒が学習を怠り、喧騒その他の行為により他の児童生徒の学習を妨げるような場合には、他の児童生徒の学習上の妨害を排除し教室内の秩序を維持するため、必要な間、やむを得ず教室外に退去させることは懲戒に当たらず、教育上必要な措置として差し支えない。

（4）さらに、近年児童生徒の間に急速に普及している携帯電話を児童生徒が学校に持ち込み、授業中にメール等を行い、学校の教育活動全体に悪影響を及ぼすような場合、保護者等と連携を図り、一時的にこれを預かり置くことは、教育上必要な措置として差し支えない。

○体罰の禁止及び児童生徒理解に基づく指導の徹底について

（平二五・三・一三　二四文科初一二六九号　各都道府県教育委員会教育長、各指定都市教育委員会教育長、各都道府県知事、附属学校を置く各国立大学法人学長、小中高等学校を設置する学校設置会社を所轄する構造改革特別区域法第一二条第一項の認定を受けた各地方公共団体の長あて　文部科学省初等中等教育局長、文部科学省スポーツ・青少年局長通知）

昨年末、部活動中の体罰を背景とした高校生の自殺事案が発生するなど、教職員による児童生徒への体罰の状況について、文部科学省としては、大変深刻に受け止めております。体罰は、学校教育法で禁止されている、決して許されない行為であり、平成二五年一月二三日初等中等教育局長、スポーツ・青少年局長通知「体罰禁止の徹底及び体罰に係る実態把握について」においても、体罰禁止の徹底を改めてお願いいたしました。

懲戒、体罰に関する解釈・運用については、平成一九年二月に、裁判例の動向等も踏まえ、「問題行動を起こす児童生徒に対する指導について」（一八文科初第一〇一九号　文部科学省初等中等教育局長通知）別紙「学校教育法第一一条に規定する児童生徒の懲戒・体罰に関する考え方」を取りまとめましたが、懲戒と体罰の区別等についてより一層適切な理解促進を図るとともに、教育現場において、児童生徒理解に基づく指導が行われるよう、改めて本通知において考え方を示し、別紙において参考事例を示しました。懲戒、体罰に関する解釈・運用については、今後、本通知によるものとします。

また、部活動は学校教育の一環として行われるものであり、生徒

をスポーツや文化等に親しませ、責任感、連帯感の涵養（かんよう）等に資するものであるといった部活動の意義をもう一度確認するとともに、体罰を厳しい指導として正当化することは誤りであるという認識を持ち、部活動の指導に当たる教員等は、生徒の心身の健全な育成に資するよう、生徒の健康状態等の十分な把握や、望ましい人間関係の構築に留意し、適切に部活動指導をすることが必要です。

貴職におかれましては、本通知の趣旨を理解の上、児童生徒理解に基づく指導が徹底されるよう積極的に取り組むとともに、都道府県・指定都市教育委員会にあっては所管の学校及び域内の市区町村教育委員会等に対して、都道府県知事にあっては所轄の私立学校に対して、国立大学法人学長にあっては附属学校に対して、構造改革特別区域法第一二条第一項の認定を受けた地方公共団体の長にあっては認可した学校に対して、本通知の周知を図り、適切な御指導をお願いいたします。

記

1　体罰の禁止及び懲戒について

体罰は、学校教育法第一一条において禁止されており、校長及び教員（以下「教員等」という。）は、児童生徒への指導に当たり、いかなる場合も体罰を行ってはならない。体罰は、違法行為であるのみならず、児童生徒の心身に深刻な悪影響を与え、教員等及び学校への信頼を失墜させる行為である。

体罰により正常な倫理観を養うことはできず、むしろ児童生徒に力による解決への志向を助長させ、いじめや暴力行為などの連鎖を生む恐れがある。もとより教員等は指導に当たり、児童生徒一人一人をよく理解し、適切な信頼関係を築くことが重要であり、このために日頃から自らの指導の在り方を見直し、指導力の向上に取り組むことが必要である。懲戒が必要と認める状況においても、決して体罰によることなく、児童生徒の規範意識や社会性の育成を図るよう、適切に懲戒を行い、粘り強く指導することが必要である。

ここでいう懲戒とは、学校教育法施行規則に定める退学（公立義務教育諸学校に在籍する学齢児童生徒を除く。）、停学（義務教育諸学校に在籍する学齢児童生徒を除く。）、訓告のほか、児童生徒に肉体的苦痛を与えるものでない限り、通常、懲戒権の範囲内と判断されると考えられる行為として、注意、叱責、居残り、別室指導、起立、宿題、清掃、学校当番の割当て、文書指導などがある。

2　懲戒と体罰の区別について

(1)　教員等が児童生徒に対して行った懲戒行為が体罰に当たるかどうかは、当該児童生徒の年齢、健康、心身の発達状況、当該行為が行われた場所的及び時間的環境、懲戒の態様等の諸条件を総合的に考え、個々の事案ごとに判断する必要がある。この際、単に、懲戒行為をした教員等や、懲戒行為を受けた児童生徒・保護者の主観のみにより判断するのではなく、諸条件を客観的に考慮して判断すべきである。

(2)　(1)により、その懲戒の内容が身体的性質のもの、すなわち、身体に対する侵害を内容とするもの（殴る、蹴る等）、児童生

徒に肉体的苦痛を与えるようなもの（正座・直立等特定の姿勢を長時間にわたって保持させる等）に当たると判断された場合は、体罰に該当する。

3　正当防衛及び正当行為について

(1)　児童生徒の暴力行為等に対しては、毅然とした姿勢で教職員一体となって対応し、児童生徒が安心して学べる環境を確保することが必要である。

(2)　児童生徒から教員等に対する暴力行為に対して、教員等が防衛のためにやむを得ずした有形力の行使は、もとより教育上の措置たる懲戒行為として行われたものではなく、これにより身体への侵害又は肉体的苦痛を与えた場合は体罰には該当しない。また、他の児童生徒に被害を及ぼすような暴力行為に対して、これを制止したり、目前の危険を回避したりするためにやむを得ずした有形力の行使についても、同様に体罰に当たらない。これらの行為については、正当防衛又は正当行為等として刑事上又は民事上の責めを免れうる。

4　体罰の防止と組織的な指導体制について

(1)　体罰の防止

①　教育委員会は、体罰の防止に向け、研修の実施や教員等向けの指導資料の作成など、教員等が体罰に関する正しい認識を持つよう取り組むことが必要である。

②　学校は、指導が困難な児童生徒の対応を一部の教員に任せきりにしたり、特定の教員が抱え込んだりすることのないよう、組織的な指導を徹底し、校長、教頭等の管理職や生徒指導担当教員を中心に、指導体制を常に見直すことが必要である。

③　校長は、教員が体罰を行うことのないよう、校内研修の実施等により体罰に関する正しい認識を徹底させ、「場合によっては体罰もやむを得ない」などといった誤った考え方を容認する雰囲気がないか常に確認するなど、校内における体罰の未然防止に恒常的に取り組むことが必要である。また、教員が児童生徒への指導で困難を抱えた場合や、周囲に体罰と受け取られかねない指導を見かけた場合には、教員個人で抱え込まず、積極的に管理職や他の教員等へ報告・相談できるようにするなど、日常的に体罰を防止できる体制を整備することが必要である。

④　教員は、決して体罰を行わないよう、平素から、いかなる行為が体罰に当たるかについての考え方を正しく理解しておく必要がある。また、機会あるごとに自身の体罰に関する認識を再確認し、児童生徒への指導の在り方を見直すとともに、自身が児童生徒への指導で困難を抱えた場合や、周囲に体罰と受け取られかねない指導を見かけた場合には、教員個人で抱え込まず、積極的に管理職や他の教員等へ報告・相談することが必要である。

(2)　体罰の実態把握と事案発生時の報告の徹底

①　教育委員会は、校長に対し、体罰を把握した場合には教育委員会に直ちに報告するよう求めるとともに、日頃から、主体的な体罰の実態把握に努め、体罰と疑われる事案があった場合には、関係した教員等からの聞き取りのみならず、児童生徒や保護者からの聞き取りや、必要に応じて第三者の協力を得るな

ど、事実関係の正確な把握に努めることが必要である。あわせて、体罰を行ったと判断された教員等については、体罰が学校教育法に違反するものであることから、厳正な対応を行うことが必要である。

② 校長は、教員に対し、万が一体罰を行った場合や、他の教員の体罰を目撃した場合には、直ちに管理職へ報告するよう求めるなど、校内における体罰の実態把握のために必要な体制を整備することが必要である。

また、教員や児童生徒、保護者等から体罰や体罰が疑われる事案の報告・相談があった場合は、関係した教員等からの聞き取りや、児童生徒や保護者からの聞き取り等により、事実関係の正確な把握に努めることが必要である。

加えて、体罰を把握した場合、校長は直ちに体罰を行った教員等を指導し、再発防止策を講じるとともに、教育委員会へ報告することが必要である。

③ 教育委員会及び学校は、児童生徒や保護者が、体罰の訴えや教員等との関係の悩みを相談することができる体制を整備し、相談窓口の周知を図ることが必要である。

5 部活動指導について

(1) 部活動は学校教育の一環であり、体罰が禁止されていることは当然である。成績や結果を残すことのみに固執せず、教育活動として逸脱することなく適切に実施されなければならない。

(2) 他方、運動部活動においては、生徒の技術力・身体的能力、又は精神力の向上を図ることを目的として、肉体的、精神的負荷を伴う指導が行われるが、これらは心身の健全な発達を促すとともに、活動を通じて達成感や、仲間との連帯感を育むものである。ただし、その指導は学校、部活動顧問、生徒、保護者の相互理解の下、年齢、技能の習熟度や健康状態、場所的・時間的環境等を総合的に考えて、適切に実施しなければならない。

指導と称し、部活動顧問の独善的な目的を持って、特定の生徒たちに対して、執拗かつ過度に肉体的・精神的負荷を与える指導は教育的指導とは言えない。

(3) 部活動は学校教育の一環であるため、校長、教頭等の管理職は、部活動顧問に全て委ねることなく、その指導を適宜監督し、教育活動としての使命を守ることが求められる。

【別紙】

「学校教育法第一一条に規定する児童生徒の懲戒・体罰等に関する参考事例」（略）

【判決例】

○いやしくも有形力の行使とみられる外形をもった行為は学校教育の懲戒行為としては一切許されないとすることは、本来

学校教育法の予想するところではない（東京高判昭五六・四・一）

教育作用をしてその本来の機能と効果を教育の場で十分に発揮させるためには、懲戒の方法・形態としては単なる口頭の説教のみにとどまることなく、そのような方法・形態の懲戒によるだけでは微温的に過ぎて感銘力に欠け、生徒に訴える力に乏しいと認められる時は、教師は必要に応じ生徒に対し一定の限度内で有形力を行使することも許されてよい場合があることを認めるのでなければ、教育内容はいたずらに硬直化し、血の通わない形式的なものに随して、実効的な生きた教育活動が阻害され、ないしは不可能になる虞れがあることも、これまた否定することができないのであるから、いやしくも有形力の行使と見られる外形をもつた行為は学校教育上の懲戒行為としては一切許容されないとすることは、本来学校教育法の予想するところではないといわなければならない。

事実行為としての懲戒はその方法・態様が多岐にわたり、一義的にその許容限度を律することは困難であるが、一般的・抽象的にいえば、学校教育法の禁止する体罰とは要するに、懲戒権の行使として相当と認められる範囲を越えて有形力を行使して生徒の身体を侵害し、あるいは生徒に対して肉体的苦痛を与えることをいうものと解すべきであつて、有形力の内容、程度が体罰の範ちゆうに入るまでに至つた場合、それが法的に許されないことはいうまでもないところであるから、教師としては懲戒を加えるにあたつて、生徒の心身の発達に応ずる等、相当性の限界を越えないように教育上必要な配慮をしなければならないことは当然である。

そして裁判所が教師の生徒に対する有形力の行使が懲戒権の行使として相当と認められる範囲内のものであるかどうかを判断するにあたつては、教育基本法、学校教育法その他の関係諸法令にうかがわれる基本的な教育原理と教育方針を念頭に置き、更に生徒の年齢、性別、性格、成育過程、身体的状況、非行等の内容、懲戒の趣旨、有形力行使の態様・程度、教育的効果、身体的侵害の大小・結果等を総合して、社会通念に則り、結局は各事例ごとに相当の有無を具体的・個別的に判定するほかはないものといわざるをえない。

○学校教育法一一条は、生徒の心身の発達に応じて慎重な教育上の配慮のもとに行われた懲戒としての有形力の行使のすべてを否定する趣旨ではない（浦和地判昭六〇・二・二二）

学校教育における懲戒の方法としての有形力の行使は、そのやり方如何では往々にして生徒に屈辱感を与え、いたずらに反抗心を募らせ、所期の教育効果を挙げ得ない場合もあるので、生徒の心身の発達に応じて慎重な教育上の配慮のもとに行うべきであり、このような配慮のもとに行われる限りにおいては、状況に応じ一定の限度内で懲戒のための有形力の行使が許容されるものと解するのが相当である。学校教育法一一条、同施行規則一三条〔現行二六条〕の規定も右の限度における有形力の行使をすべて否定する趣旨ではないと考える。

○教員が小学校二年生男子の胸元の洋服をつかんで壁に押し当て、大声で「もう、すんなよ。」と叱る行為は、学校教育法一一条ただし書の体罰には該当しないとした事例（最（三小）判平二一・四・二八）

前記事実関係によれば、X（小学校二年生の男子）は、休み時間に、だだをこねる他の児童をなだめていた教員Aの背中に覆いかぶさるようにしてその肩をもむなどしていたが、通り掛かつた女子数人を他の男子と共に蹴るという悪ふざけをした上、これを注意して職員室に向かおうとした教員Aのでん部付近を二回にわたつて蹴って逃げ出した。そこで、教員A（他のクラスの担任）は、Xを追い掛けて捕まえ、その胸元を右手でつかんで壁に押し当て、大声で「もう、すんなよ。」と叱った（本件行為）というのである。そうすると、教員Aの本件行為は、児童の身体に対する有形力の行使ではあるが、他人を蹴るというXの一連の悪ふざけについて、これからはそのような悪ふざけをしないようにXを指導するために行われたものであり、悪ふざけの罰としてXに肉体的苦痛を与えるために行われたものではないことが明らかである。教員Aは、自分自身もXによる悪ふざけの対象となったことに立腹して本件行為を行っており、本件行為にやや穏当を欠くところがなかったとはいえないとしても、本件行為は、その目的、態様、継続時間等から判断して、教員が児童に対して行うことが許される教育的指導の範囲を逸脱するものではなく、学校教育法一一条ただし書にいう体罰に該当するものではないというべきである。したがって、教員Aのした本件行為に違法性は認められない。

〔健康診断等〕

第十二条　学校においては、別に法律で定めるところにより、幼児、児童、生徒及び学生並びに職員の健康の保持増進を図るため、健康診断を行い、その他その保健に必要な措置を講じなければならない。

【沿　革】　当初の条文は次のとおりであったが、昭三三・四・一〇法五六により、現行のように改められた。

第十二条　学校においては、学生、生徒、児童及び幼児並びに職員の健康増進を図るため、身体検査を行い、及び適当な衛生養護の施設を設けなければならない。

②　身体検査及び衛生養護の施設に関する事項は、監督庁が、これを定める。

なお、昭二八・八・一五法二一三により、第二項は、一時は、次のような規定になっていたことがある。

②　身体検査及び衛生養護の施設に関する事項は、地方公共団体の機関が処理しなければならないものについては政令で、その他のものについては監督庁がこれを定める。

平成一九・六・二七法九六により、「学生、生徒、児童及び幼児」を「幼児、児童、生徒及び学生」に改めた。

【参照条文】 学校保健安全法。地教行法五七条。感染症の予防及び感染症の患者に対する医療に関する法律。予防接種法。

【注　解】

一 本条は、旧学校保健法（改正後は学校保健安全法）が制定されるまでは、学校での身体検査その他の学校保健の根拠規定としての意味があったが、現在では、インデックス規定としての意味しか残っていない。

二 「別に法律で定めるところにより」にいう法律は、保健管理・安全管理の基本法としての学校保健安全法である。なお、学校給食法及び独立行政法人日本スポーツ振興センター法の中にも児童生徒の心身の健全な発達あるいは学校安全という観点からの規定が設けられている。

学校保健安全法の内容は、大きく分けると、学校保健と学校安全の二点となり、さらに学校保健は主に学校の管理運営、健康相談、保健指導、健康診断、感染症の予防及び学校保健技師・学校医・学校歯科医・学校薬剤師からなっている。学校においては、保健に関する事項及び安全に関する事項について計画を立て、実施しなければならないものとされている（学校保健安全法五条・二七条）。

(1)　健康診断

明治以来、身体検査と呼ばれてきたものが、旧学校保健法の制定の際に、健康診断と改称された。保健管理の中核をなすものである。

就学時の健康診断は、市町村の教育委員会が就学事務を適正に行うために実施する重要な健康診断である（学校保健安全法一一条・一二条、法一七条の**【注解】九**(3)参照）。

幼児、児童生徒及び学生については、定期又は臨時に健康診断を行うべきこととされており（同法一三条）、毎学

年、六月三〇日までに行うものとされている（同法施行規則五条一項）。その検査項目、方法及び技術的基準は、同法施行規則六条及び七条に示されており、検査の結果は、本人及び保護者に通知し、一定の基準により措置をとるべきこととされている（同法施行規則九条）。

学校の職員の健康診断は、学校の設置者が毎学年定期又は必要があれば臨時に行うことになっている（同法一五条）。なお、実施の時期、検査項目、方法、技術的基準、事後措置などについては同法施行規則一二条から一七条までに示されている。公立学校の職員についてはこれらの健康診断と公務員法の体系上の健康診断との調整はどうなるのか、必ずしも明瞭でない。

(2) 感染症予防

一般公衆衛生法規である感染症の予防及び感染症の患者に対する医療に関する法律は、当然学校にも適用される。しかし、感染症にも各種のものがあり、一般社会人にとっては比較的軽く扱われているものでも、年齢的にみて児童・生徒間に特に流行しやすいもの、又は学習に支障を及ぼすおそれが強いものなどについては、一般の公衆衛生法規が要求するもの以上に、予防に留意する必要がある。この見地から、学校保健安全法では、学校において特に予防すべき感染症の種類として、第一種から第三種までの三種に分け、これら感染症予防のために学校として取り得る措置として、出席停止、臨時休業を定めている（同法一九条・二〇条、同法施行規則一八条・一九条）。

(3) 学校環境衛生

学校においては、換気、採光、照明及び保温を適切に行い、清潔を保つ等環境衛生の維持に努め、必要に応じてその改善を図らなければならないとされ、学校環境衛生の維持が適正に行われるよう文部科学大臣は学校環境衛生基準を定めるものとされている（同法六条）。

(4) 学校安全

学校の設置者は、児童生徒等に生ずる危険の防止及び危険が生じた場合に適切な対応ができるよう施設、設備及び管理運営体制の整備充実その他の措置を講じるよう努めるものとされており、校長は学校環境の安全を確保するために必要な措置等を講じるものとされている（学校保健安全法二六条・二八条）。また、学校は、児童生徒等の安全の確保を図るため、施設及び設備の安全点検、通学を含めた学校生活その他の日常生活における安全に関する指導等について計画を策定し、実施するとともに、危険等発生時において当該学校の職員がとるべき措置の具体的内容及び手順を定めた対処要領（危険等発生時対処要領）の作成や、児童生徒等に危険が生じた場合における児童生徒等の心身の健康を回復するために必要な支援を行うものとされている（同法二七条、二九条一項及び三項）。その他、同法には、学校においては、警察署その他の関係機関、地域ボランティア等の団体、地域住民その他の関係者と連携を図るよう努めることも定められている（同法三〇条）。

三　教育委員会が、学校保健安全法に定められた事務等を執行する場合に、保健所の協力を求め、保健所は教育委員会に対して助言と援助を与えることとなっている（地教行法五七条、同法施行令八条〜一〇条）。

四　本条は、専修学校に準用されるが、各種学校には準用されない（法一三三条一項・一三四条二項）。専修学校の保健管理等については、学校保健安全法三二条に規定されている。

【通　知】

○学校保健法等の一部を改正する法律の公布について（抄）

（平二〇・七・九　二〇文科ス五二二号　各都道府県教育委員会、各指定都市教育委員会、各都道府県知事、各指定都市市長、各国公私立大学長等あて　文部科学省スポーツ・青少年局長通知）

このたび、別添一（略）のとおり、「学校保健法等の一部を改正する法律（平成二〇年法律第七三号）」（以下「改正法」という。）が平成二〇年六月一八日に公布され、平成二一年四月一日から施行

されることとなりました。

今回の改正は、メンタルヘルスに関する問題やアレルギー疾患を抱える児童生徒等の増加、児童生徒等が被害者となる事件・事故・災害等の発生、さらには、学校における食育の推進の観点から「生きた教材」としての学校給食の重要性の高まりなど、近年の児童生徒等の健康・安全を取り巻く状況の変化にかんがみ、学校保健及び学校安全に関して、地域の実情や児童生徒等の実態を踏まえつつ、各学校において共通して取り組まれるべき事項について規定の整備を図るとともに、学校の設置者並びに国及び地方公共団体の責務を定め、また、学校給食を活用した食に関する指導の充実を図る等の措置を講ずるものです。

改正の概要及び留意事項については下記のとおりですので、関係各位におかれましては、その趣旨を十分御理解の上、適切な対応をお願いするとともに、各都道府県教育委員会におかれては、所管の学校及び域内の市町村教育委員会に対して、各都道府県知事におかれては、所轄の学校（専修学校を含む。）及び学校法人等に対する周知を図るようお願いします。

また、本改正法については、別添二（略）及び別添三（略）のとおり、衆議院文部科学委員会及び参議院文教科学委員会において、それぞれ附帯決議が付されておりますので、これらの点に十分留意されるよう御配慮願います。

なお、改正法は、関係資料と併せて文部科学省のホームページに掲載しておりますので、御参照ください。また、関係政省令の改正及び関係告示の制定については、追ってこれを行い、その内容については別途通知する予定ですので、予め御承知おき願います。

記

第一　改正法の概要

第1　学校保健法の一部改正関係（改正法第一条関係）

一　総則

(1)　法律の題名及び目的

法律の題名を「学校保健安全法」に改めたこと。（題名関係）

また、本法の目的を、学校における児童生徒等及び職員の健康の保持増進を図るため、学校における保健管理に関し必要な事項を定めるとともに、学校における教育活動が安全な環境において実施され、児童生徒等の安全の確保が図られるよう、学校における安全管理に関し必要な事項を定め、もって学校教育の円滑な実施とその成果の確保に資することとしたこと。（第一条関係）

(2)　国及び地方公共団体の責務

国及び地方公共団体は、相互に連携を図り、各学校において保健及び安全に係る取組が確実かつ効果的に実施されるようにするため、財政上の措置その他の必要な施策を講ずるものとしたこと。

国は、各学校における安全に係る取組を総合的かつ効果的に推進するため、学校安全の推進に関する計画の策定その他所要の措置を講ずるものとし、地方公共団体は、国が講ずる措置に準じた措置を講ずるように努めなければならないこと

としたこと。（第三条関係）

二　学校保健に関する事項

(1)　学校保健に関する学校の設置者の責務

学校の設置者は、児童生徒等及び職員の心身の健康の保持増進を図るため、学校の施設及び設備並びに管理運営体制の整備充実その他の必要な措置を講ずるよう努めるものとしたこと。（第四条関係）

(2)　学校環境衛生基準

文部科学大臣は、学校における環境衛生に係る事項について、児童生徒等及び職員の健康を保護する上で維持されることが望ましい基準を定めるものとし、学校の設置者は、当該基準に照らしてその設置する学校の適切な環境の維持に努めなければならないものとしたこと。

校長は、当該基準に照らし、適正を欠く事項があると認めた場合には、遅滞なく、改善に必要な措置を講じ、又は当該措置を講ずることができないときは、学校の設置者に対し、その旨を申し出るものとしたこと。（第六条関係）

(3)　保健指導

養護教諭その他の職員は、相互に連携して、児童生徒等の心身の状況を把握し、健康上の問題があると認めるときは、遅滞なく、児童生徒等に対して必要な指導を行うとともに、必要に応じ、その保護者に対して必要な助言を行うものとしたこと。（第九条関係）

(4)　地域の医療機関等との連携

学校においては、救急処置、健康相談又は保健指導を行うに当たっては、必要に応じ、地域の医療機関その他の関係機関との連携を図るよう努めるものとしたこと。（第一〇条関係）

三　学校安全に関する事項

(1)　学校安全に関する設置者の責務

学校の設置者は、児童生徒等の安全の確保を図るため、学校において、事故、加害行為、災害等（以下「事故等」という。）により児童生徒等に生ずる危険を防止し、及び事故等により児童生徒等に危険又は危害が現に生じた場合（以下「危険等発生時」という。）において適切に対処することができるよう、学校の施設及び設備並びに管理運営体制の整備充実その他の必要な措置を講ずるよう努めるものとしたこと。（第二六条関係）

(2)　総合的な学校安全計画の策定及び実施

学校においては、施設及び設備の安全点検、児童生徒等に対する通学を含めた学校生活その他の日常生活における安全に関する指導等について計画を策定し、これを実施しなければならないこととしたこと。（第二七条関係）

(3)　学校環境の安全の確保

校長は、学校の施設又は設備について、児童生徒等の安全の確保を図る上で支障となる事項があると認めた場合には、遅滞なく、改善に必要な措置を講じ、又は当該措置を講ずることができないときは、学校の設置者に対し、その旨を申し

出るものとしたこと。（第二八条関係）

(4) 危険等発生時対処要領の作成等

学校においては、危険等発生時において学校の職員がとるべき措置の具体的内容及び手順を定めた対処要領を作成することとし、校長は、対処要領の職員に対する周知、訓練の実施その他の危険等発生時において職員が適切に対処するために必要な措置を講ずるものとしたこと。

学校においては、事故等により児童生徒等に危害が生じた場合において、当該児童生徒等及び関係者の心身の健康を回復させるため、必要な支援を行うものとしたこと。（第二九条関係）

(5) 地域の関係機関等との連携

学校においては、児童生徒等の保護者、警察署その他の関係機関、地域の安全を確保するための活動を行う団体、地域住民等との連携を図るよう努めるものとしたこと。（第三〇条関係）

四 その他

専修学校における保健管理及び安全管理について、関係する規定を準用することとしたこと。（第三二条関係）

第2～第4 （略）

第5 施行期日等

1 この法律は、平成二一年四月一日から施行すること。（附則第一条関係）

2 政府は、この法律の施行後五年を経過した場合において、この法律による改正後の規定の施行の状況について検討を加え、必要があると認めるときは、その結果に基づいて所要の措置を講ずるものとすること。（附則第二条関係）

3 この法律の施行に伴い、関係法律に関し、所要の規定の整備を行うこと。（附則第三条から第一一条まで関係）

4 その他所要の改正を行うこと。

第二 留意事項 （略）

〔学校閉鎖命令〕

第一三条 第四条第一項各号に掲げる学校が次の各号のいずれかに該当する場合においては、それぞれ同項各号に定める者は、当該学校の閉鎖を命ずることができる。

一 法令の規定に故意に違反したとき

二 法令の規定によりその者がした命令に違反したとき

三　六箇月以上授業を行わなかつたとき

②　前項の規定は、市町村の設置する幼稚園に準用する。この場合において、同項中「それぞれ同項各号に定める者」とあり、及び同項第二号中「その者」とあるのは、「都道府県の教育委員会」と読み替えるものとする。

【沿　革】 昭三六・一〇・三一法一六六により、「左の各号」を「次の各号」に改めた。

平一一・七・一六法八七により、「次の各号の一」を「法第四条第一項各号に掲げる学校が次の各号のいずれか」に改め、また、各号列記以外の部分の「監督庁は、」を「それぞれ同項各号に定める者は、当該」に改め、さらに第二号の「、監督庁のなした」を「その者がした」に改めた。

平二三・五・二法三七により、第二項を加えた。

【参照条文】 法四条、一四三条。私立学校法六条、八条一項。文部科学省聴聞手続規則。

【注　解】

一　本条は、旧私立学校令一〇条に由来する。閉鎖事由として「安寧秩序ヲ紊乱シ又ハ風俗ヲ壊乱スルノ虞アルトキ」という事項が一つ余分にあったほかは現行規定と全く同一趣旨であった。したがって、本条は私立学校を主たる対象として当初制定されたものであると解される。しかし、その後、私立学校法の制定及び地方自治の原則に基づく教育委員会制度の誕生によって、本条の実質的な意味は変化してきたものと解される。

二　本条においては、従前、閉鎖命令を行う主体を「監督庁」と規定していたが、平成一一年の本法改正によって、本条において閉鎖命令を行う者が対象となる学校ごとに明確に規定された。具体的には、法四条一項各号に掲げる学校に対し、同項各号に定める者が、閉鎖命令を行う。

国立学校については、その設置者である国立大学法人等に対して文部科学大臣が違法行為等の是正措置要求ができ

る（国立大学法人法三四条の二、独立行政法人通則法三五条の三）とともに、文部科学大臣は、国立大学法人等の役員を解任することができる（国立大学法人法一七条、独立行政法人通則法二三条）ことや、国立学校の設置廃止等が国立大学法人法等の法令により規定されるものであることから、本条の閉鎖命令の対象とはなっていない。

公立又は私立の大学及び高等専門学校については、文部科学大臣が閉鎖命令を行う。

都道府県立の大学・高等専門学校以外の学校については、都道府県教育委員会が「管理責任者」の地位を有しているので（地教行法三二条）、その閉鎖命令について規定されていない。

市町村立の小・中学校、義務教育学校については、その設置が義務づけられているので（法三八条・四九条）、その設置、廃止、設置者の変更等について認可を要しないものとされている（法四条一項）。したがって、市町村立の小・中学校、義務教育学校については、その閉鎖命令は規定されていない。

市町村立の幼稚園、高等学校、中等教育学校、特別支援学校については、教育行政の地方分権の原則に照らして、市町村立の小・中学校に対すると同様に、「市町村教育委員会の学校管理権を尊重して、都道府県教育委員会はこれに閉鎖命令を発することができないと解するのが、各種立法の均衡を得た解釈ではなかろうか。」（今村武俊・別府哲『学校教育法解説—初等中等教育編』一一四頁）とする考え方があったが、平成一一年の法改正によりこれらの学校については都道府県の教育委員会が閉鎖命令を行うものであると規定された。なお、市町村立の幼稚園については、都道府県教育委員会は設置認可権を有しないが、閉鎖命令を行うことはできると解される。

私立の幼稚園、小学校、中学校、義務教育学校、高等学校、中等教育学校及び特別支援学校については、都道府県知事が閉鎖命令を行う。

三　学校の閉鎖命令とは、すでに与えられた学校設置の認可の効力を将来に向かって失わしめるとともに、学校教育の廃絶という事実上の状態を実現すべきことを命ずる行政処分である。学校教育の廃絶という事実上の状態を実現

することに意味があるから、法改正などにより法律上はもはや学校として存続しえなくなった施設が、外形上は学校として教育活動を続けている場合にも、その設置者に閉鎖命令を発することができる。

閉鎖命令を受ける相手方は、形式的には学校の設置者であり、具体的には学校の設置者たる法人（又は地方公共団体）の機関を構成する職員、学校の校長、教職員と解することができる（閉鎖命令違反の罰則中に自然人を当然に予想している）。なお、閉鎖命令は行政手続法上の「不利益処分」に該当するから、聴聞などの事前手続を必要とする。

閉鎖命令に違反した者は、六月以下の懲役若しくは禁錮又は二〇万円以下の罰金に処せられる（法一四三条）。なお、閉鎖命令に従わない場合、閉鎖命令を強制する方法は認められない。すなわち、教育活動の廃絶というような不作為義務を実現する方法は、行政代執行法の適用によっては不可能であるからである。刑罰（法一四三条）により、閉鎖命令の実効を間接的に担保しているにすぎない。

四　閉鎖命令を発することができる場合として、本条では三つの場合を掲げている。一つは法令の規定に故意に違反したときである。

本条二号の「法令の規定により、その者がした命令」としては、私立学校については、私立学校法六条の報告書の提出命令がある。なお、私立学校振興助成法一二条による助成を受ける学校法人に対する所轄庁の権限に基づく命令は、形式的には、学校法人に対するものであって、私立学校に対するものではないから、これに対する違反は、本条二号違反にはならないようにみえるが、本条の命令の相手方は、設置者である法人であるから、私立学校振興助成法一二条による命令違反も本条二号に含まれると解すべきものであろう（私立学校振興助成法による改正前の私立学校法五九条については、そのように解していた）。

なお、平成二六年四月、私立学校法の改正（平二六法一五）により、学校法人が、法令の規定、法令の規定に基づく所轄庁の処分若しくは寄附行為に違反し、又はその運営が著しく適正を欠くと認めるときは、所轄庁は当該学校法人

に対し、期限を定めて、違反の停止、運営の改善その他必要な措置をとるべきことを命ずること（措置命令という。）ができることとなった（同法六〇条）。

五　本条は、専修学校及び各種学校に準用される（法一三三条一項・一三四条二項）。なお、専修学校に対する閉鎖命令を行う場合にも行政手続法第三章不利益処分の規定が適用されるから、聴聞手続などを行う必要がある。

〔設備、授業等の変更命令〕

第十四条　大学及び高等専門学校以外の市町村の設置する学校については都道府県の教育委員会、大学及び高等専門学校以外の私立学校については都道府県知事は、当該学校が、設備、授業その他の事項について、法令の規定又は都道府県の教育委員会若しくは都道府県知事の定める規程に違反したときは、その変更を命ずることができる。

【沿　革】　平一一・七・一六法八七により、「監督庁は」を改め、変更命令の主体を具体的に規定した。
平一一・一二・二二法一六〇により、「文部大臣」を「文部科学大臣」に改めた。
平一四・一一・二九法一一八により、「公立又は私立の大学及び高等専門学校並びに放送大学学園の設置する大学については、文部科学大臣」を削除した。

【参照条文】　法四条。私立学校法五条。

【注　解】

一　平成一四年の法改正により、「公立又は私立の大学及び高等専門学校」については本条から削り、改善勧告・変更命令に関する規定が第一五条として新たに設けられた。

二　私立学校については、本条は適用されない（私立学校法五条）。したがって、私立学校に法令違反の事実があれ

ば、直ちに前条の学校の閉鎖を命じることができる。しかし、実際問題としては、事前に変更の勧告等の行われることが望ましい（法一五条参照）。国立の大学と高等専門学校については、国立大学法人法や独立行政法人通則法によって、是正のため必要な措置を講ずることを求めることができる。

したがって、本条の規定が意味をもつのは、市町村立の幼稚園、小学校、中学校、義務教育学校、高等学校、中等教育学校及び特別支援学校に対して都道府県教育委員会が発する変更命令の場合のみである。

三 「設備、授業その他の事項」とは、施設、設備、教育課程及び学級編制に関する事項その他の法律に定める学校が学校として存続できる最低必要な諸条件と解される。それらに関する「法令の規定」としては、法律、政令、省令（省令の委任を受けた告示を含む）がある。

四 本条は、専修学校及び各種学校に準用される（法一三三条一項・一三四条二項）。市町村立の専修学校・各種学校については都道府県教育委員会、私立の専修学校・各種学校については都道府県知事が変更を命ずるとする読み替え規定がある。

〔大学等の設備、授業等の改善勧告、変更命令〕

第十五条 文部科学大臣は、公立又は私立の大学及び高等専門学校が、設備、授業その他の事項について、法令の規定に違反していると認めるときは、当該学校に対し、必要な措置をとるべきことを勧告することができる。

② 文部科学大臣は、前項の規定による勧告によってもなお当該勧告に係る事項（次項において「勧告事項」という。）が改善されない場合には、当該学校に対し、その変更を命ずることができる。

③ 文部科学大臣は、前項の規定による命令によってもなお勧告事項が改善されない場合には、当該学校に対し、当該勧告事項に係る組織の廃止を命ずることができる。

④　文部科学大臣は、第一項の規定による勧告又は第二項若しくは前項の規定による命令を行うために必要があると認めるときは、当該学校に対し、報告又は資料の提出を求めることができる。

【沿　革】　昭二四・一二・一五法二七〇（私立学校法）の制定により、不要となり削除された。当初の規定は次のようであった。

第十五条　私立学校は、毎会計年度の開始前に収支予算を、毎会計年度の終了後二箇月以内に収支決算を監督庁に届け出なければならない。

②　収支予算に重大な変更を加えようとするときも、また同様である。

平一四・一一・二九法一一八により、全部改正される。

平一四・一二・一三法一五六により、「並びに放送大学学園の設置する大学」を削除。

【参照条文】　法四条、九五条。

【注　解】

一　法令違反があった場合に直ちに法一三条の学校閉鎖命令を出すのではなく、我が国の大学等の質の確保の観点から、文部科学大臣が法令違反の大学等に対し、大学設置・学校法人審議会への諮問を経て、①改善勧告、②変更命令、③学部等の組織の廃止を命ずる措置を段階的に講じることができることとしたものである（法四条の【通知】平一五・三・三一　一五文科高一六二号、法八三条の【注解】八及び法九五条の【注解】二参照）。

二　本条における「法令の規定に違反」とは、大学の教育研究の水準確保のため、学校教育法や同法に基づき判定される大学設置基準等に定める教育研究に係る規定に違反している場合をいう。具体的には、施設、設備、教育課程、学級編制、教職員などに関する基準に違反している場合がある。「必要な措置」とは、当該違反状態を解消するための措置であり、具体的にどのような方法により違反を是正するかは、当該大学の判断に委ねられている。

三　「組織」の廃止命令の対象となる組織は、法四条の認可又は届出により、教育研究水準の維持向上を図ることが求められている組織であり、具体的には、大学の学部や学科、大学院の研究科や専攻、短期大学、高等専門学校の学科などが規定されている。

第二章　義務教育

〔義務教育の期間〕

第十六条　保護者（子に対して親権を行う者（親権を行う者のないときは、未成年後見人）をいう。以下同じ。）は、次条に定めるところにより、子に九年の普通教育を受けさせる義務を負う。

【沿　革】　平一九・六・二七法九六により、新設した。

【参照条文】　憲法二六条二項。教育基本法五条一項。法二一条。民法八一八条、八一九条、八三四条、八三七条、八三八条、八三九条、八四〇条。児童福祉法四七条、四八条。

【注　解】

一　本条は、義務教育の期間について規定したものである。憲法二六条二項前段は「すべて国民は、法律の定めるところにより、その保護する子女に普通教育を受けさせる義務を負ふ。」と規定し、教育基本法五条一項は「国民は、その保護する子に、別に法律で定めるところにより、普通教育を受けさせる義務を負う。」と規定している。本条は、これらの規定を受けて、保護者は子に九年の普通教育を受けさせる義務を負うことを明らかにした規定である。

義務教育の期間については、従前、教育基本法に「九年の普通教育を受けさせる義務を負う。」（旧四条一項）と規定

していたが、平成一八年の教育基本法改正において、時代の要請に迅速かつ柔軟に対応するため、学校教育法に規定することが適当であるとの理由により、九年という期間は「別に法律で定めるところにより」と改められた（教育基本法五条一項）。この改正を受け、学校教育法において義務教育の期間が九年であることを明らかにするため、本条が設けられた。

(1)「国民」とは、日本国民をさす。外国人（日本国籍を有しない者）に対する義務教育の実施については、憲法上及び教育基本法上要請されておらず、本条についても、外国人には及ばないものと解されている。したがって、日本国内に居住する者であっても、その者が外国人である限り、その子を小・中学校等に就学させる義務は生じない。しかし、子が重国籍者（父母のいずれか一方が外国人であることにより、外国の国籍を有する日本国民）である場合は、その保護者は、義務教育を受けさせる義務を負う（昭五九・一二・六　文初小三一九号　文部省初等中等教育局長通知。なお、一定の事由がある場合は、就学義務の猶予・免除が認められる。法一八条の【注解】六参照）。

外国人には就学義務は課せられないが、このことは、外国人の義務教育諸学校への就学を否定するものではない。法令上、外国人の就学を禁止する規定はなく、在日外国人にとっても基礎的な教育は必要であること、さらには国際交流の見地から、従来から、外国人が公立小・中学校に入学を希望する場合には、教育委員会はその入学を許可し、これらの学校に受け入れるよう、指導がなされてきた。

また、昭和五四年に我が国が批准した「経済的、社会的、文化的権利に関する条約」（国際人権規約A規約）一三条2(a)は、「初等教育は義務的なものとし、すべての者に対して無償のものとすること」と定めている。本条の趣旨は、外国人に対し就学義務を課し、日本国民を育成するための基礎教育である我が国の初等教育を強制的に受けさせるというのではなく、外国人が希望する場合に就学の機会を保障することを求めたものと解されている。したがって、初等教育のみならず、希望する外国人に対し公立小・中学校への就学の機会を認めてきている我が国の取扱いは本条約

けられたことになる）。

の趣旨に合致するものである（本条約の批准に伴い、初等教育については、希望する外国人に対する就学の機会の保障が条約上義務付

なお、在日韓国人については、「日本国に居住する大韓民国国民の法的地位及び待遇に関する日本国と大韓民国との間の協定」（昭四〇条約二八）四条に基づき、従前から同様の取扱いがなされてきたところである。

令和二年七月一日に策定された指針では、教育委員会に、学齢簿の編製にあたり全ての外国人の子供についても一体的に就学状況を管理・把握することや、外国人の子供が就学の機会を逸することのないよう、就学援助制度を含め、外国人の子供の就学についての広報・説明を行い、公立の義務教育諸学校への入学も可能であることを案内する必要があるとし、就学の案内を徹底する次のような取組を求めている（令二・七・一　文科教二九四号　文部科学省総合教育政策局長・初等中等教育局長通知　外国人の子供の就学促進及び就学状況の把握等に関する指針の策定について）。

- 外国人の保護者に対して、住民基本台帳等の情報に基づいて、公立の義務教育諸学校への入学手続等を記載した就学案内を送付すること
- 就学案内や就学に関する情報提供等を行うに当たっては、域内に居住する外国人が日常生活で使用する言語を用いることにも配慮すること
- 就学案内に対して回答が得られない外国人の子供については、個別に保護者に連絡を取って就学を勧めること
- 首長部局（福祉部局、保健部局等）と連携し、乳幼児健診や予防接種の受診等、様々な機会を捉えて、外国人の保護者に対する情報提供を実施すること
- 学齢期に近い外国人幼児のためのプレスクールや来日直後の外国人の子供を対象とした初期集中指導・支援を実施するなど、円滑な就学に向けた取組を進めること
- 義務教育諸学校への円滑な就学に資することに鑑み、外国人幼児の幼稚園・認定こども園等への就園機会を確保す

るための取組（園児募集や必要な手続等の情報について多言語化を行うなど）を進めること

なお、外国人の子が公立の小・中学校へ入学した後の授業料の不徴収、教科書の無償、就学援助措置、指導要録等については日本人子弟と同様であり、中学校を卒業した者については、高等学校への入学資格が認められる。また、教育内容については、我が国の教育課程によるものとなるが、外国人の子供に対しては学校において、日本語の学習を行うとともに、日本語と教科を統合した学習を行うことにより教科学習に自律的に参加できる力を養うなど、組織的・体系的な指導が必要である。（令二・七・一前掲通知参照）。また、正規の教育課程以外の課外において外国人の母国語や文化等の学習の機会を提供することは差し支えないと考えられる（いわゆる「日韓三世協議」に基づく、平三・一・三〇文初高六九号　文部省初等中等教育局長通知。なお、この通知は、直接的には在日韓国人を対象としたものであるが、それ以外の在日外国人についても同様の取扱いをすることとされている）。

(2)　憲法二六条の「普通教育」は、一方では高等教育に、他方では専門教育又は職業教育に対応する概念であり、一個の人間として、また、一人の国民及び社会人として必要な一般的教養を施す教育をいい、それが実現されるべき学校段階は、学校教育法により小・中・高等学校とされている。憲法二六条は「普通教育」のすべてを義務教育とすることを規定したものではなく、義務教育の期間は法律の定めるところによるとしている。本条は義務教育を「九年の普通教育」と規定しており、六年の小学校教育と三年の中学校教育が義務教育ということになる。義務教育学校の九年もこれに該当する。

本条の普通教育とは、憲法二六条及び教育基本法五条で規定している「普通教育」と同義であり、その内容については、法二一条の義務教育の目標や小・中学校の目標に従って文部科学大臣が定める学習指導要領によって明らかになるが、一般的には、すべての人間にとって日常の生活を営む上で共通的に必要とされる一般的・基礎的な知識技能を施し、人間として調和のとれた育成を目指すための教育であり、通常、専門教育と対置される概念である。

二　「親権を行う者」は、実子については実父母であり（民法八一八条一項）、養子については養親である（同条二項）。親権者である父母（養父母を含む）は、婚姻中は、原則として、共同して親権を行使するが、父母の一方が親権を行使できないときは（長期旅行、生死不明ないし行方不明、受刑等事実上行いえない場合と、親権者が後見開始の審判を受けたとき、親権行使禁止の仮処分を受けたとき等法律上行いえない場合とがある）、例外的に他の一方が親権を行使する（同条三項）。

また、父母が婚姻関係にない場合、すなわち父母が離婚した場合及び非嫡出子に対しては父母の一方が親権を行使する（民法八一九条）。父母が協議上の離婚をするときは、その協議で、その一方を親権者と定め（同条一項）、裁判上の離婚の場合は、裁判所が父母の一方を親権者と定める（同条二項）。子の出生前に父母が離婚したときは母が親権者となるが、子の出生後に父母の協議で父を親権者とすることができる（同条三項）。父が認知した子に対する親権は父母の協議で父を親権者と定めたときに限り、父が行う（同条四項）。

三　「親権を行う者のないとき」とは、親権者が死亡したとき、失踪宣告を受けたとき、親権喪失の審判を受けたとき（民法八三四条）、親権停止の審判を受けたとき（同法八三四条の二）、親権を辞任したとき（同法八三七条）、後見開始の審判を受けたとき等法律上親権を行う者がいない場合と、親権者の長期不在、生死不明ないし行方不明、重病、受刑等事実上親権を行使しえない場合とがある。このような場合には、後見が開始する（同法八三八条）。未成年後見人は、遺言で指定されるか（同法八三九条）、家庭裁判所の選任によって定まる（同法八四〇条）。なお、親権を行う者が管理権を有しないときも後見が開始するが、この後見は、子の財産管理に関する後見であり、「親権を行う者のないとき」には、含まれない。

四　児童福祉施設の長は、入所中の児童（満一八歳に満たない者）で親権を行う者又は未成年後見人のない者に対し、親権を行う者又は未成年後見人があるに至るまでの間、親権を行うこととされている（児童福祉法四七条一項）ので、児童福祉施設の長も、その限りで、本条でいう「保護者」に当たると解される。一方、児童養護施設、障害児入所施

設、情緒障害児短期治療施設及び児童自立支援施設の長は、学校教育法に規定する保護者に準じて、その施設に入所中又は受託中の児童を就学させなければならないとされているが（児童福祉法四八条）、この規定の趣旨は、親権を行う者又は未成年後見人がいる入所中の児童について、これらの保護者とともに、施設の長に保護者に準ずる就学義務を課したものと解される。

五　「第二章　義務教育」は、平成一九年の本法改正により新設された章である。本章は、改正教育基本法に伴い本法に義務教育の期間（本条）と目標（二一条）の規定を新設することを踏まえ、国民の権利義務にかかわる重要な事柄である義務教育に関する規定を国民に分かりやすくまとめて規定するために設けられたものである。

【通　知】

○日本国に居住する大韓民国国民の法的地位及び待遇に関する協議における教育関係事項の実施について（抄）（平三・一・三〇　文初高六九号　各都道府県教育委員会教育長あて文部省初等中等教育局長通知）

「日本国に居住する大韓民国国民の法的地位及び待遇に関する日本国と大韓民国との間の協定」（昭和四一年一月一七日発効）に基づく日本国に居住する大韓民国国民（以下「在日韓国人」という。）の法的地位及び待遇に関する協議において、このたび、別紙のとおり「覚書」に署名がなされました。

このうち、教育関係事項（「覚書」記3関係）としては、現在地方自治体の判断により学校の課外で行われている韓国語や韓国文化等の学習が今後も支障なく行われるよう日本国政府として配慮すること（記3(1)）及び保護者に対し就学案内を発給することについて全国的な指導を行うこととすること（記3(2)）があります。ついては、下記事項にご留意の上、日韓両国民の相互理解と友好親善の促進の見地に配慮しつつ、よろしくお取り計らい願います。なお、貴管下の関係機関及び学校に対してもよろしくご指導ください。

記

1　学校の課外における韓国語等の学習の取扱い

「日本国に居住する大韓民国国民の法的地位及び待遇に関する日本国と大韓民国との間の協定における教育関係事項の実施について」（昭和四〇年一二月二五日付け文初財四六四号）の記4は、学校教育法第一条に規定する学校（以下「学校」という。）

の正規の教育課程に関するものであり、学校に在籍する在日韓国人に対し、課外において、韓国語や韓国文化等の学習の機会を提供することを制約するものではないこと。

〔編者注〕　記4では、「学校教育法第一条に規定する学校に在籍する永住を許可された者およびそれ以外の朝鮮人の教育については、日本人子弟と同様に取り扱うものとし、教育課程の編成・実施について特別の取り扱いをすべきではないこと。」としている。

2　就学案内

市町村の教育委員会においては、公立の義務教育諸学校への入学を希望する在日韓国人がその機会を逸することのないよう、学校教育法施行令第五条第一項の就学予定者に相当する年齢の在日韓国人の保護者に対し、入学に関する事項を記載した案内を発給すること。

なお、平成三年度の入学についても、この趣旨に沿って適切に配慮すること。

3　在日韓国人以外の外国人の取扱い

在日韓国人以外の日本国に居住する日本国籍を有しない者についても、上記1及び2の内容に準じた取扱いとすること。

別紙

覚　書（抄）

記

3　教育問題については次の方向で対処する。

(1)　日本社会において韓国語等の民族の伝統及び文化を保持したいとの在日韓国人社会の希望を理解し、現在、地方自治体の判断により学校の課外で行われている韓国語や韓国文化等の学習が今後も支障なく行われるよう日本国政府として配慮する。

(2)　日本人と同様の教育機会を確保するため、保護者に対し就学案内を発給することについて、全国的な指導を行うこととする。

○国籍法の一部改正に伴う重国籍者の就学について（昭五九・一二・六　文初小三一九号　各都道府県教育委員会教育長あて　文部省初等中等教育局長通知）

このたび、昭和五九年五月二五日付け法律第四五号をもって国籍法及び戸籍法の一部改正が行われ、昭和六〇年一月一日から施行されることになりました。

従来、出生による国籍の取得は、父が日本国民の場合に限られていましたが、今回の改正により、母が日本国民の場合も日本の国籍を取得することとされました。また、昭和六二年一二月三一日までの経過措置として、昭和四〇年一月一日から昭和五九年一二月三一日までに生まれた外国人でその出生の時に母が日本国民であったものは、母が現に日本国民であるとき、又は死亡の時に日本国民であったときは、法務大臣に届け出ることによって日本の国籍を取得できることとされました。

これに伴い、父母のいずれか一方が外国人であることにより、外国の国籍を有する日本国民（以下「重国籍者」という。）については、二二歳までにいずれかの国籍を選択しなければならないこととされました。

ついては、これらの重国籍者に係る就学については、下記のとおり取り扱うこととしますので、事務処理上遺漏のないよう御配慮願います。

なお、貴管下の市町村教育委員会に対し、この旨周知徹底されるよう願います。

記

1　重国籍者等の就学について

(1)　重国籍者であっても、日本の国籍を有する子女で学齢にある者については、その保護者は、義務教育を受けさせる義務を負うこと。

(2)　経過措置により、法務大臣に届け出ることによって新たに日本の国籍を取得した学齢児童生徒については、住民基本台帳に記載されるので、それに基づいて学齢簿の追加等の就学事務を行う必要があること。

(3)　上記(2)に該当する者のうち、義務教育諸学校（小学校、中学校又は盲学校、聾学校若しくは養護学校の小学部若しくは中学部をいう。以下同じ。）に就学していないものについては、年齢に応じ、義務教育諸学校の相当学年への編入学の手続を行う必要があること。

2　重国籍者の就学義務の猶予免除について

重国籍者の保護者から、就学義務の猶予又は免除の願い出があった場合には、重国籍者が将来外国の国籍を選択する可能性があることにかんがみ、家庭事情等から客観的に将来外国の国籍を選択する可能性が強いと認められ、かつ、他に教育を受ける機会が確保されていると認められる事由があるときには、学校教育法（昭和二二年法律第二六号）第二三条（同法第三九条第三項において準用する場合を含む。）〔現行法一八条〕の規定により、保護者と十分協議の上、猶予又は免除を認めることができること。

〔編者注〕　平成一八年法八〇号（平一九・四・一施行）により、「盲学校、聾（ろう）学校若しくは養護学校」は「特別支援学校」となった（法七二条の**【注解】**参照）。

○外国人の子供の就学促進及び就学状況の把握等に関する指針の策定について（令二・七・一　二文科教二九四号　各都道府県知事　各都道府県教育委員会教育長　各指定都市市長　各指定都市教育委員会教育長あて　文部科学省総合教育政策局長、文部科学省初等中等教育局長通知）

令和元年六月二八日に公布・施行された日本語教育の推進に関する法律（令和元年法律第四八号。以下「法」という。）第一〇条に基づき、政府として、「日本語教育の推進に関する施策を総合的かつ効果的に推進するための基本的な方針」（令和二年六月二三日閣議決定。以下「基本方針」という。）を策定しました。

本基本方針においては、外国人の子供の就学機会の確保のために、地方公共団体が講ずべき事項を指針として策定することとされていることに基づき、このたび別添のとおり、外国人の子供の就学促進及び就学状況の把握等に関する指針（以下「指針」という。）を策定しました。

各地方公共団体におかれては、法第五条に基づき、当該地域の状況に応じた施策を策定し、及び実施する責務を有することから、指

針を参酌いただき、必要な措置を講じていただくようお願いします。また、各都道府県及び都道府県教育委員会においては、域内の市町村及び市町村教育委員会に対して、この趣旨を徹底されるようお願いします。

なお、施策の実施等に当たっては、下記の点も留意いただくようお願いします。

記

1．文部科学省が実施する施策の活用について

(1)　帰国・外国人児童生徒等教育の推進支援事業

指針において記載した各事項の実施にあたっては、「帰国・外国人児童生徒等教育の推進支援事業」による補助事業「Ⅰ帰国・外国人児童生徒等に対するきめ細かな支援事業」及び「Ⅱ定住外国人の子供の就学促進事業」の活用が可能であることから、適宜、これらの事業を活用した実施方策について検討されたい。

(2)　外国人の子供の就学状況の把握・就学促進に関する取組事例

指針において記載した各事項の実施にあたっては、文部科学省が令和元年に実施した「外国人の子供の就学状況等調査」の回答を元に取りまとめた先進的な取組事例について、適宜、参考とされたい。

(3)　その他

文部科学省において作成した「外国人児童生徒受入れの手引き（改訂版）」等の各種資料や帰国・外国人児童生徒教育のための情報検索サイト「かすたねっと」等についても、これらを活用することについて留意願いたい。

2．出入国記録の確認に関する留意事項

外国人の子供の出入国の記録について、東京出入国在留管理局に対し照会する際は、「出入（帰）国記録等に係る照会に当たっての留意事項」に留意しつつ、別紙「照会書（様式例）」を参考として行うこととされたい（留意事項については、平成三一年三月一九日付けで、ek-bridge（出入国在留管理庁と市町村間の情報連携システム）をもって、法務省入国管理局出入国管理情報官から市区町村在留関連事務担当課長宛てに送付済み）。

なお、市町村に住民登録を行っている在留外国人については、当該市町村と出入国在留管理庁との間で情報連携が行われているところ。このため、外国人の子供及びその保護者の在留資格・在留期間・在留カード番号等については、住民基本台帳法（昭和四二年法律第八一号）において定める住民票の記載事項でもあることから、その者が住民登録を行っている市町村の住民基本台帳部局において把握していることにも留意されたい。

3．学校での受入れ後の指導に関する留意事項

外国人の子供に対しては学校において、日本語の学習を行うとともに、日本語と教科を統合した学習を行うことにより教科学習に自律的に参加できる力を養うなど、組織的・体系的な指導が必要である。このため、指導に当たっては以下の事項について留意されたい。

・外国人の子供の日本語能力等に応じ、「特別の教育課程」による日本語指導・教科指導等の指導・支援を実施すること

・学校において、「特別の教育課程」による日本語指導や在籍学級における支援等、必要な指導・支援を行うことのできる体制を構築すること
・教育委員会が独自に実施する現職教師のための研修の他、法定研修や免許状更新講習、校内研修など、各地域において、外国人児童生徒等の教育に関する知識を学ぶ場が設けられること
・小・中・高等学校等が連携し、外国人の子供のための「個別の指導計画」を踏まえて必要な情報を整理し、情報共有を図ること。このため、「特別の教育課程」による日本語指導・教科指導等の内容や指導上の配慮事項等について、指導要録に記載すること

（別添）外国人の子供の就学促進及び就学状況の把握等に関する指針〔略〕

【行政実例】

○外国人の入学を許可する場合の外国人登録証明書の呈示について（昭二八・四・一一　国調四一号　各国公私立大学長、国公私立短期大学長、都道府県知事、教育委員会あて　文部省調査局長回答）

【照会】　このことについて昭和二八年二月三日付法務省管審第二号を以て通達の標記の件の内に「具体的方法としては入学を許可する場合は必ず本人の所持する外国人登録証明書の呈示を求め、その記載事項、写真等と入学願書とを照合し……」とありますが外国人登録証明書の呈示を求めることについて外国人登録法第一三条第二項に「外国人は入国審査官、入国警備官、警察官、警察吏員、海上公安官、鉄道公安職員その他法務省令で定める国又は地方公共団体の職員がその職務の執行に当り登録証明書の呈示を求めた場合には、これを呈示しなければならない。」とありますが教育委員会事務局職員において右の呈示を求め得る権限の有無について判断をいたしかねますので、これが見解を御指示願いたく、御依頼いたします。

【回答】　教育委員会事務職員等は外国人に対し登録証明書の呈示を求める職務権限を有しませんから、外国人が任意に呈示する登録証明書を閲覧することはできても、これを強制することはできません。

しかし、外国人の入学を許可する場合、学校当局等において本人の所持する外国人登録証明書の閲覧を条件とすることは、該登録証明書は当該外国人の国籍、居住等を証明する最も重要な憑拠でありますから、何等支障がないものと思料します。この場合において、一般正規居住外国人が該証明書の呈示閲覧を拒否しなければならない理由は到底考えられませんが、万一閲覧を拒否された場合、閲覧を強制することはできなくとも、入学許否の決定は学校側に在るのですから、実際上何等問題はないと考えます。

〔就学させる義務〕

第十七条　保護者は、子の満六歳に達した日の翌日以後における最初の学年の初めから、満十二歳に達した日の属する学年の終わりまで、これを小学校、義務教育学校の前期課程又は特別支援学校の小学部に就学させる義務を負う。ただし、子が、満十二歳に達した日の属する学年の終わりまでに小学校の課程、義務教育学校の前期課程又は特別支援学校の小学部の課程を修了しないときは、満十五歳に達した日の属する学年の終わり（それまでの間においてこれらの課程を修了したときは、その修了した日の属する学年の終わり）までとする。

②　保護者は、子が小学校の課程、義務教育学校の前期課程又は特別支援学校の小学部の課程を修了した日の翌日以後における最初の学年の初めから、満十五歳に達した日の属する学年の終わりまで、これを中学校、義務教育学校の後期課程、中等教育学校の前期課程又は特別支援学校の中学部に就学させる義務を負う。

③　前二項の義務の履行の督促その他これらの義務の履行に関し必要な事項は、政令で定める。

【沿　革】昭二八・八・一五法二一三により、監督庁が定めることとされていた就学義務に関する事項は、政令で定めることになった。

昭三六・一〇・三一法一六六により、盲・聾・養護学校の小学部を明記するとともに第一項にただし書を加えた。

平一一・一二・八法一五一により、「後見人」を「未成年後見人」に改めた。

平一八・六・二一法八〇により、「盲学校、聾（ろう）学校若しくは養護学校」を「特別支援学校」に改めた。

平一九・六・二七法九六により、旧二二条及び旧三九条一項を統合して一七条を新設した。

平二七・六・二四法四六により、第一項中「これを小学校」の下に「、義務教育学校の前期課程」を加え、同項ただし書中「小学校」の下に「の課程、義務教育学校の前期課程」を加え、「当該」を「これらの」に改め、同条第二項中「小学校」の下に「の課程、義務教育学校の前期課程」を、「中学校」の下に「、義務教育学校の後期課程」を加えた。

【参照条文】法六条、一九条、二〇条、四五条、八〇条、一三八条、一四四条。年齢計算ニ関スル法律。施行令一条～二二条の三。

施行規則二九条〜三三条。地方自治法二条、一〇条、二五二条、二八一条、二八四条。住民基本台帳法四条、一三条、一四条、二二条、二三条。民法二二条。学校保健安全法一一条、一二条。行政不服審査法八二条。

【注解】

一　本条は、保護者の就学義務について規定したものである。法一六条は、保護者は「次条に定めるところにより、子に九年の普通教育を受けさせる義務を負う。」と規定している。この規定をうけて、保護者がその子を小学校及び中学校（義務教育学校、中等教育学校の前期課程並びに特別支援学校の小学部及び中学部を含む）に就学させる義務を負うことを明らかにした規定である。

二　保護者については、法一六条の【注解】二〜四参照。

三　「子の満六歳に達した日の翌日以後における最初の学年の初めから」就学義務が発生する。すなわち、「小学校の学年は、四月一日に始まり、翌年三月三十一日に終わる。」（施行規則五九条）とされているから、毎年四月一日に就学義務が生ずる者は、前年の四月一日以後その年の三月三一日までに満六歳に達した子ということになる。年齢の計算については、年齢計算ニ関スル法律により出生の日より起算するとともに民法一四三条が準用され、最後の年において起算日に応当する日の前日をもって満了し、応当日がないときは、その月の末日をもって満期日とすることとされている。したがって、四月一日に生まれた子は、六年後の応当日の前日すなわち三月三一日に満六歳に達することとなり、翌日の四月一日に就学することとなる。つまり「早生まれ」ということになる。

「満十二歳に達した日の属する学年の終わり」や「満十五歳に達した日の属する学年の終わり」についても、同様に考えることができる。前述の四月一日生まれの子を例にとれば、一二年後の三月三一日に満一二歳に達することになるから、この日が、ここでいう「満十二歳に達した日の属する学年の終わり」ということになる。

四　「小学校、義務教育学校の前期課程又は特別支援学校の小学部に就学させる義務を負う。」及び「中学校、義務教育学校の後期課程、中等教育学校の前期課程又は特別支援学校の中学部に就学させる義務を負う。」とは、施行令に定めるところにより、視覚障害者、聴覚障害者、知的障害者、肢体不自由者又は病弱者（身体虚弱者を含む）については小学校又は中学校等若しくは特別支援学校の小学部又は中学部のうち、個々の障害の状態等を踏まえ、本人・保護者の意見を可能な限り尊重しながら、市町村教育委員会が総合的な観点から決定した就学先へ、これら以外の者については小学校等又は中学校等へ、それぞれ就学させる義務を負うということである。なお、特別支援学校に就学させることができる視覚障害者、聴覚障害者、知的障害者、肢体不自由者又は病弱者の障害の程度については、施行令二二条の三に規定している（詳細は法七五条の【注解】二参照）。

五　本条の規定により、保護者が就学させなければならない子（学齢児童生徒）が外国から帰国した場合、その時点から、保護者はその子を小学校等又は中学校等に就学させる義務を負うことになる。なお、日本語が不自由である等の事情により、年齢相当の学年の課程における教育を受けることが適当でないと認められるときは、保護者の希望等により学校の生活に適応するまで下学年に一時的に編入することは差し支えない。これは下学年の中途でその学年の課程の修了を認定し進級させる趣旨ではないと解されている。この場合、指導要録上は学齢相当学年に編入したものとしておく必要がある。

一時的な措置では十分でないほどに日本語能力等が著しく欠如しているなどの特別な理由がある場合には、保護者や本人の意向を確認の上、指導要録上も年齢相当学年より下級の学年に編入させ、義務教育の全課程が修了するまでの間、下学年で教育を受け続けることも可能とされている。

六　中学校は、「小学校における教育の基礎の上」（法四五条）に行われるものであるから、小学校（義務教育学校の前期課程又は特別支援学校の小学部を含む）の課程を修了しない限り、原則、中学校に入学することはできない。「子が小学

校の課程、義務教育学校の前期課程又は特別支援学校の小学部の課程を修了した日の翌日以後における最初の学年の初めから」中学校等に就学させる義務を負わせているのは、このためである。本条一項ただし書も、このことを明らかにしたものである。

ただし、小学校等の課程を修了していない者の中学校等への入学については、当該小学校未修了者が中学校相当年齢に達成しており、次のような特別の事情を有する場合には認めることが適当とする考え方が示されている（平二八・六・一七　初初企七号　文部科学省初等中等教育局初等中等教育企画課長通知　小学校等の課程を修了していない者の中学校等入学に関する取扱いについて）。

- 保護者による虐待や無戸籍といった複雑な家庭の事情や犯罪被害等により、学齢であるにもかかわらず居所不明となったり、未就学期間が生じたりした子供が、小学校未修了のまま中学校相当年齢に達してから中学校等への入学を希望する場合
- 不登校等により長期間学校を欠席する間に、やむを得ない事情により小学校未修了のまま小学校相当年齢を超過した後、通学が可能となり、中学校等への入学を希望する場合
- 病弱や発育不完全等の理由により、小学校相当年齢の間は就学義務の猶予又は免除の対象となっていた子供が、中学校相当年齢になってから就学が可能な状態となり、小学校未修了のまま中学校等への入学を希望する場合
- 海外から帰国した子供が、重国籍や日本語能力の欠如といった理由により、就学義務の猶予又は免除の対象となって外国人学校の小学部等に通った場合で、その子供が中学校段階から中学校等への進学を希望する場合
- 日本国籍を有しない子供がいったん外国人学校の小学部等に通った後、経済的な事情や居住地の変更等といった事情により、中学校段階から中学校等への転学を希望する場合
- 戦後の混乱や複雑な家庭の事情などから義務教育未修了のまま学齢を超過した者の就学機会の確保に重要な役割

を果たしている中学校夜間学級等に、小学校未修了者が入学を希望する場合

七　「満十五歳に達した日の属する学年の終わりまで」就学させる義務を課しているので、これを過ぎれば、就学義務はなくなる。

小学校等又は中学校等の在学中に、就学義務年限を超えた場合、就学義務は、その時点でなくなるが、引き続き在学することは、なんら差し支えなく、この場合、既に在学しているのであるから、新たな入学許可を要しない。

就学義務の猶予・免除を受けていたことなどにより、小学校等の課程を修了し、中学校等へ入学する時点で、既に就学義務年限を超えている場合には、市町村教育委員会の入学許可を要することとなる。

八　本条の規定により就学させなければならない子（学齢児童生徒）以外の者（学齢超過者、外国人）の市町村立の小学校等への就学については、市町村の教育委員会の入学の許可を受けることを要する。この場合、市町村の教育委員会は、相当の年齢に達し、かつ、学歴、学校の収容能力等の諸事情を考慮して適当と認められる者について、入学の許可を行うこととなる。校長は、その者の年齢及び心身の発達状況等を考慮して、相当の学年に編入することができる。

九　第三項の就学義務を履行させるための事務については施行令一条から二二条の三までに規定されている。

(1)　就学事務は、市町村の教育委員会（特別支援学校対象児への入学期日等の通知、学校の指定の事務は都道府県の教育委員会）が行うこととされているが、これは地方公共団体の自治事務である（地方自治法二条八項）。従前は、国の事務を市町村の教育委員会に機関委任したもの、いわゆる機関委任事務と解されていたが、平成一一年七月の地方分権一括法による地方自治法の一部改正により、地方公共団体が処理する事務を自治事務と法定受託事務に再整理した際、この事務は自治事務とされた。

(2)　学校教育法施行令では、学齢簿の編製について、次のような手続規定を設けている。

（学齢簿の編製）

第一条 市（特別区を含む。以下同じ。）町村の教育委員会は、当該市町村の区域内に住所を有する学齢児童及び学齢生徒（それぞれ学校教育法（以下「法」という。）第十八条に規定する学齢児童及び学齢生徒をいう。以下同じ。）について、学齢簿を編製しなければならない。

2 前項の規定による学齢簿の編製は、当該市町村の住民基本台帳に基づいて行なうものとする。

3 市町村の教育委員会は、文部科学省令で定めるところにより、第一項の学齢簿を磁気ディスク（これに準ずる方法により一定の事項を確実に記録しておくことができる物を含む。以下同じ。）をもつて調製することができる。

4 第一項の学齢簿に記載（前項の規定により磁気ディスクをもつて調製する学齢簿にあつては、記録。以下同じ。）をすべき事項は、文部科学省令で定める。

学齢簿は、学齢児童生徒の就学義務の発生及びその履行状況を把握し、義務教育の完全実施を確保するための基本的な帳簿である。その「編製」とは、作成、加除訂正、保管等、学齢簿に関する一切の事務をいう。

特別区とは、東京都の区をいう（地方自治法二八一条）。指定都市の区は、市長の権限に属する事務を分掌させるために設けられるもので、ここでいう特別区ではない（同法二五二条の二〇）。

市町村の組合については、その処理する事務に就学事務が含まれている場合に、組合の教育委員会が本条以下の規定に従って、学齢簿の編製等を行うこととなる（同法二八四条）。

学齢簿編製の基準となる住所は、学齢児童生徒の住所であって、保護者の住所ではない。

学齢簿の編製は、住民基本台帳に基づいて行われるが、住民基本台帳法は、住民の住所に関する解釈規定を設け（同法四条）、住民の住所に関する法令の規定は、地方自治法一〇条一項に規定する住民の住所と異なる意義の住所を定めるものと解釈してはならないとしている。つまり、住民基本台帳法でいう住所は、地方自治法一〇条一項の住所と同一であり、民法二二条でいう各人の生活の本拠ということになる。そして、住所の認定は、客観的居住の事実を基礎とし、これに当該居住者の客観的居住意思を総合して決定すべきものとされている。学齢簿の編製は、住民基本

台帳に記載されている者について行うのが通例であるが、住民基本台帳に記載されていない者であっても、市町村内に住所を有するものであれば、この者についても学齢簿を編製する必要がある。この場合、市町村の教育委員会は、住民基本台帳に脱漏又は誤載があると認める旨を遅滞なく市町村長に通報しなければならない（住民基本台帳法一三条）。

また、住民票に記載された住所地に学齢児童が居住していない場合には、住民票に誤記があることになるから、市町村の教育委員会は、この旨を市町村長に通報し、市町村長の是正措置（同法一四条）をまって、学齢簿の是正を行うべきである（住民票を是正しないまま、学齢簿のみ是正することになると、その者に係る学齢簿を作成すべき市町村教育委員会がない事態が生ずるおそれがあるからである）。

学齢簿の記載事項については、施行規則に次のように規定されている。

第二十九条　市町村の教育委員会は、学校教育法施行令第一条第三項（同令第二条において準用する場合を含む。）の規定により学齢簿を磁気ディスク（これに準ずる方法により一定の事項を確実に記録しておくことができる物を含む。以下同じ。）をもつて調製する場合には、電子計算機（電子計算機による方法に準ずる方法により一定の事項を確実に記録しておくことができる機器を含む。以下同じ。）の操作によるものとする。

２　市町村の教育委員会は、前項に規定する場合においては、当該学齢簿に記録されている事項が当該市町村の学齢児童又は学齢生徒に関する事務に従事している者以外の者に同項の電子計算機に接続された電気通信回線を通じて知られること及び当該学齢簿が滅失し又はき損することを防止するために必要な措置を講じなければならない。

第三十条　学校教育法施行令第一条第一項の学齢簿に記載（同条第三項の規定により磁気ディスクをもつて調製する学齢簿にあつては、記録。以下同じ。）をすべき事項は、次の各号に掲げる区分に応じ、当該各号に掲げる事項とする。

一　学齢児童又は学齢生徒に関する事項　氏名、現住所、生年月日及び性別

二　保護者に関する事項　氏名、現住所及び保護者と学齢児童又は学齢生徒との関係

三　就学する学校に関する事項

イ　当該市町村の設置する小学校又は中学校（併設型中学校を除く。）又は義務教育学校に就学する者について、当該学校の名称並びに当該学校に係る入学、転学及び卒業の年月日

ロ　学校教育法施行令第九条に定める手続により当該市町村の

設置する小学校、中学校（併設型中学校を除く。）又は義務教育学校以外の小学校、中学校、義務教育学校又は中等教育学校に就学する者について、当該学校及びその設置者の名称並びに当該学校に係る入学、転学、退学及び卒業の年月日

ハ　特別支援学校の小学部又は中学部に就学する者について、当該学校及び部並びに当該学校の設置者の名称並びに当該部に係る入学、転学、退学及び卒業の年月日

四　就学の督促等に関する事項　学校教育法施行令第二十条又は第二十一条の規定に基づき就学状況が良好でない者等について、校長から通知を受けたとき、又は就学義務の履行を督促したときは、その旨及び通知を受け、又は督促した年月日

五　就学義務の猶予又は免除に関する事項　学校教育法第十八条の規定により保護者が就学させる義務を猶予又は免除された者について、猶予の年月日、事由及び期間又は免除の年月日及び事由並びに猶予又は免除された者のうち復学した者については、その年月日

六　その他必要な事項　市町村の教育委員会が学齢児童又は学齢生徒の就学に関し必要と認める事項

2　学校教育法施行令第二条に規定する者について作成する学齢簿に記載をすべき事項については、前項第一号、第二号及び第六号の規定を準用する。

電子計算機の普及により、昭和六一年六月以降は学齢簿を磁気テープをもって、また平成六年一二月以降は磁気ディスクをもって調製することができるものとされた。この場合には、これらのデータが電気通信回線を通じて漏れること及び滅失又は毀損することを防止するために必要な措置を講じなければならない。

施行規則三〇条一項六号の「その他必要な事項」については、学齢児童生徒の居所が一年以上不明であるとき、住民基本台帳から削除されるまでの間、その旨を記入しておくこと等が考えられる。

「学齢簿の作成期日」について、施行令に次のような規定がある。

第二条　市町村の教育委員会は、毎学年の初めから五月前までに、文部科学省令で定める日現在において、当該市町村に住所を有する者で前学年の初めから終わりまでの間に満六歳に達する者について、あらかじめ、前条第一項の学齢簿を作成しなければならない。この場合においては、同条第二項から第四項までの規定を準用する。

「毎学年の初めから五月前までに」とは、一〇月末日までにという意味である。

「文部科学省令で定める日」については、施行規則に次のように規定されている。

第三十一条　学校教育法施行令第二条の規定による学齢簿の作成――は、十月一日現在において行うものとする。

施行令二条の「前学年の初めから終わりまでの間に満六歳に達する者」とは、その年の四月一日から翌年三月三一日までの間に満六歳に達する者のことであり、これらの者は、法一七条一項により翌学年の初め（翌年四月一日）から小学校等へ就学させるべき者である。

市町村の教育委員会は、一〇月一日現在において当該市町村に住所を有する就学予定者については、本条により学齢簿を作成することになるが、一〇月二日以降に他の市町村より転入してきた就学予定者については、本条の規定は及ばない。

このような者については、施行令の次の規定による。

第三条　市町村の教育委員会は、新たに学齢簿に記載をすべき事項を生じたとき、学齢簿に記載をした事項に変更を生じたとき、又は学齢簿の記載に錯誤若しくは遺漏があるときは、必要な加除訂正を行わなければならない。

「新たに学齢簿に記載をすべき事項を生じたとき」には、就学予定者が一〇月二日以降翌年三月三一日までの間に他の市町村から転入してきたとき、学齢児童生徒が他の市町村から転入してきたとき等、新たに当該市町村において就学することとなる者について学齢簿を作成する場合と、既に当該市町村において就学している者について転学等の新たな事由を記載する場合とがある。

「学齢簿に記載をした事項に変更を生じたとき」とは、現住所の変更等既に記載した事項を変更する場合である。

市町村内から転出した者について学齢簿から削除する場合も、これに含まれる。

児童生徒が住所変更した場合に関する市町村長の教育委員会への通知については、施行令に次のように規定している。

（児童生徒等の住所変更に関する届出の通知）

第四条　第二条に規定する者、学齢児童又は学齢生徒（以下「児童生徒等」と総称する。）について、住民基本台帳法（昭和四十二年法律第八十一号）第二十二条又は第二十三条の規定による届出（第二条に規定する者にあつては、同条の規定により文部科学省令で定める日の翌日以後の住所地の変更に係るこれらの規定による届出に限る。）があつたときは、市町村長（特別区にあつては区長とし、地方自治法（昭和二十二年法律第六十七号）第二百五十二条の十九第一項の指定都市にあつては区長又は総合区長とする。）は、速やかにその旨を当該市町村の教育委員会に通知しなければならない。

住民基本台帳法二二条は、転入（新たに市町村の区域内に住所を定めることをいい、出生による場合を除く）をした者の届出に関する規定であり、同法二三条は、転居（一の市町村の区域内において住所を変更することをいう）した者の届出に関する規定である。つまり、施行令では、新たに市町村の区域内に住所を定めた者と市町村の区域内で住所を変更した者について、市町村長は市町村の教育委員会に通知する義務があるとしている。市町村の区域外へ住所を移す場合には、市町村長の通知義務はないが、市町村の教育委員会は、学齢簿の記載を消除する必要があるから、実務上、市町村長は、市町村の教育委員会へ通知するようにすべきである。また、転入した先の市町村の教育委員会は、学齢簿を編製したときは、その旨を前住所地の教育委員会に通知するようにすべきである。

(3)　施行令では、小学校及び中学校等への入学期日等の通知及び区域外入学に関して、次のように五条から一〇条までにわたって手続規定を設けている。それぞれの条文ごとに若干注解を加えることとする。

（入学期日等の通知、学校の指定）

第五条　市町村の教育委員会は、就学予定者（法第十七条第一項又は第二項の規定により、翌学年の初めから小学校、中学校、義務教育学校、中等教育学校又は特別支援学校に就学させるべき者をいう。以下同じ。）のうち、認定特別支援学校就学者（視覚障害者、聴覚障害者、知的障害者、肢体不自由者又は病弱者（身体虚弱者を含む。）で、その障害が、第二十二条の三の表に規定する程度のもの（以下「視覚障害者等」という。）のうち、当該市町村の教育委員会が、その者の障害の状態、その者の教育上必要な支援の内容、地域における教育の体制の整備の状況その他の事情を勘案して、その住所の存する都道府県の設置する特別支援学校に就学させることが適当であると認める者をいう。以下同じ。）以外の者について、その保護者に対し、翌学年の初めから二月前までに、小学校、中学校又は義務教育学校の入学期日を通知しなければならない。

2　市町村の教育委員会は、当該市町村の設置する小学校及び義務教育学校の数の合計数が二以上である場合又は当該市町村の設置する中学校（法第七十一条の規定により高等学校における教育と一貫した教育を施すもの（以下「併設型中学校」という。）を除く。以下この項、次条第七号、第六条の三第一項、第七条及び第八条において同じ。）及び義務教育学校の数の合計数が二以上である場合においては、前項の通知において当該就学予定者の就学すべき小学校、中学校又は義務教育学校を指定しなければならない。

3　前二項の規定は、第九条第一項又は第十七条の届出のあつた就学予定者については、適用しない。

市町村の教育委員会は、就学予定者に対してあらかじめ健康診断を行わなければならない（学校保健安全法一一条）。その時期は、原則として学齢簿が作成された後翌学年の初めから四月前（一一月末日）までの間であるが、就学指定に関する手続の実施に支障がない場合は三月前（一二月末日）までの間である（同法施行令一条）。市町村の教育委員会は、この健康診断の結果に基づき、治療を勧告し、保健上必要な助言を行い、就学義務の猶予・免除、特別支援学校への就学に関し指導を行う等適切な措置をとらなければならない（同法一二条）。

この結果、視覚障害者、聴覚障害者、知的障害者、肢体不自由者、病弱者（身体虚弱者を含む）以外の者及び視覚障害者等のうち、市町村の教育委員会が、その者の障害の状態等を踏まえ、総合的な観点から判断した結果、小学校又は中学校等で教育を受けることが適当であると認める者について本条による入学期日の通知、学校の指定が行われる

のである。

なお、平成二五年の施行令の一部改正（平二五政二四四）により、視覚障害者等の就学先を決定する仕組みの改正（認定特別支援学校就学者など）が行われた。その経緯等については法七五条の【注解】五参照。

「就学予定者」については、翌学年の初めから小学校、中学校、義務教育学校、中等教育学校又は特別支援学校に就学させるべき者をいうとしているのみであるから、特に、小学校、義務教育学校の前期課程又は特別支援学校の小学部の入学について、施行令二条により学齢簿が作成された者に限って本条が適用されるわけではなく、そのほかに「翌学年の初めから二月前までに」入学期日の指定を行いうる者をすべて含むものであると解される。

施行令五条一項の「翌学年の初めから二月前までに」とは、一月末日までにという意味である。

同一市町村にその設置する小学校及び義務教育学校が二校以上、又はその設置する中学校及び義務教育学校が二校以上ある場合に、指定される学校をあらかじめ住民に了知させるために、小学校又は中学校等の通学区域（通常「学区」と称している）が定められることは望ましいことであるが、これは就学すべき学校を指定するために市町村教育委員会が定めている区域区分であり、これを教育委員会規則により定めたとしても、本条により、個々の保護者に対して、学校指定を行うべきことに変わりはない。なお、分校については、本条により、これへの就学を明示することは要請されていないが、就学義務の履行という観点からは、これを明示すべきである。

あらかじめ定められた通学区域に従って就学すべき小学校又は中学校等が指定されるのが通例である。しかし、指定の方法として通学区域の設定が法令上求められている訳ではない。近年、保護者や児童生徒の選択や公立学校の活性化という要請に応えるため、種々の方式で学校選択制を導入する市町村が増加している。学校選択制の導入は、希望が偏った場合の調整方法、学校統廃合への影響又は地域社会との一体性の確保といった課題はあるものの、法令上は市町村の教育委員会の判断に委ねられている（平九・一・二七　文初小七八号　文部省初等中等教育局長通知「通学区域制度の

弾力的運用について」後掲【通知】参照）。

なお、個々の就学校の指定は保護者の申立てにより、相当と認められれば変更が認められる（施行令八条参照）。保護者や児童生徒の希望や事情に極力配慮して、弾力的に運用するケースも増えてきている。

第六条　前条の規定は、次に掲げる者について準用する。この場合において、同条第一項中「翌学年の初めから二月前までに」とあるのは、「速やかに」と読み替えるものとする。

一　就学予定者で前条第一項に規定する通知の期限の翌日以後に当該市町村の教育委員会が作成した学齢簿に新たに記載されたもの又は学齢児童若しくは学齢生徒でその住所地の変更により当該学齢簿に新たに記載されたもの（認定特別支援学校就学者及び当該市町村の設置する小学校、中学校又は義務教育学校に在学する者を除く。）

二　次条第二項の通知を受けた学齢児童又は学齢生徒

三　第六条の三第二項の通知を受けた学齢児童又は学齢生徒（同条第三項の通知に係る学齢児童及び学齢生徒を除く。）

四　第十条又は第十八条の通知を受けた学齢児童又は学齢生徒（認定特別支援学校就学者を除く。）

五　第十二条第一項の通知を受けた学齢児童又は学齢生徒のうち、認定特別支援学校就学者の認定をした者以外の者（同条第三項の通知に係る学齢児童及び学齢生徒を除く。）

六　第十二条の二第一項の通知を受けた学齢児童又は学齢生徒のうち、認定特別支援学校就学者の認定をした者以外の者（同条第三項の通知に係る学齢児童及び学齢生徒を除く。）

七　小学校、中学校又は義務教育学校の新設、廃止等によりその就学させるべき小学校、中学校又は義務教育学校を変更する必要を生じた児童生徒等

市町村の教育委員会は、新たに当該市町村に住所を変更したことにより一月末日までに入学期日を通知できなかった就学予定者、小学校又は中学校等の全課程を修了するまでに新たに当該市町村に住所を変更し学齢簿に記載された学齢児童生徒、特別支援学校に在籍する学齢児童生徒で視覚障害者等でなくなったり、小学校等において教育を受けることが適当であると判断され他の小学校等に転校する者等についても、その保護者に対し、小学校等の入学期日を通知しなければならない。

第六条の二　特別支援学校に在学する学齢児童又は学齢生徒で視覚障害者等でなくなつたものがあるときは、当該学齢児童又は学齢生徒の在学する特別支援学校の校長は、速やかに、当該学齢児童又は学齢生徒の住所の存する都道府県の教育委員会に対し、その旨を通知しなければならない。

2　都道府県の教育委員会は、前項の通知を受けた学齢児童又は学齢生徒について、当該学齢児童又は学齢生徒の住所の存する市町村の教育委員会に対し、速やかに、その氏名及び視覚障害者等でなくなつた旨を通知しなければならない。

第六条の三　特別支援学校に在学する学齢児童又は学齢生徒でその障害の状態、その者の教育上必要な支援の内容、地域における教育の体制の整備の状況その他の事情の変化により当該学齢児童又は学齢生徒の住所の存する市町村の設置する小学校、中学校又は義務教育学校に就学することが適当であると思料するもの（視覚障害者等でなくなつた者を除く。）があるときは、当該学齢児童又は学齢生徒の在学する特別支援学校の校長は、速やかに、当該学齢児童又は学齢生徒の住所の存する都道府県の教育委員会に対し、その旨を通知しなければならない。

2　都道府県の教育委員会は、前項の通知を受けた学齢児童又は学齢生徒について、当該学齢児童又は学齢生徒の住所の存する市町村の教育委員会に対し、速やかに、その氏名及び同項の通知があつた旨を通知しなければならない。

3　市町村の教育委員会は、前項の通知を受けた学齢児童又は学齢生徒について、当該特別支援学校に引き続き就学させることが適当であると認めたときは、都道府県の教育委員会に対し、速やかに、その旨を通知しなければならない。

4　都道府県の教育委員会は、前項の通知を受けたときは、第一項の校長に対し、速やかに、その旨を通知しなければならない。

第六条の四　学齢児童及び学齢生徒のうち視覚障害者等で小学校、中学校、義務教育学校又は中等教育学校に在学するもののうち視覚障害者等でなくなつたものがあるときは、その在学する小学校、中学校、義務教育学校又は中等教育学校の校長は、速やかに、当該学齢児童又は学齢生徒の住所の存する市町村の教育委員会に対し、その旨を通知しなければならない。

施行令六条の二は、特別支援学校に在学する学齢児童生徒で、視覚障害者等でなくなった者があるときの校長及び都道府県教育委員会の通知に関して規定している。また、六条の三及び一二条の二は、平成二五年の施行令の一部改正（平二五政令二四四）により、視覚障害者等に該当する児童生徒の就学先を原則として特別支援学校としていた過去の制度を改め、個々の障害の状態等を踏まえて総合的な観点から決定する制度が導入されたことに伴い、特別支援学校に在学している児童生徒が障害の状態、教育上必要な支援の内容、地域における教育の体制の整備の状況その他の

事情の変化により小学校等に就学することが適当となった場合及び小学校等に就学している者がその障害の状態等が変化したことにより小学校等に就学することが適当でなくなった場合の手続を整備したものである。

第七条　市町村の教育委員会は、第五条第一項（第六条において準用する場合を含む。）の通知と同時に、当該児童生徒等を就学させるべき小学校、中学校又は義務教育学校の校長に対し、当該児童生徒等の氏名及び入学期日を通知しなければならない。

第八条　市町村の教育委員会は、第五条第二項（第六条において準用する場合を含む。）の場合において、相当と認めるときは、保護者の申立てにより、その指定した小学校、中学校又は義務教育学校を変更することができる。この場合においては、速やかに、その保護者及び前条の通知をした小学校、中学校又は義務教育学校の校長に対し、その旨を通知するとともに、新たに指定した小学校、中学校又は義務教育学校の校長に対し、同条の通知をしなければならない。

行政不服審査法による審査請求とは別に、施行令八条の規定により、保護者の申立てを認めているのである。入学期日等の通知（学校の指定を含む）については、申立てをすることができる旨並びに申立てをすべき行政庁及び申立てをすることができる期間を通知書に記載しておく必要がある（同法八二条）。

施行令八条の「相当と認めるとき」とは、主として地理的な理由や児童生徒の身体的な理由により、指定された小学校等に入学することが他の小学校等に入学する場合に比し、児童生徒又はその保護者に対して著しく過重な負担となることが予測される場合など、比較的厳格に解されていた。

具体的には、次の場合などが考えられる。

① 地理的な条件から、指定された学校に入学することが、他の学校に入学する場合に比べて児童生徒及び保護者に対し著しく過重な負担になる場合

② 言語障害の児童生徒が、言語障害学級のある学校への就学を希望する場合など、児童生徒の身体上の理由に

よる場合

③　両親が、他の学校の通学区で店舗を経営しており、店舗の近くの学校へ通学する方が児童生徒の指導上適当であると認められる場合など、家庭環境などにより真に就学すべき学校の指定変更が必要であると認められる場合

④　学校における十分な指導にもかかわらず、いじめにより児童生徒の心身の安全が脅かされるような深刻な悩みをもっているなどの場合

これら以外の場合であっても、児童生徒等の具体的な事情に即して相当と認めるときは、保護者の申立てにより、指定校の変更が認められる。保護者の意向に十分配慮して通学区域制度を弾力的に運用することが求められている（平九・一・二七　文初小七八号　文部省初等中等教育局長通知「通学区域制度の弾力的運用について」後掲【通知】参照）。

また、学校選択制の導入や就学校の変更については、地域の実情に応じて保護者や児童生徒の希望に基づく就学校の指定を促進するとともに、就学校の変更要件の明確化や保護者に対する周知を図る観点から、以下のように取り扱うこととされている（平一五・三・三一　一四文科初一三三〇号、平一八・三・三〇　一七文科初一一三八号後掲【通知】参照）。

①　市町村の教育委員会は、就学予定者の就学すべき小学校、中学校又は義務教育学校を指定する場合には、あらかじめ、その保護者の意見を聴取することができること。また、意見の聴取の手続に関し必要な事項を定め、これを公表すること（施行規則三二条一項）。

②　市町村の教育委員会は、就学校の指定に係る通知において、その指定の変更について保護者の申立ができる旨を示すこと（施行規則三二条二項）。

③　市町村の教育委員会は、その指定した小学校、中学校又は義務教育学校を変更することができる場合の要件及び手続に関し必要な事項を定め、これを公表すること（施行規則三三条）。

（区域外就学等）

第九条　児童生徒等をその住所の存する市町村の設置する小学校、中学校（併設型中学校を除く。）又は義務教育学校以外の小学校、中学校、義務教育学校又は中等教育学校に就学させようとする場合には、その保護者は、就学させようとする小学校、中学校、義務教育学校又は中等教育学校が市町村又は都道府県の設置するものであるときは当該市町村又は都道府県の教育委員会の、その他のものであるときは当該小学校、中学校、義務教育学校又は中等教育学校における就学を承諾する権限を有する者の承諾を証する書面を添え、その旨をその児童生徒等の住所の存する市町村の教育委員会に届け出なければならない。

2　市町村の教育委員会は、前項の承諾（当該市町村の設置する小学校、中学校（併設型中学校を除く。）又は義務教育学校への就学に係るものに限る。）を与えようとする場合には、あらかじめ、児童生徒等の住所の存する市町村の教育委員会に協議するものとする。

一項の「その他の」小学校、中学校、義務教育学校又は中等教育学校としては、国立・私立の小学校、中学校、義務教育学校又は中等教育学校である。市町村の組合については、市町村と同様に取り扱われるから（地方自治法二九二条）、市町村の組合が設置する小・中学校等はこれに含まれない。これらの小・中学校等に就学させる場合には、就学を承諾する権限を有する者の承諾を証する書面を要する。この権限を有する者は、当該学校の設置者（国立大学法人・都道府県・学校法人）の管理機関が決めるところによるが、校長の場合が多いであろう。

当該市町村の区域外に住所を有する学齢児童生徒に対して、その設置する小・中学校等への就学を承諾した場合、その市町村が区域外通学在学費などの名目をもってその反対給付（授業料）を徴収することは、法六条ただし書に違反し、許されない。

また、施行令九条による区域外就学は、地方自治法二五二条の一四に基づく事務委託ではないから、事務委託に要する経費の問題は生じない。

施行令九条二項の協議は、単に相談することだけでなく、協議の結果の合意までを前提としているものである。区域外就学について、施行令九条二項の協議を経ることなく、又は協議がととのわないのに希望先の市町村の教育委員

会が保護者に区域外就学の承諾を与えることは違法な行為であって、このような承諾を与えてはならないが、もし、承諾を与えてしまった場合に、その効力に影響があるか否かについては、承諾の効力に影響を及ぼすものではないと解されている。

第十条　学齢児童及び学齢生徒でその住所の存する市町村の設置する小学校、中学校（併設型中学校を除く。）又は義務教育学校以外の小学校、中学校若しくは義務教育学校又は中等教育学校に在学するものが、小学校、中学校若しくは義務教育学校又は中等教育学校の前期課程の全課程を修了する前に退学したときは、当該小学校、中学校若しくは義務教育学校又は中等教育学校の校長は、速やかに、その旨を当該学齢児童又は学齢生徒の住所の存する市町村の教育委員会に通知しなければならない。

(4)　視覚障害者、聴覚障害者、知的障害者、肢体不自由者又は病弱者を就学させるために必要な特別支援学校の設置義務は都道府県に課されているが（法八〇条）、学齢簿編製の義務、義務履行の督促等は視覚障害者等についても市町村教育委員会に課されているから、学齢簿の原本は市町村教育委員会が保管し、都道府県教育委員会は、その謄本の送付を受けて、視覚障害者等の入学期日等の通知、学校の指定を行うこととしている。施行令には一一条から一八条の二までに次のような規定がある。

（特別支援学校への就学についての通知）
第十一条　市町村の教育委員会は、第二条に規定する者のうち認定特別支援学校就学者について、都道府県の教育委員会に対し、翌学年の初めから三月前までに、その氏名及び特別支援学校に就学させるべき旨を通知しなければならない。

2　市町村の教育委員会は、前項の通知をするときは、都道府県の教育委員会に対し、同項の通知に係る者の学齢簿の謄本（第一条第三項の規定により磁気ディスクをもつて学齢簿を調製している市町村の教育委員会にあつては、その者の学齢簿に記録されている事項を記載した書類）を送付しなければならない。

3　前二項の規定は、第九条第一項又は第十七条の届出のあつた者については、適用しない。

第十一条の二　前条の規定は、小学校又は義務教育学校の前期課程に在学する学齢児童のうち視覚障害者等で翌学年の初めから特別支援学校の中学部に就学させるべき者として認定特別支援学校就学者の認定をしたものについて準用する。

第十一条の三　第十一条の規定は、第二条の規定により文部科学省令で定める日の翌日以後の住所地の変更により当該市町村の教育委員会が作成した学齢簿に新たに記載された児童生徒等のうち認定特別支援学校就学者について準用する。この場合において、第十一条第一項中「翌学年の初めから三月前までに」とあるのは、「翌学年の初めから三月前までに（翌学年の初日から三月前の応

「翌学年の初めから三月前までに」とは、一二月末日までにという意味である。

第十二条　小学校、中学校、義務教育学校又は中等教育学校に在学する学齢児童又は学齢生徒で視覚障害者等になつたものがあるときは、当該学齢児童又は学齢生徒の在学する小学校、中学校、義務教育学校又は中等教育学校の校長は、速やかに、当該学齢児童又は学齢生徒の住所の存する市町村の教育委員会に対し、その旨を通知しなければならない。

2　第十一条の規定は、前項の通知を受けた学齢児童又は学齢生徒のうち認定特別支援学校就学者の認定をした者について準用する。この場合において、同条第一項中「翌学年の初めから三月前までに」とあるのは、「速やかに」と読み替えるものとする。

3　第一項の規定による通知を受けた市町村の教育委員会は、同項の通知を受けた学齢児童又は学齢生徒について現に在学する小学校、中学校、義務教育学校又は中等教育学校に引き続き就学させることが適当であると認めたときは、同項の校長に対し、その旨を通知しなければならない。

当する日以後に当該学齢簿に新たに記載された場合にあつては、速やかに）」と読み替えるものとする。

2　第十一条の規定は、第十条又は第十八条の通知を受けた学齢児童又は学齢生徒のうち認定特別支援学校就学者について準用する。この場合において、第十一条第一項中「翌学年の初めから三月前までに」とあるのは、「速やかに」と読み替えるものとする。

第十二条の二　学齢児童及び学齢生徒のうち視覚障害者等で小学校、中学校、義務教育学校又は中等教育学校に在学するもののうち、その障害の状態、その者の教育上必要な支援の内容、地域における教育の体制の整備の状況その他の事情の変化によりこれらの小学校、中学校、義務教育学校又は中等教育学校に就学させることが適当でなくなつたと思料するものがあるときは、当該学齢児童又は学齢生徒の在学する小学校、中学校、義務教育学校又は中等教育学校の校長は、当該学齢児童又は学齢生徒の住所の存する市町村の教育委員会に対し、速やかに、その旨を通知しなければならない。

2　第十一条の規定は、前項の通知を受けた学齢児童又は学齢生徒のうち認定特別支援学校就学者の認定をした者について準用する。この場合において、同条第一項中「翌学年の初めから三月前までに」とあるのは、「速やかに」と読み替えるものとする。

3　第一項の規定による通知を受けた市町村の教育委員会は、同項

の通知を受けた学齢児童又は学齢生徒について現に在学する小学校、中学校、義務教育学校又は中等教育学校に引き続き就学させることが適当であると認めたときは、同項の校長に対し、その旨を通知しなければならない。

（学齢簿の加除訂正の通知）

第十三条　市町村の教育委員会は、第十一条第一項（第十一条の二、第十一条の三、第十二条第二項及び前条第二項において準用する場合を含む。）の通知に係る児童生徒等について第三条の規定による加除訂正をしたときは、速やかに、都道府県の教育委員会に対し、その旨を通知しなければならない。

（区域外就学等の届出の通知）

第十三条の二　市町村の教育委員会は、第十一条第一項（第十一条の二、第十一条の三、第十二条第二項及び第十二条の二第二項において準用する場合を含む。）の通知に係る児童生徒等について、その通知の後に第九条第一項又は第十七条の届出があつたときは、速やかに、都道府県の教育委員会に対し、その旨を通知しなければならない。

（特別支援学校の入学期日等の通知、学校の指定）

第十四条　都道府県の教育委員会は、第十一条第一項（第十一条の二、第十一条の三、第十二条第二項及び第十二条の二第二項において準用する場合を含む。）の通知を受けた児童生徒等及び特別支援学校の新設、廃止等によりその就学させるべき特別支援学校を変更する必要を生じた児童生徒等について、その保護者に対し、第十一条第一項（第十一条の二において準用する場合を含む。）の通知を受けた児童生徒等にあつては翌学年の初めから二月前までに、その他の児童生徒等にあつては速やかに特別支援学校の入学期日を通知しなければならない。

2　都道府県の教育委員会は、当該都道府県の設置する特別支援学校が二校以上ある場合においては、前項の通知において当該児童生徒等を就学させるべき特別支援学校を指定しなければならない。

3　前二項の規定は、前条の通知を受けた児童生徒等については、適用しない。

小・中学校等の場合は、就学予定者に対して、翌学年の初めから二月前までに（一月末日までに）入学通知をしなければならないのと同様に、特別支援学校への就学予定者に対しても一月末日までに通知しなければならないのである。

なお、前述した施行令五条一項及び二項による入学期日の通知及び小・中学校等の指定の行政処分（六条で準用する場合を含む）並びに施行令一四条一項及び二項による入学期日の通知及び特別支援学校の指定の行政処分については、

行政手続法は適用除外とされている（法一三八条、施行令二二条の二。詳細については、法一三八条の【注解】二参照）。

第十五条　都道府県の教育委員会は、前条第一項の通知と同時に、当該児童生徒等を就学させるべき特別支援学校の校長及び当該児童生徒等の住所の存する市町村の教育委員会に対し、当該児童生徒等の氏名及び入学期日を通知しなければならない。

２　都道府県の教育委員会は、前条第二項の規定により当該児童生徒等を就学させるべき特別支援学校を指定したときは、前項の市町村の教育委員会に対し、同項に規定する事項のほか、その指定した特別支援学校を通知しなければならない。

第十六条　都道府県の教育委員会は、第十四条第二項の場合において、相当と認めるときは、保護者の申立により、その指定した特別支援学校を変更することができる。この場合においては、速やかに、その保護者並びに前条の通知をした特別支援学校の校長及び市町村の教育委員会に対し、その旨を通知するとともに、新たに指定した特別支援学校の校長に対し、同条第一項の通知をしなければならない。

（区域外就学等）

第十七条　児童生徒等のうち視覚障害者等をその住所の存する都道府県の設置する特別支援学校以外の特別支援学校に就学させようとする場合には、その保護者は、就学させようとする特別支援学校が他の都道府県の設置するものであるときは当該都道府県の教育委員会の、その他のものであるときは当該特別支援学校における就学を承諾する権限を有する者の就学を承諾する書面を添え、その旨をその児童生徒等の住所の存する市町村の教育委員会に届け出なければならない。

第十八条　学齢児童及び学齢生徒のうち視覚障害者等でその住所の存する都道府県の設置する特別支援学校以外の特別支援学校に在学するものが、特別支援学校の小学部又は中学部の全課程を修了する前に退学したときは、当該特別支援学校の校長は、速やかに、その旨を当該学齢児童又は学齢生徒の住所の存する市町村の教育委員会に通知しなければならない。

当該視覚障害者、聴覚障害者、知的障害者、肢体不自由者又は病弱者の住所の存する市町村の教育委員会に届け出なければならないとしているのは、市町村の教育委員会が学齢簿に必要な加除訂正を行うことができるようにするためである。

第十八条の二　市町村の教育委員会は、児童生徒等のうち視覚障害者等について、第五条（第六条（第二号を除く。）において準用する場合を含む。）又は第十一条第一項（第十一条の二、第十一条の三、第十二条第二項及び第十二条の二第二項において準用す

る場合を含む。）の通知をしようとするときは、その保護者及び教育学、医学、心理学その他の障害のある児童生徒等の就学に関する専門的知識を有する者の意見を聴くものとする。

施行令一八条の二の規定は、平成一四年の学校教育法施行令の一部改正（平一四政令一六三）により、市町村の教育委員会が、障害の状態に照らして、小・中学校等で教育を受けることができる特別の事情があると認める「認定就学者」という範疇を認めることとしたことに伴い、新設された。従来から、障害の種類、程度等の判断について専門的立場から調査・審議を行うために就学指導委員会が設置されているのが一般であったが、その位置付けの明確化を図るとともに、学齢児童について一人一人の障害の状態等に応じた適切な就学指導が行われるよう、その保護者及び教育学、医学、心理学その他の障害のある児童生徒等の就学に関する専門的知識を有する者の意見を市町村の教育委員会は聴くものとされた。

更に、平成二五年の施行令の一部改正（平二五政令二四四）により、特別支援学校への就学を原則とし、「認定就学者」を例外とする制度を改め、個々の障害の状態等を踏まえ、総合的な観点から就学先を決定する制度としたことから、就学指導委員会も、就学後の一貫した支援についても助言を行う等の機能の拡充を図り、教育支援委員会等への名称変更が行われている。

(5) 就学の督促等に関して、施行令では、一九条から二一条にわたって次のように規定している。

（校長の義務）

第十九条 小学校、中学校、義務教育学校、中等教育学校、特別支援学校の校長は、常に、その学校に在学する学齢児童又は学齢生徒の出席状況を明らかにしておかなければならない。

第二十条 小学校、中学校、義務教育学校、中等教育学校及び特別支援学校の校長は、当該学校に在学する学齢児童又は学齢生徒が、休業日を除き引き続き七日間出席せず、その他その出席状況が良好でない場合において、その出席させないことについて保護者に正当な事由がないと認められるときは、速やかに、その旨を当該学齢児童又は学齢生徒の住所の存する市町村の教育委員会に

通知しなければならない。

（教育委員会の行う出席の督促等）

第二十一条　市町村の教育委員会は、前条の通知を受けたときその他当該市町村に住所を有する学齢児童又は学齢生徒の保護者が法第十七条第一項又は第二項に規定する義務を怠つていると認められるときは、その保護者に対して、当該学齢児童又は学齢生徒の出席を督促しなければならない。

施行令一九条では、施行規則二五条の「校長（学長を除く。）は、当該学校に在学する児童等について出席簿を作成しなければならない。」という規定とあいまって、校長は、学校における学齢児童生徒の就学の状況を的確に把握することが要請されている。

施行令二〇条中の「正当な事由」には、児童生徒の病気その他の事故は含まれるが、保護者の病気や経済的理由など保護者の都合により就学させないような場合はこれに含まれない（経済的理由が含まれないことについては、法一九条を参照）。また、児童生徒の就労が含まれないことは、法二〇条の規定からみて明らかである。

市町村の教育委員会が督促しても、保護者が児童生徒を出席させない場合には、いかに義務就学とはいえ、強制的に児童生徒を学校に連れてくることはできないので、保護者に対し刑罰により間接的に強制することとなる（法一四四条）。

(6)　就学義務が終了した場合の手続について、施行令では、次のように定めている。

（全課程修了者の通知）

第二十二条　小学校、中学校、義務教育学校、中等教育学校及び特別支援学校の校長は、毎学年の終了後、速やかに、小学校、中学校、義務教育学校の前期課程若しくは後期課程、中等教育学校の前期課程又は特別支援学校の小学部若しくは中学部の全課程を修了した者の氏名をその者の住所の存する市町村の教育委員会に通知しなければならない。

本条の義務は、国・公・私立を通じて、小・中学校、義務教育学校、特別支援学校の校長に課されているのである。

【通　知】

○学校教育法施行令の制定について（地方自治法改正関係）（抄）（昭二八・一一・七　文総審一一八号　都道府県教育委員会、都道府県知事、国立公立私立の大学長及び短期大学長あて　文部事務次官通達）

昭和二八年一〇月三一日付で別添（略）のとおり、学校教育法施行令（昭和二八年政令第三四〇号）が公布され、即日施行されました。この政令の制定の趣旨等は、下記のとおりでありますので、事務処理上遺漏のないように願います。

なお、各都道府県教育委員会におかれては、貴都道府県内の市町村教育委員会等関係機関に対し、その趣旨の徹底についてよろしくお取り計らい願います。

記

1　制定の趣旨及び概要

昨年九月一日施行された地方自治法の一部改正により、地方公共団体又はその機関が処理すべき事務は、すべて法律又は法律に基く政令によることを要することとなった。この改正に適合するように、地方自治法の一部を改正する法律の施行に伴う関係法令の整理に関する法律（昭和二八年法律第二一三号）により関係法令に所要の改正が加えられ、学校教育法もその一部が改正された。そこで従来文部省令で規定されていた就学事務に関する事項、認可事項、届出事項等が新たに政令事項としてこの政令で規定されることとなった。

この政令は、大体において従来文部省令で規定されていた事項を、そのまま政令に引きあげるという方針で制定された。しかし、必要やむを得ない限度で従来の規定に多少の新しい内容を加え、又は変更を加えた。

なお、この政令の制定に伴い、近く学校教育法施行規則等に所要の改正が、なされる予定である。

2　従来の規定との相違点その他特に留意すべき点

第一章　就学義務関係

(1)　学齢簿について

学齢簿の編製については、従来時間的順序に従ってその手続のみを規定していたが、この政令では、第一条に市（特別区を含む、以下同じ。）町村の教育委員会に学齢簿の編製義務のあることを明確に規定した。なお、この編製義務は、単に児童生徒等が入学するときだけでなく、就学義務が終了するまで、これを整備し、保管することを意味する。この場合において、児童生徒等の住所の認定は、住民登録法による住民票を基礎にして行うようにされたい。

学齢簿の編製期日については、文部省令に委任されている

が、従前どおり、一二月一日と定められることになるので、同月同日現在により作成するよう準備されたい。（令第二条）

学齢簿の様式についても、文部省令に委任され、新たな様式が定められることとなるが、昭和二九年度及びそれ以前のものについては、なお従前の様式によることができるように措置される予定である。（令第一条）

以上の外、児童生徒等がその住所を移転した場合、旧住所地の教育委員会が新住所地の教育委員会に学齢簿の謄本を送付する従来の制度は廃止された。従って今後は、学齢簿の加除訂正を行うにあたっては、関係機関と連絡を密にし、特に慎重に処理されたい。

(2)・(3)　略

(4)　就学の督促について

就学の督促は、従来児童生徒が、入学の場合にあっては引き続き七日間、その他の場合は引き続き一四日間出席しない場合に校長が当該児童生徒の住所の存する市町村の教育委員会に報告することになっており、その報告を受けた教育委員会が督促を行うことになっていた。ところが、この政令では、入学の場合又はその他の場合にかかわらず、正当な事由がなく、七日間出席せず、その他出席状況が良好でない場合には、当該市町村の教育委員会に通知することとし、市町村の教育委員会は、この通知を受けたとき、その他通知を受けない場合でも保護者がその子女について就学義務を怠っていると認めるときは、その出席の督促を行わなければならないこととした。

従来校長が在学中の児童生徒が引き続き七日間出席しないときは、その保護者に対し、出席させるよう通知することとなっていたが、それは校長が職責上当然行うべきことと考えられるので、政令事項から外した。

なお、従来は、市町村の教育委員会が二回以上督促してもなお就学しないときは、都道府県の教育委員会が督促することになっていたが、この制度は廃止した。従って、罰則が適用される前提となる就学の督促は、市町村の教育委員会のみが行うこととなったので、市町村の教育委員会は、就学の督促をするときは、単に書面による形式的督促だけでなく、事情に応じて、福祉事務所に連絡する等の就学義務を履行させるためのあらゆる積極的措置を講ずるようにされたい。

○住民基本台帳法の制定に伴う学校教育法施行令および学校教育法施行規則の一部改正について（学齢簿関係）（昭四二・一〇・二　文初財三九六号　各都道府県教育委員会あて　文部省初等中等教育局長通達）

さきに、昭和四二年七月二五日付け法律第八一号をもって住民基本台帳法が制定され、住民に関する諸種の事務処理が住民基本台帳に基づき統一的に行なわれることになりましたが、同法がねらいとする住民台帳制度一般の合理化、簡素化の一環として、市町村の教育委員会が編製する学齢簿についても従来の様式を廃止する等の措置をとることとするため、別添（略）のとおり、昭和四二年九月一日付け政令第二九二号をもって制定された住民基本台帳法施行令により学校教育法施行令（昭和二八年政令第三四〇号）の一部改正

が行なわれるとともに、この改正に伴い、昭和四二年一〇月六日付け文部省令第一八号をもって学校教育法施行規則（昭和二二年文部省令第一一号）の一部改正が行なわれました。

これらの改正の概要および留意事項は左記のとおりでありますので、事務処理上遺憾のないように願います。

なお、貴管下の市町村関係機関に対してこのことを通知し、今後の学齢簿の編製等について遺漏のないよう、趣旨の徹底を図られるよう願います。

記

1　学校教育法施行令の一部改正について

(1)　学齢簿は、文部省令で定める様式により編製することとされていたが、これを文部省令で定める事項を記載して編製することとしたこと（学校教育法施行令第一条第一項）。

(2)　学齢簿は、当該市町村に住所を有する者について編製することとされているが、住民基本台帳法制定の趣旨にかんがみ、この編製は住民基本台帳に基づいて行なうこととしたこと（学校教育法施行令第一条第二項、第二条後段）。

なお、住民基本台帳に記載されていない者であっても、当該市町村に住所を有するものであれば、この者についても学齢簿を編製すること。この場合において、教育委員会は、住民基本台帳に脱漏または誤載があると認める旨をすみやかに当該市町村長に通知すること（住民基本台帳法第一三条）。

(3)　学齢児童または学齢生徒等の住所地変更に伴う保護者の市町村教育委員会への届出義務は、これを廃止することとし、学齢児童または学齢生徒等に係る転入または転居について住民基本台帳法による届出が市町村長に対して行なわれたときは、市町村長は、当該市町村の教育委員会に通知することとしたこと（学校教育法施行令第四条）。

(4)　これらの改正の施行期日は昭和四二年一一月一〇日とし、上記(2)の改正部分については昭和四四年四月一日としたこと。

2　学校教育法施行規則の一部改正について

(1)　学校教育法施行規則第三〇条を改正し、学齢簿の様式を廃止するとともに、新たに同条各号において学齢簿の記載事項を定めることとしたこと（学校教育法施行規則第三〇条）。

(2)　学齢簿の記載事項については、従来の学齢簿の記載事項を基礎として必要的記載事項の取捨選択を行ない、これらを学齢児童または学齢生徒に関する事項、保護者に関する事項、就学する学校に関する事項、就学の督促等に関する事項および就学義務の猶予または免除に関する事項の五つの区分にまとめ、その他必要な事項についても記載できることとしたこと。

(3)　学齢簿は、統一的な簿冊で編製することが望ましいが、特定事項について必要がある場合は、便宜分冊として編製してもさしつかえないこと。

(4)　学齢児童または学齢生徒等の就学に関し市町村教育委員会として必要な事項があれば、適宜学齢簿に記載すること。

(5)　この改正は、昭和四二年一一月一〇日から施行されること。

○学校教育法施行令及び学校保健法施行令等の一部改正について（抄）（昭五三・八・一八　文初特二八三号　附属学校を

置く各国立大学長、各都道府県教育委員会、各都道府県知事、国立久里浜養護学校長あて　文部事務次官通達）

このたび、別添（略）のとおり、「学校教育法施行令及び学校保健法施行令の一部を改正する政令」（以下「改正令」という。）が政令第三一〇号をもって、また「学校教育法施行規則及び学校保健法施行規則の一部を改正する省令」が文部省令第三〇号をもって、それぞれ昭和五三年八月一八日公布され、いずれも同日から施行されました。

これらの法令の改正は、養護学校における就学義務に関する規定が昭和五四年四月一日から施行されることに伴い、就学義務に関する事務手続について所要の整備等を行い、養護学校の義務制の円滑な実施を図ること等を目的としております。

これらの改正法令の内容の概要は下記のとおりでありますから、事務処理上遺憾のないように願います。

また、各都道府県教育委員会にあっては、これらの改正法令により、就学義務に関する事務手続を適正に行い、養護学校の義務制の円滑な実施に努めるとともに、貴管下の各市町村関係機関に対してこのことを通知し、これらの改正法令の趣旨を徹底されるよう御配慮願います。

記

第一　学校教育法施行令及び学校保健法施行令の一部改正関係

〔編者注〕　平成一〇年、精神薄弱の用語の整理のための関係法律の一部を改正する法律（法一一〇）によって「精神薄弱者」が「知的障害者」に改められた。平成一八年法八〇号（平一九・四・一施行）により、「盲学校、聾学校、養護学校」は「特別支援学校」となり、「盲者、聾者」は「視覚障害者、聴覚障害者」に改められた（法七二条の**【注解】**参照）。

平成二〇年法七三号により学校保健法は学校保健安全法に改められた。

一　改正の趣旨

昭和四八年一一月二〇日政令第三三九号により学校教育法（昭和二二年法律第二六号）中養護学校における就学義務に関する部分が昭和五四年四月一日から施行されることに伴い、学齢簿の作成等の時期を繰り上げ、関係規定を整備するとともに、小・中学校に在学する精神薄弱者、肢体不自由者又は病弱者及び就学義務猶予免除児童生徒について所要の経過措置を定めたものであること。

二　改正の内容の概要

(1)　就学義務に関する事務手続の時期の繰上げに関する事項

ア　市町村の教育委員会は、毎学年の初めから五月前（一〇月三一日）までに、学齢簿を作成しなければならないとしたこと（改正令による改正後の学校教育法施行令（以下「新令」という。）第二条）。

イ　市町村の教育委員会は、都道府県の教育委員会に対し、翌学年の初めから三月前（一二月三一日）までに、盲者等（盲者、聾者、精神薄弱者、肢体不自由者及び病弱者をいう。ウにおいて同じ。）についての通知をしなければなら

ないとしたこと（新令第一一条）。

ウ　都道府県の教育委員会は、盲者等について、その保護者に対し、翌学年の初めから二月前（一月三一日）までに、その入学期日を通知しなければならないとしたこと（新令第一四条第一項）。

エ　就学時の健康診断は、学齢簿が作成された後翌学年の初めから四月前（一一月三〇日）までの間に行うものとするとしたこと（改正令による改正後の学校保健法施行令第一条）。

(2) 盲者等でなくなったものがあるときの手続に関する事項

ア　盲学校、聾学校又は養護学校に在学する学齢児童又は学齢生徒で盲者、聾者又は精神薄弱者、肢体不自由者若しくは病弱者でなくなったものがあるときは、当該学校の校長は、速やかに、都道府県の教育委員会に対し、その旨を通知しなければならないとしたこと（新令第六条の二第一項）。

イ　都道府県の教育委員会は、アの通知を受けた学齢児童又は学齢生徒について、当該学齢児童又は学齢生徒の住所の存する市町村の教育委員会に対し、速やかに、その氏名等を通知しなければならないとしたこと（新令第六条の二第二項）。

ウ　市町村の教育委員会は、イの通知を受けた学齢児童及び学齢生徒について、その保護者に対し、速やかに、その入学期日を通知しなければならないとしたこと（新令第六条）。

(3) 養護学校における就学義務に関する規定の施行に伴う関係規定の整備に関する事項

ア　就学義務に関し、精神薄弱者、肢体不自由者及び病弱者について、盲者及び聾者と同様の取扱いとすることとしたこと（新令第五条第一項、第六条、第九条、第一〇条、第一一条、第一二条、第一七条及び第一八条）。

イ　就学義務に関し、養護学校について、盲学校及び聾学校と同様に規定することとしたこと（新令第一四条第一項及び第二項、第一五条、第一六条、第一七条、第一八条、第一九条、第二〇条、第二二条及び第二五条）。

(4) 施行日に関する事項

ア　この政令は、イに規定するものを除き、公布の日（昭和五三年八月一八日）から施行すること（改正令附則第一項）。

イ　(2)に規定する盲者等でなくなったものがあるときの手続（新令第六条の二）、退学したときの手続（新令第一〇条及び第一八条）、盲者等になったものがあるときの手続（新令第一二条第一項）、全課程修了者の通知（新令第一九条及び第二〇条）、校長の義務（新令第二一条）、市町村立養護学校に係る届出（新令第二五条）及び(6)に規定する事項（新令第二三条及び第二六条）は、昭和五四年四月一日から施行すること。

(5) 経過措置に関する事項（略）

(6)　その他の事項

ア　市町村が設置する高等学校、盲学校、聾学校、養護学校及び幼稚園の名称の変更を認可事項から届出事項にしたこと並びにその経過措置を定めたこと（新令第二三条第一号、第二六条及び改正令附則第一六項）。

イ　その他規定の整備をしたこと（新令第二三条第七号）。

第二　学校教育法施行規則及び学校保健法施行規則の一部改正関係

一　学校教育法施行規則の一部改正

(1)　学齢簿の作成は、一〇月一日現在において行うものとするとしたこと（第三一条）。

(2)　教員を派遣して教育を行う場合の教育課程について、関係規定を整備したこと（第七三条の一二〔現行一三一条〕）。

二　学校保健法施行規則の一部改正

(1)　養護学校における就学義務に関する規定の施行に伴い、定期の健康診断の事後措置から養護学校への就学について指導と助言を行うことを外したこと（第七条第一項第五号〔現行九条一項五号〕）。

(2)　就学時健康診断票の様式中の文言を改めたこと（第一号様式（略））。

三　一の(1)及び二の(2)については公布の日（昭和五三年八月一八日）から施行し、一の(2)及び二の(1)については昭和五四年四月一日から施行すること。

○通学区域制度の弾力的運用について（平九・一・二七　文初小七八号　各都道府県教育委員会教育長あて　文部省初等中等教育局長通知）

市町村教育委員会は、当該市町村の設置する小学校又は中学校が二校以上ある場合、学校教育法施行令の規定により就学予定者等の就学すべき小学校又は中学校を指定することとされています。その際、市町村教育委員会は、通常あらかじめ各学校ごとに通学区域を設定し、これに基づいて就学すべき学校を指定しています。

この通学区域制度の運用に当たって配慮すべき事項については、既に別添一（略）の昭和六二年五月八日付け文初高第一九〇号「臨時教育審議会「教育改革に関する第三次答申」について」をもって通知したところでありますが、このたび、行政改革委員会の「規制緩和の推進に関する意見（第二次）」（平成八年一二月一六日）において、保護者の意向に対する十分な配慮や選択機会の拡大の重要性、学校選択の弾力化に向けた取組などについて別添二（略）のような提言がなされました。

ついては、今後、特に下記事項について、教育上の影響等に留意しつつ、通学区域制度の弾力的運用に努めるよう、貴管下の市町村教育委員会に対し周知徹底をお願いします。

なお、おって通学区域制度の弾力的運用に関する事例等を収集し、それらの情報の提供を行うこととしておりますことを申し添えます。

記

1　通学区域制度の運用に当たっては、行政改革委員会の「規制緩和の推進に関する意見（第二次）」の趣旨を踏まえ、各市町村教育委員会において、地域の実情に即し、保護者の意向に十分配慮

した多様な工夫を行うこと。

2　就学すべき学校の指定の変更や区域外就学については、市町村教育委員会において、地理的な理由や身体的な理由、いじめの対応を理由とする場合の外、児童生徒等の具体的な事情に即して相当と認めるときは、保護者の申立により、これを認めることができること。

3　通学区域制度や就学すべき学校の指定の変更、区域外就学の仕組みについては、入学期日等の通知など様々な機会を通じて、広く保護者に対して周知すること。また、保護者が就学について相談できるよう、各学校に対してもその趣旨の徹底を図るとともに、市町村委員会における就学に関する相談体制の充実を図ること。

○学校教育法施行規則の一部を改正する省令について（平一五・三・三一　一四文科初一三三〇号　各都道府県教育委員会あて　文部科学省初等中等教育局長通知）

このたび、「規制改革推進三か年計画（改定）」（平成一四年三月二九日閣議決定）において、各市町村の教育委員会の判断により学校選択制を導入できること及びその手続等を明確化するとともに、指定された就学校の変更を希望する場合の要件や手続等について各市町村において明らかにするよう、関係法令を見直すこととされていること等を踏まえ、別添のとおり「学校教育法施行規則の一部を改正する省令」が平成一五年三月三一日文部科学省令第一三号をもって公布され、同年四月一日から施行されました。

今回の改正の概要等は、下記のとおりですので、事務処理上遺漏のないようお願いします。

なお、都道府県教育委員会にあっては、域内の市町村教育委員会に対して、この趣旨の徹底を図るようお願いします。

記

1　改正の趣旨

今回の改正の趣旨は、市町村教育委員会の判断により、いわゆる学校選択制を導入する場合には、学校教育法施行令第五条第二項に基づく就学校の指定の際、あらかじめ保護者の意見を聴取できることを明確にするとともに、その手続等を定め公表するものとすること。

また、同令第八条に基づく就学校の変更の際、その手続等の透明性を図る観点から、その要件及び手続を明確化し公表するものとすること。

2　改正の概要

(1)　就学校指定の際の保護者に対する意見の聴取及びその手続等の公表について（第三二条関係）

市町村の教育委員会は、就学予定者の就学すべき小学校又は中学校を指定する場合には、あらかじめ、その保護者の意見を聴取できるものとするとともに、意見の聴取について必要な事項を定め、これを公表するものとしたこと。

(2)　就学校変更要件等の明確化について（第三三条関係）

市町村の教育委員会は、その指定した小学校又は中学校を変更することができる場合の要件及び手続に関し必要な事項を定め、これを公表するものとしたこと。

３　留意事項

(1)　通学区域制度の運用（いわゆる学校選択制を含む）は、これまでと同様、地理的な状況や交通事情等、地域によって様々な事情があることから、各市町村教育委員会の判断により、地域の実情に即して多様な工夫を行うこと。

(2)　手続等の公表の方法（第三二条及び第三三条関係）は、各種の広報誌やインターネットの活用など、保護者等に対して広く周知できるよう、適切な方法によること。

(3)　就学校指定の際の保護者に対する意見の聴取及びその手続等の公表について（第三二条関係）

意見の聴取の手続等には、例えば、就学を希望する学校についての調査票の配布のほか、特定の学校に希望が集中した場合の対応方法等（抽選等）が考えられること。

(4)　就学校変更要件等の明確化について（第三三条関係）

就学校の変更の申立を行おうとする保護者に対して、変更要件をわかりやすく明示するとともに、同一の変更要件での申立に対し、異なる取扱いとならないよう配慮する必要があること。

また、就学校の変更に係る手続には、変更の申立の際に必要となる添付書類等を明示することが考えられること。

○学校教育法施行規則の一部を改正する省令等及び学校教育法施行令第八条に基づく就学校の変更の取扱いについて（抄）

（平一八・三・三〇　一七文科第一一三八号　各都道府県教育委員会あて　文部科学省初等中等教育局長通知）

このたび、別添のとおり、「学校教育法施行規則の一部を改正する省令」（平成一八年文部科学省令第五号）が平成一八年三月三〇日に公布されるとともに、関連する告示が公示され、平成一八年四月一日から施行されることとなりました。

今回の改正は、①市町村の教育委員会は、就学校の指定に係る通知において、その指定の変更についての保護者の申立ができる旨を示すものとすること（就学校の指定に係る通知関係）〔②・③略〕に係るものです。

これらの改正の趣旨、内容、留意点及び就学校の変更の取扱いについては、下記のとおりですので、十分御了知いただくようお願いします。

また、各都道府県教育委員会におかれては、所管の学校及び域内の市町村に、各都道府県知事等におかれては、所轄の学校及び学校法人に対して、このことを十分周知されるようお願いします。

記

第一　就学校の指定に係る通知関係及び就学校の変更の取扱いについて

１　改正の趣旨

学校教育法施行令第八条により、市町村の教育委員会は、就学校の指定を行う場合において、相当と認めるときは、保護者の申立により、指定した就学校を変更することができることとされているが、この制度が保護者に対し確実に周知され、その適切な活用が一層進むよう、市町村の教育委員会が就学校の指定に係る通知において、その指定の変更についての保護者の申立ができる旨

を示すものとすること。

2　改正の内容

市町村の教育委員会は、学校教育法施行令第五条第二項（同令第六条において準用する場合を含む。）の規定による就学校の指定に係る通知において、その指定の変更について同令第八条に規定する保護者の申立ができる旨を示すものとすること。（学校教育法施行規則（以下「施行規則」という。）第三二条第二項関係）

3　今回の改正及び就学校の変更の取扱いに係る留意事項

(1)　市町村の教育委員会は、指定した就学校を変更することができる場合の要件及び手続に関する事項を定め、公表するものとされている（施行規則第三三条）が、市町村の教育委員会が、今回の改正後の規定に基づき、就学校の指定に係る通知において、就学校の指定の変更についての保護者の申立ができる旨を示す場合には、当該要件及び手続に関する事項についても併せて示すことが望ましいこと。

(2)　市町村の教育委員会が上記の要件及び手続に関する事項を定める際には、当該手続に関する事項として、保護者の申立に係る申立先、申立を受け付ける期間等を具体的に定めるとともに、当該要件に関する事項として、当該教育委員会が就学校の変更を相当と認める具体的な事由を予め明確に定めておくことが望ましいこと。

(3)　就学校を変更する場合としては、例えば、いじめへの対応、通学の利便性、部活動等学校独自の活動等を理由とする場合が考えられるが、市町村の教育委員会が就学校の変更を相当と認める具体的な事由については、別途送付している「公立小学校・中学校における学校選択制等についての事例集」等も参考にしつつ、各教育委員会において、地域の実情等に応じ適切に判断すべきものであること。

(4)　学年の途中において保護者が就学校の変更を求めた場合においても、市町村の教育委員会は、相当と認めるときは、就学校の変更を適切に行うこと。

○小学校等の課程を修了していない者の中学校等入学に関する取扱いについて（平二八・六・一七　二八　初初企七号　各都道府県教育委員会教育長、各指定都市教育委員会教育長、各都道府県知事、附属学校を置く各国立大学法人の長殿、義務教育諸学校を設置する学校設置会社を所轄する構造改革特別区域法第一二条第一項の認定を受けた各地方公共団体の長あて　文部科学省初等中等教育局初等中等教育企画課長通知）

標記のことについて、文部科学省では、従前より「中学校は、小学校における教育の基礎の上に、心身の発達に応じて、義務教育として行われる普通教育を施すことを目的とする」との学校教育法（昭和二二年法律第二六号）第四五条の規定にのっとり、小学校等の課程を修了した者が中学校等に進学することを予定しているとの考え方に基づき対応してきているところです。

このことに関し、小学校等の課程を修了していない者（以下「小学校未修了者」という。）が中学校等へ入学を希望する事案には近年様々な状況変化が見られます。例えば、保護者による虐待や無戸

籍といった複雑な家庭の事情等により、居所不明となったり、未就学期間が生じたりするケースが明らかになってきており、この中には小学校等を未修了のまま中学校等への進学を希望する者も含まれているものと考えられます。また、海外から帰国した子供について、重国籍や日本語能力の欠如等により保護者の就学義務が猶予又は免除されて、外国人学校の小学部等に通った後に中学校等への進学を希望する事案や、外国籍の子供が外国人学校の小学部等に通った後、経済的な事情や居住地変更等の事情により、中学校等への入学を希望する事案等も生じてきています。

このような状況に照らし、小学校未修了者の中学校等への入学について、下記のような取扱いとすることが適切と考えられますので通知します。

各都道府県知事及び都道府県教育委員会教育長におかれては域内の市町村教育委員会、学校、学校法人に対して、各指定都市教育委員会教育長におかれては域内の学校、学校法人に対して、各国立大学法人の長におかれては附属学校に対して、構造改革特別区域法第一二条第一項の認定を受けた地方公共団体の長におかれては域内の株式会社立学校及びそれを設置する学校設置会社に対して、本通知の趣旨、内容について周知するとともに、適切に指導、助言、援助を行っていただくようお願いします。

記

1．小学校未修了者の中学校等への入学については、当該小学校未修了者が中学校相当年齢に達しており、次のような特別の事情を有する場合には、認めることが適当と考えられること。

(1)　保護者による虐待や無戸籍といった複雑な家庭の事情や犯罪被害等により、学齢であるにもかかわらず居所不明となったり、未就学期間が生じたりした子供が、小学校未修了のまま中学校相当年齢に達してから中学校等への入学を希望する場合

(2)　不登校等により小学校未修了のまま小学校相当年齢を超過した後、やむを得ない事情により長期間学校を欠席する間に、中学校等への入学を希望する場合が可能となり、通学が可能となり、中学校等への入学を希望する場合

(3)　病弱や発育不完全等の理由により、小学校相当年齢の間は就学義務の猶予又は免除の対象となっていた子供が、中学校相当年齢になってから就学が可能な状態となり、小学校未修了のまま中学校等への入学を希望する場合

(4)　海外から帰国した子供が、重国籍や日本語能力の欠如といった理由により、就学義務の猶予又は免除の対象となって外国人学校の小学部等に通った場合で、その子供が中学校段階から中学校等への進学を希望する場合

(5)　日本国籍を有しない子供がいったん外国人学校の小学部等に通った後、経済的な事情や居住地の変更等といった事情により、中学校段階から中学校等への転学を希望する場合

(6)　戦後の混乱や複雑な家庭の事情などから義務教育未修了のまま学齢を超過した者の就学機会の確保に重要な役割を果たしている中学校夜間学級等に、小学校未修了者が入学を希望する場合

なお、上記のような場合は、学校教育法施行令第20条に規定する「保護者に正当な事由がないと認められるとき」や同第21

条に規定する「就学義務を怠っていると認められるとき」には該当しないものであること。

2．小学校未修了者の中学校等への入学を認めるに当たっては、当該未修了者が、未就学期間があったことにより、学習内容にまとまった欠落があるなど、日々の教職員による指導において補充的に対応するだけでは十分な支援ができない場合も考えられる。このため、市町村教育委員会と学校とが協力し、必要に応じて地域の学校支援組織やＮＰＯ等の民間団体とも連携しつつ、生徒の状況を踏まえた個別の支援計画や教材を準備し、放課後や長期休業日の活用も含め、修業年限全体を通じた組織的・計画的な学習支援や進路指導を行うことも検討すること。

また、当該生徒が児童養護施設へ入所している場合や、貧困、虐待、ネグレクトなど特別な生活上の課題を抱えている場合には、スクールカウンセラー、スクールソーシャルワーカーといった専門職員や児童相談所等の関係機関と緊密に連携しつつ、生徒の立場に立ったきめ細かな支援を充実させること。

各都道府県教育委員会においては、市町村教育委員会の意見を聴いた上で、当該生徒の在籍校における学習指導上・生徒指導上の課題の状況を総合的に判断して必要と認められる場合は、スクールカウンセラーやスクールソーシャルワーカーの配置に係る補助や国・都道府県の教職員定数の加配など各種の人的支援措置の活用も考慮しつつ、当該在籍校の指導体制の充実に努めること。

【行政実例】

○四月一日生れの者の就学年度について（昭二六・二・五　島根県教育委員会教育長あて　文部省地方連絡課長回答）

【照会】　学校教育法第二二条〔現行法一七条〕に「……子女が満六歳に達した日の翌日以後における最初の学年の初から……云々」と保護者がその子女を就学させる義務を負うていますが、この満年齢の算定について四月一日生れの者は翌年三月三一日をもって満一か年に達したと解すべきか、あるいは四月一日をもって満に達したと解すべきか、右の見解いかんによって四月一日生れの子女の就学年度が異なることになりますので御教示いただきたい。

【回答】　御照会の年齢計算については、年齢計算ニ関スル法律により出生の日より起算して翌年の出生の日の前日までをもって満一年とすることになっております。すなわち四月一日生れの者は翌年三月三一日をもって満一歳になるわけであります。

○外国から帰国した学齢児童の編入学について（昭二五・四・二五　国初一一号　外務事務次官あて　文部事務次官回答）

【照会】　今般在タイ大江大使から、タイ国日本人小学校児童本邦帰国後の進学、編入問題に関し、左記のとおり配慮方こん請があったが、本件は在外子弟義務教育実施上重視すべきことと認められるの

で、わが国の法制上問題が存するものとは考えるが、貴省において本件実情御斟酌の上今後在外日本人小学校修了児童が帰国した際は、本邦学校に進学、編入が支障なく行なわれる様お取計らい相成りたく、御検討の上何分の儀御回報願いたい。

記

1　タイ国日本人小学校は昭和三一年一月「日本語講習会」として発足以来、既に四年の歳月を経て、タイ国に在住する邦人子弟の唯一の教育機関として重要な役割を果たしており、昭和三四年度において同校に対する補助金一一六万七千円が外務省予算に計上され（昭和三五年度はやや増額される見込み）その財政的基盤が一応確立した。

同校は現在六名（一月中に一名増員予定）の教員と八五名（幼稚園児童約二〇名を含む）の児童を擁しており、タイ国内法の関係上「日本語講習会」なる名称を用いているが、教授内容は文部省の定めた基準に従い、本邦における小学校用教科書を使用して授業が行なわれており、実質的には、日本国内の小学校と同様の内容を有している。

2　しかるところ、最近帰国した同校児童が東京都内の某小学校に編入を希望したところ「日本語講習会」の法的地位に疑義をもち、そのため無条件編入を認められず編入試験の上、これを承認したという事例が発生した。これは同校在学生徒及び父兄に不安をいだかせる一方、現在在留邦人は一、〇〇〇名を数えるが、これが漸増の傾向あるところ、将来児童数も増加することが考えられるので、今後この種のケースの発生が予想される。

3　しかしながら本件編入問題を根本的に解決するには、同校を法的に認可された小学校とする必要があるが、これには若干困難な点があり、相当な日時も要するものと思われるので当面の問題として、同校の児童が帰国し、本邦内の小学校及び中学校に編入する際、実質的に支障ない様取り計られたい。

本信写送付先　東京都知事、東京都教育長

【回答】　日本国籍を有する学齢児童または学齢生徒（満六歳から満一五歳まで）が外国から帰国した場合、保護者はその学齢児童または学齢生徒を小学校または中学校に就学させる義務を負うこととなっており、他方当該学齢児童・生徒の住所地の市町村（東京都にあっては特別区）は、児童・生徒をその年齢に応じ、その設置する小学校または中学校の相当学年に入学させなければならないこととなっているので、このような場合、編入学のための試験を行ない、その結果によって入学の許可または不許可を決するという措置はとりえないこととなっている。ただし、国立または私立の学校への編入学については、編入学許可のための試験が行なわれることもあるが、この取り扱いは、国内の小学校または中学校に在学している児童・生徒の転入学の場合と同様である。

なお、外国から帰国した児童生徒の編入学に際しては、公立学校の場合においても、言葉が不自由である等の事情によりただちに相当学年の課程における教育を受けることが適当でないと認められるときは、保護者の希望等により学校の生活に適応するまで、下学年に一時的に編入する措置がとられる場合もある。

○長期連欠児童の取扱上の疑義について（昭二九・七・一四

委初二六一号　滋賀県教育委員会教育長あて　文部省初等中等教育局長回答）

【照会】　一　説　明

(1)　昭和二一年四月小学校第一学年に入学したA（昭和一四年一〇月二〇日生）は、約一カ月後から連欠し、昭和二八年九月まで全く不就学にひとしい連欠を続けた。

(2)　この間担任教員、学校長、村学事係等が度々その就学の督促に力めたが、ついに就学せしめるに至らなかった。

(3)　Aはこの間近所の小さな者を集めて、ガキ大将をもって自ら任じ、素行も悪く近隣も眉をひそめる不就学児童生活を続けていた。

(4)　昭和二八年九月二四日、七年半ぶりに登校、爾来二九年三月一九日までに一三九日登校し、この間病気欠席二日だけで毎日熱心に校長の個別指導を受けた。

(5)　昭和二九年四月、一応第六学年に入れてあるが、当該校長は「はっきり第六学年として限定しているわけではない。しかしこの一カ月間の出席状況学習態度等を見、学校の考えている線にそっているならば、来年三月には、卒業証書を与える積りである。また小職としても学級担任教師の努力と、今後個別指導による補習等全職員の協力を得てこのことを実現させたい」との断固とした取扱いと、不就学児童ないし浮浪児の救済の熱意をのべている。

(6)　さらに当該校長は「こんなことで進級取扱いないし卒業認定ができるかどうか問題であると思う。しかし、過去の彼の生活を見、将来を気づかっていた時のことを思うとこれ位の措置でこうなり得たことは何としても幸であり、決して学校教育において進級取扱上に悪例を残すとは考えていない」との所信を述べている。

二　設　問

(1)　保護者は、教育基本法第四条〔現行法五条〕と学校教育法第二二条〔現行法一七条〕の規定により、A少年が満一五歳に達した日の属する学年の終りまでは、これを小学校に就学させる義務があると思料されるし、又、各学年の課程の修了又は卒業の認定は、本学校長の権限に属することであるが、本件の場合一躍六学年に編入させることができるか。

(2)　かりに第六学年に編入させることができるとしても、右のごとくわずかな出席日数をもって来春卒業証書の授与ができるか。

(3)　校長の認定の結果卒業不可と認めた場合には、学校教育法施行規則第二七条〔現行施行規則五七条〕、同二八条〔現行施行規則五八条〕により原級留置は可能であるとの行政実例があるが、この場合A少年は満一五歳をこえて原級に留まることになり学校教育法第三九条〔現行法一七条二項〕の規定による保護者の就学義務は延長されることなく、就学を続けるわけである。

かくて一カ年後（来年春）に、学齢生徒でない少年も小学校の全課程を修了したと認めて、校長が卒業証書を授与することができるか。

(4) (2)の場合、かりに卒業に認定されたとするとき中学校へ進むことができるか。できるとしても満一五歳に達した場合の学齢簿の取扱いは、卒業した者等就学義務のなくなった場合と同一の取扱いをすべきと思料せられるから、本人及び保護者の希望による「学習の継続」を許可するのであって、学校教育法施行規則第二七条〔現行施行規則五七条〕、同二八条〔現行施行規則五八条〕に規定する修了又は卒業とは関係ないものと解してよいか。

また、その許可者は、校長か、当該教育委員会か。

【回答】 (1) 各学年の課程を修了して順次上級学年に進級するのが原則であるが、かかる場合は、本人はすでに相当の年齢に達しているので本人に対する教育効果、他の児童生徒に及ぼす影響等を考慮して適宜相当学年に編入せざるをえないと考えられる。

(2) 小学校の全課程を修了したものと認めれば、卒業証書を授与すべきであるが、当該認定は教育的見地から慎重に行なわなければならない。

(3) 全課程を修了した者には、学齢児童生徒たると否とにかかわらず、すべて卒業証書を授与しなければならない。

(4) 小学校を卒業した者は、中学校へ進むことができる。その者が、中学校へ入学の時すでに満一五歳を超えている場合には教育委員会の入学許可を要するが、中学校に在学中に満一五歳を超えた場合には、あらためて許可をうける必要はない。学齢簿の取扱いについてはお見込みのとおりである。なお、学校教育法施行規則第二七条〔現行施行規則五七条〕及び同規則第二八条〔現行施行規則五八条〕は学齢児童生徒たると否とを問わず、児童、生徒一般に適用される規定であるから、その者にも当然適用がある。

○学齢超過者の公立義務教育学校への就学について（昭二七・一〇・二二　伊丹市教育委員会教育長あて　文部省財務課長回答）

【照会】 左記の者が、当市の市立中学校に通学することを願い出ておりますが、入学を許すべきか否か。

一　昭和八年一一月六日生の男子、昭和二一年三月三一日小学校を卒業した者が正規に勉学し学歴を得んがために中学校一年に入学を希望願い出中

二　昭和七年一月一八日生の女子、昭和二一年三月三一日小学校高等科卒業者が将来美容師として立つため美容学校へ入学するにつき中学校卒業資格を必要とし中学校三年生に入学を希望願い出中

【回答】 一般に、学齢児童生徒以外の者が公立の義務教育学校への就学を願い出た場合には、教育委員会は、相当の年齢に達し、且つ学歴、学校の収容能力等の諸事情を考慮して適当と認められる者については、その就学を許可して差支えない。御照会に係る者についても同様であるが、文面から考えると、当該就学はいずれも許可して差支えないと思われる。

○学齢簿に記入する入学及び卒業期日について（昭二九・八・一二　委初二八九号　三重県教育委員会教育長あて　文部省初等中等教育局長回答）

【照会】 学齢簿に記入する標記入学及び卒業年月日は学校教育法施行規則第四〇条〔現行施行令五条〕及び第五〇条〔現行施行令二二

条及び同施行規則五八条〕によって、それぞれ四月一日、三月三一日と記入するのが正しいように思われるが、実状は実際に行なった年月日を記入している向も多いように思われるので、いずれにするのが正しいのか、御照会申し上げます。

【回答】 学齢簿に記入する入学年月日は、それぞれ教育委員会が通知した入学期日、校長が卒業を認定した期日であって、これらの期日は、原則として、四月一日又は三月三一日とすることが適当である。

○児童・生徒のみ住所を有する場合の市立小・中学校への就学について（昭三四・一〇・五　委初二二五号　兵庫県教育委員会教育長あて　文部省初等中等教育局長回答）

【照会】 一　本市の現状

本市は文化住宅都市という特殊な地域環境にありますため市教委の厳重な防止にもかかわりませず、隣接他市からの区域外就学者が跡を絶たない状況でありますが、市教委では今後一層厳密に区域外就学者の防止および発見した場合の現住地（保護者の居住地）の学校への復帰に努力しこれら区域外就学者の一掃を期している現況であります。

二　疑義を生じた一事例

ところが保護者は隣接地に住所を有しているにもかかわらず種々の理由（教育的環境がよくない、家族中に病人がある、家庭不和である等）を設けて本市内に居住している親戚あるいは知人宅に児童、生徒一人だけの住民登録をし「その児童、生徒は実際に本市に住所を有する」として就学し、あるいは就学させようとし、また保護者の居住する市の学校への復帰を拒否する傾向が多くなりつつあります。

三　ご照会事項

1　この場合学校教育法施行令第一条、第二条の「市の区域内に住所を有する学齢児童に学齢簿を編製する」との規定により児童、生徒一人だけでも居住している場合学齢簿を編製すべきものか。

2　前記第一条、第二条の規定から類すいして転入学を許可すべきであるか。

3　これを拒否して保護者の住所のあるところの学校に復帰させることは違法であるか。

右について参照するべき法令をお示しの上適否ご指導をお願い申し上げます。

【回答】 児童生徒の学齢簿の編製は、当該児童生徒のいわゆる住所が生活の本拠たる住所であるかどうかを明らかにした上で、行なうべきものである。

○学齢児童・生徒が少年院・教護院に入院させられた場合の処置について（昭二八・九・二九　岡山県教育委員会教育長あて　文部省初等中等教育局長回答）

【照会】 一　某児童は学齢に達し、A村のB小学校第一学年に入学したが第一学年の学年末に至ってC町のD教護院に入院した。この場合

(イ)　教護院に入った時以後は、学校教育法第二十三条〔現行法一八条〕「保護者が……その他やむを得ない事由のため……」に

よって、監督庁の認可をうけて就学の猶予をする。
(ロ) 学齢簿は訂正してA村教育委員会におく。
(ハ) 指導要録はB小学校で第一学年末まで記入し、爾後は教護院に入院の旨を記入して保管しておく。

二 在院二カ年の後、D教護院長はその児童に対し、児童福祉法第四十八条の規定により、本人が小学校第三学年に相当する教科の履修をした旨の証明を交付して退院させた。この場合
(イ) A村教育委員会は学齢簿を訂正して、B小学校に復校させる。
(ロ) B小学校第四学年に編入する。
(ハ) 指導要録は、本人が第一学年のとき調製したものの余白に院長から報告を求めた在院中の事項を記入（院長の証明書を添付）し、第四学年分から再び記入する。

【回答】 一について
(イ) お見込みどおり。
(ロ) その児童の住所がなおA村にあると認められる場合にはお見込みどおりである。もし、当該児童に保護者等がなく教護院への入院によってその住所がC町に移った場合には、村の学齢簿からはこれを消除すべきで、C町においてその児童の就学の始期に達した年の学齢簿に記入しなければならない。
(ハ) 指導要録は、その性質上常に児童の教育を行なうところにあるべきものであるから、児童が教護院に入院した場合には、これを教護院長に送付し、児童在院中の教育に資するとともに所要事項の記入を依頼するのが適当である。

二について
(イ)及び(ロ) お見込みどおり。ただし児童の住所は教護院への入院によって異動しなかったものと仮定する。
(ハ) 一の(ハ)に対する回答とも関連して、教護院長から送付を受ける。

〔編者注〕 児童福祉法の一部改正（平一〇・四・一施行）により、「教護院」は「児童自立支援施設」となった（法一八条の**【注解】四**参照）。

○小学校に学区を設けることの法的見解について（昭二九・三・八　委初四九八号　滋賀県教育委員会あて　文部省初等中等教育局長回答）

【問】 教育委員会法では、第五四条〔編者注：現行地教行法では削除されている〕に都道府県教育委員会が高等学校の通学区域を設定できることを規定しているが、小学校の通学区域に関する規定はない。

また、学校教育法施行令第五条第二項に、「市町村の教育委員会は、当該市町村の設置する小学校又は中学校が二校以上ある場合においては……当該就学予定者の就学すべき小学校又は中学校を指定しなければならない。」とあるが、この入学する学校を指定することは、通学区域についての定めを必要とすることになるとは必ずしもいえない。即ち入学する学校の指定に当っては、

1 地域に即して指定
2 性別によって指定
3 健康度によって指定

4　能力によって指定

5　その他教育委員会独自の見解によって指定等の内容を含むものと解せられ、しかもこの指定に対して同令第八条には、保護者の申し立てが認められている。

そこで仮に教育委員会の規則として通学区域を定めても、その法的拘束力が問題となり、特に二つ以上の町村が合併して同一町村内に二つ以上の学校をもつ新事態が発生する場合などは、通学距離のある程度の不合理を犠牲にしても学区制によらなければ、その有する二つ以上の学校の収容のバランスを保持できない場合がしばしば起り得ると考えられる。

そこで結論として、

1　通学区域を市町村教育委員会規則として定めることができるか。

2　その他の方法で通学区域を定めることができるか。

について、その法的根拠と法的拘束力などについて、文部省の御意見を承わりたい。

【答】　市町村の教育委員会は、当該市町村の設置する小学校又は中学校が二校以上ある場合に、学校教育法施行令第五条第二項に基いて就学予定者の就学すべき小学校又は中学校を指定することになるが、この場合、保護者はその指定に従って就学予定者たる児童生徒を就学させる義務を負う。この指定に対しては同令第八条により、保護者から指定の変更の申立が認められており、教育委員会はその申立を相当と認めたときは、その指定を変更することができる。

特定の学校に就学することを指定される者の住所の存する区域を通常学区と称しているわけで、学区を定めるということは指定される学校をあらかじめ住民に了知せしめるので、教育委員会規則の制定、告示で、これを定めることは差し支えない。学区を定めた場合も、個々の保護者に対する指定、通知をすべきこともちろんである。

○学校教育法施行令第五条第二項の指定不履行の処置について

（昭二九・四・二六　雑初七九号　滋賀県教育委員会教育長あて　文部省初等中等教育局長回答）

【照会】　1　学校教育法施行令五条二項によって指定した学校を拒否して非合法に他校に通学しこの三月卒業する一部町内の生徒があるが此等の生徒の卒業証書に「仮」の字を入れることの可否について御意見を承りたい。

この町は次々の学年も同様に教育委員会の指定をかえりみず不法入学をつづけている。又本年四月新設小学校を開校することになっており先の非合法が先例として一部町内に準用される予想大なるため何等かの措置をする要がある。

2　他に適当な方法あれば御教示にあずかりたい。

【回答】　1　卒業証書に「仮」の字を入れることはできない。

教育委員会は、このような生徒の保護者に対しては督促をするなり又は正当な事由があれば指定した学校を変更するなり何らかの措置をとるべきであるが、何かの事情でこれらの措置をとることなくすでに相当の期間を経過し生徒の卒業期が到来してしまったというような特別な場合には、指定した学校の変更があったものとみなして、学校の全課程を修了したと認めるかぎり、卒業証

書を授与するのが適当と思われる。

2　1によって了承されたい。

○区域外就学児童にかかる費用について（昭二六・一二・一八　地自行発四一五号　静岡県総務部長あて　自治庁行政課長回答）

【照会】　学校教育法施行規則第三四条〔現行施行令九条〕の規定により入学した児童については、児童の居住する区域の市町村でその費用（通学在学費）を負担しなければならないか。その学校を管理する市町村又は市町村学校組合の負担となるか。その理由。

【回答】　後段お見込みのとおり。

（理由）　学校教育法第五条の規定により、学校の設置者は、その設置する学校を管理し、法令に特別の定のある場合を除いては、その学校の経費を負担すべきであり、学校教育法施行規則第三四条〔現行施行令九条〕の規定は、この場合の法令に特別の定のある場合には当らないから、設問の場合はその学校を管理する市町村又は市町村学校組合の負担すべきものと解する。

○市外通学児童生徒の取扱に関する条例の制定について（昭二六・一〇・三一　法意一発八五号　富士宮市教育長あて　法務府法制意見第一局長回答）

【問】　学校教育法第三一条及び第四〇条〔現行法四〇条及び四九条〕は、必ずしも町村の委託外の他市町村の小学校、中学校に就学することは禁止するものと解することはできない（学校教育法施行規則第三四条〔現行施行令九条〕）ので、かかるものを対象として市条例が市外通学在学費を保護者より徴収することを規定するものである以上、憲法第二六条、教育基本法第四条〔現行五条〕及び学校教育法第六条に抵触し、従ってこれを制定することはできないものと解するがどうか。

【答】　一　問　題

地方公共団体は、その区域外にある学齢児童又は学齢生徒に対して、その設置する小学校又は中学校への就学を許した場合に、市外通学在学費なる名目をもってその反対給付を徴収することができるか。

二　意　見

お尋ねの点は、消極に解する。

三　理　由

学校教育法第六条第一項但書は、憲法第二六条第二項後段及び教育基本法第四条第二項〔現行五条四項〕の規定をうけて、公立の小学校及び中学校における義務教育について、授業料を徴収することができない旨を規定しているが、ここでいう授業料とは、それがいかなる名目をもってよばれるかにかかわらず、小学校又は中学校が教育を施すという事実に対する反対給付一切を包含するものと解すべきことは当然であって、お示しの市外通学在学費なるものも、就学という事実に対する反対給付であるという意味において、ここでいう授業料に当然包含されるものと考える。

さて、お尋ねの問題の背後にある疑問を推測するならば、それはおそらく次の点にあるものと思われる。すなわち、地方公共団体の住民は、当該地方公共団体の営造物を利用しうる権利を有すると同時にその負担を分任する義務を負っている（地方自治法第

一〇条第二項）のであるから、地方公共団体は、その区域内にある学齢児童又は学齢生徒に対しては、その設置する小学校又は中学校への就学を許すべき義務を有すると同時に、学校教育法第六条但書の規定により授業料を徴収しないのは当然であるけれども、住民以外の者は、当該地方公共団体の営造物を利用しうる権利を有せず、かつ、たまたま偶然の事実によって、当該地方公共団体に対して公租公課を納付すべき義務を負う場合はあっても、当該地方公共団体の住民が住民たる地位によって当然負うべき公租公課を負担しないのはいうまでもないところであり、従って、地方公共団体は、区域外の学齢児童又は学齢生徒に対して小学校又は中学校への就学を許すべき義務を負うものではなく、もし、これを許したとして、学校教育法第六条第一項但書の規定にかかわらず、授業料を徴収することができるのではないかという点にあると思われる。

しかしながら、第一に、地方公共団体の営造物についてその住民がこれを利用する権利を有しているということは、当該地方公共団体が住民によるその利用を拒否し得ないということを意味するに止まり、利用に対する反対給付がいかにあるべきかということとは本来無関係であり、第二に、学校教育法第六条第一項但書が国立又は公立の小学校又は中学校について授業料を徴収しない旨を規定したことは、国立又は公立の小学校又は中学校の設置ないし維持管理の経済的基礎が国又は地方公共団体の課税権その他の財政権により維持されていることを前提としていることは否定し得ないけれども、公租公課の納付と小学校又は中学校への就学とはいかなる意味においても対価関係に立つものではないのであるから、学校教育法第六条第一項但書は、いやしくも国立又は公立の小学校又は中学校である限り、何人がこれに就学するとしても、授業料を徴収することはない旨を一般的に宣言したものと解せざるを得ないのである。

以上の理由によって、地方公共団体は、その区域外にある学齢児童又は学齢生徒に対して、その設置する小学校又は中学校への就学を許すか否かは自由であるけれども、それをひとたび許した以上、授業料を徴収することはできないものと解する。

〇区域外通学に関し法令等の解釈とその措置に対する見解について（昭三一・五・二一　雑初一四〇号　福島県教育委員会教育長あて　文部省初等中等教育局長回答）

【照会】　一　小学校児童が甲村に居住して乙村に区域外通学をしておる場合、保護者及乙村教育委員会が夫々学校教育法施行令第九条第一項第二項に関して

(1)　保護者が同条第一項の手続はしないが、乙村教育委員会の承諾を得ておる時は学校教育法第二二条〔現行法一七条〕の義務不履行の責は免かれる。

(2)　乙村教育委員会が同条第二項の手続を行わず受け入れた時は命令規定に違反したことになる。

これが法の解釈として通説でありますが之に対する当局の御意見を承りたい。

二　一の(2)の場合甲乙両村教育委員会が学校教育法施行令第九条第二項の協議を行い得ない状態にある時（感情的な諸問題の為）甲

村教育委員会は乙村教育委員会に対して命令規定の違反に対して之を是正する為に取り得る法的措置はどうなるか。

三　一の(2)の場合乙村教育委員会は命令規定の違反となった場合に之に対する罰則規定はない様でありますが、乙村教育委員会は、如何なる行政処分を受けて命令規定の違反を是正する事になるか。但し、両委員会の状態は二の場合と同様とする。

【回答】　一　保護者は、その児童をして区域外就学せしめる時には、学校教育法施行令第九条第一項の規定による手続をなし、届出をする必要がある。この場合にはその手続を欠き、その限りにおいて法令に違反するわけであるが、保護者の就学義務の履行、不履行の問題はこれとは関係なく、相手方の教育委員会の承諾を得て、現に児童を通学せしめていれば学校教育法に規定する就学義務を履行しているものと解する。

二　施行令第九条第二項は両教育委員会が協議すべきことを規定しているものであるから、その手続を欠くことは違法である。但し、この協議を行わず又は協議が整わないうちに児童を就学せしめることに対して取り得る法的な是正措置はない。

○区域外就学についての市町村教育委員会相互間の協議について（昭三一・五・一〇　地初三一号　高知県総務部長あて文部省初等中等教育局長回答）

【照会】　本県において甲村（昭和三〇年Ａ・Ｂ二カ村合併）および乙村（昭和二九年Ｃ・Ｄ二カ村合併）の間において、合併当時から甲村の一部×地域の住民が乙村への境界変更を希望していたので、知事は、旧町村合併促進法第一一条の三の規定により、境界変更に関し勧告し、続いて×地域内の選挙人の投票を請求し、住民投票を実施したが、法定得票数を獲得することができなかったので、×地域の乙村への境界変更は実現できなかった。

しかしながら、×地域の住民の相当数は乙村への境界変更の希望をすてず、分村派の父兄の一部はその児童を強硬に乙村の小学校に転校せしめるの挙に出た。甲村は事態を憂慮し転校児童の復帰に努力を傾けているが、依然として解決に至っておらず、右のような状態が町村合併に関連して続発することが予想されている。

右の場合において、乙村の教育委員会は、甲村の教育委員会に対して、学校教育法施行令（昭和二八年政令第三四〇号。以下「令」という。）第九条第二項の規定による協議の申し入れはしているが、甲村の教育委員会は協議に応じていないので、令第九条第一項の規定による届出を甲村の教育委員会に対してしていない。

以上の設例の場合は、左記の点について疑義があるので、至急御回答を煩わしたい。

記

一　令第九条第二項の規定による協議が調わない場合は、令第九条第一項の規定による承諾はできず、従って区域外の児童を収容して教育すべきでないと考えるが、いかん。

二　（略）

【回答】　一　学校教育法施行令第九条第二項の規定による協議が成立しない場合に、区域外就学の承諾を行なうことは、同条の規定に反するものであるが、当該学齢児童生徒の保護者にあたえられた承諾の効力に影響を及ぼすものではないと解する。

二　（略）

【判決例】

○虚構の住所の申告に基づき、行った入学指定を是正するため、就学すべき学校の変更を行うことは地教行法二三条四号〔現行二一条四号〕並びに学校教育法施行令五条により教育委員会に与えられた学校指定権に含まれる（山口地決昭四二・七・二〇行裁例集一八巻七号一〇〇九頁）。

○就学通知は、就学すべき学校との関係において、具体的な就学義務を発生させる命令的行政処分である（大阪地決昭四九・四・一六）。

〔病弱等による就学義務の猶予又は免除〕

第十八条　前条第一項又は第二項の規定によつて、保護者が就学させなければならない子（以下それぞれ「学齢児童」又は「学齢生徒」という。）で、病弱、発育不完全その他やむを得ない事由のため、就学困難と認められる者の保護者に対しては、市町村の教育委員会は、文部科学大臣の定めるところにより、同条第一項又は第二項の義務を猶予又は免除することができる。

【沿　革】　昭二八・八・五法一六七により、「市町村立小学校の管理機関」を「市町村の教育委員会」に改めた。

昭三六・一〇・三一法一六六により、認可を受けることとされていた「教育に関し都道府県の区域を管轄する監督庁」を「都道府県の教育委員会」に改めた。

昭四二・八・一法一二〇により、「都道府県の教育委員会の認可を受けて」を削除した。

平一一・七・一六法八七により、「監督庁」を「文部大臣」に改めた。

平一一・一二・二二法一六〇により、「文部大臣」を「文部科学大臣」に改めた。

平一九・六・二七法九六により、旧二三条から一八条に移動し、「学齢児童と称する」を「それぞれ「学齢児童」又は

「学齢生徒」という」に改めた。

【参照条文】 法一七条、一九条、一四〇条。施行規則三四条、三五条。児童福祉法四四条、四八条。少年院法三条、四条、二六条、二七条。

【注　解】

一 「市町村の教育委員会」が、自治事務として、就学事務に関する手続を担当し、その一環として猶予又は免除の措置も行うこととしている。

市に特別区を含む旨の規定がある（法一四〇条）から、本条は特別区にも適用され、特別区の教育委員会は本条の事務を処理することとなる。また、学校組合についてはその処理すべき事務は組合の規約の定めるところによるから、本条の事務がこれに含まれている場合には、当該組合の教育委員会が本条の事務を処理することとなる。

二 「病弱、発育不完全」は、特別支援学校における教育にたえることができない程度のものであることを要する。

三 「その他やむを得ない事由」には、経済的事由は含まれない。経済的事由によって就学困難と認められる学齢児童又は学齢生徒の保護者に対しては、市町村は、必要な援助を与えなければならないとされており（法一九条）、経済的理由によって就学義務の履行に支障が生ずることのないようにしているからである。

四 「やむを得ない事由」としては、児童生徒の失踪などが考えられるが、児童自立支援施設（児童福祉法の一部改正法（平九法七四）附則七条の規定により、当分の間の経過措置として学校教育に準ずる教科指導を行う場合）又は少年院に収容されたときも、これに該当するものと解されている。

児童自立支援施設は、不良行為をなし、又はなすおそれのある児童（満一八歳未満の者）及び家庭環境その他の環境

上の理由により生活指導等を要する児童を入所させ、又は保護者の下から通わせて、個々の児童の状況に応じて必要な指導を行い、その自立を支援し、あわせて退所した者について相談その他の援助を行うことを目的とする施設である（児童福祉法四四条）。これは、従前の「教護院」という施設について、平成九年の法改正により、一〇年四月からその目的及び名称が改められたものである。児童自立支援施設の長は、施設に入所中の児童を就学させなければならないこととされており（児童福祉法四八条）、入所中の児童に学校教育を実施する具体的な方法としては、地域の小・中学校への通学、又は児童自立支援施設内における分校・分教室の設置等があり、これらのうちから教育委員会の判断により適切な方法を実施することになる。なお、改正法の経過措置として当分の間、児童自立支援施設の長が、入所中の児童に学校教育に準ずる教科指導を実施する（文部科学大臣の勧告に従って行う）ことができるとされており、この場合は、本条の「やむを得ない事由」として、就学義務の猶予・免除を受けることとなる。当該施設の長は、教科を修めた児童に対し修了の事実を証する証明書を発行することができ、この証明書は、学校教育法により設置された各学校に対応する教育課程について各学校の長が授与する卒業証書その他の証書と同一の効力を有する（児童福祉法等の一部を改正する法律（平九法七四）附則七条。平一〇・三・三一　一〇初中三九号　文部省初等中等教育局中学校課長、教育助成局財務課長通知。後掲【通知】参照）。

少年院は、家庭裁判所から保護処分として送致された者を収容し、これに矯正教育その他の必要な処遇を行う施設であり、保護処分の執行又は刑の執行、心身の著しい障害の有無、犯罪的傾向や年齢に基づき第一種から第五種に分かれている（少年院法三条・四条）。少年院の長は義務教育を終了しない在院者に対して教科指導を行うことになっており、学校の教育課程に準ずる教育として位置づけられている（同法二六条、二七条）。

少年院の在院については、小・中学校の在学とみなすこととされていないから、少年院に在院中の学齢児童生徒の保護者は就学義務を履行していることにはならないが、かといって、小・中学校に就学させることも事実上不可能な

ことであるから、本条の「やむを得ない事由」として、就学義務の猶予・免除を受けることとなるとの考え方が示されてきた。しかしながら、児童生徒が再び学校に戻って居場所を得ることや進学等の形で学びを継続していくことが改善更生や生活の安定に極めて重要であることから、入院前に通学していた学校が少年院との連携の下、少年院における学習の状況等を適切に把握していると判断される場合は、在院中も引き続き入院前に通学していた学校に在籍することもできるとされている（令元・七・三　文科初二六一号　文部科学省初等中等教育局事務代理文部科学審議官通知「再犯防止推進計画」を受けた児童生徒に係る取組の充実について）。

五　外国から帰国した学齢児童生徒の保護者から、日本語を修得させるため、一定期間の就学義務の猶予を願い出てきた場合も、「やむを得ない事由」にあたるものと解されている。この場合、日本語の能力が養われるまでの一定期間、適当な機関で日本語の教育を受ける等日本語の能力を養うのに適当と認められる措置が講ぜられている場合に限られるようにすべきものとしている（後掲【**行政実例**】参照）。

六　昭和六〇年一月一日から施行された国籍法の一部改正（昭五九法四五）により、母が日本国民の場合も日本の国籍を取得することとされた。これに伴い、父母のいずれか一方が外国人であることにより、外国の国籍を有する日本国民（以下「重国籍者」という）については、二二歳までにいずれかの国籍を選択しなければならない。

このような重国籍者の保護者から、就学義務の猶予又は免除の願い出があった場合には、重国籍者が将来外国の国籍を選択する可能性があることにかんがみ、家庭事情等から客観的に将来外国の国籍を選択する可能性が強いと認められ、かつ、他に教育を受ける機会が確保されていると認められる事由があるときには、本条の規定により、保護者と十分協議の上、猶予又は免除を認めることができる（昭五九・一二・六　文初小三一九号　文部省初等中等教育局長通知「国籍法の一部改正に伴う重国籍者の就学について」法一六条関係の【**通知**】参照）。

七　法一七条一項の規定によって、保護者が就学させなければならない子を学齢児童としているから、満一二歳を

超え、満一五歳に達していない者であっても、小学校等の課程を修了しない限り、学齢児童ということになる。

八　不登校への対応については、我が国の義務教育制度を前提としつつ、児童生徒の学校復帰への努力を学校として評価し支援するため、不登校児童生徒が学校外の施設（教育委員会等が設置する教育支援センター等の公的機関や民間の相談・指導施設）において相談や指導を受け、一定の要件を満たし、当該施設への通所又は入所が学校への復帰を前提とし、かつ、不登校児童生徒の自立を助ける上で有効・適切であると判断される場合に、校長は指導要録上出席扱いとすることができることとされている（平一五・五・一六　文科初二五五号　文部科学省初等中等教育局長通知「不登校への対応の在り方について」）。なお、高等学校等における不登校生徒についても、学校復帰による高等学校卒業などの社会的自立に向けて支援する必要があることなどから、指導要録上の出欠の取扱いについて義務教育諸学校と同様に取り扱うこととされている（平二一・三・一二　文科初一三四六号　文部科学省初等中等教育局長通知「高等学校における不登校生徒が学校外の公的機関や民間施設において相談・指導を受けている場合の対応について」）。

また、平成一七年七月六日には、構造改革特別区域法二条三項に規定する規制の特例措置である「ＩＴ等の活用による不登校児童生徒の学習機会拡大事業」を全国化するものとして、不登校児童生徒が自宅においてＩＴ等を活用した学習活動を行うとき、一定の要件を満たし、当該学習活動が学校への復帰に向けての取組であり、不登校児童生徒の自立を助ける上で有効・適切である場合には、校長の判断により、当該学習活動について、指導要録上出席扱いとすることができるとともに、当該学習活動の成果を指導要録や通知票に記載するなどして、評価に反映することもできることとされた（平一七・七・六　文科初四三七号　文部科学省初等中等教育局長通知「不登校児童生徒が自宅においてＩＴ等を活用した学習活動を行った場合の指導要録上の出欠の取扱い等について」）。

九　就学義務の「猶予」と「免除」との区別は必ずしも明確ではない。就学義務が猶予された場合、当該猶予期間だけ就学義務の終期が延長されることになるのではなく、満一五歳に達した日の属する学年の終わりで就学義務はな

くなると解されているので、当該猶予期間は、就学義務を免除された期間と同じことになるからである。

一〇　「文部科学大臣の定めるところ」として、就学義務の猶予・免除の手続が施行規則三四条に定められている。

第三十四条　学齢児童又は学齢生徒で、学校教育法第十八条に掲げる事由があるときは、その保護者は、就学義務の猶予又は免除を市町村の教育委員会に願い出なければならない。この場合においては、当該市町村の教育委員会の指定する医師その他の者の証明書等その事由を証するに足る書類を添えなければならない。

保護者の願出を前提としているので、保護者の願出がないかぎり、就学義務の猶予・免除は行うことができない。

「当該市町村の教育委員会の指定する医師」については、小児科（内科）、外科、眼科、耳鼻いんこう科、精神科等の各専門の分野ごとに行うことが望ましいが、かかる医師が得られない場合は、当該市町村の教育委員会が適当と認める医師を指定することとし、また就学義務の猶予・免除の基準の統一を図るため、指定する医師はできるかぎり少数に限定することが望ましいとしている。

「その他の者」とは、児童自立支援施設又は少年院に入院した者に係る場合におけるそれぞれの施設の長、居所不明の者に係る場合における市町村長等をいうほか、前記**五**の外国から帰国した者に係る場合には、市町村教育委員会が指定する学校の校長（通常は、就学義務が猶予されなければ就学させることとなる学校の校長）も含まれる。

一一　保護者が就学させる義務を猶予・免除された子について、その猶予期間を経過し、又は猶予・免除が取り消されたときの編入学の取扱いを明確にするため、施行規則に次のような規定が設けられている。

第三十五条　学校教育法第十八条の規定により保護者が就学させる義務を猶予又は免除された子について、当該猶予の期間が経過

し、又は当該猶予若しくは免除が取り消されたときは、校長は、当該子を、その年齢及び心身の発達状況を考慮して、相当の学年に編入することができる。

【通　知】

○学校教育法施行規則の一部を改正する省令の制定について

（抄）（昭三二・一二・二二　文初財六一五号　各国公私立大学長、各国公私立短期大学長、各国公私立高等学校長、各都道府県教育委員会、各都道府県知事あて　文部事務次官通達）

昭和三二年一二月四日文部省令第二一号をもって、別紙（略）のとおり、学校教育法施行規則の一部を改正する省令が公布され、同日から施行されました。

この省令による改正の要点、留意すべき事項等は、左記のとおりでありますので、事務処理上遺憾のないように願います。

なお、各都道府県教育委員会および都道府県知事におかれては、市町村教育委員会その他貴管内関係機関に対し、このことについてよろしく御指導願います。

記

1　主要な改正点

(4)　就学義務の猶予または免除の手続に関する規定を整備したこと（第四二条（現行施行規則三四条））。

2　留意すべき事項

(4)　改正点(4)について

(イ)　この改正は、就学義務の猶予または免除の処分の適正を期するため、その願出の場合に添付すべき証明書等は、当該市町村の教育委員会の指定する医師その他の者の作成に係るものでなければならないこととしたほか、字句を整理したものであること。

(ロ)　医師その他の者の指定については、次の事項に留意されたいこと。

(a)　医師の指定は、小児科（内科）、外科、眼科、耳鼻いんこう科、精神科等の各専門の分野ごとに行うことが望ましいが、かかる医師が得られない場合は、当該市町村の教育委員会が適当と認める医師を指定すること。

(b)　就学義務の猶予または免除の基準の統一を図るため、指定する医師は、できるかぎり少数に限定することが望ましいこと。

(c)　「その他の者」とは、精神薄弱児に係る場合における「精神薄弱の学齢児童生徒に関する就学について」（昭和三二年七月二日付文初初第三六六号）に例記した者、少年院、教護院に入院した者に係る場合におけるそれぞれの施設の長、居所不明の者に係る場合における市町村長等をいうものであること。

○児童自立支援施設に入所中の児童に対する学校教育の実施等

について（平一〇・三・三一　一〇初中三九号　都道府県・指定都市教育委員会義務教育主管課長あて　文部省初等中等教育局中学校課長、文部省教育助成局財務課長通知）

児童福祉法の一部を改正する法律（平成九年法律第七四号。以下「改正法」という。）が平成一〇年四月一日から施行されることに伴い、厚生省児童家庭局長から都道府県知事等あてに別添（略）のとおり通知されました。

ついては、貴教育委員会におかれては、この通知の趣旨について、下記事項に留意の上、管下の市町村教育委員会及び学校に周知願います。

記

1　児童自立支援施設（以下「施設」という。）に入所中の児童に対する学校教育の実施形態は関係教育委員会において判断されるものであること。また、学校教育の実施の際には、関係教育委員会は、福祉部局等と十分に連携を図ること。

2　施設の入所又は通所の対象となるのは、「不良行為をなし、又はなすおそれのある児童及び家庭環境その他の環境上の理由により生活指導等を要する児童」（改正法第四四条）であり、登校拒否又は高等学校の中退は理由となるものではないこと。

○児童養護施設等における児童福祉法等の一部を改正する法律の施行に係る留意点について（抄）（平一〇・二・二四　児発九五号　各都道府県知事、各指定都市市長、各中核市市長あて　厚生省児童家庭局長通知）

児童福祉法等の一部を改正する法律（以下「改正法」という。）、児童福祉法等の一部を改正する法律の施行に伴う関係政令の整備に関する政令及び児童福祉法施行令等の一部を改正する政令は、それぞれ平成九年六月一一日法律第七四号、平成九年九月二五日政令第二九一号、平成一〇年二月一八日政令第二四号をもって公布されたところである。

これらの改正の趣旨及び内容については、平成九年九月二五日児発第五九六号本職通知「児童福祉法等の一部を改正する法律の施行に伴う関係政令の整備に関する政令等の施行について」等においてすでに一部通知したところであるが、児童養護施設等の児童福祉施設に関し、改正法の施行に伴い留意すべきその他の事項は下記のとおりであるので、御了知の上、管下の市町村、関係機関、関係団体等に対して周知徹底を図るとともに、適切な指導を行い、その運用に遺憾なきを期されたい。

なお、本通知については文部省及び労働省と協議済みであり、また、本通知が発出されることについては、文部省を通じて各教育委員会へ、最高裁判所事務総局家庭局を通じて各家庭裁判所へ、それぞれ連絡を依頼してあるので申し添える。

記

第一　児童養護施設等の運営について

（中略）

(5)　児童自立支援施設

改正法により、教護院について、その目的を、個々の児童の状況に応じて必要な指導を行い、その自立を支援することとし、名称も児童自立支援施設に改めることとしたところである

が、自立の支援とは、施設内において入所者の自立に向けた指導を行うことの他、入所者の家庭環境の調整や退所後も必要に応じて助言等を行うこと等を通じ、入所者の社会的自立を支援すること等をいうものであり、施設においては、こうした入所者の自立の支援のための活動に積極的に取り組むべきものであること。また、特に、以下の点に留意願いたいこと。

ア　入所対象

改正法により、児童自立支援施設の入所対象に、新たに家庭環境その他の環境上の理由により生活指導等を要する児童を加えたところであるが、これは、家庭における保護者の長期にわたる養育怠慢・放棄など家庭環境等に問題があり、この結果、日常生活における基本的な生活習慣の習得がなされていないこと等により、施設において児童の自立支援のために生活指導等を要する児童を対象とするものであり、具体的には、

①　親が長期にわたり育児を放棄した結果、日常生活を営む上で最小限必要な生活習慣等が身についておらず、将来に対する自立意欲を欠いており、社会に適応するために施設への入所、通所、退所後の対応等の支援が必要な児童

②　義務教育を終了した後、就職したが、家庭環境等に起因する学力不足や対人関係の形成等の問題があり、仕事も長続きせず、改めて学習指導を含めた生活指導等を必要としている児童のような例が想定されるものであって、家庭を通じ対応が可能な場合や生活習慣等の乱れが一時的な場合は対象にならないこと。また、いわゆる不登校児又は登校拒否児若しくは高校中退者について、学校に行っていないこと又は高校を中退したことを理由として入所の対象とはならないものであり、これらの点について、児童及びその保護者、児童相談所、児童自立支援施設等の関係者に誤解を生じることのないよう、特に留意し、周知徹底を図られたいこと。

新たな入所対象児童に対する処遇内容については、基本的には、従来の対象児童に対する処遇内容と同様であり、そうした処遇内容が児童の最善の利益を確保する上で適当と考えられる児童が入所の対象となるものであること。

イ　通所措置

改正法により導入された通所措置については、施設に入所させ保護者等と児童を分離するよりも、家庭における保護者等との生活を基本としつつ通所により生活指導とその家庭環境の調整等を行うことが適切と考えられる児童が対象となるものであり、具体的には当初から通所措置が適当である児童とともに、施設措置の解除の前段階として通所措置により実社会における自立を図ることが適当である児童が対象として考えられるものであること。また、児童の自立支援の観点から、通所措置の実施について積極的な対応が望まれるが、具体的な実施の時期については、地域の実情等に応じて、個別に判断されたいこと。

なお、少年法（昭和二三年法律第一六八号）に基づく保護

処分の決定を受けた児童については、改正後の児童福祉法（昭和二二年法律第一六四号。以下「法」という。）第二七条の二に規定するように、通所措置の対象とならないので留意されたいこと。

ウ　学校教育の実施

改正法により、児童自立支援施設の長に対し、新たに入所中の児童を就学させる義務が課されるとともに、施設内における学校教育に準ずる学科指導の実施に関する規定が削除されたが、この施行に際しては特に次の事項に留意されたいこと。

①　各都道府県及び指定都市（以下「都道府県等」という。）においては、関係機関の理解と協力を得て、教育委員会により学校教育が早期に実施されるよう、特段の配慮を願いたいこと。なお、改正法においては、当分の間児童自立支援施設の長が学校教育に準ずる学科指導を実施することができることとしているが、これは、学校教育の実施には地域の実情に応じた関係機関の理解と協力が必要であり、ただちに実施することが困難な場合があること等を勘案して設けたあくまで経過的な措置であることに十分留意されたいこと。

②　学校教育を実施する方法については、関係教育委員会において判断されるものであり、地域の小中学校への通学や、児童自立支援施設内における分校、分教室の設置等の方法が考えられるが、児童自立支援施設内に分校、分教室を設置する場合には、施設内の使用許可を行うなど当該分校等の設置について積極的に協力し、又は施設の設置者に対しその旨要請されたいこと。

③　学校教育の実施の際には、児童の通学する学校に対し、予め児童自立支援施設における当該児童の状況等に関し十分な説明を行うとともに、継続的に密接な連携を取り、その理解と協力を得ながら一体的かつ総合的な指導を図っていくことが重要であること。

（以下略）

○「再犯防止推進計画」を受けた児童生徒に係る取組の充実について（抄）（令元・七・三　元受文科初二六一号　各都道府県教育委員会教育長、各指定都市教育委員会教育長、各都道府県知事、附属学校を置く各国公立大学長、小中高等学校を設置する学校設置会社を所轄する構造改革特別区域法第一二条第一項の認定を受けた各地方公共団体の長あて　文部科学省初等中等教育局長事務代理文部科学審議官通知）

1　（略）

2　少年院に入院した児童生徒について

(1)保護者の就学義務及び児童生徒の学籍について

児童生徒の就学の機会を確保することは、憲法に定める教育を受ける権利を保障する観点から極めて重要であり、学校教育法第一七条において、保護者は子を義務教育諸学校（小学校、中学校、義務教育学校、中等教育学校の前期課程又は特別支援学校の小学部若しくは中学部をいう。以下同じ。）に就学させる義務を課している。

ただし、当該子が「病弱、発育不完全その他やむをえない事由のために就学困難と認められる」場合、同法第一八条及び同法施行規則第三四条により、保護者の願い出を受けて、教育委員会は保護者の就学義務を猶予又は免除することができる。

文部科学省においては、これまで、児童生徒の少年院への入院はこの「やむを得ない事由」に当たり、当該児童生徒の保護者は就学義務の猶予又は免除を受けることとなるとの考え方を示してきた。

しかしながら、少年院において、少年院法第二六条第一項に基づき、教科書を用いて学校教育に準ずる内容の教科指導が行われていることに鑑み、児童生徒が出院後に円滑に学校に復学できるようにする観点から、入院前に当該児童生徒が通学していた学校が、少年院との連携の下、少年院における学習の状況等を適切に把握していると判断する場合は、保護者は教育委員会に就学義務の猶予又は免除の願い出をする必要はなく、在院中も引き続き入院前に通学していた学校に在籍することができることとしたこと。

なお、国立大学法人、公立大学法人及び学校法人等が設置する義務教育諸学校に通う児童生徒が少年院に入院した場合であって、その学校を退学したときは、学齢簿を編製する教育委員会は、保護者の願い出を受けて、就学義務を猶予・免除することもできること。また、円滑な復学の観点から、保護者の意向を聴取した上で、在院中に就学すべき学校を指定し、在籍を認めることもできること。この場合、当該学校が少年院との連携の下、少年院における児童生徒の学習の状況等を適切に把握する必要があること。

(2) 在院中の児童生徒の学習評価、卒業の認定等について

(1)により、入院前に通学していた学校における在籍が継続する場合、当該学校は少年院において矯正教育を受けた日数について指導要録上出席扱いとすることができること。また、当該矯正教育において行った学習の評価を適切に行い、指導要録に記入することができること。

なお、指導要録上出席扱いとした場合、指導要録においては、「小学校、中学校、高等学校及び特別支援学校等における児童生徒の学習評価及び指導要録の改善等について（通知）」（平成三一年三月二九日付け三〇文科初第一八四五号文部科学省初等中等教育局長通知）を踏まえ、出席日数の内数として出席扱いとした日数及び当該施設において学習活動を行ったことを記入すること。

この他、児童生徒の在院中における各学年の課程の修了又は卒業の認定に当たっては、当該学校は少年院との連携の下、在院中の学習の状況等を把握して平素の成績を評価し、その修了又は卒業を認めることができること。

また、学校保健安全法第一三条第一項に基づく定期の健康診断については、少年院において実施された健康診断等が、同法施行規則第六条に照らし適切に実施されたとみなされる場合は、当該健康診断等の結果をもってこれに代えることができること。なお、当該健康診断等の結果は、学校において同法施行規則第八条第一項に規定する健康診断票に転記すること。

3　（略）

【行政実例】

○教護院にある児童生徒の学籍取扱いについて（昭二九・三・二六　委初一三三号　滋賀県教育委員会教育長あて　文部省初等中等教育局長回答）

【照会】　左記のように取扱ってよいか。

一　小・中学校に在籍する児童生徒が、児童福祉法第二七条によって教護院入院の措置を受けたときは、学校長は学校教育法第二六条〔現行法三五条〕の適用による出席停止と見なし、その児童生徒の学校教育を教護院長に委託したものと認める。従って、学籍はそのまま学校におき、指導要録等教育関係書類を教護院に送付する。

二　小学校在学中の児童が教護院入院の措置を受け、教護院において小学校の課程を修了したときは、学校長は学籍を関係中学校に移す。

三　教護院に入院する児童生徒がその措置を解除され、小・中学校に復したときは、学校長は学校教育の委託を解除し、出席停止を解いたものと認め教護院長の発する修了の事実を証する証明書に基き該当学年に復させる。

　教護院長は指導要録等教育関係書類を学校に送付する。

四　教護院において小・中学校の課程を修了した児童生徒に対し、学校長は教護院長の発する修了の事実を証する証明書等に基き卒業証書を授与する。教護院長は中学校の課程を修了した生徒の指導要録等教育関係書類を中学校に送付する。

【回答】　一　児童生徒が教護院に入所した場合の就学義務の取扱いについては、現行法上は、学校法第二三条〔現行法一八条〕に規定する「その他やむを得ない事由のため」就学義務の猶予又は免除を受けるべき場合と解すべきで、「出席停止とみなし、その児童生徒の学校教育を教護院長に委託したものと認める」ことはできない。従って、御質問の学籍の問題は生じないと解する。

　指導要録については、その写を校長から教護院長に送付し、児童生徒の入所中の教育に資するとともに所要事項の記入を依頼することが望ましい。

二　中学校へは新たな入学の手続が必要であり、学籍のない小学校から「学籍を移す」ということはあり得ない。

三　校長がその児童生徒を、当該証明書に基いて該当学年に編入させるということは、お見込みのとおりである。

　指導要録については、一により了知されたい。

四　卒業証書を授与することはできない。

　指導要録については、一により了知されたい。

〔**編者注**〕　児童福祉法の一部改正（平九法七四）（平一〇・四・一施行）により、「教護院」は「児童自立支援施設」となった（本条の**【注解】四**参照）。

○就学義務等について（昭二八・五・一五　委初八一号　長野県教育委員会教育長あて　文部省初等中等教育局長回答）

【照会】　一　教育基本法第四条〔現行学校教育法一六条〕に規定する九カ年の義務教育年限は、学校教育法第二二条及び第三九条〔現行法一七条〕で満六歳から一五歳までの期間においてこれを受けさせるべき規定と解されるが、この場合に就学をかりに二カ年間猶予された者は、満一七歳まで就学の義務あるものと解すべきか、又、教育基本法第四条第一項〔現行学校教育法一六条〕と学校教育法第二二条〔現行法一七条〕とをいかに解釈すべきか。

【回答】　一　就学義務の猶予について

就学義務が猶予された場合にも、満一五歳に達した日の属する学年の修了とともに当該義務はなくなる。

○外国から帰国した学齢児童生徒の保護者に対する就学義務猶予の取扱いについて（昭四九・一二・六　委初四七号　東京都教育委員会教育長あて　文部省初等中等教育局長回答）

【照会】　外国から帰国した学齢児童又は生徒で、義務教育の就学に必要な基礎条件を欠くと認められる程度に日本語の能力が欠如しているものの保護者から、日本語を修得させるため、一定期間の就学義務猶予の申請があった場合、当該学齢児童又は生徒は、学校教育法第二三条〔現行法一八条〕に規定する「その他やむを得ない事由のため、就学困難と認められる」に該当するものとして、当該保護者に対し、日本語の能力が養われるまでの一定期間就学義務の猶予をして差支えないと解するがいかがか。

【回答】　お見込みのとおり。

なお、就学義務を猶予するに当たっては、日本語の能力が養われるまでの一定期間、適当な機関で日本語の教育を受ける等日本語の能力を養うのに適当と認められる措置が講ぜられている場合に限られるよう取り計られたい。

また、学校教育法施行規則第四二条〔現行施行規則三四条〕による就学義務猶予事由の証明は、市（特別区を含む。）町村の教育委員会が指定する学校（通常は、就学義務が猶予されなければ就学させることとなる学校）の校長が行うのが適当である。

〔就学の援助〕

第十九条　経済的理由によつて、就学困難と認められる学齢児童又は学齢生徒の保護者に対しては、市町村は、必要な援助を与えなければならない。

【沿　革】　平一九・六・二七法九六により、旧二五条（旧四〇条において準用している場合を含む）から一九条に移動した。

【参照条文】　教育基本法四条。就学困難な児童及び生徒に係る就学奨励についての国の援助に関する法律二条。特別支援学校への就学奨励に関する法律。学校保健安全法二四条、二五条。学校給食法一二条。独立行政法人日本スポーツ振興センター法

二九条。生活保護法一条、一三条。

【注　解】

一　本条は、経済的理由によって就学困難と認められる学齢児童又は学齢生徒の保護者に対して必要な援助を与えるのは、市（特別区を含む。法一八条の【注解】一参照）町村の義務であることを定めたものであり、いかなる援助を行うかは、それぞれの市町村における条例その他の定めによることとなる。

したがって、本条によって「経済的理由によつて、就学困難と認められる学齢児童又は学齢生徒の保護者」が、市町村に対して、援助を求める具体的な請求権が生ずるわけではない。

二　国は、本条に基づき市町村が就学援助の措置をとる場合にその所要経費の一部について、法律に基づき、又は予算措置により、補助を行ってきており、市町村における就学援助措置の充実を図ってきている。法律に基づく補助は次のとおりである。

(1)　就学困難な児童及び生徒に係る就学奨励についての国の援助に関する法律（昭三一法四〇）

市町村が、その区域内に住所を有する学齢児童生徒の保護者のうち、生活保護法六条二項に規定する要保護者（生活保護法の教育扶助が行われている場合を除く）に対して、学用品又はその購入費、通学費、修学旅行費を給与する場合に、国は、予算の範囲内で補助する（同法二条、同法施行令一条〜三条）。

(2)　学校保健安全法（昭三三法五六）

地方公共団体は、その設置する義務教育諸学校の児童生徒が感染症又は学習に支障を生ずるおそれのある疾病にかかり、学校において治療の指示を受けたときは、その保護者が要保護者又は市町村教育委員会が要保護者に準ずる程度に困窮していると認める者（以下「準要保護者」という）である場合には、これに対して医療費の援助を行うものとし

ており（同法二四条、同法施行令九条）、このうち当該保護者が要保護者である場合の所要経費について、国は予算の範囲内で、その二分の一を補助する（同法二五条、同法施行令一〇条一項）。

(3)　学校給食法（昭二九法一六〇）

公立の小・中学校等の設置者が要保護者（生活保護法の教育扶助で学校給食に関するものが行われている場合を除く）に対して学校給食費の補助をする場合に、国は、予算の範囲内で、その経費の一部を補助する（同法一二条、同法施行令七条）。

(4)　独立行政法人日本スポーツ振興センター法（平一四法一六二）

公立の義務教育諸学校の設置者が要保護者又は準要保護者から災害共済給付に係る共済掛金を徴収しない場合に、国は、その掛金相当額について独立行政法人日本スポーツ振興センターに対して、予算の範囲内で、その二分の一を補助する（同法二九条二項、同法施行令一七条・一八条）。

三　生活に困窮するすべての国民に対し、その困窮の程度に応じ、必要な保護を行い、その最低限度の生活を保障するとともに、その自立を助長することを目的として、生活保護法による保護が行われている（同法一条）。その一種として、教育扶助があり、義務教育に伴って必要な教科書その他の学用品、通学用品、学校給食その他必要なものについて行われる（同法一三条）。要保護者のうち教育扶助を受けているものに対しては、重複給与とならないよう、前述した就学援助のうち学用品費、通学費、学校給食費は、給与されないこととされている。

四　本条と直接関連はないが、特別支援学校に児童生徒を就学させている保護者等に対しては、多額の費用を要するという特殊事情にかんがみ、都道府県は、その経済的負担を軽減するため、その負担能力の程度に応じ、教科用図書購入費（高等部に限る）、学校給食費、通学又は帰省に要する交通費、付添人の付添に要する交通費（小・中学部に限る）、寄宿舎居住に伴う経費、修学旅行費、学用品費（小・中学部に限る）の全部又は一部を支弁しなければならず、国は、その二分の一を負担することとされている（特別支援学校への就学奨励に関する法律）。

【行政実例】

○学校教育法第二五条、第四〇条〔現行法一九条〕にもとづく就学援助の取扱について（昭四一・八・一六　委初七の一三号　東京都教育委員会教育長あて　文部省初等中等教育局長回答）

【照会】　このことについて、下記のような取扱いをしても差支えないか貴職のご見解を教示願いたい。

記

1　就学援助の対象認定に関する市町村教育委員会の指導にあたり、本教育委員会は申請主義を原則としている。ただし、申出がないものでも補助を必要と認められる児童・生徒の保護者に対しては、援助を受けるよう積極的に働きかけを行わせている。

【回答】　学校教育法（昭和二二年法律第二六号）第二五条（第四〇条で準用する場合を含む。）〔現行法一九条〕に規定する経済的な理由により就学困難な児童生徒に対する市町村の就学援助は、教育の機会均等の精神に基づきすべての児童生徒が義務教育を受けることができるよう配慮し、実施すべきものである。したがって、市町村は保護者の申請の有無にかかわらず、真に就学援助を必要とする者については援助を行なう必要がある。この場合において、保護者の申請ということを適正な認定のための方法、手段として考慮することはさしつかえない。

なお、申請の有無のみによって就学援助の対象となる者の認定を行なうことは法の趣旨に適合しないこととなるので念のため申し添える。

〔学齢児童生徒使用者の義務〕

第二十条　学齢児童又は学齢生徒を使用する者は、その使用によつて、当該学齢児童又は学齢生徒が、義務教育を受けることを妨げてはならない。

【沿　革】　平一九・六・二七法九六により、旧一六条から二〇条に移動し、「子女」を「学齢児童又は学齢生徒」に改めた。

【参照条文】　法一四五条。労働基準法五六条、五七条、六〇条、六一条、一一八条。年少者労働基準規則。

【注　解】

一　本条は、義務教育が満一五歳まで延長されたことに伴い、年少労働による就学の阻害を防止し、義務教育の趣旨を徹底させるという意味をもっている。国民学校令に「学齢児童ヲ使用スル者ハ其ノ使用ニ依リテ児童ノ就学ヲ妨グルコトヲ得ズ」とあったのを継承したものである。本条に違反した者には、罰則を設けている（法一四五条）が、具体的にどのような行為が、「使用によつて……妨げ」ることになるのかは、必ずしも明瞭でない。むしろ、労働基準法の年少者の保護の規定によって、実質的には、本条の趣旨が実現されているといってよい。

二　労働基準法五六条一項では、原則として、満一五歳に達した日以後の最初の三月三一日が終了するまで、児童は、労働者として使用してはならないこととしている。違反した者は、一年以下の懲役又は五〇万円以下の罰金に処される（同法一一八条一項）。

満一五歳に達した日以後の最初の三月三一日が終了するまでの児童の使用禁止の原則に対して次の二つの例外がある。

その一は、農業・畜産、物品の販売・配給（新聞配達など）、ゴルフ場のキャディ等の非工業的事業において、生徒の健康及び福祉に有害でなく、その労働が軽易なものについては、満一三歳以上の生徒をその者の修学時間外に使用する場合で、労働基準監督署長の許可を受けたときである（同法五六条二項前段）。この許可申請は、使用者が、その生徒の年齢を証明する戸籍証明書、その者の修学に差し支えないことを証明する校長の証明書及び親権者又は後見人の同意書を添えて、所轄労働基準監督署長に提出する（年少者労働基準規則一条）。この場合、危険有害の業務、軽業、戸外の遊芸などのほか、旅館・料理店・飲食店・娯楽場における業務、エレベーターの運転の業務については許可が与えられない。現実に多いのは、中学校の生徒による新聞配達業務である。これについては、後掲の【通知】参照。

その二は、映画や演劇のいわゆる子役の場合である。この場合は、満一三歳未満の児童でも前段と同様の手続で許

可を受ければ使用できる（労働基準法五六条二項後段）。

これらの二つの例外の場合でも、その労働時間は、修学時間を通算して、一日について七時間、一週間について四〇時間を超えてはならず、午後八時以降午前五時まで（地域又は期間を限って、午後九時から午前六時まで）は、深夜業として禁止される（労働基準法六〇条二項・六一条五項）。

【通　知】

○新聞配達業務に従事する満一五歳未満の児童の就労保護について（抄）（昭三一・一二・一一　婦発二六五号　国初一一六号　各婦人少年室長、都道府県労働基準局長、都道府県教育委員会あて　労働省婦人少年局長、労働基準局長、文部省初等中等教育局長通達）

今日、新聞販売事業における配達業務は、その相当数が中学校生徒によってなされており、また、最低年齢（満一五歳）未満の就労児童の多くが新聞配達児童であることを思えば、この労働保護はまことにゆるがせにできない問題であります。

しかるに、その労働関係には、労働基準法の規定に抵触するものが少なくなく、その就労が健康、学業に悪影響を及ぼしている等これら児童の保護はじゅうぶんとは言いがたい現状にあります。そこで所要の改善指導を加えて、実質的にこれらの満一五歳未満の児童の保護をはかることが必要であります。

よって貴職におかれては、左記の点に留意して、関係機関協力の下に格段の努力をされ、就労児童の保護に万全を期するようにしていただきたいと思います。

なお、本件については日本新聞販売協会と連絡ずみであり、同協会からも所属の業者、団体に対して示達し、改善措置を講ずることとなっています。

記

㈠　一般的事項

(1)　労働時間

一日の労働時間は、修学時間を通算して七時間を越えてはならないこと。

児童が朝刊・夕刊の両方を受け持つときは、大部分が右の制限時間を越えるのが通例であるので、その受持は、原則として、朝刊または夕刊のいずれか一方に限定すること。

(2)　深夜業

朝刊配達の場合、午前五時以前に就労させてはならないこと。

(3)　休　日

原則として、一週に一回の休日が与えられなければならないこと。

(4) 災害補償

児童が業務上負傷するなどの場合、販売店主は、療養費等について補償しなければならないこと。

(5) 賃　金

賃金は、明細票を付して、販売店主から直接個々の当該児童に支払われなければならないこと。

なお、賃金台帳、労働者名簿の整備が行われなければならないこと。

(6) 使用許可

児童を使用するとき、使用者は必ず労働基準監督署長の許可を受けなければならないこと。この許可は、就労の事由が家計の補助または本人の修学に必要な費用の支弁等やむを得ないものについてのみ与えることとし、その実態については、学校長の証明に基いて判断すること。

なお、この事業においては、児童の移動が激しいので、店主が使用許可を申請するたびに年令証明書を徴することは面倒を伴うが、当該証明書の提出がなくても、労働基準監督署長は、その申請を受理し、学校長の証明書に記載された年令に基いて一時的に許可の取扱をするものとすること。

(7) その他

購読者拡張または集金の業務は、児童に不当な精神的負担をもたらし、教育的見地からみても好ましくないので、このような業務を課してはならないこととすること。

(二) 関係機関の措置

(1)～(2)（略）

(3) 都道府県教育委員会

(イ) 教育委員会は、中学校長に対して、次の点の指導を行うこと。

(i) 使用許可制度に関し、校長および教員の認識の徹底

(ii) 生徒に対して、就労する場合に、労働基準監督署長の許可が必要であることの周知

(iii) 就労生徒の生活指導に関する配慮

(ロ) 学校長が修学にさしつかえないことの証明をする場合、次に該当するものについては、その就労をさし控えるよう指導すること。

(i) 健康状態が不良のもの

(ii) 就労によって、その学業、または健康に悪い影響をきたすおそれのあるもの

(iii) 就労の理由が家計補助または本人の修学に必要な費用を支弁する等のやむを得ないことに基くものでないもの

○新聞配達に従事する年少者の就労保護について（抄）（昭三八・四・二二　国初二二号　各都道府県教育委員会教育長あて　文部省初等中等教育局長通達）

標記については、さる昭和三一年一一月二一日文部省初等中等教育局長、労働省労働基準局長及び労働省婦人少年局長の三者名をもって通達し、ご指導を願っておりますが、労働省の調査によりま

すと、まだじゅうぶんに改善されていない現況にありますので、このたび、労働省から、その管下の機関に対して別添のとおりの通達がだされました。

ついては、貴委員会におかれても、右記昭和三一年の合同通達の趣旨に沿って、新聞配達に従事する生徒の保護に、さらに格段のご配慮をお願いします。

別　添

新聞配達に従事する年少者の就労保護について（抄）（昭和三八・三・一三基発二四六号）

新聞配達少年の労働条件の改善については、従来から御努力を願っているところであるが、さきに婦人少年局において実施した「新聞配達に従事する年少者の労働実態調査」の結果によれば、その労働条件は漸次改善されつつあるも、いまだ労働基準法に抵触するものが少くなく、新聞配達に従事する年少者の保護は十分とはいいがたい状況にある。

かかる状態を是正し、新聞配達に従事する年少者に関し労働基準法に定める最低労働条件の確保を図ることは児童保護の見地から重要であることにかんがみ、当面、別紙要綱による新聞配達少年の労働条件改善指導を進めることとしたので、左記事項に留意のうえ、その推進について特段の配意を願いたい。

なお、本件に関しては、文部省及び厚生省と打合せ済みである。

おって、日本新聞販売協会及び日本新聞協会に対し前記実態調査の結果是正を要すると認められる事項の改善につき要望したところ、それぞれ所属の団体及び事業場に対し所要の指導を講ずることとなっているので念のため申し添える。

記

1　年少者の就労保護の実効を期するためには、年少者を使用する事業主の自主的な努力にまつところが多い実情であり、また特に困窮家庭の小学生児童については、その就労排除に関し民生福祉機関等との協力その他できうるかぎりの配慮をなすべきであるので、相当な指導期間をもうけることとしたこと。

2　上記指導期間を経過して、なお改善目標が達成されない事業場については監督を実施することが必要であるが、その具体的実施方策に関しては別途指示すること。

（別　紙）

新聞配達に従事する年少者の労働条件改善指導要綱（抄）

1　改善目標

当面指導の重点を次に掲げる五項目とする。

(1)　一二才未満の小学生児童を就労せしめないこと。
(2)　午前五時前に就労せしめないこと。
(3)　修学時間を含めて七時間以内の労働時間を確立すること。
(4)　週休制を確保すること。
(5)　集金及び拡張業務を排除すること。

○中学生のキャディ就労について（抄）（昭三七・五・二八国初二二号　茨城県教育委員会教育長あて　文部省初等中等教育局長通知）

このことについて昭和三七年三月一三日付け行管察第六二号の二により行〔政〕管理〔庁〕行政監察局長から別紙写一（略）のとおり通

知がありました。

ゴルフ場のキャディの業務に年少労働者を使用するためには監督官庁の許可が必要であり、学校長の修学に差し支えない旨の証明がない限り、その許可はなされないことになっております。学校としては生徒がかかる手続をふむことなく使用されることのないよう、生徒の指導、労働基準監督署等の関係機関との連絡にあたることが必要であります。

つきましては、ゴルフ場周辺の中学校に対し、年少労働のために生徒の健康、福祉および修学に支障をきたすことのないようよろしく御指導願います。

なお、中学生のキャディ就労については、昭和三五年七月二五日付け基発第六二四号で労働省労働基準局長から都道府県労働基準局長あて別紙写二のとおり通知されております。

別紙写一（略）

別紙写二

ゴルフ場におけるキャディの監督指導について（抄）（昭和三五・七・二五基発六二四号）

記

1　労働基準法第五六条の使用許可について

ゴルフ場におけるキャディの業務は、特に「児童の健康及び福祉に有害」でなく、女子年少者労働基準規則〔現行年少者労働基準規則〕第一〇条第三号〔現行九条三号〕にいう「娯楽場における業務」には該当せず、かつ、「労働が軽易」であると考えられるので、法第五六条の使用許可を行なって差支えない。

2　労働時間について

児童の労働時間は修学時間を通算して、一日について七時間、一週間について四二〔編者注：現在は四〇〕時間を超えてはならないことになっており、土、日曜日以外の日における就業は、通常七時間を超えて労働させることとなると考えられるので、平日には、就業させないように指導されたい。

3　重量物制限について

キャディの主たる業務であるクラブ・バッグの運搬については当該クラブ・バッグは法第六三条第一項〔現行六二条一項〕に基づき、女子については八キログラム、男子については一〇キログラムを超えてはならず、クラブ・バッグを二個以上運搬する場合は、通常当該制限を超過すると考えられるので、二個以上を運搬させないように指導されたい。

4　安全の保持について

キャディの災害については、プレイヤーの打球によるものが大部分と考えられるが、狭隘なコース等であってかかる災害の発生が予想される事業場においては、適当な安全保持のための措置を講ぜしめられたい。

5　その他の労働条件について

賃金については、その計算方法及び支払方法について明確にせしめられたい。災害補償について補償を行なっていない事業場もみうけられるので、労災保険に加入せしめる等その補償を確実に行なわせるように指導されたい。

6　監督指導の進め方について

本件について監督指導を行なうに当っては、関係学校当局、婦人少年室等と密接な連携を保ち、指導を中心として措置されたいが、その際ゴルフ場における他の従業員すなわち児童以外のキャディ、クラブ・ハウスの従業員等に係る監督指導も合わせ行なうように配慮されたい。

○未成年タレントの保護について（昭四九・三・二〇　文初中一八七号、基発一三三号、婦発六五号　日本音楽事業者協会長あて　文部省初等中等教育局長、労働省労働基準局長、労働省婦人少年局長通知）

未成年タレントにつきましては、近時、その数は増加し、出演状況をみても相当過度にわたるものがみられ、これが学校教育等に及ぼす影響が少なくなく、社会問題としてとりあげられつつあります。

未成年タレントは、精神的にも肉体的にも未成熟であり、かつ、人間形成のうえに極めて重要な時期に職業に就いているものであることにかんがみ、これらの者がすこやかに成育するよう特別に配慮される必要があります。

つきましては、貴協会加盟の会員に対し、未成年タレントの親権者と協力のうえ、下記事項について改善するよう指導方要請します。

記

1　未成年タレント（養成中の者を含む。）であって、義務教育就学年令にある者を出演（養成、練習を含む。）させる場合には、その就学を妨げてはならない。

この場合、夏休み等の長期休暇中の出演についても、休暇の趣旨をそこなわないよう配慮すること。

2　未成年タレントは、心身の成長過程にあることにかんがみ、過度な出演、又はその出演が深夜に及ぶ場合には、健全な成育を阻害し、心身の健康を害する恐れもあるので、スケジュール作成にあたっては、これらの弊害を排除するとともに、健全な環境において出演させるよう十分に配慮すること。

3　未成年タレントのうち、労働基準法第九条にいう労働者であると認められる者については、労働基準法を遵守し、適正な労働条件のもとに就業させること。

○生徒のアルバイト就労等について（抄）（昭四九・一一・七　国初五一号　各都道府県教育委員会教育長あて　文部省初等中等教育局長通知）

このたび、労働省から標記のことに関し、別添のとおり依頼がありました。

生徒のアルバイト就労等に対する指導については、かねてより御配慮を願っているところでありますが、最近、中学生、高校生が休暇期間中や深夜に土木建築業等に就労し、業務上負傷した事例等がみられ、社会的にも問題となっております。

生徒のアルバイト就労については、生徒の健康、学業への影響等に十分留意するとともに、労働基準法を正しく認識し、適正な労働条件のもとで就労するよう貴管下の関係機関に対し、一層の御指導をお願いします。

別　添

生徒のアルバイト就労等について（昭四九・九・一八基発二五三号）

年少者（一八才に満たない者をいう。）については、心身の成長過程にあり、特に保護を必要とするという見地から、労働基準法（以下「法」という。）ではその就業について特別の規制がなされており、それに基づいて従来から種々対策を進めてきているところであります。しかしながら、最近、中学生が土木建築業に就労して業務上負傷した事例や、修学時間さえも確保されないような就労実態、高校生が休暇期間中又は恒常的に毎土曜日に深夜に就労していた事例等がみられ社会的にも問題となっております。

労働省におきましては、法の遵守、法定労働条件の確保のため今後一層使用者に対する監督指導を強化する所存でありますが、これが対策の万全を期すためには、使用者に対する措置のみでは難しく、貴職におかれまして学校教育の場等を通じ、生徒がアルバイトとして就労する場合には生徒及びその父兄に対し、正しく法を認識させ適正な労働条件のもとで就労するよう指導いただくことが極めて重要であると考えられます。

つきましては、貴職から都道府県教育委員会を通じ、特に下記事項について教職員、生徒及び父兄に対し周知徹底を図られるよう特段の御配慮をお願いいたします。

記

1　労働者として使用しうる年令の制限について

(1)　一五才に満たない児童は、原則として労働者として使用できないこと（法第五六条第一項）。

(2)　(1)にかかわらず、非工業的業種[注1]では所轄の労働基準監督署長の許可を受けた場合には、一二才〔編者注：現在は一三歳〕以上の児童を修学時間外に使用することができ、一二才〔編者注：現在は一三歳〕に満たない児童でも映画の製作又は演劇の事業に限り同様に使用することができること（法第五六条第二項）。したがって、一五才に満たない児童はいかなる場合でも製造業又は土木建築業等いわゆる工業的業種[注2]には使用できないこと。

2　労働時間の規制及び休日の確保について

(1)　年少者は、原則として一日八時間、一週間について四八時間を超えて使用できないこと。また時間外労働に関する協定（法第三六条）があってもこれらの時間を超えて時間外労働をさせることはできないこと（法第六〇条第一項）。

(2)　一五才に満たない児童は、修学時間を通算して一日七時間、一週間について四二〔編者注：現在は四〇〕時間を超えて使用できないこと（法第六〇条第二項）。

(3)　年少者には、一週一日、四週四日の休日を与えねばならず、休日労働に関する協定（法第三六条）があっても休日労働をさせることができないこと（法第六〇条第一項）。

3　深夜業の禁止について

(1)　年少者は、原則として午後一〇時から午前五時までの間においては使用できないこと（法第六二条第一項〔現行法六一条一項〕）。

(2)　一五才に満たない児童は、原則として午後八時から午前五時

までの間においては使用できないこと（法第六二条第五項〔現行法六一条五項〕）。

4

(1)　危険有害業務の就業制限について

年少者は、次の業務に就くことができないこと（法第六三条〔現行法六二条〕、女子年少者労働基準規則第七条、同第八条、同第一〇条〔現行年少者労働基準規則七条、八条〕）。

イ　危険な機械や装置を扱う業務

ロ　重量物を取り扱う業務

ハ　毒劇薬（物）その他有害な物質、又は爆発性、発火性若しくは引火性の物質を取り扱う業務

ニ　著しくじんあい等を飛散し、若しくは有害ガス、有害放射線を発散する場所又は高温、高圧の場所における業務

ホ　その他安全、衛生又は福祉に有害な場所における業務

(2)　年少者は、坑内における労働が禁止されていること（法第六四条〔現行法六三条〕）。

5　児童の使用許可について

前記１の(2)の許可を受ける際は、学校長の証明書、親権者の同意書等が必要であること（法第五七条第二項）。

これは児童の修学に差し支えないことを証明するものであり、証明にあたっては生徒の修学状況、健康状態、家庭環境等について十分な配慮が必要であること。

（注１）　非工業的業種とは、法第八条第六号から第一七号に規定する事業をいう。〔編者注：現行法別表第一の第一号から第五号までに掲げる事業以外の事業をいう。〕

（注２）　工業的業種とは、法第八条第一号から第五号に規定する事業をいう。〔編者注：現行法別表第一の第一号から第五号までの事業をいう。〕

〔義務教育の目標〕

第二十一条　義務教育として行われる普通教育は、教育基本法（平成十八年法律第百二十号）第五条第二項に規定する目的を実現するため、次に掲げる目標を達成するよう行われるものとする。

一　学校内外における社会的活動を促進し、自主、自律及び協同の精神、規範意識、公正な判断力並びに公共の精神に基づき主体的に社会の形成に参画し、その発展に寄与する態度を養うこと。

二　学校内外における自然体験活動を促進し、生命及び自然を尊重する精神並びに環境の保全に寄与する態度を養うこと。

三　我が国と郷土の現状と歴史について、正しい理解に導き、伝統と文化を尊重し、それらをはぐくんできた我が国と郷土を愛する態度を養うとともに、進んで外国の文化の理解を通じて、他国を尊重し、国際社会の平和と発展に寄与する態度を養うこと。

四　家族と家庭の役割、生活に必要な衣、食、住、情報、産業その他の事項について基礎的な理解と技能を養うこと。

五　読書に親しませ、生活に必要な国語を正しく理解し、使用する基礎的な能力を養うこと。

六　生活に必要な数量的な関係を正しく理解し、処理する基礎的な能力を養うこと。

七　生活にかかわる自然現象について、観察及び実験を通じて、科学的に理解し、処理する基礎的な能力を養うこと。

八　健康、安全で幸福な生活のために必要な習慣を養うとともに、運動を通じて体力を養い、心身の調和的発達を図ること。

九　生活を明るく豊かにする音楽、美術、文芸その他の芸術について基礎的な理解と技能を養うこと。

十　職業についての基礎的な知識と技能、勤労を重んずる態度及び個性に応じて将来の進路を選択する能力を養うこと。

【沿　革】　平一九・六・二七法九六により新設した。

【参照条文】　憲法二六条。教育基本法二条、五条。法二九条、三〇条、四五条、四六条、五〇条、五一条。法旧一八条、旧三六条。

【注　解】

一　本条は、義務教育として行われる普通教育の目標を定めるものである。義務教育は、憲法二六条において教育

を受ける権利を保障するものとして位置付けられており、また、個人の人格形成と国民の育成という重要な役割を担うものである。このような義務教育の重要性を踏まえ、「新しい時代の義務教育を創造する」（平成一七年一〇月二六日中央教育審議会答申）においては、国が「義務教育九年間を見通した目標の明確化を図り、明らかにする必要がある」との提言を行っている。また、改正教育基本法は、二条において教育の目標を規定するとともに、五条二項においては、義務教育として行われる普通教育の目的を規定しているところである。これらを踏まえ、従前は小学校及び中学校における教育の目標が個別に規定されていたのを改め、義務教育全体としての一貫した教育の目標を示すため、本条は、平成一九年の法改正により新設された。義務教育の目的を実現するための目標を一〇の号に整理して規定するものである。

二　本条各号の目標は、平成一九年の法改正前の旧一八条の小学校の教育目標八項目と旧三六条の中学校の教育目標三項目を整理して一〇項目としたものに、改正教育基本法に新たに規定された規範意識、公共の精神、伝統と文化の尊重、環境の保全に寄与する態度、国と郷土を愛する態度、家庭と家族の役割などが付け加えられた。義務教育には明治以降の長い伝統があり、その教育内容もほぼ定着してきているので、今回の本法の改正により、目新しいものが多数付け加えられたわけではない。

三　本条に規定する目標は、義務教育としての普通教育を行う者が達成に向けて努力すべきめあてを規定するものである。すなわち、教育を行う者にとっての目標であって、教育を受ける児童生徒が達成することを義務付けられた目標という意味での到達目標ではないことに留意する必要がある。到達目標は学習指導要領で示すことも考えられるが、新しい学習指導要領では従来の体裁のままで「義務教育の到達目標」という書き方にはなっていない。

四　義務教育としての普通教育が行われるのは、小学校、中学校、義務教育学校、中等教育学校前期課程、特別支援学校の小学部及び中学部であり、本条はこれらの学校における教育の目標の指針となるものである。例えば、中学

校は義務教育の完成段階であることから、中学校における教育は、本条各号に掲げる目標を達成するよう行われるものとされている（法四六条参照）。また、小学校における教育は、基礎的な程度において、本条各号に掲げる目標を達成するよう行われるものとされている（法三〇条参照）。

五　本条各号の目標は、義務教育として行われる普通教育における具体的な目標を列記するものであり、これらの目標と法二九条・三〇条及び四五条・四六条の目的・目標を踏まえ、平成二九年三月三一日、小学校学習指導要領（平成二九文部科学省告示六三）と中学校学習指導要領（平成二九文部科学省告示六四）が公示された。

本条各号と小学校及び中学校の教科等との関係についておおまかに見れば、一号は社会科、生活科、道徳科及び特別活動、二号は理科、生活科、道徳科及び特別活動、三号は社会科、外国語及び道徳科、四号は家庭科、技術・家庭科、社会科及び生活科、五号は国語科、六号は算数科及び数学科、七号は理科及び生活科、八号は体育科、保健体育科、生活科及び道徳科、九号は図画工作科、音楽科、美術科及び国語科、一〇号は社会科、技術・家庭科、道徳科及び特別活動が対応すると考えられる。しかし、これらは一応の対応関係を示しただけのものであり、いずれの教科等の指導に際しても、本条各号の目標の達成について配慮されなければならない。

第三章　幼稚園

〔幼稚園の目的〕

第二十二条　幼稚園は、義務教育及びその後の教育の基礎を培うものとして、幼児を保育し、幼児の健やかな成長のために適当な環境を与えて、その心身の発達を助長することを目的とする。

【沿　革】　平一九・六・二七法九六により、旧七七条に「義務教育及びその後の教育の基礎を培うものとして」、「幼児の健やかな成長のために」を付加して二二条に移動した。

【参照条文】　教育基本法一条、二条、六条、一一条。法二三条。児童福祉法三九条。施行規則三六条。幼稚園設置基準。

【注　解】

一　本条は、幼稚園の目的について規定している。

幼稚園は、本法の制定当初にはじめて正規の学校体系の中に明確に位置づけられた（法一条）が、本法における規定順については、従来は、「小学校、中学校、高等学校、中等教育学校、大学、高等専門学校、特別支援学校及び幼稚園」と最後に規定されていた。

この点について、平成一八年に改正された教育基本法の六条二項に「前項の学校においては、教育の目標が達成さ

れるよう、教育を受ける者の心身の発達に応じて、体系的な教育が組織的に行われなければならない。」こと、及び一一条に「幼児期の教育は、生涯にわたる人格形成の基礎を培う重要なものであることにかんがみ、国及び地方公共団体は、幼児の健やかな成長に資する良好な環境の整備その他適当な方法によって、その振興に努めなければならない。」旨の規定が新たに設けられたことを受けて、平成一九年の本法改正では、学校教育が幼稚園から大学に至るまでの学校教育全体を通して、教育を受ける者の心身の発達段階に応じて体系的に行われるものであることを明確にするため、従前第七章に規定されていた幼稚園に関する諸規定を小学校に関する諸規定の前に移動し、新たに第三章とした。

幼稚園については、明治五年の学制では、幼稚小学が幼児の教育機関として規定されているが、この規定に基づいて設置されたものはない。幼稚園の実際の発足は、明治九年に設置された東京女子師範学校附属幼稚園である。幼稚園に関する法令上の整備は小学校等の学校に比べてかなり遅れ、詳細な規程としては明治三二年の幼稚園保育及設備規程（明三二文部省令三二）が最初であるが、この規程は、明治三三年、小学校令及び同施行規則の中に吸収され、同施行規則第九章幼稚園及び小学校に類する各種学校の中に幼稚園の設置、目的、教育内容、教職員、施設設備等について規定された。幼稚園に関する単独勅令がはじめて制定されたのは大正一五年四月二二日の幼稚園令（大一五勅令七四）である。

二　幼稚園の目的は、「義務教育及びその後の教育の基礎を培うものとして、幼児を保育し、幼児の健やかな成長のために適当な環境を与えて、その心身の発達を助長すること」であると規定した。

幼稚園も学校であり、教育基本法に掲げる目的に即して教育が実施されるのはいうまでもない。しかし、幼児はまだ幼少であるから、幼稚園での幼児の心身発達に応じた教育の中には、児童生徒とは異なり、一定の養護や世話が必要となる。さらに、幼稚園の教育が、小学校以上のように教育内容を体系的に分類した教科を中心にして内容の修得

を行わせるのとは異なり、幼児の具体的な生活経験に基づいた総合的指導を行うものであるので、その教育方法の独自性を表す用語として「保育」が使われている。なお、平成一九年の本法の改正では、幼稚園が幼児期から児童期への流れを意識し、義務教育以後の教育の基礎が培われるようにすることを目的とした学校であることを明確にする観点から、法旧七七条に「義務教育及びその後の教育の基礎を培うものとして、」を追加する改正が行われた。また、当該法改正等を踏まえ、平成二〇年に改訂された幼稚園教育要領では、「幼稚園においては、幼稚園教育が、小学校以降の生活や学習の基盤の育成につながることに配慮」することや、「幼児と児童の交流の機会を設けたり、小学校の教師との意見交換や合同の研究の機会を設けたりするなど、連携を図るようにすること」など幼小接続について新たに規定された。

幼児期は、乳児期に次いで心身が著しく発達し、環境から強い影響を受ける時期である。「適当な環境」とは、幼稚園の周囲、園地、園舎、園具教具等の物的環境のみならず、幼児教育に熟達した教員等の人的条件も含めた幼児に適した環境をいう。なお、平成一九年の本法の改正では、従来特段の修飾語が付されずに「適当な環境」とされていたことについて、より積極的に教育目的に適った環境が設定されるようになることが明確になるよう「幼児の健やかな成長のために」を追加する改正が行われた。

幼児教育の場としては、家庭教育と学校教育の二つが考えられるが、心身未発達の幼児については家庭教育が重要であることはいうまでもない。大正一五年制定の幼稚園令においては、「幼稚園ハ幼児ヲ保育シテ其ノ心身ヲ健全ニ発達セシメ善良ナル性情ヲ涵養シ家庭教育ヲ補フヲ以テ目的トス」（一条）と規定され、幼稚園教育は「家庭教育を補う」ものとされていた。しかし、本条においては、学校教育としての幼稚園教育の本質を明確にし、「幼児を保育し、幼児の健やかな成長のために適当な環境を与えて、その心身の発達を助長すること」と規定したものである。

三　このように、幼児の発達段階に即して「その心身の発達を助長すること」が幼稚園における教育である。「助

長する」とは、心身の調和的な発達を図って、健康、社会、自然、言語、表現等に対する興味や関心を養い、学習意欲や理解しようとする態度の基礎を培うようにすることであって、具体的な知識や技能の修得を直接のねらいとするものではない。

四　施行規則三六条では、「幼稚園の設備、編制その他設置に関する事項は、この章に定めるもののほか、幼稚園設置基準（昭和三十一年文部省令第三十二号）の定めるところによる。」と定めている。この幼稚園設置基準は、幼稚園を設置するのに必要な編制、施設設備その他に関する最低の基準を定めたもので、昭和三二年二月一日から施行されている。

この幼稚園設置基準は、その施行以来、大きな改正はなされていなかったが、幼稚園教育をめぐる状況の変化を踏まえ、平成七年二月八日文部省令一号により、一学級の幼児数をそれまでの「四〇人以下を原則」から「三五人以下を原則」に引き下げるなどの改正が行われた（平七・二・八　文初幼一〇号　文部事務次官通達。後掲**【通知】**参照）。

また、平成一四年三月には、小学校設置基準及び中学校設置基準の制定に合わせて、幼稚園についても自己評価等及び情報の積極的な提供義務に関する規定等が整備されたが、更に平成一九年の本法の改正において、学校評価の実施及び情報提供等に関する諸規定（法四二条・四三条）が新たに設けられたことにより（法二八条により準用）、幼稚園設置基準における関連規定は削除された。

幼稚園設置基準は、総則、編制、施設及び設備、雑則の四章から成り立っているが、便宜上、ここでは、第三章の施設及び設備について簡潔に解説する。他に、関連の条文の解説で説明する。

（一般的基準）

第七条　幼稚園の位置は、幼児の教育上適切で、通園の際安全な環境にこれを定めなければならない。

2　幼稚園の施設及び設備は、指導上、保健衛生上、安全上及び管理上適切なものでなければならない。

（園地、園舎及び運動場）

第八条　園舎は、二階建以下を原則とする。園舎を二階建とする場合及び特別の事情があるため園舎を三階建以上とする場合にあつては、保育室、遊戯室及び便所の施設は、第一階に置かなければならない。ただし、園舎が耐火建築物で、幼児の待避上必要な施設を備えるものにあつては、これらの施設を第二階に置くことができる。

２　園舎及び運動場は、同一の敷地内又は隣接する位置に設けることを原則とする。

３　園地、園舎及び運動場の面積は、別に定める。

（施設及び設備等）

第九条　幼稚園には、次の施設及び設備を備えなければならない。ただし、特別の事情があるときは、保育室と遊戯室及び職員室と保健室とは、それぞれ兼用することができる。

一　職員室
二　保育室
三　遊戯室
四　保健室
五　便所
六　飲料水用設備、手洗用設備、足洗用設備

２　保育室の数は、学級数を下つてはならない。

３　飲料水用設備は、手洗用設備又は足洗用設備と区別して備えなければならない。

４　飲料水の水質は、衛生上無害であることが証明されたものでなければならない。

第十条　幼稚園には、学級数及び幼児数に応じ、教育上、保健衛生上及び安全上必要な種類及び数の園具及び教具を備えなければならない。

２　前項の園具及び教具は、常に改善し、補充しなければならない。

第十一条　幼稚園には、次の施設及び設備を備えるように努めなければならない。

一　放送聴取設備
二　映写設備
三　水遊び場
四　幼児清浄用設備
五　給食施設
六　図書室
七　会議室

（他の施設及び設備の使用）

第十二条　幼稚園は、特別の事情があり、かつ、教育上及び安全上支障がない場合は、他の学校等の施設及び設備を使用することができる。

幼稚園の位置及び幼稚園の施設設備に関する一般的な基準については、同設置基準七条に規定している。

幼稚園の園地、園舎及び運動場に関する基準については、同設置基準八条に規定している。このうち同設置基準八条二項は、平成一四年三月に一部改正されているが、どの程度までが「隣接する位置」と認められるかについては、個別の判断によるが、道をはさんでいても幼児の安全性を確保した上で使用できる場合は認められるものと解釈されている。また、園地、園舎及び運動場の面積については、同設置基準八条三項では別に定めると規定しているが、その別の定めが定められるまでの間については附則二項に特例措置が設けられている。

更に平成一八年一〇月には、「認定こども園制度」の創設に当たり、附則四項及び五項として読み替え規定を新たに設けることで、既存の幼稚園や認可保育所等が「認定こども園」へ円滑に移行できるよう所要の改正を行っていたが、平成二七年四月から新たに「幼保連携型認定こども園」（二二九頁参照）が創設されたことに伴い削除された。

幼稚園に備えなければならない施設及び設備等については、同設置基準九条に規定している。

幼稚園に備えるべき園具及び教具並びに施設及び設備については、同設置基準一〇条及び一一条で規定している。

更には、幼稚園が他の施設及び設備を使用することができる場合については、同設置基準一二条に規定しているが、従来は、保育室については、他の学校等の施設を使用することを認めていなかったが、平成一四年三月の改正で、保育室も含めて、他の学校等の施設を共用又は借用することを認めることとした。これは、預かり保育など地域の多様な保育ニーズに対応する必要が生じてきたためである。

五　保育所は、児童福祉法（昭二二法一六四）に基づく児童福祉施設であり、保育を必要とする乳児・幼児を日々保護者の下から通わせて保育を行うことを目的としており、この点で正規の学校たる幼稚園とは性格を異にする。

このように、幼稚園と保育所はその制度上目的を異にするものであり、それぞれの制度の中で整備充実に努めてきた。一方、両施設とも就学前の幼児を対象としていることから、類似した機能を求められることも事実であり、両施

設の関係その在り方については、次に述べるように、いわゆる「幼保一元化」問題として長い間議論が重ねられてきている。

昭和四六年六月に出された中央教育審議会の答申は、保育所との関係について「〝保育に欠ける幼児〟にもその教育は幼稚園として平等に行うのが原則であるから、将来は、幼稚園として必要な条件を具備した保育所に対しては、幼稚園としての地位をあわせて付与する方法を検討すべきである」と提案している。これに対し、同年一〇月の中央児童福祉審議会は「保育所においては、長時間にわたる養教一体の保育が望ましく、幼・保双方の地位を併せ持つような形態は児童福祉の上で望ましくない」との意見具申を行っている。

さらに、昭和五〇年一一月に行政管理庁から、都道府県、市町村間の幼・保の著しい偏在及び両施設の混同的運用の指摘を受けた文部・厚生両省は協議の場として「幼稚園及び保育所に関する懇談会」を設けて検討を行い、昭和五六年六月、「幼・保はそれぞれ異なる目的、機能の下に必要な役割を果たしてきており、簡単に一元化できる状況ではない」とし、国民の要請に応える方途として「幼稚園の預かり保育、保育所の私的契約などの両施設の弾力的運用」について検討する必要があると提言している。

なお、臨時教育審議会は、昭和六二年四月の答申において、「幼・保は、就園希望、保育ニーズに適切に対応できるよう、それぞれの制度の中で整備を進める」とした上で、「幼・保の教育内容は、幼児教育の観点から両者の特性、地域の実情を踏まえつつ、共通なものにすることが望ましい」と提言している。

この臨時教育審議会の答申以降、近年の行政改革の中で、幼稚園と保育所の在り方について地方分権推進委員会勧告、中央教育審議会答申等で提言が行われた。

このような状況を受け、平成九年四月以降、文部省と厚生省は、「幼稚園と保育所の在り方に関する検討会」を設け、国民の多様なニーズに対応できるよう、幼稚園と保育所の連携の在り方を幅広い観点から検討している。平成一

○年三月には、「幼稚園と保育所の施設の共用化等に関する指針」（共用化指針）を策定し、文部省初等中等教育局長と厚生省児童家庭局長の連名で通知を出している。共用化指針により、地域の実情に応じて、幼稚園と保育所の合築施設を設け、合同で教育・保育を行うことなどを進めることができることとされているが、主たる内容は次のとおりである。

(1) 保育上支障のない限り、その施設・設備を相互に共用することができる。

(2) 園舎や園庭の面積は、幼稚園設置基準及び児童福祉施設最低基準により算定されたものを原則として合算するが、職員室、廊下、トイレ等を共用する場合などこの方法によることが適切でないと認められる場合には、弾力的に算定することができる。

(3) 教職員については、幼稚園設置基準及び児童福祉施設最低基準によりそれぞれその数を算定するが、相互に兼務して合同で活動を行うことができる。

(4) 共用施設においては、幼稚園教諭と保育士の合同研修を実施するようにする。

なお、前記共用化指針により共用化された施設における幼稚園児及び保育所児の合同活動並びに保育室の共用化に係る取扱いについては、平成一七年五月に、幼稚園設置基準の一部が改正されるとともに、「共用化指針により共用化された施設における幼稚園児及び保育所児の合同活動並びに保育室の共用化に関する指針」（合同活動指針）の策定とこれに伴う共用化指針の一部改正が行われ、経済的社会的条件の変化に伴い乳児及び幼児の数が減少したことその他の事情により適正規模の集団保育が困難であり、幼児の心身の健全な育成のために特に必要があるときは、共用化指針により共用化された施設において、一定の条件を満たす場合、幼稚園児と保育所児を合同で教育・保育することができることとするとともに、幼稚園と保育所の保育室を共用することができることとされた（平一七・五・一三文科発二六二号　雇児発〇五一三〇〇二号　文部科学省初等中等教育局長・厚生労働省雇用均等・児童家庭局長連名通知）。

なお、幼稚園と保育所の在り方に関する答申勧告などの要旨は、次のとおりである。

(1) 地方分権推進委員会第一次勧告（平成八年一二月二〇日）

少子化時代の到来の中で、子どもや家庭の多様なニーズに的確に応えるため、地域の実情に応じ、幼稚園・保育所の連携強化及びこれらに係る施設の総合化を図る方向で、幼稚園・保育所の施設の共用化等、弾力的な運用を確立する。

(2) 児童福祉対策等に関する行政観察結果に基づく勧告（平成一〇年五月一一日）

文部省と厚生省は、三歳以上就学前児童に係る保育サービスの充実及び総合化の観点から、次の措置を講ずる必要がある。

① 文部省は、預かり保育の幼稚園教育上の位置付け及び保育等の内容の基本方針を明確化すること。

厚生省は、保育所における教育の実態を把握し、文部省における預かり保育に係る上記措置をも踏まえ、保育所における教育について必要な改善を検討すること。

② 相互に連携して、三歳以上就学前児童に係る保育の総合性の確保を図るための教育の在り方並びに整合ある公的助成及び費用負担の在り方についての検討に着手すること。

(3) 中央教育審議会答申（平成一〇年六月三〇日）

幼稚園と保育所は、それぞれの機能を更に充実させて、地域住民の多様なニーズにこたえていくとともに、地域の実情に応じた両施設の合築等による施設の共用化について弾力的な対応が望まれる。

(4) 少子化対策推進基本方針（平成一一年一二月一七日）

幼稚園と保育所との間の施設の共用化、子育て支援事業の連携実施、合同研修の開催など、地域の実情や需要に応じた両者の連携施策を推進する。

(5) 中央教育審議会報告（平成一二年四月一七日）

幼稚園と小学校との連携・接続の充実を図るとともに、幼稚園と、三歳から五歳までの幼児の約三割が入所している保育所とは、子育て支援の観点から類似した機能を求められることを踏まえ、両施設の連携を一層図ることが重要である。

(6) 経済財政運営と構造改革に関する基本方針二〇〇三（平成一五年六月二七日）

近年の社会構造・就業構造の著しい変化等を踏まえ、地域において児童を総合的に育み、児童の視点に立って新しい児童育成のための体制を整備する観点から、地域のニーズに応じ、就学前の教育・保育を一体として捉えた一貫した総合施設の設置を可能とする。

あわせて、幼稚園と保育所に関し、職員資格の併有や施設設備の共用を更に進める。

(7) 規制改革・民間開放推進三か年計画（平成一六年三月一九日）

近年の社会構造就業構造の著しい変化等を踏まえ、地域において児童を総合的に育み、児童の視点に立って新しい児童育成のための体制を整備する観点から、地域のニーズに応じ、就学前の教育・保育を一体として捉えた一貫した総合施設を設置する。その実現に向けて、平成一六年度中に基本的な考えをとりまとめた上で、平成一七年度に試行事業を先行実施するなど、必要な法整備を行うことも含め様々な準備を行い、平成一八年度から本格実施を行う。

(8) 中央教育審議会答申（平成一七年一月二八日）

今後の幼児教育の在り方として、幼稚園等施設が家庭や地域社会と連携して総合的に幼児教育を推進するため、また、幼児の生活の連続性及び発達や学びの連続性を踏まえた幼児教育の充実を図るためには、小学校就学前の子どもの育ちを、幼稚園と保育所とで区別することなく保障していく必要がある。この意味においても、今

後とも、幼稚園と保育所の連携を進める必要がある。なお、総合施設の在り方については、中央教育審議会幼児教育部会と社会保障審議会児童部会の合同の検討会議が取りまとめた「審議のまとめ」等を幅広く踏まえ、今後、具体的な制度設計に向けた関係省庁間の検討を進めることを期待する。

六　以上のような提言、答申や試行事業の成果などを踏まえ、就学前の子どもに関する教育、保育等を総合的に推進するため、平成一八年六月に「就学前の子どもに関する教育、保育等の総合的な提供の推進に関する法律」（平一八法七七）が成立、同年一〇月から施行されたことによって、「認定こども園制度」が創設されることとなったが、この制度の概要は次の通りである。

(1)　認定こども園の認定

幼稚園、保育所等のうち以下の機能を備えるものは、都道府県から「認定こども園」としての認定を受けることができる。なお、職員配置等の具体的な認定基準は、文部科学大臣・厚生労働大臣が定める指針を参酌して都道府県が定める。

①　教育及び保育を一体的に提供（保育を必要とする子ども、必要としない子どもにも対応）

②　地域における子育て支援（子育て相談や親子の集いの場の提供）の実施

また、認定施設に対し「認定こども園」との表示を義務付けるとともに、認定施設以外の施設による名称の使用を制限する。

(2)　「認定こども園」に関する特例措置

財政措置等について、幼稚園と保育所が一体化した認定施設については、設置者が学校法人・社会福祉法人のいずれであっても、経常費及び施設整備費を助成する。また、利用手続きについて、認定施設の利用は直接契約とし、利用料も基本的に認定施設で決定する。

なお、平成一二年三月三〇日、保育所の設置主体に係る規制緩和措置として、社会福祉法人以外の者による保育所の設置を認めること等を内容とする厚生省通知が出され、学校法人が保育所を設置することができることとなった。これに伴い、文部省でも、幼稚園と保育所との均衡を図る観点等から、保育所を設置する社会福祉法人から私立幼稚園の設置認可に関する申請があった場合には、その取扱いについて適切な配慮を求める旨の通知を出している（平一二・三・三一文初幼五二三号　文部省初等中等教育局長通知）。

七　この「認定こども園制度」については、利用している保護者から「保育時間が柔軟に選べる」、「就労の有無にかかわらず施設が利用できる」などの点が評価された一方、認定こども園や地方自治体からは、「財政支援が十分でない」、「会計処理の簡素化が必要」などの運用上の課題が指摘された。このため、平成二〇年一〇月に内閣府特命担当大臣（少子化担当大臣）、文部科学大臣、厚生労働大臣の三大臣合意により「認定こども園制度の在り方に関する検討会」が立ち上げられ、①財政支援の充実、②二重行政の解消、③教育と保育の総合的な提供の推進、④家庭や地域の子育て支援機能の強化、⑤質の維持・向上への対応などを内容とする報告書が平成二一年三月にとりまとめられ、文部科学省・厚生労働省では、報告書に示された改革の方向に沿って制度の普及促進に努めるとともに、二重行政の解消など運用改善に取り組むこととされた。

また、深刻な待機児童問題等に対応するため、保育制度改革の検討が進められ、平成二一年二月の社会保障審議会少子化対策特別部会の第一次報告においては、保育所について、客観的な基準により指定を行う指定制を検討することと等が提言された。

八　このような近年における「認定こども園制度」の創設と議論に加え、急速な少子化の進行等への対策である保育制度改革の流れを包括し、幼保一元化を含む新たな次世代育成支援対策のための包括的・一元的な制度を目指すため、関係閣僚から構成される「子ども・子育て新システム検討会議」が平成二二年一月に設置され、子ども・子育て

支援新制度についての議論が開始された。子ども・子育て新システム検討会議の下では、関係副大臣・大臣政務官を構成員とする「作業グループ」が設置され基本的な方向性についての議論を行い、平成二二年六月に「子ども・子育て新システムの基本制度案要綱」がとりまとめられた。

その後、基本制度案要綱を受けて、平成二二年九月より、新制度の具体的な制度設計を検討するためのワーキングチームが設置され、有識者や幼稚園・保育所関係者、地方公共団体、経済団体等が参画し検討が行われた。そして平成二四年三月に「子ども・子育て新システムに関する基本制度」等が全閣僚を構成員とする少子化社会対策会議において決定された。これを受けて、子ども・子育て関連法案（子ども・子育て支援法案、総合こども園法案、子ども・子育て支援法及び総合こども園法の施行に伴う関係法律の整備等に関する法律案）の立案作業が進められ、同年三月末に社会保障と税の一体改革関連法案として第一八〇回国会に提出された。

子ども・子育て関連法案は、衆議院での修正等を経て、同年八月に「子ども・子育て支援法」（平二四法六五）、「就学前の子どもに関する教育、保育等の総合的な提供の推進に関する法律の一部を改正する法律」（平二四法六六）、「子ども・子育て支援法及び就学前の子どもに関する教育、保育等の総合的な提供の推進に関する法律の一部を改正する法律の施行に伴う関係法律の整備等に関する法律」（平二四法六七）として成立し、公布された。

九　この子ども・子育て支援関連法の施行により実施される「子ども・子育て支援新制度」（以下、新制度という。）の概要は次のとおりである。

(1)　新制度全体の概要

新制度では、

①　「認定こども園制度」を改善し、認定こども園の一類型である幼保連携型認定こども園の認可・指導監督権限を一本化すること、

② 認定こども園・幼稚園・保育所を通じた共通の給付である「施設型給付」の創設や、小規模保育・家庭的保育・居宅訪問型保育・事業所内保育を市町村の認可事業とした上で、それらに共通する「地域型保育給付」の創設により、財政措置を一本化すること、

③ 地域子育て支援拠点、一時預かり、放課後児童クラブ等の一三事業を「地域子ども・子育て支援事業」として法定し、地域の子ども・子育て支援を強化すること

など、子ども・子育て支援に係る給付・事業の創設・改善を行うこととしている。

また、地域のニーズに近い市町村が実施主体として、国の示す基本方針を踏まえて、潜在ニーズも含めた地域の子ども・子育てに係るニーズを把握し、管内における新制度の給付・事業の需要見込量、見込量確保のための方策等を盛り込んだ「市町村子ども・子育て支援事業計画」を策定し、この計画に基づいて、「施設型給付」の対象となる認定こども園・幼稚園・保育所、「地域型保育給付」の対象となる小規模保育等の多様な保育、「地域子ども・子育て支援事業」である地域子育て支援拠点事業等を計画的に提供し、地域の子ども・子育てに係るニーズに応えることとしている。

このように、新制度では、認定こども園・幼稚園・保育所を通じて子ども・子育て支援法に基づく共通の財政支援の仕組みを創設しつつ、既存の幼稚園・保育所から認定こども園への移行は義務付けず、それぞれの施設類型については維持して事業者の選択に委ねることとされ、認定こども園への移行を希望する幼稚園・保育所がある場合には、認可・認定基準を満たす限り、認可・認定が行われるよう、「教育・保育及び地域子ども・子育て支援事業の提供体制の整備並びに子ども・子育て支援給付及び地域子ども・子育て支援事業の円滑な実施を確保するための基本的な指針」（平成二六年内閣府告示一五九号）において需給調整の特例措置を設けるなどの環境整備を行っている。

なお、「施設型給付」は、教育を含む子ども・子育てに係る地域のニーズに応えるために支給されるものであるた

め、当該給付を受ける施設には、応諾義務、公定価格といった一定の制約がかかることから、私立幼稚園が新制度に移行せず施設型給付を受けないことも可能であり、この場合には、私学助成等により、財政支援を行う。

⑵　「認定こども園制度」の改善

①　新たな幼保連携型認定こども園の創設

これまでも「認定こども園制度」の改善が行われてきたが、依然として、幼稚園・保育所の制度を前提としていることによる二重行政や、幼稚園型・保育所型認定こども園の認可外の機能部分や地方裁量型認定こども園に対して財政支援が不十分であること等の課題が指摘されていた。このため、新制度における新たな幼保連携型認定こども園は、学校及び児童福祉施設である単一の施設として認可・指導監督を行うとともに、財政支援についても「施設型給付」に一本化することで、二重行政の課題を解消することとしている。新たな幼保連携型認定こども園は、幼稚園で行われている学校教育、保育所で行われている保育、地域の家庭における養育への支援を一体的に提供する施設である。法律上の位置づけについては、就学前の子どもに関する教育、保育等の総合的な提供の推進に関する法律に根拠を有するが、幼稚園と同じく教育基本法六条に基づく学校であり、保育所と同じく児童福祉法七条に基づく児童福祉施設及び社会福祉法二条に基づく第二種社会福祉事業である。

②　施設型給付の創設

これまで認定こども園では、幼稚園・保育所に対する財政支援と「安心こども基金」による認定こども園への財政支援がそれぞれ併存するとともに、「安心こども基金」については、幼稚園型・保育所型の認可外の機能部分への財政支援が不十分であると指摘されていた。新制度では、認定こども園・幼稚園・保育所に共通する給付である「施設型給付」を創設し、財政支援を一本化し、幼稚園型・保育所型の認可外の機能部分、地方

裁量型を含めて消費税引き上げ等による財源から安定的な支援を行うこととしている。

十　平成二六年度以降、低所得・ひとり親世帯等を中心に幼児教育・保育の段階的無償化を実施してきたが、平成二九年一二月八日の「新しい経済政策パッケージ」（閣議決定）の中で、「三歳から五歳までの全ての子供たちの幼稚園、保育所、認定こども園の費用を無償化する。」などの方針が示された。以後、「幼稚園、保育所、認定こども園以外の無償化措置の対象範囲等に関する検討会」での議論を経て、「経済財政運営と改革の基本方針二〇一八」（平成三〇年六月一五日閣議決定）の中で、「三歳から五歳までの全ての子供たちの幼稚園、保育所、認定こども園の費用を無償化する。加えて、幼稚園、保育所、認定こども園以外についても、保育の必要性があると認定された子供を対象として無償化する。」との方針が示されるとともに、実施時期についても「二〇一九年一〇月からの全面的な無償化措置の実施を目指す」との方針が示された。以後、「国と地方の協議の場」などでの協議を経て、「幼児教育・高等教育無償化の制度の具体化に向けた方針」の関係閣僚合意（平成三〇年一二月）を踏まえ、平成三一年二月に子ども・子育て支援法の一部を改正する法律案が第一九八回国会に提出された。同法案は、子ども・子育て支援法の一部を改正する法律（令元法七）として令和元年五月に成立し、公布された。これに加え、子ども・子育て支援法の一部を改正する法律の施行に伴う関係政令の整備等及び経過措置に関する政令（令元政令一七）などにより、幼児教育・保育の無償化の制度が整備された。

十一　子ども・子育て支援法及び同施行令等の施行により実施される幼児教育・保育の無償化の概要は次のとおりである。

(1)　子ども・子育て支援新制度に移行した幼稚園・保育所・認定こども園等の無償化
子ども・子育て支援法施行令第四条第一項などを改正し、以下の子どもの保護者について、利用者負担上限額を零とすることにより、無償化を行った。

一．満三歳以上の小学校就学前までの子ども（二及び三を除く）
二．年少から小学校就学前までの子供であって、保育の必要性があるもの
三．○歳から年少に達するまでの子供であって、保育の必要性があるもののうち、保護者が住民税非課税世帯者及びそれに準ずる者であるもの

(2)　子ども・子育て支援新制度に移行していない幼稚園、特別支援学校の幼稚部等について子育てのための施設等利用給付を創設し、市町村は、①の支給要件を満たした子供が②の施設等を利用したとき、その保護者に対して、施設等の利用に要した費用を支給することとして無償化を行った。

①支給要件
次のいずれかに該当する子供であって市町村の認定を受けた者を対象とする。
一．満三歳以上の小学校就学前までの子供（二及び三を除く）
二．年少から小学校就学前までの子供であって、保育の必要性があるもの
三．○歳から年少に達するまでの子供であって、保育の必要性があるもののうち、保護者が住民税非課税世帯者及びそれに準ずる者であるもの

②対象施設等
子どものための教育・保育給付の対象外である認定こども園・幼稚園、特別支援学校の幼稚部、認可外保育施設等、幼稚園の預かり保育であって、市町村の確認を受けたもの
施設等利用給付の支給上限月額は、子ども・子育て支援法施行令第一五条の六各項で規定されている。例えば、法第三〇条の四第一号に掲げる施設等利用給付認定子ども（右の一．）は、新制度との公平性の観点から、無償化施行前の、新制度の教育時間部分に係る保護者負担部分の上限額と同じ、二五、七〇〇円と規定されて

いる。

【通　知】

○幼稚園設置基準の一部を改正する省令の制定について（抄）

（平七・二・八　文初幼一〇号　各都道府県教育委員会、各都道府県知事、附属幼稚園を置く各国立大学長あて　文部事務次官通達）

このたび、別添（略）のとおり、「幼稚園設置基準の一部を改正する省令」が平成七年二月八日文部省令第一号をもって公布され、平成七年四月一日から施行されることとなりました。

この改正の内容及び留意すべき事項は、下記のとおりでありますので、遺漏のないようお願いします。

記

1　一学級の幼児数について（第三条関係）

一学級の幼児数について、幼児一人一人の発達の特性に応じ行き届いた教育を推進するため、改正前の四〇人以下の原則を三五人以下の原則に引き下げたこと。

2　園舎について（第八条関係）

園舎について、都市化の進展等に伴う土地の有効活用や、幼稚園の地域の幼児教育のセンター的役割を果たすための施設整備等の観点から、改正前の平屋建の原則を二階建以下の原則に緩和したこと。

なお、園舎を二階建とする場合及び特別の事情があるため三階建以上とする場合においても、保育室、遊戯室及び便所については、従来どおり、一階に置かなければならず、一定の条件を備えた場合には二階に置くことができるものであること。

3　便所について（第九条関係）

時代の進展等にかんがみ、便所に備えなければならない便器の種類及び数に関する規定を廃止したこと。

もとより、幼稚園においては、幼児数に応じて必要な種類及び数の便器を適切に整備すること。

4　園具及び教具について（第一〇条関係）

時代の進展等にかんがみ、幼稚園に備えなければならない園具及び教具についての規定を大綱化し、学級数及び幼児数に応じて、教育上及び保健衛生上必要な種類及び数の園具・教具を備えなければならないこととしたこと。

また、これらの園具・教具について常に改善し、補充しなければならないことを明示したこと。

5　施行期日等について（附則関係）

（略）

○就学前の子どもに関する教育、保育等の総合的な提供の推進に関する法律等の施行について（抄）

（平一八・九・八　一八文科初第五九二号／雇児発第〇九〇八〇〇二号　各都道府

県知事、各都道府県教育委員会、各指定都市・中核市市長、附属幼稚園を置く各国立大学法人の長あて　文部科学省初等中等教育局長、厚生労働省雇用均等・児童家庭局長通知）

このたび、別添のとおり、就学前の子どもに関する教育、保育等の総合的な提供の推進に関する法律（平成一八年法律第七七号）をはじめとする以下に掲げる法令等が公布され、平成一八年一〇月一日から施行されることとなりました。

これらの法令等の内容及びその施行に際し留意すべき事項は下記のとおりですので、各都道府県知事、各都道府県教育委員会及び各指定都市・中核市市長におかれては、十分御了知の上、貴管内の関係者に対して遅滞なく周知し、その運用に遺漏のないよう配意願います。

（法律）

就学前の子どもに関する教育、保育等の総合的な提供の推進に関する法律（平成一八年法律第七七号）

（政令）

児童福祉法施行令及び社会福祉法施行令の一部を改正する政令（平成一八年政令第二六一号）

（省令）

就学前の子どもに関する教育、保育等の総合的な提供の推進に関する法律施行規則（平成一八年文部科学省・厚生労働省令第三号）

幼稚園設置基準の一部を改正する省令（平成一八年文部科学省令第三四号）

児童福祉法施行規則等の一部を改正する省令（平成一八年厚生労働省令第一五五号）

（告示）

就学前の子どもに関する教育、保育等の総合的な提供の推進に関する法律第三条第一項第四号及び同条第二項第三号の規定に基づき、文部科学大臣と厚生労働大臣とが協議して定める施設の設備及び運営に関する基準（平成一八年文部科学省・厚生労働省告示第一号）

第一　就学前の子どもに関する教育、保育等の総合的な提供の推進に関する法律関係

一　趣旨及び概要

就学前の子どもに関する教育、保育等の総合的な提供の推進に関する法律（以下単に「法」という。）は、我が国における急速な少子化の進行並びに家庭及び地域を取り巻く環境の変化に伴い、小学校就学前の子どもの教育及び保育に対する需要が多様なものとなっていることにかんがみ、地域において子どもが健やかに育成される環境の整備に資するよう、幼稚園及び保育所等における小学校就学前の子どもに対する教育及び保育並びに保護者に対する子育て支援の総合的な提供を推進するための措置を講じるものであること。

具体的には、

①　幼稚園及び保育所等のうち、就学前の子どもに対する教育及び保育を一体的に提供するとともに、地域における子育て支援事業を行うものは、認定こども園の認定を受けることができることとし、当該認定の基準は、文部科学大臣と厚生労働大臣と

が協議して定める基準を参酌して都道府県の条例で定めること

② 認定こども園に関する特例として、認定こども園である保育所について、保護者と施設の直接契約による利用となるよう児童福祉法（昭和二二年法律第一六四号）の特例を規定するとともに、幼稚園と保育所とが一体的に設置される認定こども園について、その幼稚園及び保育所の設置者が学校法人又は社会福祉法人のいずれであっても、児童福祉法及び私立学校振興助成法（昭和五〇年法律第六一号）に基づく助成対象とできるよう、これらの法律の特例を規定すること等について定めるものであること。

二 総則関係

(1) 目的

法は、我が国における急速な少子化の進行並びに家庭及び地域を取り巻く環境の変化に伴い、小学校就学前の子どもの教育及び保育に対する需要が多様なものとなっていることにかんがみ、地域における創意工夫を生かしつつ、幼稚園及び保育所等における小学校就学前の子どもに対する教育及び保育並びに保護者に対する子育て支援の総合的な提供を推進するための措置を講じ、もって地域において子どもが健やかに育成される環境の整備に資することを目的とするものであること（法第一条）。

具体的には、我が国の就学前の子どもに対する教育及び保育は、幼稚園と保育所により担われてきているが、以下のような近年の教育及び保育に対する需要の多様化に地域の実情に応じて柔軟に対応することを目的とするものであること。

① 保護者が就労している場合には保育所、就労していない場合には幼稚園を利用することとなり、保護者の就労の有無で利用施設が限定されるため、就労形態が多様化する中で、就労を中断又は再開する場合に同一の施設を継続して利用することができない。

② 少子化の進行により子どもや兄弟の数が減少する中で、子どもの健やかな成長にとって大切な集団活動や異年齢交流の機会が不足しており、地域によっては、幼稚園、保育所それぞれでは子どもの集団が小規模化するとともに、運営面から見ても効率的でない状況がある。

③ 都市部を中心に多くの待機児童が存在する中で既存施設の有効活用による待機児童の解消が求められている。

④ 核家族化の進行や地域の子育て力の低下を背景に、幼稚園にも保育所にも通わず、家庭で〇～二歳の子どもを育てている者への支援が大きく不足している。

(2) 用語の定義（略）

三 認定こども園に関する認定手続き等関係

(1) 認定こども園の認定

幼稚園及び保育所等のうち、

① 就学前の子どもに対する教育及び保育を提供する機能、すなわち保育に欠ける子どもも、欠けない子どもも受け入れて教育及び保育を一体的に提供する機能

② 地域における子育て支援を行う機能、すなわちすべての子

育て家庭を対象に、子育て不安に対応した相談や親子のつどいの場等を提供する機能を備える施設は、都道府県知事（施行規則第三条に規定する場合においては、都道府県の教育委員会。以下認定権者としての都道府県知事について同じ。）から認定こども園の認定を受けることができること。

具体的には、幼稚園、保育所等の施設が単独でその機能を拡充することにより、こうした機能を備える場合には法第三条第一項の規定による認定を、幼稚園と保育所等という異なる機能を有する二つの施設が連携することにより、相互に不足する機能を補完する場合には法第三条第二項の規定による認定を受けることができることとし、地域の実情に応じて選択が可能となるよう以下の類型を認めるものであること。

①　幼保連携型認定こども園

幼稚園及び保育所のそれぞれの用に供される建物及びその附属設備が一体的に設置されている施設であって、次のいずれかに該当するものをいう。

(i)　当該施設を構成する保育所において、満三歳以上の子どもに対し学校教育法（昭和二二年法律第二六号）第七八条（現行法二三条、以下同じ）各号に掲げる目標が達成されるよう保育を行い、かつ、当該保育を実施するに当たり当該施設を構成する幼稚園との緊密な連携協力体制が確保されていること。

(ii)　当該施設を構成する保育所に入所していた子どもを引き続き当該施設を構成する幼稚園に入園させて一貫した教育及び保育を行うこと。

②　幼稚園型認定こども園

次のいずれかに該当する施設をいう。

(i)　幼稚園教育要領（平成一〇年文部省告示第一七四号）に従って編成された教育課程に基づく教育を行うほか、当該教育のための時間の終了後、在籍している子どものうち児童福祉法第三九条第一項に規定する幼児に該当する者に対する保育を行う幼稚園

(ii)　幼稚園及び認可外保育施設のそれぞれの用に供される建物及びその附属設備が一体的に設置されている施設であって、次のいずれかに該当するもの

イ　当該施設を構成する認可外保育施設において、満三歳以上の子どもに対し学校教育法第七八条各号に掲げる目標が達成されるよう保育を行い、かつ、当該保育を実施するに当たり当該施設を構成する幼稚園との緊密な連携協力体制が確保されていること。

ロ　当該施設を構成する認可外保育施設に入所していた子どもを引き続き当該施設を構成する幼稚園に入園させて一貫した教育及び保育を行うこと。

③　保育所型認定こども園

児童福祉法第三九条第一項に規定する幼児に対する保育を行うほか、当該幼児以外の満三歳以上の子どもを保育し、かつ、満三歳以上の子どもに対し学校教育法第七八条各号に掲げる目標が達成されるよう保育を行う保育所

なお、この場合における保育に欠ける幼児以外の満三歳以上の子どもの保育については、その保育所が所在する市町村における保育の実施に対する需要の状況に照らして、その保育所の認可権者及び当該市町村の意見を考慮して都道府県知事が適当と認める数の子どもに限られるものであること。

④　地方裁量型認定こども園

児童福祉法第三九条第一項に規定する幼児に対する保育を行うほか、当該幼児以外の満三歳以上の子どもを保育し、かつ、満三歳以上の子どもに対し学校教育法第七八条各号に掲げる目標が達成されるよう保育を行う認可外保育施設いずれの類型も、次に掲げる要件に適合している場合に認定こども園の認定を受けることができるものであること。

①　子育て支援事業のうち、地域における教育及び保育に対する需要に照らし当該地域において実施することが必要と認められるものを、保護者の要請に応じ適切に提供し得る体制の下で行うこと

②　文部科学大臣と厚生労働大臣とが協議して定める施設の設備及び運営に関する基準を参酌して都道府県の条例で定める認定の基準に適合すること

なお、この認定の基準を都道府県が条例で定める際には、都道府県知事は、条例案について教育委員会の意見を聞かなければならないこと（地方教育行政の組織及び運営に関する法律（昭和三一年法律第一六二号）第二九条）。

また、都道府県が設置する施設は、都道府県知事による認定の対象とならないが、認定を受けた施設と同様の機能を有するものについては、都道府県知事が公示することとし、この公示が行われた施設については、認定を受けた施設と同様に認定こども園として取り扱うものであること。

(2)　認定権者

認定こども園は教育及び保育を一体的に提供する機能を備える施設であることから、認定こども園の認定は、地方自治体において教育及び保育の双方を統括する都道府県知事が行うことを原則としていること。ただし、以下の場合には、教育及び保育の双方を教育委員会が統括していると考えられることから、都道府県の教育委員会が認定その他の法に基づく都道府県知事の権限を行うものであること。

①　保育所に係る認可その他の処分をする権限に係る事務を都道府県の教育委員会に委任している場合

②　保育所に係る認可その他の処分をする権限に係る事務を都道府県の教育委員会の職員が補助執行していることその他の当該都道府県における幼稚園及び保育所に関する事務の執行等の状況に照らして当該都道府県の教育委員会が認定こども園の認定を行うことが適当と認めてその旨を定めた場合

(3)～(10)　（略）

四　学校教育法の特例

認定こども園の認定を受けた幼稚園については、園児に対する教育及び保育の提供とともに、満三歳未満の子どもなど園児以外の子どもとその保護者に対する子育て支援事業を幼稚園の本来的

な業務として行うものであることから、学校教育法の関係する規定について所要の読替えを行うものであること。

五　児童福祉法等の特例（保育所の利用手続き等に関する特例）

（略）

六　児童福祉法及び私立学校振興助成法の特例

認定こども園制度については、地域の実情に応じた柔軟な対応を可能とする一方で、子どもに対する教育及び保育の質の確保の観点から、国の財政措置は幼稚園又は保育所の認可を受けた施設に対してのみ行うこととしているが、認定こども園の設置促進や円滑な運営を図る観点から、幼保連携型認定こども園について以下のような財政上の特例措置を講じるものであること。

①　保育所の施設整備費は、社会福祉法人等のみが助成対象とされているが、幼保連携型認定こども園を構成する幼稚園及び保育所の設置者が同一の学校法人である場合には、当該学校法人立の保育所についても、市町村による施設整備費助成の対象とすること。

②　幼稚園の施設整備費及び運営費は、いずれも原則として学校法人のみが助成対象とされ、学校法人以外の主体が助成を受けた場合には、私立学校振興助成法に基づき、学校法人化が義務付けられるが、幼保連携型認定こども園を構成する幼稚園及び保育所を設置する社会福祉法人については、学校法人化措置義務の対象外とし、社会福祉法人のまま、当該幼稚園について助成を受け続けることができるものとすること。

七　附則関係

(1)　施行期日

法は平成一八年一〇月一日から施行するものであること（附則第一項）。

(2)　名称の使用制限に関する経過措置

法の施行の際現に認定こども園という名称又はこれと紛らわしい名称を使用している者については、名称の使用制限に関する法第九条の規定は、法施行後六月間は適用しないこと（附則第二項）。

(3)　検討

政府は、法施行後五年を経過した場合において、施行状況を勘案し、必要があると認めるときは、法の規定について検討を加え、その結果に基づいて必要な措置を講ずるものであること（附則第三項）。

第二～第七　（略）

○子ども・子育て支援法、就学前の子どもに関する教育、保育等の総合的な提供の推進に関する法律の一部を改正する法律並びに子ども・子育て支援法及び就学前の子どもに関する教育、保育等の総合的な提供の推進に関する法律の一部を改正する法律の施行に伴う関係法律の整備等に関する法律の公布について（抄）（平二四・八・三一　府政共生六七八号　二四文科初六一六号　雇児発〇八三一第一号　各都道府県知事、各都道府県教育委員会、各指定都市・中核市市長、各指定都市・中核市教育委員会、附属幼稚園を置く各国立大学法

人の長あて　内閣府政策統括官（共生社会政策担当）、文部科学省初等中等教育局長、厚生労働省雇用均等・児童家庭局長通知）

政府は、平成二四年三月二日に少子化社会対策会議において決定された「子ども・子育て新システムに関する基本制度」（以下「基本制度」という。）等に基づき、同月三〇日に「子ども・子育て支援法案」、「総合こども園法案」及び「子ども・子育て支援法及び総合こども園法の施行に伴う関係法律の整備等に関する法律案」を閣議決定するとともに、同日、第一八〇回国会（常会）に提出しました。これらの法律案は、五月以降、衆議院本会議及び衆議院社会保障と税の一体改革に関する特別委員会において審議が行われましたが、六月一五日に、民主党・自由民主党・公明党社会保障・税一体改革（社会保障部分）に関する実務者間会合において「社会保障・税一体改革に関する確認書」がとりまとめられ、これを踏まえ、「子ども・子育て支援法案」及び「子ども・子育て支援法及び総合こども園法の施行に伴う関係法律の整備等に関する法律案」に対する議員修正案と、新たな議員立法として「就学前の子どもに関する教育、保育等の総合的な提供の推進に関する法律の一部を改正する法律案」が国会に提出され、同月二六日に衆議院社会保障と税の一体改革に関する特別委員会及び衆議院本会議で可決されました。その後、これらの法律案は、参議院における審議を経て、八月一〇日に参議院社会保障と税の一体改革に関する特別委員会及び参議院本会議で可決され成立したところです。

八月二二日には、子ども・子育て支援法は平成二四年法律第六五号として、就学前の子どもに関する教育、保育等の総合的な提供の推進に関する法律の一部を改正する法律（以下「認定こども園法一部改正法」という。）は平成二四年法律第六六号として、子ども・子育て支援法及び就学前の子どもに関する教育、保育等の総合的な提供の推進に関する法律の一部を改正する法律の施行に伴う関係法律の整備に関する法律（以下「整備法」という。）は平成二四年法律第六七号として、それぞれ公布されたところですが、これらの法律の趣旨、内容及びその施行に対し留意すべき事項は下記のとおりですので、各都道府県知事、各都道府県教育委員会及び各指定都市・中核市市長におかれては、十分御了知の上、貴管内の関係者に対して遅滞なく周知し、その運用に遺漏のないように配慮願います。

これらの法律は、一部の規定を除き、社会保障の安定財源の確保等を図る税制の抜本的な改革を行うための消費税法の一部を改正する等の法律（平成二四年法律第六八号）附則第一条第二号に掲げる規定の施行の日の属する年の翌年の四月一日までの間において政令で定める日から施行するものであり、関係政省令等については、今後順次検討を行い、その内容については別途連絡する予定ですので、あらかじめ御承知おき願います。

なお、本通知は、地方自治法（昭和二二年法律第六七号）第二四五条の四第一項の規定に基づく技術的助言であることを申し添えます。

記

第一　法律の趣旨（略）

第二　法律の内容及び留意事項

第１　子ども・子育て支援法関係

１　総則（第一条から第七条まで関係）

(1)・(2)　（略）

(3)　市町村等の責務（第三条関係）

①　市町村は、この法律の実施に関し、次に掲げる責務を有することとしたこと。

i）　子どもの健やかな成長のために適切な環境が等しく確保されるよう、子ども及びその保護者に必要な子ども・子育て支援給付及び地域子ども・子育て支援事業を総合的かつ計画的に行うこと。（第三条第一項第一号関係）

ii）　子ども及びその保護者が、確実に子ども・子育て支援給付を受け、及び地域子ども・子育て支援事業その他の子ども・子育て支援を円滑に利用するために必要な援助を行うとともに、関係機関との連絡調整その他の便宜の提供を行うこと。（第三条第一項第二号関係）

iii）　子ども及びその保護者が置かれている環境に応じて、子どもの保護者の選択に基づき、多様な施設又は事業者から、良質かつ適切な教育及び保育その他の子ども・子育て支援が総合的かつ効率的に提供されるよう、その提供体制を確保すること。（第三条第一項第三号関係）

②　都道府県は、市町村に対する必要な助言及び適切な援助を行うとともに、子ども・子育て支援のうち、特に専門性の高い施策及び各市町村の区域を超えた広域的な対応が必要な施策を講じなければならないこととしたこと。（第三条第二項関係）

③　国は、市町村及び都道府県と相互に連携を図りながら、子ども・子育て支援の提供体制の確保に関する施策その他の必要な各般の措置を講じなければならないこととしたこと。（第三条第三項関係）

(4)～(6)　（略）

２　子ども・子育て支援給付（第八条から第三〇条まで関係）

(1)・(2)　（略）

(3)　子どものための教育・保育給付（第一一条から第三〇条まで関係）

①　子どものための教育・保育給付（第一一条関係）

子どものための教育・保育給付は、施設型給付費、特例施設型給付費、地域型保育給付費及び特例地域型保育給付費の支給とすることとしたこと。

②　支給認定等（第一九条から第二六条まで関係）

i）　支給要件（第一九条関係）

子どものための教育・保育給付は、次に掲げる小学校就学前子どもの保護者に対し、その小学校就学前子どもの特定教育・保育、特別利用保育、特別利用教育、特定地域型保育又は特例保育の利用について行うこととしたこと。（第一九条第一項関係）

ア　満三歳以上の小学校就学前子ども（イに掲げる小学校就学前子どもに該当するものを除く。）

イ　満三歳以上の小学校就学前子どもであって、保護者の労働又は疾病その他の内閣府令で定める事由により家庭において必要な保育を受けることが困難であるもの

ウ　満三歳未満の小学校就学前子どもであって、イの内閣府令で定める事由により家庭において必要な保育を受けることが困難であるもの

ii）　市町村の認定等（第二〇条から第二二条まで関係）

ア　i）のアからウまでに掲げる小学校就学前子どもの保護者は、子どものための教育・保育給付を受けようとするときは、市町村に対し、子どものための教育・保育給付を受ける資格を有すること及びその小学校就学前子どもの区分についての認定を申請し、認定を受けなければならないこととしたこと。（第二〇条第一項関係）

イ　アの認定は、原則として当該保護者の居住地の市町村が行うこととしたこと。（第二〇条第二項関係）

ウ　市町村は、アの申請があった場合において、当該申請に係る小学校就学前子どもがi）のイ又はウに該当すると認めるときは、当該小学校就学前子どもに係る保育必要量（施設型給付費等を支給する保育の量をいう。）の認定を行うこととしたこと。（第二〇条第三項関係）

エ　ア及びウの認定（以下「支給認定」という。）は、有効期間内に限り、その効力を有することとしたこと。（第二一条関係）

オ　支給認定を受けた保護者（以下「支給認定保護者」という。）は、市町村に対し、その労働又は疾病の状況等を届け出、かつ、書類その他の物件を提出しなければならないこととしたこと。（第二二条関係）

③　施設型給付費及び地域型保育給付費等の支給（第二七条から第三〇条まで関係）

i）　施設型給付費の支給（第二七条関係）

ア　市町村は、支給認定に係る小学校就学前子ども（以下「支給認定子ども」という。）が、市町村長が施設型給付費の支給に係る施設として確認する教育・保育施設（以下「特定教育・保育施設」という。）から当該確認に係る教育・保育（②のi）のアに掲げる小学校就学前子どもに該当する支給認定子どもにあっては認定こども園において受ける教育・保育又は幼稚園において受ける教育に限り、②のi）のイに掲げる小学校就学前子どもに該当する支給認定子どもにあっては認定こども園において受ける教育・保育又は保育所において受ける保育に限り、②のi）のウに掲げる小学校就学前子どもに該当する支給認定子どもにあっては認定こども園又は保育所において受ける保育に限る。以下「特定教育・保育」という。）を受けたときは、当該支給認定子どもに係る支給認定保護者に対し、施設型給付費を支給することとしたこと。（第二七条第一項関係）

イ　施設型給付費の額は、特定教育・保育に通常要する費用の額を勘案して内閣総理大臣が定める基準により算定

した費用の額から当該支給認定保護者の属する世帯の所得の状況等を勘案して市町村が定める額を控除して得た額とすることとしたこと。（第二七条第三項関係）

ウ　支給認定子どもが特定教育・保育施設から特定教育・保育を受けたときは、市町村は、支給認定保護者が当該特定教育・保育施設に支払うべき費用について、施設型給付費として支給すべき額の限度において、当該支給認定保護者に代わり、当該特定教育・保育施設に支払うことができることとしたこと。（第二七条第五項関係）

ii)～iv)（略）

3　特定教育・保育施設及び特定地域型保育事業者（第三一条から第五八条まで関係）

(1)　特定教育・保育施設（第三一条から第四二条まで関係）

①　教育・保育施設の確認（第三一条関係）

i)　教育・保育施設の確認は、教育・保育施設の設置者の申請により、教育・保育施設の区分に応じ、小学校就学前子どもの区分ごとの利用定員を定めて、市町村長が行うこととしたこと。（第三一条第一項関係）

ii)　市町村長は、特定教育・保育施設の利用定員を定めようとするときは、あらかじめ、7の(2)に掲げる合議制の機関等の意見を聴かなければならないこととしたこと。（第三一条第二項関係）

iii)　市町村長は、特定教育・保育施設の利用定員を定めようとするときは、あらかじめ、都道府県知事に協議しなければならないこととしたこと。（第三一条第三項関係）

②　特定教育・保育施設の設置者の責務（第三三条関係）

i)　特定教育・保育施設の設置者は、支給認定保護者から利用の申込みを受けたときは、正当な理由がなければ、これを拒んではならないこととしたこと。（第三三条第一項関係）

ii)　特定教育・保育施設の設置者は、関係機関との緊密な連携を図りつつ、良質な教育・保育を小学校就学前子どもの置かれている状況その他の事情に応じ、効果的に行うように努めなければならないこと等の責務を有することとしたこと。（第三三条第四項から第六項まで関係）

③　特定教育・保育施設の基準（第三四条関係）

特定教育・保育施設の設置者は、教育・保育施設の認可基準を遵守しなければならないこととしたこと。（第三四条第一項関係）

④・⑤（略）

(2)～(4)（略）

4　地域子ども・子育て支援事業（第五九条関係）

市町村は、市町村子ども・子育て支援事業計画に従って、地域子ども・子育て支援事業として、子ども又は子どもの保護者からの相談に応じ、必要な情報の提供及び助言等を行う事業、時間外保育の費用の全部又は一部の助成を行うことにより必要な保育を確保する事業、世帯の所得の状況その他の事情を勘案して市町村が定める基準に該当する支給認定保護者が支払うべ

き教育・保育に必要な物品の購入に要する費用等の全部又は一部を助成する事業、多様な事業者の能力を活用した特定教育・保育施設等の設置又は運営を促進するための事業、放課後児童健全育成事業、子育て短期支援事業、乳児家庭全戸訪問事業、養育支援訪問事業等、地域子育て支援拠点事業、一時預かり事業、病児保育事業、子育て援助活動支援事業及び妊婦に対して健康診査を実施する事業を行うものとしたこと。

5　子ども・子育て支援事業計画（第六〇条から第六四条まで関係）

(1)　基本指針（第六〇条関係）

内閣総理大臣は、教育・保育及び地域子ども・子育て支援事業の提供体制を整備し、子ども・子育て支援給付及び地域子ども・子育て支援事業の円滑な実施の確保その他子ども・子育て支援のための施策を総合的に推進するための基本的な指針（以下「基本指針」という。）を定め、基本指針においては、子ども・子育て支援の意義並びに子ども・子育て支援給付に係る教育・保育を一体的に提供する体制その他の教育・保育を提供する体制の確保及び地域子ども・子育て支援事業の実施に関する基本的事項等について定めるものとしたこと。（第六〇条第一項及び第二項関係）

(2)　市町村子ども・子育て支援事業計画及び都道府県子ども・子育て支援事業支援計画（第六一条及び第六二条関係）

市町村及び都道府県は、基本指針に即して、五年を一期とする教育・保育及び地域子ども・子育て支援事業の提供体制の確保その他この法律に基づく業務の円滑な実施に関する計画を定めるものとしたこと。（第六一条第一項及び第六二条第一項関係）

6～8　（略）

9　施行期日（附則第一条関係）

この法律は、社会保障の安定財源の確保等を図る税制の抜本的な改革を行うための消費税法の一部を改正する等の法律附則第一条第二号に掲げる規定の施行の日の属する年の翌年の四月一日までの間において政令で定める日（以下「施行日」という。）から施行することとしたこと。ただし、次に掲げる規定は、当該各号に定める日から施行すること。

(1)　7及び11　平成二五年四月一日

(2)　14　社会保障の安定財源の確保等を図る税制の抜本的な改革を行うための消費税法の一部を改正する等の法律の施行の日の属する年の翌年の四月一日までの間において政令で定める日

10～14　（略）

第2　認定こども園法一部改正法関係

1　（略）

2　幼保連携型認定こども園以外の認定こども園の充実

(1)　認定等（第三条関係）

①　都道府県知事は、都道府県の条例で定める要件に適合する施設について、その設置者が欠格事由に該当する場合及び供給過剰による需給調整が必要な場合を除き、認定することと

したこと。（第三条第五項及び第七項関係）

② 認定に当たっては、都道府県知事は、市町村長に協議しなければならないこととしたこと。（第三条第六項関係）

(2) 教育及び保育の内容（第六条関係）

幼保連携型認定こども園以外の認定こども園において教育又は保育を行うに当たっては、幼保連携型認定こども園の教育課程その他の教育及び保育の内容に関する事項を踏まえて行わなければならないこととしたこと。

3 幼保連携型認定こども園

(1) 施設の定義（第二条関係）

幼保連携型認定こども園は、義務教育及びその後の教育の基礎を培うものとしての満三歳以上の子ども（小学校就学の始期に達するまでの者をいう。以下同じ。）に対する教育並びに保育を必要とする子どもに対する保育を一体的に行い、これらの子どもの健やかな成長が図られるよう適当な環境を与えて、その心身の発達を助長するとともに、保護者に対する子育ての支援を行うことを目的として、この法律の定めるところにより設置される施設をいうこととしたこと。（第二条第七項関係）

なお、幼保連携型認定こども園は、学校であると同時に児童福祉施設としての性質も有するため、学校教育法（昭和二二年法律第二六号）の規定の多くが適用できないことから、学校教育法の適用される「学校」の範囲を定める学校教育法第一条は改正せず、改正後の就学前の子どもに関する教育、保育等の総合的な提供の推進に関する法律（以下単に「認定こども園法」という。）において教育基本法第六条に基づく「法律に定める学校」である旨明らかにしている。

(2) 教育及び保育の目標等（第九条から第一一条まで関係）

① （略）

② 教育及び保育の内容（第一〇条関係）

i） 幼保連携型認定こども園の教育課程その他の教育及び保育の内容に関する事項は、認定こども園法第二条第七項の目的及び同法第九条の目標に従い、主務大臣が定めることとしたこと。（第一〇条第一項関係）

ii） 主務大臣がi）の事項を定めるに当たっては、幼稚園教育要領（平成二〇年文部科学省告示第二六号）及び保育所保育指針（平成二〇年厚生労働省告示第一四一号）との整合性の確保並びに小学校における教育との円滑な接続に配慮しなければならないこととしたこと。（第一〇条第二項関係）

③ 入園資格（第一一条関係）

幼保連携型認定こども園に入園することのできる者は、満三歳以上の子ども及び満三歳未満の保育を必要とする子どもとしたこと。

なお、個々の幼保連携型認定こども園において具体的に受け入れる子どもの範囲については、本条の定める入園資格の範囲内において設置者の判断により設定することが可能であること。

(3) 施設の設置等（第一二条から第二七条まで関係）

① 設置者（第一二条関係）

幼保連携型認定こども園は、国、地方公共団体、学校法人及び社会福祉法人のみが設置することができることとしたこと。

② 設備及び運営の基準（第一三条関係）

i） 都道府県又は指定都市等（その区域内に幼保連携型認定こども園が所在する指定都市又は中核市をいう。以下同じ。）は、幼保連携型認定こども園の設備及び運営について、条例で基準を定めなければならないこととしたこと。この場合において、その基準は、身体的、精神的及び社会的な発達のために必要な教育及び保育の水準を確保するものでなければならないこととしたこと。（第一三条第一項関係）

ii） 都道府県又は指定都市等がi）の条例を定めるに当たっては、次に掲げる事項については主務省令で定める基準に従い定めるものとし、その他の事項については主務省令で定める基準を参酌するものとしたこと。（第一三条第二項関係）

ア 学級の編制並びに園長、保育教諭その他の職員及びその員数

イ 保育室の床面積その他幼保連携型認定こども園の設備に関する事項であって、子どもの健全な発達に密接に関連するものとして主務省令で定めるもの

ウ 幼保連携型認定こども園の運営に関する事項であって、子どもの適切な処遇の確保及び秘密の保持並びに子どもの健全な発達に密接に関連するものとして主務省令で定めるもの。

③ 職員（第一四条関係）

i） 幼保連携型認定こども園に、園長及び保育教諭を置かなければならないこととしたこと。（第一四条第一項関係）

ii） 幼保連携型認定こども園に、副園長、教頭、主幹保育教諭、指導保育教諭、主幹養護教諭、養護教諭、主幹栄養教諭、栄養教諭、事務職員、養護助教諭その他必要な職員を置くことができることとしたこと。（第一四条第二項関係）

iii） 特別の事情のあるときは、保育教諭に代えて助保育教諭又は講師を置くことができることとしたこと。（第一四条第一九項関係）

④ 職員の資格（第一五条関係）

i） 主幹保育教諭、指導保育教諭、保育教諭及び講師（保育教諭に準ずる職務に従事するものに限る。）は、幼稚園の教諭の普通免許状を有し、かつ、保育士の登録を受けたものでなければならないこととしたこと。（第一五条第一項関係）

ii） 主幹養護教諭及び養護教諭は、養護教諭の普通免許状を有する者でなければならないこととしたこと。（第一五条第二項関係）

iii) 主幹栄養教諭及び栄養教諭は、栄養教諭の普通免許状を有する者でなければならないこととしたこと。（第一五条第三項関係）

iv) 助保育教諭及び講師（助保育教諭に準ずる職務に従事するものに限る。）は、幼稚園の助教諭の臨時免許状を有し、かつ、保育士の登録を受けた者でなければならないこととしたこと。（第一五条第四項関係）

v) 養護助教諭は、養護助教諭の臨時免許状を有する者でなければならないこととしたこと。（第一五条第五項関係）

⑤～⑪（略）

⑫ 学校教育法及び学校保健安全法の準用（第二六条及び第二七条関係）

幼保連携型認定こども園に関し、学校教育法及び学校保健安全法の関係規定を準用したこと。

4・5（略）

6 附則関係

(1) 施行期日（附則第一条関係）

この法律は、原則として、子ども・子育て支援法の施行の日から施行することとしたこと。

(2) 検討（附則第二条関係）

① 政府は、幼稚園の教諭の免許及び保育士の資格について、一体化を含め、その在り方について検討を加え、必要があると認めるときは、その結果に基づいて所要の措置を講ずるものとしたこと。（附則第二条第一項関係）

② 政府は、①の事項のほか、認定こども園法一部改正法の施行後五年を目途として、同法の施行の状況を勘案し、必要があると認めるときは、同法による改正後の認定こども園法の規定について検討を加え、その結果に基づいて所要の措置を講ずるものとしたこと。（附則第二条第二項関係）

(3) 幼保連携型認定こども園に関する特例（附則第三条及び第四条関係）

① 認定こども園法一部改正法の施行の際に現に存する旧幼保連携型認定こども園（認定こども園法一部改正法による改正前の就学前の子どもに関する教育、保育等の総合的な提供の推進に関する法律に基づく認定こども園で幼稚園及び保育所で構成されるものをいう。以下同じ。）については、施行日に、認定こども園法第一七条第一携型認定こども園の設置の認可があったものとみなすこととしたこと。（附則第三条第一項関係）

② 施行日の前日において現に幼稚園を設置している者（国、地方公共団体、学校法人及び社会福祉法人を除く。）であって、一定の要件に適合するものは、当分の間、幼保連携型認定こども園を設置することができることとしたこと。（附則第四条第一項関係）

(4) 保育教諭等の資格の特例（附則第五条関係）

① 3の(3)の④のi)にかかわらず、施行日から起算して五年間は、幼稚園の教諭の普通免許状を有する者又は保育士の登録を受けた者は、保育教諭等となることができることとしたこ

と。（附則第五条第一項関係）

② その他必要な資格の特例規定を設けること。（附則第五条第二項及び第三項関係）

(5) 幼稚園の名称の使用制限に関する経過措置（附則第七条関係）

施行日において現に幼稚園を設置しており、かつ、当該幼稚園の名称中に幼稚園という文字を用いている者が、当該幼稚園を廃止して幼保連携型認定こども園を設置した場合には、学校教育法第一三五条第一項の規定にかかわらず、当該幼保連携型認定こども園の名称中に引き続き幼稚園という文字を用いることができることとしたこと。

なお、幼保連携型認定こども園がその名称中に「幼稚園」の文言を使用する場合は、当該施設が幼保連携型認定こども園である旨を募集要項や入園説明会等において明確に示すなど、利用者の無用な混乱を招かないよう十分配慮すること。

7 その他の留意事項（略）

第3 整備法関係（略）

第三 その他の留意事項（略）

○子ども・子育て支援法の一部を改正する法律等の施行に伴う留意事項等について（抄）（令元・九・一三 府子本四九七号／元文科初七四五号／子発〇九一三第四号 各都道府県知事、各都道府県教育委員会、各指定都市・中核市市長、各指定都市・中核市教育委員会、附属幼稚園又は特別支援学校幼稚部を置く各国立大学法人の長あて 内閣府子ども・子育て本部統括官、文部科学省初等中等教育局長、厚生労働省子ども家庭局長通知）

このたび、第一九八回通常国会において子ども・子育て支援法の一部を改正する法律（令和元年法律第七号。以下「改正法」という。）が令和元年五月一〇日に成立し、同月一七日に公布されました。また、子ども・子育て支援法の一部を改正する法律の施行に伴う関係政令の整備等及び経過措置に関する政令（令和元年政令第一七号。以下「改正令」という。）及び子ども・子育て支援法施行規則の一部を改正する内閣府令（令和元年内閣府令第六号。以下「改正府令」という。）並びに特定教育・保育施設及び特定地域型保育事業者の運営に関する基準の一部を改正する内閣府令（令和元年内閣府令第八号。以下「改正基準」という。）が同月三一日に公布されました。（略）

これらの施行に際し留意すべき主な事項等は下記のとおりですので、各位におかれては、十分御了知の上、貴管内の関係者に対して遅滞なく周知するなど、その運用に遺漏のないようお願いします。

（略）

なお、本通知は、地方自治法（昭和二二年法律第六七号）第二四五条の四第一項の規定に基づく技術的助言であることを申し添えます。また、条文やFAQ等の関係資料は、内閣府子ども・子育て本部のホームページに掲載しています。

記

第一 共通事項

今般の幼児教育・保育の無償化は、本年一〇月一日に予定される

消費税率の引上げによる財源を活用し、生涯にわたる人格形成やその後の義務教育の基礎を培う幼児教育の重要性と、子育てや教育にかかる費用負担の軽減を図るという少子化対策の観点から、幼稚園、保育所及び認定こども園等の費用の無償化を図るものである。

　これらを利用する小学校就学前子どものうち、満三歳に達する日以後最初の三月三一日を経過した子ども（通常は三年間を対象。認定こども園、幼稚園及び特別支援学校幼稚部については、法令上の入園年齢要件及びこれまでの段階的無償化の対象を踏まえ、満三歳に達し、その後最初の三月三一日までの間にある保育の必要性のない者が教育標準時間の教育・保育を受ける場合を含む。）については所得制限なしに、それ以外の満三歳に達する日以後最初の三月三一日までの間にある子どもについては、保護者等が市町村民税世帯非課税者であり、かつ、保育の必要性のある者を対象とする。

　利用する施設等の種類に応じ、特定教育・保育施設又は特定地域型保育事業については、現行の子どものための教育・保育給付の拡充により利用者負担上限額を零とするとともに、特定子ども・子育て支援施設等については、子育てのための施設等利用給付を創設し、その利用に要する費用の一定額までの施設等利用費を保護者に支給する。

　また、日用品、行事参加費、食材料費、通園送迎費等は、保護者の自己負担を基本としつつ、年収約三六〇万円未満相当世帯や多子世帯の第三子以降の子ども等に対する配慮として、認可施設における副食費の負担の免除（公定価格による加算）又は助成（補足給付事業）の措置を講ずる。

第二　子どものための教育・保育給付関係（略）

第三　子育てのための施設等利用給付関係

1　施設等利用費

(1)　施設等利用費の対象（新法第三十条の一一第一項等関係）

　施設等利用給付認定子どもが特定子ども・子育て支援施設等から特定子ども・子育て支援を受けたときは、施設等利用給付認定保護者に対し、当該特定子ども・子育て支援に要した費用について、施設等利用費を一定額まで支給するが、当該費用のうち、特定費用（日用品、行事参加費、食材料費、通園送迎費等の費用をいう。以下同じ。）は、施設等利用費の対象外であること（新法第三〇条の一一第一項、新規則第二八条の一六）。

　特定子ども・子育て支援提供者においては、施設等利用給付認定保護者から費用の支払を受ける場合、特定費用の支払のみを受ける場合を除き、施設等利用費の対象となる利用料の額と対象外となる特定費用の額とを区分して記載した領収証を施設等利用給付認定保護者に交付すべきこと（新基準第五六条第一項）。（略）

(2)　施設等利用費の支給（新法第三〇条の一一等関係）

　施設等利用費の支給については、施設等利用給付認定保護者への償還払いのほか、特定子ども・子育て支援提供者による法定代理受領が認められ（新法第三〇条の一一第一項、第三項及び第四項）、その具体的な方法について、公正かつ適正な支給、施設等利用給付認定保護者の利便の増進等を勘案

し、各市町村で定めること（新規則第二八条の一五）。

償還払いの頻度については、年四回以上支給することが望ましく、初年度については、遅くとも年度内に一回目の支給を行うこと。二か月以上にわたる施設等利用費をまとめて支払う場合でも、一か月ごとに施設等利用費の支給額の算定と上限管理を行う必要があること（新法第三〇条の一一第二項、新令第一五条の六）。

法定代理受領を行う場合、施設等利用給付認定保護者の経済的負担の軽減や経理の透明性確保等を図る観点から、特定子ども・子育て支援施設等において利用料を徴収しない、又は利用料と法定代理受領に係る見込額との差額のみを徴収する取扱いを基本とすること。その際、特定子ども・子育て支援提供者の収入時期の遅れに伴う影響等も踏まえて法定代理受領の時期・頻度を設定することを含め、特定子ども・子育て支援提供者と十分に協議すること。なお、概算払を行う場合には、必要な規則の整備等に留意すること（地方自治法施行令（昭和二二年政令第一六号）第一六二条第六号）。

(3) 施設等利用費の額の算定（新法第三〇条の一一第二項等関係）

施設等利用費の額は、1か月ごとに、施設等利用給付認定子どもの認定区分及び特定子ども・子育て支援施設等の区分に応じた支給上限月額の範囲内で、当該特定子ども・子育て支援施設等に係る特定子ども・子育て支援に要した費用（特定費用以外の利用料）の額を算定すること（新法第三〇条の一一第二項、新令第一五条の六、新規則第二八条の一七）。

月の途中において特定子ども・子育て支援の利用の開始や終了又は利用する施設等の変更等の事由があった場合における施設等利用費の月額は、開所日数を基礎として新令第一五条の六に定める額を日割りによって計算することとし、特定子ども・子育て支援施設等の区分に応じ、以下の算式を用いる取扱いとすること（新令第二四条の四第二項、新規則五九条の二）。これにより生じた一〇円未満の端数は、切り捨てること。

ア〜ウ（略）

2 施設等利用給付認定

(1) 教育・保育給付認定保護者及び企業主導型保育施設の利用者の取扱い（新法第三〇条の四等関係）

保育認定子どもに係る施設型給付費等（特別利用教育に係る特例施設型給付費を除く。）を受けている教育・保育給付認定保護者については、施設等利用給付認定を当該保育認定子どもについて行うことができず（新法第三〇条の四）、保育認定子どもに係る施設型給付費等（特別利用教育に係る特例施設型給付費を除く。）の受給は施設等利用給付認定の取消事由となること（新法第三〇条の九第一項第三号、新令第一五条の五第三号）。（略）

(2) 施設等利用給付認定の有効期間（新法第三〇条の六等関係）

施設等利用給付認定の有効期間の始期は、施設等利用給付

認定が効力を生じた日又は申請をした日以後初めて特定子ども・子育て支援を受けた日のいずれか早い日とし、これを認定起算日とすること（新法第三〇条の六、新規則第二八条の五）。

3　預かり保育事業

(1)　預かり保育事業の定義（新法第七条第一〇項第五号等関係）

子育てのための施設等利用給付の支給に係る子ども・子育て支援施設等である預かり保育事業（新法第七条第一〇項第五号に掲げる事業）は、認定こども園、幼稚園又は特別支援学校幼稚部において、当該施設に在籍する者に対し、教育に係る標準的な一日当たりの時間及び期間の範囲外において教育・保育を提供する事業であり、新規則第一条の二に掲げる要件を満たすものについて、一時預かり事業（幼稚園型Ⅰ）、私学助成等の公費支援の種類や有無にかかわらず、確認を行うべきこと。（略）

預かり保育事業については、保育の必要性に鑑みて子育てのための施設等利用給付の対象とするものであり、満三歳に達する日以後最初の三月三一日を経過した子どもは所得制限なしに、三月三一日までの間にある子どもは保護者等が市町村民税世帯非課税者である者に限られること。また、保育の必要性については、預かり保育事業の利用日ごとに確認するものではなく、施設等利用給付認定を受けていれば、(2)の支給上限月額までの利用料が施設等利用費の支給の対象となること。

(2)　預かり保育事業に係る施設等利用費の支給上限月額（新令第一五条の六第二項第二号等関係）

預かり保育事業に係る施設等利用費の支給上限月額は一・一三万円（保護者等が市町村民税世帯非課税者である満三歳児であって、満三歳に達する日以後最初の三月三一日までの間にある者は、一・六三万円）であるが、預かり保育事業の利用日数が一月につき二六日を下回る場合は、四五〇円に当該利用日数を乗じて得た額を支給上限月額として、1(3)により施設等利用費の額を算定すること（新令第一五条の六第二項第二号、新規則第二八条の一八第一項及び第二項）。

(3)　（略）

4〜6　（略）

第四　その他

1　（略）

2　質の向上を伴わない理由のない利用料の引上げ防止の基本的考え方

今般の無償化を契機に、特定教育・保育施設ではない幼稚園や認可外保育施設において、質の向上を伴わない理由のない利用料の引上げが行われることにより、公費負担により事業者が利益を得ることにつながることのないよう取り組む必要があること。

なお、同じ質・量の教育・保育を提供した場合に保護者に支払を求める金額について、施設等利用給付認定子どもに限り高

額な利用料を設定することは、質の向上を伴わない理由のない利用料の引上げの典型例であり、子どもの保護者の経済的負担の軽減に適切に配慮するという基本理念に反すると考えられること（新法第二条第二項）。

――（略）

3　（略）

〔幼稚園教育の目標〕

第二十三条　幼稚園における教育は、前条に規定する目的を実現するため、次に掲げる目標を達成するよう行われるものとする。

一　健康、安全で幸福な生活のために必要な基本的な習慣を養い、身体諸機能の調和的発達を図ること。

二　集団生活を通じて、喜んでこれに参加する態度を養うとともに家族や身近な人への信頼感を深め、自主、自律及び協同の精神並びに規範意識の芽生えを養うこと。

三　身近な社会生活、生命及び自然に対する興味を養い、それらに対する正しい理解と態度及び思考力の芽生えを養うこと。

四　日常の会話や、絵本、童話等に親しむことを通じて、言葉の使い方を正しく導くとともに、相手の話を理解しようとする態度を養うこと。

五　音楽、身体による表現、造形等に親しむことを通じて、豊かな感性と表現力の芽生えを養うこと。

【沿　革】　昭三六・一〇・三一法一六六により、「左の」を「次の」に改めた。
平一九・六・二七法九六により、旧七八条の用語を修正し二三条に移動した。

【参照条文】　教育基本法一条、二条。法二二条、二五条。

【注　解】

一　本条は、前条の幼稚園の目的に基づき、教育基本法の改正を受けて、幼稚園教育において達成すべき目標を定めたものである。

幼稚園教育の目標は、幼児の発達の特質に応じて、主として日常生活に即した具体的な表現となっている。次に個別の目標毎に旧条文と比較しながら、その改正内容を確認する。

二　目標の第一について、従来の規定では「健康、安全で幸福な生活のために必要な日常の習慣を養い、身体諸機能の調和的発達を図ること」（旧七八条一号）があげられていたが、これは幼児の発達特質に応じた身体的発達の重要性を掲げたものである。

この点について、従来の規定の中で「日常の習慣」という用語を使用していたが、これは、小学校教育の目標にある「健康、安全で幸福な生活のために必要な習慣を養い」という規定を踏まえ、幼児の発達の程度にかんがみ加えられていたものである。しかしながら、この「日常の習慣」については、現に小学校の体育において食事、運動、休養及び睡眠の調和のとれた生活を学習することとされているなど、幼稚園教育と小学校教育との間で、日常か否かを区分することは適切ではないこと、また幼稚園教育において身に付けることとされていることは、小学校教育の前提となる基本的なものであることを踏まえ、「日常の習慣」から「基本的な習慣」に改めることとした。

目標の第二について、従来の規定では「園内において、集団生活を経験させ、喜んでこれに参加する態度と協同、自主及び自律の精神の芽生えを養うこと」（旧七八条二号）があげられていた。これは、幼児は幼稚園に入園してはじめて集団生活らしい生活を経験するのであり、これによって進んで集団の中に入っていく気持ちと態度、及び集団生活において必要な協同、自主及び自律の精神の芽生えを養うことを要求していたものであり、幼児の発達特質からみて、この段階の社会的発達、社会性の涵養を目標としていたものである。

この点について、従来の規定の中で「園内において、集団活動を経験させ」という用語を使用していたが、実際の幼稚園教育の現場では、その大部分は「園内」における学級を中心とした活動になるものの、遠足をはじめとする「園外」における活動も行われていることを踏まえ、「園内において」は削除する改正を行った。また一般的には、既に幼稚園入園前から、家庭や地域における身近な人とのかかわりの中で信頼感が培われるが、幼稚園教育では、こうした信頼感をより深めるよう環境設定を行って教育することが求められることから「家族や身近な人」について新たに規定することとした。そして「協同、自主及び自律の精神の芽生えを養うこと」については、義務教育の目標を規定する法二一条一号の規定を踏まえ、「自主、自律及び協同の精神並びに規範意識の芽生えを養うこと」に改めることとした。

目標の第三について、従来の規定では「身辺の社会生活及び事象に対する正しい理解と態度の芽生えを養うこと」（旧七八条三号）があげられていたが、ここでいう社会生活に関する規定は、第二の目標がいわば社会生活を実践する主体的な立場からのものであるのに対し、社会生活を客観的に観察する立場から規定したものである。

この点について、今回の改正では、幼児期における外界とのかかわりは、幼児の好奇心を広げ、探求心を深めるように環境設定を行うことが重要であることから、まず「興味を養う」ことを教育の第一歩として明確に規定することとした。また、従来の規定の中で、自然現象を意図して盛り込まれていた「事象」という用語については、観察対象としての事象にとどまらず、人間の力を超えた力をもつ自然全体への理解や態度がはぐくまれるよう、新たに「自然」という用語に改めるとともに、教育基本法二条四号及び義務教育の目標を規定する法二一条一号の規定との整合性を図るため、「自然」と併せて「生命」の用語を追加した。さらに、幼稚園教育では、既に幼児が関心を持った身近な事柄について考え、別のところでも活用しようとしたりする思考力の芽生えを培う教育を行っているが、小学校以降の学習の基礎を培うものであることにかんがみ、「正しい理解や態度」のみならず「思考力」についても規定す

ることが適当であることから、「思考力」の用語について新たに追加することとした。

目標の第四について、従来の規定では「言語の使い方を正しく導き、童話、絵本等に対する興味を養うこと」（旧七八条四号）があげられていたが、これは、幼稚園教育では、人の話をよく聞いて意味をとり、そして自分の意見を人に正しく伝えるように話ができるとともに、絵本などに見入り、絵の流れからその意味を読みとったり、絵本を読み聞かせたりすることにより、絵本に興味をもたせ、文字や文章へのあこがれを培うことや童話からあるまとまった物語を感動をもって受けとめさせることにより、他人の気持ちや立場に思いを致すなど想像力を蓄えながら、言葉に対する感覚を豊かにすることを目標としていたものである。

この点について、従来の規定の中にあった「童話、絵本等」はあくまで手段であり、目指すところはコミュニケーションの基盤を作ることであり、特に、幼児期はコミュニケーションの手段としての「言葉」を人とのかかわりを通して獲得する上で重要な時期であることも踏まえ、言葉の使い方を正しく導くことのみならず、「相手の話を理解しようとする態度」を養うことを新たに規定することとした。なお、従来使用していた「言語」という用語については、昭和六二年当時の教育課程審議会答申を受けて幼稚園教育要領における領域の名称について「言語」から「言葉」に修正されたものであることを踏まえ、今回の改正時に、法令上の用語としても「言葉」に改めることとした。なお、「童話、絵本等」については、幼児に身近な媒体を幅広く規定するため「日常の会話や、絵本、童話等」に改めることとした。

目標の第五について、従来の規定では「音楽、遊戯、絵画その他の方法により、創作的表現に対する興味を養うこと」（旧七八条五号）があげられていたが、これは、音楽、遊戯、絵画などの方法によって、自分のイメージを様々な形で表現する楽しみを経験させ、創作的表現に対する興味を養うことを目標としていたものである。

この点について、従来の規定では「創作的表現に対する興味を養うこと」を目標としていたが、幼稚園教育の目標

は、豊かな感性や表現力を培うことであり、創作的表現はそのための手段であることを踏まえ、この趣旨が明確になるよう「豊かな感性と表現力の芽生えを養う」という規定に改めることとした。なお、従来使用していた「遊戯」という用語については、現在の幼稚園教育では用いられていないこと、また、「絵画」という用語については、その指し示す範囲が狭いことから、それぞれ「身体による表現」並び「造形」という用語に改めることとした。

〔家庭及び地域の幼児教育支援〕

第二十四条　幼稚園においては、第二十二条に規定する目的を実現するための教育を行うほか、幼児期の教育に関する各般の問題につき、保護者及び地域住民その他の関係者からの相談に応じ、必要な情報の提供及び助言を行うなど、家庭及び地域における幼児期の教育の支援に努めるものとする。

【沿　革】　平一九・六・二七法九六により、新設した。

【参照条文】　教育基本法一〇条、一一条。幼稚園教育要領。

【注　解】

一　本条は、幼稚園においては、二二条に規定する目的を実現するための教育を行うほか、家庭及び地域における幼児期の教育支援に努めることと規定している。

二　幼児期の子どもの育ちは、家庭、地域社会、幼稚園等施設が連携しながら支えていく必要があるが、近年、社会状況の急激な変化を受けて、家庭や地域の教育力の低下が指摘されており、幼児期の教育に関して専門性を有する幼稚園が、その専門性を発揮して、地域における幼児期の教育のセンターとしてその施設や機能を開放し、家庭や地域の教育力の再生・向上に資する役割を果たすことが求められている。本条は、各幼稚園において、地域の実情に応

じ実施されている、家庭教育に関する相談、親子登園、地域のボランティア団体育成支援等の取組を着実に推進していくため、教育基本法一〇条（家庭教育）及び一一条（幼児期の教育）の規定が新設されたことを踏まえ、平成一九年六月の本法改正によって新たに規定されたものである。

三　幼児は、家庭、地域社会、幼稚園という一連の流れの中で生活しており、この子育て支援活動によって家庭や地域社会における教育を充実することが幼稚園教育の充実にもつながることから、幼稚園教育要領においてこのような活動について規定されている。

【通　知】

○学校教育法等の一部を改正する法律について（抄）（平一九・七・三一　文科初五三六号　各都道府県教育委員会、各指定都市教育委員会、各都道府県知事、各指定都市市長、各国公私立大学長、各国公私立高等専門学校長、大学を設置する各地方公共団体の長、各公立大学法人の理事長、独立行政法人国立高等専門学校機構理事長、大学又は高等専門学校を設置する各学校法人の理事長、大学を設置する各学校設置会社の代表取締役、放送大学学園理事長、国立教育政策研究所長、独立行政法人国立特別支援教育総合研究所理事長、独立行政法人教員研修センター理事長、独立行政法人大学評価・学位授与機構長あて文部科学事務次官通知）

このたび、「学校教育法等の一部を改正する法律（平成一九年法律第九六号）」（以下「改正法」という。）が平成一九年六月二七日に公布されました。

記

第一　改正法の概要

第１　学校の種類ごとの目的及び教育の目標等に関する学校教育法等の一部改正

一　（略）

二　幼稚園に関する事項

１　幼稚園は、義務教育及びその後の教育の基礎を培うものとして、幼児を保育し、幼児の健やかな成長のために適当な環境を与えて、その心身の発達を助長することを目的とするものとしたこと。（第二二条）

２　幼稚園における教育は、１の目的を実現するため、次に掲げる目標を達成するよう行われるものとしたこと。（第二三

条）

(1) 健康、安全で幸福な生活のために必要な基本的な習慣を養い、身体諸機能の調和的発達を図ること。

(2) 集団生活を通じて、喜んでこれに参加する態度を養うとともに家族や身近な人への信頼感を深め、自主、自律及び協同の精神並びに規範意識の芽生えを養うこと。

(3) 身近な社会生活、生命及び自然に対する興味を養い、それらに対する正しい理解と態度及び思考力の芽生えを養うこと。

(4) 日常の会話や、絵本、童話等に親しむことを通じて、豊かな感性と表現力の芽生えを養うこと。

(5) 音楽、身体による表現、造形等に親しむことを通じて、豊かな感性と表現力の芽生えを養うこと。

3　幼稚園においては、保護者及び地域住民その他の関係者からの相談に応じ、必要な情報の提供及び助言を行うなど、家庭及び地域における幼児期の教育の支援に努めるものとしたこと。（第二四条）

4　幼稚園の教育課程その他の保育内容に関する事項は、二の1及び2に従い、文部科学大臣が定めるものとしたこと。（第二五条）

三〜十二　（略）

第2　（略）

第3　（略）

第二　留意事項

第1　幼稚園に関する事項について

第二四条において、幼稚園は家庭及び地域における幼児期の教育の支援に努めるものとする旨規定しているが、具体的には、幼稚園の人材や施設・設備、これまで蓄積してきた幼児期の教育に関する知見や経験を活かしつつ、幼児期の教育に関する情報提供や相談窓口の開設、親子登園の実施、園庭の開放などを行うことが考えられること。

また、第二五条の「幼稚園の教育課程その他の保育内容に関する事項」とは、教育課程と、地域の実態や保護者の要請により教育課程に係る教育時間外に行われる教育活動であること。

第2〜第6　（略）

〔保育内容〕

第二十五条　幼稚園の教育課程その他の保育内容に関する事項は、第二十二条及び第二十三条の規定に従い、文部科学大臣が定める。

【沿　革】　平一一・七・一六法八七により、「監督庁」を「文部大臣」に改めた。

平一一・一二・二二法一六〇により、「文部大臣」を「文部科学大臣」に改めた。

平一九・六・二七法九六により、旧七九条から二五条に移動し、「保育内容」を「教育課程その他の保育内容」に、「前二条」を「第二十二条及び第二十三条」に改めた。

【参照条文】　施行規則三七条、三八条。

【注　解】

一　本条は、幼稚園の教育課程その他の保育内容は文部科学大臣が定めること、文部科学大臣がこれを定めるに当たっては法二二条及び二三条の幼稚園の目的、幼稚園教育の目標に従って定めなければならないことを規定している。

二　平成一九年六月の本法改正前は、単に「保育内容に関する事項」について文部科学大臣が定めることとされていたが、「保育内容」にはすべての園児を対象とした教育課程に基づく教育のみならず、教育課程外の希望する園児を対象にした、いわゆる預かり保育も含める取扱いを行っていたため、平成一九年の本法の改正において、預かり保育についても文部科学大臣が必要な事項を定めることを明確化するため、「保育内容」との規定が「教育課程その他の保育内容」に改められた。

三　文部科学大臣は、本条に基づき、施行規則三七条で、毎学年の教育週数は特別の事情のある場合を除き、三九週を下ってはならないと定め、同三八条で、幼稚園の教育課程については教育課程その他の保育内容の基準として文部科学大臣が別に公示する幼稚園教育要領によるものとすると定めている。一日の教育時間は、四時間を標準とするが、幼児の心身の発達の程度や季節などに適切に配慮するものとされている。なお、社会状況の変化に伴い、この四時間を標準として定められた通常の教育時間の終了後等に、地域の実態や保護者の要請により、希望する幼児に対して引き続き教育活動を行うこと（いわゆる「預かり保育」）についても幼稚園教育要領で規定されている。「預かり保育」

は、幼稚園における正規の教育課程外の教育活動であるが、近年保護者のニーズや実施する園は増加しており、幼稚園が行う教育活動として適切な活動となるよう留意事項などについて示されている。

四　幼稚園については、教科用図書の使用義務を定めた法三四条は準用されない。すなわち、幼稚園における生活の全体を通じ、幼児の様々な体験と具体的な活動を通して指導されるものである。

幼稚園教育要領の「ねらい」及び「内容」の記述が包括的であるのは、幼稚園については修業年限が定められていないこととも関連している。「ねらい」は、修業年限に関係なく、幼稚園修了に至るまでに育つことが期待される心情、意欲、態度などであり、「内容」はねらいを達成するために教師が指導する事項として示されている。したがって、各幼稚園においては、幼稚園教育要領に示されている内容ごとに個別に指導するのではなく、幼児の心身の発達の違い（年齢など）や幼稚園及び地域の実態に即応した指導計画に基づいて、具体的な活動を通して総合的に指導するものとされている。

五　平成二九年改訂は、幼稚園教育において育みたい資質・能力の明確化や、幼児期の終わりまでに育ってほしい姿の明確化を含めた小学校教育との円滑な接続、現代的な諸課題を踏まえた教育内容の見直し、の三つの基本方針に基づき行われた。また、幼保連携型認定こども園教育・保育要領及び保育所保育指針においても、育みたい資質・能力や幼児期の終わりまでに育ってほしい姿が同様に記載されており、就学前の教育・保育施設がこうした点を共有しながら教育・保育が実施されることが期待される。

【通　知】

○学校教育法施行規則の一部を改正する省令の制定並びに幼稚園教育要領の全部を改正する告示、小学校学習指導要領の全部を改正する告示及び中学校学習指導要領の全部を改正する告示等の公示について（抄）（平二九・三・三一　二八文科

初一八二八号　各都道府県教育委員会教育長、各指定都市教育委員会教育長、各都道府県知事、附属学校を置く各国立大学法人学長、構造改革特別区域法第一二条第一項の認定を受けた各地方公共団体の長あて　文部科学事務次官通知）

　このたび、平成二九年文部科学省令第二〇号をもって、別添のとおり学校教育法施行規則の一部を改正する省令（以下「改正省令」という。）が制定され、また、平成二九年文部科学省告示第六二号、第六三号及び第六四号をもって、それぞれ別添のとおり、幼稚園教育要領の全部を改正する告示（以下「新幼稚園教育要領」という。）、小学校学習指導要領の全部を改正する告示（以下「新小学校学習指導要領」という。）及び中学校学習指導要領の全部を改正する告示（以下「新中学校学習指導要領」という。）が公示されました。

　新幼稚園教育要領は平成三〇年四月一日から、改正省令及び新小学校学習指導要領は平成三二年四月一日から、新中学校学習指導要領は平成三三年四月一日から施行されます。

　今回の改正は、平成二八年一二月二一日の中央教育審議会答申「幼稚園、小学校、中学校、高等学校及び特別支援学校の学習指導要領等の改善及び必要な方策等について」（以下「答申」という。）を踏まえ、幼稚園、小学校及び中学校の教育課程の基準の改善を図ったものです。本改正の概要及び留意事項は下記のとおりですので、十分に御了知いただき、改正省令、新幼稚園教育要領、新小学校学習指導要領及び新中学校学習指導要領（以下「新学習指導要領等」という。）に基づく適切な教育課程の編成・実施及びこれらに伴い必要となる教育条件の整備を行うようお願いします。

　また、都道府県教育委員会におかれては、所管の学校及び域内の市町村教育委員会その他の教育機関に対して、指定都市教育委員会におかれては、所管の学校その他の教育機関に対して、都道府県知事及び構造改革特別区域法（平成一四年法律第一八九号）第一二条第一項の認定を受けた地方公共団体の長におかれては、所轄の学校及び学校法人等に対して、附属学校を置く国立大学法人学長におかれては、その管下の学校に対して、本改正の内容について周知を図るとともに、必要な指導等をお願いします。

　なお、本通知については、関係資料と併せて文部科学省のホームページに掲載しておりますので、御参照ください。

記

1　改正の概要

(1)　幼稚園、小学校及び中学校の教育課程の基準の改善の基本的な考え方

・教育基本法、学校教育法などを踏まえ、我が国のこれまでの教育実践の蓄積を活かし、豊かな創造性を備え持続可能な社会の創り手となることが期待される子供たちが急速に変化し予測不可能な未来社会において自立的に生き、社会の形成に参画するための資質・能力を一層確実に育成することとしたこと。その際、子供たちに求められる資質・能力とは何かを社会と共有し、連携する「社会に開かれた教育課程」を重視したこと。

・知識及び技能の習得と思考力、判断力、表現力等の育成のバランスを重視する現行学習指導要領の枠組みや教育内容を維持し

た上で、知識の理解の質をさらに高め、確かな学力を育成することとしたこと。
・先行する特別教科化など道徳教育の充実や体験活動の重視、体育・健康に関する指導の充実により、豊かな心や健やかな体を育成することとしたこと。
・新たに「前文」を設け、新学習指導要領等を定めるに当たっての考え方を、明確に示したこと。

(2) 知識の理解の質を高め資質・能力を育む「主体的・対話的で深い学び」の実現

○「何ができるようになるか」を明確化

・子供たちに育む「生きる力」を資質・能力として具体化し、「何のために学ぶのか」という学習の意義を共有しながら、授業の創意工夫や教科書等の教材の改善を引き出していけるよう、各教科等の目標及び内容を、①知識及び技能、②思考力、判断力、表現力等、③学びに向かう力、人間性等の三つの柱で再整理したこと。

○主体的・対話的で深い学びの実現に向けた授業改善

・我が国のこれまでの教育実践の蓄積に基づく授業改善の活性化により、児童生徒の知識の理解の質の向上を図り、これからの時代に求められる資質・能力を育んでいくことが重要であること。そのため、小・中学校においては、これまでと全く異なる指導方法を導入しなければならないなどと浮足立つ必要はなく、これまでの教育実践の蓄積をしっかりと引き継ぎ、子供たちの実態や教科等の学習内容等に応じた指導の工夫改善を図ること。
・上記の資質・能力の三つの柱が、偏りなく実現されるよう、単元や題材など内容や時間のまとまりを見通しながら、子供たちの主体的・対話的で深い学びの実現に向けた授業改善を行うこととしたこと。

(3) 各学校におけるカリキュラム・マネジメントの確立

・教科等の目標や内容を見渡し、特に学習の基盤となる資質・能力（言語能力、情報活用能力、問題発見・解決能力等）や豊かな人生の実現や災害等を乗り越えて次代の社会を形成することに向けた現代的な諸課題に対応して求められる資質・能力の育成のためには、教科等横断的な学習を充実する必要があること。

また、主体的・対話的で深い学びの実現に向けた授業改善については、1単位時間の授業の中で全てが実現できるものではなく、単元など内容や時間のまとまりの中で、習得・活用・探究のバランスを工夫することが重要であるとしたこと。
・そのため、学校全体として、子供たちや学校、地域の実態を適切に把握し、教育内容や時間の適切な配分、必要な人的・物的体制の確保、実施状況に基づく改善などを通して、教育課程に基づく教育活動の質を向上させ、学習の効果の最大化を図るカリキュラム・マネジメントに努めるものとしたこと。

(4) 幼稚園における主な改善事項

・新幼稚園教育要領においては、幼稚園教育において育みたい資質・能力（「知識及び技能の基礎」、「思考力、判断力、表現力

等の基礎」、「学びに向かう力、人間性等」）を明確にしたこと。

・5歳児修了時までに育ってほしい具体的な姿を「幼児期の終わりまでに育ってほしい姿」として明確にしたこと。（「健康な心と体」「自立心」「協同性」「道徳性・規範意識の芽生え」「社会生活との関わり」「思考力の芽生え」「自然との関わり・生命尊重」「数量や図形、標識や文字などへの関心・感覚」「言葉による伝え合い」「豊かな感性と表現」）

・幼稚園において、我が国や地域社会における様々な文化や伝統に親しむことなど、教育内容の充実を図ったこと。

(5)～(7)　（略）

(8)　その他の改善事項

・初等中等教育の一貫した学びを充実させるため、小学校入学当初における生活科を中心とした「スタートカリキュラム」を充実させるとともに、幼小、小中、中高といった学校段階間の円滑な接続や教科等横断的な学習を重視したこと。

・（略）

・障害のある幼児児童生徒との交流及び共同学習の機会を設け、共に尊重し合いながら協働して生活していく態度を育むことを明らかにしたこと。

(9)　（略）

2　（略）

（別添）新幼稚園教育要領

第1章　総則

第1　幼稚園教育の基本（略）

第2　幼稚園教育において育みたい資質・能力及び「幼児期の終わりまでに育ってほしい姿」（略）

第3　教育課程の役割と編成等（略）

第4　指導計画の作成と幼児理解に基づいた評価（略）

第5　特別な配慮を必要とする幼児への指導（略）

第6　幼稚園運営上の留意事項（略）

第7　教育課程に係る教育時間終了後等に行う教育活動など（略）

第2章　ねらい及び内容（略）

第3章　教育課程に係る教育時間の終了後等に行う教育活動などの留意事項（略）

〔幼稚園の入園資格〕

第二十六条　幼稚園に入園することのできる者は、満三歳から、小学校就学の始期に達するまでの幼児とする。

【沿　革】　平一九・六・二七法九六により、旧八〇条から二六条に移動した。

【参照条文】　法一七条。施行規則三七条、三九条、五九条。

【注　解】

一　本条は、幼稚園の入園資格を定めており、幼稚園に入園することのできる者は、満三歳から小学校就学の始期に達するまでの幼児と規定している。従来、実際の取扱いとしては、小学校と同様に、満三歳に達した後最初に迎える四月から入園させる幼稚園が多かった。しかしながら、近年、少子化が進行する中で、遊び相手や集団活動を求めて低年齢から集団保育を望む保護者の要求が強まり、満三歳に達した段階で入園させることができるよう、条件整備が進められている。幼稚園については、修業年限や就学の開始時期については規定されていないが、学年制（施行規則三九条・五九条）や学期制（施行令二九条、施行規則六二条）はとられている。学年制や学期制は運営上の年度や年度内の区分方法を定めたものと解され、満三歳に達した幼児を直ちに入園させるなど年度途中の入退園は可能である。「小学校就学の始期」とは、満六歳に達した日の翌日以後における最初の学年の初め（四月一日）のことである（法一七条）。

幼稚園については、修業の期間が法定されていないことから、それぞれの幼稚園における修業の期間は、本条に違反しない限りにおいて設置者が定める。通常、一年保育、二年保育、三年保育と称して教育を行っていることが多い。

二　幼稚園入園資格については、規制緩和の観点から一時期特例が認められたことがある。構造改革特別区域法（平一四法一八九）によるもので、平成一五年四月から、地方公共団体が一定の要件の下に内閣総理大臣の認定を受けた場合には、本条の規定にかかわらず、満二歳に達した日の翌日以後における最初の学年の初めから区域内の幼稚園入園が認められた。しかし、この特例は実態に沿わず、現在では根拠条文は削除されている。

三　なお、幼稚園設置基準四条では、「学級は、学年の初めの日の前日において同じ年齢にある幼児で編制するこ

とを原則とする。」と定めている。また、同設置基準三条では、一学級の幼児数を定めており、平成七年二月の改正（平七文部省令一）で、それまでの「四十人以下を原則とする。」から「三十五人以下を原則とする。」に改められている。

〔園長、教頭、教諭その他の職員〕

第二十七条　幼稚園には、園長、教頭及び教諭を置かなければならない。

②　幼稚園には、前項に規定するもののほか、副園長、主幹教諭、指導教諭、養護教諭、栄養教諭、事務職員、養護助教諭その他必要な職員を置くことができる。

③　第一項の規定にかかわらず、副園長を置くときその他特別の事情のあるときは、教頭を置かないことができる。

④　園長は、園務をつかさどり、所属職員を監督する。

⑤　副園長は、園長を助け、命を受けて園務をつかさどる。

⑥　教頭は、園長（副園長を置く幼稚園にあつては、園長及び副園長）を助け、園務を整理し、及び必要に応じ幼児の保育をつかさどる。

⑦　主幹教諭は、園長（副園長を置く幼稚園にあつては、園長及び副園長）及び教頭を助け、命を受けて園務の一部を整理し、並びに幼児の保育をつかさどる。

⑧　指導教諭は、幼児の保育をつかさどり、並びに教諭その他の職員に対して、保育の改善及び充実のために必要な指導及び助言を行う。

⑨　教諭は、幼児の保育をつかさどる。

⑩　特別の事情のあるときは、第一項の規定にかかわらず、教諭に代えて助教諭又は講師を置くことができる。

⑪　学校の実情に照らし必要があると認めるときは、第七項の規定にかかわらず、園長（副園長を置く幼稚園にあつては、園長及び副園長）及び教頭を助け、命を受けて園務の一部を整理し、並びに幼児の養護又は栄養の指導及び管理をつかさどる主幹教諭を置くことができる。

【沿　革】　昭三六・一〇・三一法一六六により、「但し」を「ただし」に改めた。

昭四九・六・一法七〇により次のように改めた。

第一項中「園長」の下に「、教頭」を加え、同項に次のただし書を加えた。

ただし、特別の事情のあるときは、教頭を置かないことができる。

第二項中「前項のほか、」の下に「養護教諭、養護助教諭その他」を加え、第四項中「掌る」を「つかさどる」に改め、第三項中「掌り」を「つかさどり」に改め、同項の次に第四項及び第五項を加えた。

平一九・六・二七法九六により、旧八一条から二七条に移動し、第二項中「前項に規定するもののほか」の下に「、副園長、主幹教諭、指導教諭」を、「養護教諭」の下に「、栄養教諭、事務職員」を加えるとともにただし書を削除し、第三項、第五項、第七項、第八項及び第一一項を新設し、第五項を第一〇項に移動し、第六項中「園長」の下に「（副園長を置く幼稚園にあつては、園長及び副園長）」を加えた。

【参照条文】　法七条、二八条、三七条。

【注　解】

一　本条は、幼稚園として必要な職員についてその種類と各職員の職務について規定したものである。幼稚園に必ず置かなければならない職員は、園長、教頭及び教諭である。ただし、教頭は、副園長を置くときその他特別の事情のあるときは、置かないことができる。小学校等とは異なり、養護教諭及び事務職員は必ず置かなければならない職とはされていない。

このほか、副園長、主幹教諭、指導教諭、養護教諭、栄養教諭、事務職員、養護助教諭その他の職員を置くことが

できるとされている。

平成一九年六月の本法規定以前には、事務職員については規定がなかった。これは、制定当時は幼稚園が比較的小規模であり事務職員を置く必要性が低いと想定されていたことによると考えられる。しかし、今日では、事務職員を置く幼稚園の比率が高まっていることを踏まえ、平成一九年六月の本法改正により任意設置の職として事務職員の規定が新設され、職務内容も規定された（法二八条で法三七条の規定を準用）。

なお、施行規則では、小学校とは異なり、連絡調整及び指導助言を担当するいわゆる主任等を置くべきこととはされていない。

二　本条二項でいう「その他必要な職員」としては、施行規則において小学校の用務員やスクールカウンセラー、スクールソーシャルワーカー、特別支援教育支援員、教員業務支援員等の職員に関する規定が準用されているほか（施行規則三九条）、学校保健安全法に基づく学校医、学校歯科医、学校薬剤師が含まれる。

三　教職員の配置については、幼稚園設置基準に規定されている。

（教職員）

第五条　幼稚園には、園長のほか、各学級ごとに少なくとも専任の主幹教諭、指導教諭又は教諭（次項において「教諭等」という。）を一人置かなければならない。

2　特別の事情があるときは、教諭等は、専任の副園長又は教頭が兼ね、又は当該幼稚園の学級数の三分の一の範囲内で、専任の助教諭若しくは講師をもつて代えることができる。

3　専任でない園長を置く幼稚園にあつては、前二項の規定により置く主幹教諭、指導教諭、教諭、助教諭又は講師のほか、副園長、教頭、主幹教諭、指導教諭、教諭、助教諭又は講師を一人置くことを原則とする。

4　幼稚園に置く教員等は、教育上必要と認められる場合は、他の学校の教員等と兼ねることができる。

第六条　幼稚園には、養護をつかさどる主幹教諭、養護教諭又は養護助教諭及び事務職員を置くように努めなければならない。

本条一〇項では、幼稚園においては、特別な事情があるときは、教諭に代えて助教諭又は講師を置くことができる

と規定し、この規定を受け、幼稚園設置基準に、幼稚園の教職員について前述のように定められている。幼稚園においては、その学級数と同数以上の専任の主幹教諭、指導教諭又は教諭を置くことを原則としているが、この専任教諭の一部を専任の助教諭又は講師で代えることができることとし、その限度が示されている。

四 園長、副園長、教頭、主幹教諭、指導教諭、教諭、養護教諭、栄養教諭、事務職員、助教諭、講師、養護助教諭の職務は、小学校の場合とほぼ同一である（法三七条の【注解】参照）。

〔準用規定〕

第二十八条 第三十七条第六項、第八項及び第十二項から第十七項まで並びに第四十二条から第四十四条までの規定は、幼稚園に準用する。

【沿　革】 昭四九・六・一法七〇により、「第三十四条」を「第二十八条第五項、第七項及び第九項から第十一項まで並びに第三十四条」に改めた。
平一六・五・二一法四九により、「及び第九項から第十一項まで」を「、第八項及び第十項から第十二項まで」に改めた。
平一九・六・二十七法九六により、旧八二条から二八条に移動し、準用する規定を改めた。

【参照条文】 私立学校法四条。

【注　解】

一 本条は、小学校についての職員に関する規定、私立学校の所管の規定及び学校評価に関する規定を幼稚園に準用することを明記したものである。

小学校の教職員に関する規定として法三七条のうち、副校長の校長職務代理（六項）、教頭の校長職務代理（八項）、養護教諭の職務（一二項）、栄養教諭の職務（一三項）、事務職員の職務（一四項）、助教諭の職務（一五項）、講師の職務

（一六項）及び養護助教諭の職務（一七項）の規定を準用する。

また、学校評価に関する規定（法四二条）、情報公開に関する規定（法四三条）及び私立小学校の所管を都道府県知事とする規定（法四四条）を準用する。

二　私立幼稚園は、当分の間、学校法人によって設置されることを要しない（法附則六条）こととなっており、現に、個人立、宗教法人立等、学校法人立以外の幼稚園が存在している。これら学校法人立でない幼稚園については、学校教育法の目的に照らした公益性の確保、経営の安定継続性の確保等を図るため、長年にわたり学校法人化が促進されてきており、各都道府県においても、現実には学校法人以外の者による幼稚園の新設を認めていない。ただし、平成一三年度以降、社会福祉法人については、その取扱いについて適切な配慮を求める旨の通知を出していることについては、法二二条の【注解】六参照。

三　施行規則三九条において、職員会議及び学校評議員の設置、履修困難な場合の学習指導のほか、学年及び授業日、職員並びに学校評価に関する小学校の規定が幼稚園に準用されている。

第四章　小　学　校

〔小学校の目的〕

第二十九条　小学校は、心身の発達に応じて、義務教育として行われる普通教育のうち基礎的なものを施すことを目的とする。

【沿　革】平一九・六・二七法九六により、旧一七条から二九条に移動し、「初等普通教育」を「義務教育として行われる普通教育のうち基礎的なもの」に改めた。

【参照条文】憲法二六条二項。教育基本法一条、二条、五条一項及び二項、六条。法一六条、四五条。小学校設置基準。

【注　解】

一　本条は、国・公・私立の別を問わず、小学校において行われる教育の目的を定めたものである。

二　「普通教育」については、法一六条の【注解】一(2)参照。

本条のような各学校種の目的規定は、学校教育体系の中での各学校の位置づけを明らかにするものである。従前、小学校の目的は「初等普通教育を施すこと」と規定し、中学校における中等普通教育及び高等学校における高等普通教育と対比して区別していた。平成一八年の教育基本法改正により教育の目標が改正され（教育基本法二条）、義務教育の目的が定められた（同法五条二項）ことなどを踏まえ、平成一九年の本法改正において、学校教育法に義務

教育の章を新設して義務教育についてまとまりをもって規定するとともに、本条についても、義務教育における小学校の位置づけを明確にするため、「義務教育として行われる普通教育のうち基礎的なものを施すこと」に改めたものである。なお、小学校の位置づけや教育内容等については、改正前の「初等普通教育」と実質的に変わるところはない。

「義務教育として行われる普通教育」の具体的な内容は、法二一条の義務教育の目標に一〇号にわたって定められ、そのうち「基礎的なもの」の具体的な教育内容については、次条の小学校の目標に従って法三三条に基づき文部科学大臣が定める学習指導要領において示されている。

三　「心身の発達に応じて」とは、本来、教育は、児童生徒の心身の発達の程度にふさわしい内容及び方法によって行われるべきものであるから、小学校において義務教育として行われる普通教育のうち基礎的なものを施す場合にも、小学校段階の児童の精神的・身体的発達の状況に十分応じて教育を行うべきことを述べているものである。

四　小学校における教育内容に関しては、本条及び次条の規定に従い、文部科学大臣が施行規則及び学習指導要領において、教科等の構成、標準授業時数、各教科等ごとの指導内容について定めている（法三三条の【**注解**】参照）。また、従来、施行規則では、小学校の標準規模、学級編制、教員数といった編制等の基本的事項に関し定めていた。特に、公立学校については、「公立義務教育諸学校の学級編制及び教職員定数の標準に関する法律」（昭三三法一一六）等が事実上の学級編制、教職員配置の基準として機能してきたこともあり、小学校及び中学校の設置基準については、「別に定める」（施行規則旧一六条など）とされながら、それまで独立の形では制定されてこなかった。

平成一四年三月、私立学校を含め多様な小学校及び中学校の設置を促進する観点から、小学校及び中学校を設置するために必要な最低の基準としてそれぞれの設置基準が制定された（平成一四年四月一日施行。ただし、編制、施設及び設備については平成一五年四月一日施行）。これは、教育改革国民会議報告（平成一二年一二月）及び総合規制改革会議第一次答

申（平成一三年一二月）による提言を踏まえたものである。多様な学校の設置を促進することをねらいとしていることから、制定された設置基準においては、小学校等を設置するのに必要な最低の基準を明確化するとともに、地域の実態に応じた適切な対応が可能となるよう、弾力的、大綱的に規定することを基本方針として制定されている。

○小学校設置基準（平一四・三・二九文部科学省令一四）

最終改正　平一九・一二・二五　文部科学省令四〇

第一章　総則

（趣旨）

第一条　小学校は、学校教育法（昭和二十二年法律第二十六号）その他の法令の規定によるほか、この省令の定めるところにより設置するものとする。

２　この省令で定める設置基準は、小学校を設置するのに必要な最低の基準とする。

３　小学校の設置者は、小学校の編制、施設、設備等がこの省令で定める設置基準より低下した状態にならないようにすることはもとより、これらの水準の向上を図ることに努めなければならない。

第二条及び第三条　削除

第二章　編制

（一学級の児童数）

第四条　一学級の児童数は、法令に特別の定めがある場合を除き、四十人以下とする。ただし、特別の事情があり、かつ、教育上支障がない場合は、この限りでない。

（学級の編制）

第五条　小学校の学級は、同学年の児童で編制するものとする。ただし、特別の事情があるときは、数学年の児童を一学級に編制することができる。

（教諭の数等）

第六条　小学校に置く主幹教諭、指導教諭及び教諭（以下この条において「教諭等」という。）の数は、一学級当たり一人以上とする。

２　教諭等は、特別の事情があり、かつ、教育上支障がない場合は、校長、副校長若しくは教頭が兼ね、又は助教諭若しくは講師をもって代えることができる。

３　小学校に置く教員等は、教育上必要と認められる場合は、他の学校の教員等と兼ねることができる。

第三章　施設及び設備

（一般的基準）

第七条　小学校の施設及び設備は、指導上、保健衛生上、安全上及び管理上適切なものでなければならない。

（校舎及び運動場の面積等）

第八条　校舎及び運動場の面積は、法令に特別の定めがある場合を除き、別表に定める面積以上とする。ただし、地域の実態その他により特別の事情があり、かつ、教育上支障がない場合は、この限りでない。

2　校舎及び運動場は、同一の敷地内又は隣接する位置に設けるものとする。ただし、地域の実態その他により特別の事情があり、かつ、教育上及び安全上支障がない場合は、その他の適当な位置にこれを設けることができる。

（校舎に備えるべき施設）

第九条　校舎には、少なくとも次に掲げる施設を備えるものとする。

一　教室（普通教室、特別教室等とする。）

二　図書室、保健室

三　職員室

2　校舎には、前項に掲げる施設のほか、必要に応じて、特別支援学級のための教室を備えるものとする。

（その他の施設）

第十条　小学校には、校舎及び運動場のほか、体育館を備えるものとする。ただし、地域の実態その他により特別の事情があり、かつ、教育上支障がない場合は、この限りでない。

（校具及び教具）

第十一条　小学校には、学級数及び児童数に応じ、指導上、保健衛生上及び安全上必要な種類及び数の校具及び教具を備えなければならない。

2　前項の校具及び教具は、常に改善し、補充しなければならない。

（他の学校等の施設及び設備の使用）

第十二条　小学校は、特別の事情があり、かつ、教育上及び安全上支障がない場合は、他の学校等の施設及び設備を使用することができる。

附　則（抄）

（施行期日等）

1　この省令は、平成十四年四月一日から施行する。ただし、第二章及び第三章の規定、附則第三項の規定（学校教育法施行規則（昭和二十二年文部省令第十一号）第十六条の改正規定を除く。）並びに別表の規定は、平成十五年四月一日から施行する。

2　第二章及び第三章の規定並びに別表の規定の施行の際現に存する小学校の編制並びに施設及び設備については、当分の間、なお従前の例によることができる。

別表（第八条関係）

イ　校舎の面積

児　童　数	面積（平方メートル）
一人以上四〇人以下	500
四一人以上四八〇人以下	500＋5×（児童数－40）
四八一人以上	2700＋3×（児童数－480）

ロ　運動場の面積

児　童　数	面積（平方メートル）
一人以上二四〇人以下	2400
二四一人以上七二〇人以下	2400＋10×（児童数－240）
七二一人以上	7200

五　職員に関する小学校設置基準の規定等に関しては、法三七条の【注解】三参照。設置基準の趣旨については、法三条の【注解】参照。

なお、「小学校設置基準及び中学校設置基準の制定等について」（平一四・三・二九　一三文科初一一五七号。後掲【通知】参照）において、小学校等の施設及び設備を専用かつ自己所有とすることが原則であることとされているが、構造改革特別区域における特例措置の全国展開により弾力的な取扱いが可能となっている（平一九・三・二八　一八文科高七五六号　文部科学省初等中等教育局長、高等教育局私学部長通知）。すなわち、長期にわたり校地及び校舎を使用できる保証がある借用を行う場合等には、学校の設置に伴う学校法人の寄附行為の認可（既存の学校法人の寄附行為の変更の認可を含む）に当たって、その校地・校舎の自己所有要件を緩和している。また、学校設置会社又は学校設置非営利法人が学校を設置する場合の認可についても同様の取扱いとしている。

【通　知】

○小学校設置基準及び中学校設置基準の制定等について（抄）

（平一四・三・二九　一三文科初一一五七号　各都道府県教育委員会、各都道府県知事、各指定都市教育委員会、各指定都市市長、附属学校を置く各国立大学長、国立久里浜養護学校長あて　文部科学事務次官通知）

このたび、別添1から別添4まで（略）のとおり、「小学校設置基準」（平成一四年文部科学省令第一四号）、「中学校設置基準」（平成一四年文部科学省令第一五号）、「高等学校設置基準の一部を改正する省令」（平成一四年文部科学省令第一六号）及び「幼稚園設置基準の一部を改正する省令」（平成一四年文部科学省令第一七号）が平成一四年三月二九日に公布され、いずれも総則に係るものについては平成一四年四月一日から、編制並びに施設及び設備に係るものについては平成一五年四月一日から施行されることとなりました。

今回の小学校設置基準及び中学校設置基準の制定等は、「教育改革国民会議報告―教育を変える一七の提案―」（平成一二年一二月）、文部科学省「二一世紀教育新生プラン」（平成一三年一月）、総合規制改革会議「規制改革の推進に関する第一次答申」（平成一三年一二月）等を踏まえ、私立学校を含め多様な小学校及び中学校の設置を促進する観点から、小学校及び中学校を設置するために必

要な最低の基準としてそれぞれの設置基準を定めるとともに、小学校等における自己評価等及び情報の積極的な提供に関する規定等を設けるものです。

これらの省令の概要及び留意事項等は下記のとおりですので、その運用に当たって遺漏のないようお取り計らいください。

また、都道府県教育委員会及び都道府県知事におかれては、域内の市区町村教育委員会、所管又は所轄の学校及び学校法人に対し、これらの省令の制定等について周知していただくとともに、必要な指導等をお願いします。

また、小学校設置基準及び中学校設置基準の制定等の趣旨を踏まえ、都道府県の私立学校設置認可に係る審査基準及び学校法人の設立認可に係る審査基準等について必要な見直しを行うなど、設置に係る認可事務の適切な実施をお願いします。

記

第一 小学校設置基準（平成一四年文部科学省令第一四号）及び中学校設置基準（平成一四年文部科学省令第一五号）の制定について

一 制定等の趣旨

(1) 小学校設置基準及び中学校設置基準を制定する趣旨

現在、学校教育法（昭和二二年法律第二六号）第三条に基づく設置基準として、小学校及び中学校（以下「小学校等」という。）については、それぞれ独立した省令はなく、学校教育法施行規則（昭和二二年文部省令第一一号）に、設備編制の基本的事項についてのみ定められている。今回、私立学校を含め多様な学校の設置を促進する観点から、設置基準を小学校等を設置するのに必要な最低の基準として明確化するとともに、地域の実態に応じた適切な対応が可能となるよう、弾力的、大綱的に規定することを基本方針として、小学校設置基準及び中学校設置基準を制定するものであること。

(2) （略）

二 設置基準の概要（略）

三 留意事項

(1) 設置基準の位置付け（第一条）

「学校教育法その他の法令」には、私立学校法、学校保健法〔編者注：現行の学校保健安全法〕等が含まれるものであること。また、小学校等の設置とは、小学校等の新たな設置と設置後の小学校等の維持運営を併せ意味するものであること。したがって、この設置基準は、小学校等を新たに設置する場合の基準であるとともに、設置後もこれに従って維持管理されるべきであること。

(2)・(3) （略）

(4) 一学級の児童（生徒）数（第四条）

① 「法令に特別の定めがある場合」には、公立義務教育諸学校の学級編制及び教職員定数の標準に関する法律（昭和三三年法律第一一六号）第三条第二項の規定が含まれるものであること。

② 私立学校等において、入学者選抜に伴う特別の配慮が必要である場合その他特別な事情のある場合で、教育上支障がな

い場合は、四〇人を超える学級の編制が認められるものであること。

(5)　教諭の数等（第六条）

①　第一項は、小学校等に置くべき教諭の最小限の数について規定したものであること。したがって、学校教育法、学校保健法（昭和三三年法律第五六号）その他の法令により必要とされる職員については、それぞれの法令の規定に従い、置くものであること（第一項）。

②　第三項は、小学校及び中学校間等学校間の連携の推進等教育上必要と認められる場合に、他の学校の教員等と兼ねることができることを明らかにするものであること（第三項）。

(6)　校舎及び運動場の面積等（第八条）

①　「法令に特別の定めがある場合」には、義務教育諸学校施設費国庫負担法〔編者注：現行の義務教育諸学校等の施設費の国庫負担等に関する法律〕（昭和三三年法律第八一号）第六条の規定が含まれるものであること（第一項）。

②　小学校等においては、原則として別表に定める校舎及び運動場の面積を確保するものとし、立地条件及び周囲の環境によりこれらが困難であるなどやむを得ない特別の事情がある場合で、教育上支障がない場合には、別表に定める校舎又は運動場の面積を下回ることができること（第一項）。

③　小学校等においては、原則として校舎及び運動場を同一の敷地内又は隣接する位置に設けるものとし、立地条件及び周囲の環境によりこれらが困難であるなどやむを得ない特別の事情がある場合で、教育上及び安全上支障がない場合には、適当な位置にこれを設けることができること（第二項）。

(7)　校舎に備えるべき施設（第九条）

教室については、普通教室及び特別教室の組合せによる形態のほか、教科教室型その他の形態についても認められるものであること。

(8)　その他の施設（第一〇条）

小学校等においては、原則として体育館を備えるものとし、立地条件及び周囲の環境によりこれらが困難であるなどやむを得ない特別の事情がある場合で、教育上支障がない場合には、例外が認められること。

(9)　他の学校等の施設及び設備の使用（第一二条）

①　小学校等においては、施設及び設備を専用かつ自己所有とすることが原則であること。

②　「特別な事情」には、学校間の連携を推進するため、当該小学校等が同一設置者が設置する他の学校種の学校と併設される場合が含まれること。

③　「他の学校等の施設及び設備」には、公民館、運動場、体育館等の施設及び設備が含まれること。

④　地方公共団体等の施設を長期にわたり安定して使用する条件を取得している場合等教育上及び安全上支障がない場合には、これを使用（共用又は借用）することができること。

〔小学校の目標〕

第三十条　小学校における教育は、前条に規定する目的を実現するために必要な程度において第二十一条各号に掲げる目標を達成するよう行われるものとする。

②　前項の場合においては、生涯にわたり学習する基盤が培われるよう、基礎的な知識及び技能を習得させるとともに、これらを活用して課題を解決するために必要な思考力、判断力、表現力その他の能力をはぐくみ、主体的に学習に取り組む態度を養うことに、特に意を用いなければならない。

【沿　革】　昭和三六・一〇・三一法一六六により、「左の」を「次の」に改めた。

平成一九・六・二七法九六により、「教育については」を「教育は」に、「前条の」を「前条に規定する」に、「次の各号」を「必要な程度において第二十一条各号」に、「の達成に努めなければならない」を「を達成するよう行われるものとする」に改め、各号を削除し、第二項を追加し、旧一八条から三〇条に移動した。

【参照条文】　教育基本法一条、二条、五条、六条二項。法二一条、二九条、四六条、四九条の三、五一条。施行規則五〇条。

【注　解】

一　本条一項は、前条に示された小学校の目的を達成するために、小学校教育において達成すべき目標を規定したものである。

二　教育基本法において義務教育の目的が規定されたことを受け、法二一条において、義務教育の具体的な目標が規定されている。義務教育の完成段階である中学校における教育の目標として示すべき内容自体は義務教育の目標として法二一条で示された内容と同一となるのに対し、小学校の目標規定においては、義務教育の目標として法二一条各号で示された内容について、小学校修了段階でどの程度まで指導すべきなのか、教育の方向性や教育内容の大枠を

小学校の目標として明確にする必要がある。ただし、義務教育の目標として、目指すべき態度や養うべき基本的な能力としての教育の方向性や教育内容の大枠は法二一条各号で示されていることから、小学校の目標規定では、義務教育の目標全体をとらえて、それとの関係が一括して示されている。

三　「前条に規定する目的を実現するために必要な程度」とは、小学校の目的として規定する「義務教育として行われる普通教育のうち基礎的なものを施すこと」を実現するために「必要な程度」ということを意味するものであり、義務教育の目標との関係で小学校が目指す目標を相対的に示したものである。本項の目標は、施行規則五〇条に定める小学校の各教科（国語、社会、算数、理科、生活、音楽、図画工作、家庭、体育及び外国語）、特別の教科である道徳、外国語活動、総合的な学習の時間及び特別活動を通じてその達成が図られるものであり、この目標を達成するための具体的な目標や内容は、小学校学習指導要領において示されることになる。

四　施行規則五〇条に定める各教科等については、一応、法二一条各号の目標のそれぞれに対応するものが考えられる。しかし、同条各号の目標は、各教科等と必ずしも対応して考えられるべきものではなく、これらの各教科等を通じて具体化される場合には相互に関連して取り扱われる性格のものであり、いずれの教科等の指導に際しても、それぞれに対応する目標の達成のみならず、各号の目標の達成に努めるよう配慮されなければならないものである。

五　教育基本法における義務教育の目的規定（教育基本法五条二項）及び学校教育法における義務教育の目標規定（法二一条）の規定にならい、本条一項も「目標を達成するよう行われるものとする」との規定に改められたが、このことによって、この目標規定が、学ぶ側である児童が目標を達成することを義務付けるものではなく、教える側にとっての教育の方向性を示しているものであり、教育を行う者の努力の目標を示しているという規定の性格は変わりがないものと解される。

六　本条二項は、一項に基づき、小学校における教育について、前条の目的を実現するために必要な程度におい

て、法二一条に掲げる目標を達成するよう行われる場合においては、生涯にわたり学習する基盤が培われるよう、基礎的な知識及び技能を習得させるとともに、これらを活用して課題を解決するために必要な力をはぐくみ、主体的に学習に取り組む態度を養うことに、特に意を用いて行われなければならないことを規定しているものである。生涯学習の基礎を学校教育で培うこと、基礎的な知識、技能の習得とともに、それらを活用して課題を解決するために必要な思考力、判断力、表現力等をはぐくむこと、さらに、主体的な学習態度の育成といった基本事項を定めた本項は、生涯学習と学校教育との関係等を初めて法律上規定したもので、平成一九年の法改正で追加された。

なお、本条二項の適用対象は、小学校、中学校、義務教育学校、高等学校及び中等教育学校であり、小学校の章で規定し、中学校、義務教育学校、高等学校及び中等教育学校に準用している（法四九条・四九条の八・六二条・七〇条）。

七 教育基本法六条二項においては、「学校生活を営む上で必要な規律を重んずるとともに、自ら進んで学習に取り組む意欲を高めることを重視して行われなければならない」ことが規定された。それに先だって、平成一七年一〇月の中央教育審議会答申「新しい時代の義務教育を創造する」では、「一人一人の子どもたちの個性や能力を伸ばし、生涯にわたってたくましく生きていく基礎を培うとともに、国家・社会の形成者として必要な資質能力を養うということを基本に据え、今後、教育基本法の改正の動向にも留意しながら、更に検討を進める必要がある」とされるとともに、特に教育内容の改善に関して「基礎的な知識・技能の育成（いわゆる習得型の教育）と、自ら学び自ら考える力の育成（いわゆる探究型の教育）とは、対立的あるいは二者択一的にとらえるべきものではなく、この両方を総合的に育成することが必要である。これからの社会においては、自ら考え、頭の中で総合化して判断し、表現し、行動できる力を備えた自立した社会人を育成することがますます重要となる。したがって、基礎的な知識・技能を徹底して身に付けさせ、それを活用しながら自ら学び自ら考える力などの「確かな学力」を育成し、「生きる力」をはぐくむという基本的な考え方は、今後も引き続き重要である」とされた。さらに、平成一九年三月の中央教育審議会

答申「教育基本法の改正を受けて緊急に必要とされる教育制度の改正について」では、「学校教育法の改正案について審議するに当たっては、これまでの（中略）教育課程部会（中略）における議論を十分踏まえて検討を行った。教育課程部会においては、学習指導要領の見直しについて、「生きる力」の育成のための具体的な手立ての確立の観点から、基本的な考え方から（中略）各教科等の具体的な改善にいたるまで様々な審議を重ねている」とされている。このように、本条二項は、平成一七年一〇月の答申で教育内容の改善について指摘された考え方が、学習指導要領の見直しを進めていた教育課程部会においてさらに議論が深められていた状況も踏まえた上で、小学校において、本条一項に掲げる目標を達成するよう教育が行われる場合に、全体として必要な留意事項を規定しているものである。

八　平成一九年三月の中央教育審議会答申では、「改正された教育基本法や学校教育法の見直しを通じて明確化された教育理念を実現する観点も踏まえ、学習指導要領の見直しについて、更に検討を深めることが必要である」と提言されており、新たに示された本条二項の趣旨を踏まえながら、教育課程部会において、習得と探究をどのように関係づけてはぐくんでいくのかの具体的なイメージについても議論が深められた。具体的には、観察・実験、レポートの作成、論述といった知識・技能の活用を図る活動を、習得と探究の間に位置づけ、各教科では、基礎的・基本的な知識・技能を習得しつつ、観察・実験をし、その結果をもとにレポートを作成する、文章や資料を読んだ上で知識や経験に照らして自分の考えをまとめて論述するといったそれぞれの教科の知識・技能を活用する学習活動を行い、それを総合的な学習の時間における教科等を横断した課題解決的な学習や探究活動へと発展させることが必要とされた。さらに、知識・技能を習得するのも、これらを活用し課題を解決するために思考し、判断し、表現するのもすべて言語によって行われるものであり、これらの学習活動の基盤になるのは言語に関する能力であることから、国語科をはじめ全ての教科において、それぞれの教科の特質に応じて言語活動の充実を図ることが必要とされた。このように、本条二項の趣旨は、教育課程部会の審議、さらにはそれを踏まえた学習指導要領の改訂に反映された。

〔体験活動の充実〕

第三十一条　小学校においては、前条第一項の規定による目標の達成に資するよう、教育指導を行うに当たり、児童の体験的な学習活動、特にボランティア活動など社会奉仕体験活動、自然体験活動その他の体験活動の充実に努めるものとする。この場合において、社会教育関係団体その他の関係団体及び関係機関との連携に十分配慮しなければならない。

【沿　革】　平一三・七・一一法一〇五により新設した。
平一九・六・二七法九六により、「前条各号に掲げる」を「前条第一項の規定による」に改め、旧一八条の二から三一条に移動した。

【参照条文】　法二一条、三〇条、三三条、四六条、四九条、四九条の八、五一条、六二条、六四条、七〇条、八二条。社会教育法三条、五条。

【注　解】

一　本条は、学校教育における体験活動の重要性にかんがみ、小学校における体験活動等の体験的な学習活動の充実に努めるべきことを定めたものである。

なお、本条の適用対象は、小学校、中学校、義務教育学校、高等学校、中等教育学校及び特別支援学校であり、小学校の章で規定し、中学校、義務教育学校、高等学校、中等教育学校及び特別支援学校に準用している。

二　児童に自ら学び自ら考える力、豊かな人間性や社会性を育むためには、教員が知識を一方的に教授する講義型の学習のみならず、児童が主体的、能動的に参加し、具体的な事象とかかわって実際的に体験する学習活動が重要である。法二一条に規定する義務教育の目標は、小学校及び中学校において達成すべき児童生徒の能力や技能を総体と

して示したものであるが、その目標を達成する上で、体験活動等の方法が有効であることから、本条において、体験的な学習活動の充実について規定した。

体験活動等の教育上の意義、有効性についてはかねてより議論があったところであるが、平成一二年の教育改革国民会議の報告で体験学習や奉仕活動の重要性が提言されたことを踏まえたものである。

三　学校教育における児童の学習活動は、教育指導の方法に着目すれば、講義型の学習活動（いわゆる座学）と児童の体験を重視した体験的な学習活動に大別される。「体験的な学習活動」は、小学校の各教科の指導、特別の教科である道徳、外国語活動、総合的な学習の時間、特別活動（学級活動、学校行事等）の学習の中でそれぞれ実施される。

さらに、この「体験的な学習活動」は、①日頃の授業において行われる実験、観察、見学、調査などと、②期間的、内容的に一定のまとまりのある「体験活動」とに分類できる。

以上述べたところを図示すると、次のとおりである。

- 体験的な学習活動
  - 実験、観察、見学、調査など（本条には規定していない）
  - 体験活動
    - 社会奉仕体験活動〈社会奉仕の精神を涵養することを目的とした活動を体験する活動〉
      - ボランティア活動〈自発的意志に基づき労働の対価を目的とせず、その技能や時間等を提供し他人や社会公共のために役立つことをする活動〉
      - その他
    - 自然体験活動〈自然の中で自然を活用した活動を体験する活動〉
    - その他の体験活動〈例えば、勤労生産体験活動、職業体験・就業体験活動、芸術文化体験活動、交流体験活動、ものづくり体験活動など〉

四　小学校において体験活動等の体験的な学習活動を充実していくためには、各学校のみの取組みでは、活動の場

の確保や指導者の確保など内容の充実の面で限界がある。このため、社会教育関係団体その他の関係団体及び関係機関と十分連携し、活動の場や指導者などの面で協力を得ながら実施する必要があることを明記したものである。

「社会教育関係団体」とは、法人であると否とを問わず社会教育に関する事業を行う団体であり、「その他の関係団体及び関係機関」とは、体験活動等の種類・内容に応じ当該活動に携わっている団体・機関を広く指すものである。

なお、本条は、平成一三年七月の学校教育法の一部改正により新設されたのであるが、同時期に社会教育法も一部改正（平一三法一〇六）された。青少年に対し体験活動の機会を提供する事業の実施及びその奨励に関する事務を教育委員会の事務として規定する（社会教育法五条一四号）とともに、社会教育行政を進めるに当たって学校教育との連携の確保に努めることが規定され（同法三条三項）、学校教育と社会教育が相まって児童生徒の体験活動を促進していくべきことを明らかにした。

【通　知】

○学校教育及び社会教育における体験活動の促進について（抄）（平一三・九・一四　一三文科初五九七号　各国公私立大学長、各都道府県教育委員会、各都道府県知事等あて　文部科学省初等中等教育局長・生涯学習政策局長通知）

記

1　**体験活動に関する規定の概要**（略）

2　**学校教育及び社会教育に共通する体験活動に関する留意点**

(1)　このたびの法改正は、学校教育と社会教育とが相まって体験活動を促進し、児童生徒及び青少年の社会性や豊かな人間性などを育む観点から行われたものであり、このような趣旨を踏まえ、ボランティア活動など社会奉仕体験活動、自然体験活動をはじめ、勤労生産体験活動、職業体験活動、芸術文化体験活動など多様な体験活動の充実を図ること。

(2)　各教育委員会は、学校教育担当部局と社会教育担当部局との密接な連携のもと、地域の実情に応じ、地方公共団体の首長部局、学校関係者、ＰＴＡや青少年団体などの社会教育関係団体をはじめ、広く関係者との連携を図り、都道府県及び市町村のそれぞれに協議会を設けるなど、学校教育及び社会教育を通じ

た体験活動の推進体制を整備すること。

(3)　各教育委員会は、民間の社会教育団体等が行うものも含めて、広く様々な体験活動についての情報を収集し、これを学校や地域住民に提供するとともに、相談への対応や、参加者の希望と受入先との間の必要な調整を行う仕組を整備すること。

(4)　各教育委員会は、上記(2)及び(3)の推進体制等を活用し、青少年教育施設や公民館等の社会教育施設、社会福祉施設、児童館、勤労青少年センター等の関係機関、関係団体、地域の企業等の協力を得て、多様な体験活動の場や機会の確保に努めること。

(5)　各教育委員会は、体験活動を主催する社会教育関係団体、NPO等の民間グループに対して、活動の趣旨、内容等に応じ、公民館などの社会教育施設をはじめ管下の施設の利用について、便宜を図るよう努めること。

(6)　各教育委員会は、上記(2)及び(3)の推進体制等を活用し、教職員や教育委員会関係者にとどまらず、広く社会教育関係団体や地域住民、地域の企業等から体験活動の指導者や協力者を確保するとともに、研修等を通じてこれらの人材の養成に努めること。

(7)　体験活動を行う学校及び教育委員会は、団体・施設の任意の協力を得て体験活動を実施するに当たっては、受入団体・施設の利用者又は入所者のプライバシーや団体・施設の保有する情報の保護等に十分留意するとともに、特に施設において体験活動を実施する場合には、参加者の人数等の適正化に努めるなど、当該団体・施設の本来の業務に支障が生じないように配慮すること。このため、受入団体・施設と連絡を密にし、体験活動を実施するに当たっての留意点などについて事前に十分情報交換を行うこと。また、体験活動の参加者に対し、事前に十分な指導や研修を行うなどして、体験活動に参加するに当たって必要な知識・技能やマナーなどを習得できるようにするとともに、併せて体験活動に意欲を持って参加できるように工夫すること。

(8)　体験活動を行う学校及び教育委員会は、参加者、指導者、受入団体・施設の利用者、入所者又は職員等の安全の確保に十分配慮すること。このため、実地調査による事前の検討・点検、活動の際の指導者の立会等適切な配慮をすること。さらに、体験活動中に事故等が発生した場合に適切な措置がとれる体制を整えるとともに、事故が発生した場合の補償について、保険の利用などに配慮すること。万一、事故が発生した場合は、直ちに状況に応じた適切な応急処置を行うこと。

3　学校教育における体験活動に関する留意点

(1)　各学校においては、現行の学習指導要領に基づき、体験活動の充実が図られてきているところであるが、平成一〇年に告示された小学校学習指導要領、中学校学習指導要領、平成一一年に告示された高等学校学習指導要領及び盲・聾・養護学校学習指導要領を踏まえ、体験活動の一層の充実に努めること。その際、自ら学び自ら考える力、豊かな人間性などの「生きる力」を育成していく上で、体験活動の充実を図ることが必要である

ことに留意すること。

(2) 各学校においては、自校の教育目標、児童生徒の発達段階や実態、地域の実情等を踏まえ、六学年間又は三学年間を見通しながら特別活動、総合的な学習の時間をはじめとする教育活動に体験活動を適切に位置づけ、その計画的・継続的な実施に努めること。その際、体験活動のねらいを踏まえ、各教科等における学習指導との関連を図ることにも配慮すること。なお、体験活動の充実については、学校運営や教育課程の改善全体の中において行うように留意すること。

(3) 学校でどのような体験活動の充実を図るかについては、各学校において、それぞれの地域や学校、児童生徒の実情等を踏まえて適切に判断するとともに、当該学校の教育活動として、それぞれの教育計画に基づき、教師の適切な指導の下で実施すること。その際、保護者や児童生徒の意向や要望等を踏まえつつ、地域の協力を得ながら行うことが大切であること。また、体験活動の実施に当たっては、児童生徒の発達段階や活動内容に応じ、その自発性に配慮するとともに、地域の実情に応じて様々な体験活動の場や機会を工夫し、多様な活動が展開されるようにすることが大切であること。

(4) 各学校において体験活動を実施する際には、全教職員の協力の下に校内の指導体制の確立を図るとともに、地域の関係機関、関係団体等との連携に十分配慮し、学校外の指導者の協力を得ること、地域における活動の場を確保することをはじめ、体験活動が円滑に実施できるよう、学校としての推進体制づくりに努めること。このため、地域や学校の実情に応じて、保護者、地域の自治会、社会教育関係団体、企業等の関係者で構成する委員会を設けるなど、学校の活動に支援を得る体制を整えること。その際、青少年の健全育成や学校・家庭・地域の連携などの観点から設けられている既存の組織の活用に留意すること。

(5) 学校の教育課程に位置づけて実施される体験活動については、他の教育活動と同様、評価を行うこととなるが、その際、体験活動が行われる特別活動、総合的な学習の時間をはじめとする教育活動のそれぞれの目標やねらいを踏まえつつ、体験活動の特質に即して行われることが必要であり、各学校において評価方法等について工夫を行い、児童生徒の体験活動の成果を適切に評価していくことが大切であること。体験活動の評価は、点数化した評価ではなく、児童生徒の優れている点や長所を評価していく観点に立って行われることが望ましいこと。

(6) 各学校においては、児童生徒に対して様々な学校外活動の場や機会についての情報の積極的な提供に努めるとともに、児童生徒の学校外での体験活動の成果を学校における教育指導に生かしたり、適切に評価したりすることが望ましいこと。また、学校が、土曜日、日曜日及び長期休業期間中において、児童生徒が任意に参加する教育課程外の活動として、体験活動を計画・実施することも考えられること。

〔小学校の修業年限〕

第三十二条　小学校の修業年限は、六年とする。

【沿　革】　平一九・六・二七法九六により、旧一九条から三二条に移動した。

【参照条文】　教育基本法五条一項。法一七条一項、四七条。施行令二九条。施行規則五九条、六〇条、六一条、六二条、六三条。

【注　解】

一　本条は小学校における修業年限を六年と定めた規定である。この六年の修業年限は、法二九条の小学校の目的及び法三〇条の小学校教育の目標を達成するために必要と認められる修業の年限という観点から定められているものである。修業年限六年の始期と終期については法一七条一項に規定されている。

なお、本条の適用対象は、小学校及び特別支援学校であり、小学校の章で規定し、特別支援学校に準用している。

二　学校教育法制定までの小学校における修業年限の変遷をみると次のとおりである。

明治　五　年（学　　制）　下等小学四年、上等小学四年
明治一二年（教　育　令）　小学校八年（四年まで短縮できる）
明治一三年（教　育　令）　小学校三年以上八年以下
明治一九年（小学校令）　尋常小学校四年、高等小学校四年
明治二三年（小学校令）　尋常小学校三年又は四年、高等小学校二年、三年又は四年
明治三三年（小学校令）　尋常小学校四年、高等小学校二年、三年又は四年
明治四〇年（小学校令）　尋常小学校六年、高等小学校二年、三年

昭和一六年（国民学校令）　国民学校初等科六年、高等科二年

三　修業年限に応じて編成された全教育課程をその年数によって区分したものが学年である。小学校の学年は、施行規則五九条において「四月一日に始まり、翌年三月三十一日に終わる。」とされている。

四　学年は、通常、長期休業の実施等との関連でいくつかの学期に区分される。我が国では古くから夏季休業、年末年始の冬季休業を実施し、それを区切りとして多くの小学校・中学校は三学期制をとっているが、授業時数の確保などの観点から、二学期制をとるところも増えてきている。高等学校では、単位制をとっている関係もあり、二学期制を採用するところもある。

なお、この学期の決定については、施行令二九条一項により、都道府県又は市町村の設置する学校については都道府県又は市町村の教育委員会が定め、施行規則六二条により、私立小学校については当該学校の学則で定めることになっている。なお、国立学校については、国立大学法人が定める各学校の学則によって定められている。

五　幼稚園、小学校、中学校、高等学校及び特別支援学校においては、休業日を段階的に増加させる形で学校週五日制が導入された。毎月の第二土曜日を休業日とする月一回の学校週五日制は平成四年九月から開始されたが、平成七年四月からは毎月の第二土曜日及び第四土曜日を休業日とする月二回の学校週五日制が実施され、そして、平成一四年度からは、各学校段階一斉に、毎土曜日を休業日とする完全学校週五日制が実施されている。

学校週五日制は、学校、家庭及び地域社会の教育全体の在り方や相互のかかわり方を見直し、それぞれの教育力を高め合う中で、子どもたちがこれからの社会で生きていくために必要な資質や能力を育成し、望ましい人間形成を図る観点から実施されるものである。

六　公立学校の休業日は、①国民の祝日に関する法律に規定する日、②日曜日及び土曜日、③学校教育法施行令二九条一項の規定により教育委員会が定める日と定められている（施行規則六一条）。この規定は、大学を除くすべての

学校に準用されている（施行規則三九条、七九条、一〇四条一項、一一三条一項、一三五条一項、一七九条）。

①国民の祝日等及び②の日曜日及び土曜日についても、当該学校を設置する地方公共団体の教育委員会が必要と認める場合には、これを休業日とせずに授業日としてもさしつかえない（施行規則六一条ただし書）。すなわち、教育委員会の判断により、土曜授業の実施など教育課程内の学校教育活動を行うこともできる。

施行令二九条一項は、「公立の学校（大学を除く。以下この条において同じ。）の学期並びに夏季、冬季、学年末、農繁期等における休業日又は家庭及び地域における体験的な学習活動その他の学習活動のための休業日（次項において「体験的学習活動等休業日」という。）は、市町村又は都道府県の設置する学校にあつては当該市町村又は都道府県の教育委員会が、公立大学法人の設置する学校にあつては当該公立大学法人の理事長が定める」と規定し、公立学校の長期休業日その他特別の休業日は各教育委員会の学校管理規則等で定められている。

私立学校における休業日については、当該学校の学則により定められる（施行規則六二条）。

施行令第二九条一項の体験的学習活動等休業日（いわゆるキッズウィーク）については、教育再生実行会議第十次提言（平成二九年六月）等を踏まえ、地域における保護者の有給休暇の取得を促進することと合わせて、長期休業日の一部を学期中の授業日に移すこと等により学校休業日を分散化することで、児童生徒等と保護者等が共に体験的な学習活動等に参加すること等を通じて、児童生徒等の心身の健全な発達を一層促進する環境を醸成することを期待し、例として規定されたものである。

七　非常変災その他急迫の事情があるときは、校長は、臨時に授業を行わないことができる（施行規則六三条）。この場合においては、この旨を、公立小学校については教育委員会に報告しなければならない。「非常変災その他急迫の事情があるとき」とは、例えば伝染病の流行、集団中毒の発生、火災、地震、豪雪、豪雨などの場合が考えられる。

八　授業終始の時刻は、校長が定めることとされている（施行規則六〇条）。

○完全学校週五日制の実施について（平一四・三・四　一三文科初一〇〇〇号　各都道府県教育委員会あて　文部科学事務次官通知）

平成一一年三月二九日付け文初高第四五七号で通知したとおり、平成一四年四月一日から小学校、中学校、高等学校、中等教育学校、盲学校、聾学校、養護学校［編者注、現行の特別支援学校］及び幼稚園において、全ての土曜日を休業日とする完全学校週五日制が実施されます。ついては、下記の事項に留意し、完全学校週五日制が円滑に実施されるようお願いします。

なお、管下の学校、域内の市町村教育委員会、社会教育施設・団体等に対して、完全学校週五日制の趣旨について周知されるようお願いします。

記

1　完全学校週五日制の趣旨

完全学校週五日制は、幼児、児童及び生徒（以下「児童等」という。）の家庭や地域社会での生活時間の比重を高めて、主体的に使える時間を増やし、「ゆとり」の中で、学校・家庭・地域社会が相互に連携しつつ、子どもたちに社会体験や自然体験などの様々な活動を経験させ、自ら学び自ら考える力や豊かな人間性、たくましく生きるための健康や体力などの「生きる力」をはぐくむものである。

各教育委員会及び学校は、この趣旨の実現に向けた取組を一層充実すること。

2　教育課程上及び学校運営上の対応

各学校及び教育委員会においては、完全学校週五日制の実施に当たって、教育課程上及び学校運営上の対応について次の事項に留意すること。

(1)　教育課程上の対応等

①　教育課程の編成・実施について

各学校においては、平成一四年四月一日から施行する改正後の学校教育法施行規則（昭和二二年文部省令第一一号）並びに完全学校週五日制の下での教育課程の基準である各学校段階での新しい学習指導要領（幼稚園教育要領及び盲学校、聾学校及び養護学校幼稚部教育要領を含む。）等に従い、完全学校週五日制の下、「ゆとり」の中で児童等一人一人に応じたきめ細かな指導を展開し、基礎・基本を確実に身に付けさせ、自ら学び自ら考える力や豊かな人間性、健康や体力などの「生きる力」を培うことを目指し、その教育課程を適切に編成し、実施すること。

②　体験活動の充実等について

各学校においては、完全学校週五日制の実施により学校外における体験活動の機会が充実することを踏まえ、これら活動との連携により、学校における体験活動の効果的な実施が図られるよう努めるとともに、その他学校教育の種々の面において学校外における体験活動の成果が生かされることとなるよう配慮すること。また、学校における体験活動が、児童等の学校外の自主的な活動を促進することとなるよう留意すること。

(2)　学校運営上の対応

各学校及び教育委員会においては、完全学校週五日制の下での学校運営について、以下の事項に留意しつつ適切に対応すること。

①　地域に開かれた学校づくりについて

各学校及び教育委員会においては、家庭や地域とともに児童等を育てていくという視点に立って、以下を参考にしながら、地域や学校の実態に応じて地域に開かれた学校づくりを推進すること。

ア　教育活動について家庭や地域社会に説明し、理解を得ること。また、保護者や地域の人々との意志疎通を十分図ること。

イ　学校支援ボランティアとして協力してもらうなど、保護者や地域の人々の支援を積極的に受け入れること。

ウ　児童等を含めた地域住民が遊びやその他のスポーツ・文化活動等を行う場として活用できるよう、校庭、体育館、図書館、コンピュータ教室等の学校施設を積極的に開放するとともに、そのための条件整備に努めること。その際、施設利用者の安全確保に十分配慮すること。

エ　休業日における遊びやその他のスポーツ・文化活動等の事業の実施については、休業日に保護者が家庭にいない幼児や低学年児童、障害のある児童等で保護者が希望するもの等への活動機会の提供に特に留意すること。その際、指導員の確保等についてボランティアなどの協力を求めるとともに、教員も必要に応じて適切に対応すること。

②　学級経営及び生徒指導について

各学校においては、学級経営及び生徒指導について、例えば、課題意識をもって自分の生活を組み立てることができるよう指導したり、児童等一人一人のやる気を育てる活動の場を設けたりするなど、児童等が自主的、主体的に学習や生活を行うことができるよう、学校や児童等の実態に配慮して一層の充実に努めること。その際、児童等の発達段階や実態に応じ、土曜日を含めた自由時間の過ごし方について日頃から考えさせるようにすることが大切であること。

③　教員の勤務時間について

各学校及び教育委員会においては、いわゆる「まとめ取り方式」の廃止により、長期休業期間に勤務を要する日が増えることを踏まえ、学校教育の一層の充実のため、長期休業期間中における教員の勤務時間の有効活用を図ること。

④　教職員の研修等について

各学校及び教育委員会においては、教員の研修や教材研究について、例えば、学習指導の改善を図るための校内授業研究会や情報交換会、教育の視野を広げるための研修を行うなど、その充実を図ること。その際、次の点に配慮すること。

ア　初任者研修、経験者研修等各種研修について、夏季休業日等を活用するなど、研修時間の確保・内容の充実に努めること。

イ　研修の場や機会、研修に関する情報を提供するなど、教員の自主的・主体的研修を奨励・支援するよう努めること。

ウ　教育公務員特例法第二〇条第二項〔現行二二条二項〕に基づく研修については、勤務時間中に職務専念義務が免除されるものであり、給与上も有給の扱いとされていることなどを踏まえ、計画書や報告書の提出等により、研修内容の把握・確認を徹底すること。

3　家庭や地域社会における対応等

(1)　家庭や地域社会における児童等の活動等の充実について

各教育委員会においては、児童等が主体的に活動することができるよう、放課後や土曜日・日曜日、長期休業期間において、様々な活動の場や機会などの整備について、次の事項に留意しつつ、家庭や地域の実態に即した取組を、より一層積極的に推進すること。

①　家庭教育の向上について

「社会教育法の一部を改正する法律について」（平成一三年七月一一日、一三文科生第二七九号）に留意しつつ、家庭教育に関する学習機会や情報の提供の充実、地域で子育てを支援する体制の整備など、家庭教育の向上のための諸施策の充実に努めること。

②　体験活動等の充実について

「学校教育及び社会教育における体験活動の促進について」（平成一三年九月一四日、一三文科初第五九七号）に留意しつつ、ボランティア活動など社会奉仕体験活動、自然体験活動など様々な活動の場や機会を積極的に提供することにより、児童等が主体的に体験活動等に参加し、豊かな体験ができるように努めること。その際、障害のある児童等については、その社会参加を進め自立を図る観点に留意するとともに、休業日に保護者が家庭にいない児童等に対しても適切に配慮すること。

③　児童等が利用できる場所の確保について

学校施設の開放のほか、公民館、青少年教育施設等の社会教育施設や社会体育施設、文化施設など児童等が利用できる場所の確保に努めること。また、博物館・美術館等の土曜日の子ども向け無料開放についても配慮すること。

④　児童等の安全確保について

児童等の活動の場や機会の提供に当たっては、安全確保を十分に図るとともに、保険の利用などにも配慮すること。

⑤　地域全体で児童等を育てる環境づくりについて

児童等に対して活動の場や機会が提供される際には、地域

の様々な人材が積極的に活用されることとなるよう努めるとともに、研修等を通じてこれらの人材の養成に努めること。また、児童等が利用できる場の確保や管理運営、児童等の健全育成について地域住民が主体的に関わるような取組を推進するなど、地域社会全体で児童等を育てる環境づくりに努めること。なお、教員は、地域住民の一人として地域社会の活動にボランティアとして参加したり、地域の児童等との接触を深めたりすることが期待されていることに留意すること。

⑥　民間団体が実施する事業の情報提供と奨励について

ＰＴＡなどの社会教育団体、青少年団体、スポーツ・文化団体、ＮＰＯ、ボランティア団体、民間教育事業者等の民間団体が、完全学校週五日制の趣旨に即して実施する事業についての情報を学校や地域住民に積極的に提供するとともに、学校、社会教育施設をはじめ域内の施設の利用について便宜を図るなどの奨励方策を講じること。

⑦　関係機関との連携・協力について

平素から、民間団体、地域住民、学校、行政機関との連絡・協議を行うとともに、事業を企画・実施するに当たっては、適切な役割分担に留意しつつ、連携・協力を行うこと。特に、障害のある児童等については、積極的に福祉関係機関やボランティア団体、地域住民等と連携を図ること。

(2)　家庭や地域社会に対する意識啓発について

各学校及び教育委員会は、保護者や地域社会の人々に対し、完全学校週五日制の趣旨と家庭及び地域社会の役割についての意識の啓発に努め、家庭や地域社会の教育機能が十分に発揮されるよう努めること。その際、完全学校週五日制の実施が過度の学習塾通いにつながらないよう、保護者や学習塾関係者に対して理解と自粛を求めること。

(3)　児童等の健全育成について

各学校や教育委員会は、家庭及び地域社会と連携して、特に非行などの問題行動を誘発しないよう留意して、児童等の健全育成のために一層努力すること。

〔編者注〕　学校週五日制の段階的導入の過程については、次の通達・通知を参照されたい。

・学校教育法施行規則の一部改正について（平四・三・二三　文初小一一九号　文部事務次官通達）

・学校週五日制の実施について（平四・三・二三　文初小二九六号　文部省初等中等教育局長・生涯学習局長通知）

・学校教育法施行規則の一部改正について（平六・一一・二四　文初小三六八号　文部事務次官通達）

・学校週五日制の実施について（平六・一一・二四　文初小三六九号　文部省初等中等教育局長・生涯学習局長通知）

○学校教育法施行規則の一部改正について（抄）（平二五・一一・二九　二五文科初九七七号　各都道府県・指定都市教育委員会教育長、各都道府県知事、構造改革特別区域法第一二条第一項の認定を受けた各地方公共団体の長、附属学校を置く各国立大学法人学長、高等専門学校を設置する各学校法人の長、独立行政法人国立高等専門学校機構理事長、独立行政

法人国立特別支援教育総合研究所理事長あて　文部科学事務次官通知）

このたび、別添（略）のとおり「学校教育法施行規則の一部を改正する省令（平成二五年文部科学省令第三一号）」（以下「改正規則」という。）が、平成二五年一一月二九日に公布され、公布の日から施行されることとなりました。

今回の改正の趣旨、内容及び留意事項については、下記のとおりですので、十分に御了知の上、適切に対処ください。

また、各都道府県教育委員会におかれては、所管の学校及び域内の市町村教育委員会に対して、各指定都市教育委員会におかれては所管の学校に対して、各都道府県知事及び構造改革特別区域法第一二条第一項の認定を受けた各地方公共団体の長におかれては、所轄の学校及び学校法人等に対して、各国立大学法人学長におかれては附属学校に対して、高等専門学校を設置する各学校法人の長及び独立行政法人国立高等専門学校機構理事長におかれては、設置する高等専門学校に対して、このことを周知くださるようお願いします。

記

第1　改正の趣旨

今回の改正は、公立学校において、当該学校を設置する地方公共団体の教育委員会（公立大学法人の設置する高等専門学校にあっては、当該公立大学法人の理事長。以下「設置者」という。）が必要と認める場合は、土曜日等に授業を実施することが可能であることを明確にするものであること。

第2　改正の内容

(1) 公立の幼稚園、小学校、中学校、高等学校、中等教育学校、特別支援学校及び高等専門学校において、設置者が必要と認める場合は、土曜日等に授業を実施することが可能であることを明確にすること。（第三九条、第六一条、第七九条、第一〇四条第一項、第一一三条第一項、第一三五条第一項及び第一七九条関係）

(2) その他所要の規程の整備を行うこと。（第六三条関係）

(3) この改正規則は、公布の日から施行すること。（附則関係）

第3　留意事項

(1) 公立学校において、土曜日等に授業を実施する場合の内容や頻度等については、土曜日等の教育、スポーツ活動等の状況など学校や地域の実情、児童生徒の負担等も踏まえながら、設置者において適切に判断される必要があること。

(2) 学校、家庭及び地域の三者が互いに連携し、役割分担しながら社会全体で子供を育てるという基本理念は引き続き重要であり、公立学校において土曜日等に授業を行う場合には、児童生徒の発達段階を踏まえつつ、例えば、地域と連携した体験活動を行ったり、豊富な知識・経験を持つ社会人等の外部人材の協力を得たりするなど、土曜日等に実施することの利点を生かした工夫を行うことが期待されること。

(3) 公立学校において土曜日等に授業を実施する場合には、保護者や関係機関等の協力を得ながら、児童生徒の登下校時の安全確保について適切な対応を図ること。

(4) 土曜日等の教育環境の充実のために教職員が土曜日等に勤務をする場合には、週休日の振替等を確実に行うなど適切に対応する

こと。

(5) 公立学校における土曜日等の授業の実施は、子供たちの土曜日等における教育環境の充実を図るための方策の一つとして位置付けられるものであり、設置者においては、土曜日等の授業のほか、地域における多様な学習、文化やスポーツ、体験活動等の機会の充実等により、総合的な観点から子供たちの土曜日等の教育環境の充実に取り組むことが期待されること。

第4 その他

今回の改正は公立学校の休業日に関するものであるが、国立又は私立の幼稚園、小学校、中学校、高等学校、中等教育学校、特別支援学校及び高等専門学校における土曜日等の教育環境の充実に当たっても、上記第3を適宜参考とされたい。

【行政実例】

○日曜日や祝日に授業を行なう場合は他に休業日を設けなければならないか（昭三六・一〇・二〇 委初八〇号 奈良県教育委員会教育長あて 文部省初等中等教育局長回答）

【照会】 学校は、学校に特別の事情があるときは、教育委員会の承認を得て、休業日に授業を行なうことができる旨の規定を学校管理運営規則に設けようと思うが、この規定を設けるにあたっては、次のように解釈して差支えないか。

(1)「国民の祝日に関する法律の規定する日に授業を行なう場合」

他に振替の休業日を設けなくても、祝日に授業を行なうことは差支えない。

(2)「日曜日（勤務を要しない日）に授業を行なう場合」

他に振替の休業日を設けずに、日曜日を授業日とすることはできない。

(3)「教育委員会が定める日（休業日）に授業を行なう場合」

教育委員会が、学校教育法施行令第三〇条〔現行施行令二九条〕の規定により、自己の定める休業日につき、学校に特別の事情があるときは、これらの日に授業を行なうことができる旨を明記しておけば、他に振替の休業日を設けなくても、教育委員会が定める休業日に授業を行なうことは差支えない。

【回答】 (1)および(2) 学校において特別の必要がある場合には、国民の祝日に関する法律に規定する日および日曜日に授業を行なうことができる（学校教育法施行規則第四七条〔現行施行規則六一条〕）。この場合において、他に休業日を設けることは要件ではないが、学校管理規則において、他に休業日を設ける旨の規定を置くことはさしつかえない。なお、日曜日が教職員について勤務を要しない日である場合においては、日曜日以外に勤務を要しない日を設ける必要があるので、念のため申し添える。

(3) お見込みのとおり。

○一せい賜暇闘争において年次休暇を不承認とした場合でも臨時休業の扱いができるか（昭三三・九・一三 委初二三九号 福岡県教育委員会教育長あて 文部省初等中等教育局長回答）

【照会】 臨時休業と教職員の年次休暇について

㈠ 教職員の勤務評定に関する勤務評定実施反対運動のため全教職員が五月七日組合の勤務評定に関する行政措置要求大会に出席するという理由のもとに五月六日一せいに年次休暇願を提出したから校長は同日午後六時業務命令を出し「年次休暇の請求は、承認することはできないので出校のうえ平常の業務に従事されたい」旨を通告し、年次休暇の請求は不承認とした。しかるに町村教育委員会はこの「一せい休暇により職員が勤務しない事態」を学校教育法施行規則第四八条〔現行施行規則六三条〕の規定による「急迫の事情」によるものとして臨時休校すべき旨校長に指示し、校長は五月七日午前六時以降臨時休校とした。この場合右の措置は、同条の規定に該当しないものと解して差支えないか。

㈡ なお右の場合、職員は臨時休校によって、年次休暇を承認されたものとはならないと解して差支えないか。

㈢ また、当日の朝、町村教育委員会の指示により、校長が臨時休校をするとき、さきの業務命令が職員に到達していた場合、請求された休暇は有給休暇として取扱わなくても差支えないか。また当該業務命令が職員に徹底していなかった場合も同様に解して差支えないか。その理由はどうか。

【回答】 ㈠および㈡ お見込みのとおり。

㈢ 臨時休業の措置がとられた場合でも、休暇の承認が与えられていない限り、有給休暇として取扱いの必要はない。

〔小学校の教育課程〕

第三十三条 小学校の教育課程に関する事項は、第二十九条及び第三十条の規定に従い、文部科学大臣が定める。

【沿　革】 平一一・七・一六法八七により、「監督庁」を「文部大臣」に改めた。
平一一・一二・二二法一六〇により、「文部大臣」を「文部科学大臣」に改めた。
平一九・六・二七法九六により、「教科」を「教育課程」に、「十七条」を「二十九条」に、「十八条」を「三十条」に、「、これを定める」を「定める」に改め、旧二〇条から三三条に移動した。

【参照条文】 教育基本法五条、六条、一四条、一五条。法二一条、三一条。施行規則五〇条～五八条。

【注　解】

一 本条は、小学校の教育課程に関する事項は文部科学大臣が定めること、文部科学大臣がこれを定めるに当たっ

ては、法二九条の小学校の目的及び法三〇条の小学校教育の目標に従って定めなければならないことを規定している。

二　本条の「教育課程」は、教育の目的及び目標を達成するために「児童や生徒がどの学年でどのような教科の学習や教科以外の活動に従事するのが適当であるかを定め、その教科や教科以外の活動の内容や種類を学年的に配当づけたもの」（学習指導要領一般編　昭和二六年版）という意味である。なお平成一九年の改正前は、「教科に関する事項」と規定されていたが、その「教科」については、あくまで小学校の目的及び小学校教育の目標の達成を前提として定められるものであり、その達成を図るには単に教育学上の概念としての教科のみならず教科以外の有効な教育活動も教育内容として取り入れる必要があることなどから考えて、教育課程と同義であると解されていた。平成一九年の改正は、そのことを明確にしたものであり、改正前の「教科」の意味を変更するものではない。

三　「教育課程に関する事項」は文部科学大臣が定めることとしているのは、教育課程に関する事項は、本質的に教育上の問題であり、かつ極めて専門的、技術的な事項であり、さらに時代の進展に応じて適宜改善を要する事項でもあるという理由と、教育における機会均等の確保と全国的な一定の水準の維持という目的のためには、全国的な基準が必要であるという理由による。

四　小学校の教育課程に関する事項についての文部科学大臣の定めは学校教育法施行規則であり、その内容は、施行規則第四章（小学校）第二節（教育課程）の諸条文に具体的に示されている。まず、小学校の教育課程は、国語、社会、算数、理科、生活、音楽、図画工作、家庭、体育及び外国語の各教科（以下「各教科」という）、特別の教科である道徳、外国語活動、総合的な学習の時間並びに特別活動によって編成するものとするとされている（施行規則五〇条一項）。ただし、私立小学校においては、これに宗教を加え、宗教をもって特別の教科である道徳に代えることができるとする特例が認められている（施行規則五〇条二項）。

ついで、小学校の各学年での各教科、特別の教科である道徳、外国語活動、総合的な学習の時間及び特別活動（学級活動（学校給食に係るものを除く））の授業時数の標準が示されている（施行規則五一条及び別表第一）。

また、施行規則において「小学校の教育課程については、この節に定めるもののほか、教育課程の基準として文部科学大臣が別に公示する小学校学習指導要領によるものとする。」（五二条）と定められているとともに、合科的な指導の特例（五三条）、教育課程の改善のための研究の特例（五五条）、地域等の特色を生かした特別の教育課程に関する特例（五五条の二）、不登校児童を対象とした学校に係る教育課程の特例（五六条）、日本語指導が必要な児童を対象とした教育課程の特例（五六条の二、五六条の三）が認められ、児童の心身の状況によって履修困難な各教科の学習指導について の配慮事項が定められている（五四条）。なお、施行規則第四章第一節では、このほか課程の修了・卒業の認定（五七条）、卒業証書の授与（五八条）等について定められている。

学習指導要領は、全国的に一定の教育水準を確保し、全国どこにおいても一定水準の教育を受ける機会を国民に保障するために定められる。国民として共通に身につけるべき教育の内容を示した国の基準であり（全員に共通に指導すべき内容を示しているという意味では最低基準といえる）、各学校においては、この学習指導要領に基づき、それぞれ主体性を発揮して、創意工夫を生かした特色ある教育課程を編成することが期待されている。

教育内容について国全体としての一定の水準を保つ必要がある理由を詳説すれば次のとおりである。

(1) 教育基本法六条一項にもあるように学校は公の性質を有するものであり、そこで行われる教育は自由に放任されるべきものではなく、一定の基準に基づいて行われるべきものであること。

(2) 教育の機会均等の原則については教育基本法四条に規定しているところであるが、そのためには、全国いずれの地域、いずれの学校、いずれの教師にあっても子どもの受けるべき教育の水準は同一のものであることが保障されるべきであり、教育内容についての全国的な基準を必要とすること。

(3)　教育基本法や学校教育法に定める教育の目的、目標の実現のためには、それに必要な教育内容の基準の設定が必要であること。

別表第一（第五十一条関係）

区分		第一学年	第二学年	第三学年	第四学年	第五学年	第六学年
各教科の授業時数	国語	三〇六	三一五	二四五	二四五	一七五	一七五
	社会			七〇	九〇	一〇〇	一〇五
	算数	一三六	一七五	一七五	一七五	一七五	一七五
	理科			九〇	一〇五	一〇五	一〇五
	生活	一〇二	一〇五				
	音楽	六八	七〇	六〇	六〇	五〇	五〇
	図画工作	六八	七〇	六〇	六〇	五〇	五〇
	家庭					六〇	五五
	体育	一〇二	一〇五	一〇五	一〇五	九〇	九〇
	外国語					七〇	七〇
特別の教科である道徳の授業時数		三四	三五	三五	三五	三五	三五
外国語活動の授業時数				三五	三五		
総合的な学習の時間の授業時数				七〇	七〇	七〇	七〇
特別活動の授業時数		三四	三五	三五	三五	三五	三五
総授業時数		八五〇	九一〇	九八〇	一〇一五	一〇一五	一〇一五

備考
一　この表の授業時数の一単位時間は、四十五分とする。
二　特別活動の授業時数は、小学校学習指導要領で定める学級活動（学校給食に係るものを除く。）に充てるものとする。
三　第五十条第二項の場合において、特別の教科である道徳のほかに宗教を加えるときは、宗教の授業時数をもつてこの表の特別の教科である道徳の授業時数の一部に代えることができる。（別表第二から別表第二の三まで及び別表第四の場合においても同様とする。）

(4)　時代の進展に応じた教育水準の発展向上のためにも全国的な基準の設定を要すること。

五　小学校学習指導要領は、昭和二二年に初めて作成されてから、昭和二六年、昭和三三年、昭和四三年、昭和五二年、平成元年、平成一〇年、平成二〇年、平成二九年と八回（告示の形式としては七回）の全面改訂が行われた。なお、平成一五年及び平成二七年には一部改正が行われている。その沿革の概略について法制面を中心にして述べると次のとおりである。

(1)　昭和二二年の学習指導要領

昭和二二年、戦後の教育改革により学校教育法が制定され、文部省は、当時の学校教育法二〇条（現行三三条）の規定に基づき、学校教育法施行規則を制定し、教育課程（当時は教育課程を教科課程と呼んでいた）に関する基本的事項を定めるとともに、当時の施行規則二五条（現行五二条）「小学校の教科課程、教科内容及びその取扱いについては、学習指導要領の基準による」という規定を受けて、教育課程の基準として学習指導要領を「（試案）」の形で作成した。この学習指導要領は、文部省が著作権を有する図書として出版され、昭和二二年三月に一般編が公刊されたのに続いて、同年内に算数科、家庭科、社会科、図画工作科、理科、音楽科及び国語科の各編が相次いで刊行され、昭和二四年に体育科編が刊行された。

この学習指導要領は、「新しく児童の要求と社会の要求とに応じて生まれた教科課程をどんなふうに生かして行く

かを教師自身が自分で研究して行く手びきとして書かれたもの」であった。

(2)　昭和二六年の学習指導要領

昭和二二年の学習指導要領は、戦後の教育改革の急に迫られてきわめて短時日のうちに作成されたので、内容に種々の問題があった。このため文部省では、昭和二三年以降、学習指導要領の調査研究を行うなど改善のための研究を続け、昭和二四年新たに設けられた教育課程審議会の答申を受けて、昭和二六年に学習指導要領を全面的に改訂した。

この学習指導要領は昭和二二年の場合と同じく、一般編と各々の教科編とに分けて、「（試案）」の形で、文部省が著作権を有する図書として出版された。この改訂によって、教科編が全教科刊行され、全容が整うことになったが、これは昭和二二年の学習指導要領の継承であり、全般的にその不備を補い、整備したものであった。

なお、当時の施行規則二五条（現行五二条）は、昭和二五年に改正され、「小学校の教育課程については、学習指導要領の基準による」と規定されたが、学習指導要領においても、昭和二二年の学習指導要領の「教科課程」という用語は「教育課程」と改められた。

(3)　昭和三三年の学習指導要領

独立国家の国民としての教育の充実を図るため、昭和三三年に、教育課程審議会の答申に基づいて、学習指導要領の全面改訂が行われた。この昭和三三年の改訂は今日に至るまでの教育課程の基準の基礎となったものである。

すなわち、当時の施行規則二五条（現行五二条）を「小学校の教育課程については、この節に定めるもののほか、教育課程の基準として文部大臣が別に公示する小学校学習指導要領によるものとする。」と改正して、学習指導要領を文部省告示として公示することとし、学習指導要領の教育課程の基準としての性格を一層明確にした。また、従来は学習指導要領で示されていた授業時数を、施行規則において年間最低授業時数として明示した。

一方、学習指導要領は、従来は一般編及び各々の教科編からなっていたが、一つの告示にまとめ、教育課程の基準

として必要な事項を規定するにとどめられた。

(4) 昭和四三年の学習指導要領

昭和三三年の教育課程の改訂以後における我が国の国民生活の向上、文化の発展、社会の進展、国際的地位の向上にかんがみ、小学校の教育においても教育内容の一層の向上を図るため、教育課程審議会の答申に基づいて、昭和四三年、学習指導要領の全面改訂が行われた。同時に学校教育法施行規則の一部改正が行われ、従来年間授業時数を「最低時数」として示していたのを、標準時数とすることに改めた。学習指導要領においては、教育課程の基準という観点から、一層記述の改善がなされた。

(5) 昭和五二年の学習指導要領

昭和四三年の教育課程の改訂以後の学校教育の現状や学校をとりまく社会の状況にかんがみ、昭和五一年一二月の教育課程審議会答申「小学校、中学校及び高等学校の教育課程の基準の改善について」を受けて、昭和五二年七月の学習指導要領の全面改訂が行われた。

小学校の教育課程の基準である学校教育法施行規則の一部改正と小学校学習指導要領の全面改訂は、次の方針によって行われた。

① 道徳教育や体育を一層重視し、知・徳・体の調和のとれた人間性豊かな児童生徒の育成を図ること。

② 各教科の基礎的・基本的事項を確実に身につけられるように指導内容を精選し、創造的な能力の育成を図ること。

③ ゆとりのある充実した学校生活を実現するために、各教科の標準授業時数を削減し、地域や学校の実態に即して授業時数の運用に創意工夫を加えることができるようにすること。

④ 学習指導要領で定める各教科等の目標及び指導内容を中核的な事項にとどめ、学校や教師の自発的な創意工

夫を加えた指導が十分展開できるようにすること。

学習指導要領が各学校で編成する教育課程の基準となるものであるという性格には変更がないが、この改訂においては、その基準の在り方や示し方について改善が図られた。すなわち、各教科の内容の領域区分を整理統合して簡素化を行ったこと、各教科の目標、内容を中核的な事項にとどめたこと、さらに「内容の取扱い」の項から、指導上の留意事項や指導方法に関する事項などを大幅に削除し、必要最小限の事項だけを掲げたこと等がそれである。これは教育課程を編成する学校や教師の創意工夫の余地の拡大を図るという趣旨によるものである。

(6)　平成元年の学習指導要領

昭和五二年の教育課程の改訂以後の急激な社会の変化に対応するとともに学校教育の現状や教育課程の実施の経験などを踏まえて、昭和六二年一二月の教育課程審議会答申「幼稚園、小学校、中学校及び高等学校の教育課程の基準の改善について」を受け、平成元年三月に、学校教育法施行規則の一部が改正されるとともに、小学校学習指導要領が全面的に改訂された。

小学校学習指導要領の改訂は、これからの社会の変化とそれに伴う児童の生活や意識の変容に配慮しつつ、生涯学習の基盤を培うという観点に立ち、二一世紀を目指し社会の変化に自ら対応できる心豊かな人間の育成を図ることを基本的なねらいとし、次の方針により行われた。

①　教育活動全体を通じて、児童の発達段階や各教科等の特性に応じ、豊かな心をもち、たくましく生きる人間の育成を図ること。

②　国民として必要とされる基礎的・基本的な内容を重視し、個性を生かす教育を充実するとともに、幼稚園教育や中学校教育との関連を緊密にして各教科等の内容の一貫性を図ること。

③　社会の変化に主体的に対応できる能力の育成や創造性の基礎を培うことを重視するとともに、自ら学ぶ意欲

を高めるようにすること。

④　我が国の文化と伝統を尊重する態度の育成を重視するとともに、世界の文化や歴史についての理解を深め、国際社会に生きる日本人としての資質を養うこと。

この改訂において、学習指導要領の記述の仕方については、改善が図られた。すなわち、教科によって複数学年にわたる内容をまとめて示したり、授業の一単位時間を弾力的に取り扱うことができるようにしたりするなど基準の大綱化や弾力化が図られ、また、教科によっては、教材の取扱いや指導の重点を明確に示すなどにより、基礎・基本に関わる事項が一層明確に示された。

(7)　平成一〇年の学習指導要領

平成八年の中央教育審議会第一次答申「二一世紀を展望した我が国の教育の在り方について」では、「ゆとり」の中で「生きる力」をはぐくむ観点から、完全学校週五日制の導入が提言され、そのねらいを実現するためには、教育内容の厳選が必要であるとされた。このため、平成一〇年七月の教育課程審議会答申「幼稚園、小学校、中学校、高等学校、盲学校、聾(ろう)学校及び養護学校の教育課程の基準の改善について」を受け、平成一〇年一二月に、学校教育法施行規則の一部が改正されるとともに、小学校学習指導要領が全面改訂された（平成一四年四月一日施行）。

この教育課程の基準の改善は、完全学校週五日制の下、「ゆとり」の中で「特色ある教育」を展開し、幼児児童生徒に豊かな人間性や自ら学び自ら考える力などの「生きる力」を育成することを基本的なねらいとし、次の方針に基づき行われた。

①　豊かな人間性や社会性、国際社会に生きる日本人としての自覚を育成すること。

②　自ら学び、自ら考える力を育成すること。

③　ゆとりのある教育活動を展開する中で、基礎・基本の確実な定着を図り、個性を生かす教育を充実すること。

④　各学校が創意工夫を生かし特色ある教育、特色ある学校づくりを進めること。

この改訂においては、児童生徒に基礎基本を確実に身に付けさせるとともにゆとりの中できめ細かな教育活動が可能となるよう、教育内容を基礎的基本的事項に厳選するとともに、選択学習の幅を拡大しており、これにより学習指導要領の最低基準性が一層明確となった。また、教育課程の基準の大綱化や弾力化が大幅に図られ、①総合的な学習の時間を創設し、各学校が創意工夫を生かした特色ある教育活動が展開できるようにしたこと、②ほとんどの教科の内容を二学年まとめて示し、二学年を見通し学校や児童の実態に応じ弾力的・重点的な指導が行われるようにしたこと、③授業の一単位時間（標準授業時数は四五分で積算）については各学校が適切に定めることとしたこと、④必要に応じ特定の時期に集中的に各教科等の授業を行うことができるようにし、各学校が創意工夫を生かし時間割を弾力的に編成するようにしたこと、⑤中学校、高等学校においては、選択学習の幅を一層拡大したことなどの措置がとられた。これらは、各学校が創意工夫を生かし特色ある教育、特色ある学校づくりを進めることを一層推進する観点から行われたものであり、平成一〇年九月の中央教育審議会答申「今後の地方教育行政の在り方について」で示された、各学校の自主性・自律性の確立と自らの責任と判断による創意工夫を凝らした特色ある学校づくりの実現の趣旨を踏まえたものである。

(8)　平成一五年の学習指導要領の一部改正

平成一五年一〇月の中央教育審議会答申「初等中等教育における当面の教育課程及び指導の充実・改善方策について」を踏まえ、「確かな学力」を育成し、「生きる力」をはぐくむという平成一〇年の学習指導要領の更なる定着を進め、そのねらいの一層の実現を図るために、平成一五年一二月に学習指導要領の一部が改正された（平一五・一二・二六　一五文科初九二三号参照）。

（改正の主な内容）

① 学習指導要領の基準性の一層の明確化を図るため、学校において特に必要がある場合には、学習指導要領に示していない内容も必要に応じ指導できることを明確化すること。
② 総合的な学習の時間の一層の充実のため、教科等との関連付け等の明確化、各学校ごとに目標及び内容等を示す全体計画の作成、子どもの実態と状況に応じた適切な指導と学校外の教育的資源の積極的活用を図ること。
③ 個に応じた指導の一層の充実のため、習熟度別指導や発展的な学習・補充的な学習などを取り入れた指導など、個に応じた指導を柔軟かつ多様に導入すること。

(9) 平成二〇年の学習指導要領

前回の改訂における「生きる力」をはぐくむという理念は引き継ぎながら、その理念を実現するために、具体的な手立てを確立するとの観点から、平成二〇年一月の中央教育審議会答申「幼稚園、小学校、中学校、高等学校及び特別支援学校の学習指導要領等の改善について」を受けて、平成二〇年三月に、学校教育法施行規則の一部が改正されるとともに、小学校学習指導要領が全面的に改訂された。

小学校学習指導要領の改訂は、教育基本法や学校教育法等の規定に則り、中央教育審議会答申を踏まえ、次の方針に基づいて行われた。

① 教育基本法改正で明確となった教育の理念を踏まえるとともに、知識基盤社会においてますます重要となっている生きる力という理念を継承し、生きる力を支える確かな学力、豊かな心、健やかな体の調和のとれた育成を重視すること。
② 確かな学力を育成するためには、基礎的・基本的な知識及び技能を確実に習得させることと、これらを活用して課題を解決するために必要な思考力・判断力・表現力その他の能力をはぐくむことの双方が重要であり、これらのバランスを重視すること。

③　豊かな心や健やかな体を育成することについては、家庭や地域の教育力が低下しているという実態を踏まえ、学校における道徳教育や体育などの充実を重視すること。

この改訂においては、各教科における基礎的・基本的な知識及び技能の習得やそれらの活用を図る学習を充実する観点から、国語、社会、算数、理科の授業時数を増加する一方、各教科で知識及び技能を活用する学習活動が充実されることを踏まえ、総合的な学習の時間の授業時数を削減するとともに、体力向上に関する指導の充実を図るために体育の授業時数を増加している。また、外国語を通じて積極的にコミュニケーションを図ろうとする態度をはぐくみ、言語・文化に対する体験的な理解を深めるために、小学校第五・六学年に、年間三五単位時間の外国語活動を創設している。これらにより、年間の総授業時数については、第一学年にあっては六八単位時間、第二学年にあっては七〇単位時間、第三学年から第六学年にあっては三五単位時間増加された。さらに、①知的活動（論理や思考）やコミュニケーション、感性・情緒の基盤である言語に関する能力を伸ばすため、国語科のみならず、各教科等において言語活動を充実すること、②理数教育について、国際的な通用性、内容の系統性、学校種間の円滑な接続を踏まえて指導内容の充実を図ること、③国際社会で活躍する日本人の育成を図るため、伝統や文化に関する教育の充実を図ること、④道徳教育は道徳の時間を要として特別活動をはじめ学校の教育活動全体を通じて行うものであることを明確化し、発達の段階に応じて指導内容を重点化するなど、道徳教育の充実を図ること、⑤社会性や豊かな人間性をはぐくむため、発達の段階に応じ、小学校では集団宿泊活動を重点的に推進するなどの体験活動の充実を図ること、などについて改善が図られている。

⑽　平成二七年の学校教育法施行規則及び学習指導要領の一部改正

平成二六年一〇月の中央教育審議会答申「道徳に係る教育課程の改善等について」を受け、道徳教育の改善・充実を図るために、平成二七年三月に、学校教育法施行規則の一部が改正されるとともに、学習指導要領の一部が改正さ

れた。

（改正の主な内容）

① 道徳教育の改善・充実を図るため、道徳の時間を教育課程上、特別の教科である道徳として新たに位置付けること。

② いじめの問題への対応の充実や発達の段階をより一層踏まえた体系的なものとする観点からの内容の改善、問題解決的な学習を取り入れるなどの指導方法の工夫を図ること。

⑾ 平成二九年の学習指導要領

平成二八年一二月の中央教育審議会答申「幼稚園、小学校、中学校、高等学校及び特別支援学校の学習指導要領等の改善及び必要な方策等について」を受けて、平成二九年三月に、学校教育法施行規則の一部が改正されるとともに、小学校学習指導要領が全面的に改訂され、小学校については、令和二年四月から全面実施されることとなった。

前文が新たに追加され、「一人一人の児童が、自分のよさや可能性を認識するとともに、あらゆる他者を価値のある存在として尊重し、多様な人々と協働しながら様々な社会的変化を乗り越え、豊かな人生を切り拓き、持続可能な社会の創り手となることができるようにすることが求められる。このために必要な教育の在り方を具体化するのが、各学校において教育の内容等を組織的かつ計画的に組み立てた教育課程である。」とされ、社会に開かれた教育課程の実現の重要性や学習指導要領の役割等について言及された。

「生きる力」を子供たちに確実に育むためには、それがどのような資質・能力を育むことを目指しているのかを明確にしていくことが重要である。そのため、全ての教科・科目等の目標及び内容が、①知識及び技能、②思考力、判断力表現力等、③学びに向かう力、人間性等の三つの柱で再整理されている。学習の基盤となる資質・能力（言語能力、情報活用能力、問題発見・解決能力）や現代的な諸課題に対応して求められる資質・能力の育成のために教科等

横断的な学習を充実することとされた。また、子供たちが「どのように学ぶか」という授業性改善の視点として「主体的・対話的で深い学び」が明記された。また、教育活動の質を向上させ、学習の効果の最大化を図るカリキュラム・マネジメントの位置づけについても明確化された。

「何を学ぶか」についても、小学校において、中学年で「外国語活動」を、高学年で「外国語科」が導入されるとともに、情報活用能力の育成に資するよう、各教科等においてコンピュータ等を活用した学習活動の充実、コンピュータでの文字入力等の習得、プログラミング的思考の育成が図られることとされた。これらにより、小学校中学年及び高学年の年間総授業時数については、各学年とも年間三五単位時間増加された。

六　平成二九年に全面改訂された小学校学習指導要領の全体の構成は次のようになっている。

第一章　総　則
第二章　各教科
　第一節　国　語
　第二節　社　会
　第三節　算　数
　第四節　理　科
　第五節　生　活
　第六節　音　楽
　第七節　図画工作
　第八節　家　庭
　第九節　体　育
　第十節　外国語
第三章　特別の教科道徳
第四章　外国語活動
第五章　総合的な学習の時間
第六章　特別活動

第一章総則は、学校教育法施行規則と第二章以下との間の中間的な位置にあるといえるもので、学校教育法施行規則の規定を受けてこれを補足、又は具体化することを主とし、第二章から第六章までにおいて規定するもの以外の必要な事項や、それらの全体に共通する事項などについて規定している。平成二九年学習指導要領の総則では、平成二

八年答申を受け、①何ができるようになるか、②何を学ぶか、③どのように学ぶか、④子供一人一人の発達をどのように支援するか、⑤何が身に付いたか、⑥実施するために何が必要かに沿った構成となり、各学校における教育課程編成の手順に沿って記述がなされるようになった。

省令である学校教育法施行規則との関係については、相互に記述の重複はなく、基本的事項は省令に、学習指導の内容やその取扱いなどは学習指導要領にと明確に区分して規定しており、施行規則五二条の規定により定められる学習指導要領として、法体系の統一を図っている。第一章総則と第二章以下の関係についても、それぞれの間に記述の重複はなく、それぞれの規定事項を明確に区分して、学習指導要領の体系化を図っている。

第二章から第六章までの部分は、各教科、特別の教科である道徳、外国語活動、総合的な学習の時間及び特別活動の五章で成り立っており、第二章各教科はさらに十節から成り立っている。第三章から第六章までには節はなく、それぞれの章が第二章の節に準ずる形式となっている。なお、平成二七年に道徳の時間を教育課程上、特別の教科である道徳として位置付けたことに伴い、第三章の名称を改めている。

第二章各教科の各節の構成のうち、

第一　目　標 第二　各学年の目標及び内容 〔第〇学年〕 一　目　標	二　内　容 三　内容の取扱い 第三　指導計画の作成と内容の取扱い

各教科の目標は、第二章の各節の第一に定めている目標と第二の一の各学年の目標とから成り立つ。

第二章の各節の第一に定めている「目標」は、法三〇条に規定する小学校教育の目標を各教科に応じて具体的に定

めたものである。この目標は、学習指導要領の各教科において育成を目指す資質・能力の三つの柱である①知識及び技能、②思考力、判断力、表現力等、③学びに向かう力、人間性等が記されている。

第二の「各学年の目標及び内容」の一の「目標」は、各教科の目標をさらに各学年の発展段階に応じて学年ごとに又は二学年まとめて一層具体的に定めたものである。この各学年の目標はそれぞれ各学年を通じて有機的に関連しており、第一学年から第六学年に至る指導の発展系統が明らかになり、また、同一学年の各教科間の横の関連を緊密にすることができる。各学年の目標は、次に続く「内容」と密接な関係があり、この目標は内容の指導のねらいというべきものである。

各教科の内容は学年ごとに又は二学年まとめて示される。

二　内　容
A　○○○○……教科内のまとまり（領域）を示す。
㈠　○○○○……指導内容の大分類を示す。「……できるようにする。」等の記述。
ア　○○○……具体的指導内容の細分類。
イ　…
㈡　…
…
B
…
〔○○○○〕（国語の〔伝統的な言語文化と国語の特質に関する事項〕、算数の〔算数的活動〕や〔用語・記号〕、音楽や図画工作の〔共通事項〕は、各学年の末尾にまとめて規定されている）

この第二章の各節の第二の二に定める各学年の「内容」は、前述の各学年の目標を達成するために必要な指導内容を示すもので、教育課程の基準としての性格から、各学年において取り扱うべき内容を簡潔に掲げている。基本的に、①知識及び技能、②思考力、判断力、表現力等の二項目で構成されている。この内容の取扱いについては、総則

第二の三(1)で「ア　第二章以下に示す各教科、道徳科、外国語活動及び特別活動の内容に関する事項は、特に示す場合を除き、いずれの学校においても取り扱わなければならない。」、「イ　学校において特に必要がある場合には、第二章以下に示していない内容を加えて指導することができる。また、第二章以下に示す内容の取扱いのうち内容の範囲や程度等を示す事項は、全ての児童に対して指導するものとする内容の範囲や程度等を示したものであり、学校において特に必要がある場合には、この事項にかかわらず加えて指導することができる。ただし、これらの場合には、第二章以下に示す各教科、道徳科、外国語活動及び特別活動の目標や内容の趣旨を逸脱したり、児童の負担過重となったりすることのないようにしなければならない。」と規定している。したがって、学習指導要領に明示されている共通に指導すべき内容を確実に指導した上で、児童の実態を踏まえ、明示されていない内容を加えて指導することもできることは一層明らかとなっている。学習指導要領を超えて指導することはできないという解釈は正しくない。

また、内容の各領域、各事項は論理的、体系的に配列されているが、その指導の順序については、総則第二の三において、学年内の順序について「ウ　第二章以下に示す各教科、道徳科、外国語活動及び特別活動の内容に掲げる事項の順序は、特に示す場合を除き、指導の順序を示すものではないので、学校においては、その取扱いについて適切な工夫を加えるものとする。」と規定し、また、学年別の順序について、総則第二の三において、「エ　学年の内容を二学年まとめて示した教科及び外国語活動の内容は、二学年間かけて指導する事項を示したものである。各学校においては、これらの事項を児童や学校、地域の実態に応じ、二学年間を見通して計画的に指導することとし、特に示す場合を除き、いずれかの学年に分けて、又はいずれの学年においても指導するものとする。」と規定している。

「内容の取扱い」は、それぞれの教科の各学年において内容を指導する場合の内容の取扱い方を示したものであるが、実際にこの項があるのは社会、算数、理科、音楽、家庭と体育で、それぞれ簡潔明瞭なものとなっている。

「指導計画の作成と内容の取扱い」は、指導計画を作成する場合に遵守すべき事項と内容を指導する場合の内容の

取扱い方のうち、各学年にわたるものについて定めたものである。

七　小学校、中学校、義務教育学校、高等学校、中等教育学校、特別支援学校においては、児童生徒に我が国の国旗と国歌の意義を理解させこれを尊重する態度を育てるとともに、諸外国の国旗と国歌も同様に尊重する態度を育てるために、従来から、学習指導要領に基づき、社会科、音楽科などの教科、特別活動（入学式、卒業式など）において国旗及び国歌の指導が行われているところである。

我が国の国旗及び国歌については、従前は、成文法の根拠がなかったが、平成一一年八月に国旗及び国歌に関する法律が制定され、我が国において、長年の慣行により、国民の間に国旗及び国歌として定着していた「日章旗」及び「君が代」について、成文法でその根拠が定められた。この法律の施行に伴って、これまでの学校における国旗と国歌に関する指導の取扱いは変わらないとされている。この法律の制定を機に、国旗と国歌に対する理解が一層促進されることが求められている（平一一・九・一七　文初小一四五号　文部省初等中等教育局長・高等教育局長通知「学校における国旗及び国歌に関する指導について」）。

なお、市立小学校の校長が職務命令として音楽専科の教諭に対し入学式における国歌斉唱の際に「君が代」のピアノ伴奏を行うよう命じることは、違憲、違法ではないとする判決（最（三小）判平一九・二・二七）がある。また、国歌斉唱時の起立命令についてはこれを合憲とする最高裁の判例（最（二小）判平二三・五・三〇など）が続いているが、懲戒処分の種類によっては違法と判断する事例（最（一小）判平二四・一・一六）もみられる。

八　私立学校についての特例

学習指導要領は国公私立学校にわたる国の教育課程の基準であり、私立の学校の場合もこれに従わなければならないことはいうまでもないが、私立学校の教育課程の編成については宗教教育に関し一つの特例が設けられている。

宗教教育に関しては、憲法二〇条三項において「国及びその機関は、宗教教育その他いかなる宗教的活動もしては

ならない。」と定め、いわゆる政教分離の原則を明らかにしている。教育基本法一五条二項は、この原則を受けて「国及び地方公共団体が設置する学校は、特定の宗教のための宗教教育その他宗教的活動をしてはならない。」と規定し、国・公立学校における特定の宗教のための宗教教育を禁止している。しかし、私立学校についてはこのような制約はなく、宗教教育の自由が認められている。私立学校のなかには、宗教団体を基礎として設立され、独特の宗教教育により道徳教育を行っている場合もある。宗教教育はそれを通して道徳性の涵養が行われるとみることもできるものであり、私立学校の特色を生かし、その自主性を尊重する趣旨から、教育課程の編成について次のような特例が設けられているのである。

すなわち、私立の小学校においては、各教科、特別の教科である道徳、外国語活動、総合的な学習の時間及び特別活動のほか、宗教を加えて教育課程を編成することができ、この場合には、宗教をもって特別の教科である道徳に代えることができる（施行規則五〇条二項）。また、宗教の時間と特別の教科である道徳とを併せて設けている小学校にあっては、宗教の授業時数をもって特別の教科である道徳の授業時数の一部に代えることができる（施行規則五一条・別表第一備考三号）。

この場合、宗教をもって特別の教科である道徳に代えることができるということは、宗教教育自体をもって機械的に道徳教育に代えるという扱い方ではなく、学習指導要領で示す道徳科のねらいや目標、指導すべき内容を取り入れた宗教教育について、その限りで特別の教科である道徳に代えることができるという意味である。

九　合科的な指導

小学校の合科的な指導については、教育課程の編成上の特例が認められている。

学習指導要領において教科についてそれぞれ独立して目標を設け、内容を構成しているのは、それぞれ独立して授業を行うという前提に立っているからである。しかし、児童に自ら学び自ら考える力を育成することを重視し、知識

と生活との結び付きや知の総合化の視点を重視した教育を展開することを考慮したとき、教科の目標や内容の一部についてはこれらを合わせて授業を行った方が教育効果がある場合も考えられるので、施行規則五三条においては、「小学校においては、必要がある場合には、一部の各教科について、これらを合わせて授業を行うことができる。」と規定している。

すなわち、合わせて指導できるのは一部の教科についてであって、全部の教科を合わせて指導したり、教科と特別の教科である道徳や特別活動等とを合わせて指導したりすることはできない。また、このような指導をどの程度行うかは学習指導要領や各学校の判断にゆだねられていることになる。

また、小学校学習指導要領においても、総則第二の三の(3)エにおいて、「児童の実態等を考慮し、指導の効果を高めるため、合科的・関連的な指導を進めること。」と規定している。

なお、合科的な指導に要する授業時数は、原則としてそれに関連する教科の授業時数から充当することになる。指導に要する授業時数をあらかじめ算定し、関連する教科を教科ごとに指導する場合の授業時数の合計とおおむね一致するように計画する必要がある。

一〇　障害のある児童の指導

法八一条では、小学校において、教育上特別の支援を必要とする児童に対し、障害による学習上又は生活上の困難を克服するための教育を行うものとされている（法八一条の【注解】参照）。また、施行規則五四条においては、「児童が心身の状況によつて履修することが困難な各教科は、その児童の心身の状況に適合するように課さなければならない。」と規定しており、それを受けて、小学校学習指導要領総則第四の二の(1)において、「障害のある児童などについては、（中略）個々の児童の障害の状態等に応じた指導内容や指導方法の工夫を組織的かつ計画的に行う（後段略）。」と規定している。小学校学習指導要領は、特別支援学校の児童を除く児童を対象とする小学校教育の教育内容の基準

として定められているものである。一方、特別支援学校での教育の対象とされる児童には、障害のある児童をすべて含むわけでなく、個々の障害の状態等を踏まえ、本人・保護者の意見を可能な限り尊重しながら、市町村教育委員会が総合的な観点から小学校に就学すると決定した児童（認定特別支援学校就学者以外の児童）については小学校教育の対象となる。そこで、障害のある児童については、その障害の種類や程度に応じて適切な指導を行うことが必要となるわけである。

この規定の趣旨は、二つの面から考えることができる。一つは、障害のある児童について、それぞれの障害に対する児童の実態に即した適切な指導が必要であるということであり、もう一つは、学習指導要領に示す各教科等の内容は特記されたもの以外はすべて取り扱わなければならないこととなっているが、障害のある児童については、全く普通の児童と同様に取り扱うのではなく、それらの児童の障害の実態に十分留意して指導する必要があるということである。このような指導上の配慮については、学習指導要領では具体的には示されておらず、学校や教員の判断によることになる。その際、特別支援学校等の助言又は援助を活用しつつ、必要に応じて医療や福祉等の業務を行う関係機関と連携を図ることが重要である。

なお、小学校に置かれる特別支援学級については、施行規則一三八条で、特に必要がある場合には特別の教育課程によることができるとされている。また、小学校の特別支援学級以外の学級に在籍する障害がある児童に対して、障害に応じて、特別の指導（いわゆる通級による指導）を行う必要がある場合には、施行規則一四〇条で、特別の教育課程によることができることとされている（法八一条の【注解】九参照）。

一一　教育課程改善のための特例

施行規則五五条では、教育課程の改善を図るための特例について次のように規定している。

第五十五条　小学校の教育課程に関し、その改善に資する研究を行うため特に必要があり、かつ、児童の教育上適切な配慮がなされていると文部科学大臣が認める場合においては、文部科学大臣が別に定めるところにより、第五十条第一項、第五十一条（中学校連携型小学校にあつては第五十二条の三、第七十九条の九第二項に規定する中学校併設型小学校にあつては第七十九条の十二において準用する第七十九条の五第一項）又は第五十二条の規定によらないことができる。

この規定は、教育課程の基準について相当大幅な改訂を行うなどの場合を考慮して、その基礎資料とするための教育課程についての研究は、現行の学習指導要領の基準によらないものも認める必要があることから、昭和四三年の教育課程の改訂の際、学校教育法施行規則の一部改正により設けられたものである。この規定に基づき、昭和五一年から、教育課程の改善に当たっては改善しようとする事項がその趣旨やねらいに即して実際に各学校で実施できるかどうかを十分見定めるため、現行の基準によらない試みをあらかじめ実践し、その成果を検証しておく必要があることから、研究開発学校制度が設けられている。

文部科学大臣が適当と認めた学校においては、施行規則に定める教育課程の構成領域（五〇条一項）や授業時数（五一条及び別表第一）、教育課程の基準としての学習指導要領（五二条）によらない教育課程を実施することができることとなっている。ただし、この場合においても、あくまでも児童を単に研究の対象とすることのないよう「児童の教育上適切な配慮がなされていると文部科学大臣が認める場合」という限定がなされている。

一二　地域等の特色を生かした特別の教育課程に関する特例

地方公共団体が、構造改革特別区域法（平一四法一八九）四条一項の規定に基づき設定する構造改革特別区域において、憲法、教育基本法の理念や学校教育法に示されている学校教育の目標を踏まえつつ、学習指導要領等の基準によらない教育課程を編成・実施することを可能とするため、平成一五年に当時の施行規則二六条の二（現行の五五条）の規定に基づく文部科学省告示が改正され（平一五文部科学省告示五六・五七・五八）、同年四月から構造改革特別区域研究

開発学校設置事業が実施されていた。

構造改革特別区域基本方針が平成一八年四月二一日の閣議決定で一部変更され、構造改革特別区域研究開発学校設置事業を平成一九年度中に全国化することとされ、これを受けて平成二〇年三月二八日に学校教育法施行規則の一部が改正され、施行規則五五条の二が新設された。

第五十五条の二　文部科学大臣が、小学校において、当該小学校又は当該小学校が設置されている地域の実態に照らし、より効果的な教育を実施するため、当該小学校又は当該地域の特色を生かした特別の教育課程を編成して教育を実施する必要があり、かつ、当該特別の教育課程について、教育基本法（平成十八年法律第百二十号）及び学校教育法第三十条第一項の規定等に照らして適切であり、児童の教育上適切な配慮がなされているものとして文部科学大臣が定める基準を満たしていると認める場合においては、文部科学大臣が別に定めるところにより、第五十条第一項、第五十一条（中学校連携型小学校にあつては第五十二条の三、第七十九条の九第二項に規定する中学校併設型小学校にあつては第七十九条の十二において準用する第七十九条の五第一項）又は第五十二条の規定の全部又は一部によらないことができる。

これにより、当該小学校又は当該小学校の設置されている地域の実態に照らし、より効果的な教育を実施するために、教育課程の基準によらずに特別の教育課程を編成することが認められる制度（教育課程特例校制度）が設けられた。教育課程特例校として認められるための要件は、「当該小学校又は当該小学校が設置されている地域の実態に照らし、より効果的な教育を実施するため、当該小学校又は当該地域の特色を生かした特別の教育課程を編成して教育を実施する必要」があること及び「当該特別の教育課程について、教育基本法及び学校教育法第三十条第一項の規定等に照らして適切であり、児童の教育上適切な配慮がなされているものとして文部科学大臣が定める基準を満たしている」ことであり、これらの要件を満たしていると文部科学大臣が認める場合に、特別な教育課程を編成するために、関係規定の適用を除外することができるとされている。

これらの要件のうち、後者に関しては、文部科学大臣が定める基準として、次の告示に具体的な基準が定められている。

○学校教育法施行規則第五十五条の二等の規定に基づき同令の規定によらないで教育課程を編成することができる場合を定める件（平二〇・三・二八文部科学省告示第三〇号）

改正　平二八・三・二二文部科学省告示五三

学校教育法施行規則（昭和二十二年文部省令第十一号）第五十五条の二（同令第七十九条、第七十九条の六及び第百八条第一項において読み替えて準用する場合を含む。）、第八十五条の二（同令第百八条第二項において読み替えて準用する場合を含む。）又は第百三十二条の二の規定に基づき、同令の規定によらないで教育課程を編成することができる場合を次のように定める。

1　次の各号に掲げる学校の種類ごとに当該各号に定める規定の一部又は全部によらないで特別の教育課程を編成することができる場合は、文部科学大臣が、小学校、中学校、義務教育学校、高等学校、中等教育学校又は特別支援学校（以下「小学校等」という。）において、当該小学校等又は当該小学校等が設置されている地域の実態に照らし、より効果的な教育を実施するため、当該小学校等又は当該地域の特色を生かした特別の教育課程（以下この項及び次項において単に「特別の教育課程」という。）を編成して教育を実施する必要があり、かつ、当該特別の教育課程について、教育基本法（平成十八年法律第百二十号）及び学校教育法（昭和二十二年法律第二十六号）に規定する小学校等の教育の目標に関する規定等に照らして適切であり、児童又は生徒の教育上適切な配慮がなされているものとして次項に定める基準を満たしていると認めて、当該小学校等を指定する場合とする。

一　小学校　学校教育法施行規則第五十条第一項、第五十一条（同令第五十二条の二第二項に規定する中学校連携型小学校にあっては同令第五十二条の三、同令第七十九条の九第二項に規定する中学校併設型小学校にあっては同令第七十九条の十二において準用する同令第七十九条の五第一項）又は第五十二条の規定

二　中学校　学校教育法施行規則第七十二条、第七十三条（同令第二十六条第三項に規定する併設型中学校にあっては同令第百十七条において準用する同令第百七条、同令第七十四条の二第二項に規定する小学校連携型中学校にあっては同令第七十四条の三、同令第七十五条第二項に規定する連携型中学校にあっては同令第七十六条、同令第七十九条の九第二項に規定する小学校併設型中学校にあっては同令第七十九条の十二において準用する同令第七十九条の五第二項）又は第七十四条の規定

三　義務教育学校　前期課程にあっては学校教育法施行規則第七十九条の五第一項又は第七十九条の六第一項において準用する同令第五十条第一項若しくは第五十二条の規定に基づき文部科学大臣が公示する小学校学習指導要領の規定、後期課程にあっ

ては同令第七十九条の五第二項又は第七十九条の六第二項において準用する同令第七十二条若しくは第七十四条の規定に基づき文部科学大臣が公示する中学校学習指導要領の規定

四　高等学校　学校教育法施行規則第八十三条又は第八十四条の規定

五　中等教育学校　前期課程にあっては学校教育法施行規則第百七条又は第百八条第一項において準用する同令第七十二条若しくは同令第七十四条の規定に基づき文部科学大臣が公示する中学校学習指導要領の規定、後期課程にあっては同令第百八条第二項において準用する同令第八十三条又は第八十四条の規定に基づき文部科学大臣が公示する高等学校学習指導要領の規定

六　特別支援学校　学校教育法施行規則第百二十六条から第百二十九条までの規定

2　前項の基準は、次に掲げるとおりとする。

一　学校教育法施行規則第五十二条、第七十四条、第八十四条又は第百二十九条の規定に基づき文部科学大臣が公示する小学校学習指導要領、中学校学習指導要領、高等学校学習指導要領又は特別支援学校小学部・中学部学習指導要領若しくは特別支援学校高等部学習指導要領において全ての児童又は生徒に履修させる内容として定められている事項（以下この号及び次号において「内容事項」という。）が、特別の教育課程において適切に取り扱われていること。ただし、異なる種類の学校間の連携により一貫した特別の教育課程を編成する場合（当該学校の設置者が異なる場合にあっては、当該設置者の協議に基づき定めるところにより教育課程を編成する場合に限る。）にあっては、当該特別の教育課程全体を通じて、内容事項が適切に取り扱われていること。

二　特別の教育課程において、内容事項を指導するために必要となる標準的な総授業時数が確保されていること。

三　特別の教育課程において、児童又は生徒の発達の段階並びに各教科等の特性に応じた内容の系統性及び体系性に配慮がなされていること。

四　小学校、中学校、義務教育学校、中等教育学校の前期課程又は特別支援学校の小学部若しくは中学部において特別の教育課程を編成する際には、保護者の経済的負担への配慮その他の義務教育における機会均等の観点からの適切な配慮がなされていること。

五　前各号に掲げるもののほか、児童又は生徒の転出入に対する配慮等の教育上必要な配慮がなされていること。

3　第一項の指定に関して必要な事項は、別に文部科学大臣が定める。

附　則

1　この告示は、平成二十年四月一日から施行する。

2　平成二十年四月一日において、現に構造改革特別区域法（平成十四年法律第百八十九号）第四条第八項の規定による内閣総理大臣の認定（同法第六条の規定による認定を含む。）を受けた構造改革特別区域計画に定められた構造改革特別区域研究開発学校設置事業として、学校教育法施行規則によらないで特別の教育課程

を編成することが認められている小学校等は、文部科学大臣が、本告示により当該小学校等を指定したものとみなす。

附　則〔平二八・三・二二文部科学省告示五三〕

この告示は、平成二十八年四月一日から施行する。

一三　不登校児童を対象とした学校に係る教育課程の特例

施行規則五六条では、不登校児童を対象とした学校に係る教育課程の特例について次のように規定している。

第五十六条　小学校において、学校生活への適応が困難であるため相当の期間小学校を欠席し引き続き欠席すると認められる児童を対象として、その実態に配慮した特別の教育課程を編成して教育を実施する必要があると文部科学大臣が認める場合においては、文部科学大臣が別に定めるところにより、第五十条第一項、第五十一条（中学校連携型小学校にあつては第五十二条の三、第七十九条の九第二項に規定する中学校併設型小学校にあつては第七十九条の十二において準用する第七十九条の五第一項）又は第五十二条の規定によらないことができる。

この規定は、不登校の要因・背景の多様化・複雑化に伴い、不登校の実態に基づいた対策が求められるようになったことから、不登校児童の実態に配慮した特別の教育課程を編成する必要があると認められる場合に、特定の学校において教育課程の基準によらずに特別の教育課程を編成できるようにするものであり、平成一七年七月六日の学校教育法施行規則の一部改正により、構造改革特別区域法二条三項に規定する規制の特例措置である「不登校児童生徒等を対象とした学校設置に係る教育課程弾力化事業」を全国化するものとして、同日施行された。

一四　日本語指導が必要な児童生徒を対象とした教育課程の特例

施行規則五六条の二、五六条の三では、日本語指導が必要な児童生徒を対象とした教育課程の特例について次のように規定している。

第五十六条の二　小学校において、日本語に通じない児童のうち、当該児童の日本語を理解し、使用する能力に応じた特別の指導を行う必要があるものを教育する場合には、文部科学大臣が別に定めるところにより、第五十条第一項、第五十一条（中学校連携型小学校にあつては第五十二条の三、第七十九条の九第二項に規定する中学校併設型小学校にあつては第七十九条の十二において準用する第七十九条の五第一項）及び第五十二条の規定にかかわらず、特別の教育課程によることができる。

第五十六条の三　前条の規定による特別の教育課程による場合においては、校長は、児童が設置者の定めるところにより他の小学校、義務教育学校の前期課程又は特別支援学校の小学部において受けた授業を、当該児童の在学する小学校において受けた当該特別の教育課程に係る授業とみなすことができる。

この規定は、国際化の進展等に伴い、義務教育諸学校において帰国・外国人児童等に対する日本語指導を一層充実させる観点から、「『定住外国人の子どもの教育等に関する政策懇談会』の意見を踏まえた文部科学省の政策のポイント」（平成二二年五月一九日　文部科学省）及び「日本語指導が必要な児童生徒に対する指導の在り方について（審議のまとめ）」（平成二五年五月三一日　日本語指導が必要な児童生徒を対象とした指導の在り方に関する検討会議）等も踏まえ、文部科学大臣が定める一定の要件を満たす「日本語の能力に応じた特別の指導」を行う場合、「特別の教育課程」を編成・実施することができるようにするものであり、平成二六年一月一四日の学校教育法施行規則の一部改正（平二六文部科学省令二）を公布し、同年四月一日に施行された。

一五　各学校における教育活動は、学習指導要領等に従い、児童生徒や地域の実態を踏まえて編成した教育課程の下で作成された各種指導計画に基づく授業（「学習指導」）として展開される。各学校は、日々の授業の下で児童生徒の学習状況を評価し、その結果を児童生徒の学習や教師による指導の改善や学校全体としての教育課程の改善、校務分掌を含めた組織運営等の改善に生かす中で、学校全体として組織的かつ計画的に教育活動の質の向上を図っている。「児童生徒の学習評価の在り方について」（平成三一年一月二一日中央教育審議会初等中等教育分科会教育課程部会報告）において、学習票の在り方についいては、次のように提言されている。

① 児童生徒の学習改善につながるものにしていくこと、

② 教師の指導改善につながるものにしていくこと、

③ これまで慣行として行われてきたことでも、必要性・妥当性が認められないものは見直していくこと。

これに基づき、各学校における指導要録の作成の参考となるよう、文部科学省初等中等教育局長通知（平三一・三・二九　三〇文科初一八四五号。後掲**【通知】**参照）において、平成二九年に改訂された学習指導要領の下での指導要録に記載する事項等が示されている。

なお、指導要録は、校長が作成義務を負う（施行規則二四条）こととされており、施行令三一条にいう児童生徒の「学習及び健康の状況を記録した書類」の原本である。その保存、情報公開などについては、法五条の**【注解】**七参照。

一六　小学校学習指導要領は、学校教育法の委任を受けた学校教育法施行規則において文部科学大臣が公示すると規定されており、告示として公にされた指導要領は、法規たる性格をもち、法的拘束力をもつということができる。

学習指導要領の法的性格、基準性については、昭和三〇年代の学習指導要領の講習会や全国学力調査の実施などに関し、裁判上、いわゆる教育権論争等として争われた。昭和五一年の最高裁判決（永山中学校事件）が出るまでは下級審では結論が分かれていて、学説も分かれていた。各判決などの考え方を大きく分類すると次の三つに区分される。

① 学習指導要領は指導助言としては有効だが法的拘束力はないとするもの―昭四二・四・二八福岡高裁判決など

② 学習指導要領は大綱的基準に限り法的拘束力があるというもの―昭四三・六・二六札幌高裁判決など

ただし、大綱的基準とはいかなる内容のものをいうのかが明らかでなく、判決・論者によって異なる。例えば、教科・科目名・授業時数程度がそれに当たる旨の説が前掲の札幌高裁判決であるが、その説は、その上告審である昭和五一年の最高裁判決において、「狭きに失しこれを採用することはできない」と斥けられた。

③　学習指導要領には基準性があり法的拘束力があるとするもの—昭五一・五・二一最高裁判決（永山中学校事件）、昭五八・一二・二四福岡高裁判決、平二・一・一八最高裁判決（いずれも伝習館高校事件）など

これらの中で、昭和五一年の最高裁判決がそれまでの議論に決着をつけ、現在では判例上も確定したリーディングケースとなっている。すなわち、国は必要かつ相当と認められる範囲において教育内容についても決定する権能を有するとしたうえで、文部大臣（文部科学大臣）は教育における機会均等の確保と全国的な一定の水準の維持という目的のために必要かつ合理的な基準を設定することができるとするとともに、学習指導要領は「教師による創造的かつ弾力的な教育の余地や、地方ごとの特殊性を反映した個別化の余地が十分残されており、全体としてはなお全国的な大綱的基準としての性格をもつものと認められる」とし、国側の主張を認め、学習指導要領の基準性、適法性を認めたものである。さらに、昭和五八年の福岡高裁判決及び平成二年の最高裁判決は、「学習指導要領は、学教法四三条（現行五二条）、一〇六条一項（現行削除済）、同法施行規則五七条の二（現行施行規則八四条）の委任に基づいて、文部大臣が、告示として、普通教育である高等学校の教育の内容及び方法についての基準を定めたもので、法規としての性質を有するもの」と明確にし、法的拘束力を認めたものである。

以上のように、過去様々な論争が行われてきた学習指導要領の基準性、法的拘束力についての議論は、最高裁判決によって終止符が打たれた。

なお、永山中学校事件において最高裁判所が適法と判断した学習指導要領は、昭和二六年の学習指導要領であったが、その後、昭和三三年の学校教育法施行規則の改正以後は、教育課程については、同施行規則に定めるもののほか、教育課程の基準として文部大臣（文部科学大臣）が別に公示する学習指導要領によるものとする旨を規定し、学習指導要領が教育課程の基準であること、及び制定形式（文部省告示、文部科学省告示）を明定し、その法的性格を一層明確にしている。

一七　教育課程の編成の責任と権限は学校の校長にある。教育課程は各学校において編成するものであり、学校の責任者は校長であるからである。しかし、この教育課程の編成の責任と権限が校長にあるということは、最終的な責任と権限の所在が校長にあるということであって、現実に校長が学校の教育課程の編成作業のすべてを行うということではない。教育課程は、組織体としての学校において、校長の指導の下に、全校の教員の協力によって作成されるべきものであり、最終的に校長が校長の名において教育課程を決定するということである。

一方、教育委員会は、教育行政機関として、教育課程に関する管理、執行、基本的な事項の設定、指導助言の権限（地教行法二一条・三三条）を有している。したがって、学校の校長が教育課程を編成する場合においては、国の定める教育課程の基準のほか教育委員会が定める教育課程に関する基本的事項の定めに従い、指導助言を踏まえなければならない。

【通　知】

○学校教育法施行規則の一部を改正する省令の制定並びに幼稚園教育要領の全部を改正する告示、小学校学習指導要領の全部を改正する告示及び中学校学習指導要領の全部を改正する告示等の公示について（通知）（抄）（平二九・三・三一　二八文科初一八二八号　各都道府県教育委員会、各指定都市教育委員会、各都道府県知事、各指定都市市長、附属学校を置く各国立大学長、構造改革特別区域法第一二条第一項の認定を受けた各地方公共団体の長あて　文部科学事務次官通知）

このたび、平成二九年文部科学省令第二〇号をもって、別添のとおり学校教育法施行規則の一部を改正する省令（以下「改正省令」という。）が制定され、また、平成二九年文部科学省告示第六二号、第六三号及び第六四号をもって、それぞれ別添のとおり、幼稚園教育要領の全部を改正する告示（以下「新幼稚園教育要領」という。）、小学校学習指導要領の全部を改正する告示（以下「新小学校学習指導要領」という。）及び中学校学習指導要領の全部を改正する告示（以下「新中学校学習指導要領」という。）が公示されました。

新幼稚園教育要領は平成三〇年四月一日から、改正省令及び新小

学校学習指導要領は平成三一年四月一日から、新中学校学習指導要領は平成三三年四月一日から施行されます。

今回の改正は、平成二八年一二月二一日の中央教育審議会答申「幼稚園、小学校、中学校、高等学校及び特別支援学校の学習指導要領等の改善及び必要な方策等について」（以下「答申」という。）を踏まえ、幼稚園、小学校及び中学校の教育課程の基準の改善を図ったものです。本改正の概要及び留意事項は下記のとおりですので、十分に御了知いただき、改正省令、新幼稚園教育要領、新小学校学習指導要領及び新中学校学習指導要領（以下「新学習指導要領等」という。）に基づく適切な教育課程の編成・実施及びこれらに伴い必要となる教育条件の整備を行うようお願いします。

また、都道府県教育委員会におかれては、所管の学校及び域内の市町村教育委員会その他の教育機関に対して、指定都市教育委員会におかれては、所管の学校その他の教育機関に対して、都道府県知事及び構造改革特別区域法（平成一四年法律第一八九号）第一二条第一項の認定を受けた地方公共団体の長におかれては、所轄の学校及び学校法人等に対して、附属学校を置く国立大学法人学長におかれては、その管下の学校に対して、本改正の内容について周知を図るとともに、必要な指導等をお願いします。

なお、本通知については、関係資料と併せて文部科学省のホームページに掲載しておりますので、御参照ください。

記

1. 改正の概要

(1) 幼稚園、小学校及び中学校の教育課程の基準の改善の基本的な考え方

・教育基本法、学校教育法などを踏まえ、我が国のこれまでの教育実践の蓄積を活かし、豊かな創造性を備え持続可能な社会の創り手となることが期待される子供たちが急速に変化し予測不可能な未来社会において自立的に生き、社会の形成に参画するための資質・能力を一層確実に育成することとしたこと。その際、子供たちに求められる資質・能力とは何かを社会と共有し、連携する「社会に開かれた教育課程」を重視したこと。

・知識及び技能の習得と思考力、判断力、表現力等の育成のバランスを重視する現行学習指導要領の枠組みや教育内容を維持した上で、知識の理解の質をさらに高め、確かな学力を育成することとしたこと。

・先行する特別教科化など道徳教育の充実や体験活動の重視、体育・健康に関する指導の充実により、豊かな心や健やかな体を育成することとしたこと。

・新たに「前文」を設け、新学習指導要領等を定めるに当たっての考え方を、明確に示したこと。

(2) 知識の理解の質を高め資質・能力を育む「主体的・対話的で深い学び」の実現

○「何ができるようになるか」を明確化

・子供たちに育む「生きる力」を資質・能力として具体化し、「何のために学ぶのか」という学習の意義を共有しながら、授業の創意工夫や教科書等の教材の改善を引き出していける

よう、各教科等の目標及び内容を、①知識及び技能、②思考力、判断力、表現力等、③学びに向かう力、人間性等の三つの柱で再整理したこと。

○主体的・対話的で深い学びの実現に向けた授業改善

・我が国のこれまでの教育実践の蓄積に基づく授業改善の活性化により、児童生徒の知識の理解の質の向上を図り、これからの時代に求められる資質・能力を育んでいくことが重要であること。そのため、小・中学校においては、これまでと全く異なる指導方法を導入しなければならないなどと浮足立つ必要はなく、これまでの教育実践の蓄積をしっかりと引き継ぎ、子供たちの実態や教科等の学習内容等に応じた指導の工夫改善を図ること。

・上記の資質・能力の三つの柱が、偏りなく実現されるよう、単元や題材など内容や時間のまとまりを見通しながら、子供たちの主体的・対話的で深い学びの実現に向けた授業改善を行うこととしたこと。

(3)　各学校におけるカリキュラム・マネジメントの確立

・教科等の目標や内容を見渡し、特に学習の基盤となる資質・能力（言語能力、情報活用能力、問題発見・解決能力等）や豊かな人生の実現や災害等を乗り越えて次代の社会を形成することに向けた現代的な諸課題に対応して求められる資質・能力の育成のためには、教科等横断的な学習を充実する必要があること。

また、主体的・対話的で深い学びの実現に向けた授業改善については、一単位時間の授業の中で全てが実現できるものではなく、単元など内容や時間のまとまりの中で、習得・活用・探究のバランスを工夫することが重要であるとしたこと。

・そのため、学校全体として、子供たちや学校、地域の実態を適切に把握し、教育内容や時間の適切な配分、必要な人的・物的体制の確保、実施状況に基づく改善などを通して、教育課程に基づく教育活動の質を向上させ、学習の効果の最大化を図るカリキュラム・マネジメントに努めるものとしたこと。（以下略）

(4)〜(9)　（略）

2.　**（略）**

○小学校、中学校、高等学校及び特別支援学校等における児童生徒の学習評価及び指導要録の改善等について（抄）（平三一・三・二九　三〇文科初一八四五号　各都道府県教育委員会殿、各指定都市教育委員会殿、各都道府県知事殿、附属学校を置く各国立大学長殿、構造改革特別区域法第十二条第一項の認定を受けた地方公共団体の長殿あて　文部科学省初等中等教育局長通知）

この度、中央教育審議会初等中等教育分科会教育課程部会において、「児童生徒の学習評価の在り方について（報告）」（平成三一年一月二一日）（以下「報告」という。）がとりまとめられました。

報告においては、新学習指導要領の下での学習評価の重要性を踏まえた上で、その基本的な考え方や具体的な改善の方向性について

まとめられています。

文部科学省においては、報告を受け、新学習指導要領の下での学習評価が適切に行われるとともに、各設置者による指導要録の様式の決定や各学校における指導要録の作成の参考となるよう、学習評価を行うに当たっての配慮事項、指導要録に記載する事項及び各学校における指導要録作成に当たっての配慮事項等を別紙一～五及び参考様式のとおりとりまとめました。

ついては、下記に示す学習評価を行うに当たっての配慮事項及び指導要録に記載する事項の見直しの要点並びに別紙について十分に御了知の上、各都道府県教育委員会におかれては、所管の学校及び域内の市区町村教育委員会に対し、各指定都市教育委員会におかれては、所管の学校に対し、各都道府県知事及び小中高等学校を設置する学校設置会社を所轄する構造改革特別区域法第一二条第一項の認定を受けた各地方公共団体の長におかれては、所轄の学校及び学校法人等に対し、附属学校を置く各国公立大学長におかれては、その管下の学校に対し、新学習指導要領の下で、報告の趣旨を踏まえた学習指導及び学習評価並びに指導要録の様式の設定等が適切に行われるよう、これらの十分な周知及び必要な指導等をお願いします。さらに、幼稚園、特別支援学校幼稚部、保育所及び幼保連携型認定こども園（以下「幼稚園等」という。）と小学校（義務教育学校の前期課程を含む。以下同じ。）及び特別支援学校小学部との緊密な連携を図る観点から、幼稚園等においてもこの通知の趣旨の理解が図られるようお願いします。

なお、平成二二年五月一一日付け二二文科初第一号「小学校、中学校、高等学校及び特別支援学校等における児童生徒の学習評価及び指導要録の改善等について」のうち、小学校及び特別支援学校小学部に関する部分は二〇二〇年三月三一日をもって、中学校（義務教育学校の後期課程及び中等教育学校の前期課程を含む。以下同じ。）及び特別支援学校中学部に関する部分は二〇二一年三月三一日をもって廃止することとし、また高等学校（中等教育学校の後期課程を含む。以下同じ。）及び特別支援学校高等部に関する部分は二〇二二年四月一日以降に高等学校及び特別支援学校高等部に入学する生徒（編入学による場合を除く。）について順次廃止することとします。

なお、本通知に記載するところのほか、小学校、中学校及び特別支援学校小学部・中学部における特別の教科である道徳（以下「道徳科」という。）の学習評価等については、引き続き平成二八年七月二九日付け二八文科初第六〇四号「学習指導要領の一部改正に伴う小学校、中学校及び特別支援学校小学部・中学部における児童生徒の学習評価及び指導要録の改善等について」によるところとし、特別支援学校（知的障害）高等部における道徳科の学習評価等については、同通知に準ずるものとします。

記

1．学習評価についての基本的な考え方

(1) カリキュラム・マネジメントの一環としての指導と評価

「学習指導」と「学習評価」は学校の教育活動の根幹であり、教育課程に基づいて組織的かつ計画的に教育活動の質の向上を図る「カリキュラム・マネジメント」の中核的な役割を

担っていること。

(2) 主体的・対話的で深い学びの視点からの授業改善と評価

指導と評価の一体化の観点から、新学習指導要領で重視している「主体的・対話的で深い学び」の視点からの授業改善を通して各教科等における資質・能力を確実に育成する上で、学習評価は重要な役割を担っていること。

(3) 学習評価について指摘されている課題

学習評価の現状としては、(1)及び(2)で述べたような教育課程の改善や授業改善の一連の過程に学習評価を適切に位置付けた学校運営の取組がなされる一方で、例えば、学校や教師の状況によっては、

- 学期末や学年末などの事後での評価に終始してしまうことが多く、評価の結果が児童生徒の具体的な学習改善につながっていない、
- 現行の「関心・意欲・態度」の観点について、挙手の回数や毎時間ノートをとっているかなど、性格や行動面の傾向が一時的に表出された場面を捉える評価であるような誤解が払拭しきれていない、
- 教師によって評価の方針が異なり、学習改善につなげにくい、
- 教師が評価のための「記録」に労力を割かれて、指導に注力できない、
- 相当な労力をかけて記述した指導要録が、次の学年や学校段階において十分に活用されていない、

といった課題が指摘されていること。

(4) 学習評価の改善の基本的な方向性

(3)で述べた課題に応えるとともに、学校における働き方改革が喫緊の課題となっていることも踏まえ、次の基本的な考え方に立って、学習評価を真に意味のあるものとすることが重要であること。

①児童生徒の学習改善につながるものにしていくこと

②教師の指導改善につながるものにしていくこと

③これまで慣行として行われてきたことでも、必要性・妥当性が認められないものは見直していくこと

これに基づく主な改善点は次項以降に示すところによること。

2. 学習評価の主な改善点について

(1) 教科等の目標及び内容を「知識及び技能」、「思考力、判断力、表現力等」、「学びに向かう力、人間性等」の資質・能力の三つの柱で再整理した新学習指導要領の下での指導と評価の一体化を推進する観点から、観点別学習状況の評価の観点についても、これらの資質・能力に関わる「知識・技能」、「思考・判断・表現」、「主体的に学習に取り組む態度」の３観点に整理して示し、設置者において、これに基づく適切な観点を設定することとしたこと。その際、「学びに向かう力、人間性等」については、「主体的に学習に取り組む態度」として観点別学習状況の評価を通じて見取ることができる部分と観点別学習状況の評価にはなじまず、個人内評価等を通じて見取る部分があることに留意する必要があることを明確にしたこと。

(2)「主体的に学習に取り組む態度」については、各教科等の観点の趣旨に照らし、知識及び技能を獲得したり、思考力、判断力、表現力等を身に付けたりすることに向けた粘り強い取組の中で、自らの学習を調整しようとしているかどうかを含めて評価することとしたこと（各教科等の観点の趣旨は、本通知の別紙4及び別紙5に示している）。

(3) 学習評価の結果の活用に際しては、各教科等の児童生徒の学習状況を観点別に捉え、各教科等における学習状況を分析的に把握することが可能な観点別学習状況の評価と、各教科等の児童生徒の学習状況を総括的に捉え、教育課程全体における各教科等の学習状況を把握することが可能な評定の双方の特長を踏まえつつ、その後の指導の改善等を図ることが重要であることを明確にしたこと。

(4) 特に高等学校及び特別支援学校（視覚障害、聴覚障害、肢体不自由又は病弱）高等部における各教科・科目の評価について、学習状況を分析的に捉える観点別学習状況の評価と、これらを総括的に捉える評定の両方について、学習指導要領に示す各教科・科目の目標に基づき学校が地域や生徒の実態に即して定めた当該教科・科目の目標や内容に照らし、その実現状況を評価する、目標に準拠した評価として実施することを明確にしたこと。

3. 指導要録の主な改善点について

指導要録の改善点は以下に示すほか、別紙1から別紙3まで及び参考様式に示すとおりであること。設置者や各学校においては、それらを参考に指導要録の様式の設定や作成に当たることが求められること。

(1) 小学校及び特別支援学校（視覚障害、聴覚障害、肢体不自由又は病弱）小学部における「外国語活動の記録」については、従来、観点別に設けていた文章記述欄を一本化した上で、評価の観点に即して、児童の学習状況に顕著な事項がある場合にその特徴を記入することとしたこと。

(2) 高等学校及び特別支援学校（視覚障害、聴覚障害、肢体不自由又は病弱）高等部における「各教科・科目等の学習の記録」については、観点別学習状況の評価を充実する観点から、各教科・科目の観点別学習状況を記載することとしたこと。

(3) 高等学校及び特別支援学校（視覚障害、聴覚障害、肢体不自由又は病弱）高等部における「特別活動の記録」については、教師の勤務負担軽減を図り、観点別学習状況の評価を充実する観点から、文章記述を改め、各学校が設定した観点を記入した上で、各活動・学校行事ごとに、評価の観点に照らして十分満足できる活動の状況にあると判断される場合に、○印を記入することとしたこと。

(4) 特別支援学校（知的障害）各教科については、特別支援学校の新学習指導要領において、小・中・高等学校等との学びの連続性を重視する観点から小・中・高等学校の各教科と同様に育成を目指す資質・能力の三つの柱で目標及び内容が整理されたことを踏まえ、その学習評価においても観点別学習状況を踏まえて文章記述を行うこととしたこと。

(5)　教師の勤務負担軽減の観点から、①「総合所見及び指導上参考となる諸事項」については、要点を箇条書きとするなど、その記載事項を必要最小限にとどめるとともに、②通級による指導を受けている児童生徒について、個別の指導計画を作成しており、通級による指導に関して記載すべき事項が当該指導計画に記載されている場合には、その写しを指導要録の様式に添付することをもって指導要録への記入に替えることも可能とするなど、その記述の簡素化を図ることとしたこと。

4．学習評価の円滑な実施に向けた取組について

(1)　各学校においては、教師の勤務負担軽減を図りながら学習評価の妥当性や信頼性が高められるよう、学校全体としての組織的かつ計画的な取組を行うことが重要であること。具体的には、例えば以下の取組が考えられること。

・評価規準や評価方法を事前に教師同士で検討し明確化することや評価に関する実践事例を蓄積し共有すること。
・評価結果の検討等を通じて評価に関する教師の力量の向上を図ること。
・教務主任や研究主任を中心として学年会や教科等部会等の校内組織を活用すること。

(2)　学習評価については、日々の授業の中で児童生徒の学習状況を適宜把握して指導の改善に生かすことに重点を置くことが重要であること。したがって観点別学習状況の評価の記録に用いる評価については、毎回の授業ではなく原則として単元や題材など内容や時間のまとまりごとに、それぞれの実現状況を把握できる段階で行うなど、その場面を精選することが重要であること。

(3)　観点別学習状況の評価になじまず個人内評価の対象となるものについては、児童生徒が学習したことの意義や価値を実感できるよう、日々の教育活動等の中で児童生徒に伝えることが重要であること。特に「学びに向かう力、人間性等」のうち「感性や思いやり」など児童生徒一人一人のよい点や可能性、進歩の状況などを積極的に評価し児童生徒に伝えることが重要であること。

(4)　言語能力、情報活用能力や問題発見・解決能力など教科等横断的な視点で育成を目指すこととされた資質・能力は、各教科等における「知識・技能」、「思考・判断・表現」、「主体的に学習に取り組む態度」の評価に反映することとし、各教科等の学習の文脈の中で、これらの資質・能力が横断的に育成・発揮されることが重要であること。

(5)　学習評価の方針を事前に児童生徒と共有する場面を必要に応じて設けることは、学習評価の妥当性や信頼性を高めるとともに、児童生徒自身に学習の見通しをもたせる上で重要であること。その際、児童生徒の発達の段階等を踏まえ、適切な工夫が求められること。

(6)　全国学力・学習状況調査や高校生のための学びの基礎診断の認定を受けた測定ツールなどの外部試験や検定等の結果は、児童生徒の学習状況を把握するために用いることで、教師が自らの評価を補完したり、必要に応じて修正したりしていく上で重

要であること。

このような外部試験や検定等の結果の利用に際しては、それらが学習指導要領に示す目標に準拠したものでない場合や、学習指導要領に示す各教科の内容を網羅的に扱うものではない場合があることから、これらの結果は教師が行う学習評価の補完材料であることに十分留意が必要であること。

(7)　法令に基づく文書である指導要録について、書面の作成、保存、送付を情報通信技術を用いて行うことは現行の制度上も可能であり、その活用を通して指導要録等に係る事務の改善を推進することが重要であること。特に、統合型校務支援システムの整備により文章記述欄などの記載事項が共通する指導要録といわゆる通知表のデータの連動を図ることは教師の勤務負担軽減に不可欠であり、設置者等においては統合型校務支援システムの導入を積極的に推進すること。仮に統合型校務支援システムの整備が直ちに困難な場合であっても、校務用端末を利用して指導要録等に係る事務を電磁的に処理することも効率的であること。

これらの方法によらない場合であっても、域内の学校が定めるいわゆる通知表の記載事項が、当該学校の設置者が様式を定める指導要録の「指導に関する記録」に記載する事項を全て満たす場合には、設置者の判断により、指導要録の様式を通知表の様式と共通のものとすることが現行の制度上も可能であること。その際、例えば次のような工夫が考えられるが、様式を共通のものとする際には、指導要録と通知表のそれぞれの役割を踏まえることも重要であること。

- 通知表に、学期ごとの学習評価の結果の記録に加え、年度末の評価結果を追記することとすること。
- 通知表の文章記述の評価について、指導要録と同様に、学期ごとにではなく年間を通じた学習状況をまとめて記載することとすること。
- 指導要録の「指導に関する記録」の様式を、通知表と同様に学年ごとに記録する様式とすること。

(8)　今後、国においても学習評価の参考となる資料を作成することとしているが、都道府県教育委員会等においても、学習評価に関する研究を進め、学習評価に関する参考となる資料を示すとともに、具体的な事例の収集・提示を行うことが重要であること。特に高等学校については、今般の指導要録の改善において、観点別学習状況の評価が一層重視されたこと等を踏まえ、教員研修の充実など学習評価の改善に向けた取組に一層、重点を置くことが求められること。国が作成する高等学校の参考資料についても、例えば、定期考査や実技など現在の高等学校で取り組んでいる学習評価の場面で活用可能な事例を盛り込むなど、高等学校の実態や教師の勤務負担軽減に配慮しつつ学習評価の充実を図ることを可能とする内容とする予定であること。

5．学習評価の改善を受けた高等学校入学者選抜、大学入学者選抜の改善について

「1．学習評価についての基本的な考え方」に示すとおり、学習評価は、学習や指導の改善を目的として行われているものであ

り、入学者選抜に用いることを一義的な目的として行われるものではないこと。したがって、学習評価の結果を入学者選抜に用いる際には、このような学習評価の特性を踏まえつつ適切に行うことが重要であること。

(1)　高等学校入学者選抜の改善について

報告を踏まえ、高等学校及びその設置者において今般の学習評価の改善を受けた入学者選抜の在り方について検討を行う際には、以下に留意すること。

- 新学習指導要領の趣旨を踏まえた各高等学校の教育目標の実現に向け、入学者選抜の質的改善を図るため、改めて入学者選抜の方針や選抜方法の組合せ、調査書の利用方法、学力検査の内容等について見直すこと。
- 調査書の利用に当たっては、そのねらいを明らかにし、学力検査の成績との比重や、学年ごとの学習評価の重み付け等について検討すること。例えば都道府県教育委員会等において、所管の高等学校に一律の比重で調査書の利用を義務付けているような場合には、各高等学校の入学者選抜の方針に基づいた適切な調査書の利用となるよう改善を図ること。
- 入学者選抜の改善に当たっては、新学習指導要領の趣旨等も踏まえつつ、学校における働き方改革の観点から、調査書の作成のために中学校の教職員に過重な負担がかかったり、生徒の主体的な学習活動に悪影響を及ぼしたりすることのないよう、入学者選抜のために必要な情報の整理や市区町村教育委員会及び中学校等との情報共有・連携を図ること。

(2)　大学入学者選抜の改善について

国においては新高等学校学習指導要領の下で学んだ生徒に係る「二〇二五年度大学入学者選抜実施要項」の内容について二〇二一年度に予告することとしており、予告に向けた検討に際しては、報告及び本通知の趣旨を踏まえ以下に留意して検討を行う予定であること。

- 各大学において、特に学校外で行う多様な活動については、調査書に過度に依存することなく、それぞれのアドミッション・ポリシーに基づいて、生徒一人一人の多面的・多角的な評価が行われるよう、各学校が作成する調査書や志願者本人の記載する資料、申告等を適切に組み合わせるなどの利用方法を検討すること。
- 学校における働き方改革の観点から、指導要録を基に作成される調査書についても、観点別学習状況の評価の活用を含めて、入学者選抜で必要となる情報を整理した上で検討すること。

- 別紙一覧（略）
- 指導要録（参考様式）（略）

【行政実例】

○教育委員会は学校の教育課程の変更を命ずることができる

（昭三六・七・六　委初六九号　鹿児島県教育委員会教育長あて　文部省初等中等教育局長回答）

【照会】　一　中学校の教育課程の編成の権限は、文部省告示第八一号（昭和三三年一〇月一日）中学校学習指導要領第一章総則第一「教育課程の編成」の示すところ、および本県市町村立学校管理規則（準則）第五章運営管理第二節第五三条（小学校に関する規定の準用）……小学校第一節第四〇条（教育課程）教育課程は学習指導要領の基準により、校長が定める。……の示すところにしたがい、学校長にあると解する（管理規則による委任）が、市町村教育委員会は職務命令をもって教育課程の編成を変更させ学力調査を実施することができるか、可能な場合の法的根拠はどうか。

二　市町村教育委員会は、学力調査の結果の学校単位の採点、集計にあたり、市町村教育委員会の調査事務として管内学校の教職員を管内の他の学校の採点、集計事務にあたらせるために職務命令を発することができるか、可能な場合の法的根拠はどうか。

【回答】　一　御質問には、まず学校管理規則により教育課程の編成に関するいっさいの権限が教育委員会から校長に委任されて校長の専属的権限となっているので、教育委員会は、もはや職務命令を発することができないのではないかとの疑問が前提となっているように思われる。

しかしながら設問の学校管理規則の規定は、本来、学校の管理運営の基本的事項について必要なことを規定するものであって、これにより教育委員会の権限が校長に委任されたと解することは誤りである（委任については、地方教育行政の組織及び運営に関する法律第二六条（現行法二五条）参照のこと）。

教育委員会は、学校を所管する行政機関としてその管理権に基づき、学校において行なわれる教育課程の編成について基準を設定し、一般的な指示を与え、指導助言を行ない、特に必要な場合に具体的命令を発する等の機能を果すべきものである（地方教育行政の組織及び運営に関する法律第二三条（現行法二五条）第一号および第五号ならびに第三二条（現行法三三条））。

したがって、市町村教育委員会において学力調査を実施する場合（地方教育行政の組織及び運営に関する法律第二三条〔現行法二五条〕第一七号）は、この調査の学校教育の改善向上に果す重要な役割にかんがみ、管下の学校の校長に対して、教育課程を変更し、この調査を実施することを命ずることができるものと解する。

二　設問の場合は委嘱の手続によることが適当と考える。

【判決例】

○学習指導要領は教育課程に関する基準の設定として適法なものである（最（大）判昭五一・五・二一刑集三〇巻五号六一五頁——学力調査・永山中学校事件）

「一般に社会公共的な問題について国民全体の意思を組織的に決定、実現すべき立場にある国は、国政の一部として広く適切な教育政策を樹立、実施すべく、また、しうる者として、憲法上は、あるいは子ども自身の利益の擁護のため、あるいは子どもの成長に対する社会公共の利益と関心にこたえるため、必要かつ相当と認められる範囲において、教育内容についてもこれを決定する権能を有するものと解さざるをえず、これを否定すべき理由ないし根拠は、どこにもみいだせないのである。」

「むしろ教基法一〇条〔現行一六条〕は、国の教育統制権能を前提としつつ、教育行政の目標を教育の目的の遂行に必要な諸条件の整備確立に置き、その整備確立のための措置を講ずるにあたっては、教育の自主性尊重の見地から、これに対する「不当な支配」となることのないようにすべき旨の限定を付したところにその意味があり、したがって、教育に対する行政権力の不当、不要の介入は排除されるべきであるとしても、許容される目的のために必要かつ合理的と認められるそれは、たとえ教育の内容及び方法に関するものであっても、必ずしも同条の禁止するところではないと解するのが、相当である。」

「思うに、国の教育行政機関が法律の授権に基づいて義務教育に属する普通教育の内容及び方法について遵守すべき基準を設定する場合には、教師の創意工夫の尊重等教基法一〇条〔現行一六条〕に関してさきに述べたところのほか、後述する教育に関する地方自治の原則をも考慮し、右教育における機会均等の確保と全国的な一定の水準の維持という目的のために必要かつ合理的と認められる大綱的なそれにとどめられるべきものと解しなければならないけれども、右の大綱的基準の範囲に関する原判決の見解は、狭きに失し、これを採用することはできないと考える。これを前記学習指導要領についていえば、文部大臣は、学校教育法三八条〔現行法四八条〕、一〇六条〔現行削除済〕による中学校の教科に関する事項を定める権限に基づき、普通教育に属する中学校における教育の内容及び方法につき、上述のような教育の機会均等の確保等の目的のために必要かつ合理的な基準を設定することができるものと解すべきところ、本件当時の中学校学習指導要領の内容を通覧するのに、おおむね、中学校において地域差、学校差を超えて全国的に共通なものとして教授されることが必要な最小限度の基準と考えても必ずしも不合理とはいえない事項が、その根幹をなしていると認められるのであり、その中には、ある程度細目にわたり、かつ、詳細に過ぎ、また、必ずしも法的拘束力をもって地方公共団体を制約し、又は教師を強制するのに適切でなく、また、はたしてそのように制約し、な

いしは強制する趣旨であるかどうか疑わしいものが幾分含まれているとしても、右指導要領の下における教師による創造的かつ弾力的な教育の余地や、地方ごとの特殊性を反映した個別化の余地が十分に残されており、全体としてはなお全国的な大綱的基準としての性格をもつものと認められるし、また、その内容においても、教師に対し一方的な一定の理論ないしは観念を生徒に教え込むことを強制するような点は全く含まれていないのである。それ故、上記指導要領は、全体としてみた場合、教育政策上の当否はともかくとして、少なくとも法的見地からは、上記目的のために必要かつ合理的な基準の設定として是認することができるものと解するのが、相当である。」

○国は、教育の一定水準を維持しつつ、学校教育の目的達成に資するために、高等学校教育の内容及び方法について遵守すべき基準を定立することができる（最（一小）判平二・一・一八判例時報一三三七号四頁・九頁――伝習館高校事件）

「高等学校学習指導要領（昭和三五年文部省告示第九四号）は法規としての性質を有するとした原審の判断は、正当として是認することができ、右学習指導要領の性質をそのように解することが憲法二三条、二六条に違反するものでないことは、最高裁昭和四三年(あ)第一六一四号同五一年五月二一日大法廷判決（刑集三〇巻五号六一五頁）〔永山中学校事件〕の趣旨とするところである。」

「高等学校の教育は、高等普通教育及び専門教育を施すことを目的とするものではあるが、中学校の教育の基礎の上に立って、所定の修業年限の間にその目的を達成しなければならず（学校教育法四一条〔現行法五〇条〕、四六条〔現行法五六条〕参照）、また、高等学校においても、教師が依然生徒に対し相当な影響力、支配力を有しており、生徒の側には、いまだ教師の教育内容を批判する十分な能力は備わっておらず、教師を選択する余地も大きくないのである。これらの点からして、国が、教育の一定水準を維持しつつ、高等学校教育の目的達成に資するために、高等学校教育の内容及び方法について遵守すべき基準を定立する必要があり、特に法規によってそのような基準が定立されている事柄については、教育の具体的内容及び方法につき高等学校の教師に認められるべき裁量にもおのずから制約が存するのである。」

（参考）伝習館高校事件控訴審判決（理由要旨）（昭五八・一二・二四　福岡高裁判決）

第一　我が国の教育法制と本件学習指導要領の効力及び教育の政治的中立

「本件学習指導要領は、学教法四三条〔現行法五二条〕、一〇六条一項〔現行削除済〕、同法施行規則五七条の二〔現行八四条〕の委任に基づいて、文部大臣が、告示として、普通教育である高等学校の教育の内容及び方法についての基準を定めたもので、法規としての性質を有するものということができる。」

「本件学習指導要領は、おおよそ別紙六（略）記載の目次のような構成になっており、その本件に関係のある部分は別紙六（略）記載のとおりであるところ、その授権規定である右学教法四三条〔現行法五二条〕、一〇六条一項〔現行削除済〕は、「高等学校の学科及び教科に関する事項は、前二条（高等学校の目的及び目標）に従

い、監督庁（文部大臣）が、これを定める。」と規定しているが、この規定から明らかなように、その委任したものは、高等学校における教育の機会均等と一定水準の維持の目的のための基準であり、本件学習指導要領を定めるについて教育の政治的中立の観点を考慮してなされたものであることは認められるものの、本件学習指導要領は、教育の政治的中立の規制の基準をも定めたものとは解されない。そして、これについては、現行法上教基法八条〔現行一四条〕、教育公務員特例法二一条の三〔現行一八条〕、国家公務員法一〇二条、人事院規則一四―七によって判断すべきものと解される。」

「本件学習指導要領の効力について考えるに、その内容を通覧すると、高等学校教育における機会均等と一定水準の維持の目的のための教育の内容及び方法についての必要かつ合理的な大綱的基準を定めたものと認められ、法的拘束力を有するものということができるが、その適用に当たっては、それが「要領」という名称であること、「大綱的基準」であるとされること、その項目の目標、内容、留意事項等の記載の仕方等から明らかなように、その項目を文理解釈して適用すべきものではなく、いわゆる学校制度的基準部分も含めて、その項目及びこれに関連する項目の趣旨に明白に違反するか否かをみるべきものと解するのが相当である。」

「次に、教育の政治的中立についてみるに、前記のとおり議会制民主主義の憲法を持つわが国において政治的教養教育が極めて重要なものであり、このことは戦前の政治教育が国家主義的なものに限られていたことへの反省に基づくものでもある。そして、政治的教養とは、民主主義社会における主権者としての国民のそれであり、民主政治上の諸制度の知識、現実政治の理解力、公正な批判力、政治道徳、政治的信念等であるとされる。したがって、国は勿論、学校又は教師が教育において政治的目的をもって政治的行為をしてはならないことは、その生徒に対する影響力を考えると当然のことである。しかしながら、学校又は教師のする民主主義政治の教育にあたって左右両翼の各種の政治思想、制度、国家等に及ぶことのあることは考えられるところであるから、教師ことに本件の如き社会科の教師の授業が左右両翼の政治思想等に及んだからといって、政治的目的で政治的行為に出たものでない限り政治的中立に違反したものとすることのないように慎重に対処すべきである。」

第二（略）

○起立斉唱命令について思想及び良心の自由について間接的な制約となる面はあるものの、制約を許容しうる程度の必要性及び合理性が認められ憲法一九条に違反するとはいえない

（最（二小）判平二三・五・三〇）

本件職務命令に係る起立斉唱行為は、前記のとおり、上告人の歴史観ないし世界観との関係で否定的な評価の対象となるものに対する敬意の表明の要素を含むものであることから、そのような敬意の表明には応じ難いと考える上告人にとって、その歴史観ないし世界観に由来する行動（敬意の表明の拒否）と異なる外部的行為となるものである。この点に照らすと、本件職務命令は、一般的、客観的な見地からは式典における慣例上の儀礼的な所作とされる行為を求めるものであり、それが結果として上記の要素との関係においてその歴史観ないし世界観に由来する行動との相違を生じさせることと

の間接的な制約となる面があるものということができる。

他方、学校の卒業式や入学式等という教育上の特に重要な節目となる儀式的行事においては、生徒等への配慮を含め、教育上の行事にふさわしい秩序を確保して式典の円滑な進行を図ることが必要であるといえる。法令等においても、学校教育法は、高等学校教育の目標として国家の現状と伝統についての正しい理解と国際協調の精神の涵養を掲げ（中略）高等学校教育の内容及び方法に関する全国的な大綱的基準として定められた高等学校学習指導要領も、学校の儀式的行事の意義を踏まえて国旗国歌条項を定めているところであり、また、国旗及び国歌に関する法律は、従来の慣習を法文化して、国旗は日章旗（「日の丸」）とし、国歌は「君が代」とする旨を定めている。そして、住民全体の奉仕者として法令等及び上司の職務上の命令に従って職務を遂行すべきこととされる地方公務員の地位の性質及びその職務の公共性（憲法一五条二項、地方公務員法三〇条、三二条）に鑑み、公立高等学校の教諭である上告人は、法令等及び職務上の命令に従わなければならない立場にあるところ、地方公務員法に基づき、高等学校学習指導要領に沿った式典の実施の指針を示した本件通達を踏まえて、その勤務する当該学校の校長から学校行事である卒業式に関して本件職務命令を受けたものである。これらの点に照らすと、本件職務命令は、公立高等学校の教諭である上告人に対して当該学校の卒業式という式典における慣例上の儀礼的な所作として国歌斉唱の際の起立斉唱行為を求めることを内容とするものであって、高等学校教育の目標や卒業式等の儀式的行事の意義、在り方等を定めた関係法令等の諸規定の趣旨に沿い、かつ、地方公務員の地位の性質及びその職務の公共性を踏まえた上で、生徒等への配慮を含め、教育上の行事にふさわしい秩序の確保とともに当該式典の円滑な進行を図るものであるということができる。

以上の諸事情を踏まえると、本件職務命令については、前記のように外部的行動の制限を介して上告人の思想及び良心の自由についての間接的な制約となる面はあるものの、職務命令の目的及び内容並びに上記の制限を介して生ずる制約の態様等を総合的に較量すれば、上記の制約を許容し得る程度の必要性及び合理性が認められるものというべきである。

(4) 以上の諸点に鑑みると、本件職務命令は、上告人の思想及び良心の自由を侵すものとして憲法一九条に違反するとはいえないと解するのが相当である。

○起立斉唱命令違反に対する戒告処分は懲戒権者の裁量権の範囲を超え又はこれを濫用したものとはいえないが、より重い減給以上の処分には慎重な考慮が求められ、処分の相当性を基礎づける具体的な事情が認められなければならない（最（一小）判平二四・一・一六）

不起立行為等に対する懲戒において戒告を超えてより重い減給以上の処分を選択することについて、本件事案の性質等を踏まえた慎重な考慮を必要とする事情であるとはいえるものの、このことを勘案しても、本件職務命令の違反に対し懲戒処分の中で最も軽い戒告処分をすることが裁量権の範囲の逸脱又はその濫用に当たるとは解

し難い。また、本件職務命令の違反に対し一回目の違反であることに鑑みて訓告や指導等にとどめることなく戒告処分をすることに関しては、これを裁量権の範囲内における当不当の問題として論ずる余地はあり得るとしても、その一事をもって直ちに裁量権の範囲の逸脱又はその濫用として違法の問題を生ずるとまではいい難い。

（中略）

不起立行為等に対する懲戒において戒告を超えてより重い減給以上の処分を選択することについては、本件事案の性質等を踏まえた慎重な考慮が必要となるものといえる。そして、減給処分は、処分それ自体によって教職員の法的地位に一定の期間における本給の一部の不支給という直接の給与上の不利益が及び、将来の昇給等にも相応の影響が及ぶ上、本件通達を踏まえて毎年度二回以上の卒業式や入学式等の式典のたびに懲戒処分が累積して加重されると短期間で反復継続的に不利益が拡大していくこと等を勘案すると、上記のような考慮の下で不起立行為等に対する懲戒において戒告を超えて減給の処分を選択することが許容されるのは、過去の非違行為による懲戒処分等の処分歴や不起立行為等の前後における態度等（以下、併せて「過去の処分歴等」という。）に鑑み、学校の規律や秩序の保持等の必要性と処分による不利益の内容との権衡の観点から当該処分を選択することの相当性を基礎付ける具体的な事情が認められる場合であることを要すると解すべきである。したがって、不起立行為等に対する懲戒において減給処分を選択することについて、上記の相当性を基礎付ける具体的な事情が認められるためには、例えば過去の一回の卒業式等における不起立行為等による懲戒処分の処分歴がある場合に、これのみをもって直ちにその相当性を基礎付けるには足りず、上記の場合に比べて過去の処分歴に係る非違行為がその内容や頻度等において規律や秩序を害する程度の相応に大きいものであるなど、過去の処分歴等が減給処分による不利益の内容との権衡を勘案してもなお規律や秩序の保持等の必要性の高さを十分に基礎付けるものであることを要するというべきである。

（中略）

上記のように過去に入学式の際の服装等に係る職務命令違反による戒告一回の処分歴があることのみを理由に同第一審原告に対する懲戒処分として減給処分を選択した都教委の判断は、減給の期間の長短及び割合の多寡にかかわらず、処分の選択が重きに失するものとして社会観念上著しく妥当を欠き、上記減給処分は懲戒権者としての裁量権の範囲を超えるものとして違法の評価を免れないと解するのが相当である。

〔教科用図書又は教材の使用〕

第三十四条　小学校においては、文部科学大臣の検定を経た教科用図書又は文部科学省が著作の名義を有する教科用図書を使用しなければならない。

② 前項に規定する教科用図書（以下この条において「教科用図書」という。）の内容を文部科学大臣の定めるところにより記録した電磁的記録（電子的方式、磁気的方式その他人の知覚によつては認識することができない方式で作られる記録であつて、電子計算機による情報処理の用に供されるものをいう。）である教材がある場合には、同項の規定にかかわらず、文部科学大臣の定めるところにより、児童の教育の充実を図るため必要があると認められる教育課程の一部において、教科用図書に代えて当該教材を使用することができる。

③ 前項に規定する場合において、視覚障害、発達障害その他の文部科学大臣の定める事由により教科用図書を使用して学習することが困難な児童に対し、教科用図書に用いられた文字、図形等の拡大又は音声への変換その他の同項に規定する教材を電子計算機において用いることにより可能となる方法で指導することにより当該児童の学習上の困難の程度を低減させる必要があると認められるときは、文部科学大臣の定めるところにより、教育課程の全部又は一部において、教科用図書に代えて当該教材を使用することができる。

④ 教科用図書及び第二項に規定する教材以外の教材で、有益適切なものは、これを使用することができる。

⑤ 第一項の検定の申請に係る教科用図書に関し調査審議させるための審議会等（国家行政組織法（昭和二十三年法律第百二十号）第八条に規定する機関をいう。以下同じ。）については、政令で定める。

【沿　革】 昭二八・八・五法一六七により、「監督庁の検定若しくは認可」を「文部大臣の検定」に、「監督庁において」を「文部大臣において」に改めた。

昭四五・五・六法四八により、「文部大臣において著作権を有する」を「文部省が著作の名義を有する」に改めた。

昭五八・一二・二法七八により、第三項を追加。

平一一・一二・二二法一六〇により、「文部大臣」、「文部省」を「文部科学大臣」、「文部科学省」に改めるとともに、「審議会」を「審議会等（国家行政組織法（昭和二十三年法律第百二十号）第八条に規定する機関をいう。以下同じ。）」に改めた。

平一九・六・二七法九六により、旧二一条から三四条に移動した。

平三〇・六・一法三九により、第二項の「前項の」を削り、「以外の図書その他」を「及び第二項に規定する教材以外」に改め、第二項及び第三項を第四項及び第五項とし、現行の第二項及び第三項を追加。

【参照条文】　法四九条、四九条の八、六二条、七〇条、八二条、附則九条。施行令四一条。施行規則五六条の五、八九条、一三一条三項、一三九条。教科書の発行に関する臨時措置法二条一項。地教行法三三条。障害のある児童及び生徒のための教科用特定図書等の普及の促進等に関する法律。教科用図書検定規則。

【注　解】

一　本条は、小学校において使用する教科用図書及びその他の教材に関する規定である。

なお、本条の適用対象は、小学校、中学校、義務教育学校、高等学校、中等教育学校及び特別支援学校であり、小学校の章で規定し、他の学校種に準用している。

二　第一項は小学校における、いわゆる検定教科書及び文部科学省著作教科書の使用について定めている。第一項は、当初においては「小学校においては、監督庁の検定若しくは認可を経た教科用図書又は監督庁において著作権を有する教科用図書を使用しなければならない。」と規定されていた。この場合、監督庁は「当分の間、これを文部大臣とする。」（法旧一〇六条）とされていた。昭和二八年の改正（昭二八法一六七）において「監督庁」を「文部大臣」と改め、「監督庁の認可を経た教科用図書」を削除し、教科用図書の検定が文部大臣の権限であることを明らかにするとともに、小学校において使用する教科用図書を検定教科書と文部省著作教科書の二種類とした。「文部科学大臣の検定を経た教科用図書」とは、いわゆる検定教科書である。教科用図書の検定とは、教科書の著作・編集を民間に委ね、その創意工夫に期待することを前提として、申請のあった図書が教育基本法及び学校教育法の趣旨に合し、教科用として適切であることを認めた場合に、これに対し教科用図書としての資格を新たに付与することをいう。具体的

には、文部科学大臣が教科用図書検定調査審議会（施行令四一条）に諮問し、その答申に基づいて行うものである。

教科書検定制度については、臨時教育審議会第三次答申（昭和六二年四月一日）を受けて、適切な教育内容を確保し、個性豊かで多様な教科書が発行されることなどをねらいとして、教科用図書検定規則及び教科用図書検定基準が全面改正された。さらに、平成一一年一月及び平成一四年八月に、改訂される学習指導要領の趣旨を踏まえた教科書の発行を目指して、教科用図書検定規則及び義務教育諸学校教科用図書検定基準及び高等学校教科用図書検定基準が改正され、学習指導要領に示されていない発展的な学習内容の記述が可能となっている。これは、児童生徒の理解を一層深めたり、興味関心に応じて学習をひろげたりすることができるよう、学習指導要領に示されていない内容を一定条件の下で教科書に記述できるよう措置したものである。

平成二一年三月には検定審査過程の一層の公開に資するため、調査意見書等の資料について検定審査終了後に公開すること及び教科書調査官の役割について新たに規定する教科用図書検定規則の改正が行われた（平二一文部科学省令二）。既に、検定審査資料のうち、申請図書、検定意見書、修正表、最終見本については公開手続きが取られていたが、これを更に進めるため規則上の明確化が図られた。

また、平成二五年一二月の教科用図書検定調査審議会の「教科書検定の改善について（審議のまとめ）」等を踏まえ、平成二六年一月には教科用図書検定基準が改正され、「政府の統一的な見解や最高裁判所の判例がある場合には、それらに基づいた記述がされていること」が定められた。

平成二九年五月には、教科用図書検定調査審議会の「教科書の改善について（報告）」を踏まえ、改訂される学習指導要領の実施に向けた改善、デジタル教科書の導入に関連した改善、訂正申請の改善のほか、教科書発行者が教員等に検定中の申請図書を閲覧させただけではなく教員等に意見聴取の対価として金品を支払うなどの不公正な行為が相次いで発覚したことを受け、不公正な行為をした申請者による申請図書を不合格とするができるようにするなどの

改善のため、同年八月教科用図書検定規則等が改正された。
教科用図書の検定手続等に関する省令は次のように定められている。

○教科用図書検定規則（平元・四・四文部省令二〇）
最終改正　令三・二・八文部科学省令五

第一章　総則

（趣旨）
第一条　学校教育法（昭和二十二年法律第二十六号）第三十四条第一項（同法第四十九条、第四十九条の八、第六十二条、第七十条第一項及び第八十二条において準用する場合を含む。）に規定する教科用図書の検定に関し必要な事項は、この省令の定めるところによる。

（教科用図書）
第二条　この省令において「教科用図書」とは、小学校、中学校、義務教育学校、中等教育学校、高等学校並びに特別支援学校の小学部、中学部及び高等部の児童又は生徒が用いるため、教科用として編修された図書をいう。

（検定の基準）
第三条　教科用図書（以下「図書」という。）の検定の基準は、文部科学大臣が別に公示する教科用図書検定基準の定めるところによる。

第二章　検定手続

（検定の申請）
第四条　図書の著作者又は発行者は、その図書の検定を文部科学大臣に申請することができる。
2　前項の申請を行うことができる図書の種目並びに各年度において申請を行うことができる図書の種目及び期間は、文部科学大臣が官報で告示する。
3　教育課程の基準又は教科用図書検定基準（以下この項において「教育課程の基準等」という。）が変更されたときは、検定を経た図書の発行者（当該変更に係る種目の図書を現に発行する者であって、当該変更後においても引き続き当該種目の図書を発行しようとするものに限る。）は、当該変更の内容その他の事情を勘案して文部科学大臣が特に必要がないと認める場合を除き、文部科学大臣の定めるところにより、当該種目の図書について、当該変更後の教育課程の基準等に基づく検定の申請を行うものとする。

第五条　前条第一項又は第三項の申請を行おうとする者は、文部科学大臣が別に定める様式による検定審査申請書に申請図書を添えて文部科学大臣に提出するとともに、第十三条に規定する検定審査料を納付しなければならない。
2　前項の申請図書の作成の要領及び提出部数については、文部科学大臣が別に定める。

（申請図書等の適切な管理）
第六条　検定の申請者は、文部科学大臣が定めるところにより、申請図書その他の検定審査に関する資料及び審査内容（次条第三項

において「申請図書等」という。）について適切に管理を行うものとする。

（申請図書の審査）

第七条　文部科学大臣は、申請図書について、検定の決定又は検定審査不合格の決定を行い、その旨を申請者に通知するものとする。ただし、必要な修正を行った後に再度審査を行うことが適当である場合には、決定を留保して検定意見を申請者に通知するものとする。

2　文部科学大臣は、申請図書が図書の検定、採択又は発行に関して文部科学大臣が別に定める不公正な行為をした申請者によるものであって当該行為がなされた図書の属する種目と同一の種目に属する場合には、前項の規定にかかわらず、当該種目の申請を行うことができる年度（以下この項及び次項第二号において「申請年度」という。）のうち当該行為が認められたときから直近の一の年度（第四条第二項の規定に基づき当該種目が連続する二以上の年度にわたって申請を行うことができる種目として告示されている場合には当該二以上の年度とし、当該行為が認められた後に当該申請者による申請図書の検定審査が行われる当該行為が認められた年度を含む。）に行われる検定審査（検定審査不合格の決定が行われた後に当該図書について不公正な行為が認められた場合であって、当該種目の申請年度以外の年度に第十二条第一項の規定による再申請を行うことが可能であるときは、当該再申請に基づいて行われる検定審査）に限り当該申請図書について検定審査不合格の決定を行い、その旨を申請者に通知するものとする。

3　前項に定めるもののほか、文部科学大臣は、申請図書が特定行為（申請図書等の不適切な情報管理その他の検定審査に重大な影響を及ぼすものとして文部科学大臣が別に定める行為をいう。以下この項において同じ。）を行った申請者によるものであるときは、第一項の規定にかかわらず、次の各号に掲げる場合に応じ、それぞれ当該各号に定める検定審査に限り、当該申請図書について検定審査不合格の決定を行い、その旨を申請者に通知するものとする。

一　当該申請図書に係る特定行為が、検定の申請から検定の決定又は検定審査不合格の決定が行われるまでの期間に認められた場合　当該期間に行われる検定審査

二　検定の決定又は検定審査不合格の決定が行われた図書に係る当該申請者の特定行為が認められた場合（次号に掲げる場合を除く。）　当該特定行為がなされた図書の属する種目と同一の種目の図書について、当該種目の申請年度のうち当該行為が行われたときから直近の一の年度（第四条第二項の規定に基づき当該種目が連続する二以上の年度にわたって申請を行うことができる種目として告示されている場合には、当該二以上の年度（当該特定行為に基づいて、この項の検定審査不合格の決定が行われた後の年度を除く。））に行われる検定審査

三　検定審査不合格の決定が行われた後に当該図書に係る特定行為が認められた場合であって、当該図書について第十二条第一項の規定による再申請が可能であるとき　当該特定行為が認められたときから直近の再申請に基づいて行われる検定審査

（不合格理由の事前通知及び反論の聴取）

第八条　文部科学大臣は、前条の検定審査不合格の決定を行おうとするとき（第三項及び第四項の規定により決定を行おうとするときを除く。）は、検定審査不合格となるべき理由を申請者に対し事前に通知するものとする。

2　前項の通知を受けた者は、通知のあった日の翌日から起算して二十日以内に、文部科学大臣が別に定める様式による反論書を文部科学大臣に提出することができる。

3　前項の反論書の提出がないときは、文部科学大臣は、前条の検定審査不合格の決定を行うものとする。

4　第二項の反論書の提出があったときは、文部科学大臣は、これを踏まえ、当該申請図書について前条の検定の決定又は検定審査不合格の決定を行うものとする。ただし、必要な修正を行った後に再度審査を行うことが適当である場合には、前条の検定意見の通知を行うものとする。

（検定意見に対する意見の申立て）

第九条　第七条第一項の検定意見の通知を受けた者は、通知のあった日の翌日から起算して二十日以内に、文部科学大臣が別に定める様式による検定意見に対する意見申立書を文部科学大臣に提出することができる。

2　前項の意見申立書の提出があった場合において、文部科学大臣は、申し立てられた意見を相当と認めるときは、当該検定意見を取り消すものとする。

（修正が行われた申請図書の審査）

第十条　第七条第一項の検定意見の通知を受けた者は、文部科学大臣が指示する期間内に、申請図書について検定意見に従って修正した内容を、文部科学大臣が別に定める様式による修正表提出届により、文部科学大臣に提出するものとする。

2　文部科学大臣は、前項の修正が行われた申請図書について、検定の決定又は検定審査不合格の決定を行い、その旨を申請者に通知するものとする。

3　第一項の修正表提出届の提出がないときは、文部科学大臣は、検定審査不合格の決定を行い、その旨を申請者に通知するものとする。

（教科書調査官による調査）

第十一条　第七条第一項、第八条第四項、第九条第二項、前条第二項又は第三項の場合において、教科書調査官は、申請図書に係る専門的な調査審議のために教科用図書検定調査審議会に提出される調査意見（第七条第一項の検定意見の原案をいう。第十八条において同じ。）を記載した資料その他の必要な資料を作成するため、申請図書について必要な調査を行うものとする。

（不合格図書の再申請）

第十二条　申請図書又は修正が行われた申請図書について、第七条第一項若しくは第三項又は第十条第二項若しくは第三項の検定審査不合格の決定の通知を受けた者は、その図書に必要な修正を加えた上、文部科学大臣が別に定める期間内に再申請することができる。

2　前項の規定による再申請は、一の図書につき二回を超えて行う

ことができない。

（検定審査料）

第十三条　検定審査料は、申請図書につき文部科学大臣が別に定めるところにより算定したページ数を、小学校用の図書にあっては二百七十円、中学校用の図書にあっては四百四十円、高等学校用の図書にあっては五百四十円に乗じて得た額とする。ただし、これによって算定した額が申請図書一件につき五万四千円未満のときは、五万四千円とする。

2　検定審査料は、文部科学省初等中等教育局長が別に定める期日までに国庫に納付しなければならない。

3　申請者が前項に規定する期日までに検定審査料を納付しないときは、その申請は取り下げたものとみなす。

4　第二項に規定する納付の方法については、文部科学省初等中等教育局長が別に定める。

5　検定審査料は、これを納付した後においては、返還しない。

第三章　検定済図書の訂正等

（検定済図書の訂正）

第十四条　検定を経た図書について、誤記、誤植、脱字若しくは誤った事実の記載又は客観的事情の変更に伴い明白に誤りとなった事実の記載若しくは学習する上に支障を生ずるおそれのある記載があることを発見したときは、発行者は、文部科学大臣の承認を受け、必要な訂正を行わなければならない。

2　検定を経た図書について、前項に規定する記載を除くほか、更新を行うことが適切な事実の記載若しくは統計資料の記載又は変更を行うことが適切な体裁その他の記載（検定を経た図書の基本的な構成を変更しないものに限る。次項において同じ。）があることを発見したときは、発行者は、文部科学大臣が別に定める日以降に申請を行い、文部科学大臣の承認を受け、必要な訂正を行うことができる。

3　第一項に規定する記載の訂正が、客観的に明白な誤記、誤植若しくは脱字に係るものであって、内容の同一性を失わない範囲のものであるとき、又は前項に規定する記載の訂正が、同一性をもった資料により統計資料の記載の更新を行うもの若しくは変更を行うことが適切な体裁その他の記載の更新に係るものであって、内容の同一性を失わない範囲のものであるときは、発行者は、前二項の規定にかかわらず、文部科学大臣が別に定める日までにあらかじめ文部科学大臣へ届け出ることにより訂正を行うことができる。

4　文部科学大臣は、検定を経た図書について、第一項及び第二項に規定する記載があると認めるときは、発行者に対し、その訂正の申請を勧告することができる。

5　第三条の規定は、第一項又は第二項の承認について準用する。

（検定済図書の訂正の手続）

第十五条　前条第一項又は第二項の承認を受けようとする者は、文部科学大臣が別に定める様式による訂正申請書に、訂正本一部を添えて文部科学大臣に提出するものとする。

2　前条第三項の届出をしようとする者は、文部科学大臣が別に定める様式による訂正届出書を文部科学大臣に提出するものとする。

3　前条第一項若しくは第二項の承認を受けた者又は同条第三項の訂正を行った者は、その図書の供給が既に完了しているときは、速やかに当該訂正の内容を、その図書を現に使用している学校の校長並びに当該学校を所管する教育委員会及び当該学校の存する都道府県の教育委員会に通知しなければならない。

（参照するウェブサイトの内容の変更の手続）

第十五条の二　検定を経た図書について、当該図書中にウェブサイトのアドレス（二次元コードその他のこれに代わるものを含む。）が記載されている場合であって、当該ウェブサイトの内容を変更しようとするときは、発行者は、文部科学大臣が別に定める日までにあらかじめ文部科学大臣へ報告するものとする。

2　前項の報告をしようとする者は、文部科学大臣が別に定める様式による変更報告書を文部科学大臣に提出するものとする。

第四章　雑則

（検定済の表示等）

第十六条　検定を経た図書には、その表紙に「文部科学省検定済教科書」の文字、その図書の目的とする学校及び教科の種類並びにその図書の名称を、その奥付に検定の年月日をそれぞれ表示しなければならない。

（見本の提出）

第十七条　第七条第一項又は第十条第二項の規定による検定の決定の通知を受けた者は、文部科学大臣が別に定める期間内に、図書として完成した見本を作成し、文部科学大臣が別に定める様式による見本提出届に、文部科学大臣が別に定める部数の見本を添えて文部科学大臣に提出するものとする。

（申請図書等の公開）

第十八条　文部科学大臣は、検定審査終了後、別に定めるところにより、申請図書、見本、調査意見及び検定意見の内容その他検定の申請に係る資料を公開するものとする。

（検定済図書の告示等）

第十九条　文部科学大臣は、検定を経た図書の名称、目的とする学校及び教科の種類、検定の年月日、著作者の氏名並びに発行者の氏名及び住所（法人にあっては、その名称、代表者の氏名及び主たる事務所の所在地）を官報で告示する。

2　検定を経た図書の著作者の氏名又は発行者の氏名若しくは住所（法人にあっては、その名称、代表者の氏名又は主たる事務所の所在地）の記載を変更したときは、発行者は、速やかにその内容を文部科学大臣に届け出なければならない。

三　「文部科学省が著作の名義を有する教科用図書」は、需要数が少ないために民間で発行が困難な分野の教科書等を発行する場合に利用される。現在では、職業科関係の特定科目の教科書、通信教育関係の教科書等がこれに該当する。

四　「使用しなければならない」とは、小学校においては、必ず教科用図書を使用しなければならず、かつ、使用する教科用図書は検定教科用図書又は文部科学省著作の教科用図書でなければならないという意味であると解される（昭二六・一二・一〇　文部省初等中等教育局長回答）。この使用義務は中学校、義務教育学校、高等学校、中等教育学校、特別支援学校においても同様である（法四九条・四九条の八・六二条・七〇条・八二条）。

しかし、法附則九条一項は、当分の間の措置として、高等学校、中等教育学校の後期課程、特別支援学校及び特別支援学級においては、文部科学大臣の定めるところにより検定教科書及び文部科学省著作教科書以外の教科用図書を使用することができると定めている。従来、いわゆる一〇七条本といわれた教科用図書の特例である。

高等学校については特別の教科などで検定教科書又は文部科学省著作教科書がない場合に、学校の設置者の定めるところにより、他の適切な教科用図書を使用することができる（施行規則八九条一項）。また、特別支援学校、特別支援学級については、特別な教育課程による児童生徒について検定教科書又は文部科学省著作教科書があってもそれを使用することが適当でない場合に、当該学校の設置者の定めるところにより、他の適切な教科用図書を使用することができる（施行規則一三一条二項・一三九条一項）。

なお、通常学級に在学する障害のある児童及び生徒が十分な教育を受けられるようにするため、平成二〇年に制定された、障害のある児童及び生徒のための教科用特定図書等の普及の促進等に関する法律九条においては、障害のある児童及び生徒が、その障害の状態に応じ、採択された検定教科用図書等に代えて当該検定教科用図書等に係る教科用特定図書等（視覚障害のある児童及び生徒の学習の用に供するため、文字、図形等を拡大して検定教科用図書等を複製した図書（いわゆる拡大教科書）、点字により検定教科用図書等を複製した図書その他障害のある児童及び生徒の学習の用に供するため作成した教材であって検定教科用図書等に代えて使用し得るもの）を使用することができるよう、必要な配慮をしなければならない旨の規定が設けられた。また、これらの小中学校（義務教育学校及び中等教

育学校の前期課程を含む。）への無償給与についても定められた。この場合、教科用特定図書等の使用はその内容が検定教科用図書等と同一のものであるから、本条一項に抵触するものではない。

五　「教科書」については「小学校、中学校、義務教育学校、高等学校、中等教育学校及びこれらに準ずる学校において、教育課程の構成に応じて組織排列された教科の主たる教材として、教授の用に供せられる児童又は生徒用図書」と定義されている（教科書の発行に関する臨時措置法二条一項）。教科用図書については学校教育法上明らかにする規定はないが、実質的意義は、この「教科書」と同義に解して差支えないと思われる。

なお、実定法上の用例として、教科書の発行に関する臨時措置法にいう教科書は、文部科学省著作の教科用図書及び文部科学大臣の検定を経た教科用図書をいい、学校教育法附則九条一項に規定する教科書を含まず、義務教育諸学校の教科用図書の無償措置に関する法律にいう教科用図書には、学校教育法附則九条一項に規定する教科書を含んでおり（同法二条二項）、後者の範囲が広い。学校において使用すべき教科用図書を決定することを教科書の採択というが、この採択は、公立学校の場合は教育委員会が行い、国立・私立の学校の場合は、校長が行うとされている（同法一〇条、地教行法二一条六号）。

六　第二項においては、教科用図書の内容を文部科学大臣の定めるところにより記録した電磁的記録である教材（いわゆる学習者用デジタル教科書）がある場合には、第一項の規定にかかわらず、文部科学大臣の定めるところにより、児童生徒の教育の充実を図るため必要があると認められる教育課程の一部において、教科用図書に代えて学習者用デジタル教科書を使用することができるとしている。

この学習者用デジタル教科書については、施行規則五六条の五第一項において、検定済教科用図書等の発行者が、その発行する検定済教科用図書等の内容の全部（電磁的記録に記録することに伴って変更が必要となる内容を除く。）をそのまま記録した電磁的記録である教材としている。すなわち、動画・音声やアニメーション等のコンテンツは学

習者用デジタル教科書に該当しない。

また、学習者用デジタル教科書の使用の基準については、平三〇文部科学省告示二三七号において定められている。具体的には、検定済教科用図書等を使用する授業と検定済教科用図書等に代えて学習者用デジタル教科書を使用する授業を適切に組み合わせた教育課程を編成すること、また、当該教育課程において検定済教科用図書等に代えて学習者用デジタル教科書を使用する授業を行う場合には、児童生徒の学習及び健康状況の把握に特に意を用いること、などが定められている。

こうした基準にも表れているように、紙の教科書に代えて学習者用デジタル教科書を使用することができるのはあくまで教育課程の一部であり、第二項は紙の教科書を基本とした学習者用デジタル教科書の併用制を定めたものである。なお、当初、検定済教科用図書等に代えて学習者用デジタル教科書を使用する授業については、各教科等の授業時数の二分の一に満たないこととする制限が設けられていたが、一人一台端末環境の整備が進んだこと等を踏まえ、この時間数の制限は削除されている（令三文部科学省告示五五号）。

七　第三項においては、第二項の場合において、障害等の文部科学大臣の定める事由のある児童生徒等の学習上の困難の程度を低減させる必要があると認められるときは、文部科学大臣の定めるところにより、教育課程の全部においても、教科用図書に代えて学習者用デジタル教科書を使用することができることとしている。

この文部科学大臣の定める事由については、施行規則五六条の五第三項において、①視覚障害、発達障害その他の障害、②日本語に通じないこと、③①②に準ずるもの（色覚特性や化学物質過敏症等）、が定められている。

さらに、この場合の学習者用デジタル教科書の使用の基準として、平三〇文部科学省告示二三七号において、児童又は生徒の学習上の困難の程度を低減させる観点から、当該児童又は生徒に係る施行規則五六条の五第三項各号に掲げる事由に応じた適切な配慮がなされていること、などが定められている。

○文部科学省告示 第二百三十七号（平三〇・一二・二七）

改正　令三・三・二六文部科学省告示五五

学校教育法施行規則（昭和二十二年文部省令第十一号）第五十六条の五（同令第七十九条、第七十九条の八第一項、第八十九条第二項、第百四条第一項、第百十三条第一項、第百三十一条第三項、第百三十五条第二項及び第百三十九条第二項において準用する場合を含む。）の規定に基づき、学校教育法（昭和二十二年法律第二十六号）第三十四条第二項に規定する教材の使用について次のように定める。

第一条　学校教育法第三十四条第二項（同法第四十九条、第四十九条の八、第六十二条、第七十条第一項及び第八十二条において準用する場合を含む。以下この条において同じ。）に基づき、同法第三十四条第一項（同法第四十九条、第四十九条の八、第六十二条、第七十条第一項及び第八十二条において準用する場合を含む。）に規定する教科用図書（以下この条及び次条において「教科用図書」という。）に代えて同法第三十四条第二項に規定する教材（以下「教科用図書代替教材」という。）を使用するに当たっては、次の各号に掲げる基準を満たすように行わなければならない。

一　教科用図書を使用する授業と教科用図書に代えて教科用図書代替教材を使用する授業を適切に組み合わせた教育課程を編成すること。

二　教科用図書に代えて教科用図書代替教材を使用する授業は次に掲げる基準を満たすものであること。

イ　児童又は生徒が一人につき一冊の当該教科用図書を使用することができるようにしておくこと。

ロ　児童又は生徒が一人につき一台の電子計算機において当該教科用図書代替教材を用いること。

ハ　採光及び照明を適切に行うことその他児童又は生徒の健康を保護する観点からの適切な配慮がなされていること。

ニ　電子計算機その他の機器の故障により学習に支障を生じないよう適切な配慮がなされていること。

三　教科用図書に代えて教科用図書代替教材を使用する授業を行う場合は、児童又は生徒の学習及び健康の状況の把握に特に意を用いること。

四　教科用図書に代えて教科用図書代替教材を使用した指導方法の効果を把握し、当該指導方法の改善に努めること。

第二条　学校教育法第三十四条第三項（同法第四十九条、第四十九条の八、第六十二条、第七十条第一項及び第八十二条において準用する場合を含む。）に基づき、教科用図書に代えて教科用図書代替教材を使用するに当たっては、前条各号（教育課程の全部において教科用図書に代えて教科用図書代替教材を使用する場合にあっては、第一号を除く。）に掲げる基準を満たすように行うとともに、教科用図書に代えて教科用図書代替教材を使用した指導において、児童又は生徒の学習上の困難の程度を低減させる観点から、当該児童又は生徒に係る学校教育法施行規則第五十六条の五第三項各号に掲げる事由に応じた適切な配慮を行わなければならない。

第三条　前二条の規定は、学校教育法附則第九条第二項において準用する同法第三十四条第二項又は第三項の規定により学校教育法施行規則第八十九条第一項、第百三十一条第二項又は第百三十九条第一項の他の適切な教科用図書に代えて使用する教材について準用する。

附　則

この告示は、平成三十一年四月一日から施行する。

附　則（令三・三・二六文部科学省告示五五）

この告示は、令和三年四月一日から施行する。

八　第四項は教科用図書及び学習者用デジタル教科書以外にも、図書その他の教材の使用を認める規定である。学習活動の多様化に対応して教科用図書以外の多様な教材の使用を認めたものである。「教科用図書及び第二項に規定する教材以外の教材」とは、いわゆる補助教材のことであり、このような補助教材としては、小学校低学年の体育のように教科書が発行されていない教科等の教材として教科書に準じて使用されるいわゆる準教科書のほか、副読本、解説書、資料集、学習帳、問題集、練習帳、日記帳、郷土地図、図表、掛図、年表、新聞、雑誌、紙芝居、プリント類、スライド、映画、ビデオ、レコード、コンパクトディスク（ＣＤ）、録音テープなど、教育内容を具体的に具現しているものをいう。

九　右の補助教材のうち「有益適切なもの」を使用できるのであるが、この「有益適切」の判断基準は、一般的にいって、教育的見地からみてその内容が有益適切であるか、保護者負担等の観点からみて妥当であるか等の角度から検討すべきであろう。

教育的見地からは、補助教材の内容が、教育基本法、学校教育法、学習指導要領等の法令の規定やその趣旨に合致したものでなければならず、かつ、児童生徒の心身の発達段階に即したものであることを要する。また、多様な見方や考え方のできる事柄、未確定な事柄を取り上げる場合には、特定の事柄を強調し過ぎたり、一面的な見解を十分な配慮なく取り上げたりするなど、特定の見方や考え方に偏った取扱いとならないよう十分留意する必要がある（平二

七・三・四　二六文科初第一二五七号　文部科学省初等中等教育局長通知。後掲【通知】参照）。また、誤りや不正確なところの多いものは不適当であろう。

保護者負担の見地からは、地域住民の経済状態等に照らし余りに高価なものは不適切であろうし、学校や学年、学級に数点あればよいものを、児童生徒一人一人に購入させるようなことも適当ではないであろう。

一〇　補助教材の内容について「有益適切なもの」と判断する者及び「使用すること」を決定する者については、学校教育法上は必ずしも明らかではない。一方、公立学校については、地教行法二一条六号において「教科書その他の教材の取扱いに関すること」は、教育委員会の権限に属するものと定め、また、同法三三条二項において「学校における教科書以外の教材の使用について、あらかじめ、教育委員会に届け出させ、又は教育委員会の承認を受けさせることとする定」めを学校管理規則に設けることができる旨の規定を置いている。

補助教材は、教育課程や日常の教育活動と密接に関連する点において、教育委員会の管理には一定の限界が存するのであり、地教行法は、補助教材の選択を学校において行うべきことを前提として、前述のような届出又は承認の制度を設けることとしているのである。その使用について届出制又は承認制がとられている補助教材は、学校としてその手続をするわけであるから、学校においてその使用、不使用を最終的に決定するのは校長である。また、届出又は承認を必要としないものについても最終的には校長の責任において選定することになる。このことを学校管理規則等で明らかにしているところもある（例：「校長は、学校において教科書以外の教材を使用するにあたっては、有益適切と認めたものを選定する。」）。

なお、学習者用デジタル教科書は教科書に代えて使用することができる教材であり、同項の教材に含まれる。

一一　第五項は、国家行政組織法の一部を改正する法律の施行に伴う関係法律の整理等に関する法律（昭五八法七八）による本法の一部改正により追加されたものである。審議会等の設置根拠が政令で定められることとなったこと

に伴う改正である。さらに、中央省庁等改革関係法施行法（平一一法一六〇）による本条の改正により、表現が改められた。

政令で定める「審議会等」は、教科用図書検定調査審議会である（施行令四一条）。

教科用図書検定調査審議会の所掌事務及び組織については、教科用図書検定調査審議会令（昭二五政令一四〇）で定められている。

一二　教科書検定に関しては、昭和四〇年から始まった一連の教科書裁判がある。憲法二三条（学問の自由）及び二六条（教育を受ける権利）、教育基本法旧一〇条（教育行政）（現行一六条）などを援用して教育の自由論が展開され、いわゆる「教育権論争」の下、教科書検定制度の合憲性が争われた事件であった。

教育権論争に最終的な決着をつけたのは学力調査事件最高裁判決（昭五一・五・二一大法廷判決）である。国が必要かつ相当と認められる範囲において教育内容について決定する権能を有すると判断し、教育基本法旧一〇条（現行一六条）の解釈でも教育行政の教育内容への介入禁止の主張を退けた。法三三条の【注解】一六参照。

一連の教科書裁判のうち第一次訴訟（民事）の最高裁判決（平五・三・一六判決。後掲【判決例】参照）も、同様の判断を示して、教科書検定は憲法及び教育基本法に違反するものでないことは明らかであるとしている。

【通　知】

○地方教育行政の組織及び運営に関する法律等の施行について（抄）（昭三一・六・三〇　文初地三二六号　各都道府県知事、各都道府県教育委員会あて　文部事務次官通達）

(4)　学校等の管理、教材の使用の届出又は承認

教育委員会は、学校その他の教育機関の施設、設備、組織編制、教育課程、教材の取扱その他学校等の管理運営の基本的事項について、必要な教育委員会規則を定めるものであること（法第三三条第一項前段）。なお、この場合その実施について新たに予

算を必要とする場合には地方公共団体の長に協議しなければならないこと（法第三三条第一項後段）。

また、この教育委員会規則には学校で使用する教科書以外の教材たとえば副読本、学習帳等の使用については、あらかじめ教育委員会に届け出させ、又は承認を受けさせることとする定を設けなければならないこと（法第三三条第二項）。なお、この右の趣旨は、学校で使用される教材については、その教育的価値又は父兄の負担等の見地から軽々に取り扱うべきでないものの少なくないことにかんがみ、教育委員会が、必要と認める教材の使用について事前に届出又は承認にかかわらしめ、有益適切な教材の利用に努め、教育効果を高めるための積極的な活動を期待するとともに、教材の使用の適正を期そうとするところにあるものであること。したがって、教材の使用については、そのすべてを届け出又は承認にかからしめることとすることは必要ではないこと。

○学校における補助教材の適正な取扱いについて（平二七・三・四　二六文科初一二五七号　各都道府県教育委員会、各指定都市教育委員会、各都道府県知事、附属学校を置く各国立大学法人学長、構造改革特別区域法第一二条第一項の認定を受けた地方公共団体の長あて　文部科学省初等中等教育局長通知）

学校における補助教材については、昭和四九年九月三日文初小第四〇四号「学校における補助教材の適正な取扱いについて」等を踏まえ、適正な取扱いに努めていただいていると存じますが、最近一部の学校における適切とは言えない補助教材の使用の事例も指摘されています。

このため、その取扱いについての留意事項等を、改めて下記のとおり通知しますので、十分に御了知の上、適切に取り扱われるようお願いします。

また、各都道府県教育委員会におかれては、所管の学校及び域内の市町村教育委員会に対して、各指定都市教育委員会におかれては、所管の学校に対して、各都道府県知事及び構造改革特別区域法第一二条第一項の認定を受けた地方公共団体の長におかれては、所轄の学校及び学校法人等に対して、附属学校を置く各国立大学法人学長におかれては、その管下の学校に対して、本通知の内容についての周知と必要な指導等について適切にお取り計らいくださいますようお願いします。

記

1．補助教材の使用について

(1)　学校においては、文部科学大臣の検定を経た教科用図書又は文部科学省が著作の名義を有する教科用図書を使用しなければならないが、教科用図書以外の図書その他の教材（補助教材）で、有益適切なものは、これを使用することができること（学校教育法第三四条第二項、第四九条、第六二条、第七〇条、第八二条）。

なお、補助教材には、一般に、市販、自作等を問わず、例えば、副読本、解説書、資料集、学習帳、問題集等のほか、プリント類、視聴覚教材、掛図、新聞等も含まれること。

(2)　各学校においては、指導の効果を高めるため、地域や学校及

び児童生徒の実態等に応じ、校長の責任の下、教育的見地からみて有益適切な補助教材を有効に活用することが重要であること。

2．**補助教材の内容及び取扱いに関する留意事項について**

(1) 学校における補助教材の使用の検討に当たっては、その内容及び取扱いに関し、特に以下の点に十分留意すること。

• 教育基本法、学校教育法、学習指導要領等の趣旨に従っていること。

• その使用される学年の児童生徒の心身の発達の段階に即していること。

• 多様な見方や考え方のできる事柄、未確定な事柄を取り上げる場合には、特定の事柄を強調し過ぎたり、一面的な見解を十分な配慮なく取り上げたりするなど、特定の見方や考え方に偏った取扱いとならないこと。

(2) 補助教材の購入に関して保護者等に経済的負担が生じる場合は、その負担が過重なものとならないよう留意すること。

(3) 教育委員会は、所管の学校における補助教材の使用について、あらかじめ、教育委員会に届け出させ、又は教育委員会の承認を受けさせることとする定を設けるものとされており（地方教育行政の組織及び運営に関する法律第三三条第二項）、この規定を適確に履行するとともに、必要に応じて補助教材の内容を確認するなど、各学校において補助教材が不適切に使用されないよう管理を行うこと。

ただし、上記の地方教育行政の組織及び運営に関する法律第三三条第二項の趣旨は、補助教材の使用を全て事前の届出や承認にかからしめようとするものではなく、教育委員会において関与すべきものと判断したものについて、適切な措置をとるべきことを示したものであり、各学校における有益適切な補助教材の効果的使用を抑制することとならないよう、留意すること。

なお、教育委員会が届出、承認にかからしめていない補助教材についても、所管の学校において不適切に使用されている事実を確認した場合には、当該教育委員会は適切な措置をとること。

○義務教育諸学校教科用図書検定基準及び高等学校教科用図書検定基準の改正について（平二六・一・一七　二五文科初一一三六号　各教科書発行者あて　文部科学省初等中等教育局長通知）

このたび、別添のとおり、義務教育諸学校教科用図書検定基準（平成二一年文部科学省告示第三三号）及び高等学校教科用図書検定基準（平成二一年文部科学省告示第一六六号）を改正しましたので、お知らせします。

今回の改正は、平成二五年一一月一五日に文部科学大臣が発表した「教科書改革実行プラン」及び同年一二月二〇日の教科用図書検定調査審議会「教科書検定の改善について（審議のまとめ）」を踏まえ、教科用図書検定基準の改正を行うものです。

各教科書発行者におかれては、今回の検定基準改正の内容について十分理解し、教科書の著作・編修に当たって遺漏のないようお願

いします。

別添資料一・三（略）

別添資料二　義務教育諸学校教科用図書検定基準及び高等学校教科用図書検定基準の改正について

1．改正の趣旨

平成二五年一一月一五日に文部科学大臣が発表した「教科書改革実行プラン」及び「教科書検定の改善について（審議のまとめ）」（平成二五年一二月二〇日教科用図書検定調査審議会）を踏まえ、義務教育諸学校教科用図書検定基準（平成二一年三月四日文部科学省告示第三三号）及び高等学校教科用図書検定基準（平成二一年九月九日文部科学省告示第一六六号）について、所要の改正を行う。

2．改正の概要

検定基準のうち、社会科（地図を除く）固有の条件（高等学校の検定基準にあっては地理歴史科（地図を除く）及び公民科）について、以下の改正を行う。

① 未確定な時事的事象について記述する場合に、特定の事柄を強調し過ぎていたりするところはないことを明確化する。

② 近現代の歴史的事象のうち、通説的な見解がない数字などの事項について記述する場合には、通説的な見解がないことが明示され、児童生徒が誤解しないようにすることを定める。

③ 閣議決定その他の方法により示された政府の統一的な見解や最高裁判所の判例がある場合には、それらに基づいた記述がされていることを定める。

3．施行期日

公布の日から施行し、平成二八年度以降の使用に係る教科用図書の検定から適用する。

（参考）

○義務教育諸学校教科用図書検定基準（平成二九・八・一〇文部科学省告示百五号）（抄）

最終改正：令三・一二・二七文部科学省告示一九九

第三章　教科固有の条件

【各教科】

〔社会科（「地図」を除く。）〕

1　選択・扱い及び構成・排列

(1)　小学校学習指導要領第二章第二節の第二「各学年の目標及び内容」の〔第六学年〕の3「内容の取扱い」の(3)のイについては、選択して学習することができるよう配慮がされていること。

(2)　図書の内容全体を通じて、多様な見解のある社会的事象の取り上げ方に不適切なところはなく、考えが深まるよう様々な見解を提示するなど児童又は生徒が当該事象について多面的・多角的に考えられるよう適切な配慮がされていること。

(3)　未確定な時事的事象について断定的に記述していたり、特定の事柄を強調し過ぎていたり、一面的な見解を十分な配慮なく取り上げていたりするところはないこと。

(4)　近現代の歴史的事象のうち、通説的な見解がない数字などの

事項について記述する場合には、通説的な見解がないことが明示されているとともに、児童又は生徒が誤解するおそれのある表現がないこと。

(5) 閣議決定その他の方法により示された政府の統一的な見解又は最高裁判所の判例が存在する場合には、それらに基づいた記述がされていること。

(6) 近隣のアジア諸国との間の近現代の歴史的事象の扱いに国際

【行政実例】

○教科用図書使用に関する疑義について（昭二六・一二・一〇 委初三三二号 京都府教育委員会教育長あて 文部省初等中等教育局長回答）

【照会】 小、中、高等学校においては、各教科とも必ず教科書を使用しなければならないか。

【回答】 一 小学校について

学校教育法第二一条〔現行法三四条〕第一項の趣旨は、「小学校においては必ず教科用図書を使用しなければならない。そしてその使用する教科用図書は、監督庁の検定もしくは認可を経たものまたは監督庁において著作権を有するものでなければならない。」と解せられる。

しかしながら教科用図書検定基準のない教科あるいは基準にあっても、それに合致するものが発行されていない場合は、法第

理解と国際協調の見地から必要な配慮がされていること。

(7) 著作物、史料などを引用する場合には、評価の定まったものや信頼度の高いものを用いており、その扱いは公正であること。また、法文を引用する場合には、原典の表記を尊重していること。

(8) 日本の歴史の紀年について、重要なものには元号及び西暦を併記していること。

二一条に規定する教科用図書はないわけであるから、その教科については教科用図書を使用しなくてもよいわけである。

二 中学校について

中学校においても法第四〇条の準用規定により、小学校と同様である。

三 高等学校について

学校教育法施行規則第五八条〔現行八九条〕第一項の趣旨も、小、中学校と同様と考えられる。従って第一項に規定する教科用図書のない場合、高等学校においては、使用すべき教科用図書は、学校長がこれを定めるわけである。（同条第二項）

ただし、現在の高等学校の教科用図書の中には、新しい学習指導要領、教科用図書検定基準に合致しないものも含まれているので、これらについては目下検討中であり、これらは規則第五八条

〔現行八九条〕第一項に規定する教科用図書とは見なさないのが妥当であると考えられる。

○教科用図書以外の図書その他の教材について（昭二八・七・一〇　山口県教育委員会教育長あて　文部省初等中等教育局地方課長回答）

【照会】　このことについて学校教育法第二一条〔現行法三四条〕第二項に「有益適切」なるものはこれを使用することができると規定してありますが、既に学校長の裁量によって採用使用しているもので、教育委員会において有益適切でないと裁定した場合、教育委員会はその使用を禁止することが出来るか。

【回答】　学校教育法第二一条第二項の規定は教育委員会が不適当な教材の使用の禁止について必要な措置をとることを妨げるものではない。何故ならば教育委員会が当該団体の設置する学校を管理する権限と責任を有することは教育委員会法第四条、第四八条第一項、第四九条第一号〔現行地方教育行政の組織及び運営に関する法律（以下「地教行法」という。）では二一条一号〕により明らかであり、かつ教科書以外の教材の使用に関することは教育委員会法第四九条第三号〔現行地教行法二一条六号〕に規定する「教科内容及びその取扱に関すること」として教育委員会の権限に属するものであるからである。〔なお現行地教行法三三条二項参照〕

○学習帳などの教材の選択について（昭三九・八・二五　委初五の一一号　高知県教育委員会教育長あて　文部省初等中等教育局長回答）

【照会】　1　夏休みの学習帳について、校長から教育委員会への事前届出制をとっている場合、教育委員会が、教育的価値またはその父兄に与える負担等の観点から「学習帳を使用するときは、この学習帳を使用せよ」と命令することはできると解するがどうか。

2　学習帳などの教材の採択の権限は、教育委員会にあると解するがどうか。

【回答】　1および2　お見込みのとおり。

【判決例】

○教科書検定制度は、合憲、適法である（教科書検定第一次訴訟・最（三小）判平五・三・一六）

「一　本件検定と憲法二六条（教育を受ける権利）、教育基本法一〇条〔現行一六条〕

1　憲法二六条は、子どもに対する教育内容を誰がどのように決定するかについて、直接規定していない。憲法上、親は家庭教育等において子女に対する教育の自由を有し、教師は、高等学校以下の普通教育の場においても、授業の具体的内容等においてある程度の裁量が認められるという意味での一定範囲の教育の自由を有し、私学教育の自由も限られた範囲で認められる

が、それ以外の領域においては、国は、子ども自身の利益の擁護のため、又は子どもの成長に対する社会公共の利益と関心にこたえるため、必要かつ相当と認められる範囲において、子どもに対する教育内容を決定する権能を有する。もっとも、教育内容への国家的介入はできるだけ抑制的であることが要請され、殊に、子どもが自由かつ独立の人格として成長することを妨げるような介入は許されない。また、教育行政機関が教育の内容等に関して必要かつ合理的な規制を施すことは、教育基本法一〇条の禁止するところではない。」

「2　学校教育法二一条一項〔現行法三四条一項〕、五一条〔現行法六二条〕、旧教科用図書検定規則（昭和二三年文部省令第四号）、旧教科用図書検定基準（昭和三三年文部省告示第八六号）に基づく高等学校用の教科書の検定（本件検定）は、文部大臣において、著作者又は発行者から申請された図書が教育基本法及び学校教育法の趣旨に合致し、教科用に適することを認めるものであって、その審査は、申請図書の内容が、教育基本法、学校基本法に定める教育の目的、方針や当該学校の目的と一致しているか、学習指導要領に定める教科、科目等の目標、内容と一致しているか、政治や宗教についての立場が公正であるか、内容が正確であるか、児童、生徒の心身の発達段階に適応しているか、などを基準として行われる。したがって、本件検定による審査は、単なる形式的な点にとどまらず、申請図書の実質的な内容、すなわち教育内容に及ぶものである。

しかし、普通教育の場においては、児童、生徒の側にはいまだ授業の内容を批判する十分な能力は備っていないこと、学校、教師を選択する余地も乏しく教育の機会均等を図る必要があることなどから、教育内容が正確かつ中立・公正で、地域、学校のいかんにかかわらず全国的に一定の水準であることが要請される。本件検定は、右の要請を実現するために行われるものであり、その具体的な審査基準も、右目的のための必要かつ合理的な範囲を越えているものとはいえず、子どもが自由かつ独立の人格として成長することを妨げるような内容を含むものではない。また、右のような検定を経た教科書を使用することが、教師の授業等における裁量の余地を奪うものでもない。

本件検定は、憲法二六条、教育基本法一〇条〔現行一六条〕に違反するところはない。」

「二　本件検定と憲法二三条（学問の自由）

教科書は、教科課程の構成に応じて組織排列された教科の主たる教材として、普通教育の場で使用される児童、生徒用の図書であって、学術研究の結果の発表を目的とするものではない。本件検定は、申請図書に記述された研究結果が、いまだ学界において支持を得ていなかったり、当該科目、当該学年の児童、生徒の教育として取り上げるにふさわしい内容と認められない場合などに、教科書の形態における研究結果の発表を制限するにすぎない。本件検定に憲法二三条の違反はない。」

「三　本件各検定処分における文部大臣の裁量権の範囲の逸脱の有無

1　上告人側は、昭和三七年、同三八年に高等学校用日本史の教

科書の検定を申請したが、文部大臣の諮問機関である教科用図書検定調査審議会は、昭和三七年度は、申請原稿に三二三箇所の欠陥を指摘して不合格と判定し、昭和三八年度は、申請原稿に二九〇箇所の欠陥を指摘したが、欠陥修正後の再審査を条件として合格と判定した。そして、審議会の合否の判定は欠陥の指摘とともに文部大臣に答申され、文部大臣は両年度とも答申どおりの処分をした（なお、昭和三八年度は再審査の段階で欠陥の追加指摘がされた）。

2　本件検定における審査、判断は、申請図書について、内容が学問的に正確であるか、中立・公正であるか、教科の目標等を達成する上で適切であるか、などの様々な観点から多角的に行われるもので、学術的、教育的な専門技術的判断であるから、事柄の性質上、文部大臣の合理的な裁量に委ねられるものというべきである。したがって、合否の判定、条件付合格における条件の付与等についての教科用図書検定調査審議会の判断の過程に、原稿の記述内容又は欠陥の指摘の根拠となるべき学説状況（検定当時の学界における客観的な学説状況）、教育状況についての認識や、旧検定基準に違反するとの評価等に看過し難い過誤があって、文部大臣の判断がこれに依拠してされたと認められる場合には、右判断は、裁量権の範囲を逸脱したものとして、国家賠償法上違法となると解するのが相当である。

本件各検定処分において前記審議会のした欠陥の指摘には、その内容が細部にわたり過ぎるものが若干含まれているが、いまだ看過し難い過誤があったとは認められず、文部大臣の本件各検定処分に裁量権の範囲の逸脱の違法があったとはいえない。」

○学校教育法第二一条〔現行法三四条〕、**第五一条**〔現行法六二条〕**により高等学校においても、教師は教科書を使用する義務があるものと解する**（福岡高判昭五八・一二・二四判例時報一一〇一号三頁――伝習館高校事件）

教科書は本件学習指導要領の目標及び内容によって編成されているのであるから、これを使用することは、右目的〔教育の機会均等の確保と一定水準の維持という普通教育の目的〕に対して有効なものというべきであり、更に、教授技術上も教科書を使用して授業をすることは、教師及び生徒の双方にとって極めて有効である。

そして教科書のあるべき使用形態としては、授業に教科書を持参させ、原則としてその内容の全部について教科書に対応して授業することをいうものと解するのが相当である。通常の教科書の内容と本件学習指導要領に定められた授業時間を見ると、右教科書を使用しての授業でその教科、科目の授業時間の大半を要するものと認められるので、教科書の使用形態を前記のとおり解する限り、教科書を主たる教材として使用する義務があることになる。

〔**編者注**〕この裁判の上告審でも、右の解釈は肯定された（最（一小）判平二・一・一八　判例時報一三三七号三頁、判例タイムズ七一九号七二頁）。

〔児童の出席停止〕

第三十五条 市町村の教育委員会は、次に掲げる行為の一又は二以上を繰り返し行う等性行不良であつて他の児童の教育に妨げがあると認める児童があるときは、その保護者に対して、児童の出席停止を命ずることができる。

一 他の児童に傷害、心身の苦痛又は財産上の損失を与える行為

二 職員に傷害又は心身の苦痛を与える行為

三 施設又は設備を損壊する行為

四 授業その他の教育活動の実施を妨げる行為

② 市町村の教育委員会は、前項の規定により出席停止を命ずる場合には、あらかじめ保護者の意見を聴取するとともに、理由及び期間を記載した文書を交付しなければならない。

③ 前項に規定するもののほか、出席停止の命令の手続に関し必要な事項は、教育委員会規則で定めるものとする。

④ 市町村の教育委員会は、出席停止の命令に係る児童の出席停止の期間における学習に対する支援その他の教育上必要な措置を講ずるものとする。

【沿　革】 昭二八・八・五法一六七により、「市町村立小学校の管理機関」を「市町村の教育委員会」に改めた。

昭三三・四・一〇法五六により、伝染病による出席停止に関する部分を学校保健法に規定することになったことに伴い、規定を整備した。

平一三・七・一一法一〇五により、要件の明確化、手続に関する規定の整備、出席停止期間中の学習支援等の措置を講ずることを内容とする改正を行った。

平一九・六・二七法九六により、旧二六条から三五条に移動した。

【参照条文】 法四九条、四九条の八。学校保健安全法一九条。

【注 解】

一 本条の適用対象は、小学校、中学校及び義務教育学校であり、小学校の章で規定し、中学校及び義務教育学校に準用している。

二 「市町村の教育委員会」は、市町村立小・中学校等の管理機関であり、出席停止の措置は国民の就学義務ともかかわる重要な措置である。このため、出席停止の措置は、校長ではなく、市（特別区を含む。法一八条の【注解】一参照）町村教育委員会の権限と責任において行われるものとされているのである。平成一三年の法改正により、出席停止制度の運用上、市町村教育委員会が一層適切な役割を果たすことが求められることを踏まえると、市町村教育委員会において、出席停止を命ずる権限を校長に委任することや、校長の専決によって出席停止を命ずることについては、慎重である必要がある。もとより、校長は、学校の実態を把握し、その安全管理や教育活動について責任を負う立場にあることから、市町村教育委員会が出席停止制度を運用する際には、校長の意見を十分尊重することが望ましい。

三 「性行不良であって他の児童の教育に妨げがあると認める児童」については、本条により出席停止を行うこととなる。この制度は、本人に対する懲戒という観点からではなく、学校の秩序を維持し、他の児童生徒の義務教育を受ける権利を保障するという観点から設けられているものである。

学齢児童生徒に対しては義務教育の保障という観点から国・公・私立の小・中学校等を通じて、懲戒としての停学処分を行うことができない（施行規則二六条四項）。これらの学校では、自宅学習、自宅謹慎、校外実習等を命ずるといった、実質的に停学に当たる措置は許されない。また、国・私立の小・中学校等においては退学処分を行うことが許されているが、公立の小・中学校等においては、義務教育を最終的に保障するということから、退学処分は認められていない（同条三項）。

なお、本条は「児童」とのみ規定し、「学齢児童」としていないが、学齢児童以外の在籍者に対しては、停学処分、退学処分を行うことができるわけであるから、本条の「児童」は学齢児童に限られるものと解される。

四　問題行動を起こす児童生徒に対して、出席停止を適用するか否かを判断するに際しては、出席停止制度の趣旨や意義にかんがみ、多くの児童生徒の安全や教育を受ける権利を保障する観点を重視しつつ、個々の事例に即して具体的かつ客観的に行われなければならない。

出席停止の適用に当たっては、「性行不良」であること、「他の児童の教育に妨げがある」と認められることの二つが基本的な要件となっており、法律上の要件を明確化する観点から、本条一項において、「性行不良」に関して、四つの行為類型をそれぞれ各号に掲げ、それらを「一又は二以上を繰り返し行う」ことを例示として規定している。

第一号は、他の児童生徒に傷害、心身の苦痛又は財産上の損失を与える行為であり、その例としては、他の児童生徒に対する威嚇、金品の強奪、暴行等が挙げられる。なお、いじめについては、その態様は様々であるが、傷害には至らなくとも一定の限度を超えて心身の苦痛を与える行為に関しては、出席停止の対象とすることがあり得るところであり、いじめられている児童生徒を守るため、適切な対応をとる必要がある。

第二号は、職員に傷害又は心身の苦痛を与える行為であり、その例としては、職員に対する威嚇、暴言、暴行等が挙げられる。なお、職員に対して財産上の損失を与える行為については、成人であることを考慮し、児童生徒と異なり本号では規定していない。

第三号は、施設又は設備を損壊する行為であり、その例としては、窓ガラスや机、教育機器などを破壊する行為が挙げられる。

第四号は、授業その他の教育活動の実施を妨げる行為であり、その例としては、授業妨害のほか、騒音の発生、教室への勝手な出入り等が挙げられる。

五　市町村教育委員会が出席停止を命ずる場合の事前の手続として、あらかじめ保護者の意見を聴取するとともに、理由及び期間を記載した文書を交付しなければならない（本条二項）。また、出席停止の措置は、学校教育法の規定に直接基づいて行うことができるが、出席停止の命令の手続に関し必要な事項は教育委員会規則で定めることになっている（本条三項）。出席停止の事前手続に関しては、次のような点に留意する必要がある。

(1)　意見聴取は、緊急の場合等を除き、保護者と直接対面して行い、今後の指導の方針などの説明を併せて行うことが望ましいこと。当該児童生徒については、「児童の権利に関する条約」を踏まえ、その意見を聴取する機会を設けることに配慮するものとすること（法一一条の【**通知**】参照）。また、問題行動の被害者である児童生徒や保護者から事情を聴くとともに、事後の対応に関して説明するなど適切に対処することが必要であること。さらに、かねてから当該児童生徒に対する指導にかかわってきた関係機関の専門的な職員等の意見を参考とすることも考えられること。

(2)　出席停止の適用の決定は、市町村教育委員会において、問題行動の態様及び学校の実情を踏まえ、校長の判断を尊重しつつ行わなければならないこと。また、出席停止が、他の児童生徒の安全や教育を受ける権利を保障するための制度であることを十分に踏まえ、適時に適用を決定することが必要であること。

(3)　出席停止の期間は、出席停止の制度の意義にかんがみ、学校の秩序の回復を第一に考慮し、併せて当該児童生徒の状況、他の児童生徒の心身の安定、保護者の監護等を考慮して、総合的な判断の下に決定する必要があること。その際、出席停止が教育を受ける権利に関わる措置であることから、措置の目的を達成するための必要性を踏まえて、可能な限り短い期間となるよう配慮する必要があること。

(4)　出席停止の命令の伝達は文書の手交又は郵送によることとし、当該文書には、理由及び期間のほか、当該児童生徒の氏名、学校名、保護者の氏名、命令者である市町村教育委員会名、命令年月日等について記載することが

適当であること。また、出席停止を命ずるに当たっては、市町村教育委員会の教育長等の関係者又は校長や教頭が立ち会い、保護者及び児童生徒を同席させて、出席停止を命じた趣旨や今後の指導の方針について説明する等の配慮をすることが望ましいこと。

六　市町村教育委員会が、当該児童生徒の出席停止の期間における学習に対する支援その他の教育上必要な措置を講ずるものとされている（本条四項）。出席停止期間中は、次のような点に留意して、適切な対応がなされる必要がある。

(1)　市町村教育委員会は、出席停止を措置する場合、自らの責任の下、学校の協力を得つつ当該児童生徒に関する個別指導計画を策定し、学習への支援など教育上必要な措置を講じ、当該児童生徒の立ち直りに努めることが必要であること。

(2)　出席停止期間中においては、当該児童生徒に対して保護者が責任を持って指導に当たることが基本であり、出席停止の措置に当たって、市町村教育委員会及び学校が保護者に対し自覚を促し、監護の義務を果たすよう積極的に働きかけることが極めて重要であること。

(3)　出席停止期間中においては、当該児童生徒に対して、規範意識や社会性、目的意識等を培うこと、学校や学級の一員としての自覚を持たせること、学習面において基礎・基本を補充すること、悩みや葛藤を受け止めて情緒の安定を図ることなどを旨として指導や援助に努めることが必要であること。

(4)　学校としては、計画的かつ臨機に家庭を訪問し、適切な指導を行うこととなるが、家庭の監護に問題がある場合などでは、市町村教育委員会が主導性を発揮し、例えば、教育委員会・学校・関係機関からなるサポートチームを組織して当該児童生徒及び保護者への援助を行うこと、教育センターや社会教育施設において体験活動のプログラムを提供することなどが考えられること。

七　行政手続に関する一般法としては、事前手続に係る行政手続法、事後手続に係る行政不服審査法があるが、出席停止命令については、両法は適用除外となる。出席停止命令は、「学校……において、教育……の目的を達成するために、学生、生徒、児童若しくは幼児若しくはこれらの保護者……に対して」される処分に該当するからである（行政手続法三条一項七号、行政不服審査法七条一項八号）。このため、出席停止に関しては、行政手続法の定める聴聞や弁明等の手続を要しないが、本条二項で、出席停止の一層適切な運用を期するため、当該処分の名あて人である保護者からの意見聴取や文書交付に関する規定が設けられている。保護者の弁明を聴くものであって、保護者の同意を得ることまでは必要ない。本条二項において、意見聴取の対象として義務付けられているのは処分の名あて人である保護者であるが、児童生徒からも意見を聴取する機会を設けることに配慮することはもとより大切である。

出席停止の手続上、意見聴取や文書交付の対象となる「保護者」は、「子に対して親権を行う者（親権を行う者のないときは、未成年後見人）」（法一六条）である。一方、児童生徒が児童福祉施設（児童福祉法七条）に入所している場合にあっては、児童福祉施設の長は、親権を行うことや、監護等に関する必要な措置をとることができることとされている（児童福祉法四七条）。このような場合には、出席停止期間中の監護を当該施設で行うことになるから、出席停止の手続に際して、児童福祉施設の長に対する事前の協議・説明を行うなど、適切な対応をとることが必要となる。

八　深刻な問題行動を起こす児童生徒に対する措置としては、出席停止のほか、児童福祉法や少年法に基づく措置等がある。少年法及び児童福祉法においては、「家庭裁判所の審判に付すべき少年」（犯罪少年、触法少年、虞犯少年）や「保護者のない児童又は保護者に監護させることが不適当であると認められる児童」（要保護児童、児童福祉法六条の三第八項）を発見した者は、家庭裁判所や児童相談所等に通告することとされている（少年法三条・六条、児童福祉法二五条）。

これらの少年や児童については、警察、家庭裁判所、児童相談所、少年鑑別所、少年院、保護観察所、児童福祉施設などの多くの機関が、それぞれの段階に応じた処理、処遇を行っている。このうち、児童福祉法上の対応として

は、在宅指導、一時保護（児童福祉法三三条）、児童自立支援施設又は児童養護施設への入所措置（児童福祉法二七条の二）などがある。

出席停止を講ずるような事例については、家庭の監護能力に著しく問題があるなど児童福祉法に関わる事案が想定されるところである。このため、市町村教育委員会においては、平素から関係機関と密接な連携協力を図り、問題行動の未然防止に努めるとともに、深刻な問題行動の発生に際しては、児童相談所に対して児童福祉法上の対応について検討を要請することも考慮する必要がある。

九　都道府県教育委員会は、市町村教育委員会において出席停止が適切に講ぜられるよう、指導主事等の派遣、教職員定数の加配等の人的措置、教育センターの機能の活用、関係機関への働きかけなどの支援を行うことが望ましいとされている。なお、国においては、出席停止期間中の家庭への訪問指導など、生徒指導等に関する特別な指導が行われる場合、公立の小・中学校の教職員定数に関して児童生徒支援加配措置（公立義務教育諸学校の学級編制及び教職員定数の標準に関する法律施行令七条二項二号）を講じている。

一〇　学校保健安全法一九条は、校長は、感染症にかかっており、かかっている疑いがあり、又はかかるおそれのある児童生徒等があるときは、出席を停止させることができるとしているが、これも、感染症予防という広い意味での学校の秩序維持という観点から認められているものである。この場合は、国・公・私立を問わず、校長が行い、その旨を学校の設置者に報告することとなっている（学校保健安全法施行令七条）。

【通　知】

○出席停止制度の運用の在り方について（抄）（平一三・一一・六　一三文科初七二五号　各都道府県教育委員会教育長

あて　文部科学省初等中等教育局長通知）

先の第一五一回国会において成立した「学校教育法の一部を改正する法律」の改正の趣旨及び概要については、既に本年七月一一日付け文部科学事務次官通知（文科初第四六六号）により通知したところであり、公立の小学校及び中学校の出席停止制度に関しては、その一層適切な運用を期するため、要件の明確化、手続に関する規定の整備、出席停止期間中の学習支援等の措置を講ずることを内容とする改善が図られました（第二六条〔現行法三五条〕関係）。この出席停止に関する改正規定の施行日は、平成一四年一月一一日となっております。

記

一　制度の運用の基本的な在り方について

(1)　制度の趣旨・意義

出席停止の制度は、本人に対する懲戒という観点からではなく、学校の秩序を維持し、他の児童生徒の義務教育を受ける権利を保障するという観点から設けられた制度である。

もとより、学校は児童生徒が安心して学ぶことができる場でなければならず、その生命及び心身の安全を確保することが学校及び教育委員会に課せられた基本的な責務である。こうした責務を果たしていくため、教育委員会においては、今回の法改正の趣旨を踏まえ、定められた要件に基づき、適正な手続を踏みつつ、出席停止制度を一層適切に運用することが必要である。また、出席停止制度の運用に当たっては、他の児童生徒の安全や教育を受ける権利を保障すると同時に、出席停止の期間において当該児童生徒に対する学習の支援など教育上必要な措置を講ずることが必要である。

(2)　市町村教育委員会の権限と責任

出席停止の措置は、国民の就学義務とも関わる重要な措置であることにかんがみ、市町村教育委員会の権限と責任において行われるものとされている。具体的には、出席停止に関し、事前の指導、措置の適用の決定、期間中及び期間後の指導、関係機関との連携等にわたって市町村教育委員会が責任を持って対処する必要がある。特に、今回の法改正では、事前の手続及び出席停止期間中の学習支援等について規定されるなど、制度の運用上、市町村教育委員会が一層適切な役割を果たすことが求められている。

こうしたことを踏まえ、市町村教育委員会において、出席停止を命ずる権限を校長に委任することや、校長の専決によって出席停止を命ずることについては、慎重である必要がある。もとより、校長は、学校の実態を把握し、その安全管理や教育活動について責任を負う立場にあることから、市町村教育委員会が出席停止制度を運用する際には、校長の意見を十分尊重することが望ましい。

(3)　事前の指導の在り方

児童生徒の問題行動に対応するためには、日ごろからの生徒指導を充実することが、まずもって必要であり、学校が最大限の努力を行っても解決せず、他の児童生徒の教育が妨げられている場合に、出席停止の措置が講じられることになる。このた

め、特に次のような点に留意して指導に当たることが大切である。なお、公立の小学校及び中学校については、自宅謹慎、自宅学習等を命ずることは法令上許されておらず、こうした措置は、出席停止の在り方について十分な理解がなされ、適切な運用が行われることによって解消が図られるべきものである。

① 各教科、道徳、特別活動、総合的な学習の時間など学校の教育活動全体を通じ、教職員が一致協力して社会性や規範意識など豊かな人間性を育成する指導を徹底すること。その際、ボランティア活動など社会奉仕体験活動、自然体験活動その他の体験活動を効果的に取り入れること。

② 教職員が児童生徒の悩みや不安を受け止め、カウンセリングマインドを持って接するよう努めること。併せてスクールカウンセラーを有効に活用するなど校内の教育相談の充実を図ること。

③ 問題行動の兆候を見逃さず、適切な対応を行うとともに、問題行動の発生に際しては、教職員が共通理解の下に毅然とした態度で指導に当たること。暴力行為に及ぶ児童生徒に対し、教職員は、正当防衛としての行為をするなどの対応もあり得ること。体罰については、学校教育法第一一条により厳に禁止されているものであること。

④ 問題を抱え込むことなく、家庭や地域社会、さらには児童相談所や警察などの関係機関との連携を密にすること。生徒指導の方針や実情について説明責任を果たし、外部の意見を教育活動に適切に反映させること。実情に応じて、サポートチーム（個々の児童生徒の状況に応じ、問題行動の解決に向けて学校、教育委員会及び関係機関等が組織するチーム）など、地域ぐるみの支援体制を整備して指導に当たること。

⑤ 深刻な問題行動を起こす児童生徒については、前述の対応や個別の指導・説諭を行うほか、必要と認められる場合には、学校や児童生徒の実態に応じて十分に配慮しつつ、一定期間、校内において他の児童生徒と異なる場所で特別の指導計画を立てて指導すること。さらに、児童生徒に対する指導の過程において、家庭との連携を図り、保護者への適切な指導・助言・援助を行うこと。

二　要件について

問題行動を起こす児童生徒がある場合、出席停止の適用の判断については、前述の一(1)に示した出席停止制度の趣旨や意義にかんがみ、多くの児童生徒の安全や教育を受ける権利を保障する観点を重視しつつ、個々の事例に即して具体的かつ客観的に行われなければならない。

出席停止の適用に当たっては、「性行不良」であること、「他の児童生徒の教育に妨げがある」と認められることの二つが基本的な要件となっており、今回の法改正では、法律上の要件を明確化する観点から、「性行不良」に関して、四つの行為類型をそれぞれ各号に掲げ、それらを「一又は二以上を繰り返し行う」ことを例示として規定したものである（第一項）。

第一号は、他の児童生徒に傷害、心身の苦痛又は財産上の損失を与える行為であり、その例としては、他の児童生徒に対する威

嚇、金品の強奪、暴行等が挙げられる。なお、いじめについては、その態様は様々であるが、傷害には至らなくとも一定の限度を超えて心身の苦痛を与える行為に関しては、出席停止の対象とすることがあり得るところであり、いじめられている児童生徒を守るため、適切な対応をとる必要がある。

第二号は、職員に傷害又は心身の苦痛を与える行為であり、その例としては、職員に対する威嚇、暴言、暴行等が挙げられる。なお、財産上の損失を与える行為については、職員の場合、成人であることを考慮し、児童生徒と異なり本号では規定していない。

第三号は、施設又は設備を損壊する行為であり、その例としては、窓ガラスや机、教育機器などを破壊する行為が挙げられる。

第四号は、授業その他の教育活動の実施を妨げる行為であり、その例としては、授業妨害のほか、騒音の発生、教室への勝手な出入り等が挙げられる。

三　事前の手続について

今回の法改正では、市町村教育委員会が出席停止を命ずる場合の事前の手続として、あらかじめ保護者の意見を聴取するとともに、理由及び期間を記載した文書を交付しなければならないこととしたところである（第二項）。これらの点を含め、教育委員会規則に基づく慎重な手続の下、出席停止について関係者の理解と協力が得られ、その適切な運用がなされるよう、以下の点に留意する必要がある（教育委員会規則の整備（第三項）に関しては後記六を参照すること）。

(1)　事前の説明等

学校においては、保護者等の全体に対して、生徒指導に関する基本方針等について説明を行う時など適切な機会をとらえて、出席停止制度の趣旨に関する説明を行い、適切な理解を促すことが望ましい。

なお、深刻な問題行動を起こす児童生徒については、個別の指導記録を作成し、問題行動の事実関係や児童生徒及び保護者に対する指導内容等を事実に即して記載しておくことが適当である。

(2)　意見の聴取

当該児童生徒による問題行動が繰り返され、市町村教育委員会等において出席停止を講じようとする場合、これを命ずるに先立って、正当な理由なく意見聴取に応じない場合を除き、当該保護者の意見を聴取しなければならない。意見聴取は、緊急の場合等を除き、保護者と直接対面して行い、今後の指導の方針などの説明を併せて行うことが望ましい。なお、意見聴取は主として保護者からの弁明を聴くものであって、保護者の同意を得ることまでは必要ないが、保護者の監護の下で指導を行うという制度の性質を踏まえると、保護者の理解と協力が得られるよう努めることが望ましい。

当該児童生徒については、平成六年五月二〇日付け文初高第一四九号「「児童の権利に関する条約」について」に引き続き留意しつつ、出席停止を円滑に措置し、指導を効果的なものとする観点等から、当該児童生徒の意見を聴取する機会を設けることに配慮するものとする。

問題行動の被害者である児童生徒や保護者については、事実関係等を的確に把握するために事情を聴くとともに、事後の対応に関して説明するなど適切に対処することが必要である。また、出席停止の適用について適切な判断を下すとともに、事後の指導を円滑に行う観点から、かねてから当該児童生徒に対する指導に関わってきた関係機関の専門的な職員等の意見を参考とすることも考えられる。

(3) 適用の決定

出席停止の適用の決定は、市町村教育委員会において、教育委員会規則の規定にのっとり、問題行動の態様及び学校の実情を踏まえ、校長の判断を尊重しつつ、保護者等からの意見聴取を行った上で行わなければならない。また、出席停止が、他の児童生徒の安全や教育を受ける権利を保障するための制度であることを十分に踏まえ、適時に適用を決定することが必要である。

問題行動を起こす児童生徒に対する措置としては、出席停止のほか、児童福祉法や少年法に基づく措置等があり、かねてからの関係機関との連携の下、当該児童生徒の立ち直りのため、望ましい処遇の在り方を検討する必要がある。出席停止を講ずる際には、必要に応じて関係機関への連絡を行うことが適当である。特に問題行動が生命や身体に対する危険をもたらすものである場合、警察の協力を得る等の措置を併せとることが必要である。また、家庭の監護能力に著しく問題があると認められる場合には、児童福祉法に基づいて児童相談所に対して通告等を行い、その協力を求めることが適当である。

出席停止の期間は、出席停止の制度の意義にかんがみ、学校の秩序の回復を第一に考慮し、併せて当該児童生徒の状況、他の児童生徒の心身の安定、保護者の監護等を考慮して、総合的な判断の下に決定する必要がある。期間は、個々の事例により異なるものであるが、出席停止が教育を受ける権利に関わる措置であることから、措置の目的を達成するための必要性を踏まえて、可能な限り短い期間となるよう配慮する必要がある。なお、出席停止期間中の当該児童生徒の状況によっては、決定の手続に準じて、出席停止を解除することができる。

(4) 文書の交付

出席停止を保護者に命ずる際には、理由及び期間を記載した文書を交付しなければならない。命令の伝達は文書の手交又は郵送によることとし、口頭のみにより命ずることは認められない。

出席停止を命ずる文書には、理由及び期間のほか、当該児童生徒の氏名、学校名、保護者の氏名、命令者である市町村教育委員会名、命令年月日等について記載することが適当である。また、理由の記載に当たっては、根拠となる法律の条項や要件に該当する事実を明示することが必要である。

出席停止を命ずるに当たっては、市町村教育委員会の教育長等の関係者又は校長や教頭が立ち会い、保護者及び児童生徒を同席させて、出席停止を命じた趣旨や、個別指導計画の内容など今後の指導の方針について説明する等の配慮をすることが望ましい。

(5)　教育委員会の役割と連携

市町村教育委員会は、平素から管下の学校や児童生徒の実態を十分に把握しておき、問題行動を起こす児童生徒への対応に関して学校への指導・助言・援助を行うとともに、出席停止の事前手続に適正を期する必要がある。一方、学校は、問題行動を起こす児童生徒があるときには、市町村教育委員会に対し学校や児童生徒の状況を随時報告する等連絡体制を十分とり、必要な指示や指導を受けながら、対処する必要がある。出席停止の適用を決定する際には、市町村教育委員会において、学校及び関係機関等との連携を図りつつ、出席停止期間中の当該児童生徒に対する個別指導計画を策定することが必要である。

また、市町村教育委員会は、出席停止の要件に該当する深刻な問題行動を起こす児童生徒があるときには、適時に都道府県教育委員会との連携をとりつつ対応することが望ましい。その際、都道府県教育委員会は、市町村教育委員会あるいは学校の自主性・自律性に配慮しつつ、指導主事やスクールカウンセラー等の派遣、教職員配置の工夫などの措置を通じて支援を行うことが望ましい。

四　期間中の対応について

今回の法改正では、市町村教育委員会が、当該児童生徒の出席停止の期間における学習に対する支援その他の教育上必要な措置を講ずるものとすることと定められたところであり（第四項）、出席停止期間中の対応が適切になされるよう、以下の点に留意する必要がある。

(1)　市町村教育委員会及び保護者の責務

市町村教育委員会は、出席停止を措置する場合、自らの責任の下、学校の協力を得つつ当該児童生徒に関する個別指導計画を策定し、出席停止の期間における学校あるいは学校外における指導体制を整備して、学習への支援など教育上必要な措置を講じ、当該児童生徒の立ち直りに努めることが必要である。その際、当該児童生徒の在籍する学校における取組の充実を図るとともに、関係機関との連携を十分視野に入れて、適切に対処することが大切である。

出席停止期間中においては、当該児童生徒に対して保護者が責任を持って指導に当たることが基本であり、出席停止の措置に当たって、市町村教育委員会及び学校が保護者に対し自覚を促し、監護の義務を果たすよう積極的に働きかけることが極めて重要である。このため、市町村教育委員会及び学校は、保護者に対して、事前の手続等において、個別指導計画の内容等について十分に説明し、理解と協力を得るよう努めるとともに、必要に応じ、家庭環境の改善を図るため、関係機関の協力を得て指導や援助（子育て相談を含む）を行うことが適当である。また、家庭の監護に問題がある場合、出席停止期間中、家庭以外の場において当該児童生徒に対する指導を行うことも考えられる。

もとより、出席停止は学校の秩序の回復を図るものであり、市町村教育委員会としては、当該児童生徒への対応のみならず、他の児童生徒に対する正常な教育活動が円滑になされるよ

う、適切な措置をとることが必要である。

(2) 当該児童生徒に対する指導

出席停止の期間においては、当該児童生徒が学校や学級へ円滑に復帰することができるよう、規範意識や社会性、目的意識等を培うこと、学校や学級の一員としての自覚を持たせること、学習面において基礎・基本を補充すること、悩みや葛藤を受け止めて情緒の安定を図ることなどを旨として指導や援助に努めることが必要である。

学校としては、学級担任、生徒指導主事等の教員が計画的かつ臨機に家庭への訪問を行い、反省文、日記、読書その他の課題学習をさせる等適切な方法を採ることとなるが、このほか、家庭の監護に問題がある場合などでは、市町村教育委員会が主導性を発揮し、状況に応じて次のような対応をとることが有効である。

① 教育委員会及び学校の職員やスクールカウンセラー等のほか、児童相談所、警察、保護司、民生・児童委員等の関係機関からなるサポートチームを組織し、適切な役割分担の下に児童生徒及び保護者への指導や援助を行うこと

② 教育センターや少年自然の家等の社会教育施設などの場を活用して、教科の補充指導、自然体験や生活体験などの体験活動、スポーツ活動、教育相談などのプログラムを提供すること（宿泊を伴う活動を含む）

③ 地域の関係機関や施設、ボランティア等の協力を得て、社会奉仕体験や勤労体験・職業体験などの体験活動の機会を提供すること

なお、出席停止期間における当該児童生徒に対する指導については、学校外において行うことが基本であるが、校内での指導を取り入れることが当該児童生徒の立ち直りを図る上で有効であると認める場合には、他の児童生徒の教育の妨げとならない限りにおいて、これを行うこともあり得る。

こうした指導が適切に行われるようにするため、市町村教育委員会は、指導主事を学校等へ派遣して実態の把握と指導・助言に当たるほか、実情に応じて、学校外での指導の場や機会の確保、地域や関係機関等への積極的な働きかけ（協議会の設置など）、サポートチームの運営や当該児童生徒への直接の指導に当たる人材の確保などを行うことが適当である。また、都道府県教育委員会は、市町村教育委員会において適切な措置が十分に講じられるよう、指導主事やスクールカウンセラー等の派遣、教職員定数の加配等の人的措置、教育センターの機能の活用、関係機関への働きかけなどの支援を行うことが望ましい。

家庭の監護能力に著しく問題があると認められるなど児童福祉法に関わる事案については、児童相談所において当該児童生徒に関する調査を行った上で処遇の在り方を検討し、総合的な判断を行うこととなるので、教育委員会及び学校は、平素から児童相談所との連携を密にし、出席停止期間中の指導への協力を求めることが適当である。さらに、出席停止期間において当該児童生徒が深刻な問題行動を起こす場合、教育委員会として、保護者の意向にも配慮しつつ、児童相談所に対して児童福

祉法上の対応（例：在宅指導、一時保護、児童福祉施設入所措置等）について検討を要請することも考えられる。

出席停止期間中、当該児童生徒の非行が予想される場合には、警察等との連携を図り、その未然防止に努めることが必要である。

(3) 他の児童生徒に対する指導

学校においては、他の児童生徒の動揺を鎮め、校内の秩序を回復するとともに、当該児童生徒が再び登校してきた場合に円滑な受入れができるよう、他の児童生徒に対して友情の尊さを理解させ、協力し合って学校や学級の生活を向上させることが必要であることを認識させる等適切な指導を行う必要がある。また、当該児童生徒の問題行動の被害者である児童生徒の心のケアについて配慮することが大切である。

五　期間後の対応について

(1) 学校復帰後の指導

出席停止の期間終了後においても、学校においては、保護者や関係機関との連携を強めながら、当該児童生徒に対し将来に対する目的意識を持たせるなど、適切な指導を継続していくことが必要である。その際、当該児童生徒や地域の実情に応じて社会奉仕体験や自然体験、勤労体験・職業体験などの体験活動を効果的に取り入れていくことが望ましい。

(2) 指導要録等の取扱い

出席停止の措置を行った場合における当該児童生徒の指導要録の取扱いについては、次の点に留意して、適切に行うことが必要である（平成一三年四月二七日付け文科初第一九三号「小学校児童指導要録、中学校生徒指導要録、高等学校生徒指導要録、中等教育学校生徒指導要録並びに盲学校、聾学校及び養護学校の小学部児童指導要録、中学部生徒指導要録及び高等部生徒指導要録の改善等について」参照）。

①　「出欠の記録」の「出席停止・忌引等の日数」欄に出席停止の期間の日数が含まれ、その他所定の欄（例えば「備考」など）に「出席停止・忌引等の日数」に関する特記事項が記入されることとなること

②　「総合所見及び指導上参考となる諸事項」については、その後の指導において特に配慮を要する点があれば記入することとなること

③　対外的に証明書を作成するに当たっては、単に指導要録の記載事項をそのまま転記することは必ずしも適当でないので、証明の目的に応じて、必要な事項を記載するように注意することが必要であること

六　教育委員会規則の整備等（略）

○問題行動を起こす児童生徒に対する指導について（抄）（平一九・二・五　一八文科初一〇一九号　各都道府県教育委員会教育長、各指定都市教育委員会教育長、各都道府県知事、附属学校を置く各国立大学法人学長あて　文部科学省初等中等教育局長通知）

記

1　生徒指導の充実について（略）

2 出席停止制度の活用について

(1) 出席停止は、懲戒行為ではなく、学校の秩序を維持し、他の児童生徒の教育を受ける権利を保障するために採られる措置であり、各市町村教育委員会及び学校は、このような制度の趣旨を十分理解し、日頃から規範意識を育む指導やきめ細かな教育相談等を粘り強く行う。

(2) 学校がこのような指導を継続してもなお改善が見られず、いじめや暴力行為など問題行動を繰り返す児童生徒に対し、正常な教育環境を回復するため必要と認める場合には、市町村教育委員会は、出席停止制度の措置を採ることをためらわずに検討する。

(3) この制度の運用に当たっては、教師や学校が孤立することがないように、校長をはじめ教職員、教育委員会や地域のサポートにより必要な支援がなされるよう十分配慮する。

学校は、当該児童生徒が学校へ円滑に復帰できるよう学習を補完したり、学級担任等が計画的かつ臨機に家庭への訪問を行い、読書等の課題をさせる。

市町村教育委員会は、当該児童生徒に対し出席停止期間中必要な支援がなされるように個別の指導計画を策定するなど、必要な教育的措置を講じる。

都道府県教育委員会は、状況に応じ、指導主事やスクールカウンセラーの派遣、教職員の追加的措置、当該児童生徒を受け入れる機関との連携の促進など、市町村教育委員会や学校をバックアップする。

地域では、警察、児童相談所、保護司、民生・児童委員等の関係機関の協力を得たサポートチームを組織することも有効である。

(4) その他出席停止制度の運用等については、「出席停止制度の運用の在り方について」（平成一三年一一月六日付け文部科学省初等中等教育局長通知）による。

3 懲戒・体罰について（略）

（別紙）（略）

〔学齢未満の子の入学禁止〕

第三十六条 学齢に達しない子は、小学校に入学させることができない。

【沿　革】 平一九・六・二七法九六により、「子女」を「子」に改め、「これを」を削り、旧二七条から三六条に移動した。

【参照条文】 法一七条一項。

【注　解】

一　「学齢に達しない子」については、「学齢」についての直接的な定義がないので用語としては必ずしも正確ではないが、「児童ニシテ其ノ年齢就学ノ始期ニ達セザルモノ」（国民学校令一四条）と解すべきである。法一八条では保護者が就学させなければならない子を「学齢児童」としているので、満六歳に達した日の翌日以後の学年の初めに達するまでの子ということになる。

二　「できない」というのは、学齢前の児童を就学させることは法律上不能であるという意味であり、このような児童を入学させてもその者は小学校在学という地位を有しないと解される。

就学事務の錯誤等により、学齢に達しない児童を誤って小学校に入学せしめることは、法律上無効であるが、当該児童が六年間在学して小学校の課程を修了してしまったような場合、これを矯正する適当な方法がなく、かつ、しいて矯正すれば、本人及び保護者の利益を著しく侵害すると思われる場合には、便宜既成の事実をもって小学校の課程を修了したものと認めて卒業証書を授与することはやむをえないとする行政実例がある。

三　なお、本条の適用対象は、小学校、義務教育学校及び特別支援学校であり、小学校の章で規定し、義務教育学校及び特別支援学校に準用している。

【行政実例】

○満六歳以前に就学した場合の処置について（昭二八・五・七　高知県教育委員会教育長あて　文部省初等中等教育局財務課長回答）

【照会】　昭和二二年四月学校教育法施行後、ある村の教育事務担当者の間違いで満六歳に満たない幼児を小学校に入学させた場合のその後の処置について、左記の点御教示を願います。

記

一　学校教育法第二七条〔現行法三六条〕違反であるけれども、罰

則規定がないが、事務担当者を何か処分する方法があるか。

二　就学に関しては、市町村長（現在は教育委員会）が責任者であるはずだが、この場合村長に対して何らかの責任を問う方法があるか。

三　受け入れた学校長の責任いかん。

四　当該児童が六カ年後に小学校の課程を修了した場合、未だ満一二歳になっていないが卒業証書は授与できるか。

五　前項の卒業証書が授与された場合、直ちに中学校への入学ができるか。又は小学校に満一二歳に達する日の属する学年の終りまでとどまるべきか。

六　六カ年で卒業証書を授与され、直ちに中学校に入学した場合、三カ年経過して中学校の課程を修了したとき、卒業証書の授与はできるか。

七　前項の卒業証書の授与ができない場合は、さらに満一五歳に達する日の属する学年の終りまで就学しなければならないということが考えられるが、若し卒業証書の授与ができるという場合においては、その後いかにすべきか。即ち、就学の必要がないか。それとも満一五歳に達する日の属する学年の終りまで就学すべきか。

【回答】学校教育法第二七条（現行法三六条）の規定は、学齢前の児童に過重な負担を課することなくこれらの児童を保護するという趣旨であると考えられる。この趣旨及び同条の「……入学させることができない。」という表現から考えてみると、この規定は、学齢前の児童を就学させることは法律上不能であるとする規定、即ちいわゆる能力規定であると考えられる。従って、かかる児童を入学させても、その者は児童たるの地位を法律上有しえないと解される。

以下、所問の各点について答える。

一について

公務員として、その職務を遂行するに当って法令に忠実に従わなければならない義務を有するから、故意又は過失が認められれば、この義務に違反した責任を問うことは可能である。

二について

罰則の規定もなく、その行政上の責任を追及する上級者も存在しないが、市町村長又は教育委員会において故意又は過失がある場合に法令に違反した責任を負う外、部下職員の行為について監督者としての責任を負う場合もありうる。

三について

小学校に入学させる職務権限は教育委員会（教育委員会設置前は市町村長）が有するものであるから、校長には責任はないものと思料する。

四について

学齢に達しない児童を誤って入学せしめることは、法律上無効である。しかし本件の場合は、これを矯正する適当な方法がなく、かつ、しいて矯正すれば本人及び保護者の利益を著しく侵害すると思われるので、便宜既成の事実をもって小学校の課程を修了したものと認めて卒業証書を授与することはやむをえない措置と思料する。

五について

小学校の課程を修了したと認められた者である限り、中学校に入学せしめることができる。

六について

中学校の課程を修了したと認められる限り、卒業証書を授与できる。

七について

本件の場合は、学校教育法第二三条〔現行法一八条〕のやむをえない事由に該当するものとして就学義務免除の取扱いによらざるをえないであろう。

○学齢に達しない外国人子弟の入学について（抄）（昭三一・三・一七　委初七二号　福岡県教育委員会教育長あて　文部省初等中等教育局長回答）

【照会】 中華民国では「数え年七歳」にて入学のことになっているので帰国の場合、年齢的に一年遅れる結果となるから学校教育法第二七条〔現行法三六条〕の規定に拘らず進学させて欲しい旨、別紙写の通り父兄及び中華民国駐長崎領事館より申請がありましたが、如何取計ってよいか照会いたします。

【回答】 学校教育法第二七条〔現行法三六条〕の規定する通り、当該児童が学齢に達しない場合には入学させることはできない。

〔校長、教頭、教諭その他の職員〕

第三十七条　小学校には、校長、教頭、教諭、養護教諭及び事務職員を置かなければならない。

② 小学校には、前項に規定するもののほか、副校長、主幹教諭、指導教諭、栄養教諭その他必要な職員を置くことができる。

③ 第一項の規定にかかわらず、副校長を置くときその他特別の事情のあるときは教頭を、養護をつかさどる主幹教諭を置くときは養護教諭を、特別の事情のあるときは事務職員を、それぞれ置かないことができる。

④ 校長は、校務をつかさどり、所属職員を監督する。

⑤ 副校長は、校長を助け、命を受けて校務をつかさどる。

⑥ 副校長は、校長に事故があるときはその職務を代理し、校長が欠けたときはその職務を行う。この場合において、副校長が二人以上あるときは、あらかじめ校長が定めた順序で、その職務を代理し、又は行う。

⑦　教頭は、校長（副校長を置く小学校にあつては、校長及び副校長）を助け、校務を整理し、及び必要に応じ児童の教育をつかさどる。
⑧　教頭は、校長（副校長を置く小学校にあつては、校長及び副校長）に事故があるときは校長の職務を代理し、校長（副校長を置く小学校にあつては、校長及び副校長）が欠けたときは校長の職務を行う。この場合において、教頭が二人以上あるときは、あらかじめ校長が定めた順序で、校長の職務を代理し、又は行う。
⑨　主幹教諭は、校長（副校長を置く小学校にあつては、校長及び副校長）及び教頭を助け、命を受けて校務の一部を整理し、並びに児童の教育をつかさどる。
⑩　指導教諭は、児童の教育をつかさどり、並びに教諭その他の職員に対して、教育指導の改善及び充実のために必要な指導及び助言を行う。
⑪　教諭は、児童の教育をつかさどる。
⑫　養護教諭は、児童の養護をつかさどる。
⑬　栄養教諭は、児童の栄養の指導及び管理をつかさどる。
⑭　事務職員は、事務をつかさどる。
⑮　助教諭は、教諭の職務を助ける。
⑯　講師は、教諭又は助教諭に準ずる職務に従事する。
⑰　養護助教諭は、養護教諭の職務を助ける。
⑱　特別の事情のあるときは、第一項の規定にかかわらず、教諭に代えて助教諭又は講師を、養護教諭に代えて養護助教諭を置くことができる。
⑲　学校の実情に照らし必要があると認めるときは、第九項の規定にかかわらず、校長（副校長を置く小学校にあつ

ては、校長及び副校長）及び教頭を助け、命を受けて校務の一部を整理し、並びに児童の養護又は栄養の指導及び管理をつかさどる主幹教諭を置くことができる。

【沿　革】昭三六・一〇・三一法一六六により、「但し」を「ただし」に、「外」を「ほか」に改めた。

昭四九・六・一法七〇により、教頭を独立の職として規定し、講師、養護助教諭の職務を規定した。

平一六・五・二一法四九により、新たに栄養教諭を位置付け、その職務を規定した。

平一九・六・二七法九六により、新たに副校長、主幹教諭、指導教諭を位置付け、その職務を規定するとともに、旧二八条から三七条に移動した。

平二九・三・三一法五により、第一四項の「に従事する」を「をつかさどる」に改めた。

【参照条文】法七条、附則七条。施行規則四〇条～四九条、六四条、六五条の三、七八条の二。義務標準法。学校給食法七条。学校保健安全法二三条。学校図書館法五条。小学校設置基準。

【注　解】

一　本条は、小学校として必要な職員についてその種類と各職員の職務について規定したものである。小学校に置かなければならない職員は、校長、教頭、教諭、養護教諭及び事務職員であるが、副校長を置くときその他特別の事情のあるときは教頭を、養護をつかさどる主幹教諭を置くときは養護教諭を、特別の事情のあるときは事務職員をそれぞれ置かないことができることとされている（本条三項）。また、養護教諭については、当分の間、置かないことができることとされている（附則七条）。なお、小学校に置かれる職員の身分関係は本法の規定するところではなく、身分取扱いを定める法令の定めるところによる。

また、学校の職員の給与は、それぞれの学校の設置者が負担するのが原則であるが（法五条）、市（指定都市を除く。）町村立の小学校（中学校、義務教育学校、中等教育学校の前期課程、特別支援学校、高等学校の定時制の課程も同様）の校長、

副校長、教頭、主幹教諭、指導教諭、教諭、養護教諭、栄養教諭、助教諭、養護助教諭、寄宿舎指導員、講師、学校栄養職員及び事務職員のうち標準法定数内の者の給与については、都道府県が負担することとされている（市町村立学校職員給与負担法一条、二条）。これらの職員は県費負担教職員と称せられているが（地教行法三七条）、その身分は、それぞれの市町村に属している（地教行法四三条）。

本条の適用対象は、小学校、中学校、義務教育学校及び特別支援学校であり、小学校の章で規定し、中学校、義務教育学校及び特別支援学校に準用している。

二 教員配置については、施行規則（四〇条・四一条・四二条）及び小学校設置基準に規定されている。教員配置と学級編制とは密接に関連しているので、あわせてこれらの規定を掲げることとする。これらの規定は、国・公・私立の小学校を通じて適用される。小学校設置基準については、法三条及び法二九条の【注解】参照。

第四十条 小学校の設備、編制その他設置に関する事項は、この節に定めるもののほか、小学校設置基準（平成十四年文部科学省令第十四号）の定めるところによる。

第四十一条 小学校の学級数は、十二学級以上十八学級以下を標準とする。ただし、地域の実態その他により特別の事情のあるときは、この限りでない。

第四十二条 小学校の分校の学級数は、特別の事情のある場合を除き、五学級以下とし、前条の学級数に算入しないものとする。

〇小学校設置基準

（一学級の児童数）

第四条 一学級の児童数は、法令に特別の定めがある場合を除き、四十人以下とする。ただし、特別の事情があり、かつ、教育上支障がない場合は、この限りでない。

（学級の編制）

第五条 小学校の学級は、同学年の児童で編制するものとする。ただし、特別の事情があるときは、数学年の児童を一学級に編制することができる。

（教諭の数等）

第六条 小学校に置く主幹教諭、指導教諭及び教諭（以下この条において「教諭等」という。）の数は、一学級当たり一人以上とする。

2 教諭等は、特別の事情があり、かつ、教育上支障がない場合

は、校長、副校長若しくは教頭が兼ね、又は助教諭若しくは講師をもって代えることができる。

3 小学校に置く教員等は、教育上必要と認められる場合は、他の学校の教員等と兼ねることができる。

三 公立の小学校について国の財政措置との関連から義務標準法により、学級編制及び教職員定数の標準が定められている。

（1） 学級編制

一学級の児童の数の基準は、次に掲げる数を標準として、都道府県の教育委員会が定める。ただし、児童生徒の実態を考慮して特に必要があると認める場合には、この数を下回る数を定めることができる（義務標準法三条二項）。

同学年の児童で編制する学級　三五人

二の学年の児童で編制する学級　一六人（第一学年の児童を含む学級にあっては八人）

特別支援学級　八人

三以上の学年の児童で編制する学級は認められていない（特別支援学級を除く）。

学級編制は、都道府県の教育委員会が定める基準を標準として、学校を設置する地方公共団体（指定都市を除く。）の教育委員会が行う。指定都市立の学校の学級編制は、同法三条二項に定められている児童数を標準として、当該学校を設置する指定都市の教育委員会が行う。市（指定都市を除く。）町村の教育委員会は、毎学年、学級編制を行ったときは、あらかじめ都道府県の教育委員会に届け出なければならない（同法四条・五条）。

（2） 教職員定数

各都道府県ごとの公立の小・中学校及び義務教育学校並びに中等教育学校の前期課程に置くべき教職員の総数は、次に掲げる教職員の職の種類の区分ごとに、それぞれ同法の定めるところにより算定した数を標準として定める（同法六条～九条）。

① 校長（校長定数－同法六条の二）

② 副校長、教頭、主幹教諭（養護又は栄養の指導及び管理をつかさどる主幹教諭を除く）、指導教諭、教諭、助教諭及び講師の数（教頭、教諭等定数－同法七条）

③ 養護をつかさどる主幹教諭、養護教諭及び養護助教諭の数（養護教諭等定数－同法八条）

④ 栄養の指導及び管理をつかさどる主幹教諭、栄養教諭及び学校栄養職員の数（栄養教諭等定数－同法八条の二）

⑤ 事務職員の数（事務職員定数－同法九条）

教職員定数の標準は、おおむね、次頁と次々頁の表に示すとおりであるが、義務標準法は、各学校ごとの定数を定

栄養教諭及び学校栄養職員定数	八条の二第一号・二号	学校給食の単独実施校については、児童生徒数五五〇人以上の学校に一人、五五〇人未満の学校四校につき一人。五五〇人未満の学校のみ一校ないし三校設置する市町村に一人。
	八条の二第三号	共同調理場については、児童生徒数一、五〇〇人以下の場合一人、一、五〇一人から六、〇〇〇人の場合二人、六、〇〇一人以上の場合三人とする
特例	一五条一号	市町村の合併の特例に関する法律二条一項に規定する市町村の合併に伴って統合した学校等について定数の加算
	一五条二号	学習指導上、生徒指導上又は進路指導上特別な配慮が必要な児童生徒に対する特別な指導などを行っている学校への定数の加算
	一五条三号	障害のある児童生徒に対する特別な指導を行っている学校や、人的体制の整備が特に必要な特別支援学校への定数の加算
	一五条四号	主幹教諭を置く学校で運営体制の整備について特別の配慮のための定数の加算
	一五条五号	事務処理の共同実施のための定数の加算
	一五条六号	長期研修、初任者研修、指導改善研修を受けていること又は特別な研究を行っている場合の定数の加算

小学校							中学校						
学級数	校長・教諭等				養護教諭	事務職員	学級数	校長・教諭等				養護教諭	事務職員
	校長	教頭	教諭等	計				校長	教頭	教諭等	計		
1	1		1.0	2.0			1	1		4.0	5.0		
2	1		2.0	3.0			2	1		6.0	7.0		
3	1		3.75	4.75	1	0.75	3	1	0.5	7.5	9.0	1	0.75
4	1		5.0	6.0	1	1	4	1	0.5	7.5	9.0	1	1
5	1		6.0	7.0	1	1	5	1	0.5	7.8	9.3	1	1
6	1	0.75	7.0	8.75	1	1	6	1	1	9.5	11.5	1	1
7	1	0.75	8.1	9.85	1	1	7	1	1	11.1	13.1	1	1
8	1	0.75	9.2	10.95	1	1	8	1	1	12.8	14.8	1	1
9	1	1	10.3	12.3	1	1	9	1	1	14.5	16.5	1	1
10	1	1	11.4	13.4	1	1	10	1	1	16.1	18.1	1	1
11	1	1	12.5	14.5	1	1	11	1	1	17.8	19.8	1	1
12	1	1	13.5	15.5	1	1	12	1	1	17.9	19.9	1	1
13	1	1	14.7	16.7	1	1	13	1	1	19.4	21.4	1	1
14	1	1	15.9	17.9	1	1	14	1	1	20.9	22.9	1	1
15	1	1	17.1	19.1	1	1	15	1	1	22.5	24.5	1	1
16	1	1	18.2	20.2	1	1	16	1	1	24.0	26.0	1	1
17	1	1	19.4	21.4	1	1	17	1	1	25.5	27.5	1	1
18	1	1	20.6	22.6	1	1	18	1	1	28.0	30.0	1	1
19	1	1	21.3	23.3	1	1	19	1	1	29.6	31.6	1	1
20	1	1	22.4	24.4	1	1	20	1	1	31.1	33.1	1	1
21	1	1	23.5	25.5	1	1	21	1	1	32.6	34.6	1	2
22	1	1	24.7	26.7	1	1	22	1	1	34.1	36.1	2	2
23	1	1	25.8	27.8	1	1	23	1	1	35.7	37.7	2	2
24	1	1	27.0	29.0	2	1	24	1	2	36.5	39.5	2	2
25	1	1	27.8	29.8	2	1	25	1	2	38.0	41.0	2	2
26	1	1	29.0	31.0	2	1	26	1	2	39.5	42.5	2	2
27	1	2	30.1	33.1	2	2	27	1	2	41.0	44.0	2	2
28	1	2	31.2	34.2	2	2	28	1	2	42.5	45.5	2	2
29	1	2	32.4	35.4	2	2	29	1	2	44.0	47.0	2	2
30	1	2	34.0	37.0	2	2	30	1	2	46.0	49.0	2	2
31	1	2	34.9	37.9	2	2	31	1	2	47.5	50.5	2	2
32	1	2	36.0	39.0	2	2	32	1	2	49.0	52.0	2	2
33	1	2	37.1	40.1	2	2	33	1	2	50.5	53.5	2	2
34	1	2	38.2	41.2	2	2	34	1	2	52.0	55.0	2	2
35	1	2	39.3	42.3	2	2	35	1	2	53.5	56.5	2	2
36	1	2	40.4	43.4	2	2	36	1	2	54.0	57.0	2	2

（注）　1．養護教諭については、小学校児童数851人以上複数配置、中学校生徒数801人以上複数配置であるが、小学校は24学級以上を851人以上とみなして、中学校が22学級以上を801人以上とみなして、＋1とした。

2．なお、この他に、指導方法の工夫改善などのための加配定数がある。

めるものではなく、各都道府県ごとの公立の小・中学校及び義務教育学校並びに中等教育学校の前期課程の教職員の総数を定めるものである。便宜上、中学校も含めて示すこととする。

公立の小・中学校及び義務教育学校並びに中等教育学校の前期課程の県費負担教職員の定数は、都道府県の条例で定められ、その市町村別の学校の種類ごとの定数は、条例定数の範囲内で、都道府県の教育委員会が市町村の教育委員会の意見を聴いて定める（地教行法四一条）。

四　学校に配置された職員は、児童の教育、学校の事務等の校務を分担する。本条九項から一一項に主幹教諭、指導教諭及び教諭の職務が規定されているが、これは教諭等の地位を明らかにするため、その主たる職務を摘示した規定と解されている。教諭等は児童の教育をつかさどることをその職務の特質とするものであるが、その職務はこれのみに限定されるものではなく、教育活動以外の学校の管理運営に必要な校務も学校の所属職員である教諭等の職務とされている。

職員に校務をどのように分担させるかは、校長の定めるところである（設置者が管理権限に基づいて行うことも可能）が、職務の内容が定型化し、その職務を特定の職員に分担させることが学校運営上必要である校務については、それを分担する職員を置かなければならないことを法三条に基づく小学校の設置基準として施行規則四〇条以下に規定している。

五　かつて、小学校においては、教頭及び保健主事を置き、教諭をもって充てることとされていた。教諭に命じて、教頭及び保健主事の職務を分担させることとしていたわけであるが、教頭については、各学校における実態は校長に次ぐ重要な地位を占めるものになっており、その職務の内容も企画、調整、指導等の職務に従事する割合が多くなっているなど全国的にみて定型化されているので、その地位と職務に応じて、教諭とは別に独立の職として学校教育法上位置付けられた（昭四九法七〇。昭和四九年九月一日施行）。

さらに、各学校においては、学校運営の複雑化に応じ、また、地域や学校の実態に応じて各種の主任等が置かれて

きたが、これらの主任等のうち、特に、全国的に共通した基本的なものについては、その職務の重要性を考慮し、その設置根拠と職務内容を学校の設置基準として明確にし、学校運営がさらに適正に進められ、学校の教育活動が一層活発になることを期して、施行規則の一部改正が行われた（昭和五一年三月一日施行）。小学校においては、教務主任と学年主任を置き、教諭をもって充てることとされた。

　この主任等の法制化は、人材確保法にも基づく教員給与の改善の一環として、教務主任、学年主任等の職務を担当する教員に対しては「その職務と責任にふさわしい処遇を確保する必要があるので、当該主任等に関する規定の整備とあいまって、給与上必要な措置を講ずる」必要があるとする文部大臣から人事院総裁に対する要望を契機として具体化したものであるが、そのねらいとするところは、教育指導の充実ということである。このことは、規定の整備に際し、発表された文部大臣見解（昭和五〇年一二月）のなかで、詳しく述べられているので、以下、その要旨を紹介する。

　文部大臣見解は、次の七つの原則に要約される。

(1)　主任問題をめぐってその制度化の是非を論ずる前に、主任とは何かを実態に即して正しく認識する必要がある。

(2)　学校は行政官庁でも企業体でもない。したがって、学校の運営を行政官庁や企業体のように管理の側面からだけでとらえることはできない。

(3)　学校運営に当たっては、二つの柱がある。一つは管理面であり他の一つは教育指導である。それにもかかわらず、管理強化と管理阻止あるいは反対の声が対立しやすいのは、一つの重要な柱である教育指導の面が現状では軽視される傾向があるからである。

(4)　主任は、現状においても教育指導の面を担当しているが、この点を一層明らかにしてその役割の充実を期待したい。

(5)　学校の運営におけるこの二つの柱に調和をもたらすために、文部省も教育委員会も適切な行政を行うことを目的としている。

(6)　校長、教頭についても、この二つの役割があることを実態に即しつつ、この際、一層明らかにし、各学校に校風をつくるようにしたい。

(7)　今後は、できる限り多くの教員が、各種の主任を経験し、その専門職としての能力を十分に発揮することによって、学校教育活動がより一層活発になることが望ましい。

さらに、この補足の見解として、主任等の制度化の目的は主任等が教育指導に当たることを制度的に明らかにすることにあること、主任は中間管理職ではなく、主任の制度化はいわゆる五段階給与を実現しようとするものではないこと等を明らかにしている。

なお、昭和五一年三月一一日に行われた第三次教員給与改善の人事院勧告の際、人事院は、施行規則に規定された主任等の職務を行う教員のうち、各種の教育活動についての連絡調整及び指導、助言に当たる者で、人事院の定めるものについては、これに見合う処遇を行う必要があると認められるので、特殊勤務手当として教育業務連絡指導手当を支給することとする方針を明らかにした。これに基づき所要の改正が行われ、国立学校については昭和五二年四月一日から、公立学校については、各県で若干の差異はあるが、これに準じて教育業務連絡指導手当が支給されることとなった。

六 第一項関係

第一項は小学校に、必ず置かなければならない（必置の）職について規定している。

養護教諭については、その養成との関連で、当分の間、置かないことができるとされている（法附則七条）。

七 第二項関係

「副校長、主幹教諭、指導教諭、栄養教諭その他必要な職員」は、小学校の設置者が、必要に応じ、小学校に置く職員であり、第一項に掲げる職員以外の職員すべてが含まれる。副校長（本条五項）、主幹教諭（本条九項）、指導教諭（本条一〇項）、栄養教諭（本条一三項）、助教諭（本条一五項）、講師（本条一六項）、養護助教諭（本条一七項）、学校栄養職員（学校給食法七条に規定する職員のうち栄養の指導及び管理をつかさどる主幹教諭及び栄養教諭以外の者）、学校医、学校歯科医、学校薬剤師（学校保健安全法二三条）、寄宿舎指導員（法七九条）、学校評議員（施行規則四九条）、学校用務員、医療的ケア看護職員、スクールカウンセラー、スクールソーシャルワーカー、情報通信技術支援員、特別支援教育支援員及び教員

業務支援員（施行規則六五条から六五条の七まで）（本条が準用される中学校においては部活動指導員（施行規則七八条の二（義務教育学校の後期課程、高等学校、中等教育学校並びに特別支援学校の中学部及び高等部において準用））という法令に根拠のある職員のほか、給食従事員、学校警備員、寄宿舎を置く小学校の寄宿舎指導員などが考えられる。これらの職員のうち、学校医、学校歯科医、学校薬剤師については、学校保健安全法により、その設置が義務づけられている。

八　第三項関係

第一項において、小学校には、校長、教頭、教諭、養護教諭及び事務職員を置かなければならないこととしているが、第三項は、この例外を定めた規定である。まず、教頭については、「副校長を置くときその他特別の事情のあるとき」は置かないことができるとしている。「特別の事情のあるとき」とは、例えば、小規模学校であるとか、地域的な関係で適当な者を採用できないような場合をいう。事務職員についても、同様に「特別の事情のあるとき」は置かないことができることとされている。次に、養護をつかさどる主幹教諭を置いた場合には、当該主幹教諭が養護教諭の職務についても担うことから、別に養護教諭を置かなくてもよいこととしたものである。

九　第四項関係―校長

「校務をつかさどり」とは、学校の仕事全体を掌握し、処理するということである。校務には、副校長、教頭、主幹教諭、指導教諭、教諭、養護教諭、栄養教諭、事務職員、学校栄養職員、学校給食従事員、学校用務員、学校医など学校の所属職員が処理している仕事すべてを含む。

「所属職員を監督する。」の所属職員には、一に掲げた所属職員すべてを指す。また、監督の態様としては、監視（状況の把握）、許可、承認（休暇の承認等）、職務命令（校務分掌命令など）、取消し、停止、権限争議の決定等がある。

学校は、設置者（国立大学法人、地方公共団体、学校法人など）が設けた教育を行う組織体であり、設置者が管理することとされている（法五条）。設置者は、学校を管理する機関を設けて、現実にはこれが学校を管理することとなる。国

立学校の管理機関は国立大学法人の学長であり、公立学校の管理機関は設置者である地方公共団体に置かれる教育委員会であり、私立学校の管理機関は設置者である学校法人の理事会（私立学校法三六条二項）である。

これら学校管理機関の管理は、校長、教員その他の職員の任免、服務監督等を行うこと（人的管理）、校地、校舎等を維持管理すること（物的管理）、学校の運営に関する指揮監督、指導助言を行うこと（運営管理）の三領域にわたるものであり、学校の管理機関は、校長に対して包括的支配権を有し、校長は、学校管理機関の指揮監督を受ける。

公立学校については、教育委員会の管理権と学校における自主的な運営との調整を果たすため、学校の管理運営の基本的事項について、必要な教育委員会規則（学校管理規則）を定めることとされている（地教行法三三条）。学校管理規則は、教育委員会と学校との権限の分担関係をあらかじめ明らかにしておいて、通常の場合にはそれに従って学校の運営を自主的に行わしめようとするところにそのねらいがある。

法令により校長の権限とされている事務があるが、これらについても、学校の管理機関の管理（指揮監督）は及ぶが、校長に代わって管理機関自らが法令により校長の権限とされている事項を執行することはできないし、校長が職務執行につき判断する余地がないような個々具体的な指揮監督はできず、一般的な指揮監督に限られるべきであろう。

校長の職務を分類整理してみると次のとおりである。

(1)　校長の職務遂行が公法上の効果を伴うもの

児童の退学、停学、訓告の処分（法一一条、施行規則二六条二項）

各学年の課程の修了、卒業の認定（施行規則五七条）

卒業証書の授与（施行規則五八条）

就学猶予・免除者の相当学年への編入（施行規則三五条）

児童の出席停止（学校保健安全法一九条）
児童の就労について就学に差し支えない旨の証明（労働基準法五七条二項）

(2)　学校内部の事務処理
校長の職務代理者についての定め（法三七条六項・八項）
学齢児童の出席状況の把握（施行令一九条）
児童の指導要録の作成（施行規則二四条一項）
授業終始の時刻の決定（施行規則六〇条）
非常変災等の臨時休業（施行規則六三条）
児童の健康診断の実施（学校保健安全法一三条）
学校運営の状況についての自己評価、学校関係者評価の実施（施行規則六六条〜六八条）
教育課程の編成、実施（小学校学習指導要領第一章総則第一の一）

(3)　学校外部に対する通知、連絡等について校長に義務を課すもの
視覚障害者等でなくなった者又は視覚障害者等となった者の教育委員会への通知（施行令六条の二〜六条の四・一二条・一二条の二）
中途退学者の教育委員会への通知（施行令一〇条・一八条）
長期欠席児童の教育委員会への通知（施行令二〇条）
全課程修了者の教育委員会への通知（施行令二二条）
児童の指導要録の抄本又は写しの進学先、転学先への送付（施行規則二四条二項・三項）
学校評議員の推薦（施行規則四九条三項）

公立小学校における非常変災等の臨時休業の教育委員会への報告（施行規則六三条）
教職員の任免その他の進退、懲戒に関する教育委員会への意見の申出（地教行法三六条・三九条）
学校運営についての自己評価等の結果の公表（施行規則六六条～六八条）
学校運営の状況についての保護者等に対する積極的な情報提供（法四三条）

(4)　その他の事務

学校管理機関から委任され、又は命ぜられた仕事を処理する。私立学校の場合は、寄付行為あるいは理事の過半数の決定するところにより（私立学校法三六条六項）、国公立学校の場合は、委任、代理、補助執行（専決）という行政事務処理のルールに従い、処理することとなる。具体的に公立学校の場合、教育委員会の権限に属する事務の委任は、教育委員会規則により教育長に委任し、又は代理させ（地教行法二五条一項）、教育長は、教育委員会から委任を受けた事務その他その権限に属する事務を校長等に委任し、又は代理させることのみを認めている（同条四項）から、教育委員会規則（学校管理規則）により、教育委員会から直接校長に処理すべきこととしている事務は、事務の委任ではなく、教育委員会の権限に属する事務を校長に補助執行（専決）させていることになる。また、地方公共団体の長の権限に属する学校関係の財務に関する事務（支出負担行為、支出命令）についても長から委任を受けて、又は長の補助執行として、処理することとなる（地方自治法一八〇条の二）。

なお、校長の資格については、組織運営に関する知識経験に着目して幅広く人材を確保するため平成一二年四月以降大幅にその資格要件が緩和された（法八条の【注解】四参照）。いわゆる民間人校長の登用が可能である。

一〇　第五項関係―副校長

第五項、第九項及び第一〇項の規定は、平成一九年の法改正（平一九法九六）により、学校の組織運営体制及び指導体制の充実を図る副校長・主幹教諭・指導教諭の職が設けられたことに伴い、新たに設けられたものである。

副校長は、校長から命を受けた範囲で校務の一部を処理することができる職として、地域や学校の実情に応じて置かれるものである。学校教育法に副校長が位置付けられる以前は、学校管理規則上、教頭を副校長と称している地域や教頭を充てる職として副校長を置いている地域など様々であったことから、副校長は必置の職とはされなかった。このため、副校長だけ置かれる学校、副校長と教頭が両方置かれる学校、教頭だけ置かれる学校の三つのパターンがあり得ることとなる。

「校長を助け、命を受けて校務をつかさどる」とは、校長を補佐し、教育委員会や校長から命じられた担当する校務を処理するということである。具体的に副校長が担う職務については、学校管理規則等で定められることとなるが、日常的な服務関係の事項や、軽微な案件で校長の判断を必要としないような事項が考えられる。副校長と教頭の違いは、教頭は、あくまで校務を整理するのにとどまるのに対して、副校長は、自らの権限で処理することができることである。また、校長を助け、一部の校務をつかさどる一つの形態として、校長の行う「所属職員を監督する」職務を補佐することもあり、その意味で副校長は所属職員を監督することができる立場にあり、所属職員に対して自ら職務命令を出すことが可能である。

なお、副校長については、教頭と同様、学校教育法施行規則上、校長の資格が準用されており、いわゆる民間人の副校長を任用することも可能である（施行規則二三条。法八条の**【注解】**五参照）。

一一　第六項関係—副校長による校長の職務代理と代行

「校長に事故があるとき」とは、病気その他の事由によりその職務を自ら行い得ない場合が考えられる。このような場合には、任命権者の何らの行為をまつまでもなく代理権を行使することとなるが、「事故があるとき」が具体的な場合に必ずしも明らかでないことをも勘案し、副校長に職務代理を行う事由が発生した場合、任命権者がその旨を確認的に何らかの形で通知することが運用上望ましい。

校長の「職務を代理し」とは、副校長が校長の職務代理者であることを明示して自己の名をもって校長の職務権限に属する一切の事項を処理するときは、その行為自体は副校長の行為であるが、その行為の効果は校長が行ったと同じ効果を生ずるということである。

校長の職務権限に属する一切の事項とは、前述した校長の職務すべてをいい、卒業証書の授与等法令上校長の権限に属する事務はもちろん、公立学校の場合には、学校管理規則上校長の処理すべき事務、地方自治法一八〇条の二により市町村から委任を受けた支出負担行為、支出命令の事務等も含まれる。

「校長が欠けたとき」とは、校長が死亡したとき、校長が転任したときなどにおいて後任の校長が発令されず、校長が欠員になっている場合をいう。この場合においても、当然に副校長は校長の職務を代行することになるが、任命権者はその旨を確認的に何らかの形で通知することが運用上望ましい。

校長の「職務を行う」とは、代理すべき校長が欠けているので、校長の職務を行うと規定されているが、副校長の名において校長の職務を行うという点では校長の職務代理と同様である。この場合においても、校長の職務代行者であることを明示する必要がある。

「副校長が二人以上あるとき」とは、校長は当然に各学校一人であるが、副校長は校長を補佐する者であることから、二人以上の副校長が分担して校長を補佐することもあり得ることを想定して規定されているものである。

「あらかじめ校長が定め」ることについては、要式行為ではないので、文書、口頭いずれでも差し支えないが、校長の職務代理、職務代行という重要な行為を行う者を定めるものであることから、文書で定め、その旨を代理者になる副校長に明確に通知しておくことが運用上望ましい。また、公立学校の場合、校長がこの定めをするに当たっては、事前あるいは事後に市町村の教育委員会に届け出る旨を学校管理規則に規定し、市町村の教育委員会からはその旨を任命権者である都道府県の教育委員会に通知するようにしておくことが望ましい。

一二　第七項関係――教頭

「校長（副校長を置く小学校にあつては、校長及び副校長）を助け、校務を整理し」とは、校長等を補佐し、学校全体の仕事を整理するということである。校長等を助け、校務を整理する一つの形態として校長等の行う「所属職員を監督する」職務を補佐することもあり、その意味で教頭は所属職員を監督することができる立場にあり、所属職員に対して自ら職務命令を出すことも可能である。

昭和四九年の本法改正により教頭職を本法に位置付けるに際して、「校長を助け、校務を整理」するほか、「必要に応じ児童の教育をつかさどる」と規定し、「必要に応じ」とされていることにより、「校長を助け、校務を整理」する職務に比重が置かれているということはできる。

平成一九年の本法改正により、副校長が新たに設けられたことに伴い、副校長を置く小学校にあっては、教頭は、校長、副校長の双方を補佐することが規定された。

「必要に応じ児童の教育をつかさどる」わけであるから、必要と判断される場合は児童の教育をつかさどることができる。

教頭の資格については、従前、各相当学校の教諭の専修免許状又は一種免許状（高等学校の教頭にあっては、高等学校教諭の専修免許状）を有し、かつ、五年以上「教育に関する職」にあったこととされていたが、平成一二年の施行規則改正により、①教諭の免許状を有し、かつ、五年以上「教育に関する職」にあったことに改めるとともに、②教員免許状がなくとも一〇年以上「教育に関する職」にあった者も教頭の資格を認められることと緩和された。

更に、平成一八年の施行規則改正により、資格要件が緩和され、校長と同様、民間人等を登用することが可能となった（施行規則二三条。法八条の【注解】五参照）。ただし、教頭が児童生徒の教育をつかさどる場合には、各相当学校の相当教科の教諭の免許状が必要であることについては、変わりはない（平一八・三・三〇　一七文科初一一三八号　文部科

学省初等中等教育局長通知参照）。

一三　第八項関係―教頭による校長の職務代理と代行

教頭は、校長だけではなく、副校長を補佐する立場にあることから、副校長を置く小学校にあっては、校長及び副校長の双方に事故があるときに、教頭は校長の職務を代理し、同様に校長及び副校長の双方が欠けたときに、教頭が校長の職務を行うことと規定したものである。

「校長（副校長を置く小学校にあつては、校長及び副校長）に事故があるとき」、「職務を代理し」、「校長（副校長を置く小学校にあつては、校長及び副校長）が欠けたとき」、「職務を行う」については、「一一　第六項関係」を参照。

一四　第九項関係―主幹教諭

主幹教諭は、命を受けて担当する校務について一定の責任を持って取りまとめ、整理し、他の教諭等に対して指示することができるものである。

主幹教諭が校長等から命を受けて担当することができる具体的な校務には、①学校の管理運営に関する事項、②教育計画の立案・実施その他教務に関する事項、③保健に関する事項、④学校の生徒指導計画の立案・実施その他の生徒指導に関する事項、⑤進路指導に関する学校の全体計画の立案その他の進路の指導に関する事項などが含まれるが、主幹教諭は、こうした学校運営上基本的な校務のうち任されたものを整理することとされている。

「命を受けて」とは、主幹教諭が担当する校務を定めるものであり、命令する主体としては、一般的には、校務運営の責任者である校長が想定されるが、主幹教諭の上司である副校長や教頭が発する場合もあり得る。また、設置者である教育委員会が学校管理規則等において、主幹教諭の職務について定めることもあり得る。「校長（副校長を置く小学校にあつては、校長及び副校長）及び教頭を助け」とは、校長、副校長、教頭を主幹教諭が補佐することについて定めているものである。また、主幹教諭は、命を受けた校務について、校長、副校長及び教頭を助け、校務を整

理する立場から、職員に対して、自ら職務命令を発することができる。

主幹教諭と主任の主な違いは、①主幹教諭は、任命権者が教諭等から昇任させる職であるのに対して、主任は、教諭等に対する職務命令による職務の付加であって職ではないこと、②主幹教諭は、命を受けた校務について、校長等を助け、校務を整理する立場から、職員に対して自ら職務命令を発することができるが、主任は指導助言、連絡調整等を行う立場であり、自ら職務命令を発することはできないことなどである。

また、主幹教諭が学校教育法に位置付けられたことに伴い、施行規則の改正が行われ、主幹教諭と主任等との関係について整理が行われた。主幹教諭の職務は、主任等の職務を包含しており、当該主任等の担当する校務を整理する主幹教諭が置かれている場合には、当該主幹教諭が主任等の職務を含めて担当することとなることから、当該主任等を置かないことができることとしている（施行規則四四条二項・四五条二項・七〇条二項・七一条二項・八一条二項・一一四条二項）。例えば、現在、教務主任は原則必置とされているが、教務主任の担当する校務を整理する主幹教諭が置かれている場合には、教務主任を置かなくてもよいこととなる。しかし、例えば、特に生徒指導に課題を抱えているような学校において、生徒指導を担当する主幹教諭に加えて生徒指導主事を重ねて置くような場合を排除するものではない。この場合、当該生徒指導主事の職務が形骸化することのないよう、各教育委員会等は、当該学校の校務の量や内容について、よく把握した上で、主幹教諭と主任等を重ねて置く必要性を判断して置くことが必要である。

主幹教諭は、「教育をつかさどる」職であることから、主幹教諭として任用されるためには、当然、教諭の免許状が必要となる（教育職員免許法三条二項参照。養護教諭及び栄養教諭から主幹教諭に昇任する場合については、後述**二四**参照）。

一五　第一〇項関係――指導教諭

指導教諭は、学校の教員として自ら授業を受け持ち、所属する学校の児童生徒等の実態等を踏まえ、他の教員に対して教育指導に関する指導、助言を行うものである。

指導教諭は、実践的指導力に優れており、他の教員に対する指導、助言を行う能力を有する者が登用されることが想定されるものであり、その実践力を活かすためにも、教諭と同様、「教育をつかさどる」ことを本務として位置付けている。指導教諭は、教科指導、学習指導にとどまらず、生徒指導や進路指導を含め、学校教育活動全体における指導の改善及び充実を図ることを目的として設置するものであることから、「教育指導の改善及び充実」と規定している。また、指導教諭は、主幹教諭と異なり、「指導及び助言」を行う者であることから、自ら職務命令を出すことはできない。

指導教諭は、「教育をつかさど」る職であることから、指導教諭として任用されるためには、当然、教諭の免許状が必要となる（教育職員免許法三条二項参照）。

一六　第一一項関係―教諭

小学校の内部組織（校務分掌組織）のうち、教諭をもって充てるものとして、保健主事が昭和三三年に施行規則に規定され、また、学校における教職員組織の基本的なもので、かつ、全国的にほぼ共通に設置されているものとして、教務主任及び学年主任が昭和五〇年に施行規則に規定された（主任等の規定の整備については、本条【注解】五参照）。施行規則には次のように定められている。

第四十三条　小学校においては、調和のとれた学校運営が行われる　ためにふさわしい校務分掌の仕組みを整えるものとする。

「校務分掌の仕組みを整える」とは、学校において全職員の校務を分担する組織を有機的に編制し、その組織が有効に作用するよう整備することである。

第四十四条　小学校には、教務主任及び学年主任を置くものとする。

2　前項の規定にかかわらず、第四項に規定する教務主任の担当する校務を整理する主幹教諭を置くときその他特別の事情のあると

きは教務主任を、第五項に規定する学年主任の担当する校務を整理する主幹教諭を置くときその他特別の事情のあるときは学年主任を、それぞれ置かないことができる。

3　教務主任及び学年主任は、指導教諭又は教諭をもつて、これに充てる。

4　教務主任は、校長の監督を受け、教育計画の立案その他の教務に関する事項について連絡調整及び指導、助言に当たる。

5　学年主任は、校長の監督を受け、当該学年の教育活動に関する事項について連絡調整及び指導、助言に当たる。

(1)　「教務主任」及び「学年主任」は、学校の組織編制に関する基本的事項に該当するものであり、公立の学校については、地教行法三三条に基づく教育委員会規則（学校管理規則）に、それらの設置及び職務について規定することを要するとされている。また、国立の学校については、国立大学法人が定める学則によって定められている。

(2)　「特別の事情のあるとき」とは、学校規模が小規模である等特別の事情があるときをいう。

(3)　「指導教諭又は教諭をもつて、これに充てる」とは、指導教諭等に対して、教務主任、学年主任の職務を行うことを命ずることであり、指導教諭等に対する職務命令と解されている。公立の学校については、その発令を、当該学校を所管する教育委員会が行うか又は校長が行うかについては、当該学校を所管する教育委員会が教育委員会規則で定めるものとしており、その方法としては、次の三つの方法が示されている。

①　当該学校の教諭の中から、校長の意見を聞いて、教育委員会が命ずる。

②　当該学校の教諭の中から、教育委員会の承認を得て、校長が命ずる。

③　当該学校の教諭の中から校長が命じ、教育委員会に報告しなければならない。

なお、主任は固定化せずに専門的な能力を持つ適格者ができるだけ多くこの経験を積むことが望ましいが、このことは単に主任を回り持ちすることを意味するものではないとされている。

(4)　「教育計画の立案その他の教務に関する事項」とは、教育計画の立案・実施、時間割の総合的調整、教科書・

教材の取扱い等教務に関する事項をいい、これらの事項について「連絡調整及び指導、助言に当たる」とは、職員間の連絡調整に当たるとともに、関係職員に対する指導、助言に当たることをいう。

(5) 「当該学年の教育活動に関する事項」とは、学年の経営方針の設定、学年行事の計画・実施等当該学年の教育活動に関する事項をいい、これらの事項について「連絡調整及び指導、助言に当たる」とは、当該学年の学級担任及び他の学年主任、教務主任、生徒指導主事等との連絡調整に当たるとともに、当該学年の学級担任に対する指導、助言に当たることをいう。

(6) これらの主任は、その職務規定からも明らかなとおり、いわゆる中間管理職ではなく、それぞれの職務に係る事項について職員間の連絡調整及び関係職員に対する指導、助言等に当たるものであり、当該職務に係る事項に関して、必要があれば、校長及び教頭の指示を受けてこれを関係職員に伝え、あるいは、その内容を円滑に実施するため必要な調整等を行うものである。これらの主任に指導教諭が充てられた場合、その者による連絡調整及び指導、助言等は、主任としての職務か、指導教諭としての職務なのか明らかではない。

第四十五条 小学校においては、保健主事を置くものとする。

2 前項の規定にかかわらず、第四項に規定する保健主事の担当する校務を整理する主幹教諭を置くときその他特別の事情のあるときは、保健主事を置かないことができる。

3 保健主事は、指導教諭、教諭又は養護教諭をもつて、これに充てる。

4 保健主事は、校長の監督を受け、小学校における保健に関する事項の管理に当たる。

「保健に関する事項の管理に当たる」とは、学校保健計画の立案・実施、学校における保健管理と保健教育の調整、学校保健委員会の組織・運営等学校における保健管理の総括的責任者となり、一般教員、養護教員並びに学校医、学校歯科医及び学校薬剤師との連絡調整に当たることをいう。なお、従前は保健主事に充てることができるのは教諭のみとされてきていたが、平成七年三月の施行規則の改正により、養護教諭も充てることができるようになり、

平成一九年の法改正に伴い指導教諭が加えられた（後掲【通知】参照）。

第四十七条　小学校においては、前三条に規定する教務主任、学年主任、保健主事及び事務主任のほか、必要に応じ、校務を分担する主任等を置くことができる。

教務主任、学年主任、保健主事、事務主任（本条【注解】一九参照）のほか、地域や学校の実情に応じて、種々の校務を分担して遂行する主任等が設けられ、それぞれの役割を果たしている実情にかんがみ、教務主任等のほかに地域や学校の事情を考慮して、必要に応じ、校務を分担する主任等を置くことができるとしているのである。このような主任等については、校長が定める校務分掌に関する定めにより設けられる場合もあれば、公立の学校では、教育委員会規則（学校管理規則）に規定される場合もあろう。

学校には、学校図書館の専門的職務を掌らせるため、司書教諭を置かなければならない（学校図書館法五条一項。なお、同法附則二項により、政令で定める規模以下（学級数が一一以下）の学校にあっては、当分の間、置かないことができるとされている）。この司書教諭も主幹教諭、指導教諭又は教諭をもって充てることとされており（同法五条二項）、この「充てる」は、職務命令と解されている。この場合、司書教諭の講習を修了した者でなければならない。

また、平成二六年六月には、学校図書館法の一部改正（平二六法九三）により、学校司書を配置すべきことが努力義務化された（同法六条一項）。

一七　第一二項関係―養護教諭

養護教諭の職務は「児童の養護をつかさどる」と定められており、救急処置、健康診断、疾病予防などの保健管理、保健教育、健康相談活動、保健室経営、保健組織活動などを行っている。

具体的には次のようなものが考えられる（渋谷敬三『新学校保健法の解説』第一法規）。

(1) 学校保健計画の立案に協力する。

(2) 学校環境衛生の維持及び改善に留意し、必要な実際的な助言を行い、及び環境衛生検査に協力する。

(3) 学校給食の施設、設備の衛生とその維持について必要な助言を行い、及び食物の栄養と衛生に関し指導、助言を行う。

(4) 児童、生徒の健康診断の準備をし、実施を補助する。

(5) 学校医又は学校歯科医の指導監督の下に、学校保健法第七条〔現行学校保健安全法一四条〕の予防処置に従事し、及び保健指導に従事する。

(6) 児童、生徒の健康相談の準備をし、実施を補助する。

(7) 学校医の指導監督の下に学校における伝染病、食中毒の予防処置に従事する。

(8) 児童、生徒の救急看護に従事する。

(9) 児童、生徒の疾病異常の発見、健康観察に従事し、疾病異常の児童、生徒に対する保健指導に従事する。

(10) 身体虚弱の児童、生徒に対する保健指導に従事する。

(11) 必要に応じ、児童、生徒の家庭訪問を行い、保健指導に関し必要な指導、助言を行う。

(12) 職員の行う保健教育に対し、協力する。

(13) 保健教育に必要な資料、記録等の整備を図る。

(14) 保健室の設備、備品の整備につとめ、健康診断、救急処置等のための器具、薬品等の管理に当たる。

(15) 保健室の書類、記録、資料等の整備につとめ、整理、整とんを行う。

(16) 学校保健委員会又は児童生徒等の保健委員会の運営に協力する。

また、平成二〇年の学校保健法等の一部改正（平二〇法七三）により、学校保健安全法と名称変更され、養護教諭その他の職員が相互に連携し、日常的な健康観察等を通じて、児童生徒の心身の状況を把握し、健康上の問題があると認めるときは、児童生徒に対して必要な指導を行うとともに、必要に応じ、その保護者に必要な助言を行うことや（同法九条）や、学校においては、救急処置、健康相談や保健指導を行うに当たっては、必要に応じ、地域の医療機関その他の関係機関との連携を図るよう努めるものとすること（同法一〇条）が規定された。

○学校保健安全法（昭三三・四・一〇法五六）

（保健室）

第七条 学校には、健康診断、健康相談、保健指導、救急処置その他の保健に関する措置を行うため、保健室を設けるものとする。

（健康相談）

第八条 学校においては、児童生徒等の心身の健康に関し、健康相

談を行うものとする。

（保健指導）

第九条　養護教諭その他の職員は、相互に連携して、健康相談又は児童生徒等の健康状態の日常的な観察により、児童生徒等の心身の状況を把握し、健康上の問題があると認めるときは、遅滞なく、当該児童生徒等に対して必要な指導を行うとともに、必要に応じ、その保護者（学校教育法第十六条に規定する保護者をいう。第二十四条及び第三十条において同じ。）に対して必要な助言を行うものとする。

（地域の医療機関等との連携）

第十条　学校においては、救急処置、健康相談又は保健指導を行うに当たつては、必要に応じ、当該学校の所在する地域の医療機関その他の関係機関との連携を図るよう努めるものとする。

平成七年四月一日からは、保健主事に幅広く人材を求める観点から、保健主事は教諭に限らず、養護教諭も充てることができるようになった。これにより、養護教諭が学校全体のいじめや不登校対策等において積極的な役割を果たせるようになった。

一八　第一三項関係―栄養教諭

児童生徒の食生活の乱れが深刻化する中で、学校における食に関する指導を充実し、児童生徒が望ましい食習慣を身に付けることができるよう、平成一六年五月に学校教育法が改正され、新たに栄養教諭制度が創設された（平成一七年四月一日施行）。「栄養教諭」は、児童生徒に対する食に関する指導と学校給食の管理を一体的に行うこととされており、具体的な主な職務内容は以下のとおりである。

(1)　食に関する指導

①　児童生徒に対する栄養に関する個別的な相談指導

②　学級担任、教科担任等と連携して関連教科や特別活動等において食に関する指導を行うこと

③　食に関する指導に係る全体的な計画の策定への参画

(2)　学校給食の管理

① 学校給食を教材として活用することを前提とした給食管理

② 児童生徒の栄養状態等の把握

③ 食に関する社会的問題等に関する情報の把握

また、平成二〇年の学校保健法等の一部改正（平二〇法七三）により、学校における食育の推進を図る観点から、学校給食法上に、栄養教諭がその専門性を生かして学校給食を活用した食に関する指導を行うことなどが規定された。

○学校給食法（昭二九・六・三法一六〇）

第十条　栄養教諭は、児童又は生徒が健全な食生活を自ら営むことができる知識及び態度を養うため、学校給食において摂取する食品と健康の保持増進との関連性についての指導、食に関して特別の配慮を必要とする児童又は生徒に対する個別的な指導その他の学校給食を活用した食に関する実践的な指導を行うものとする。この場合において、校長は、当該指導が効果的に行われるよう、学校給食と関連付けつつ当該義務教育諸学校における食に関する指導の全体的な計画を作成することその他の必要な措置を講ずるものとする。

2　栄養教諭が前項前段の指導を行うに当たつては、当該義務教育諸学校が所在する地域の産物を学校給食に活用することその他の創意工夫を地域の実情に応じて行い、当該地域の食文化、食に係る産業又は自然環境の恵沢に対する児童又は生徒の理解の増進を図るよう努めるものとする。

3　栄養教諭以外の学校給食栄養管理者は、栄養教諭に準じて、第一項前段の指導を行うよう努めるものとする。この場合においては、同項後段及び前項の規定を準用する。

なお、食育基本法（平一七法六三）が制定され、食育に関する施策が総合的かつ計画的に推進されることになっている。

栄養教諭になるためには栄養教諭免許状を取得することが必要であり（教育職員免許法二条・三条・四条）、教諭や養護教諭と同様に大学等の栄養教諭養成課程で所定の科目を履修することが必要となる（同法五条）。また、現職の学校給食栄養管理者は、一定の在職経験と都道府県教育委員会が実施する講習等において所定の単位を修得することにより、栄養教諭免許状を取得できるよう特別の措置が講じられている（同法附則一八項、同法施行規則二二条・二六

条）。

栄養教諭の配置については、すべての小学校において給食を実施しているわけではないこと（学校給食法四条）や地方分権の趣旨等から、地方公共団体や設置者の判断によることとされている（本条二項）。当面、栄養教諭と学校給食栄養管理者が併存するが、地方公共団体や設置者には、学校給食栄養管理者の栄養教諭への円滑な移行を含めた適切な対応が求められている（平一六・六・三〇　一六文科ス一四二号　文部科学省スポーツ・青少年局長、初等中等教育局長通知）。

一九　第一四項関係―事務職員

「事務」とは、校長、教員の職務遂行を円滑ならしめるために必要な諸々の仕事であり、人事事務、会計事務、施設管理などがあげられる。

公立学校の場合、地方公共団体の会計管理者の権限に属する会計事務（地方自治法一六八条、一七〇条）について、出納員を命ぜられ、委任を受けた会計事務を処理したり（支出負担行為の確認など）、会計職員を命ぜられて会計事務を処理している（地方自治法一七一条）。

いわゆる主任制等の制度化（本条【注解】五参照）に際して、事務職員の組織についても規定の整備が行われ、小学校には、事務主任を置くことができることとされた。その後、平成二一年三月二六日の施行規則の改正により、小学校には、事務長又は事務主任を置くことができることとされた。

第四十六条　小学校には、事務長又は事務主任を置くことができる。

2　事務長及び事務主任は、事務職員をもつて、これに充てる。

3　事務長は、校長の監督を受け、事務職員その他の職員が行う事務を総括する。

4　事務主任は、校長の監督を受け、事務に関する事項について連絡調整及び指導、助言に当たる。

事務長と事務主任ともに職の設置ではなく、校務分掌の一環として職務命令によるものである。なお、施行規則四

六条三項の「総括」とは、取りまとめるという意味であり、指示命令を行うという意味ではない。また、同条第四項の「連絡調整及び指導、助言」とは、学校の事務の処理に当たり、事務主任がその経験等をもとに、教諭やその他の職員に対して行うことが想定されている。

また、公立学校に事務長又は事務主任を置く場合には、学校管理規則に、その設置及び職務についての規定を整備するとともに、公立学校の事務長の発令については、当該学校を所管する教育委員会が行うこととし、その旨を教育委員会規則で定めることとされている。

平成二九年には、義務教育諸学校等の体制の充実及び運営の改善を図るための公立義務教育諸学校の学級編制及び教職員定数の標準に関する法律等の一部を改正する法律（平二九法五）により、職務内容が改められた。これは、教育指導面や保護者対応等により学校組織マネジメントの中核となる校長、教頭等の負担が増加するなどの状況にあって、学校におけるマネジメント機能を十分に発揮できるようにするため、学校組織における唯一の総務・財務等に通じる専門職である事務職員の職務を見直すことにより、管理職や他の教職員との適切な業務の連携・分担の下、その専門性を生かして学校の事務を一定の責任をもって自己の担任事項として処理することとし、より主体的・積極的に校務運営に参画することを目指したものである。また、これに伴って、施行規則上の事務長及び事務主任の職務規定も見直された。

また、同時に、共同学校事務室に係る規定も新設された（地教行法四七条の四）。共同学校事務室に、教育委員会が教育委員会規則で定めるところにより、その所管に属する学校のうちその指定する二以上の学校に係る事務（事務職員がつかさどる事務その他の事務であって共同処理することが当該事務の効果的な処理に資するものとして政令で定めるものに限る。）を当該学校の事務職員が共同処理するための組織として当該指定する二以上の学校のうちいずれか一の学校に置くことができるものである。これには、学校事務の効率的な実施という趣旨のほか、ＯＪＴによる事務職員の育成及び資質の

向上といった効果も期待されている。共同学校事務室には室長及び所要の職員を置き（同条二項）、それらの室長及び職員は当該共同学校事務室がその事務を共同処理する学校の事務職員をもって充てることとされている（同条四項）。当該事務職員を室長に充てることが困難であるときその他特別の事情があるときは当該事務職員以外の者をもって室長に充てることができるとされているが（同項ただし書）、これは、当該学校の事務職員に経験の浅い職員しかおらず、適任者がいない場合などが想定されており、このような場合には、例えば、共同学校事務室が置かれる学校の校長が室長を兼ねることなどが考えられる。

二〇　第一五項関係──助教諭

「教諭の職務を助ける」とは、教諭の職務を補佐する意であるが、助教諭は、教諭に代えて置かれるわけでありなければならないが、実態は教諭と並列して職務を執行している。教育職員免許法により、助教諭は臨時免許状を有する者で（本条一八項）、臨時免許状は教諭免許状を有する者を採用することができない場合に授与するものとされているので（同法五条六項）、このことから助教諭の職務は教諭の職務を補充する性格を有していることを明らかにしたものと解される。

二一　第一六項関係──講師

講師は、小学校教諭免許状又は小学校助教諭免許状を有する者を充てるものとされ（教育職員免許法三条二項）、その意味で、教諭又は助教諭に準ずる職務に従事するとされている。教諭に代えて置かれるという点では、助教諭と同じであるが、常時勤務に服しないことができる（施行規則六四条）とされている点にその特徴がある。社会的経験を有する人材を学校に招致するため、英会話等の教科の領域の一部又は小学校のクラブ活動等を担任する非常勤講師については、都道府県教育委員会にあらかじめ届け出れば、教員免許状を有しない者を充てることができる（教育職員免許法三条の二）。相当免許状主義の例外で、特別非常勤講師制度といわれる。

二二　第一七項関係―養護助教諭

ここでいう「助ける」とは、助教諭の場合の「助ける」と同義と解される。

二三　第一八項関係

「特別の事情のあるとき」とは、教育職員免許法により、小学校教諭免許状を有する者を採用することができない場合に限り、小学校助教諭免許状を授与することができる（同法五条六項）とされていることから考えて、このような場合に限られ、単なる財政上の理由などは含まれない。

二四　第一九項関係

主幹教諭の職務については、本条九項に規定されているとおり、「教育をつかさどる」こととされており、同項に規定されている主幹教諭に昇任する者は、教諭が想定されている。しかしながら、学校運営に優れた能力を有する者は教諭に限られるものではないことから、主幹教諭が、児童の養護や栄養の指導及び管理を行うとともに、校長等を補佐し、命じられた校務を整理することを可能としたものであり、本項は、養護教諭や栄養教諭が主幹教諭に昇任することを想定した規定である。

したがって、養護教諭や栄養教諭が主幹教諭に昇任したからといって、そのことによって、児童の教育をつかさどることができるようになるわけではない（別途、教諭の免許状が必要）。

二五　学校には、その所属する職員を構成員とする職員会議が置かれているのが通例である。これについては、大学における教授会とは異なり、従前法令上の根拠が明確でなかった。

職員会議は、校長を中心に職員が一致結束して学校の教育活動を展開するため、学校運営に関する校長の方針や様々な教育課題への対応方策について共通理解を深めるとともに、子どもの状況等について担当する学年・学級・教科を超えて情報交換を行うなど、職員間の意思疎通を図る上で、重要な意義を有するものである。しかし、従前、職

員会議についての法令の根拠が明確でないことなどから、一部の地域において、校長と職員の意見や考え方の相違により、職員会議の本来の機能が発揮されない場合や、職員会議があたかも意思決定権を有するような運営がなされ、校長がその職責を果たせない場合がみられた。そこで、職員会議の運営の適正化を図る観点から、平成一二年一月の施行規則の改正により、施行規則四八条（設けられた当時は二三条の二）として、職員会議に関する規定が新たに設けられた（平成一二年四月一日施行）。この規定は、幼稚園、中学校、義務教育学校、高等学校、中等教育学校及び特別支援学校に準用される。

第四十八条　小学校には、設置者の定めるところにより、校長の職務の円滑な執行に資するため、職員会議を置くことができる。

２　職員会議は、校長が主宰する。

職員会議は、本条四項に規定されている学校の管理運営に関する校長の権限と責任を前提として、校長の職務の円滑な執行を補助するものである。

職員会議を構成する職員の範囲については、設置者が定めるところによる。また、職員会議は、校長が主宰するものである。

二六　学校・家庭・地域が連携協力しながら一体となって子どもの健やかな成長を担っていくために、地域に開かれた学校づくりをより一層推進する観点から、学校に、学校評議員を置くことができることとする施行規則四九条（設けられた当時は二三条の三）の規定が設けられ、平成一二年四月一日から施行された。この規定は、幼稚園、中学校、義務教育学校、高等学校、中等教育学校及び特別支援学校に準用される。

第四十九条　小学校には、設置者の定めるところにより、学校評議員を置くことができる。

２　学校評議員は、校長の求めに応じ、学校運営に関し意見を述べることができる。

3　学校評議員は、当該小学校の職員以外の者で教育に関する理解及び識見を有するもののうちから、校長の推薦により、当該小学校の設置者が委嘱する。

学校評議員は、学校運営に関する校長の権限と責任を前提として、学校運営に関し学校外の保護者や地域住民等の多様な意見を幅広く求めるという観点から、学校や地域の実情に応じて、設置者の判断により、学校に置くことができる。校長が行う学校運営に関し、「学校外の意見を聴取する機関」という性格を有するものである。学校評議員に類似する仕組みを既に設けている場合はこれを活用すればよく、施行規則の改正により、これを廃止又は見直す必要はないとされた。

諸外国で導入されている諮問機関のような意思形成過程に位置付けられるものや、学校運営について責任をもって決定する学校理事会のようなものとは制度的に異なる。例えば、学校の教育目標や計画、教育活動の実態、学校と地域の連携の進め方などといった学校運営の基本方針や重要な活動に関する事項について意見を求めるものであって、例えば、個々の教員についての人事異動に関する意見を求めるものではない。

学校評議員は、校長の推薦により、設置者が委嘱するものであるが、本条二項でいう学校ごとに置かれる「必要な職員」である。合議制の機関ではない。しかし、学校評議員が一堂に会して意見交換を行い、意見を述べる機会を設けることは、差し支えない。学校評議員の身分取扱いについては、設置者の定めるところによる。

二七　学校評議員に類する制度としては、教育委員会が、その所管に属する学校ごとに、当該学校の運営及び当該運営への必要な支援に関して協議する機関として、地域の住民、保護者、地域学校協働活動推進員等により構成される学校運営協議会を設置するよう努めなければならないとする学校運営協議会制度（いわゆるコミュニティ・スクール）がある（地教行法四七条の五）。

○地方教育行政の組織及び運営に関する法律（昭三一・六・三〇法一六二）

第四十七条の五　教育委員会は、教育委員会規則で定めるところにより、その所管に属する学校ごとに、当該学校の運営及び当該運営への必要な支援に関して協議する機関として、学校運営協議会を置くように努めなければならない。ただし、二以上の学校の運営に関し相互に密接な連携を図る必要がある場合として文部科学省令で定める場合には、二以上の学校について一の学校運営協議会を置くことができる。

2　学校運営協議会の委員は、次に掲げる者について、教育委員会が任命する。

一　対象学校（当該学校運営協議会が、その運営及び当該運営への必要な支援に関して協議する学校をいう。以下この条において同じ。）の所在する地域の住民

二　対象学校に在籍する生徒、児童又は幼児の保護者

三　社会教育法（昭和二十四年法律第二百七号）第九条の七第一項に規定する地域学校協働活動推進員その他の対象学校の運営に資する活動を行う者

四　その他当該教育委員会が必要と認める者

3　対象学校の校長は、前項の委員の任命に関する意見を教育委員会に申し出ることができる。

4　対象学校の校長は、当該対象学校の運営に関して、教育課程の編成その他教育委員会規則で定める事項について基本的な方針を作成し、当該対象学校の学校運営協議会の承認を得なければならない。

5　学校運営協議会は、前項に規定する基本的な方針に基づく対象学校の運営及び当該運営への必要な支援に関し、対象学校の所在する地域の住民、対象学校に在籍する生徒、児童又は幼児の保護者その他の関係者の理解を深めるとともに、対象学校とこれらの者との連携及び協力の推進に資するため、対象学校の運営及び当該運営への必要な支援に関する協議の結果に関する情報を積極的に提供するよう努めるものとする。

6　学校運営協議会は、対象学校の運営に関する事項（次項に規定する事項を除く。）について、教育委員会又は校長に対して、意見を述べることができる。

7　学校運営協議会は、対象学校の職員の採用その他の任用に関して教育委員会規則で定める事項について、当該職員の任命権者に対して意見を述べることができる。この場合において、当該職員が県費負担教職員（第五十五条第一項又は第六十一条第一項の規定により市町村委員会がその任用に関する事務を行う職員を除く。）であるときは、市町村委員会を経由するものとする。

8　対象学校の職員の任命権者は、当該職員の任用に当たつては、前項の規定により述べられた意見を尊重するものとする。

9　教育委員会は、学校運営協議会の運営が適正を欠くことにより、対象学校の運営に現に支障が生じ、又は生ずるおそれがあると認められる場合においては、当該学校運営協議会の適正な運営を確保するために必要な措置を講じなければならない。

10　学校運営協議会の委員の任免の手続及び任期、学校運営協議会

の議事の手続その他学校運営協議会の運営に関し必要な事項につ ― いては、教育委員会規則で定める。

学校運営協議会は、地域の住民や保護者等が、校長と共に学校運営に責任を負う観点から、①当該学校の運営に関し、教育課程の編成その他教育委員会規則で定める事項（施設管理、組織編制、施設・設備等の整備、予算執行等に関する事項等）について校長が定める基本的な方針の承認を行うとともに、②当該学校の運営に関する事項について、教育委員会又は校長に対して意見を述べることができることとされている。また、地域の住民や保護者等の学校運営に関する要望について、より一層の反映が図られるよう、③当該学校の職員（校長、副校長、教頭、主幹教諭、指導教諭、教諭、養護教諭、栄養教諭及び事務職員その他当該学校の職員すべて）の採用その他の任用に関し、教育委員会規則で定める事項について、任命権者である教育委員会に意見を述べることができ、任命権者は、当該職員の任用に当たって、その意見を尊重することとされている。

学校運営協議会を設置する学校に関しても、市町村教育委員会の内申権、校長の意見具申権には変更が生じない。したがって、学校運営協議会の意見の有無や内容にかかわらず、校長は意見具申を行うことが可能であり、都道府県教育委員会は、市町村教育委員会の内申をまって任命を行う必要がある。その際、市町村教育委員会は、内申の内容について、学校運営協議会の意見の内容との調整に留意する必要がある。

学校運営協議会の意見は、任命権者の任命権の行使を拘束するものではないので、任命権者は、最終的には自らの権限と責任において任命権を行使することになるが、学校運営協議会の意見を尊重し、合理的な理由がない限り、その内容を実現できるよう努める必要がある。

なお、学校評議員が、校長の求めに応じて学校運営に関する意見を個人として述べるものであるのに対し、学校運営協議会は、学校運営、職員人事について関与する一定の権限を有する合議制の機関であるなど、その役割が異なる

ものである。

【通　知】

○学校教育法施行規則の一部改正について（抄）（平七・三・二八　文教地三九号　附属学校を置く各国立大学長、各都道府県・指定都市教育委員会、各都道府県知事、国立久里浜養護学校長あて　文部事務次官通達）

記

1　改正の趣旨

近年、児童生徒の心身の健康問題が複雑、多様化してきており、特に、いじめや登校拒否等の生徒指導上の問題に適切に対応するとともに、児童生徒の新たな健康問題に取り組んでいくためには、学校における児童生徒の心身の健康についての指導体制の一層の充実を図る必要があり、保健主事、養護教諭の果たす役割が極めて重要となっている。このため、保健主事に幅広く人材を求める観点から、保健主事には、教諭に限らず、養護教諭も充てることができることとしたこと。また、これにより、養護教諭が学校全体のいじめ対策等においてより積極的な役割を果たせるようになるものであること。

2　改正の内容

(1)　保健主事には、教諭だけでなく養護教諭も充てることができることとしたこと（第二十二条の四〔現行四五条〕第二項関係）。

(2)　この改正は、平成七年四月一日から施行すること（附則関係）。

3　留意事項

(1)　保健主事の命課については、各学校における教育課題、児童生徒の心身の健康状態、教職員の配置状況等学校の実態を踏まえて、教諭又は養護教諭の中から、保健主事として十分な資質能力を有する者を充てること。

(2)　学校保健活動は、学校保健計画に基づき各教員が役割を分担し、すべての教員の共通理解のもとに組織的に展開されるものであること。したがって、学校保健活動が円滑かつ適切に行われるためには学校保健の推進体制が確立されていることなど学校運営上の配慮が必要であること。

(3)　保健主事の資質向上を図るため、校内研修の充実及び各種研修会への積極的参加に配慮すること。

(4)　保健主事は、いじめの問題をはじめとする生徒指導上の諸問題への対応においても、その機能を十分発揮していくことが期待されるところであり、各学校の実情に応じ、児童生徒の心の健康に関する校内研修等の企画や学校医、保健関係機関等との

連携協力を図るなど、その役割を十分に果たしていくことが必要であること。

○学校教育法施行規則等の一部を改正する省令の施行について

（抄）（平一二・一・二一　文教地二四四号　各都道府県教育委員会、各都道府県知事、各指定都市教育委員会、各指定都市市長、各国立大学長、国立久里浜養護学校長あて　文部事務次官通知）

このたび、別添のとおり、「学校教育法施行規則等の一部を改正する省令」（以下「改正省令」という。）が平成一二年一月二一日文部省令第三号をもって公布され、平成一二年四月一日から施行されることとなりました。

今回の改正の趣旨は、中央教育審議会答申「我が国の地方教育行政の今後の在り方について」（平成一〇年九月二一日）に基づき、これからの学校が、より自主性・自律性を持って、校長のリーダーシップのもと組織的・機動的に運営され、幼児児童生徒の実態や地域の実情に応じた特色ある学校づくりを展開することができるよう、校長及び教頭の資格要件を緩和するとともに、職員会議及び学校評議員に関する規定を設けるものであります。

この趣旨に即して、各学校において、学校運営が適正に進められ、地域の実情等に応じた教育活動が一層活発になるよう指導の徹底にご留意願います。

改正省令の概要及び留意事項等は下記のとおりですので、関係する規程の整備等、事務処理上遺漏のないよう願います。また、都道府県教育委員会及び都道府県知事におかれては、域内の市町村教育委員会、所管又は所轄の学校その他の教育機関及び学校法人に対して、本改正の周知を図るとともに、適切な事務処理が図られるよう配慮願います。

記

一　改正の趣旨

（校長及び教頭の資格関係）

校長（学長及び高等専門学校の校長を除く。以下同じ。）及びこれを補佐する教頭については、教育に関する理念や識見を有し、地域や学校の状況・課題を的確に把握しながら、リーダーシップを発揮するとともに、職員の意欲を引き出し、関係機関等との連携・折衝を適切に行い、組織的・機動的な学校運営を行うことができる資質を持つ優れた人材を確保することが重要である。このため、教育に関する職の経験や組織運営に関する経験、能力に着目して、地域や学校の実情に応じ、幅広く人材を確保することができるよう、学校教育法施行規則（以下「省令」という。）における校長及び教頭の資格要件を緩和するものであること。

（職員会議関係）

職員会議は、校長を中心に職員が一致協力して学校の教育活動を展開するため、学校運営に関する校長の方針や様々な教育課題への対応方策についての共通理解を深めるとともに、幼児児童生徒の状況等について担当する学年・学級・教科を超えて情報交換を行うなど、職員間の意思疎通を図る上で、重要な意義を有するものである。しかしながら、職員会議についての法令上の根拠が

明確でないことなどから、一部の地域において、校長と職員の意見や考え方の相違により、職員会議の本来の機能が発揮されない場合や、職員会議があたかも意思決定権を有するような運営がなされ、校長がその職責を果たせない場合などの問題点が指摘されていることにかんがみ、職員会議の運営の適正化を図る観点から、省令に職員会議に関する規定を新たに設け、その意義・役割を明確にするものであること。

（学校評議員関係）

学校が地域住民の信頼に応え、家庭や地域と連携協力して一体となって子どもの健やかな成長を図っていくためには、今後、より一層地域に開かれた学校づくりを推進していく必要がある。こうした開かれた学校づくりを一層推進していくため、保護者や地域住民等の意向を把握・反映し、その協力を得るとともに、学校運営の状況等を周知するなど学校としての説明責任を果たしていく観点から、省令において新たに規定を設け、学校や地域の実情等に応じて、その設置者の判断により、学校に学校評議員を置くことができることとするものであること。

二　改正省令の概要（略）

三　留意事項

（校長及び教頭の資格関係）

(1)　今回の改正は、学校の管理運営についての権限と責任を有する校長と、これを補佐する教頭に、幅広く人材を確保する観点から行うものであり、これにより、学校において、優れた資質能力を有する校長や教頭を中心に全職員が一致協力して、個性や特色ある教育活動が展開されることを期待するものであること。

(2)　今回の改正により、教頭について、新たに各相当学校の教諭の免許状を有しない者を登用することができることとなるが、教頭が児童生徒の教育をつかさどる場合には、各相当学校の相当教科の教諭の免許状が必要であるとの従来の解釈及び運用が変更されるものではないこと。

(3)　省令第九条の二（現行二二条）については、学校において、幼児児童生徒の実態や地域の実情に応じた個性や特色ある教育活動を展開するため、学校の運営上特に必要がある場合に、学校の管理運営についての権限と責任を有する校長について、その職務にかんがみ特にその資格要件を緩和したものであること。

（職員会議関係）

(1)　今回省令において規定した職員会議は、学校教育法第二八条第三項（現行法三七条四項）等において「校長は、校務をつかさどり、所属職員を監督する」と規定されている学校の管理運営に関する校長の権限と責任を前提として、校長の職務の円滑な執行を補助するものとして位置付けられるものであることに十分留意すること。

(2)　職員会議においては、設置者の定めるところにより、校長の職務の円滑な執行に資するため、学校の教育方針、教育目標、教育計画、教育課題への対応方策等に関する職員間の意思疎通、共通理解の促進、職員の意見交換などを行うことが考えら

れること。

(3) 職員会議を構成する職員の範囲については、設置者の定めるところによることとなるが、教員以外の職員も含め、学校の実情に応じて学校の全ての職員が参加できるようその運営の在り方を見直すこと。

(4) 職員会議は校長が主宰するものであり、これは、校長には、職員会議について必要な一切の処置をとる権限があり、校長自らが職員会議を管理し運営するという意味であること。

(5) 学校の実態に応じて企画委員会や運営委員会等を積極的に活用するなど、組織的、機動的な学校運営に努めること。

(学校評議員関係)

(1) 学校評議員の設置について

① 設置の在り方

本制度は、地域住民の学校運営への参画の仕組みを新たに制度的に位置付けるものであること、学校や地域の実情に応じて柔軟な対応ができるようにすることが望ましいことから、省令に学校評議員に関する必要な基本的事項のみを定めることとし、これを必置とするものではないこと。なお、省令に規定する学校評議員ではないが、これに類似する仕組みを既に設けている場合、今回の省令改正により、これを廃止又は改正する必要はないこと。

② 設置者の定め

人数や委嘱期間など学校評議員の具体の在り方については、当該学校の設置者(国立大学の附属学校にあっては学長。以下「設置者等」という。)が定めるものとしたこと。

③ 設置形態

学校評議員は学校毎に置くものであること。また、学校評議員は一人一人がそれぞれの責任において意見を述べるものであること。ただし、設置者等の定めや校長の判断により、必要に応じて、学校評議員が一堂に会して意見交換を行い意見を述べることができる機会を設けるなど、運用上の工夫を講じることにも配慮すること。

(2) 学校評議員の運営について

① 校長が意見を求めること

学校評議員は、校長の学校運営に関する権限と責任を前提として、校長の求めに応じて意見を述べることができるものとしたこと。このため、校長は、自らの判断により必要と認める場合に意見を求めることとなること。その際、校長は、学校評議員の意見に資するよう、学校評議員に対し、学校の活動状況等について十分説明することが必要であること。また、校長は、学校評議員の意見を参考としつつ、自らの権限と責任において判断し決定を下すものであること。

② 意見を求める事項

学校評議員は校長が行う学校運営に関し意見を述べるものであることから、学校評議員に意見を求める事項は、校長の権限と責任に属するものであること。また、学校評議員に意見を求める事項としては、例えば、学校の教育目標や計画、教育活動の実施、学校と地域の連携の進め方などといった学

校運営の基本方針や重要な活動に関する事項が想定されるものであるが、具体的にどのような事項に関し意見を求めるかについては、校長自らが判断するものであること。

③　具体の運営方法等

学校評議員の具体の運営は、校長の責任と権限において行われるものであり、その際、校長は、その方法や手続について、設置者等の定める範囲内で必要な規程を定めることが可能であること。

(3)　学校評議員の委嘱について

①　構成

学校評議員については、設置者等及び校長の判断により、学校や地域の実情に応じて、できる限り幅広い分野から委嘱することが望ましいこと。

②　要件

ア．学校評議員は、校長の求めに応じて校長が行う学校運営に関し意見を述べるものであることから、教育に関する理解をその要件とするとともに、責任ある判断に基づき意見を述べることが必要であることから、このような観点から、学校評議員にはその要件としたこと。このような観点から、学校評議員には、保護者や地域住民等を委嘱することを想定しているものであり、児童生徒を委嘱することは想定していないこと。

イ．学校評議員は、学校外から意見を聞くものであるという観点から、当該学校の職員（国立大学の附属学校にあっては、当該大学の職員）以外から委嘱することとし、その趣旨を明らかにしたものであること。また、教育委員会の委員や教育長その他の職員は、当該学校の設置管理者としての立場からその管理運営に直接又は間接に関係するものであり、このような者を学校評議員として委嘱することは制度上なじまないものであること。

③　推薦や委嘱の手続等

学校運営に関する設置者及び校長の責任と権限を踏まえ、学校評議員は、校長の推薦により設置者等が委嘱するものとしたこと。

その推薦や委嘱に係る校長や設置者等の権限を制約するような運用とならないよう留意する必要があること。

④　身分取扱い

学校評議員の身分取扱いについては、設置者の定めるところによるものであること。その際、守秘義務に関する規定を設けることについても検討する必要があること。

また、学校評議員の任期については、校長の求めに応じて校長が行う学校運営に関し意見を述べるものであることを踏まえ、学校や地域の実情に応じて設置者が定めるところによるものであること。

(その他)

今回の省令改正に伴い、公立学校を設置する教育委員会にあっては、地方教育行政の組織及び運営に関する法律第三三条の規定に基づく教育委員会規則等について必要な規定の整備を行うこ

と。

また、私立学校の設置者にあっても同様に必要な規程の整備を行うこと。

○栄養教諭制度の創設に係る学校教育法等の一部を改正する法律等の施行について（抄）（平一六・六・三〇　一六文科ス一四二号　各都道府県教育委員会、各都道府県知事、各指定都市教育委員会、各指定都市市長、各国公私立大学長、放送大学長あて　文部科学省スポーツ・青少年局長、初等中等教育局長通知）

このたび、別添一（略）のとおり、「学校教育法等の一部を改正する法律」（以下「改正法」という。）が、平成一六年五月二一日に法律第四九号として公布され、平成一七年四月一日（教育職員免許法の改正に係る部分については平成一六年七月一日）から施行されることとなりました。また、これに伴い、別添二（略）のとおり、「教育職員免許法施行規則の一部を改正する省令」（以下「改正規則」という。）が、平成一六年六月三〇日に文部科学省令第三六号として公布され、平成一六年七月一日から施行されることとなりました。

今回の改正は、児童生徒の食生活の乱れが深刻化する中で、学校における食に関する指導を充実し、児童生徒が望ましい食習慣を身に付けることができるよう、新たに栄養教諭制度を設けるものです。この栄養教諭は、栄養に関する専門性と教育に関する資質を併せ有する教育職員として、その専門性を十分に発揮し、特に学校給食を生きた教材として有効に活用することなどによって、食に関する指導を充実していくことが期待されています。

改正の概要については下記のとおりですので、関係各位におかれましては、その趣旨を十分ご理解の上、学校栄養職員の栄養教諭への円滑な移行を含め、適切な対応をお願いするとともに、各都道府県教育委員会及び各都道府県知事におかれては、併せて域内の各市町村及び所管又は所轄の学校及び学校法人に対する周知を図るようお願いします。

記

第一　学校教育法の一部改正関係（改正法第一条関係）

(1)　栄養教諭の設置に関する事項（略）

(2)　栄養教諭の職務に関する事項

栄養教諭の職務として、「児童の栄養に関する指導及び管理をつかさどる」（小学校以外の学校については準用規定）と規定したこと（第二八条第八項、第五一条、第五一条の九及び第八二条関係〔現行法三七条一三項、六二条、七〇条及び二八条〕）。なお、中学校については、第四〇条〔現行法四九条〕において第二八条〔現行法三七条〕の規定が、盲学校、聾学校及び養護学校については、第七六条〔現行法八二条〕において第二八条〔現行法三七条〕（第四〇条、第五一条及び第八二条〔現行法四九条、六二条及び二八条〕において準用する場合を含む。）の規定が準用されること。

栄養に関する指導及び管理のうち、指導には、①児童生徒に対する栄養に関する個別的な相談指導や、②学級担任、教科担任等と連携して関連教科や特別活動等において食に関する指導

を行うこと、③食に関する指導に係る全体的な計画の策定等への参画などが含まれること。また、管理については、①学校給食を教材として活用することを前提とした給食管理、②児童生徒の栄養状態等の把握、③食に関する社会的問題等に関する情報の把握などが含まれること。

第二　市町村立学校職員給与負担法の一部改正関係（改正法第二条関係）

都道府県が給与費を負担する市町村立学校職員（以下「県費負担教職員」という。）に栄養教諭を追加したこと。これに伴い、同法における学校栄養職員の定義を「学校給食法第五条の三（現行法七条）に規定する職員」から「学校給食法第五条の三に規定する職員のうち栄養教諭以外の者」に変更したこと。

第三　教育公務員特例法の一部改正関係（改正法第三条関係）

第二条の「教員」の定義に栄養教諭を加えたこと。これにより、第一一条（採用及び昇任の方法）、第一三条（校長及び教員の給与）、第一四条（休職の期間及び効果）、第一七条（兼職及び他の事業等の従事）、第一八条（公立学校の教育公務員の政治的行為の制限）、第二一条（研修）及び第二二条（研修の機会）の規定が栄養教諭にも適用されることとなること。大学院修学休業に係る規定（第二六条から第二八条まで）の適用対象に栄養教諭を加えたこと。なお、初任者研修（第二三条）及びそれに伴う条件附任用期間の特例（第一二条）並びに十年経験者研修（第二四条）の規定については、養護教諭と同様に栄養教諭には適用されないこと。

〔小学校設置義務〕

第三十八条　市町村は、その区域内にある学齢児童を就学させるに必要な小学校を設置しなければならない。ただし、教育上有益かつ適切であると認めるときは、義務教育学校の設置をもつてこれに代えることができる。

【沿　革】　昭二三・七・一五法一七〇により、「その議会の議決を経て、」を削った。

平一九・六・二七法九六により、旧二九条から三八条に移動した。

平二七・六・二四法四六により、ただし書を追加した。

【参照条文】　法一四〇条。施行令二五条。施行規則三条、五条、七条、九条、一四条。

【注　解】

一　法一七条一項により、学齢児童の保護者にその子を小学校等に就学させる義務を課し、その義務の履行を可能ならしめるため、本条で市（特別区を含む。法一八条の【注解】一参照）町村に小学校の設置義務を課したものである。

ただし、教育上有益かつ適切であると認めるときは、義務教育学校の設置をもって設置義務の履行とみなすこととするものである。

なお、本条の適用対象は、小学校及び中学校であり、小学校の章で規定し、中学校に準用している。

二　義務教育学校は、小学校における教育と中学校における教育を一貫して施すことを目的としており、義務教育を施す点においては、小・中学校を設置して義務教育を施すことも、義務教育学校を設置して義務教育を施すことも違いはないと解される。

もっとも、義務教育学校は、①問題行動等の発生に対して小学校段階からの早期対応を行う場合、②地域の実情に応じ、小中一貫した特色あるカリキュラムを実践する場合、③適正な学校規模等を実現する場合など、教育上有益かつ適切な場合に設けることが適切であると考えられることから、設置については市町村の判断に委ねるものとし、義務教育学校自体に設置義務は課されていない。

このため、義務教育学校を置くことが有益かつ適切であると認められる場合には、義務教育学校の設置をもって小学校及び中学校の設置に代えることができることとしている。また、小学校及び中学校の設置に代えて設置された義務教育学校は、小学校及び中学校と同様、就学指定の対象となる（施行令五条二項）。

三　本条において、「教育上」とは、学校教育のあらゆる場面や教育行政を行うに当たってを指し、「有益かつ適切」と認めるのは、設置しようとする市町村である。

四　小学校は、地方自治法二四四条の公の施設（住民の福祉を増進する目的をもってその利用に供するための施設）であり、

その設置については条例で定めることを要する（同法二四四条の二第一項）。地方自治法上は、「管理に関する事項」も条例で定めなければならないが、学校の管理に関する事項は、本法、施行令等に職員組織、教育内容等に関する規定があり、地方自治法二四四条の二第一項の「法律又はこれに基づく政令に特別の定めがあるもの」に該当し、学校の管理については必ずしも条例によることを要しないと解されている。したがって、学校の設置に関する条例には、実質的には学校の名称と位置を規定するだけで足りる。

五　市町村は、その区域内に小学校を設置するのが原則であるが、その区域内に教育上適当な校地が得られない等やむを得ない事由がある場合には、区域外に小学校を設置することができる。この場合は、関係地方公共団体との協議を要し、その協議については、議会の議決を経なければならない（地方自治法二四四条の三）。

六　公立学校は、学校の設置条例が公布・施行されることにより、設置されるが、都道府県教育委員会に届け出ることを要する。この届出は学校設置の認可とは異なり、学校を設置するための要件ではない。また、事実の届出であるから、都道府県教育委員会は受理を拒否できないと解されている。

学校を廃止する場合も同様である。

市町村立小学校の設置・廃止について施行令には次のように規定されている。

（市町村立小中学校等の設置廃止等についての届出）

第二十五条　市町村の教育委員会又は市町村が単独で若しくは他の市町村と共同して設立する公立大学法人の理事長は、当該市町村又は公立大学法人の設置する小学校、中学校又は義務教育学校（第五号の場合にあつては、特別支援学校の小学部及び中学部を含む。）について次に掲げる事由があるときは、その旨を都道府県の教育委員会に届け出なければならない。

一　設置し、又は廃止しようとするとき。
二　新たに設置者となり、又は設置者たることをやめようとするとき。
三　名称又は位置を変更しようとするとき。
四　分校を設置し、又は廃止しようとするとき。
五　二部授業を行おうとするとき。

分校とは、一般的には、本校から組織的にも、施設としてもある程度分離独立はしているが、独立の管理組織をその学校に置くよりも、より大きい同種の学校の管理組織のもとで運営するほうが学校運営の有機的な連携ができ、かつ、組織上も効率的である場合に設置される学校の形態ということができよう。公立学校の分校について、その設置を条例に規定することは法令上要請されていないが、利用者からみれば、独立の学校と変わらないものであるから、その設置を条例上明らかにしておくことが望ましい。

なお、小学校及び中学校の学校規模の標準については、施行規則四一条、七九条において、一二学級以上一八学級以下と定められている。

第四十一条 小学校の学級数は、十二学級以上十八学級以下を標準とする。ただし、地域の実態その他により特別の事情のあるときは、この限りでない。

第七十九条 第四十一条から第四十九条まで、第五十条第二項、第五十四条から第六十八条までの規定は、中学校に準用する。(後略)

しかしながら、少子化の進展等により学校規模が当該標準を満たさない学校の割合が高まり、今後、教育上の課題が顕在化することが懸念されている。文部科学省においては、「公立小学校・中学校の適正規模・適正配置等に関する手引(平成二七年一月二七日)」を策定し、学校統合により魅力ある学校づくりを行う場合や、小規模校のデメリットの克服を図りつつ学校の存続を選択する場合等、学校規模の標準を下回った場合の対応について、きめ細かく指針を示している。

七 国は、公立の小・中学校等の施設の整備を促進するため、これらの学校の校舎、屋内運動場、寄宿舎の建築に要する経費の一部を負担することとしている(義務教育諸学校等の施設費の国庫負担等に関する法律三条、離島振興法七条一項・二項、豪雪地帯対策特別措置法一五条)。

【通　知】

○公立小学校・中学校の適正規模・適正配置等に関する手引の策定について（抄）（平二七・一・二七　二六文科初一一一二号　各都道府県・指定都市教育委員会教育長、各都道府県知事、各国公私立大学長あて　文部科学事務次官通知）

学校教育においては、児童生徒が集団の中で、多様な考えに触れ、認め合い、協力し合い、切磋琢磨することを通じて一人一人の資質や能力を伸ばしていくことが重要であり、小・中学校では一定の集団規模が確保されていることが望まれます。

このため、文部科学省ではこれまで、学校教育法施行規則（昭和二二年文部省令第一一号）第四一条、第七九条及び義務教育諸学校等の施設費の国庫負担等に関する法律施行令（昭和三三年政令第一八九号）第四条により、公立小学校・中学校の学級数の標準や通学距離の条件を示すとともに、「公立小・中学校の統合方策について」（昭和三一年一一月一七日付け文初財五〇三号）、「学校統合の手引」（昭和三二年）及び「公立小・中学校の統合について」（昭和四八年九月二七日付け文初財四三一号）を発出すること等をもって、学校規模の適正化や学校の適正配置を適切に推進するよう求めてきたところです。

しかしながら近年、家庭及び地域社会における子供の社会性育成機能の低下や少子化の進展が中長期的に継続することが見込まれること等を背景として、学校の小規模化に伴う教育上の諸課題がこれまで以上に顕在化することが懸念されています。

このような中、公立小学校・中学校の設置者である各市町村においては、それぞれの地域の実情に応じて、教育的な視点から少子化に対応した活力ある学校づくりのための方策を継続的に検討・実施していくことが求められています。その際、学校統合により魅力ある学校づくりを行う場合や、小規模校のデメリットの克服を図りつつ学校の存続を選択する場合等の複数の選択があると考えられます。

このことから、文部科学省においては、公立小・中学校の設置者である市町村教育委員会が、学校統合の適否又は小規模校を存置する場合の充実策等を検討する際や、都道府県教育委員会が、これらの事柄について域内の市町村教育委員会に指導・助言・援助を行う際の、基本的な方向性や考慮すべき要素、留意点等をまとめた「公立小学校・中学校の適正規模・適正配置等に関する手引～少子化に対応した活力ある学校づくりに向けて～」（以下「手引」という。）を別添（略）の通り策定しました。

各都道府県教育委員会におかれては、域内の市町村教育委員会において手引が積極的に活用され、地域の実情に応じた活力ある学校づくりの検討・実施が適切に行われるよう、手引について域内の市

町村教育委員会に遺漏なく周知を行うとともに、手引の六章に記載している都道府県の役割を参考としつつ、市町村教育委員会に対する必要な指導、助言又は援助に取り組まれるようお願いします。また、手引の三章(1)において、学校統合の検討に際して設置者が留意すべき点として、平成二六年の「地方教育行政の組織及び運営に関する法律」（昭和三一年法律第一六二号）の改正により新設された総合教育会議の活用等を含めた首長部局との緊密な連携について記載していることを踏まえ、手引について域内の市町村長に対しても周知をお願いします。

各国公私立大学長におかれては、手引の三章(4)において、学校統合に関して設置者が留意すべき点として、地域の大学等との連携について記載している旨を御了知の上、市町村や都道府県から相談等が寄せられた場合には、地域における知の拠点として、可能な限りの御協力をお願いします。

なお、本通知及び手引の策定をもって、「公立小・中学校の統合方策について」（昭和三一年一一月一七日付け文初財五〇三号）、「学校統合の手引」（昭和三二年）及び「公立小・中学校の統合について」（昭和四八年九月二七日付け文初財四三一号）は廃止します。

【行政実例】

○市町村教育委員会の学校設置の届出について（昭二七・七・二二　委調七〇号　愛媛県教育委員会教育長あて　文部省地方連絡課長回答）

【照会】　学校教育法施行規則第二条〔現行三条〕による学校設置は、義務教育について届け出でよいが、その場合、県委員会が位置その他について不当と認めたときは、拒否することができるか、否か。なお、その理由及び根拠法令。

【回答】　学校教育法施行規則第二条〔現行三条〕は学校教育法によって設置義務を負う者の設置する学校の名称及び位置の変更は、設置者において都道府県教育委員会に届け出をすべきことを規定しているが、届け出は許可や認可と異なり、相手方たる公の機関に一定の行為を要求し又は期待するものではなく、たんに事実上の届け出をすれば足りるものであるから、受理者において拒否することはできない。この点に関して具体的な根拠条文はないが、行政上の一般理論から上のように解されるのである。

○他市町村に学校を設置することについて（昭三四・四・二三　委初八〇号　熊本県教育委員会教育長あて　文部省初等中等教育局長回答）

【照会】　一　市町村は、学校教育法第二九条〔現行法三八条〕及びこれを準用する第四〇条〔現行法四九条〕によりその区域内に居

住する学齢児童（生徒）を就学させるに必要な小学校及び中学校を設置しなければならないが、その市町村の区域外に設置することが出来るか。（設置する場所の市町村と一部事務組合は設けない。）

二　一が出来るとすれば地方自治法第二一〇条〔現行二四四条の三〕による手続を経なければならないか。

三　一が出来ないとすればその根拠は何か、又地方自治法第二一〇条〔現行二四四条の三〕との関係はいかに解すべきか。

【回答】　一、二　市町村が小中学校を設置するに当たっては、これをその区域内に設けることを原則とするが、その区域内に教育上適当な校地が得られない等やむを得ない事由がある場合においては、これを区域外に設けることができる。この場合においては、地方自治法第二一〇条〔現行二四四条の三〕に規定する関係地方公共団体との協議を行なうべきものと解する。

○他市町村に設置してある小学校のプールの設置と地方自治法第二一〇条〔現行二四四条の三〕の協議との関係（昭三八・七・三　自治丁行発五一号　山梨県総務部長あて　自治省行政課長回答）

【照会】　甲町立丙小学校は乙村区域内にあるが、乙村区域内の住民とは、使用関係を生じていない。今回、当該小学校専用として同校敷地内にプールを設置する計画であるが、これを設置した場合、地方自治法第二一〇条〔現行二四四条の三〕に抵触しないと思うがどうか。

【回答】　お見込のとおり。

○小学校設置の疑義について（昭二七・二・四　委初二四号　高知県教育委員会教育長あて　文部省初等中等教育局長回答）

【照会】　次のような場合にこの学校を独立の小学校として認めることは妥当であるかどうか。法的根拠を示して御教示いただきたくお願いいたします。

同一村内に小学校が二校あり、甲の学校はある地区の第四学年までの該当児童を収容し、第五学年になれば乙の学校へ転学させてそこで小学校の課程を修了することになる。したがって甲の学校は第四学年までしか収容しないが、独立の学校として校長をおき教員を配置するわけである。

【回答】　同一村内に小学校が二校あり、甲の学校は第四学年までの児童を収容する学校として運営する必要がある場合には、乙校の一分校とするのを適当と解します。独立の小学校とするためには、六年の課程を置くことが必要であり、また、特殊の事情がある場合にこういう形の分校を認めることも法令に違反しないと考えられるからです。

（注）　法的根拠は、学校教育法第一九条〔現行法三二条〕、同法施行規則第一七条〔現行四一条〕等である。

〔学校組合の設置〕

第三十九条　市町村は、適当と認めるときは、前条の規定による事務の全部又は一部を処理するため、市町村の組合を設けることができる。

【沿　革】　昭二三・七・一五法一七〇により、「町村が前条の規定によることを不可能又は不適当と認めるときは、市町村学校組合又は町村学校組合を設けることができる」とされていたのを、市町村学校組合と町村学校組合とを区別せず、市町村学校組合とした。
昭三六・一〇・三一法一六六により、全改。
平六・六・二九法四九により、「共同処理する」を「処理する」に改めた。
平一九・六・二七法九六により、旧三〇条から三九条に移動した。

【参照条文】　法一四〇条。地方自治法二八四条～二九三条の二。地教行法二条、六〇条。同法施行令一一条～一七条。

【注　解】

一　「適当と認める」とは、関係市（特別区を含む。法一八条の【注解】一参照）町村がそれぞれ適当と認めることであり、その意思の合致は、関係市町村の議会の議決を経て、協議により規約を定めることである（地方自治法二八四条・二九〇条・二九一条の一一）。

なお、本条の適用対象は、小学校、中学校及び義務教育学校であり、小学校の章で規定し、中学校に準用している。

二　市町村及び特別区は、その事務を処理するため、その協議により規約を定め、都道府県知事の許可を得て、地方公共団体の組合を設けることができる。地方公共団体の組合には、一部事務組合及び広域連合がある（同法二八四条）。本法の組合は、この地方自治法でいう「組合」のことであり、独立の法人格をもつものである。従前、教育事務については都道府県と市町村とが組合を設ける可能性が少ないと判断されたことから、地教行法上、このような組合について教育委員会を置くことを想定していなかった。しかし、中等教育学校制度の創設などを踏まえて地方分権

一括法（平一一法八七）により、都道府県の加入する組合にも教育委員会を置くことができるように地教行法二条及び六〇条の規定を改正した。

地教行法二一条に規定する事務（教育事務）の全部又は一部を処理する地方公共団体の組合（同法施行令一一条で「教育組合」と称されている）については、同法六〇条に特例が設けられており、本条の組合も教育組合に含まれるものであるから、地方自治法第三編第三章の規定（二八四条から二九三条の二まで）及び地教行法六〇条、同法施行令第五章の規定（一一条から一八条まで）に従って、組合を設置することを要する。その要旨は次のとおりである。

地方公共団体の教育組合には教育委員会が置かれる（地教行法二条）。教育事務の全部を処理する組合の場合には、関係地方公共団体には教育委員会を置かず、組合にのみ教育委員会が置かれる（同法六〇条一項）。

組合規約を定める際の協議には、関係地方公共団体の議会の議決を経なければならないが、教育組合については、その前に関係地方公共団体の教育委員会の意見を聴かなければならない（同条四項）。

組合の設置については、総務大臣又は都道府県知事の許可を要するが、教育組合の許可の処分をする前に総務大臣にあっては文部科学大臣、都道府県知事にあっては都道府県の教育委員会の意見を聴かなければならない（同条五項）。

組合には議会が置かれ、学校の設置は、この議会が定める条例によることとなる。

三　組合の経費は、規約に「組合の経費の支弁の方法」につき規定を設けることとされており（地方自治法二八七条一項七号・二九一条の四第一項九号）、これにより、定められることになる。地方交付税（普通交付税）の額の算定に用いる基準財政需要額の小学校費分は、学校数、学級数、児童数に応じて算定されるが（地方交付税法一二条・別表）、その際、組合立小学校は、その学校の所在する市町村の設置する小学校とみなされているので（普通交付税に関する省令五条の表一三号・九条一項の表市町村の項四号）、組合立小学校の所要経費は、地方交付税の算定上、その学校の所在する市町

村に組み込まれていることになる。関係市町村の分担額をきめるに当たっては、このような点を考慮する必要があろう。

〔学齢児童の教育事務の委託〕

第四十条　市町村は、前二条の規定によることを不可能又は不適当と認めるときは、小学校又は義務教育学校の設置に代え、学齢児童の全部又は一部の教育事務を、他の市町村又は前条の市町村の組合に委託することができる。

② 前項の場合においては、地方自治法第二百五十二条の十四第三項において準用する同法第二百五十二条の二の二第二項中「都道府県知事」とあるのは、「都道府県知事及び都道府県の教育委員会」と読み替えるものとする。

【沿　革】　昭二三・七・一五法一七〇により、「議会の議決を経て、」を削った。

昭二八・八・二五法二一三により、第二項を追加した。

昭三六・一〇・三一法一六六により、市を加えた。

昭四四・三・二五法二により、第二項の条文を整理した。

平一九・六・二七法九六により、旧三一条から四〇条に移動した。

平二六・五・三〇法四二により、第二項の「第二百五十二条の二第二項」を「第二百五十二条の二の二第二項」に改めた。

平二七・六・二四法四六により、第一項の「小学校」の下に「又は義務教育学校」を加えた。

【参照条文】　法一四〇条。地方自治法二五二条の一四～二五二条の一六。

【注　解】

一　「前二条の規定によることを不可能又は不適当」と認めるのは、委託しようとする市（特別区を含む。法一八条の【注解】一参照）町村である。

なお、本条の適用対象は、小学校、中学校及び義務教育学校であり、小学校の章で規定し、中学校に準用している。

いかなる場合が「不可能又は不適当」に該当するかについては、本法の前身である国民学校令二七条の規定が参考となる。

第二十七条　地方長官ハ町村ニ付第二十五条第一項第二号ノ事情アリト認ムルトキハ国民学校ノ設置ニ代ヘ其ノ町村ヲシテ学齢児童ノ全部又ハ一部ノ教育事務ヲ他ノ市町村、市町村学校組合又ハ町村学校組合ニ委託セシムルコトヲ得

②　地方長官ハ市町村、市町村学校組合又ハ町村学校組合ノ一部ニシテ第二十五条第一項第二号ノ事情アルモノガ其ノ市町村、市町村学校組合又ハ町村学校組合ノ国民学校ニ対シ適度ノ通学路程内ニ在ラズト認ムルトキ亦前項ノ例ニ依ルコトヲ得

③　前二項ノ規定ニ依リ地方長官ニ於テ児童教育事務ヲ委託セシメ又ハ其ノ委託ヲ止メシメントスルトキハ関係市町村、市町村学校組合及町村学校組合ノ意見ヲ聞クベシ

この条文中の二五条とは学校組合に関する次の規定である。

第二十五条　地方長官ハ町村ガ左ノ各号ノ一ニ該当スト認ムルトキハ国民学校設置ノ為其ノ町村ト他ノ市町村トノ学校組合ヲ設クベシ

一　町村ノ資力ガ国民学校ノ経費ノ負担ニ堪ヘザルトキ

二　町村ニ於テ学齢児童ノ数一国民学校ヲ構成スルニ足ラズ又ハ適度ノ通学路程内ニ於テ一国民学校ヲ構成スルニ足ルベキ数ヲ得ルコト能ハザルトキ

②　地方長官ハ市町村ノ一部ニシテ前項第二号ノ事情アルモノガ其ノ市町村ノ国民学校ニ対シ適度ノ通学路程内ニ在ラズト認ムルトキ亦前項ノ例ニ依ルベシ（以下略）

本条の規定が、国民学校令二七条の規定を引き継いでいることから考えて「不可能又は不適当」とは、市町村又はその一部の地域において学齢児童の数が一の小学校又は義務教育学校を構成するに足りないとき又は適度の通学路程内において一の小学校又は義務教育学校を構成するに足るべき数を得ることができない場合を指しているものと解さ

れる。

二　地方自治法二五二条の一四によれば、普通地方公共団体は、協議により規約を定め、その事務の一部を他の普通地方公共団体に委託することができるとしているのみで、本条にある「不可能又は不適当」というような制限はない。それでは、「前二条の規定によることを不可能又は不適当」と認めることができないような場合でも、地方自治法により学齢児童の教育事務の委託ができるかについては、消極に解される。本条の趣旨は、「不可能又は不適当」な場合に限って、学齢児童の教育事務の委託を認めたものと解されるからである。

また、同様の理由から委託先は、他の市町村又は法三九条の市町村の組合（学校組合）に限られ、都道府県には委託できないと解される。

三　本条の教育事務の委託は、地方自治法上の事務の委託であるから、その手続は、同法二五二条の一四から二五二条の一六に定めるところにより行われなければならない。

市町村の事務の委託については、都道府県知事に届け出なければならないが（同法二五二条の一四第三項で二五二条の二の二第二項を準用）、本条の教育事務の委託については、本条二項で地方自治法二五二条の二の二第二項の規定を読み替え、都道府県教育委員会にも届け出なければならないこととしている。

四　「教育事務」には、市町村が行うべき就学事務すべてが含まれ、市町村が学齢児童の教育事務を他の市町村又は学校組合に委託した場合には、委託した学齢児童に係る就学事務は、すべて受託した市町村等が処理することになり、学齢簿の作成、学校の指定、入学期日の指定等は、受託した市町村等の教育委員会が行う（地方自治法二五二条の一六）。

学齢児童が他の市町村等の設置する学校に就学する場合として、区域外就学があるが、これは保護者の都合で区域外就学する場合で、就学事務は、学齢児童が住所を有する市町村の教育委員会が行うことに変わりはなく、就学事務

を処理すべき市町村が、その事務を他の市町村等に委託するのとは性格的に異なる。区域外就学については、事務の委託のような手続を要せず（事務の委託の協議をするには、議会の議決を経なければならないとされている）、関係市町村の教育委員会の協議をもって足りるとしているのである。

五　学齢児童の委託事務に要する経費は、規約に「委託事務に要する経費の支弁の方法」につき規定を設けることとされており（地方自治法二五二条の一五第三号）、これにより定められることになる。委託した市町村が負担するのが原則であるが、委託に係る児童数は、地方交付税の算定上、委託を受けた市町村の設置する小学校の児童数に含められているので（普通交付税に関する省令五条の表一三号・九条一項の表市町村の項四号）、経費負担額については、このような点を考慮して調整する必要があろう（法三九条の【注解】三参照）。

なお、委託を受けた市町村が委託学齢児童から授業料を徴収することはできない。

六　地方自治法二四四条の三第二項によれば、普通地方公共団体は、他の普通地方公共団体との協議により、当該他の普通地方公共団体の公の施設を自己の住民の利用に供させることができるとされている。小学校も「公の施設」であるから、これを適用できるとすれば、市町村は、区域内の学齢児童を他の市町村の設置する小学校に就学させることが可能となるが、本法三八条で市町村に学校の設置義務を課し、その特例として、前条と本条のみを掲げているのであるから、学齢児童の就学については、地方自治法二四四条の三第二項は適用ないものと解される。

【行政実例】

○教育事務の委託について（昭三一・一一・六　委初三〇五号　千葉県教育委員会教育長あて　文部省初等中等教育局長回答）

【照会】　教育事務（児童・生徒）の委託について、地方自治法第二五二条の一四によらず、教育委員会独自で行い得るか。

【回答】 教育委員会の権限に属する事務を他の地方公共団体に委託する場合は、教育委員会は、地方自治法第二五二条の一四の規定により行わなければならない。

○児童生徒の委託事務に要する経費について（昭三一・一・五委初一号　佐賀県教育委員会教育長あて　文部省初等中等教育局長回答）

【照会】 一　西有田村分村地区居住の児童生徒は、合併のため当有田町の小・中学校にそれぞれ編入することになるが、その際、父兄の希望（学年末までの期間が短いため）により学年末まで西有田村の小・中学校に残留する児童生徒を、当有田町は西有田村に対して該児童生徒の教育を委託することについては、学校教育法第三一条〔現行法四〇条〕および地方自治法第二五二条の一四第一項、また委託するに当って当有田町より西有田村に対して児童生徒の委託料を支払うべきか否か、支払うとすればその金額などについては地方自治法第二五二条の一五によるものと考えてよいか。なお委託料一人当り額算定の基礎はどこに置くか。

二　義務教育諸学校の児童生徒に関する委託料は、その児童生徒の居住する地方公共団体が支弁すべきものか、またはその父兄が負担しても差支えないものか。

【回答】 一　委託料を支払うか否か、及び支払う場合の額は、両地方公共団体が協議して定めるべきである（地方自治法第二五二条の一四及び一五）。

二　委託する地方公共団体が負担すべきである。

〔小学校設置の補助〕

第四十一条　町村が、前二条の規定による負担に堪えないと都道府県の教育委員会が認めるときは、都道府県は、その町村に対して、必要な補助を与えなければならない。

【沿　革】 昭二三・七・一五法一七〇により、「議会の議決を経て、」を削った。

昭三六・一〇・三一法一六六により、「都道府県監督庁」を「都道府県の教育委員会」に改めた。

平一九・六・二七法九六により、旧三二条から四一条に移動した。

【参照条文】 法三九条、四〇条。地方交付税法。

【注　解】

一　法三九条による学校組合に要する経費、法四〇条による教育事務の委託に要する経費は、関係市町村間の協議により定められた規約によって定められるが、通常は、学校組合にあっては、関係市町村間の分担、教育事務の委託にあっては、委託市町村の負担ということになる（法三九条の【注解】三、法四〇条の【注解】五参照）。

二　本条は町村が財政困難のため、一に述べた負担をすることができないような場合、学齢児童の就学に必要な小学校の単独設置はもとより、他の市町村と共同して学校組合を設置することもできず、さらにまた教育事務を他の市町村等に委託することもできないと都道府県教育委員会が認める場合には、都道府県に当該町村に対して必要な補助を与えることを義務づけている。

なお、本条の適用対象は、小学校、中学校及び義務教育学校であり、小学校の章で規定し、中学校に準用している。

三　市町村立小学校の設置、運営に要する経費については、地方交付税（普通交付税）算定上、基準財政需要額に算入されており（児童数、学級数、学校数に応じて算定される）、組合立小学校、学齢児童の教育委託に要する経費についての地方交付税の算定は、法三九条関係の【注解】三、法四〇条関係の【注解】五で述べたとおりであり、これらの経費については、地方交付税により財源確保がなされているから、現行の地方財政制度の下では、「前二条の規定による負担に堪えない」という状態は生じないようになっているということができる。

〔学校評価〕

第四十二条　小学校は、文部科学大臣の定めるところにより当該小学校の教育活動その他の学校運営の状況について評価を行い、その結果に基づき学校運営の改善を図るため必要な措置を講ずることにより、その教育水準の向上に努めなければならない。

【沿　革】平一九・六・二七法九六により新設した。
【参照条文】教育基本法五条、六条、一三条。法二八条、四九条、四九条の八、六二条、七〇条、八二条、一三三条一項、一三四条二項。施行規則三九条、六六条～六八条、七九条、一〇四条、一一三条、一三五条、一八九条、一九〇条。

【注　解】
一　本条は、学校が、教育活動その他の学校運営について評価を行い、その評価結果に基づき学校における課題等を把握し、組織的・継続的に学校運営の改善を図ることにより、その教育水準の向上を図るよう努めることを規定している。これは、学校の自主性・自律性を高めることによって、より質の高い特色ある教育が提供されるよう促すとともに、学校が保護者や地域住民からの信頼に応え、家庭や地域と連携協力して児童生徒の健やかな成長を図ることが重要であり、そのためには、教育活動その他の学校運営の状況について、自ら評価を実施し、その結果を公表するとともに、それに基づく改善を図る必要があることから規定されたものである。
本条中、「教育活動その他の学校運営の状況」とは、教育課程の編成や学習指導、生徒指導、進路指導等の教育活動をはじめ、校務分掌や教職員の活動、地域や家庭との連携、事務処理等の学校としての活動全体を指すものであるが、具体的な評価項目・指標等は、各学校ごとに設定した重点目標等の達成に即した具体的かつ明確なものとし、教職員が意識的に取り組むことが可能な程度に精選することが求められる。また、重点目禀や評価項目・指標等の設定に当たって、一般の保護者等が理解ができるように、いたずらに網羅的になったり詳細かつ高度に専門的な内容とならないよう留意することも必要である。
なお、本条の適用対象は、幼稚園、小学校、中学校、義務教育学校、高等学校、中等教育学校、特別支援学校、専修学校及び各種学校であり、小学校の章で規定し、他の学校種に準用している。

二　学校評価については、平成一二年一二月の教育改革国民会議報告において、外部評価を含む学校の評価制度を導入し、評価結果を親や地域と共有し、学校の改善につなげる必要性について提言された。これを踏まえて、平成一四年四月に施行された小学校設置基準等（省令）においては、自己評価の実施・公表の努力義務や、情報提供の義務に関する規定が設けられた（現在は削除）。また、平成一七年一〇月の中央教育審議会答申「新しい時代の義務教育を創造する」では、「義務教育の構造改革」として、アウトカム（教育の結果）を国の責任で検証し、義務教育の質を保証する教育システムを構築することの重要性などが指摘された。その後、平成一八年三月には「義務教育諸学校における学校評価ガイドライン」が策定され、学校評価の推進方策等に関する議論も深められた。

その後、平成一九年の本法の改正により、学校評価システムの更なる充実を図るため、新たに学校評価に関する規定が設けられた。

三　本条は、学校評価を実施し、その結果に基づき学校運営の改善を図るために必要な措置を講じることを通じて教育水準の向上を図るという、いわゆるＰＤＣＡサイクルの構築に努める旨を規定したものであるが、そのための具体的な手段については、「文部科学大臣の定めるところ」として施行規則に次のように規定されている。

第六十六条　小学校は、当該小学校の教育活動その他の学校運営の状況について、自ら評価を行い、その結果を公表するものとする。

２　前項の評価を行うに当たつては、小学校は、その実情に応じ、適切な項目を設定して行うものとする。

第六十七条　小学校は、前条第一項の規定による評価の結果を踏まえた当該小学校の児童の保護者その他の当該小学校の関係者（当該小学校の職員を除く。）による評価を行い、その結果を公表するよう努めるものとする。

第六十八条　小学校は、第六十六条第一項の規定による評価の結果及び前条の規定により評価を行つた場合はその結果を、当該小学校の設置者に報告するものとする。

四　施行規則六六条は、法四二条に基づき、自己評価の実施及びその結果の公表を、各学校に義務付けることをあ

らためて示した規定である。平成一四年四月の小学校設置基準等においては、自己評価の実施とその結果の公表は努力義務として規定されたが、その施行から五年以上が経過し、その間、自己評価に関する取組が進んできたことを踏まえ、本条により義務付けることとなった。

施行規則六六条に規定する自己評価は、評価対象を「当該小学校の教育活動その他の学校運営の状況」と広範に規定しつつ、全教職員の参加の下に学校運営全体を見据えた適切な項目を設定して行うことが重要であるとしている。実施体制については、評価の実施主体が誰であるかを端的に示すべく、「自ら評価を行」うことのみを規定している。評価項目については、各学校のおかれた状況は様々であり、解決すべき事項や重点的に取り組むべき事項は学校により異なることから、その細目を一律に法令上示さず、各学校の実情に応じ、適切な項目を設定して評価を行うという基本的な在り方のみを規定している。なお、自己評価を実施し、その結果をとりまとめるに当たっては、評価結果及びその分析に加えて、それらを踏まえた今後の改善方策について併せて検討することが適当である。

自己評価の結果の公表内容については、評価結果及びその分析に加えて、それらを踏まえた今後の改善方策について併せて公表することが適当である。また、評価結果の公表方法については、当該学校の幼児児童生徒の保護者に対して広く伝えることができる方法により行うことが求められることから、例えば、学校便りに掲載する、ＰＴＡ総会等の機会に保護者に対する説明を実施すること等が考えられる。このほか、保護者のみならず広く地域住民等に伝えることができる方法としては、例えば、学校のホームページに掲載する、地域住民等が閲覧可能な場所に掲示する等が考えられる。

五　施行規則六七条は、各学校が学校関係者評価の実施及びその結果の公表に努めるよう求める規定である。本条は、学校評価の充実を図る上で自己評価と学校関係者評価を一体的に取り扱うべきとの観点から規定するものであるが、①多くの学校においてはこれまで単なるアンケート程度のものを外部評価と位置づけて行ってきた歴史があり、

その内容が充実していない、②自己評価との有機的な関連が図られておらず、保護者等との共通理解を深め連携協力を促すという外部評価を行う意義も十分に浸透していない、③学校関係者評価の実施率は当時五割に過ぎない、といった事情があることから、直ちに義務化して外形的な実施率を上げるのではなく、学校関係者評価の実効性を確保するべく、まずはその定着と充実を図ることを目指し、努力義務として規定した。

施行規則六七条に規定する学校関係者評価は、具体的かつ明確な目標等に関する自己評価の結果をベースとして評価を行うものであることから、自己評価の結果を踏まえて行う旨を規定している。評価者として当該学校の幼児児童生徒の保護者が第一に想定される一方、当該学校の運営やその幼児児童生徒の育成に関わりがある者など、当該学校と直接の関係のある者を加えることが適当である。さらに、必要に応じて、大学教員等の当該学校と直接の関係を有しない有識者を加えることも考えられる。

学校関係者評価を実施するに当たっては、その体制を整備するため、委員会等を組織したり、その評価活動の一環として、評価者による授業など教育活動等の観察や校長など教職員との意見交換を行う等の取組を行うことにより、評価者による主体的な評価活動を促すことが求められる。単に保護者等を対象とするアンケートの実施のみをもって学校関係者評価を実施したとみなすことは適当ではない。学校関係者評価を実施し、その結果をとりまとめるに当たっては、評価結果及びその分析に加えて、学校においてそれらを踏まえた今後の改善方策について併せて検討することが適当である。

六　施行規則六八条は、学校評価の結果の学校の設置者への報告について規定している。本来、学校の設置者である教育委員会は、主体的に、学校と一体となって評価結果を踏まえた学校運営の改善を行うことが期待される。しかし、実態上は、単に学校のみが評価を行い、その結果を公表するにとどまっていることから、評価結果を踏まえた学校運営の改善が確実に行われるよう、学校が評価結果を設置者に報告する旨の義務規定を置くものである。

施行規則六八条に規定する自己評価及び学校関係者評価の結果の当該学校の設置者への報告は、報告書としてとりまとめたものを学校の設置者に提出する方法により行うことが適当である。しかし、自己評価及び学校関係者評価の結果を必ずしも別の報告書としてとりまとめる必要はなく、一つの報告書としてとりまとめることが考えられる。報告書には、学校評価の結果に加えて、それらを踏まえた今後の改善方策について併せて記載することが適当であることにも留意が必要である。

なお、これらの法令改正を踏まえて、平成二〇年一月に「学校評価ガイドライン（改訂）」（文部科学大臣決定）が示された。このガイドラインでは、自己評価が学校評価の基本であることを改めて強調するとともに保護者や学校の設置者の学校評価において果たす役割の重要性についても述べられているところである。

さらに、平成二二年には、学校に直接関わりをもたない専門家等が、自己評価及び学校関係者評価の結果等も資料として活用しつつ、教育活動その他の学校運営全般について、専門的・客観的（第三者的）立場から評価を行うものとして整理されていた「第三者評価」について、試行的実施の結果の検証や「学校の第三者評価のガイドラインの策定時に関する調査研究協力者会議」における議論を踏まえ、再度学校評価ガイドラインの改訂を行った。

第三者評価の実施に当たっては、評価者として、大学教員等の当該学校と直接の関係を有しない有識者を加えることになるが、そのような第三者の視点から評価を実施することによって、学校が自らの状況を客観的に見ることができるようになるとともに、専門的な分析や助言によって学校の優れた取組や、学校の課題とそれに対する改善方策が明確となり、具体的な学校運営の改善に踏み出すことができるようになるなど、学校の活性化につながることが期待されている。

平成二八年には、義務教育学校並びに小中一貫型小学校・中学校が制度化されたことを踏まえ、小中一貫教育を実施する学校における学校評価の留意点を反映する学校評価ガイドラインの改訂を行った。

〔学校による積極的な情報提供〕

第四十三条　小学校は、当該小学校に関する保護者及び地域住民その他の関係者の理解を深めるとともに、これらの者との連携及び協力の推進に資するため、当該小学校の教育活動その他の学校運営の状況に関する情報を積極的に提供するものとする。

【沿　革】　平一九・六・二七法九六により新設した。

【参照条文】　教育基本法五条、六条、一三条。法二八条、四九条、四九条の八、六二条、七〇条、八二条、一三三条一項、一三四条二項。

【注　解】

一　本条は、当該学校に関する保護者及び地域住民その他の関係者の理解を深めるとともに、これらの者との連携及び協力の推進に資するため、当該学校の教育活動その他の学校運営に関して積極的に情報を提供することを規定するものである。学校においては、その説明責任を果たし、保護者や地域住民等と課題等を共有するとともに、家庭及び地域住民等との連携及び協力を推進するため、教育活動その他の学校運営の状況について、保護者や地域住民等に対し積極的に情報を提供することが重要である。このような情報提供は、適切な学校評価を行う前提ともなるものであり、前条とも密接な関連を有する。従来、学校の情報提供義務については、小学校・中学校・高等学校・幼稚園の各設置基準等において規定されていたが、平成一九年の本法の改正により学校教育法に新たに規定したものである。

なお、本条の適用対象は、幼稚園、小学校、中学校、義務教育学校、高等学校、中等教育学校、特別支援学校、専修学校及び各種学校であり、小学校の章で規定し、他の学校種に準用している。また、本条は、従来の小学校・中学

校・高等学校・幼稚園の各設置基準等よりも詳細に規定しており、これ以上詳細な内容を文部科学大臣が定めることは想定していないことから、法四二条とは異なり、「文部科学大臣の定めるところ」により情報提供を行う旨を規定していないところである。

二　本条は、学校からの情報提供の必要性・重要性を理念的に規定したものであり、具体的な情報提供の内容は、それぞれの学校や地域の状況等に応じて、各学校が判断すべきものである。このため、特定の事項について、学校側に情報提供の義務を課すものではないとともに、保護者等に学校への情報公開を要求する新たな権利を付与するものではない。また、私立学校法に基づく学校法人の財務諸表の公開など、他の法律に規定がある場合には、その規定内容に従うこととなる。

学校からの情報提供の方法としては、各学校において、例えば、学校便りの活用や説明会の開催、インターネットの利用など、多くの保護者や地域住民等に提供することができるような適切な方法を工夫することを想定している。

〔私立小学校の所管〕

第四十四条　私立の小学校は、都道府県知事の所管に属する。

【沿　革】　昭二三・七・一五法一七〇により、「公立又は」を削った。
昭二四・一二・一五法二七〇により、「都道府県監督庁」を「都道府県知事」に改めた。
平一九・六・二七法九六により、旧三四条から四四条に移動した。

【参照条文】　法二八条、四九条、四九条の八、六二条、七〇条、八二条、九八条、一三三条、一三四条二項。施行令二七条の二。施行規則一八条。私立学校法四条二号、五条、六条。地教行法二二条二号。

【注　解】

一　所管とは、所轄又は監督と類似の概念であるが、本条により、都道府県知事は、当然に私立小学校を監督できるということではなく、都道府県知事が私立小学校に関して有する権限は学校教育法及び私立学校法に定めるところによる。

私立学校法は、私立小学校の所轄庁を都道府県知事とし（同法四条二号）、次のような権限を与えている。

(1)　私立小学校の設置廃止、設置者の変更、収容定員に係る学則の変更の認可（法四条、施行令二三条一一号）

(2)　閉鎖命令（法一三条）

(3)　報告書の提出（私立学校法六条）

二　また、施行令二七条の二には、本法施行のため必要な事項として、私立学校の目的変更等の都道府県知事に対する届出が規定されている。

三　なお、本条の適用対象は、小学校、中学校、義務教育学校、高等学校、中等教育学校、特別支援学校、専修学校及び各種学校であり、小学校の章で規定し、他の学校種に準用している。

第五章　中　学　校

〔中学校の目的〕

第四十五条　中学校は、小学校における教育の基礎の上に、心身の発達に応じて、義務教育として行われる普通教育を施すことを目的とする。

【沿　革】　平一九・六・二七法九六により、「中等普通教育」を「義務教育として行われる普通教育」に改め、旧三五条から四五条に移動した。

【参照条文】　憲法二六条二項。教育基本法一条、二条、五条一項及び二項、六条。法六条、二九条。中学校設置基準。

【注　解】

一　本条は、国・公・私立の別を問わず、中学校において行われる教育の目的を定めたものである。中学校は、学校体系上は、小学校に続く学校であり、「小学校における教育の基礎の上に」教育を施すものであり、小学校教育とともに義務教育を構成するものである。また、これに続く高等学校と合わせて中等教育という概念でとらえられる。このように中学校教育は、義務教育であるとともに中等教育の前期としての性格をあわせ有するものである。

二　「普通教育」については、法二一条の**【注解】**一参照。

本条のような各学校種の目的規定は、学校教育体系の中での各学校の位置づけを明らかにするものである。

従前、中学校の目的は「中等普通教育を施すこと」と規定し、小学校における初等普通教育及び高等学校における高等普通教育と対比して区別するとともに、「中等普通教育」には義務教育の完成という意味と社会における職業を前提とした生活の基礎教育という意味、さらには高等学校における高等普通教育及び専門教育の基礎という意味が含まれていた。平成一八年の教育基本法改正により、教育目標の改正（教育基本法二条）が行われ、義務教育の目的が定められた（同法五条二項）ことなどを踏まえ、平成一九年本法の改正において、学校教育法に義務教育の章を新設して義務教育についてまとまりをもって規定するとともに、本条についても、義務教育における中学校の位置づけを明確にするため、「義務教育として行われる普通教育を施すこと」に改めたものである。なお、中学校の位置づけや教育内容等については、改正前の「中等普通教育」と実質的に変わるところはない。

「義務教育として行われる普通教育」の具体的な内容は、法二一条の義務教育の目標に一〇号にわたって定められ、より具体的な教育内容については、次条の中学校の目標に従って法四八条に基づき文部科学大臣が定める学習指導要領において示されている。

三　平成一四年三月に中学校設置基準が制定された。その趣旨については、法二九条の**【注解】四**を、その他については法三条の**【注解】**及び法四九条の**【注解】**参照。

○中学校設置基準（平一四・三・二九文部科学省令一五）
最終改正　平一九・一二・二五文部科学省令四〇

第一章　総則

（趣旨）
第一条　中学校は、学校教育法（昭和二十二年法律第二十六号）その他の法令の規定によるほか、この省令の定めるところにより設置するものとする。
2　この省令で定める設置基準は、中学校を設置するのに必要な最低の基準とする。
3　中学校の設置者は、中学校の編制、施設、設備等がこの省令で定める設置基準より低下した状態にならないようにすることはもとより、これらの水準の向上を図ることに努めなければならない。

第二条及び第三条　削除

第二章　編制

（一学級の生徒数）

第四条　一学級の生徒数は、法令に特別の定めがある場合を除き、四十人以下とする。ただし、特別の事情があり、かつ、教育上支障がない場合は、この限りでない。

（学級の編制）

第五条　中学校の学級は、同学年の生徒で編制するものとする。ただし、特別の事情があるときは、数学年の生徒を一学級に編制することができる。

（教諭の数等）

第六条　中学校に置く主幹教諭、指導教諭及び教諭（以下この条において「教諭等」という。）の数は、一学級当たり一人以上とする。

2　教諭等は、特別の事情があり、かつ、教育上支障がない場合は、校長、副校長若しくは教頭が兼ね、又は助教諭若しくは講師をもって代えることができる。

3　中学校に置く教員等は、教育上必要と認められる場合は、他の学校の教員等と兼ねることができる。

第三章　施設及び設備

（一般的基準）

第七条　中学校の施設及び設備は、指導上、保健衛生上、安全上及び管理上適切なものでなければならない。

（校舎及び運動場の面積等）

第八条　校舎及び運動場の面積は、法令に特別の定めがある場合を除き、別表に定める面積以上とする。ただし、地域の実態その他により特別の事情があり、かつ、教育上支障がない場合は、この限りでない。

2　校舎及び運動場は、同一の敷地内又は隣接する位置に設けるものとする。ただし、地域の実態その他により特別の事情があり、かつ、教育上及び安全上支障がない場合は、その他の適当な位置にこれを設けることができる。

（校舎に備えるべき施設）

第九条　校舎には、少なくとも次に掲げる施設を備えるものとする。

一　教室（普通教室、特別教室等とする。）

二　図書室、保健室

三　職員室

2　校舎には、前項に掲げる施設のほか、必要に応じて、特別支援学級のための教室を備えるものとする。

（その他の施設）

第十条　中学校には、校舎及び運動場のほか、体育館を備えるものとする。ただし、地域の実態その他により特別の事情があり、かつ、教育上支障がない場合は、この限りでない。

（校具及び教具）

第十一条　中学校には、学級数及び生徒数に応じ、指導上、保健衛生上及び安全上必要な種類及び数の校具及び教具を備えなければならない。

2　前項の校具及び教具は、常に改善し、補充しなければならない。

（他の学校等の施設及び設備の使用）

第十二条　中学校は、特別の事情があり、かつ、教育上及び安全上支障がない場合は、他の学校等の施設及び設備を使用することができる。

附　則（抄）

（施行期日等）

1　この省令は、平成十四年四月一日から施行する。ただし、第二章及び第三章の規定、附則第三項の規定（学校教育法施行規則（昭和二十二年文部省令第十一号）第五十一条及び第六十五条の三の改正規定を除く。）並びに別表の規定は、平成十五年四月一日から施行する。

2　第二章及び第三章の規定並びに別表の規定の施行の際現に存する中学校の編制並びに施設及び設備については、当分の間、なお従前の例によることができる。

別表（第八条関係）

イ　校舎の面積

生徒数	面積（平方メートル）
一人以上四〇人以下	600
四一人以上四八〇人以下	600＋6×（生徒数−40）
四八一人以上	3240＋4×（生徒数−480）

ロ　運動場の面積

生徒数	面積（平方メートル）
一人以上二四〇人以下	3600
二四一人以上七二〇人以下	3600＋10×（生徒数−240）
七二一人以上	8400

〔中学校の目標〕

第四十六条　中学校における教育は、前条に規定する目的を実現するため、第二十一条各号に掲げる目標を達成するよう行われるものとする。

【沿　革】　昭三六・一〇・三一法一六六により、「左の」を「次の」に改めた。

平一九・六・二七法九六により、「教育については」を「教育は」に、「前条の」を「前条に規定する」に、「に、次の各号」を「、第二十一条各号」に、「の達成に努めなければならない」を「を達成するよう行われるものとする」に改め、各号を削除し、旧三六条から四六条に移動した。

【参照条文】　教育基本法一条、二条、五条、六条二項。法二一条、三〇条、四五条。施行規則七二条。

【注　解】

一　本条は、前条に示された中学校の目的を実現するために、中学校教育において達成すべき目標を規定したものである。

二　教育基本法において教育目標が改正され、義務教育の目的が規定されたことを受け、法二一条において、義務教育の具体的な目標が規定されている。中学校は義務教育の完成段階であるため、中学校における教育の目標として示すべき内容自体は義務教育の目標として法二一条各号で示された内容と同一となる。このため、中学校における教育は、義務教育の目標を達成するよう行われる旨を規定している。

三　本条の目標は、施行規則七二条に定める中学校の各教科（国語、社会、数学、理科、音楽、美術、保健体育、技術・家庭及び外国語）、特別の教科である道徳、総合的な学習の時間及び特別活動を通じてその達成が図られるものであり、この目標を達成するための具体的な目標や内容は、中学校学習指導要領において示されることになる。

四　施行規則七二条に定める中学校の各教科等と法二一条各号との関係や学習指導要領の改訂経緯等については、法二一条の【注解】、法三三条の【注解】四、五参照。

〔中学校の修業年限〕

第四十七条　中学校の修業年限は、三年とする。

【沿　革】　平一九・六・二七法九六により、旧三七条から四七条に移動した。

【参照条文】　教育基本法五条一項。法一七条二項。施行令二九条。施行規則七九条で準用する五九条、六〇条～六三条。

【注　解】

一　本条は、中学校における修業年限を三年と定めた規定である。この三年の修業年限は、法四五条の中学校の目的及び法四六条の中学校教育の目標を達成するために必要と認められる修業年限という観点から定められているものである。

二　修業年限三年の始期と終期については法一七条二項に規定されている。この三年の修業年限と、小学校の六年の修業年限とを合わせて九年の義務教育を構成する。

なお、法三二条の【注解】参照。

〔中学校の教育課程〕

第四十八条　中学校の教育課程に関する事項は、第四十五条及び第四十六条の規定並びに次条において読み替えて準用する第三十条第二項の規定に従い、文部科学大臣が定める。

【沿　革】　平一一・七・一六法八七により、「監督庁」を「文部大臣」に改めた。

平一一・一二・二二法一六〇により、「文部大臣」を「文部科学大臣」に改めた。

平一九・六・二七法九六により、「教科」を「教育課程」に、「第三十五条及び第三十六条」を「第四十五条及び四十六条の規定並びに次条において読み替えて準用する第三十条第二項」に、「、これを定める」を「定める」に改め、旧三八条から四八条に移動した。

【参照条文】　教育基本法五条、六条、一四条、一五条。法二一条。施行規則七二条～七七条、七九条で準用する五〇条二項・五四条・五五条・五五条の二・五六条・五七条・五八条、一一四条、一一五条。

【注　解】

一　本条は、中学校の教育課程に関する事項は文部科学大臣が定めること、文部科学大臣がこれを定めるに当たっては法四五条の中学校の目的及び法四六条の中学校教育の目標並びに法四九条において読み替えて準用する三〇条二項の留意事項に従って定めなければならないことを規定している。「教育課程」の意義については、法三三条の**【注解】二〜四**参照。

二　中学校の教育課程に関する事項についての文部科学大臣の定めは、学校教育法施行規則であり、その内容は、同施行規則第五章（中学校）の各条文に具体的に示されている。まず、中学校の教育課程は、国語、社会、数学、理科、音楽、美術、保健体育、技術・家庭及び外国語の各教科、特別の教科である道徳、総合的な学習の時間並びに特別活動によって編成するものとするとされている（七二条）。ついで、中学校の各教科等の授業時数の標準が示されている（七三条及び別表第二）。

別表第二（第七十三条関係）

区分		第一学年	第二学年	第三学年
各教科の授業時数	国語	一四〇	一四〇	一〇五
	社会	一〇五	一〇五	一四〇
	数学	一四〇	一〇五	一四〇
	理科	一〇五	一四〇	一四〇
	音楽	四五	三五	三五
	美術	四五	三五	三五
	保健体育	一〇五	一〇五	一〇五
	技術・家庭	七〇	七〇	三五
	外国語	一四〇	一四〇	一四〇
特別の教科である道徳の授業時数		三五	三五	三五
総合的な学習の時間の授業時数		五〇	七〇	七〇
特別活動の授業時数		三五	三五	三五
総授業時数		一〇一五	一〇一五	一〇一五

備考
一　この表の授業時数の一単位時間は、五十分とする。
二　特別活動の授業時数は、中学校学習指導要領で定める学級活動（学校給食に係るものを除く。）に充てるものとする。

また、施行規則七四条に「中学校の教育課程については、この章に定めるもののほか、教育課程の基準として文部科学大臣が別に公示する中学校学習指導要領によるものとする。」と定めるとともに、私立小学校における宗教教育の特例、履修困難な各教科の学習指導についての配慮事項、教育課程の改善のための研究の特例等に関する小学校についての規定が中学校に準用されている（七九条）。

なお、施行規則第五章では、このほか課程の修了、卒業の認定、卒業証書の授与に関する小学校についての規定の準用（七九条）、並びに進学生徒の調査書等の送付についての定め（七八条）がなされている。

三　教育課程の基準は、平成二〇年三月に、「学校教育法施行規則の一部を改正する省令」（平二〇文部科学省令五）及び「中学校学習指導要領の全部を改正する件」（平二〇文部科学省告示二八）により定められた。従前の教育課程との主な変更点としては、①教育課程は、各教科、道徳（平成二七年三月、特別の教科として位置づけられた。）、選択教科については、各学校において開設できることにされたこと（施行規則七二条、中学校学習指導要領総則）、②各学年における各教科、特別の教科である道徳、総合的な学習の時間及び特別活動によって編成するものとし（施行規則七二条）、選択教科については、各学校において開設できることにされたこと（施行規則七二条、中学校学習指導要領総則）、②各学年における各教科、特別の教科である道徳、総合的な学習の時間及び特別活動の授業時数の標準が改められ、国語、社会、数学、理科、保健体育及び外国語の授業時数並びに総授業時数が増加されたこと（施行規則七三条及び別表二）などがある。

四　中学校のうち、中高一貫教育の実施形態である連携型中学校及び併設型中学校の教育課程については、特別の規定が設けられている。中高一貫教育の選択的導入については、法六三条の【**注解**】二参照。

すなわち、連携型中学校の教育課程については、施行規則七五条において、高等学校における教育との一貫性に配慮した教育を施すため、高等学校の設置者との協議に基づき定めるところにより、教育課程を編成することができ、このような連携型中学校は、連携型高等学校と連携して、教育課程を実施するものと規定されている。

連携型中学校の授業時数については、施行規則七六条において、中学校（連携型中学校及び併設型中学校を除く）の基準

とは別に施行規則別表四に定められている。

別表第四（第七十六条、第百七条、第百十七条関係）

区分		第一学年	第二学年	第三学年
各教科の授業時数	国語	一四〇	一四〇	一〇五
	社会	一〇五	一〇五	一四〇
	数学	一四〇	一〇五	一四〇
	理科	一〇五	一四〇	一四〇
	音楽	四五	三五	三五
	美術	四五	三五	三五
	保健体育	一〇五	一〇五	一〇五
	技術・家庭	七〇	七〇	三五
	外国語	一四〇	一四〇	一四〇
特別の教科である道徳の授業時数		三五	三五	三五
総合的な学習の時間の授業時数		五〇	七〇	七〇
特別活動の授業時数		三五	三五	三五
総授業時数		一〇一五	一〇一五	一〇一五

備考

一　この表の授業時数の一単位時間は、五十分とする。

二　特別活動の授業時数は、中学校学習指導要領（第百八条第一項において準用する場合を含む。次号において同じ。）で定める学級活動（学校給食に係るものを除く。）に充てるものとする。

三　各学年においては、各教科の授業時数から七十を超えない範囲内の授業時数を減じ、文部科学大臣が別に定めるところにより中学校学習指導要領で定める選択教科の授業時数に充てることができる。ただし、各学年において、各教科の授業時数から減ずる授業時数は、一教科当たり三十五を限度とする。

連携型中学校の教育課程については、施行規則七七条において、教科等の種類について中学校の基準を適用するほか、教育課程の基準の特例として「連携型中学校及び連携型高等学校の教育課程の基準の特例を定める件」（平一六文部科学省告示六一）が定められている。連携型中学校については、法六八条の【注解】三参照。

併設型中学校の教育課程については、中等教育学校の前期課程の規定を準用するとともに、教育課程の基準として「中等教育学校並びに併設型中学校及び併設型高等学校の教育課程の基準の特例を定める件」（平一〇文部省告示一五四）

が定められている。併設型中学校については、法七一条の【注解】五参照。

五　学齢を経過した者の夜間その他特別な時間に教育する場合の教育課程の特例

施行規則五六条の四では、学齢を経過した者のうち、夜間その他特別の時間において教育する場合の教育課程の特例について次のように定めている。

第五十六条の四　小学校において、学齢を経過した者のうち、その者の年齢、経験又は勤労の状況その他の実情に応じた特別の指導を行う必要があるものを夜間その他特別の時間において教育する場合には、文部科学大臣が別に定めるところにより、第五十条第一項、第五十一条（中学校連携型小学校にあつては第五十二条の三、第七十九条の九第二項に規定する中学校併設型小学校にあつては第七十九条の十二において準用する第七十九条の五第一項）及び第五十二条の規定にかかわらず、特別の教育課程によることができる。

当該条文は小学校に関する規定であるが、第七九条によって中学校に準用されており、実際に同規定の活用が想定されるのは、小学校ではなく、中学校夜間学級（以下「夜間学校」という）である。

夜間中学は、義務教育未修了の学齢を経過した者等の就学機会を確保するため重要な役割を果たしているところ、今後、夜間中学等の設置を促進するためにも、学齢を経過した者に対して指導を行う際に、その実情に応じた特別の教育課程を編成できるよう制度が整備された。学齢経過者に対して編成する特別の教育課程の内容は、すでに社会生活や実務経験等により学齢経過者に一定の資質・能力が養われていることの評価の上に、学校教育法二一条に規定する義務教育の目標を達成する上で当該学齢経過者にとって必要と認められる内容により編成することとされている（平二九・三・三一　文科初一八七四号　文部科学省初等中等教育局長通知　学校教育法施行規則の一部を改正する省令等の施行について）。

六　遠隔教育に関する特例については、施行規則七七条の二において、次のように規定されている。（義務教育学校

の前期課程、中等教育学校の前期課程、特別支援学校の中学部に準用）

第七十七条の二　中学校は、当該中学校又は当該中学校が設置されている地域の実態に照らし、より効果的な教育を実施するため必要がある場合であって、生徒の教育上適切な配慮がなされているものとして文部科学大臣が定める基準を満たしていると認められるときは、文部科学大臣が別に定めるところにより、授業を、多様なメディアを高度に利用して、当該授業を行う教室等以外の場所で履修させることができる。

この規定は、中学校等が必要と判断し、文部科学大臣が定める基準を満たしていると認められる場合には、受信側の教室にいる教員が当該教科の免許状を有していない状況でも、遠隔にて授業を行うことを可能とするものである。なお、受信側の教員が当該教科の免許状を有している場合には、申請等を行う必要はなく、従来どおり、各中学校等の判断で遠隔にて授業を行うことができる（令元・八・二一　文科初六三七号　文部科学省初等中等教育局長通知　学校教育法施行規則の一部を改正する省令等の施行について）。

七　中学校学習指導要領の沿革の概略を法制面を中心に述べると次のとおりである。なお、法三三条の**【注解】五**、小学校学習指導要領の沿革参照。

(1)　昭和二二年の学習指導要領

昭和二二年、新しい学校制度の発足に伴い、中学校の教育課程については、学校教育法、学校教育法施行規則を制定してその基本的事項を定めるとともに、新しい教育課程（当時は教育課程を教科課程と呼んでいた）の基準として学習指導要領を「（試案）」という形で作成した。当時の施行規則五五条（現行七九条、以下同じ。）は、「小学校の教科課程、教科内容及びその取扱いについては、学習指導要領の基準による。」とする当時の施行規則二五条（現行五二条、以下同じ。）を中学校に準用していた。この学習指導要領は、各学校において、教師がその地域の生活や児童生徒の興味・

関心などに即して教育課程を編成し、展開していく際の基準となり参考となる事柄を述べており、昭和二二年三月の一般編をはじめとして、各教科編が相次いで刊行された。

(2) 昭和二四年の中学校学習指導要領の一部改正

昭和二二年に作成された学習指導要領は新しい教育制度の発足に合わせて早急に作成されたため、不十分な点や各学校の実情にそぐわない面があった。そのため、文部省では、昭和二二年以後、教育課程実施の状況を調査し、学習指導要領編集委員会を設置するなどして改善のための研究を続け、昭和二四年五月に至り、学習指導要領の一部改正を通達し、中学校の教科とその時間配当を改めた。なお、この一部改正から「教科課程」は「教育課程」と改められた。

(3) 昭和二六年の学習指導要領

昭和二四年新たに設置された教育課程審議会の答申に基づき、昭和二六年に学習指導要領は全面的に改められ、昭和二二年の場合と同じく、一般編と各々の教科編に分けて、「(試案)」の形で、文部省が著作権を有する図書として出版された。当時の施行規則五五条は、昭和二五年に「小学校の教育課程については、学習指導要領の基準による。」と改正された当時の施行規則二五条を中学校に準用していた。

(4) 昭和三三年の学習指導要領

独立国家の国民としての教育の充実を図るため、昭和三三年に、教育課程審議会の答申に基づいて、学習指導要領の全面改訂が行われた。この昭和三三年の改訂は、今日に至るまでの教育課程の基準の基礎となったものである。

すなわち、当時の施行規則二五条は、「小学校の教育課程については、この節に定めるもののほか、教育課程の基準として文部大臣が別に公示する小学校学習指導要領によるものとする。」と改正され、当時の施行規則五五条によって、当時の同規則二五条の「小学校学習指導要領」を「中学校学習指導要領」と読み替えて中学校に準用するこ

と改正された。これにより、学習指導要領が文部省告示として公示されることとなり、学習指導要領の教育課程の基準としての性格が一層明確になった。また、従来は学習指導要領で示されていた授業時数を、施行規則において年間最低授業時数として明示した。

一方、学習指導要領は、従来は一般編及び各々の教科編からなっていたが、一つの告示としてまとめ、教育課程の基準として必要な事項を規定するにとどめられた。

(5)　昭和四四年の学習指導要領

昭和三三年の改訂以後における国民の生活や文化水準の向上、科学技術の革新などに伴う社会の進展、経済の高度成長、世界における我が国の地位の向上などを考慮するとともに、中学校自体の問題として、特に進学率の急激な上昇に伴う高等学校教育との関連、生徒の心身の発達の実態などを考慮して、教育課程審議会の答申に基づいて、昭和四四年、中学校学習指導要領の全面改訂が行われた。同時に学校教育法施行規則の一部改正が行われ、従来年間授業時数を「最低時数」として示していたのを、標準時数とすることに改めた。学習指導要領においては、教育課程の基準という観点から、一層記述の改善がなされた。

なお、学習指導要領の根拠規定については、既に昭和三五年一〇月に、従来の小学校の規定の中学校への準用をやめて、新たに、施行規則五四条の二「中学校の教育課程については、この章に定めるものの外、教育課程の基準として文部大臣が別に公示する中学校学習指導要領によるものとする。」が加えられた（現行七四条）。

(6)　昭和五二年の学習指導要領

昭和四四年の教育課程の改善以後の学校教育の現状や学校をとりまく社会の状況にかんがみて、昭和五一年一二月の教育課程審議会答申「小学校、中学校及び高等学校の教育課程の基準の改善について」を受けて、昭和五二年七月に学習指導要領の全面改訂が行われた。

この改訂は、特に小・中学校の学習指導要領についての一貫性に留意して行われた。

(7) 平成元年の学習指導要領

昭和五二年の改訂以後の社会の変化に対応するとともに学校教育の現状や教育課程の実施の経験などを踏まえて昭和六二年一二月の教育課程審議会答申「幼稚園、小学校、中学校及び高等学校の教育課程の基準の改善について」を受けて、平成元年三月に中学校学習指導要領の全面改訂が行われた。

この改訂では、幼稚園教育から高等学校教育までの一貫性の確保に特に留意して行われた。

なお、この改訂においては、中学校教育を義務教育であるとともに中等教育の前期として位置づける視点が一層重視された。また、各学校における教育課程の編成が学校の創意工夫を十分に生かして行われるよう、教科等の授業時数について幅をもった示し方とされたり、選択履修の幅が拡大されるなど、基準の大幅な弾力化が図られた。

(8) 平成一〇年の学習指導要領

平成八年の中央教育審議会第一次答申「二一世紀を展望した我が国の教育の在り方について」では、「ゆとり」の中で「生きる力」を育む観点から、完全学校週五日制の導入が提言され、そのねらいを実現するためには、教育内容の厳選が必要であるとされた。このため、平成一〇年七月の教育課程審議会答申「幼稚園、小学校、中学校、高等学校、盲学校、聾(ろう)学校及び養護学校の教育課程の基準の改善について」を受けて、平成一〇年一二月に中学校学習指導要領の全面改訂が行われ、平成一四年四月より全面実施されることとなった。

この改訂では、必修教科の教育内容を基礎的・基本的な内容に厳選するとともに、生徒の特性等の多様化に対応できるよう選択教科の拡充を図った。国際化の進展に応じて、外国語を必修とし、聞くこと、話すことの指導に重点を置くこととした。なお、外国語については、「英語が国際的に広くコミュニケーションの手段として使われている実態などを踏まえ、英語を履修させることを原則」とした。また、新たに、総合的な学習の時間を導入した。さらに、

授業の一単位時間や授業時数の運用の弾力化など各学校が創意工夫を生かし特色ある教育を一層展開できるようにした。

(9)　平成一五年の学習指導要領の一部改正

平成一五年一〇月の中央教育審議会答申「初等中等教育における当面の教育課程及び指導の充実・改善方策について」を踏まえ、「確かな学力」を育成し、「生きる力」をはぐくむという平成一〇年の学習指導要領の更なる定着を進め、そのねらいの一層の実現を図るために、平成一五年一二月に学習指導要領の一部が改正された。

(10)　平成二〇年の学習指導要領

「生きる力」をはぐくむという理念は引き継ぎながら、その理念を実現するために、具体的な手立てを確立するとの観点から、平成二〇年一月の中央教育審議会答申「幼稚園、小学校、中学校、高等学校及び特別支援学校の学習指導要領等の改善について」を受けて、平成二〇年三月二八日に、学校教育法施行規則の一部が改正されるとともに、中学校学習指導要領が全面的に改訂された。

この改訂においては、各教科における基礎的・基本的な知識及び技能の習得やそれらの活用を図る学習を充実する観点から、国語、社会、数学、理科、外国語の授業時数を増加する一方、各教科で知識・技能を活用する学習活動が充実されることを踏まえ、総合的な学習の時間の授業時数を削減するとともに、体力向上に関する指導の充実を図るために保健体育の授業時数を増加している。また、義務教育における教育課程の共通性を高めることが重要とされ、選択教科については標準授業時数の枠外で各学校において開設しうるものとされた。これにより、年間総授業時数については、各学年とも年間三五単位時間増加された。また、社会性や豊かな人間性をはぐくむため、中学校では職場体験活動を重点的に推進するなどの体験活動の充実を図ること、などについて改善が図られている。この他、部活動について、学習意欲の向上や責任感、連帯感の涵養に資することから、学校教育の一環として、教育課程との関連

が図られるよう規定されている。

⑾　平成二七年の学校教育法施行規則及び学習指導要領の一部改正

平成二六年一〇月の中央教育審議会答申「道徳に係る教育課程の改善等について」を踏えて、平成二七年三月二七日に学校教育法施行規則と学習指導要領の一部改正を行い、道徳を「特別の教科」として位置づけた。これにより、子供達が答えが一つでない問題に向き合い、「考え、議論する道徳」への転換を図るなど道徳教育の充実を図った。合わせて、道徳教育に関する教員養成・研修の充実や、道徳科の評価方法の検討、教科書検定基準の改正等が行われた。

⑿　平成二九年の学習指導要領

平成二八年一二月の中央教育審議会答申「幼稚園、小学校、中学校、高等学校及び特別支援学校の学習指導要領等の改善及び必要な方策等について」を受けて、平成二九年三月に、学校教育法施行規則の一部が改正されるとともに、中学校学習指導要領が全面的に改訂され、中学校については令和三年四月から全面実施されることとなった。なお、法三三条の【注解】五⑾参照。中学校学習指導要領においては、部活動について教育課程外の学校教育活動として教育課程との関連の留意や社会教育関係団体等との連携による持続可能な運営体制、夜間その他の特別の時間に授業を行う課程等について規定された。

八　国が教育課程の基準として学習指導要領を定める実質的理由については、法三三条の【注解】三、四参照。

九　平成二九年に改訂された中学校学習指導要領の全体の構成は、次のようになっている。

第一章　総　　則	
第二章　各 教 科	
第一節　国　　語	第二節　社　　会
	第三節　数　　学
	第四節　理　　科

第五節　音　楽
第六節　美　術
第七節　保健体育
第八節　技術・家庭
第九節　外国語
第三章　特別の教科　道徳
第四章　総合的な学習の時間
第五章　特別活動

（注）　第三章「道徳」は平成二七年三月の学校教育法施行規則の改正により、「特別の教科道徳」に改められた。

第一章総則は、施行規則の規定を受けてこれを補足、又は具体化した事項及び第二章以下の全体に共通する留意事項などについて規定している。

第二章以下の各教科等の内容構成は、おおむね次のようになっている。

第一　目　標
第二　各学年（各分野）の目標及び内容
〔各学年（各分野）〕
一　目　標
二　内　容
三　内容の取扱い
第三　指導計画の作成と内容の取扱い

なお、国旗・国歌の指導については、法三三条の【注解】七参照。

一〇　私立学校についての特例、障害のある生徒に対する配慮、教育課程改善研究のための特例、地域等の特色を生かした特別の教育課程に関する特例、不登校生徒を対象とした学校に係る教育課程の特例及び日本語指導が必要な児童生徒を対象とした教育課程の特例については、施行規則七九条で中学校に準用している関係規定に関する法三三条の【注解】八、一〇～一四参照。

一一　施行規則七七条の二においては、中学校は、地域の実態に照らし、より効果的な教育を実施するため必要がある場合であって、生徒の教育上適切な配慮がなされているものとして文部科学大臣が定める基準を満たしていると認められる場合には、授業を、多様なメディアを高度に利用して、当該授業を行う教室等以外の場所で履修させることができることを定めている（遠隔教育特例校制度）。これは、「新時代の学びを支える先端技術活用推進方策（最終まとめ）」（令和元年六月文部科学省）等を踏まえ、令和元年八月に制度化されたものである。これにより、受信側の教員が当該教科の免許状を有していない状況でも遠隔にて授業を行うことが可能となる。なお、受信側の教員が当該教科の免許状を有している場合には申請等を行う必要はなく、各中学校の判断で実施可能である。

文部科学大臣が定める基準としては、「学校教育法施行規則第七七条の二の規定に基づき、授業を、多様なメディアを高度に利用して、当該授業を行う教室等以外の場所で履修させることができる場合を定める件」（令和元年文部科学省告示第五六号）が定められている。

○学校教育法施行規則の一部を改正する省令等の施行について

（令元・八・二一　元文科初六三七　各都道府県教育委員会教育長、各指定都市教育委員会教育長、各都道府県知事、附属中学校を置く各国立大学法人学長、附属義務教育学校を置く各国立大学法人学長、附属中等教育学校を置く各国立大学法人学長、附属特別支援学校の中学部を置く各国立大学法人学長、構造改革特別区域法第一二条第一項の認定を受けた各地方公共団体の長あて　文部科学省初等中等教育局長通知）

本日、「学校教育法施行規則の一部を改正する省令」（令和元年文部科学省令第十二号）【別添一】及び「学校教育法施行規則第七十七条の二の規定に基づき、授業を、多様なメディアを高度に利用して、当該授業を行う教室等以外の場所で履修させることができる場合を定める件」（令和元年文部科学省告示第五十六号）【別添二】（以下「告示」という。）が公布、施行されました。

改正及び制定の趣旨、概要及び留意事項については下記のとおりですので、事務処理上遺漏の無いようお願いします。また、当該制度による遠隔教育特例校の指定に係る事項は、「遠隔教育特例校実施要項」（令和元年八月二十一日文部科学大臣決定）【別添三】のとおりですので、こちらも併せて御確認頂きますようお願いします。

なお、制度の対象となる学校種は、中学校、義務教育学校後期課程、中等教育学校前期課程及び特別支援学校中学部（以下「中学校等」という。）ですので、都道府県教育委員会におかれては、所管

の中学校等及び域内の指定都市を除く市区町村教育委員会に対して、指定都市教育委員会におかれては、所管の中学校等に対して、都道府県知事及び構造改革特別区域法（平成十四年法律第百八十九号）第十二条第一項の認定を受けた地方公共団体の長におかれては、所轄の中学校等及び中学校等を運営する学校法人等に対して、附属中学校等を置く国立大学長におかれては附属中学校等に対して周知を図るようお願いします。

記

第一　制度改正の趣旨

Society 5.0時代の到来を見据え、すべての児童生徒にこれからの時代に求められる資質・能力を育成するためには、質の高い教育を実現するための先端技術の活用を推進していくことが重要であり、文部科学省が本年六月に取りまとめた「新時代の学びを支える先端技術活用推進方策（最終まとめ）」においても、希望する全ての学校が遠隔教育を実施することができるよう、必要な施策を実施していくこととしている。その具体策の一つとして、多様なニーズに応じた中学校等における遠隔教育に関する新たな特例校制度（遠隔教育特例校制度）を創設するために、制度改正を行うものである。

具体的には、中学校等において、地域の実態に照らし、より効果的な教育を実施するために必要がある場合であって、生徒の教育上適切な配慮がなされているものとして文部科学大臣が定める基準を満たしていると認められる場合には、授業を、多様なメディアを高度に利用して、当該授業を行う教室等以外の場所で履修させることができる規定を、学校教育法施行規則（昭和二十二年文部省令第十一号。以下「施行規則」という。）に位置付けることとする。

これにより、中学校等が必要と判断し、文部科学大臣が定める基準を満たしていると認められる場合には、受信側の教員が当該教科の免許状を有していない状況でも、遠隔にて授業を行うことを可能とするものである。なお、受信側の教員が当該教科の免許状を有している場合には、申請等を行う必要はなく、従来どおり、各中学校等の判断で実施可能である。

第二　制度改正の内容

1．中学校等は、当該中学校等又は当該中学校等が設置されている地域の実態に照らし、より効果的な教育を実施するために必要がある場合であって、生徒の教育上適切な配慮がなされているものとして文部科学大臣が別に定めるところにより、授業を、多様なメディアを高度に利用して、当該授業を行う教室等以外の場所で履修させることができることとすること。（施行規則第七十七条の二の新設）

2．「文部科学大臣が別に定めるところ」とは、文部科学大臣が、中学校等において、生徒の教育上適切な配慮がなされているものとして次に掲げる基準を満たしていると認めて、当該中学校等を指定する場合とすること。（告示の制定）

1　当該授業が、通信衛星、光ファイバ等を用いることにより、多様なメディアを高度に利用して、文字、音声、静止画、動画等の多様な情報を一体的に扱うもので、同時かつ双方向に行われるものであって、対面により行う授業に相当する教育効果を

有するものであること。

2　当該授業を、当該授業を行う教室等以外の場所で履修させることが、当該授業の内容や教科等の特質に照らして適切であること。

3　当該授業を行う者は、当該授業の教科に相当する中学校の教員の免許状を有する当該中学校等の教員であること。

4　生徒が当該授業を履修する場所に中学校の教員の免許状を有する当該中学校等の教員が配置され、前号の教員と十分に連携し、生徒の学習の状況の把握に特に意を用い、適切な指導を行うこと。

5　電子計算機その他の機器の故障により学習に支障を生じないよう適切な配慮がなされていること。

6　教科等の特質に応じ、対面により行う授業を相当の時間数行うこと。

7　前各号に掲げるもののほか、当該授業の内容及び形態を踏まえ、教育上必要な配慮がなされていること。

第三　留意事項

1. 学校教育法（昭和二十二年法律第二十六号。以下この節において「法」という。）、施行規則及び中学校設置基準（平成十四年文部科学省令第十五号）、公立義務教育諸学校の学級編制及び教職員定数の標準に関する法律（昭和三十三年法律第百六号）、中学校学習指導要領等の関係法令等に基づく授業とすること。特に、以下のような事項に留意すること。

1　中学校、義務教育学校後期課程及び中等教育学校前期課程にあっては、中学校設置基準第四条の規定等に基づき、同時に授業を受ける一学級の生徒数は原則として四十人以下とすること。この場合、受信側の教室等のそれぞれの生徒数が四十人以下であっても、それらを合わせて四十人を超えることは原則として認められないこと。

特別支援学校の中学部にあっては、施行規則第百二十条第二項の規定に基づき、同時に授業を受ける一学級の生徒数は、原則として、視覚障害者又は聴覚障害者である生徒に対する教育を行う場合は十人以下、知的障害者、肢体不自由者又は病弱者（身体虚弱者を含む。）である生徒に対する教育を行う場合は十五人以下を標準とすること。この場合、考慮すべき生徒数は配信側及び受信側の教室等の合計数であることに留意すること。

2　法第三十四条第一項の規定を準用する法第四十九条等の規定に基づき、文部科学大臣の検定を経た教科用図書等を使用しなければならないこと。ただし、同じく法第四十九条等で準用する法第三十四条第二項及び第三項の規定等により、学習者用デジタル教科書を使用することも可能である。また、特別支援学校の中学部にあっては、施行規則第百三十一条第二項、特別支援学級にあっては、施行規則第百三十九条の規定にも留意すること。

3　学習評価は、当該授業を行う教員たる配信側の教員が、必要に応じて、受信側の教員の協力を得ながら行うこと。

2. 告示に規定するとおり、授業の実施に当たっては、対面により行う授業に相当する教育効果を有するよう行うことが必要であ

り、各中学校等においては、以下のような事項について配慮すること。

1　授業中、配信側の教員と生徒及び生徒同士が、互いに映像・音声等によるやりとりを行うこと。その際、配信側と受信側の教員の協力により、配信側の教員の示す板書や資料等を生徒が見やすくなるよう工夫するとともに、配信側の教員が受信側の教室等における生徒のノート等の記述を確認したり、生徒同士のやり取り等の状況等を把握したりしやすくなるよう工夫すること。

2　生徒の配信側の教員に対する質問の機会を確保すること。

3　受信側および配信側の教室等に、必要に応じ、機器の管理・操作を行う補助員を配置すること。

3．告示に規定するとおり、実施する授業は、授業の内容や教科等の特質に照らして遠隔で行うことが適切であるものに限ること。例えば、保健体育科の実技や、技術・家庭科の調理実習の授業など、配信側の教員が受信側の生徒や生徒がいる場所にある器具に直接触れることができないことにより、安全上の問題等が発生しうる内容の授業は原則として認められないこと。

4．告示に規定するとおり、配信側の教員は、当該授業の教科に相当する中学校の教員の免許状を有する者である必要があること。また、配信側の教員は受信側の中学校等の教員としての身分を有する必要があること。具体的には、配信側の教員が受信側の中学校等の本務の教員ではないときは、兼務発令等により受信側の中学校等の教員の身分を配信側の教員に持たせる等の必要があること。

5．机間巡視や安全管理等を行う観点等から、告示に規定するとおり、受信側の教室に当該中学校等の教員を配置すること。特に、特別支援学校の中学部にあっては、当該生徒の障害の状態等に応じた十分な配慮が求められること。なお、受信側の教室に配置すべき教員は、当該教科の免許保有者であるか否かは問わないこと。

6．告示に規定するとおり、授業の実施に当たっては、機器の故障や回線の障害等により学習に支障を生じないよう行うことが必要であり、各中学校等においては、以下のような事項に配慮すること。

1　配信側および受信側の教室等に、ＩＣＴ支援員などの技術補助者を配置すること。

2　必要に応じて、授業実施用回線の他に、配信側と受信側を繋ぐ緊急連絡手段を別途設けておくこと。

7．施行規則第七十七条の二の規定の「授業を行う教室等」には、当該中学校等の教室のほか、当該中学校等以外の学校の教室、スタジオ等が含まれるため、授業を行う場所には教員のみがいて、履修を行う生徒がいない場合も遠隔教育に含まれること。

8．病気療養児に対する遠隔教育については、「小中学校等における病気療養児に対する同時双方向型授業配信を行った場合の指導要録上の出欠の取扱い等について」（平成三十年九月二十日初等中等教育局長通知）にあるとおり、受信側に保護者や医療・福祉関係者等がいれば、受信側に必ずしも教員がいなくても、遠隔授業

を行った場合に指導要録上出席扱いとすること及びその成果を当該教科等の評価に反映することができることとなっており、本制度改正後も、引き続き指導要録上の例外として認めること。

9．市区町村（指定都市を除く。特別区及び一部事務組合を含む）が設置する中学校等においては、県費負担教職員の任命権者である都道府県教育委員会と適切に連携して行うこと。

10．その他各中学校等における遠隔教育の導入に当たっては、「遠隔学習導入ガイドブック」、「遠隔教育の推進に向けた施策方針」（平成三十年九月十四日遠隔教育の推進に向けたタスクフォース）も参照されたいこと。

○学校教育法施行規則第七七条の二の規定に基づく授業を、多様なメディアを高度に利用して、当該授業を行う教室等以外の場所で履修させることができる場合を定める件（令元・八・二一　文部科学省告示五六号）

学校教育法施行規則（昭和二十二年文部省令第十一号）第七十七条の二（同令第七十九条の八第二項、第百十三条第二項及び第百三十五条第四項において準用する場合を含む。）の規定に基づき、授業を、多様なメディアを高度に利用して、当該授業を行う教室等以外の場所で履修させることができる場合を次のように定め、公布の日から施行する。

1　学校教育法施行規則第七十七条の二（同令第七十九条の八第二項、第百十三条第二項及び第百三十五条第四項において準用する場合を含む。）の規定に基づき、授業を、多様なメディアを高度に利用して、当該授業を行う教室等以外の場所で履修させることができる場合は、文部科学大臣が、中学校、義務教育学校の後期課程、中等教育学校の前期課程又は特別支援学校の中学部（以下「中学校等」という。）において、生徒の教育上適切な配慮がなされているものとして次の各号に掲げる基準を満たしていると認めて、当該中学校等を指定する場合とする。

一　当該授業が、通信衛星、光ファイバ等を用いることにより、多様なメディアを高度に利用して、文字、音声、静止画、動画等の多様な情報を一体的に扱うもので、同時かつ双方向に行われるものであって、対面により行う授業に相当する教育効果を有するものであること。

二　当該授業を、当該授業を行う教室等以外の場所で履修させることが、当該授業の内容や教科等の特質に照らして適切であること。

三　当該授業を行う者は、当該授業の教科に相当する中学校の教員の免許状を有する当該中学校等の教員であること。

四　生徒が当該授業を履修する場所に中学校の教員の免許状を有する当該中学校等の教員が配置され、前号の教員と十分に連携し、生徒の学習の状況の把握に特に意を用い、適切な指導を行うこと。

五　電子計算機その他の機器の故障により学習に支障を生じないよう適切な配慮がなされていること。

六　教科等の特質に応じ、対面により行う授業を相当の時間数行うこと。

七　前各号に掲げるもののほか、当該授業の内容及び形態を踏ま

え、教育上必要な配慮がなされていること。

2　前項の指定に関して必要な事項は、別に文部科学大臣が定める。

一二　生徒の学習と教育課程の実施状況の評価については、法三三条の【注解】一四参照。

一三　学習指導要領の法的拘束力については、法三三条の【注解】一五参照。

一四　教育課程の編成の責任と権限については、法三三条の【注解】一六参照。

〔準用規定〕

第四十九条　第三十条第二項、第三十一条、第三十四条、第三十五条及び第三十七条から第四十四条までの規定は、中学校に準用する。この場合において、第三十条第二項中「前項」とあるのは「第四十六条」と、第三十一条中「前条第一項」とあるのは「第四十六条」と読み替えるものとする。

【沿　革】　昭三六・一〇・三一法一六六により、三九条三項に就学義務関係の準用規定が設けられたことに伴い、規定の整備を行った。

平一三・七・一一法一〇五により、新設の一八条の二を準用規定に加えた。

平一九・六・二七法九六により、四〇条から四九条に移動するとともに規定の整備を行った。

【参照条文】　法附則七条。義務標準法。学校給食法七条。学校保健安全法二三条。学校図書館法五条。中学校設置基準。

【注　解】

一　本条は、中学校について、生涯学習と学力の三要素に関する配慮（三〇条二項）、体験活動の充実（三一条）、教

科用図書その他の教材の使用（三四条）、出席停止（三五条）、職員の設置（三七条）、設置義務（三八条）、学校組合の設置（三九条）、教育事務の委託（四〇条）、学校設置の補助（四一条）、学校評価（四二条）、学校による積極的な情報提供（四三条）、私立学校の所管（四四条）に関する小学校についての規定を準用する旨を定めたものである。

二「準用」とは、ある事項に関する規定をそれと類似するが異なる事項について、必要な若干の変更を加えたうえで当てはめることをいう。

三 準用される各規定の内容については、以下に注解を加えたもの以外は、もとの準用される各規定の**【注解】**参照。

(1) 中学校においても、当分の間、養護教諭を置かないことができるとされている（法附則七条）。

(2) 中学校の組織編制については、施行規則に定められている。

第六十九条 中学校の設備、編制その他設置に関する事項は、この章に定めるもののほか、中学校設置基準（平成十四年文部科学省令第十五号）の定めるところによる。

第七十九条 第四十一条から第四十九条まで、第五十条第二項、第五十四条から第六十八条までの規定は、中学校に準用する。この場合において、第四十二条中「五学級」とあるのは「二学級」と、第五十五条から第五十六条の二まで及び第五十六条の四の規定中「第五十条第一項」とあるのは「第七十二条」と、「第五十一条（中学校連携型小学校にあつては第五十二条の三、第七十九条の九第二項に規定する中学校併設型小学校にあつては第七十九条の十二において準用する第七十九条の五第一項）」とあるのは「第七十三条（併設型中学校にあつては第百十七条において準用する第百七条、小学校連携型中学校にあつては第七十四条の三、連携型中学校にあつては第七十六条、第七十九条の九第二項に規定する小学校併設型中学校にあつては第七十九条の十二において準用する第七十九条の五第二項）」と、「第五十二条」とあるのは「第七十四条」と、第五十五条の二中「第三十条第一項」とあるのは「第四十六条」と、第五十六条の三中「他の小学校、義務教育学校の前期課程又は特別支援学校の小学部」とあるのは「他の中学校、義務教育学校の後期課程、中等教育学校の前期課程又は特別支援学校の中学部」と読み替えるものとする。

したがって、中学校の学級数は一二学級以上一八学級以下を標準とし（ただし、地域の実態その他により特別の事情があるときはこの限りでない）、中学校の分校の学級数は、特別の事情のある場合を除き、二学級以下とされる。

中学校の学級編制、教職員の配置については、中学校設置基準に次のような規定がある。これらの規定は、国公私立の中学校に適用される。

（一学級の生徒数）
第四条　一学級の生徒数は、法令に特別の定めがある場合を除き、四十人以下とする。ただし、特別の事情があり、かつ、教育上支障がない場合は、この限りでない。

（学級の編制）
第五条　中学校の学級は、同学年の生徒で編制するものとする。ただし、特別の事情があるときは、数学年の生徒を一学級に編制することができる。

（教諭の数等）
第六条　中学校に置く主幹教諭、指導教諭及び教諭（以下この条において「教諭等」という。）の数は、一学級当たり一人以上とする。
2　教諭等は、特別の事情があり、かつ、教育上支障がない場合は、校長、副校長若しくは教頭が兼ね、又は助教諭若しくは講師をもって代えることができる。
3　中学校に置く教員等は、教育上必要と認められる場合は、他の学校の教員等と兼ねることができる。

しかし、国の財源措置との関連から公立中学校の学級編制及び教職員配置については、義務標準法により定められている（三条二項）。

同学年の生徒で編制する学級　四〇人
二の学年の生徒で編制する学級　八人
特別支援学級　八人

公立中学校の義務標準法による教職員配置については、法三七条関係の【注解】三参照。

(3)　中学校に置かれる主任等として、施行規則で、教務主任、学年主任、保健主事、事務長・事務主任（施行規則七

九条で四三条から四七条まで準用）のほか、生徒指導主事（施行規則七〇条）、進路指導主事（施行規則七一条）が規定されている。

生徒指導主事は、校長の監督を受け、学校における生徒指導計画の立案・実施、生徒指導に関する資料の整備、生徒指導に関する連絡・助言等生徒指導に関する事項をつかさどり、これらの事項について教職員間の連絡調整に当たるとともに、関係教職員に対する指導、助言に当たるものである（施行規則七〇条）。

進路指導主事は、校長の監督を受け、進路指導に関する学校の全体計画の立案、進路情報の収集、整理及び生徒の進路相談等進路指導に関する事項をつかさどり、これらの事項について教職員間の連絡調整に当たるとともに、関係教職員に対する指導、助言に当たるものである（施行規則七一条）。

(4) 学校の職員関係では、施行規則で、部活動指導員（施行規則七八条の二）が規定されている。部活動指導員は、中学校におけるスポーツ、文化、科学等に関する教育活動（中学校の教育課程として行われるものを除く。）に係る技術的な指導に従事するものである。

このほか、施行規則七九条で四八条（職員会議）、四九条（学校評議員）、六四条（講師）、六五条（学校用務員）、六五条の二（医療的ケア看護職員）、六五条の三（スクールカウンセラー）、六五条の四（スクールソーシャルワーカー）、六五条の五（情報通信技術支援員）、六五条の六（特別支援教育支援員）、六五条の七（教員業務支援員）、の規定が準用されている。職員会議及び学校評議員については、法三七条の【注解】二五及び二六参照。

(5) 各学年の課程の修了及び卒業の認定に関して、施行規則七九条で五七条（卒業の認定）、五八条（卒業証書）の規定が準用されている。

卒業証書の様式については、明文の定めはない。卒業証書の生年月日や作成年月日を元号で表記することは、違法でないとした大阪地裁判決（後掲【判決例】参照）がある。

(6)　学年及び授業日について、施行規則七九条で、五九条（学年）、六〇条（授業終始の時刻）、六一条（休業日）、六三条（臨時休業）の規定を準用している。

学校週五日制の実施については、法三二条の【注解】六参照。

【判決例】

○元号表記による卒業証書の交付は違法ではない（大阪地判平六・一一・一一）

原告らの卒業式当日に、生年月日、作成年月日がともに「平成」と記載された元号表記の卒業証書が交付された。

1　原告らは、右卒業証書の作成交付がT校長ら及び市教育委員会の職員の共同不法行為であると主張するので、まず、本件において卒業証書の様式を決定する権限が誰にあるかについて、検討する。

学校教育法施行規則二八条〔現行施行規則五八条〕、五五条〔現行施行規則七九条〕によれば、公立中学校における卒業証書の発行権限は学校長にあるものと解されるが、その様式については、明文の規定が見あたらない。

被告は、地方教育行政の組織及び運営に関する法律第二三条〔現行法二一条〕一号、四号、五号、一九号を法文上の根拠とし、さらに、内閣の参議院での回答が、様式を定める権限が当該教育委員会にあることを前提になされていることを指摘して、卒業証書の様式の決定権は当該教育委員会にあり、したがって、本件では市教育委員会がその決定権を有するものと主張する。

しかし、同法条の趣旨及び文言に照らしても、同条項が、公立学校における卒業証書の様式決定権限を当該教育委員会に認め、学校長の様式決定権限を否定したものであると解することは困難であり、また、そのように解すべき実質上の理由があるともいえない。

ところで、前記説示のように公立学校における卒業証書の発行権限が学校長にあり、卒業証書が学校長の名で作成、交付されていることに鑑みると、他に明文の根拠がない以上、その様式をどのようなものにするかという点もまた学校長自らが決定するものであると認めるのが相当である。

なお、このように言うことは、卒業証書の様式決定について、当該教育委員会の関与がまったくあり得ないことを意味するものではない。すなわち、当該教育委員会が校長に対する指導助言の一環としてこれに関与することを否定するものではないし、また、地方教育行政の組織及び運営に関する法律第一九条〔現行法一八条〕に基づき、指導主事が、上司の命を受け、学校教育に関

する専門的事項の指導に関する事務の一環として、これに関与することを否定するものでもない。

2　右のように学校長に卒業証書の様式決定権限があることを前提に、次に、卒業証書に記載される生年月日や作成年月日が元号で表記されなければならないかどうかについて、検討する。

この問題についても、明文の規定は見あたらない。したがって、その記載方法が社会的にみて不相当なものであればともかく、そうでない限りは、それは様式決定権者の裁量の範囲内のことであり、特段の事情のない限り、それを違法とすることはできないものと解される。

本件では、卒業証書の生年月日や作成年月日が元号で表記されたことが問題にされているが、元号による記載をした場合のみならず、卒業証書に西暦で記載した場合や、あるいは元号と西暦とを併記した場合でも、それは、社会通念上相当と認められる範囲内のものであるというべきであって、それを社会的に違法とすることはできないというべきである。確かに、卒業証書は、その性質上、授与された者の一生の記念品ともなりうるものであるし、他者への証明の必要上長く保管されることも考えられるので、原告らにとっては、自己の希望と合致しない様式の卒業証書をやむなく保管せざるをえないということも起こりえよう。しかし、それは、原告らの希望が容れられなかった結果としてやむをえないことであり、社会通念上、受忍の範囲内にあるものというべきであるから、そのことが、原告らの思想、信条を制限したことにあたるとは到底認めることができない。

第五章の二　義務教育学校

〔義務教育学校の目的〕

第四十九条の二　義務教育学校は、心身の発達に応じて、義務教育として行われる普通教育を基礎的なものから一貫して施すことを目的とする。

【沿　革】　平二七・六・二四・法四六により新設した。

【参照条文】　憲法二六条。教育基本法一条、二条、五条。法二九条、四五条。

【注　解】

一　本条は、義務教育学校の目的について定めた規定である。

義務教育学校は、平成二七年、学校教育法等の一部を改正する法律（平二七法四六）により創設された学校制度であり、平成二八年度から設置された。小学校における教育と中学校における教育を一貫して施すこと、すなわち小中一貫教育を行うために設けられた学校である。

二　創設に至るまでの経緯は次のとおりである。

(1)　小中一貫教育の取組の進展

戦後の我が国の初等中等教育の学校制度は、六・三・三制を基本としてきたが、①小学校への英語教育の導入など近年の教育内容の量的・質的充実への対応、②児童生徒の発達の早期化等に関わる現象、③中学校進学時の不登校、いじめ等の急増など、いわゆる「中一ギャップ」への対応、④少子化等に伴う学校の社会性育成機能の強化の必要性等を背景として、全国各地で地域の実情に応じた小中一貫教育が進められるようになってきた。

平成二六年五月現在で、小中一貫教育に取り組む市区町村は二一一、取組の総件数は一一三〇（小学校二二八四校、中学校一一四〇校）に上っており、これらの学校では、①多様な異学年交流の拡充による自己肯定感の高まり、②いわゆる「中一ギャップ」の緩和など大きな成果が見られていた。

他方、既存制度の運用上の工夫では、小学校・中学校が別々の組織として設置されているため、①小学校・中学校それぞれに校長や教職員組織が存在し、小中一貫した取組を行う場合、意思決定や意思統一に時間がかかる、②教育課程の編成や年間指導計画の作成をはじめ、小学校・中学校ごとに取り組むことが想定されている事務が多く、九年間を見通して一体的に遂行することが難しい、③特例的な教育課程の編成に当たり、「研究開発学校制度」や「教育課程特例校制度」を活用する場合には、個別の文部科学大臣指定が必要となり、迅速な取組が難しい、などの課題が指摘されており、実際に運用上の取組を進めている現場からも義務教育学校を制度化して実施しやすくして欲しいという要望が寄せられていた。

(2)　教育再生実行会議第五次提言（平成二六年七月）及び中央教育審議会答申（平成二六年一二月）

このような状況の中で、教育再生実行会議は、学制の在り方全般について審議し、平成二六年七月の第五次提言において、小中一貫教育の制度化の提言を行った。また、この教育再生実行会議第五次提言を受け、中央教育審議会は、小中一貫教育について審議を行い、平成二六年一二月の答申において、小中一貫教育の制度化及び総合的な推進方策について提言を行った。それぞれの提言内容のポイントは次のとおり。

①　教育再生実行会議第五次提言「今後の学制等の在り方について」（平成二六年七月）

○　国は、小学校段階から中学校段階までの教育を一貫して行うことができる小中一貫教育学校（仮称）を制度化し、九年間の中で教育課程の区分を四―三―二や五―四のように弾力的に設定するなど柔軟かつ効果的な教育を行うことができるようにする。小中一貫教育学校（仮称）の設置を促進するため、国、地方公共団体は、教職員配置、施設整備についての条件整備や、私立学校に対する支援を行う。

○　国は、上記で述べた学校間の連携や一貫教育の成果と課題について、きめ細かく把握・検証するなど、地方公共団体や私立学校における先導的な取組の進捗を踏まえつつ、五―四―三、五―三―四、四―四―四などの新たな学校段階の区切りの在り方について、引き続き検討を行う。

②　中央教育審議会答申「子供の発達や学習者の意欲・能力等に応じた柔軟かつ効果的な教育システムの構築について」（平成二六年一二月）

○　小中一貫教育が各地域の主体的な取組によって多様な形で発展してきた経緯に鑑み、地域の実情に応じた柔軟な取組を可能とする必要があることから、下記の二つの形態を制度化すべきである。

•　一人の校長の下、一つの教職員集団が九年間一貫した教育を行う新たな学校種を学校教育法に位置付ける（小中一貫教育学校（仮称））。

•　独立した小・中学校が小中一貫教育学校（仮称）に準じた形で一貫した教育を施すことができるようにする（小中一貫型小学校・中学校（仮称））。

○　小中一貫型小学校・中学校（仮称）においては、九年間の教育目標の明確化、九年間一貫した教育課程の編成・実施とともに、これらを実現するための学校間の意思決定の調整システムの整備を要件として求めることが適当である。

○　小中一貫教育学校（仮称）については、既存の小・中学校と同様に、市町村の学校設置義務の履行対象とするとともに、就学指定の対象とし、市町村立の場合、入学者選抜は実施しないこととすべきである。
○　小中一貫教育学校（仮称）の小学校段階を終えた後、希望する場合には他の学校への転校が円滑に行えるよう配慮することも必要であり、小中一貫教育学校（仮称）の修業年限の九年間を小学校段階と中学校段階の二つの課程に区分し、六学年修了の翌年度から中学校等への入学を認めるべきである。
○　小中一貫教育学校（仮称）においては、原則として小・中学校教員免許状を併有した教員を配置することとするが、当面は小学校教員免許状で小学校課程、中学校教員免許状で中学校課程を指導可能としつつ、免許状の併有を促進すべきである。
○　小中一貫教育学校（仮称）及び小中一貫型小学校・中学校（仮称）においては、現行の小・中学校の学習指導要領に基づくことを基本とした上で、独自教科の設定、指導内容の入替え・移行など、一定の範囲で教育課程の特例を認めるべきである。
○　小中一貫教育を全域実施するか一部実施するかなど、導入の形態については、児童生徒の実態や地域・保護者のニーズを踏まえ、設置者が適切に判断すべきである。

(3)　小中一貫教育制度の導入

この中央教育審議会答申を受け、文部科学省は、平成二七年三月、小中一貫教育制度を導入するための「学校教育法等の一部を改正する法律案」を第一八九回通常国会に提出し、同年六月に同国会において成立、平成二八年四月一日から施行された。

この改正は、学校教育制度の多様化及び弾力化を推進するため、地域の実情や児童生徒の実態など様々な要素を総合的に勘案して、設置者がより効果的・効率的に小中一貫教育を実施できるよう、小学校と中学校に加え

て、制度的選択肢を増やしたものである。

また、併せて義務教育学校の制度化に係る行財政措置として、公立の義務教育学校に関する教職員定数の算定並びに教職員給与費及び施設費等に係る国庫負担については、現行の小学校及び中学校と同様の措置を講ずることとするとともに、義務教育学校の教員については、小学校の教員の免許状及び中学校の教員の免許状を有する者でなければならないこととするなどの所要の法律改正を行った。

なお、答申でいう「独立した小・中学校が小中一貫教育学校（仮称）に準じた形で一貫した教育を施す」実施形態については、既存の学校制度によるものであることから法律改正はなされず、省令等で定められる。

三　義務教育学校は、小学校における教育と中学校における教育を一貫して施すための学校であり、その目的は、小学校と中学校の目的である「義務教育として行われる普通教育」について、基礎的なものから一貫して施すことである。また、義務教育学校は、学校教育法の体系上、小学校、中学校及び高等学校と同様に、「心身の発達に応じて」教育を施すものである。
「一貫して施す」とは、「義務教育として行われる普通教育」を「義務教育として行われる普通教育のうち基礎的なもの」から連続性をもって施すことをいう。具体的には、小学校の卒業及び中学校の入学によって途切れている小学校教育と中学校教育を途切れることなく行うこと、一貫性のある教育課程を編成することなどによって実現される。この義務教育学校の目的のどの部分を義務教育学校のどの段階で実現するかは、法四九条の六及び四九条の七に規定されている。

「義務教育として行われる普通教育」は小学校の目的（法二九条）及び中学校の目的（法四五条）と同一であるが、単一の学校において基礎的なものから一貫して施すことを目的としている点で、義務教育学校は小学校及び中学校のいずれとも異なる特色を有している。

「義務教育として行われる普通教育」の意義については法二九条の**【注解】**二及び法四五条の**【注解】**二を、「基礎的なもの」の意義については法二九条の**【注解】**二を、「心身の発達に応じて」の意義については法二九条の**【注解】**三をそれぞれ参照。

【通　知】

○小中一貫教育制度の導入に係る学校教育法等の一部を改正する法律について（抄）（平二七・七・三〇　二七文科初五九五号　各都道府県知事、各都道府県教育委員会、各指定都市教育委員会、附属学校を置く各国立大学法人学長、構造改革特別区域法第一二条第一項の認定を受けた地方公共団体の長あて　文部科学省初等中等教育局長通知）

このたび、「学校教育法等の一部を改正する法律（平成二七年法律第四六号）」（以下「改正法」という。）が、本年六月二四日に公布され、平成二八年四月一日から施行されることとなりました。

今回の改正は、学校教育制度の多様化及び弾力化を推進するため、小中一貫教育を実施することを目的とする義務教育学校の制度を創設するものです。

また、併せて義務教育学校の制度化に係る行財政措置として、公立の義務教育学校に関する教職員定数の算定並びに教職員給与費及び施設費等に係る国庫負担については、現行の小学校及び中学校と同様の措置を講ずることとするとともに、義務教育学校の教員については、原則として、小学校の教員の免許状及び中学校の教員の免許状を有する者でなければならないこととしております。

改正法の概要及び留意事項は下記のとおりですので、十分に御了知の上、事務処理上遺漏のないよう願います。

記

第一　学校教育法の一部改正（改正法第一条）

1　改正の概要

(1)　義務教育学校の創設（第一条）

我が国における学校の種類として、新たに義務教育学校を設けることとしたこと。

なお、本条に規定されることにより、他の学校種と同様、設置者（第二条）、設置基準（第三条）、設置廃止等の認可（第四条）、学校の管理及び経費の負担（第五条）、授業料の徴収（第六条）、校長及び教員の配置並びにその資格（第七条、第八条及び第九条）、生徒等の懲戒（第一一条）、学校閉鎖命令（第一三条）、名称使用制限（第一三五条）等に係る規定の適用があることとなること。

(2)　義務教育学校の設置等に係る認可等（第四条）

私立の義務教育学校の設置廃止等について、私立の小学校、中学校と同様に、都道府県知事の認可事項としたこと。

(3)　義務教育学校における授業料の徴収（第六条）

国立又は公立の義務教育学校について、小学校、中学校等と同様に、授業料を徴収することができないものとしたこと。

(4)　就学義務（第一七条）

保護者がその子を就学させる義務を果たすための学校種として、義務教育学校を追加したこと。

(5)　設置義務（第三八条）

市区町村は、教育上有益かつ適切であると認めるときは、義務教育学校の設置をもって小学校及び中学校の設置に代えることができるものとしたこと。

なお、公立の義務教育学校は、地方自治法第二四四条の公の施設であり、その設置については条例で定めることを要すること。（同法第二四四条の二第一項）

(6)　教育事務の委託（第四〇条）

市区町村は、従前の小学校・中学校と同様、義務教育学校についても、その設置に代えて、学齢児童の全部又は一部の教育事務を、他の市区町村又は市区町村の組合に委託することができることとしたこと。

(7)　義務教育学校の目的（第四九条の二）

義務教育学校は、心身の発達に応じて、義務教育として行われる普通教育を基礎的なものから一貫して施すことを目的とすること。

(8)　義務教育学校の目標（第四九条の三）

義務教育学校における教育の目標として、小学校教育及び中学校教育と同様に、法第二一条に規定する義務教育の目標を達成するよう行われるものとすること。

(9)　義務教育学校の修業年限並びに前期課程及び後期課程の区分（第四九条の四及び第四九条の五）

義務教育学校の修業年限は九年とし、小学校段階に相当する六年の前期課程及び中学校段階に相当する三年の後期課程に区分したこと。

(10)　前期課程及び後期課程の目的及び目標（第四九条の六）

義務教育学校の前期課程においては、義務教育として行われる普通教育のうち基礎的なものを施すことを実現するため、小学校における教育と同一の目標を達成するよう行われるものとするとともに、後期課程においては、前期課程における教育の基礎の上に、義務教育として行われる普通教育を施すことを実現するため、中学校における教育と同一の目標を達成するよう行われるものとしたこと。

(11)　義務教育学校の教育課程（第四九条の七）

義務教育学校の前期課程及び後期課程の教育課程に関する事項は、義務教育学校の目的・目標並びに前期課程及び後期課程のそれぞれの目的・目標に従い、文部科学大臣が定めるものとしたこと。

(12)　準用規定等（第四九条の八）

生涯学習と学校教育との関係（第三〇条第二項）、体験活動

の充実（第三一条）、教科用図書の使用義務（第三四条）、出席停止（第三五条）、学齢未満の子の入学禁止（第三六条）、校長・教頭・教諭等の職務（第三七条）、学校評価（第四二条）、学校による積極的な情報提供（第四三条）、私立学校の所管（第四四条）に関する現行の学校教育法上の諸規定を義務教育学校に準用することとしたこと。

⒀ 義務教育学校卒業者の高等学校入学資格（第五七条）

義務教育学校の卒業者について、中学校の卒業者等と同様に、高等学校への入学資格を有するものとしたこと。

⒁ その他の事項（第七四条、第八一条、第一二五条、附則第七条関係）

義務教育学校における特別支援学級の設置、専修学校高等課程における教育の対象者、特別の事情がある場合の養護教諭の必置義務の免除について所要の改正を行ったこと。

2 留意事項

平成一八年の教育基本法改正、平成一九年の学校教育法改正により義務教育の目的・目標が定められたこと等に鑑み、小学校・中学校の連携の強化、義務教育九年間を通じた系統性・連続性に配慮した取組が望まれる。

このたびの義務教育学校の創設については、これを踏まえつつ、地域の実情や児童生徒の実態など様々な要素を総合的に勘案して、設置者が主体的に判断できるよう、既存の小学校・中学校に加えて、義務教育を行う学校に係る制度上の選択肢を増やしたものである。また、今回の制度化は、小中一貫教育を通じた学校の努力による学力の向上や、生徒指導上の諸問題の解決に向けた取組、学校段階間の接続に関する優れた取組等の普及による公教育全体の水準向上に資するものと考えられる。

以上のことから、各設置者においては、今回の改正を契機として、義務教育学校の設置をはじめ、小学校段階と中学校段階を一貫させた教育活動の充実に積極的に取り組むことが期待される。

(1) 義務教育学校の名称

「義務教育学校」という名称は、法律上の学校の種類を表す名称であり、個別の学校の具体的な名称に「義務教育学校」と付さなければならないものではないこと。

小学校・中学校と同様に、公立学校であれば、設置条例で法律上の正式な名称（義務教育学校）を明らかにした上で学校管理規則等の教育委員会規則により、私立学校であれば寄附行為により、義務教育学校以外の個別の名称を用いることは可能であること。

(2) 義務教育学校の設置の在り方

① 地域とともにある学校づくりの観点から、小中一貫教育の導入に当たっては、学校関係者・保護者・地域住民との間において、新たな学校作りに関する方向性や方針を共有し、理解と協力を得ながら進めて行くことが重要であること。

② 市区町村における義務教育学校の設置は、小学校・中学校の設置に代えられること（第三八条）を踏まえ、市区町村立の義務教育学校は就学指定の対象とする予定であること。

（学校教育法施行令の改正）

③　就学指定は、市区町村の教育委員会が、あらかじめ各学校ごとに通学区域を設定し、これに基づいて就学すべき学校を指定する制度であること。したがって、その指定に当たって入学者選抜は行わないものであること。

④　いわゆる「学校選択制」は、あくまで就学指定の手続の一つとして行われるものであり、特定の学校に入学希望者が集中した場合の調整に当たっては、就学指定の基本的な仕組みを踏まえ、入学者選抜は行わないものであること。

⑤　「学校選択制」の導入に当たっては、通学する学校により格差が生じるとの懸念を払拭する観点から、小学校・中学校の場合と同様、市区町村が児童生徒の実態や保護者のニーズを踏まえ、対外的な説明責任にも留意しつつ対応する必要があること。

⑥　域内に義務教育学校と小学校・中学校が併存する場合は、小中一貫教育の実施を通じて蓄積される様々な知見を既存の小学校・中学校にも積極的に普及を図ること。

(3)　義務教育学校の目的

①　義務教育学校は、小学校・中学校と同様の目的を実現するための教育活動を行うものであり、義務教育を施す点においては、小学校・中学校と義務教育学校は同等であること。

②　義務教育学校は、小学校・中学校の学習指導要領を準用することとしており、学習指導要領に示された内容項目を網羅して行われることになるため、小学校・中学校と異なる内容・水準の教育を施す学校ではないこと。

(4)　義務教育学校の修業年限並びに前期課程及び後期課程の区分

①　小中一貫教育においても、子供の成長の節目に配慮するような教育課程の工夫が重要であること。

②　義務教育学校は、九年の課程を前期六年、後期三年に区分することとしているが、義務教育学校においては、一年生から九年生までの児童生徒が一つの学校に通うという特質を生かして、九年間の教育課程において「４－３－２」や「５－４」などの柔軟な学年段階の区切りを設定することも可能であること。

③　この場合の「学年段階の区切り」とは、前期課程、後期課程の目標を達成するための課程の変更を意味するものではなく、カリキュラム編成上の工夫や指導上の重点を設けるための便宜的な区切りを設定することを想定していること。

具体的には、例えば、

- 教育課程の特例を活用して小学校高学年段階から独自の教科を設け、当該教科が導入される学年を区切りとすること
- 従来であれば中学校段階の教育の特徴とされてきた教科担任制や定期考査、生徒会活動、校則に基づく生徒指導、制服・部活動等を小学校高学年段階から導入して、この学年を区切りとすること

などの工夫が考えられること。

④　義務教育学校の課程は、前期六年、後期三年に区分することとしているが、組織としては一体であり、義務教育学校の教職員は一体的に教育活動に取り組むこと。

(5) 義務教育学校の教育課程

① 義務教育学校の教育課程については、前期課程及び後期課程に、それぞれ小学校学習指導要領及び中学校学習指導要領を準用することを省令において定める予定であるとともに、教育課程の特例や配慮すべき事項については、省令等で定める予定としていること。

② 具体的には、学習指導要領に示された内容項目を網羅すること、各教科等の系統性・体系性に配慮すること、児童生徒の負担過重にならないようにすること等を前提とした上で、小中一貫教育の円滑な実施に必要となる九年間を見通した教育課程の実施に資する一定の範囲内で、設置者の判断で活用可能な教育課程の特例を創設することを予定としていること。

なお、創設される本特例の内容については、今後、教育課程特例校制度の対象としない予定であり、詳細については、別途御連絡する教育課程特例校の申請手続に係る事務連絡を参照すること。

③ 「6―3」と異なる学年段階の区切りを設けている学校や、教育課程の特例を活用する学校においては、転出入する児童生徒に対して、学習内容の欠落が生じないようにするとともに、転校先の学校に円滑に適応できるようきめ細かに対応する必要があること。

具体的には、例えば、

- 指導要録に、当該児童生徒が先取りして学習した事項や学習しなかった事項等を具体的に記載するとともに綿密な引継ぎを行うこと
- 通常の教育課程との違いを分かりやすく示した資料をあらかじめ備えておくこと
- 転出入に際して、必要に応じて個別ガイダンスや個別指導を行うこと

などが考えられること。

(6) 義務教育学校の設置基準

① 義務教育学校の設置基準については、前期課程については小学校設置基準、後期課程については中学校設置基準を準用することをはじめ具体的な内容については、省令等において定めることを予定していること。

② 義務教育学校の施設については、同一敷地に一体的に設置する場合だけでなく、隣接する敷地に分割して設置する場合（施設隣接型）や隣接していない異なる敷地に分割して設置する場合（施設分離型）も認められること。ただし、施設分離型の義務教育学校を設置する場合、設置者において、教育上・安全上の観点や、保護者や地域住民のニーズを踏まえ適切に判断することが求められること。

(7) 小中一貫型小学校・中学校（仮称）の扱い

平成二六年一二月の中央教育審議会答申で示された「小中一貫型小学校・中学校」（仮称）については、法律上の学校の種類としては通常の小学校と中学校であるため、今回の学校教育法の改正事項には当たらないが、小中一貫した教育課程やその

実施に必要な学校間の総合調整を行う際の組織運営上の措置等に関する具体的な要件については、省令等において定めることを予定していること。

第二　公立義務教育諸学校の学級編制及び教職員定数の標準に関する法律の一部改正等（改正法第二条・第三条）

1　改正の概要

(1)　公立義務教育諸学校の学級編制及び教職員定数の標準に関する法律の一部改正（改正法第二条）

①　公立の義務教育学校に係る学級編制及び教職員定数の標準は、前期課程については現行の小学校と、後期課程については現行の中学校と同等の標準としたこと。（第三条及び第六条関係等）

②　義務教育学校においては、学校段階間の接続を円滑に行う必要があるなど管理機能の充実が必要であることから、副校長又は教頭を一人加算することとしたこと。（第七条第一項第二号）

(2)　市町村立学校職員給与負担法の一部改正（改正法第三条）

市区町村立の義務教育学校の教職員の給料その他の給与等について、都道府県の負担としたこと。（第一条）

(3)　義務教育費国庫負担法の一部改正（改正法第三条）

市区町村立の義務教育学校の教職員給与費等を国庫負担の対象としたこと。（第二条）

2　留意事項

小学校及び中学校を廃止して義務教育学校を設置する場合を含め、義務教育学校において小中一貫教育が円滑に行われるよう、都道府県教育委員会等においては、義務教育学校に係る教職員定数の標準を踏まえた適切な教職員配置に努めること。

第三　義務教育諸学校等の施設費の国庫負担等に関する法律の一部改正（改正法第四条）（略）

第四　教育職員免許法の一部改正（改正法第五条）

1　改正の概要

・義務教育学校の教員については、小学校の教員の免許状及び中学校の教員の免許状を有する者でなければならないものとしたこと。（第三条関係）

・小学校の教諭の免許状又は中学校の教諭の免許状を有する者は、当分の間、それぞれ義務教育学校の前期課程又は後期課程の主幹教諭、指導教諭、教諭又は講師となることができるものとしたこと。（附則第二〇項関係）

2　留意事項

①　都道府県教育委員会は、他校種免許状の取得のための免許法認定講習の積極的な開講やその質の向上等により、小学校及び中学校教員免許状の併有のための条件整備に努めること。

②　都道府県教育委員会は、免許状の併有を促進する場合において、併有の促進が教員の過度な負担につながらないよう配慮すること。

第五　施行期日等について

1　改正法の概要

(1)　改正法は、一部の規定を除き、平成二八年四月一日から施行

することとしたこと。（改正法附則第一条）

(2) 義務教育学校の設置のために必要な行為は、改正法の施行の日前においても行うことができることとしたこと。（改正法附則第二条）

(3) 私立学校振興助成法の一部改正その他所要の規定の整備を行ったこと。

2 留意事項

(1) 改正法における経過措置

義務教育学校の設置のために必要な行為について規定した改正法附則第二条の施行日は、公布の日（平成二七年六月二四日）であることから、私立の義務教育学校の設置認可の申請及び認可、公立の義務教育学校の設置のための条例制定等の準備行為は、公布の日から行えるものであること。

(2) その他

① コミュニティ・スクールの推進

義務教育九年間の学びを地域ぐるみで支える仕組みとして、学校運営に地域住民や保護者等が参画するコミュニティ・スクールは有効であり、子供たちの豊かな学びと成長を実現できるよう、小中一貫教育も含め、コミュニティ・スクールの推進が期待されること。

② 小学校・中学校の適正規模・適正配置との関係

義務教育学校の制度化の目的は、各地域の主体的な取組によって小中一貫教育の成果が蓄積されてきた経緯に鑑み、設置者が、地域の実情を踏まえ、小中一貫教育の実施が有効と判断した場合に、円滑かつ効果的に導入できる環境を整備するものであり、学校統廃合の促進を目的とするものではないこと。

今後、少子化に伴う学校の小規模化の進展が予想される中、魅力ある学校づくりを進める上で、児童生徒の集団規模の確保や活発な異学年交流等を意図して、小学校・中学校を統合して義務教育学校を設置することは一つの方策であると考えられるが、その場合、設置者が地域住民や保護者とビジョンを共有し、理解と協力を得ながら進めて行くことが重要であること。

なお、公立小学校・中学校の適正規模・適正配置等に関する手引きの策定について（二六文科初第一一一二号）も参照のこと。

③ 校務運営体制の見直し

小中一貫教育の導入に当たっては、校長は、一部の教職員に過重な負担が生じないよう、校内での連携体制の構築や校務分掌の適正化など校務運営体制を見直し、校務の効率化を図る必要があること。

また、学校における校務運営体制の見直しに係る取組が促進されるよう、学校設置者が適切な支援を行う必要があること。

④ 義務教育学校以外の教育課程の特例を活用する学校

第一２(5)③に記載している転出入する児童生徒へのきめ細かな対応については、義務教育学校に限らず、研究開発学校

や教育課程特例校など教育課程の特例を活用する学校全般において留意すべきであること。

〔義務教育学校の目標〕

第四十九条の三　義務教育学校における教育は、前条に規定する目的を実現するため、第二十一条各号に掲げる目標を達成するよう行われるものとする。

【沿　革】　平二七・六・二四・法四六により新設した。

【参照条文】　教育基本法一条。法三〇条、四六条、四九条の五、四九条の六。

【注　解】

一　本条は、前条に示されている義務教育学校の目的を実現するために、義務教育学校において達成すべき目標を規定したものである。

二　教育基本法において教育目標が改正され、義務教育の目的が規定されたことを受け、法二一条において、義務教育の具体的な目標が規定されている。義務教育学校は、小学校における教育と中学校における教育を一貫して施すことを目的としていることから、義務教育学校における教育の目標として示すべき内容は義務教育の目標として法二一条各号に掲示された内容と同一となる。このため、義務教育学校における教育は、義務教育の目標を達成するよう行われる旨を規定している。

三　義務教育学校の前期課程及び後期課程のそれぞれの目標については、法四九条の六に規定されている。なお、この場合の前期課程の目標とは、義務教育学校の目標すなわち最終的到達点に向けて前期課程において達成すべき中間目標というべきものととらえることができる。

四　法二一条各号の意義については、法二一条の【注解】五参照。

〔義務教育学校の修業年限〕

第四十九条の四　義務教育学校の修業年限は、九年とする。

【沿　革】　平二七・六・二四・法四六により新設した。

【参照条文】　法三二条、四七条、四九条の二、四九条の三。

【注　解】

一　本条は、義務教育学校の修業年限を規定したものである。

義務教育学校における教育は、小学校における教育と同様の「義務教育として行われる普通教育のうち基礎的なもの」と中学校における教育と同様の「義務教育として行われる普通教育」を一貫して施すことを目的とする（法四九条の二）ものであることから、義務教育学校の目的及び目標（法四九条の三）を達成する上で必要な修業年限については、小学校の修業年限である六年（法三二条）と中学校の修業年限三年（法四七条）を併せた九年と定めたものである。

〔課程の区分〕

第四十九条の五　義務教育学校の課程は、これを前期六年の前期課程及び後期三年の後期課程に区分する。

【沿　革】　平二七・六・二四・法四六により新設した。

【参照条文】　法四九条の四。

【注　解】

一　本条は、義務教育学校の課程を、前期六年の前期課程と後期三年の後期課程に区分することについて定めたものである。

二　義務教育学校は、九年間の修業年限を通じて、「義務教育として行われる普通教育を基礎的なものから一貫して施す」もの（法四九条の二）であるが、このうち、前半六年間においては、小学校と同様の「義務教育として行われる普通教育のうち基礎的なもの」を施し、後半三年間においては中学校と同様、小学校段階における教育の基礎の上に、「心身の発達に応じて、義務教育として行われる普通教育」を施すものであり、その前半と後半でそれぞれ異なる目的を有し、また、学齢児童と学齢生徒という異なる段階の子を対象として教育を行うものである。このため、九年間の課程を教育の目的及び対象に応じて前期及び後期の課程に区分したものである。

三　義務教育学校の前期課程及び後期課程のそれぞれの目的・目標については、法四九条の六に規定されている。なお、本条における義務教育学校の「課程」とは、学校が提供し、児童生徒が履修すべき体系化された教育そのものを指すものであるが、前期課程・後期課程の区分を設けることにより、義務教育学校の学校組織が二つに分断されることを意味するものではない。したがって、例えば、前期課程の修了は、上級学年への進級として捉えるものである。

四　なお、このような前期課程・後期課程の区分を前提として、①前期課程を修了した者を中学校等に就学させる義務（法一七条二項）、②公立学校の場合における小学校・中学校と同様の教職員給与費・施設費の国庫負担や教職員定数等の行財政措置（義務標準法、義務教育費国庫負担法等）などの措置が講じられている。

〔前期課程及び後期課程の目的・目標〕

第四十九条の六　義務教育学校の前期課程における教育は、第四十九条の二に規定する目的のうち、心身の発達に応じて、義務教育として行われる普通教育のうち基礎的なものを施すことを実現するために必要な程度において第二十一条各号に掲げる目標を達成するよう行われるものとする。

② 義務教育学校の後期課程における教育は、第四十九条の二に規定する目的のうち、前期課程における教育の基礎の上に、心身の発達に応じて、義務教育として行われる普通教育を施すことを実現するため、第二十一条各号に掲げる目標を達成するよう行われるものとする。

【沿　革】　平二七・六・二四・法四六により新設した。

【参照条文】　法二九条、三〇条、四五条、四六条、四九条の二、四九条の三。

【注　解】

一　本条は、義務教育学校の前期課程及び後期課程のそれぞれの目的・目標を定めたものである。

二　義務教育学校全体としての目的は、「義務教育として行われる普通教育を基礎的なものから一貫して施す」こと（法四九条の二）であるが、本条は、この目的のどの部分を義務教育学校のどの段階で実現しようとするのか、また、それを実現するためにどのような目標の達成に努めるべきかを明らかにしたものである。

三　本条一項においては、義務教育学校の前期課程においては、義務教育として行われる普通教育のうち基礎的なものを施すことを目的とし、小学校教育の目標と同一の目標（法三〇条）の達成に努めなければならないことを規定している。

すなわち、義務教育学校の目的のうち、義務教育として行われる普通教育のうち基礎的なものを施すことを実現しようとする義務教育学校の前期課程においては、義務教育学校の目標すなわち最終的到達点に向け、どの段階までの達成を目指すのかといういわば中間目標を示すのが前期課程の目標であり、それは同じ義務教育として行われる普通教育のうち基礎的なものを施すことを目的とする小学校の目標（法三〇条）と同一のものとされている。

なお、小学校における教育と中学校における教育は、学校教育体系上連続性のあるものであることから、前期課程の目標達成に努めることは、義務教育学校の後期課程の目標達成に向けその基礎を形成することとなるものである。

四　本条二項においては、義務教育学校の後期課程においては、義務教育学校の目的のうち、前期課程における教育の基礎の上に、心身の発達に応じて、義務教育として行われる普通教育を施すことを目的とし、義務教育の目標（法二一条）の達成に努めなければならないことを規定している。

義務教育学校の後期課程においては、前期課程において達成されたいわば中間目標の基礎の上に、義務教育学校の目標の最終的な達成に努めることとなるものであることから、後期課程の目標は、義務教育の目標（法二一条）そのものとされている。

〔義務教育学校の教育課程〕

第四十九条の七　義務教育学校の前期課程及び後期課程の教育課程に関する事項は、第四十九条の二、第四十九条の三及び前条の規定並びに次条において読み替えて準用する第三十条第二項の規定に従い、文部科学大臣が定める。

【沿　革】　平二七・六・二四・法四六により新設した。

【参照条文】　法三三条、四八条、四九条の二、四九条の三、四九条の六。

【注　解】

一　本条は、義務教育学校の前期課程の教育課程に関する事項及び後期課程の教育課程に関する事項は、それぞれ小学校（法三三条）及び中学校（法四八条）と同様に、文部科学大臣が定めること、文部科学大臣がこれを定めるに当たっては、法四九条の二の義務教育学校の目的、法四九条の三の義務教育学校における教育の目標並びに法四九条の六の前期課程及び後期課程のそれぞれの目的・目標に従って定めなければならないことを規定している。

二　義務教育学校の教育課程に関して、前期課程については小学校学習指導要領の規定を、後期課程については中学校学習指導要領の規定を準用することとしつつ、小中一貫教育の特色ある教育課程を編成することができるよう特例措置が講じられており、義務教育学校を含む小中一貫教育については、学校教育法等の一部を改正する法律の施行に伴う文部科学省関係省令の整備に関する省令（平成二八年文部科学省令四号）において、次のような運営等の諸規定が定められている。

①異なる設置者の下で、小学校における教育と中学校における教育の一貫性に配慮した教育を施す小学校及び中学校（以下「中学校連携型小学校」及び「小学校連携型中学校」という。）に係る教育課程の編成・実施等の諸規定

②義務教育学校に係る設備・編制、標準学級数、授業時数等の諸規定

③同一の設置者の下で、義務教育学校に準じて、小学校における教育と中学校における教育を一貫して施す小学校及び中学校（以下「中学校併設型小学校」及び「小学校併設型中学校」という。）における運営等の諸規定

また、小中一貫教育における教育課程の特例については、中学校連携型小学校及び小学校連携型中学校の教育課程の基準の特例を定める件（平成二八年文部科学省告示五四号）、義務教育学校並びに中学校併設型小学校及び小学校併設型中学校の教育課程の基準の特例を定める件（平成二八年文部科学省告示五五号）が公布され、平成二八年四月一日から施行されている。

この告示では、中学校連携型小学校及び小学校連携型中学校の教育課程の基準の特例として小中一貫教科等の設定が行えること、義務教育学校並びに中学校併設型小学校及び小学校併設型中学校の教育課程の基準の特例として小中一貫教科等の設定の他、指導内容の入替えや移行を行えることが、それぞれの編成の要件とともに示されている。

（平二八・三・二二　文科初一五九三号　文部科学省初等中等教育局長通知　学校教育法等の一部を改正する法律の施行に伴う文部科学省関係省令の整備に関する省令等について【通知】

学校教育法施行規則では，中学校連携型小学校，小学校連携型中学校及び義務教育学校の教育課程の基準の特例について次のように定めている。

第五十二条の四　中学校連携型小学校の教育課程については、この章に定めるもののほか、教育課程の基準の特例として文部科学大臣が別に定めるところによるものとする。

第七十四条の四　小学校連携型中学校の教育課程については、この章に定めるもののほか、教育課程の基準の特例として文部科学大臣が別に定めるところによるものとする。

第七十九条の七　義務教育学校の教育課程については、この章に定めるもののほか、教育課程の基準の特例として文部科学大臣が別に定めるところによるものとする。

第七十九条の十　中学校併設型小学校の教育課程については、第四章に定めるもののほか、教育課程の基準の特例として文部科学大臣が別に定めるところによるものとする。

2　小学校併設型中学校の教育課程については、第五章に定めるもののほか、教育課程の基準の特例として文部科学大臣が別に定めるところによるものとする。

【通　知】

○学校教育法等の一部を改正する法律の施行に伴う文部科学省関係省令の整備に関する省令等について（抄）（平二八・三・二二　文科初一五九三号　各都道府県知事、各都道府県教育委員会、各指定都市教育委員会、附属学校を置く各国立大学法人学長、構造改革特別区域法第一二条第一項の認定を受けた地方公共団体の長あて　文部科学省初等中等教育局長通知）

（略）

このたび、「学校教育法等の一部を改正する法律の施行に伴う文部科学省関係省令の整備に関する省令（平成二八年文部科学省令第四号）」（以下「本省令」という。）、「学校教育法等の一部を改正す

る法律の施行に伴う文部科学省関係告示の整備に関する告示（平成二八年文部科学省告示第五三号）」、「中学校連携型小学校及び小学校連携型中学校の教育課程の基準の特例を定める件（平成二八年文部科学省告示第五四号）」（以下「連携型小学校・中学校の教育課程の特例告示」という。）及び「義務教育学校並びに中学校併設型小学校及び小学校併設型中学校の教育課程の基準の特例を定める件（平成二八年文部科学省告示第五五号）」（以下「義務教育学校、併設型小学校・中学校の教育課程の特例告示」という。）が公布され、平成二八年四月一日から施行されることとなりました。

「連携型小学校・中学校の教育課程の特例告示」及び「義務教育学校、併設型小学校・中学校の教育課程の特例告示」においては、中学校連携型小学校及び小学校連携型中学校、義務教育学校並びに中学校併設型小学校及び小学校併設型中学校の教育課程の基準の特例を定めています。

本省令、「連携型小学校・中学校の教育課程の特例告示」及び「義務教育学校、併設型小学校・中学校の教育課程の特例告示」の概要及び留意事項は下記のとおりですので、十分に御了知の上、事務処理上遺漏のないよう願います。

（略）

第二　中学校連携型小学校及び小学校連携型中学校の教育課程の基準の特例を定める件

1　改正の概要

(1)　小中一貫教科等の設定

各教科、道徳、外国語活動、総合的な学習の時間及び特別活動の授業時数を減じて、その減じる時数を当該教科等の内容を代替することのできる内容の小中一貫教科等の授業時数に充てることができることとしたこと。

(2)　教育課程の編成の要件

教育課程は、次に掲げる要件を満たして編成するものとしたこと。

①九年間の計画的かつ継続的な教育を施すものであること。

②学習指導要領において定められている内容事項が、教育課程全体を通じて適切に取り扱われていること。

③学習指導要領において定められている内容事項を指導するために必要となる標準的な授業時数が、教育課程全体を通じて適切に確保されていること。

④児童生徒の発達の段階並びに各教科等の特性に応じた内容の系統性及び体系性に配慮がなされていること。

⑤保護者の経済的負担への配慮その他の義務教育における機会均等の観点からの適切な配慮がなされていること。

⑥児童生徒の転出入に対する配慮等の教育上必要な配慮がなされていること。

※なお、設置者が異なる中学校連携型小学校と小学校連携型中学校においては、「義務教育学校、併設型小学校・中学校の教育課程の特例告示」に規定している指導内容の入替え・移行は認めないものとする。

2　留意事項

○児童生徒の転出入に対する配慮（第二項第六号）

児童生徒の転出入に対する配慮とは、例えば、

①指導要録に、当該児童生徒が先取りして学習した事項や学習しなかった事項等を具体的に記載するとともに綿密な引継ぎを行うこと

②通常の教育課程との違いを分かりやすく示した資料をあらかじめ備えておくこと

③転出入に際して、必要に応じて個別ガイダンスや個別指導を行うこと

などが考えられること。

第三　義務教育学校並びに中学校併設型小学校及び小学校併設型中学校の教育課程の基準の特例を定める件

1　改正の概要

(1)　小中一貫教科等の設定

各学年においては、各教科、道徳、外国語活動、総合的な学習の時間及び特別活動の授業時数を減じて、その減じる時数を当該教科等の減じた時数に係る内容を代替することのできる内容の小中一貫教科等の授業時数に充てることができることとしたこと。

(2)　指導内容の入替え・移行

①小学校段階及び中学校段階における各教科等の内容のうち相互に関連するものの一部を入れ替えて指導することができることとしたこと。

②小学校段階の指導の内容の一部を中学校段階に移行して指導することができることとしたこと。

③中学校段階の指導の内容の一部を小学校段階に移行して指導することができることとしたこと。この場合においては、中学校段階において、当該移行した指導の内容について再度指導しないことができることとしたこと。

④小学校段階における各教科等の内容のうち特定の学年において指導することとされているものの一部については、他の学年に移行して指導することができることとしたこと。この場合においては、当該特定の学年において、当該移行した指導の内容について再度指導しないことができることとしたこと。

⑤中学校段階における各教科等の内容のうち特定の学年において指導することとされているものの一部については、他の学年に移行して指導することができることとしたこと。この場合においては、当該特定の学年において、当該移行した指導の内容について再度指導しないことができることとしたこと。

(3)　教育課程の編成の要件

教育課程は、次に掲げる要件を満たして編成するものとしたこと。

①九年間の計画的かつ継続的な教育を施すものであること。

②学習指導要領において定められている内容事項が、教育課程全体を通じて適切に取り扱われていること。

③学習指導要領において定められている内容事項を指導するために必要となる標準的な授業時数が、教育課程全体を通じて適切に確保されていること。

④児童生徒の発達の段階並びに各教科等の特性に応じた内容の系統性及び体系性に配慮がなされていること。

⑤保護者の経済的負担への配慮その他の義務教育における機会均等の観点からの適切な配慮がなされていること。
⑥児童生徒の転出入に対する配慮等の教育上必要な配慮がなされていること。

2　留意事項
○「第二　中学校連携型小学校及び小学校連携型中学校の教育課程の基準の特例を定める件」の「2　留意事項」を参照。
（別添）略

〔準用規定〕

第四十九条の八　第三十条第二項、第三十一条、第三十四条から第三十七条まで及び第四十二条から第四十四条までの規定は、義務教育学校に準用する。この場合において、第三十条第二項中「前項」とあるのは「第四十九条の三」と、第三十一条中「前条第一項」とあるのは「第四十九条の三」と読み替えるものとする。

【沿　革】　平二七・六・二四・法四六により新設した。
【参照条文】　法三〇条二項、三一条、三四条～三七条、四二条～四四条

【注　解】

一　本条は、小学校及び中学校についての規定のうち必要なものを義務教育学校に準用する旨を定めたものである。
学習指導の配慮事項（法三〇条二項）、体験活動等の充実（法三一条）、教科用図書・教材の使用（法三四条）、児童の出席停止（法三五条）、学齢未満の子の入学禁止（法三六条）、校長・教頭・教諭等の職務（法三七条）、学校評価（法四二条）、学校による積極的な情報提供（法四三条）、私立学校の所管（法四四条）に関する小学校の規定を義務教育学校に準用している。

二　準用される条文の個々の規定の内容については、準用される各規定の**【注解】**参照。

三　なお、義務教育学校への規定の準用に関しては次のような点に留意する必要がある。

(1)　学校組合の設置に関する法三九条の規定については、法三九条中「前条の規定」とあるのは、法三八条の本文に加えただし書も含めたものであり、義務教育学校を設置する場合においても、その事務を処理するために学校組合を設けることができると解されるため、準用されない。

(2)　学齢児童の教育事務の委託に関する法四〇条についても、(1)と同様に、法四〇条一項中「前二条の規定」には、法三八条の本文とただし書も含めたものであり、義務教育学校についてもその範囲に含まれると解されるため、準用されない。

(3)　学校設置の補助に関する法四一条については、法四一条中「前二条の規定」とあるのは、法三九条及び法四〇条において義務教育学校が含まれることから、法四一条の規定の対象に義務教育学校が含まれると解されるため、準用されない。

第六章　高　等　学　校

〔高等学校の目的〕

第五十条　高等学校は、中学校における教育の基礎の上に、心身の発達及び進路に応じて、高度な普通教育及び専門教育を施すことを目的とする。

【沿　革】　平一九・六・二七法九六により、「及び進路」を追加するとともに、「高等普通教育」を「高度な普通教育」に改め、旧四一条から五〇条に移動した。

【参照条文】　憲法二六条。教育基本法一条、二条、六条二項。法四五条、五一条、五二条、六三条、六四条。高等学校設置基準。

【注　解】

一　本条は、高等学校の目的について定めた規定である。高等学校は、学校体系上は中学校に続く学校であり、「中学校における教育の基礎の上に」教育を施すものである。このことから、高等学校へ入学することができる者も中学校若しくはこれに準ずる学校若しくは義務教育学校の卒業者若しくは中等教育学校の前期課程を修了した者又はこれと同等以上の学力があると認められる者とされている（法五七条、施行規則九五条）。

平成一九年の本法の改正により、「進路」に応じた教育を施すことが明記された。これは、高等学校への進学率が

九七％を超えて生徒の実態や進路が多様化していることが背景にある。近年、単位制高校及び総合学科の創設や教育課程における選択の拡大など柔軟かつ多様な高等学校制度改革が進められているが、多様な生徒の進路に応じた教育が一層重要となっていることから、高等学校においては進路に応じた教育を施すことを明示的に規定したのである。

また、改正教育基本法二条二号は、教育の目標として「個人の価値を尊重して、その能力を伸ば」すことや「職業」との関連を重視することを新たに規定している。ここでいう「個人の価値を尊重」とは「個性の尊重」という趣旨であり、個性を尊重し、職業との関連を重視する観点から、進路に応じた教育を実施することは改正教育基本法の理念と合致するものである。

二　「高度な普通教育」とは、中学校までの普通教育である「義務教育として行われる普通教育」の基礎の上に続いて施される、より高い程度の普通教育を意味する。

普通教育とは、法一六条の【注解】一に述べるとおり、一般的にすべての人間にとって日常の生活を営む上で共通的に必要とされる一般的、基礎的な知識技能を施し、人間として調和のとれた育成を目指すための教育であるということができるが、現行の教育法令では、普通教育という用語は、初等中等教育の分野においてのみ用いられている。

従前、本条は高等学校の目的としての普通教育を「高等普通教育」と規定し、小学校における初等普通教育、中学校における中等普通教育と対比して区別していたが、平成一九年の本法の改正において、小学校及び中学校の目的である初等普通教育及び中等普通教育が「義務教育として行われる普通教育」等に改められたことに伴い、本条についても「高度な普通教育」に改められた。この「高度な普通教育」は、改正前の「高等普通教育」と同じ意味である。

また、改正前の初等、中等及び高等という規定と同様に「義務教育として行われる普通教育」と「高度な普通教育」についても、その内容的な区分が法令上厳密になされているわけではないので、それぞれの年齢段階における心身の発達状況に応じて、また個人差や社会環境の変化などにも配慮しながら弾力的に考えていかざるを得ない。

なお、戦前の教育法令においては、改正前の「高等普通教育」の用語は、例えば「中学校ハ男子ニ須要ナル高等普通教育ヲ為スヲ以テ目的トス」（明治三二年改正中学校令）、「高等女学校ハ女子ニ須要ナル高等普通教育ヲ為スヲ以テ目的トス」（明治三二年高等女学校令）のように中等学校の目的規定の中に掲げられてきているほか、実質的に大学の予科的性格をもち、その卒業者がほとんど旧帝国大学に進学していた旧制の高等学校についても、大正七年の高等学校令では「高等学校ハ男子ノ高等普通教育ヲ完成スルヲ以テ目的トシ……」と規定されていたことなどから、その内容や性格が統一的なものであったとは必ずしもいえない。

中等教育学校（法六三条）では、前期課程で中学校と同様に施される「義務教育として行われる普通教育」に続いて、後期課程においては、高等学校と同様、高度な普通教育及び専門教育が施される。

三　「専門教育」とは、通常は普通教育ないしは一般教育に対比され、専門的な知識及び技能を修得させる教育をいう。

専門教育の用語を用いて学校の目的・性格を規定しているのは本条と中等教育学校の後期課程について規定している法六三条及び六七条二項だけである。

戦前の教育法令には専門教育の用語でもって学校の目的・性格を規定したものは見当たらない（例えば専門学校については「高等ノ学術技芸ヲ教授スル学校ハ専門学校トス」（明治三六年専門学校令一条）、実業学校については「工業農業商業等ノ実業ニ従事スル者ニ須要ナル教育ヲ為スヲ以テ目的トス」（明治三二年実業学校令一条）、「実業学校ニシテ高等ノ教育ヲ為スモノヲ実業専門学校トス」（明治三六年実業学校令改正）など）が、専門学校で行われる教育を大学の教育と区別して専門教育と呼称し、両者をあわせて高等専門教育と総称するのが一般的であった。

このように戦前においては、高等教育の段階で用いられていた専門教育という用語が、新制高等学校の目的に取り入れられたのは、立法当時の意図が旧制の専門学校程度の教育も包含しようとしていたためと考えられる。

昭和二二年四月一一日に出された教育刷新委員会の第三回建議の中には、新制高等学校の程度について「現在の高等専門学校の程度を基準とすること」、また教員の資格について「現在の高等専門学校の教員資格を有する者を原則とすること」と述べられており、また制定当初の法旧四六条〔現行法五六条〕でも特別の技能教育を施す場合には三年を超える修業年限の高等学校を認めていたことなどはそのことのあらわれであるということができる。

しかし、新制高等学校における専門教育は実質的には旧制の中等学校における実業教育が母体となることが予想されたことから、本法の制定過程においては「専門教育」に代えて「社会に有用な職業教育」と一時は修正されるなど専門教育の用語を新制高等学校の目的の中に入れるに際してはいろいろと論議があったことがうかがわれる。

また、旧制の専門学校のほとんどが新制大学に移行したこともあって、当初考えられていた新制高等学校における専門教育の性格は若干の変更をみ、昭和二五年の本法の改正により全日制の課程についてはその修業年限を一律三年として四年以上の専門教育を認めないこととされ、さらに昭和三七年には五年制の高等専門学校を新たに設けるなどの経過をたどって今日に至っている。

高等学校設置基準では、専門教育を主とする学科として農業、工業、商業など一四の学科を例示している（六条二項）。

また、これらの学科以外にも専門教育を施す学科として適当な規模及び内容があると認められる学科については適宜設置者において設置できるようになっている。

なお、高等学校学習指導要領には「職業教育を主とする学科」という用語も見られるが、農業、工業、商業、水産など職業に関する知識、技術等を習得させることを目的とする学科の総称として用いられている。

四　平成一九年の本法の改正による改正前の高等学校の目的を「高等普通教育及び専門教育」の両者を施すこととした立法趣旨については、当時の解説書では次のように述べられている。

「……高等普通教育と専門教育の両者をば必ず併せ施さなければならないのであって、一方のみを施す高等学校は認められないのである。それには二つの理由がある。一つは従来の高等学校のように大学予科的な性格をもち、高等普通教育のみを施してきた特権的な高等学校を排除するということ、一つは学校体系はその何処を切ってみても完成教育でなければならないということである。」（内藤誉三郎『学校教育法解説』）

旧制の中学校、高等女学校及び実業学校は昭和一八年の中等学校令の制定により中等学校として一元化されたが、中等学校令の規定にみられるように（第一条　中等学校ハ……高等普通教育又ハ実業教育ヲ施シ……。第二条　……中学校ニ於テハ男子ニ、高等女学校ニ於テハ女子ニ高等普通教育ヲ施シ実業学校ニ於テハ実業教育ヲ施スモノトス）、実質的には複線型の学校体系がとられていた。

戦後の六・三制の単線型学校体系への切替えに際して高等学校教育についても、この趣旨を実現していくということで高等普通教育及び専門教育の両者をあわせ施すこととされたものと考えられる。

五　本条の規定に基づいて、高等学校設置基準では、学科を普通教育を主とする学科と専門教育を主とする学科とするというように規定し（五条）、重点の置き方はともかくとして普通教育と専門教育の両者を施すようになっている。平成六年度から、総合学科（普通教育及び専門教育を選択履修を旨として総合的に施す学科）が設けられることとなった。これは、本条の立法趣旨を再確認するものということができよう。

実際の教育課程の中で、具体的に何が高度な普通教育で、何が専門教育であるかの区分は必ずしも明確ではないが、専門教育を主とする学科における「高度な普通教育」については、教育課程の基準である学習指導要領に課程や学科のいかんを問わず、すべての生徒が履修しなければならない普通教育に関する教科・科目が定められており、これらの教科・科目の履修などを通じて実施されている（高等学校学習指導要領第一章第三款1）。

一方、普通教育を主とする学科における専門教育については、専門教育の意味を学習指導要領に規定される専門教

育に関する教科・科目の履修であると考えれば、高等学校学習指導要領（平二一文部科学省告示三四）においては、地域や学校の実態、生徒の特性、進路等を考慮し、必要に応じて、適切な職業に関する各教科・科目の履修の機会の確保について配慮するものとすると規定している（第一章第五款４の(1)）。また、法制定当時と比較すると、例えば、

① 専門教育科目の内容自体が変化してきており、従来のような職業に直結するだけでなく、理数や英語なども専門教育に関する科目に属するものとされている

② 普通教育に関する科目も、以前と比べると科目構成が重層構造となり、学問の高度化や専門化に伴って、必修科目を除くと、生徒の選択によって生徒の将来の進路（大学での専門教育や研究、その先の職業生活の準備など）に応じた相当専門的な科目の教育を受ける状況となっている

ことを考慮すると、専門教育とは必ずしも学習指導要領で規定される専門教育に関する教科・科目を履修することに限定されるものではなく、普通教育に関する教科・科目のうち、高度な内容のもの（数学Ⅲ、音楽Ⅲなど）を履修することも含まれると解される。

六 平成五年の高等学校設置基準の一部を改正する省令（平五文部省令四）により、平成六年度から、高等学校において既存の普通教育を主とする学科（普通科）、専門教育を主とする学科（専門学科）に並ぶ新たな学科として、総合学科が創設された。総合学科は、「普通教育及び専門教育を選択履修を旨として総合的に施す学科」とされている（高等学校設置基準五条三号）。

総合学科の創設の背景としては、高校進学率が九五パーセントを超える状況の下において、高等学校で学ぶ生徒の能力・適性、興味・関心、進路等は多様化しており、これまでの二学科制では生徒の多様な個性に適切に対応することには一定の限界があり、また、普通科は進学、専門学科のうちほとんどを占める職業学科は就職という固定的な考え方に結びつけて評価されがちで、学校間の序列化を進め、ひいては偏差値偏重の進路指導などの問題を生じさせる

一因にもなっていた。このため、これまでの普通科と専門学科の二学科制の限界を克服し、生徒の多様な能力・適性、興味・関心、進路等に柔軟に対応し生徒の主体的な学習を促すことができるよう、普通教育及び専門教育を総合的に施し、かつ、生徒の選択履修を旨とする要素を組み込んだ総合学科を制度化したものである。

七　平成一六年四月、高等学校設置基準の全部を改正する省令が施行され（平一六文部科学省令二〇）、地域の実情等に応じた特色ある高等学校の設置をより一層進める観点から、高等学校設置基準を高等学校を設置するために必要な最低の基準として明確化するとともに、地域の実態や要望等に対応した適切な対応が可能となるよう、弾力的、大綱的な規定に改められた。

八　令和三年三月、学校教育法施行規則等の一部を改正する省令（令和三文部科学省令一四）により、普通教育を主とする学科については、新たに普通科その他普通教育を施す学科として適当な規模及び内容があると認められる学科とされた。これは、普通科が、ともすれば「普通」の名称から一斉的・画一的な学びの印象を持たれやすい現状にあるが、生徒や地域の実情に応じた特色化・魅力化は普通科においても当然に求められるものであり、各高等学校が特色化・魅力化に取り組むことを推進する観点から、「普通教育を主とする学科」の種類を弾力化し、各設置者の判断により、特色・魅力ある教育内容を表現する名称を学科名とすることを可能としたものである。

このうち、

①現代的な諸課題のうち、SDG′sの実現やSociety5.0の到来に伴う諸課題に対応するために、学際的・複合的な学問領域に即した最先端の学びに重点的に取り組む「学際領域に関する学科」

②現代的な諸課題のうち、高等学校が立地する地方自治体を中心とする地域社会が抱える諸課題に対応し、地域や社会の将来を担う人材の育成を図るために、現在及び将来の地域社会が有する課題や魅力に着目した実践的な特色・魅力ある学びに重点的に取り組む「地域社会に関する学科」

を高等学校設置基準二〇条及び二一条に規定し、それぞれの学科に必要とされる連携協力体制の整備を明示している。

〔高等学校教育の目標〕

第五十一条 高等学校における教育は、前条に規定する目的を実現するため、次に掲げる目標を達成するよう行われるものとする。

一 義務教育として行われる普通教育の成果を更に発展拡充させて、豊かな人間性、創造性及び健やかな身体を養い、国家及び社会の形成者として必要な資質を養うこと。

二 社会において果たさなければならない使命の自覚に基づき、個性に応じて将来の進路を決定させ、一般的な教養を高め、専門的な知識、技術及び技能を習得させること。

三 個性の確立に努めるとともに、社会について、広く深い理解と健全な批判力を養い、社会の発展に寄与する態度を養うこと。

【沿　革】 昭三六・一〇・三一法一六六により、「左の」を「次の」に改めた。

平一九・六・二七法九六により、第一号に「豊かな人間性、創造性及び健やかな身体を養い」を、第二号に「知識、技術」を、第三号に「社会の発展に寄与する態度を養う」をそれぞれ追加する等の改正を行い、旧四二条から五一条に移動した。

【参照条文】 教育基本法一条、二条、六条二項。法五〇条、五二条。施行規則八三条、八四条。

【注　解】

一 本条は、前条に示されている高等学校の目的を実現するために、高等学校教育において達成すべき目標を規定

したものである。また、本条は、法二一条の義務教育の目標と同様、高等学校の教育の方向性や教育内容の大枠を示すものであり、次条に基づき文部科学大臣が教育課程に関する事項を定める際の指針となるものである。

「目標を達成するよう行われるものとする」については、法三〇条の【注解】五参照。

二　第一号は、高等学校教育は義務教育の内容をより発展拡充させた教育を行うものであると定め、高等学校教育の方向性とその手段を含む目標全体を総括した規定となっている。また、高等学校を義務教育である小中学校教育の延長とし、義務教育ではないが広く国民が高等学校教育を受けるに至っている実態を反映したものとなっている。

平成一九年の本法の改正においては、

(1)　義務教育の目標と高等学校教育の目標の連続性をより明らかにするため、従前の「中学校における教育の成果」は「義務教育として行われる普通教育の成果」に改められた。

(2)　高等学校教育において目指すべき人間像をより明確に規定するため、教育基本法の規定を受けて「豊かな人間性」「創造性」（以上前文）と「健やかな身体」（二条一号）が明確に規定された。

三　第二号は、生徒一人一人の個性に応じて進路を決定させ、一般的な教養と専門的な知識、技術及び技能を育成することをうたっている。義務教育の目標の一つ「職業についての基礎的な知識と技能、勤労を重んずる態度及び個性に応じて将来の進路を選択する能力を養うこと」（法二一条一〇号）を踏まえ、高等学校の専門教育も「技能」のみならず「知識」「技術」も含めた教育内容であることを明示するため、「知識」「技術」が追加された。また、本号は、高等学校は、中学校が個性を発見する素地を育成したのに対し、さらに進んで個性の発見と、それに即応する教育を行うものであること、しかもこの場合、国家及び社会の形成者となるための一般教養を前提とした専門的教育を施すものであるという高等学校の性格を具体的に示している。

高等学校の学科は、高等学校設置基準に基づき普通科、専門学科、総合学科の三つの類型に区分されているが、本

号はいずれの学科においても、重点の置き方に差があるものの、一般的な教養を高めることと専門的な知識、技術及び技能を習得することの双方の目標が必要となることを定めている。

四　第三号は、義務教育の目標の一つ「学校内外における社会的活動を促進し、自主、自律及び協同の精神、規範意識、公正な判断力並びに公共の精神に基づき主体的に社会の形成に参画し、その発展に寄与する態度を養うこと」（法二一条一号）を更に発展させ、「個性の確立」と「社会について、広く深い理解と健全な批判力」の育成が高等学校教育の目標であることを明示したものである。

教育基本法二条三号に「社会の発展に寄与する態度」が規定され、これを踏まえて、義務教育の目標（法二一条一号）に明示されているが、前条に定める「高度な普通教育及び専門教育を施す」という高等学校教育の目的に応じた目標について、明示したものである。

五　法制定時の高等学校の目標に関しては、昭和二四年四月に文部省学校教育局から出された『新制高等学校教科課程の解説』（教育問題調査所）の中で、次のように述べられている。

一、新制高等学校は、青年が大なり小なりの民主的社会のよい形成者となれるように、個人の能力を発達させるにつとめる。このことを「社会的公民的資質」を発達させるといってもよい。新制高等学校は、社会的公民的資質をますます高めるような経験を生徒に与えなければならない。この学習経験は、民主的社会生活の原理と実践とに特に関係づけて与えなければならない。
二、新制高等学校は、個人的能力と特別な興味を最大限に発達させるための多様の機会を各生徒に与えて、各個人の必要に応じなければならない。青年は、自分達の個人的な問題と家庭生活の問題を解決し、余暇を有効に楽しく使う方法を知り、健全な精神と安定した情緒と健康な身体を持ち、文化遺産を理解・評価し、知能を発達させ、性格をよくするような経験を、学校で持たなければならない。この目的と最初の目的とには、大いに重なり合う部分がある。誰も単に個人として発達する者はなく、個人は社会的環境の中に生活し、その中で発達する。誰でも、社会を離れて発達できるとか、すべきだとかいうことは考えられない。民主主義社会では、個人は地方および社会の基礎であって、各個人が最大限度に望ましい生活をすれば、地方もまた成長するのである。
三、新制高等学校は、適切な職業上の指導を行い、職業について十分知悉させ、職業選択の援助を与え、指導の結果選んだ職業につ

いて特別の教育をしてやり、卒業後も絶えず注意と指導をしてやらなければならない。新制高等学校の生徒には、男女を問わず、家庭・地方および学校で勤労の経験をする機会を与えてやる。このような勤労の経験によって、生徒は如何にして家庭と地方のためにつくし、如何にして勤勉の習慣を養い熟練をつかむかを学ぶのである。

要するに、新制高等学校の三つの主な目標は、㈠社会的公民的資質を向上させ、㈡職業的能力を発達させ、㈢青年を個人として、素質の許すかぎり発達させることにある。

また、昭和二六年の学習指導要領一般編においても高等学校の目標についての記述があるが、それを示すと次のとおりである。

「高等普通教育を行う高等学校においては、中学校における教育の成果を拡充発展させ、いっそう有為な国家社会の形成者の育成が目ざされている。生徒は社会生活に関する理解を一段と深め、社会における個人の役割をよく自覚し、自分の個性を最高度に発揮して、社会の進展に貢献しようとする態度を身につけねばならない。なお、この時期は、専門教育を行う時期でもある。生徒は個性に即した専門的知識・技能を修得し、また、職業についての理解を深め、その専門的な技能に習熟する必要がある。」

以後の学習指導要領又はその解説書においては、高等学校の目標について特別に触れてはいないが、基本的な考え方は、現在の高等学校においても変わりはない。

六　国家及び社会の形成者として必要な資質を養うことと関連して、いわゆる主権者教育の重要性が高まっている。これは、日本国憲法の改正手続きに関する法律の一部を改正する法律（平二六法七五）及び公職選挙法の一部を改正する法律（平二七法四三）により、高等学校等に国民投票の投票権や選挙権を有する生徒が在籍することとなったためである（それぞれ平成三〇年六月二一日又は平成二八年六月一九日以降に一八歳の年齢引き下げが適用される）。

従来より、政治的教養を育む教育（教育基本法一四条一項）は重視されてきたところであるが、文部科学省は新通知「高等学校等における政治的教養の教育と高等学校等の生徒による政治的活動等について」（平二七・一〇・二九　二七文

科初九三三文部科学省初等中等教育局長通知）を発出して、高等学校等における政治的教養の教育などについて学校における適切な対応を求めている。これに伴い従前の「高等学校における政治的教養と政治活動について」（昭四四・一〇・三一　文初高四八三）は廃止された。

即ち、政治的中立性を確保することが求められることから（同条二項）、教員については公正中立な立場が求められていること、生徒による政治的活動等については必要かつ合理的な範囲内で制約を受け、教育活動の場を利用して選挙運動や政治的な活動を行うことは禁止すべきことなどが示されている。

これらの法改正により学校教育法関連の法令が直接影響を受けるものではないが、高校生等の政治活動を一定の範囲で認めるなど、指導方針が見直されている。

〔高等学校の学科及び教育課程〕

第五十二条　高等学校の学科及び教育課程に関する事項は、前二条の規定及び第六十二条において読み替えて準用する第三十条第二項の規定に従い、文部科学大臣が定める。

【沿　革】　平一一・七・一六法八七により、「監督庁」を「文部大臣」に改めた。

平一一・一二・二二法一六〇により、「文部大臣」を「文部科学大臣」に改めた。

平一九・六・二七法九六により、「教科」を、「教育課程」に改め、「及び第六十二条において読み替えて準用する第三十条第二項」を追加し、旧四三条から五二条に移動した。

【参照条文】　法五〇条、五一条。施行規則八〇条、八三条、八四条、八五条～八八条、九七条～一〇〇条、一〇三条、一〇四条。高等学校設置基準。単位制高等学校教育規程。

【注　解】

一　本条は、高等学校の学科及び教育課程に関する事項についての定めを、文部科学大臣に委任した規定である（法三三条の【注解】三参照）。

二　「学科」とは、一定の教育目標を達成するために、各教科・科目を一つのまとまった教育内容をもつよう系統化を図ったものであり、教育課程を編成する上での、また生徒が履修する上での単位となるものである。

施行規則八〇条では「高等学校の設備、編制、学科の種類その他設置に関する事項は、この節に定めるもののほか、高等学校設置基準（平成十六年文部科学省令第二十号）の定めるところによる。」として、高等学校設置基準の定めに委ねている。

高等学校設置基準は、学科について一章を設け、次のように定めている。

第二章　学科

（学科の種類）

第五条　高等学校の学科は次のとおりとする。

一　普通教育を主とする学科

二　専門教育を主とする学科

三　普通教育及び専門教育を選択履修を旨として総合的に施す学科

第六条　前条第一号に定める学科は、普通科その他普通教育を施す学科として適当な規模及び内容があると認められる学科とする。

2　前条第二号に定める学科は、次に掲げるとおりとする。

一　農業に関する学科

二　工業に関する学科

三　商業に関する学科

四　水産に関する学科

五　家庭に関する学科

六　看護に関する学科

七　情報に関する学科

八　福祉に関する学科

九　理数に関する学科

十　体育に関する学科

十一　音楽に関する学科

十二　美術に関する学科

十三　外国語に関する学科

十四　国際関係に関する学科

十五　その他専門教育を施す学科として適当な規模及び内容があると認められる学科

3　前条第三号に定める学科は、総合学科とする。

総合学科は、平成五年の高等学校設置基準の一部を改正する省令（平五文部省令四）により、平成六年度から創設された（その趣旨については、法五〇条の【注解】六参照）。総合学科の教育課程については、高等学校学習指導要領（平二一文部科学省告示三四）において規定されているところ（第一章第三款3）。総合学科の教育課程は次の①～④により構成される。

① 高等学校学習指導要領によりすべての生徒に履修させることとされている高等学校必修科目。

② 総合学科の生徒に原則として履修させる原則履修科目（「産業社会と人間」の一科目のみ。平成一四年度以前は、情報に関する基礎的科目、「課題研究」とともに計三科目あった）。

③ 生徒が自己の興味・関心、進路等に基づき選択して履修する総合選択科目。

④ 学校において必要に応じ開設される自由選択科目。

生徒は①及び②のほか、普通教育科目及び専門教育科目にわたる多様な開設科目の中から自己の興味・関心等に基づき履修する科目を自由に選択できることとなる。その際、学校は、「産業社会と人間」及び専門教育に関する各教科・科目を合わせて二五単位以上設けることとされているとともに、生徒が選択履修するに当たっての指針となるよう、体系性や専門性において相互に関連する各教科・科目から構成される総合選択科目群（系列）を示すこととされている。

また、学校教育法施行規則等の一部を改正する省令（令和三文部科学省令一四）において、いわゆるスクール・ポリシーとして、高等学校は、①高等学校学習指導要領により育成を目指す資質・能力に関する方針、②教育課程の編成及び実施に関する方針、③入学者の受入れに関する方針（これらを「三つの方針」という。）を定め、公表するものとされた。これは、高等学校教育の入口から出口までの教育活動を一貫した体系的なものに再構成するとともに、教育活動の継続性を担保するために、特色・魅力ある教育の実現に向けた整合性のある指針として策定するものである。な

お、同省令の施行通知において、各設置者において、その設置する高等学校が三つの方針を策定する前提として、各高等学校やその立地する市区町村と連携しつつ、各高等学校に期待される社会的役割等（いわゆるスクール・ミッション）を再定義することが望まれることも示されたところである。

さらに、同省令により制度化された普通科以外の普通教育を主とする学科の教育課程については、高等学校学習指導要領において規定されているところ（第一章第二款３）。次の①～③により構成される。

①各学科に係る三つの方針を踏まえ、各学科の特色等に応じた目標及び内容を定めた学校設定教科に関する科目を設け、当該科目については全ての生徒に二単位以上履修させること

②上記①の学校設定教科に関する科目及び総合的な探究の時間を合計六単位以上履修させること

③上記①の学校設定教科に関する科目又は総合的な探究の時間を、原則として各年次にわたり履修させること、その際、当該科目及び総合的な探究の時間について相互に関連を図り、系統的、発展的な指導を行うことに特に意を用いること。

三　高等学校の教育課程に関する事項についての文部科学大臣の定めは学校教育法施行規則であり、その内容は同施行規則第六章（高等学校）の諸条文に具体的に示されている。まず、高等学校の教育課程（注：平成二一年の高等学校学習指導要領改訂に係る学校教育法施行規則の一部改正及び告示の施行期日は平成二五年四月一日である。）は、各教科・科目、総合的な探究の時間及び特別活動によって編成するものとされ（八三条・別表第三）、教育課程の基準としては他に文部科学大臣が高等学校学習指導要領を公示している（八四条）。しかし、小中学校と同様に、教育課程の改善研究上必要がある場合（八五条）、地域の特色を生かした特別の教育課程の編成が認められる場合（八五条の二）、そして、いわゆる不登校生徒や療養等のため相当期間欠席する生徒等を対象として特別の教育課程を編成することが認められる場合について、教育課程の特例が認められている（八六条）。また、心身の状況により履修が困難な教科に対する配慮事項（五四

条）は高等学校にも準用されている。

第八十三条　高等学校の教育課程は、別表第三に定める各教科に属する科目、総合的な探究の時間及び特別活動によつて編成するものとする。

第八十四条　高等学校の教育課程については、この章に定めるもののほか、教育課程の基準として文部科学大臣が別に公示する高等学校学習指導要領によるものとする。

第八十五条　高等学校の教育課程に関し、その改善に資する研究を行うため特に必要があり、かつ、生徒の教育上適切な配慮がなされていると文部科学大臣が認める場合においては、文部科学大臣が別に定めるところにより、前二条の規定によらないことができる。

第八十五条の二　文部科学大臣が、高等学校において、当該高等学校又は当該高等学校が設置されている地域の実態に照らし、より効果的な教育を実施するため、当該高等学校又は当該地域の特色を生かした特別の教育課程を編成して教育を実施する必要があり、かつ、当該特別の教育課程について、教育基本法及び学校教育法第五十一条の規定等に照らして適切であり、生徒の教育上適切な配慮がなされているものとして文部科学大臣が定める基準を満たしていると認める場合においては、文部科学大臣が別に定めるところにより、第八十三条又は第八十四条の規定の全部又は一部によらないことができる。

第八十六条　高等学校において、学校生活への適応が困難であるため、相当の期間高等学校を欠席し引き続き欠席すると認められる生徒、高等学校を退学し、その後高等学校に入学していないと認められる者若しくは学校教育法第五十七条に規定する高等学校の入学資格を有するが、高等学校に入学していないと認められる者又は疾病による療養のため若しくは障害のため、担当の期間高等学校を欠席すると認められる生徒、高等学校を退学し、その後高等学校に入学していないと認められる者若しくは学校教育法第五十七条に規定する高等学校の入学資格を有するが、高等学校に入学していないと認められる者を対象として、その実態に配慮した特別の教育課程を編成して教育を実施する必要があると文部科学大臣が認める場合においては、文部科学大臣が別に定めるところにより、第八十三条又は第八十四条の規定によらないことができる。

別表第三（第八十三条、第百八条、第百二十八条関係）

(一)　各学科に共通する各教科

各教科	各教科に属する科目
国語	現代の国語、言語文化、論理国語、文学国語、国語表現、古典探究
地理歴史	地理総合、地理探究、歴史総合、日本史探究、世界史探究
公民	公共、倫理、政治・経済

数学	数学Ⅰ、数学Ⅱ、数学Ⅲ、数学A、数学B、数学C
理科	科学と人間生活、物理基礎、物理、化学基礎、化学、生物基礎、生物、地学基礎、地学
保健体育	体育、保健
芸術	音楽Ⅰ、音楽Ⅱ、音楽Ⅲ、美術Ⅰ、美術Ⅱ、美術Ⅲ、工芸Ⅰ、工芸Ⅱ、工芸Ⅲ、書道Ⅰ、書道Ⅱ、書道Ⅲ
外国語	英語コミュニケーションⅠ、英語コミュニケーションⅡ、英語コミュニケーションⅢ、論理・表現Ⅰ、論理・表現Ⅱ、論理・表現Ⅲ
家庭	家庭基礎、家庭総合
情報	情報Ⅰ、情報Ⅱ
理数	理数探究基礎、理数探究

(二)　主として専門学科において開設される各教科

各教科	各教科に属する科目
農業	農業と環境、課題研究、総合実習、農業と情報、作物、野菜、果樹、草花、畜産、栽培と環境、飼育と環境、農業経営、農業機械、植物バイオテクノロジー、食品製造、食品化学、食品微生物、食品流通、森林科学、森林経営、林産物利用、農業土木設計、農業土木施工、水循環、造園計画、造園施工管理、造園植栽、測量、生物活用、地域資源活用
工業	工業技術基礎、課題研究、実習、製図、工業情報数理、工業材料技術、工業技術英語、工業管理技術、工業環境技術、機械工作、機械設計、原動機、電子機械、生産技術、自動車工学、自動車整備、船舶工学、電気回路、電気機器、電力技術、電子技術、電子回路、電子計測制御、通信技術、プログラミング技術、ハードウェア技術、ソフトウェア技術、コンピュータシステム技術、建築構造、建築計画、建築構造設計、建築施工、建築法規、設備計画、空気調和設備、衛生・防災設備、測量、土木基盤力学、土木構造設計、土木施工、社会基盤工学、工業化学、化学工学、地球環境化学、材料製造技術、材料工学、材料加工、セラミック化学、セラミック技術、セラミック工業、繊維製品、繊維・染色技術、染織デザイン、インテリア計画、インテリア装備、インテリアエレメント生産、デザイン実践、デザイン材料、デザイン史
商業	ビジネス基礎、課題研究、総合実践、ビジネス・コミュニケーション、マーケティング、商品開発と流通、観光ビジネス、ビジネス・マネジメント、グローバル経済、ビジネス法規、簿記、財務会計Ⅰ、財務会計Ⅱ、原価計算、管理会計、情報処理、ソフトウェア活用、プログラミング、ネットワーク活用、ネットワーク管理
水産	水産海洋基礎、課題研究、総合実習、海洋情報技術、水産海洋科学、漁業、航海・計器、船舶運用、船用機関、機械設計工作、電気理論、移動体通信工学、海洋通信技術、資源増殖、海洋生物、海洋環境、小型船舶、食品製造、食品管理、水産流通、ダイビング、マリンスポーツ
家庭	生活産業基礎、課題研究、生活産業情報、消費生活、保育基礎、保育実践、生活と福祉、住生活デザイン、服飾文化、ファッション造形基礎、ファッション造形、ファッションデザイン、服飾手芸、フードデザイン、食文化、調理、栄養、食品、食品衛生、公衆衛生、総合調理実習
	基礎看護、人体の構造と機能、疾病の成り立ちと回

看護	復の促進、健康支援と社会保障制度、成人看護、老年看護、小児看護、母性看護、精神看護、在宅看護、看護の統合と実践、看護臨地実習、看護情報
情報	情報産業と社会、課題研究、情報の表現と管理、情報テクノロジー、情報セキュリティ、情報システムのプログラミング、ネットワークシステム、データベース、情報デザイン、コンテンツの制作と発信、メディアとサービス、情報実習
福祉	社会福祉基礎、介護福祉基礎、コミュニケーション技術、生活支援技術、介護過程、介護総合演習、介護実習、こころとからだの理解、福祉情報
理数	理数数学Ⅰ、理数数学Ⅱ、理数数学特論、理数物理、理数化学、理数生物、理数地学
体育	スポーツ概論、スポーツⅠ、スポーツⅡ、スポーツⅢ、スポーツⅣ、スポーツⅤ、スポーツⅥ、スポーツ総合演習
音楽	音楽理論、音楽史、演奏研究、ソルフェージュ、声楽、器楽、作曲、鑑賞研究
美術	美術概論、美術史、鑑賞研究、素描、構成、絵画、版画、彫刻、ビジュアルデザイン、クラフトデザイン、情報メディアデザイン、映像表現、環境造形
英語	総合英語Ⅰ、総合英語Ⅱ、総合英語Ⅲ、ディベート・ディスカッションⅠ、ディベート・ディスカッションⅡ、エッセイライティングⅠ、エッセイライティングⅡ

備考
一　㈠及び㈡の表の上欄に掲げる各教科について、それぞれの表の下欄に掲げる各教科に属する科目以外の科目を設けることができる。
二　㈠及び㈡の表の上欄に掲げる各教科以外の教科及び当該教科に関する科目を設けることができる。

四　令和四年四月から学年進行で実施される教育課程の基準は、平成三十年三月に、「学校教育法施行規則の一部を改正する省令」（平三〇文部科学省令一三）及び「高等学校学習指導要領の全部を改正する告示」（平三〇文部科学省告示六八）により定められた。

各学校が、社会で生きていくために必要となる力を共通して身に付ける「共通性の確保」の観点と、一人一人の生徒の進路に応じた多様な可能性を伸ばす「多様性への対応」の観点を軸としている。

五　高等学校のうち、中高一貫教育の実施形態である連携型高等学校及び併設型高等学校の教育課程については中高一貫の特徴を活かすべく特別の規定が設けられている（施行規則八八条・一一四条二項）。これに関しては、「連携型中

学校及び連携型高等学校の教育課程の基準の特例を定める件」（平一六文部科学省告示六一）及び「中等教育学校並びに併設型中学校及び併設型高等学校の教育課程の基準の特例を定める件」（平一〇文部省告示一五四）が定められている。なお、中高一貫教育及び併設型高等学校については法六三条及び法七一条の【注解】参照。

第八十七条　高等学校（学校教育法第七十一条の規定により中学校における教育と一貫した教育を施すもの（以下「併設型高等学校」という。）を除く。）においては、中学校における教育との一貫性に配慮した教育を施すため、当該高等学校の設置者が当該中学校の設置者との協議に基づき定めるところにより、教育課程を編成することができる。

2　前項の規定により教育課程を編成する高等学校（以下「連携型高等学校」という。）は、連携型中学校と連携し、その教育課程を実施するものとする。

第八十八条　連携型高等学校の教育課程については、この章に定めるもののほか、教育課程の基準の特例として文部科学大臣が別に定めるところによるものとする。

第百十四条

2　併設型高等学校の教育課程については、第六章に定めるもののほか、教育課程の基準の特例として文部科学大臣が別に定めるところによるものとする。

六　高等学校学習指導要領の変遷を見てみると概ね次のとおりである。昭和二三年に新制高等学校が発足してから、昭和二六年、三一年、三五年、四五年、五三年、平成元年、一一年及び二一年にそれぞれ全面改訂が行われている。なお、法三三条の【注解】五、法四八条の【注解】五参照。

(1)　昭和二二年三月に学習指導要領一般編が発行された。その中で高等学校については別途示すこととされ、同年四月七日に「新制高等学校教科課程」という文部省学校教育局長通達が学習指導要領一般編の補遺として出された。

(2)　昭和二六年に学習指導要領一般編の改訂版が発行された。この改訂は、昭和二二年のものと趣旨を根本的に変えるというより、それをより整備する方向で行われたものである。すなわち改訂の基本的事項としては、昭和二二年に当然載せるべきであったが、時日の関係で載せられなかった事項、例えば高等学校の教育課程一般編などを加えた

ことや詳細な指導的事項は他の文部省出版物にゆずり、指導上の基本的事項に精選を図ったことなどである。

(3) 昭和三一年には、学習指導要領一般編(昭和二六年改訂版)のうち、高等学校に関する部分を改訂し、高等学校学習指導要領一般編を作成した。この改訂では、従来の大幅な科目の自由選択制の反省に立って、教育により計画性、系統性をもたせるようにするため、教育課程の類型化を図ったことが、大きな特色であった。

(4) 昭和三五年一〇月には、高等学校学習指導要領が全面改訂された。公示の形式も文部省告示として示され、昭和三八年度から学年進行により実施に移された。この改訂は、基本的には、昭和三一年の改訂の趣旨をより徹底したものであり、基礎学力の向上を図るため、必修の教科・科目の単位数をいっそう増加するとともに、進学率の増大に伴う生徒の能力・適性・進路等の多様化に対応するため、科目を必要に応じてA、Bの二種類に分けたり、教科・科目の単位数を標準単位数として示したりして適切な教育課程の類型化が図れるようにするなどの改善を行った。

(5) 昭和四五年一〇月には、高等学校学習指導要領が全面改訂され、昭和四八年度から学年進行により実施された。

この改訂の趣旨としては、進学率のいっそうの上昇や高等学校教育をとりまく社会環境の変化などを踏まえて、①人間として調和のとれた発達を目指すこと、②国家社会の有為な形成者として必要な資質の育成を図ること、③教育課程の弾力的な編成が行われるようにすること、④教育内容の質的改善と基本的事項の精選集約を図ることであった。

昭和四七年一〇月には、この改訂の趣旨をさらに明確にするため、学習指導要領の総則を一部改正し、その適切な運用についていっそうの徹底を図る文部事務次官通達が出された。

(6) 高等学校への進学率は昭和四九年度には九〇パーセントを超えて、高等学校は青少年のほとんどすべてを教育する国民教育機関としての性格を濃厚にしてきた。このような高等学校の現状にかんがみ、それにふさわしい教育の在り方を示す高等学校学習指導要領が昭和五三年八月に告示され、昭和五七年度から学年進行によって実施された。

この指導要領の改訂の基本方針は、おおむね次のとおりである。

ア　学校の主体性を尊重し、特色ある学校づくりができるようにすること――学習指導要領を大綱的基準にとどめるとともに、学校の主体性を尊重して教育課程の編成と実施についてできる限り学校の自主的判断に委ねることとした。

イ　生徒の個性や能力に応じた教育が行われるようにすること――多様化した生徒の教育に対応できるよう、必修教科・科目とその単位数を大幅に削減し、選択科目を中心とする教育課程が編成できるようにした。

ウ　ゆとりある充実した学校生活が送れるようにすること――卒業に必要な単位数を削減するとともに授業時数等の扱いを弾力化し、また各教科・科目の内容を基礎的・基本的事項に精選し、地域や学校の実態に即してそれらの運用に創意工夫を加えることができるようにした。

エ　勤労の喜びを体得させるとともに徳育・体育を重視すること――勤労にかかる体験的な学習を重視し、働くことや創造することの喜びを体得させるとともに望ましい勤労観や職業観の育成に資することとした。また道徳教育や体育を一層重視し、知・徳・体の調和のとれた人間性豊かな生徒の育成を図った。

(7)　平成元年三月、高等学校学習指導要領の全面改訂が行われ、平成六年度から学年進行により実施された。この改訂の趣旨は、科学技術の進歩と経済の発展がもたらした物質的な豊かさや情報化、国際化、価値観の多様化、核家族化、高齢化など社会の大きな変化とそれに伴う生徒の生活や意識の変容に配慮しつつ、生徒の能力・適性・興味・関心・進路等の多様化に対応すべく、教育課程の編成、実施の多様化・弾力化を一層図ろうとするものである。

この学習指導要領の改訂の基本方針は、次のとおりである。

ア　豊かな心をもちたくましく生きる人間の育成を図ること――人間としての在り方生き方に関する指導を推進することにより道徳教育の充実を図ることとし、新しく公民科を設け、また、ホームルーム活動を充実するととも

に、奉仕などの体験活動を重視する。

イ　自ら学ぶ意欲と社会の変化に主体的に対応できる能力の育成を重視すること――生涯学習の基礎を培うため、思考力、判断力、表現力などの能力の育成の充実を図り、創造性の基礎となる論理的思考力、想像力及び直感力の育成を重視するとともに、問題解決学習の充実を図る。また、情報や情報手段を活用する能力の育成などを重視する。

ウ　国民として必要とされる基礎的・基本的な内容を重視し、個性を生かす教育の充実を図ること――各教科等の内容の精選を図るとともに、多様な教科、科目の設置や選択必修制の拡充、生徒選択の拡大などの措置を講ずることにより、生徒の多様化に適切に対応できるようにする。

エ　国際理解を深め、我が国の文化と伝統を尊重する態度の育成を重視すること――世界の文化や歴史についての理解を深めるとともに、我が国の文化と伝統を尊重する態度の育成を図り、国際社会に生きる日本人としての資質を養うことができるようにする。このため、地理歴史科の新設、世界史の必修化、古典学習の充実及び外国語によるコミュニケーション能力の育成の充実などの改善を図る。

(8)　平成一一年三月、高等学校学習指導要領の全面改訂が行われ、平成一五年度から学年進行により実施された。この改訂の趣旨は、平成一四年度から実施される完全学校週五日制の下、各学校がゆとりのある教育活動を展開する中で、一人一人の子どもたちに「生きる力」を育成することを基本としつつ、能力・適性、興味・関心等の多様な生徒に対応し個性の一層の伸長を図るため、選択の幅を拡大するとともに、各学校が教育課程上の特色を発揮し、その編成・実施上の工夫を柔軟に行えるようにしようとするものである。

この学習指導要領の改訂の基本方針は、次のとおりである。

ア　豊かな人間性や社会性、国際社会に生きる日本人としての自覚を育成すること――ボランティア活動や就業体

験等を通じた勤労の尊さや社会奉仕の精神の涵養を重視するとともに、社会生活における役割や自己責任の自覚の育成を図る。

イ　自ら学び、自ら考える力を育成すること――課題研究等を通じた体験的・問題解決的な学習を充実するとともに、自らの意見や考え方を持ち、論理的に表現したり、相手の立場を尊重して討論する力の育成を図る。

ウ　ゆとりのある教育活動を展開する中で、基礎・基本の確実な定着を図り、個性を生かす教育を充実すること――卒業に必要な修得総単位数や必修教科・科目の最低合計単位数を縮減するとともに、必修科目については、複数の科目の中から選択的に履修できるようにする選択必修を基本に設定する。

エ　各学校が創意工夫を生かし特色ある教育、特色ある学校づくりを進めること――総合的な学習の時間を創設し、各学校が創意工夫を生かした教育活動を展開することができるようにするとともに、授業の一単位時間の弾力化、学校設定教科・科目の導入など教育課程や時間割編成の弾力化を図る。

なお、平成一五年一二月には、学習指導要領に示している内容の確実な定着を図るための指導を行った上で、生徒の実態に応じて、必要に応じ、学習指導要領に示されていない内容を指導することができること（学習指導要領の基準性）をより明確化するとともに、総合的な学習の時間の活動を各教科・科目と関連付け、各学校において目標や内容を定め全体計画を作成することを示すなど、学習指導要領の一部改正が行われた。

(9)　平成二一年三月、高等学校学習指導要領の全面改訂が行われ、平成二五年度から学年進行により実施された。この改訂は教育基本法及び学校教育法の改正で明確になった教育の目的及び目標を踏まえ、「生きる力」をはぐくむという理念を引き継ぎながら、次のような基本方針の下に行われた。

ア　教育基本法改正等で明らかとなった教育の理念を踏まえ、「生きる力」を育成すること――「知識基盤社会」の時代においてますます重要となる「生きる力」という理念を継承し、これを支える「確かな学力」、「豊かな心」

「健やかな体」の調和を重視し、伝統や文化に関する教育、道徳教育、体験活動、環境教育等を充実する。
イ　知識・技能の習得と思考力・判断力・表現力等の育成のバランスを重視すること――各教科等において基礎的・基本的な知識・技能の習得を重視した上で、観察・実験やレポートの作成、論述など知識・技能の活用を図る学習活動を充実し、思考力・判断力・表現力等の育成を重視する。
ウ　道徳教育や体育などの充実により、豊かな心や健やかな身体を育成すること――体験活動を活用しながら、道徳教育や体力の向上についての指導、安全教育や食育などを発達の段階に応じ充実し、豊かな心や健やかな身体の育成を図る。

⑽　平成三〇年三月、高等学校学習指導要領の全面改訂が行われ、令和四年度から年次進行により実施される。なお、法三三条の【注解】五⑾参照。特に、高等学校においては、選挙権年齢が一八歳以上に引き下げられ、生徒にとって政治や社会が一層身近なものとなっている中で、社会で求められる資質・能力を全ての生徒に育み、生涯にわたって探究を深める未来の創り手として送り出していくことがこれまで以上に求められている。こうしたことを踏まえ、高等学校を卒業した生徒に求められる資質・能力を踏まえて教科・科目等の構成を見直すとともに、知識の理解の質をさらに高めることとしている。

七　平成三〇年三月に告示された高等学校学習指導要領（令和四年度より年次進行で実施）は、第一章総則、第二章各学科に共通する各教科、第三章主として専門学科において開設される各教科、第四章総合的な探究の時間及び第五章特別活動からなり、第一章の総則は、次のような項目により構成されている。

第一款　高等学校教育の基本と教育課程の役割
第二款　教育課程の編成
第三款　教育課程の実施と学習評価
第四款　単位の修得及び卒業の認定
第五款　生徒の発達の支援
第六款　学校運営上の留意事項

また、第二章及び第三章では、教科の目標、教科に属する各科目のそれぞれの目標、内容及び内容の取扱い並びに各科目にわたる指導計画の作成と内容の取扱いを示しており、第五章の特別活動でもおおむね各教科に準じた示し方をしている。総合的な探究の時間については、小学校及び中学校と同じく独立した章立てに改められた。

八　なお、学習指導要領の法的拘束力については、法三三条の**【注解】一六**参照。

九　平成二七年の施行規則等の一部改正により、国際バカロレアと学習指導要領の双方を無理なく履修できる特例措置が設けられた。

第八十八条の二　スイス民法典に基づく財団法人である国際バカロレア事務局から国際バカロレア・ディプロマ・プログラムを提供する学校として認められた高等学校の教育課程については、この章に定めるもののほか、教育課程の基準の特例として文部科学大臣が別に定めるところによるものとする。

具体的には、平成二七年文部科学省告示一二七号において、①学校設定教科・科目として設置した国際バカロレア・ディプロマ・プログラムの科目について、生徒の負担を軽減するために、卒業に必要な単位数に参入できる上限を三六単位を超えない範囲とすること、②英語、数学及び理科の必履修科目並びに総合的な学習の時間については、関連する国際バカロレア・ディプロマ・プログラムの科目の履修をもって代えることができること、③国語以外の教科、総合的な学習の時間及び特別活動について、英語による指導を行うことができることが規定されている。

一〇　平成二七年の施行規則等の一部改正により、全日制・定時制課程の高等学校においてメディアを利用して行う遠隔授業を行うことができることとなった。

第八十八条の三　高等学校は、文部科学大臣が別に定めるところにより、授業を、多様なメディアを高度に利用して、当該授業を行う教室等以外の場所で履修させることができる。

施行規則八八条の三の「文部科学大臣が別に定める」ものとしては平成二七年文部科学省告示九二号において、①通信衛星、光ファイバを用いることにより、多様なメディアを高度に利用して、文字、音声、静止画、動画等の多様な情報を一体的に扱うもので、同時かつ双方向的に行われるものであること、②メディアを利用して行う授業が行われる教科・科目等の特質に応じ、対面により行う授業を相当の時間数行うものであることが規定されている。

○学校教育法施行規則第八十八条の三の規定に基づき、高等学校、中等教育学校の後期課程又は特別支援学校の高等部が履修させることができる授業について定める件（平成二七・四・一文部科学省告示九二号）

学校教育法施行規則第八十八条の三（同令第百十三条第三項及び第百三十五条第五項において準用する場合を含む。）の規定に基づき、高等学校（中等教育学校の後期課程及び特別支援学校の高等部を含む。）が履修させることができる授業は、通信衛星、光ファイバ等を用いることにより、多様なメディアを高度に利用して、文字、音声、静止画、動画等の多様な情報を一体的に扱うもので、同時かつ双方向に行われるものであって、高等学校（中等教育学校の後期課程及び特別支援学校の高等部を含む。）において、対面により行う授業に相当する教育効果を有すると認めたものとする。この場合において、高等学校（中等教育学校の後期課程を含む。）は、同条に規定する授業を行う科目、総合的な学習の時間又は特別活動について、特別支援学校の高等部は、同令第百三十五条第五項において準用する同令第八十八条の三に規定する授業を行う教科若しくは科目、道徳、総合的な学習の時間、特別活動又は自立活動について、それぞれこれらの特質に応じ、対面により行う授業を相当の時間数行うものとする。

また、メディアを利用して行う授業については、施行規則九六条二項において、高等学校の全課程の修了要件として修得すべき単位数である七四単位のうち三六単位以下とすることが定められている。なお、令和二年の施行規則の一部改正により、病気療養中の生徒であって、相当の期間学校を欠席すると認められるものが当該授業により修得する単位については、この限りでないこととされた。

第九十六条（略）

2　前項前段の規定により全課程の修了の要件として修得すべき七十四単位のうち、第八十八条の三に規定する授業の方法により修得する単位数は三十六単位を超えないものとする。ただし、疾病による療養のため又は障害のため、病院その他の適当な場所で医療の提供その他の支援を受ける必要がある生徒であつて、相当の期間高等学校を欠席すると認められるものについては、この限りでない。

あわせて、施行規則八六条の改正により、全日制・定時制課程の高等学校において、疾病による療養のため又は障害のため、相当の期間高等学校を欠席すると認められる生徒等を対象として、その実態に配慮した特別な教育課程を編成して教育を実施する必要があると文部科学大臣が認める場合に、不登校生徒を対象としたこれまでの特例制度と同様に、特別な教育課程を編成することができることとされた。この場合においては、高等学校で通信の方法を用いた教育として、いわゆるオンデマンド型の授業が認められることとなる（本条の【注解】三参照）。

一一　高等学校教育の多様化を図るため、平成五年度から、他の高等学校、専修学校などで修得した単位を卒業要件として必要な単位数に認定できることとなった。

各教科・科目は各学校でそれぞれ開設され、その学校に在籍する生徒が履修し、その学習成果が在学校の単位として認定されるのが原則であるが、一定の場合には、在学校以外の学校又は技能教育施設などでの学習成果が単位認定される。その一つは、従来から認められていた定時制課程・通信制課程におけるいわゆる技能連携制度（法五五条）やいわゆる定通併修制度（高等学校通信教育規程）などである。これらは、定時制・通信制課程に在籍する生徒の学習負担の軽減等勤労青少年の学習の便宜を図るため、他の技能教育施設や他の課程における学習成果を認定するものである。もう一つが、生徒の選択学習の機会の拡大を図る観点から、平成五年の学校教育法施行規則の一部改正により導入された学校間連携等の自校以外での学修成果の単位認定の制度である。なお、この制度は、平成一〇年度から学習成果の対象等が一定のボランティア活動等にまで拡充された（平一〇文部省令三）。

施行規則には、次の場合が規定されている。

第九十七条　校長は、教育上有益と認めるときは、生徒が当該校長の定めるところにより他の高等学校又は中等教育学校の後期課程において一部の科目又は総合的な探究の時間の単位を修得したときは、当該修得した単位数を当該生徒の在学する高等学校が定めた全課程の修了を認めるに必要な単位数のうちに加えることができる。

2　前項の規定により、生徒が他の高等学校又は中等教育学校の後期課程において一部の科目又は総合的な探究の時間の単位を修得する場合においては、当該他の高等学校又は中等教育学校の校長は、当該生徒について一部の科目の履修を許可することができる。

3　同一の高等学校に置かれている全日制の課程、定時制の課程及び通信制の課程相互の間の併修については、前二項の規定を準用する。

第九十八条　校長は、教育上有益と認めるときは、当該校長の定めるところにより、生徒が行う次に掲げる学修を当該生徒の在学する高等学校における科目の履修とみなし、当該科目の単位を与えることができる。

一　大学、高等専門学校又は専修学校の高等課程若しくは専門課程における学修その他の教育施設等における学修で文部科学大臣が別に定めるもの

二　知識及び技能に関する審査で文部科学大臣が別に定めるものに係る学修

三　ボランティア活動その他の継続的に行われる活動（当該生徒の在学する高等学校の教育活動として行われるものを除く。）に係る学修で文部科学大臣が別に定めるもの

第九十九条　第九十七条の規定に基づき加えることのできる単位数及び前条の規定に基づき与えることのできる単位数の合計数は三十六を超えないものとする。

なお、施行規則九八条の「文部科学大臣が別に定める」ものとして、次の告示がある。

○学校教育法施行規則第九十八条各号の規定により、別に定めることとされた学修について定める件（平一〇・三・二七文部省告示四一）

最終改正　平二〇・一二・一文部科学省告示一六九

1　省令第九十八条第一号の別に定める学修は、次に掲げる学修（第四号に掲げる学修にあっては、高等学校教育に相当する水準を有すると校長が認めたものに限る。）とする。

一　大学又は高等専門学校における学校教育法第百五条（同法第

百二十三条において準用する場合を含む。）に規定する特別の課程における学修及び科目等履修生、研究生又は聴講生としての学修

二　専修学校の高等課程における学修並びに専門課程における学校教育法第百三十三条において準用する同法第百五条に規定する特別の課程における学修及び科目等履修生又は聴講生としての学修

三　専修学校が高等課程又は専門課程において高等学校の生徒を対象として行う附帯的教育事業における学修

四　大学において開設する公開講座における学修、公民館その他の社会教育施設において開設する講座における学修その他これらに類する学修

2　省令第九十八条第二号の知識及び技能に関する審査で別に定めるものは、次に掲げる審査とする。

一　青少年及び成人の学習活動に係る知識・技能審査事業の認定に関する規則（平成十二年文部省令第二十五号）又は技能審査の認定に関する規則（昭和四十二年文部省告示第二百三十七号）により文部科学大臣が認定した技能審査で、当該審査の合格に係る学修が高等学校教育に相当する水準を有すると校長が認めたもの

二　次に掲げる要件を備えた知識及び技能に関する審査で、当該審査における成果に係る学修が高等学校教育に相当する水準を有すると校長が認めたもの

イ　審査を行うものが国又は一般社団法人若しくは一般財団法人その他の団体であること。

ロ　審査の実施に関し、十分な社会的信用を得ていること。

ハ　審査が全国的な規模において、毎年一回以上行われるものであること。

ニ　審査の実施の方法が、適切かつ公正であること。

3　省令第九十八条第三号の別に定める学修は、次に掲げる活動に係る学修で高等学校教育に相当する水準を有すると校長が認めたものとする。

一　ボランティア活動、就業体験その他これらに類する活動

二　スポーツ又は文化に関する分野における活動で顕著な成果をあげたもの

施行規則九七条の規定は、学校間連携と称されるもので、在学する高等学校において生徒の多様な実態、希望に応じた教科・科目の開設が困難な場合に、生徒に他の高等学校又は中等教育学校の後期課程の科目を受講する機会を与えその学習成果を在学校の科目の単位として認定するものである。施行規則九八条の規定は、①大学等での科目履修生としての学修、専修学校における学修、大学の公開講座や社会教育施設の講座における学修等　②英語検定や簿記

検定などの技能審査等の合格に係る学修　③ボランティア活動、就業体験等に係る学修について、高等学校における科目の履修とみなし、関連する科目の単位として認定するものである。

これらの場合に認定できる単位数の合計は従来二〇単位以下とされていたが、高等学校の生徒の多様化等に対応し、学校が地域や生徒のニーズに応じた特色ある教育を一層進めるため、平成一七年四月より、その上限が三六単位に拡大された。これらは、いずれも卒業に必要な単位数に算入される。

さらに、平成一七年四月より、次のとおり、施行規則一〇〇条が新設され、高等学校卒業程度認定試験の合格科目について単位認定することができることなどが規定された。

第百条　校長は、教育上有益と認めるときは、当該校長の定めるところにより、生徒が行う次に掲げる学修（当該生徒が入学する前に行つたものを含む。）を当該生徒の在学する高等学校における科目の履修とみなし、当該科目の単位を与えることができる。

一　高等学校卒業程度認定試験規則（平成十七年文部科学省令第一号）の定めるところにより合格点を得た試験科目（同令附則第二条の規定による廃止前の大学入学資格検定規程（昭和二十六年文部省令第十三号。以下「旧規程」という。）の定めるところにより合格点を得た受検科目を含む。）に係る学修

二　高等学校の別科における学修で高等学校学習指導要領の定めるところに準じて修得した科目に係る学修

三　少年院法（平成二十六年法律第五十八号）の規定による矯正教育で高等学校学習指導要領の定めるところに準じて修得したと認められるものに係る学修

これは、従来の大学入学資格検定が高等学校卒業程度認定試験に改められ、これまで大学入学資格検定の受検が認められていた高等学校定時制・通信制課程の在学者（従来は、高等学校学習指導要領で規定）に加え、高等学校卒業程度認定試験については、全日制の課程の在学者にも受験資格が付与されたことに伴い、全日制・定時制・通信制を通じて、当該合格科目に相当する高等学校の各教科・科目の単位を修得したものとみなすことができる旨の規定を施行規則に置いたものである。また、これに合わせ、従来、高等学校学習指導要領で規定されていた別科の科目の単位認定

についても、施行規則一〇〇条において規定することとされた。これらによって認定される単位数も卒業に必要な単位数に算入されるものであり、その単位数は施行規則九九条で規定されている三六単位の上限とは別に認められる。

一二　昭和六三年の施行規則の一部改正並びに単位制高等学校教育規程（昭六三文部省令六）の制定により、単位制高等学校制度が昭和六三年度から施行された。

単位制高等学校は、学年による教育課程の区分を設けず、したがって学年ごとに課程の修了の認定（進級認定）を行わないで、過去に在学した高等学校において修得した単位をも累積加算し、卒業までに一定数の単位を修得すれば卒業を認めるものである。この単位制高等学校は、生徒の幅広いニーズに応える多様な履修形態を可能にするとともに、生涯学習の観点からだれでもいつでも必要に応じて高等学校教育を受けられるようにすることを目的としている。この制度は、当初、昭和六三年度からは定時制課程・通信制課程においてまず導入されて、さらに平成五年度からは、全日制課程にも拡大された。

施行規則に次の規定を設け、学年による教育課程の区分を設けない単位制による課程に認められる特例については単位制高等学校教育規程で定めるものとしている。

第百三条　高等学校においては、第百四条第一項において準用する第五十七条（各学年の課程の修了に係る部分に限る。）の規定にかかわらず、学年による教育課程の区分を設けないことができる。

2　前項の規定により学年による教育課程の区分を設けない場合における入学等に関する特例その他必要な事項は、単位制高等学校教育規程（昭和六十三年文部省令第六号）の定めるところによる。

○単位制高等学校教育規程（昭六三・三・三一文部省令六）

最終改正　令三・三・三一文部科学省令一四

（趣旨）

第一条　この省令は、学校教育法施行規則（昭和二十二年文部省令第十一号）第百三条第一項の規定により学年による教育課程の区分を設けない全日制の課程、定時制の課程及び通信制の課程（以下「単位制による課程」という。）に関し、同令の特例その他必要な事項を定めるものとする。

（入学者の選抜の方法）
第二条　単位制による課程のうち定時制の課程又は通信制の課程であるものに係る入学者の選抜の方法は、当該単位制による課程を置く高等学校の設置者が定める。
（入学及び卒業の時期）
第三条　単位制による課程については、教育上支障がないときは、学期の区分に従い、生徒を入学させ、又は卒業させることができる。
（編入学）
第四条　単位制による課程に係る編入学は、相当年齢に達し、相当の学力があると認められた者について、相当の期間を在学すべき期間として、これを許可することができる。
（転入学）
第五条　単位制による課程に係る転学又は転籍は、修得した単位及び在学した期間に応じて、相当の期間を在学すべき期間として、これを許可することができる。
（科目の開設等）
第六条　単位制による課程を置く高等学校においては、高等学校教育の機会に対する多様な要請にこたえるため、多様な科目を開設するよう努めるものとする。
2　単位制による課程のうち定時制の課程又は通信制の課程であるものを置く高等学校においては、高等学校教育の機会に対する多様な要請にこたえるため、複数の時間帯又は特定の時期における授業の実施その他の措置を講ずるよう努めるものとする。
（過去に在学した高等学校において修得した単位）
第七条　単位制による課程を置く高等学校（中等教育学校の後期課程を含む。）の校長は、当該単位制による課程の生徒が過去に在学した高等学校（中等教育学校の後期課程を含む。）において単位を修得しているときは、当該修得した単位数を当該単位制による課程を置く高等学校（中等教育学校の後期課程を含む。）が定めた全課程の修了を認めるに必要な単位数のうちに加えることができる。
（休業日）
第八条　公立高等学校の単位制による課程のうち定時制の課程又は通信制の課程であるものに係る休業日は、当該高等学校を設置する都道府県又は市町村の教育委員会（公立大学法人（地方独立行政法人法（平成十五年法律第百十八号）第六十八条第一項に規定する公立大学法人をいう。以下この条において同じ。）の設置する高等学校にあつては、当該公立大学法人の理事長）が定める。
（科目履修生）
第九条　単位制による課程のうち定時制の課程又は通信制の課程であるものを置く高等学校においては、当該単位制による課程の聴講生として特定の科目を履修する者（以下「科目履修生」という。）に対し、多様な教育の機会の確保について配慮するよう努めるものとする。
2　単位制による課程のうち定時制の課程又は通信制の課程であるものを置く高等学校の校長は、当該単位制による課程の生徒が当該高等学校に入学する前に科目履修生として特定の科目を履修し

ている場合において、教育上有益と認めるときは、当該科目履修生としての履修を当該入学した高等学校における履修とみなし、その成果について単位を与えることができる。

この規程で定める現行制度に対する特例は、すべての単位制高等学校にかかるものと、定時制・通信制課程のみにかかるものとがあるが、その要点は、次のとおりである。

① 入学者選抜　入学者の選抜は、現行制度では原則として調査書と学力検査によることとされているが、社会人など多様な生徒を受け入れるため、定時制・通信制の単位制課程にあっては設置者の判断に委ねるものとしている。

② 入学・卒業の時期　入学及び卒業の時期は、現行制度においては、原則としてそれぞれ四月及び三月とされているが、多様な生徒を受け入れるため、学期ごとに入学させ、又は卒業させることができることとしている。

③ 編入学・転入学　学年制による規制をはずすことに対応して、編入学・転入学の許可条件を緩和するとともに、単位制高等学校に在学すべき期間を示して、許可することとしている。

④ 科目の開設等　履修形態の多様化・弾力化を図るため、定時制・通信制課程の単位制課程については、多様な科目の開設、複数の時間帯や特定の時期における授業の実施など、授業の実施形態の多様化に努めるものとしている。

⑤ 単位の累積加算　生徒が過去に高等学校に在学し単位を修得しているときは、その単位を加算して全課程の修了の認定を行うことができることとしている。

⑥ 休業日　土日コースを設けるなど、必要に応じ日曜日等にも授業を行う場合があるところから、定時制・通信制課程の単位制課程については、休業日の定めは教育委員会の判断に委ねることとしている。

⑦ 科目履修生　定時制・通信制課程の単位制課程については、特定の科目の履修のみを目的とする者を受け入れ

るため、必要な配慮を行うように努めることとし、科目履修生であった者が単位制による課程に入学した場合には、科目履修生としての成果に対して単位を与えることができることとしている。

【通　知】

○学校教育法施行規則の一部改正及び単位制高等学校教育規程の制定について（抄）（昭六三・三・三一　文初高一四三号
各都道府県教育委員会、各都道府県知事、附属学校を置く各国立大学長あて　文部事務次官通達）

このたび、別添（略）のとおり、「学校教育法施行規則の一部を改正する省令」（昭和六三年文部省令第五号）及び「単位制高等学校教育規程」（昭和六三年文部省令第六号）が三月三一日に公布され、昭和六三年四月一日から施行されることとなりました。

これらの省令の概要及び留意すべき事項は下記のとおりですので、事務処理上遺漏のないようお願いします。

記

1　今回の改正及び制定の趣旨

今回の措置は、学年による区分を設けない教育課程に従って生徒が多様な科目を選択し単位を修得することを可能にするとともに、卒業の認定について生徒が過去に在学した高等学校において修得した単位をも累積して行うことを可能にするため、学年による教育課程の区分を設けない課程を置く高等学校（以下「単位制高等学校」という。）に関する制度について、定時制又は通信制の課程の特別な形態のものとして定めたものであること。

このことは、生涯学習の観点から、学習歴や生活環境などが多様な生徒に対し広く高等学校教育の機会の確保を図るとともに、高等学校教育の多様化・弾力化に資するためのものであること。

2　学校教育法施行規則の一部改正関係（略）

3　単位制高等学校教育規程の制定関係

(1)　入学者の選抜の方法（規程第二条関係）

高等学校の入学者の選抜は、規則第五九条第一項及び第二項〔現行施行規則九〇条一項及び二項〕により、調査書及び学力検査によることを原則とすることとされているが、単位制による課程においては、多様な生徒を受け入れるため、その方法については設置者が定めることとしたこと。

(2)　入学及び卒業の時期（規程第三条関係）

高等学校の入学及び卒業の時期は、規則第六五条第一項〔現行施行規則一〇四条一項〕で準用する第四四条〔現行施行規則五九条〕により、それぞれ四月及び三月とされているが、単位制による課程については、多様な生徒を受け入れるため、四月及び三月以外の時期においても、学期の区分に従い、生徒を入

学させ、又は卒業させることができることとしたこと。

なお、四月及び三月以外の時期において、学期の区分に従い、生徒を入学させ、又は卒業させる場合には、それらの者に対し適切な教育課程を編成するなど教育上支障がないよう配慮する必要があること。

(3) 編入学及び転入学（規程第四条及び第五条関係）

高等学校の編入学及び転入学については、規則第六〇条及び第六一条〔現行施行規則九一条及び九二条〕により規定されており、単位制による課程においてもこれらの規定の考え方に準ずることとするが、編入学又は転入学の時点の示し方については、これらの規定における相当学年に対応するものとして、修業年限の範囲内で当該単位制高等学校において在学すべき期間を示すこととしたこと。

(4) 科目の開設等（規程第六条関係）

単位制による課程を置く高等学校においては、高等学校教育の機会に対する多様な要請にこたえ、履修形態の多様化・弾力化を図るため、多様な科目の開設に努めるとともに、科目の開設方法について、複数の時間帯又は特定の時期における授業の実施その他の措置を講ずるよう努めるものとしたこと。

(5) 過去に在学した高等学校において修得した単位（規程第七条関係）

単位制による課程においては、過去に修得した単位の累積を可能にするため、生徒が過去に在学した高等学校において単位を修得しているときは、その単位を卒業を認めるに必要な単位数のうちに加えることができることとしたこと。

この場合、過去に在学した高等学校とは、当該高等学校及び他の高等学校をともに含むものであること。

(6) 定時制の課程との併修（規程第八条関係〔現行規程では削除。現行施行規則九七条、一〇〇条で規定〕）

① 高等学校における併修については、高等学校通信教育規程（昭和三七年文部省令第三二号）第九条〔現行一二条〕により通信制の課程相互の間の併修及び通信制の課程と定時制の課程との併修が認められているが、定時制である単位制による課程については他の定時制の課程との併修を可能にするため、校長の定めるところにより、生徒が他の高等学校の定時制の課程において一部の科目の単位を修得したときは、その単位を卒業を認めるに必要な単位数のうちに加えることができることとしたこと。（同条第一項）

また、定時制の課程の生徒が、他の高等学校の定時制である単位制による課程において一部の科目の単位を修得した場合についても、同様の取り扱いができることとしたこと。（同条第二項）

② ①により生徒が併修を行おうとする場合、当該生徒が在学する高等学校の校長は、対象科目が当該高等学校の教育課程の全体からみて適切であるかどうか等に配慮して必要な事項を定めること。

③ ①により生徒が併修を希望する高等学校の校長は、当該生徒について一部の科目の履修を許可することができることと

したこと。（同条第三項）

(7) 休業日（規程第九条関係〔現行八条〕）

公立高等学校の休業日は、規則第六五条第一項〔現行施行規則一〇四条一項〕で準用する第四七条第一項〔現行施行規則六一条〕により、日曜日等に特定されているが、公立の単位制による課程においては、教育委員会が定めることとしたこと。

(8) 科目履修生（規程第一〇条関係〔現行九条〕）

① 単位制による課程においては、聴講生として特定の科目を履修する者（以下「科目履修生」という。）を適切に受け入れるため、必要な配慮をするよう努めるものとしたこと。

② 単位制による課程においては、入学前に科目履修生として特定の科目を履修していた生徒が入学した場合、当該科目履修生としての履修を当該入学した高等学校における履修とみなし、その成果について単位を与えることができることとしたこと。

この場合、単位の認定については、生徒の教育上有益であるかどうか等を判断して、適切に行う必要があること。

③ なお、これらの措置を講ずるに当たっては、科目履修生の取扱いを明らかにするため、あらかじめ、その身分等について定める必要があること。

4 施行期日

今回の措置は、昭和六三年四月一日から施行することとしたこと。

○総合学科について（抄）（平五・三・二二　文初職二〇三号　各都道府県教育委員会、各都道府県知事、附属学校を置く各国立大学長あて　文部省初等中等教育局長通知）

高等学校に総合学科を設けることについては、平成五年三月二二日付け文初高第二〇二号初等中等教育局長通達により通知したところであります。

総合学科は普通教育及び専門教育を選択履修を旨として総合的に施す学科であり、高等学校教育の一層の個性化・多様化を推進するため、普通科、専門学科に並ぶ新たな学科として設けられたものであります。

ついては、別添（略）の高等学校教育の改革の推進に関する会議の第四次報告（以下「第四次報告」という。）の内容を十分に参考の上、総合学科の設置に対する積極的な取組みをお願いします。第四次報告のうち特に留意すべき内容は下記のとおりであります。

また、既存の普通科及び専門学科についても、特色ある個性的な教育の展開の一層の推進が重要であり、上記第四次報告においても指摘されているとおり、多様な生徒の持つ様々な能力・適性等に対応できるよう積極的な取組みをお願いします。

なお、総合学科における教職員定数及び施設・設備の整備に対する措置等については、国としても別途検討中であることを申し添えます。

I　教育の特色及び活用される諸制度について

1　教育の特色

(1) 将来の職業選択を視野に入れた自己の進路への自覚を深めさせる学習を重視すること。

このため、在学中に自己の進路への自覚を深める動機付けとなるような科目を開設するとともに、生徒の科目選択に対する助言や就職希望者・進学希望者の双方を視野に入れた進路指導などのガイダンス機能を充実すること。

(2)　生徒の個性を生かした主体的な学習を通して、学ぶことの楽しさや成就感を体験させる学習を可能にすること。

このため、教育課程の編成に当たっては幅広く選択科目を開設し、生徒の個性を生かした主体的な選択や実践的・体験的な学習を重視し、多様な能力・適性等に対応した柔軟な教育を行うことができるようにすること。

2　活用される諸制度

上記の総合学科における教育の特色を発揮させるため、総合学科への入学者選抜に当たっては、多様な能力・適性等を持つ生徒を入学させるため、文化・スポーツ活動、ボランティア活動等の実績を重視した推薦入学の導入をはじめとする多様な選抜方法を工夫するほか、次のような制度の積極的な活用を図ること。

①　単位制による教育課程編成

学年による教育課程の枠を設け、学年ごとに課程の修了の認定を行う学年制ではなく、卒業までに所要の単位を修得すれば卒業を認定する単位制により教育課程を編成することを原則とすること。

また、学期の区分に応じた分割履修や二以上の学年にわたっての分割履修を広く認めるなど教育課程の弾力化を図るとともに、その履修については生徒の選択を尊重すること。

②　学校間連携の推進

総合学科においては、可能な限り多様な教科・科目を開設する必要があるため、他の高等学校と連携する方策を積極的に活用するものとすること。その場合、他校において当該教科・科目の授業を特定の学期又は期間に実施する等の協力を得るなど適切な措置を講じること。

③　専修学校における学習成果や技能審査の成果の単位認定の活用

総合学科においては、地域の実情や生徒の進路希望等に応じ、専修学校高等課程等における学習成果や技能審査の成果の単位認定の活用に努めること。

④　専門学科への転学の配慮

専門教科・科目の履修を通して特定の分野への関心が高まり、専門的に当該分野を深く学び卒業後はその分野への就職・進学を志望するようになった生徒に対応するため、専門学科への転学が可能になるよう特段の配慮を行うこと。

⑤　転・編入学についての積極的な受入れ

総合学科においては、選択幅の広い教育課程編成を行ったり、複数の年度にわたって履修できる科目を設けたりするなど弾力的な教育課程編成に特色があるので、いったん入学した高等学校になじめない生徒や中途退学をしたものの高等学校に再度就学したい生徒に対し、転・編入学の積極的な受入れを進めることにも配慮すること。

Ⅱ　教育課程の編成について

総合学科の教育課程は、高等学校必修科目、学科の原則履修科目、総合選択科目、自由選択科目による構成が考えられるが、各学校においてその教育内容・方法等について創意工夫を行い、それぞれの特色を発揮することが望まれること。

1　学科の原則履修科目

総合学科においては、自己の進路への自覚を深めさせるとともに、将来の職業生活の基礎となる知識・技術等を修得させるため、原則として全ての生徒に履修させる「産業社会と人間」、情報に関する基礎的科目及び「課題研究」を開設することが適切であること。

(1)　産業社会と人間

①　「産業社会と人間」の目標は、次のとおりとすること

ア　自己の生き方を探求させるという観点から、自己啓発的な体験学習や討論などを通して、職業の選択決定に必要な能力・態度、将来の職業生活に必要な態度やコミュニケーション能力を養うとともに、自己の充実や生きがいを目指し、生涯にわたって学習に取り組む意欲や態度の育成を図ること。

イ　現実の産業社会やその中での自己の在り方生き方について認識させ、豊かな社会を築くために積極的に寄与する意欲や態度の育成を図ることとすること。

②　「産業社会と人間」の内容は、「職業と生活」（職業人として必要とされる能力・態度、望ましい職業観を養う学習）、「我が国の産業の発展と社会の変化」（我が国の産業の発展について理解し、それがもたらした社会の変化について考察する学習）及び「進路と自己実現」（自己の将来の生き方や進路について考察する学習）とすること。

③　「産業社会と人間」は、学習指導要領上の「その他特に必要な教科に関する科目」（第1章第2款の4）として設けること。

また、履修単位数は二単位から四単位を標準とし、原則として入学年次に履修させること。

④　指導教員については、上記②の内容のうち、特定の教科に相当しないものにあっては免許状の教科を問わず指導するものとし、特別な知識・技術を必要とする内容の学習を行う場合には当該学習内容と関連の高い教科の免許状を有する者が中心となり、複数の教員によるティームティーチングによって指導するものとすること。

(2)　情報に関する基礎的科目（略）

(3)　課題研究（略）

2　総合選択科目

総合学科においては、生徒の主体的な選択を重視する観点に立ち、普通科目及び専門科目にわたって多様な選択科目（総合選択科目）を開設すること。その際、上記1の学科の原則履修科目と併せて三〇単位以上となるよう専門教科・科目を設けることとすること。

総合選択科目の開設に当たっては、生徒にある程度のまとまりのある学習を可能にするとともに、生徒自身の進路の方向に沿っ

た科目履修ができるようにするため、体系性や専門性等において相互に関連する総合選択科目によって構成される科目群（総合選択科目群）としてまとめて開設すること。

生徒は、総合選択科目群を参考にして、自己の興味・関心等に基づき一又は複数の総合選択科目群について履修する科目の選択を行うこととすること。

(1)　総合選択科目群の開設

学校において総合選択科目群の種類を定めるに当たっては、生徒の多様な興味・関心等に応え幅広い進路選択が可能となるように、学級規模に応じできる限り多くの分野にわたって複数の総合選択科目群を開設すること。

(2)　総合選択科目群の種類の例

総合選択科目群の種類としては、例えば、情報系列、伝統技術系列、工業管理系列、流通管理系列、国際協力系列、地域振興系列、海洋資源系列、生物生産系列、福祉サービス系列、芸術系列、生活文化系列、環境科学系列、体育・健康系列等の科目群が考えられるが、その種類及びその科目構成については地域や生徒の実態を考慮しつつ設置者及び学校が定めること。

3　自由選択科目

総合選択科目群としてまとめて開設する科目のほか、開設されている総合選択科目群の性格とは異なる科目を自由選択科目として必要に応じ開設すること。

Ⅲ　**授業形態、履修方法等について**

(1)　表現力、コミュニケーション能力及び実践的能力等の育成を図るため、個別学習、グループ学習等の多様で弾力的な授業形態とすることが望ましいこと。

(2)　選択の幅を拡大し社会の第一線で活躍する人材に接する機会を確保するため、特に「産業社会と人間」や「課題研究」にあっては、非常勤の社会人講師による授業の積極的な実施に努めること。

(3)　教育課程の編成・実施を円滑に行うため、特に必要がある場合には、特定の学期又は期間に集中的に授業を実施するなど弾力的な履修方法等を工夫すること。

(4)　総合学科の教育課程は単位制によって編成することを原則とするためホームルーム活動の充実に留意し、生徒指導に支障が生じないよう配慮すること。

○学校教育法施行規則の一部を改正する省令等について（抄）

（平五・三・二二　文初高二〇二号　各都道府県教育委員会、各都道府県知事、附属学校を置く各国立大学長あて　文部省初等中等教育局長通知）

このたび、別添（略）のとおり、「学校教育法施行規則の一部を改正する省令」（平成五年文部省令第三号）、「高等学校設置基準の一部を改正する省令」（平成五年文部省令第四号）、「単位制高等学校教育規程の一部を改正する省令」（平成五年文部省令第五号）及び「高等学校通信教育規程の一部を改正する省令」（平成五年文部省令第六号）が平成五年三月一〇日に公布されました。

これらの省令改正は、総合学科の設置など各設置者及び各学校の創意工夫により高等学校教育の個性化・多様化を推進する趣旨のも

のであり、その概要等は下記のとおりですので、事務処理上遺漏のないようお願いします。

記

1　学校教育法施行規則の一部を改正する省令について

(1)　（略）

(2)　他の高等学校における学習成果の単位認定について

ア　高等学校の校長は、生徒が他の高等学校で一部の科目の単位を修得したときは、その単位数を当該生徒の在学する高等学校の全課程の修了を認めるに必要な単位数のうちに加えることができることとしたこと。（第六三条の三第一項〔現行施行規則九七条一項〕）

イ　上記アの規定により生徒が他の高等学校において一部の科目の単位を修得する場合においては、当該他の高等学校の校長は、当該生徒について一部の科目の履修を許可することができることとしたこと。（第六三条の三第二項〔現行施行規則九七条二項〕）

ウ　同一の高等学校に置かれている全日制の課程、定時制の課程及び通信制の課程相互の間の併修については、上記ア及びイの規定を準用することとしたこと。（第六三条の三第三項〔現行施行規則九七条三項〕）

(3)　専修学校における学習成果の単位認定について

高等学校の校長は、生徒が専修学校の高等課程における学修その他文部大臣が別に定める学修で、当該生徒の在学する高等学校における科目の一部の履修に相当するものを行ったときは、当該学修を当該科目の一部の履修とみなし、当該科目の単位数の一部として認定することができることとしたこと。（第六三条の四〔現行施行規則九八条〕）

なお、この文部大臣が別に定める学修は、平成五年三月一〇日付け文部省告示第二四号により別添（略）のとおり告示されたこと。〔編者注：現在は平成一〇年文部省告示第四一号〕

(4)　技能審査の成果の単位認定について

高等学校の校長は、生徒が知識及び技能に関する審査で文部大臣が別に定めるものに合格したときは、当該校長の定めるところにより当該審査の内容に対応する高等学校の科目について当該生徒が修得した単位数に一定の単位数を加えることができることとしたこと。（第六三条の五〔現行施行規則九八条〕）

なお、この知識及び技能に関する審査で文部大臣が別に定めるものは、平成五年三月一〇日付け文部省告示第二五号により別添（略）のとおり告示されたこと。

(5)　上記(2)の規定に基づき加えることのできる単位数、(3)の規定に基づき認定することのできる単位数及び(4)の規定に基づき加えることのできる単位数の合計数は二〇〔編者注：現在は三六〕を超えないこととしたこと。（第六三条の六〔現行施行規則九九条〕）

(6)　学年による教育課程の区分を設けない全日制の課程について

ア　高等学校の定時制の課程及び通信制の課程においては、学年による教育課程の区分を設けないことができることとされているが、全日制の課程においても同様のことができること

としたこと。（第六四条の三第一項〔現行施行規則一〇三条一項〕）

なお、これに伴い、平成元年文部省告示第二六号が平成五年三月一〇日付け文部省告示第二六号により別添（略）のとおり一部改正されたこと。

イ　学年による教育課程の区分を設けない全日制の課程に係る入学等の特例その他必要な事項は、単位制高等学校教育規程（昭和六三年文部省令第六号）の定めるところによることとしたこと。（第六四条の三第二項〔現行施行規則一〇三条二項〕）

(7)　その他

ア　その他所要の規定の整備を行ったこと。（第七三条の一六第五項〔現行施行規則一三五条五項〕及び附則第二項）

イ　（略）

ウ　上記(2)～(6)については、文部省に設置された高等学校教育の改革の推進に関する会議第一次報告（平成四年六月二九日付け四初高第五二号初等中等教育局高等学校課長通知）の内容に十分留意すること。

(8)　施行期日

この省令は、平成五年四月一日から施行すること。（附則第一項）

2　単位制高等学校教育規程の一部を改正する省令について

(1)　上記1の省令の施行に伴い、学年による教育課程の区分を設けない全日制の課程について、入学及び卒業の時期、編入学、転入学並びに過去に在学した高等学校において修得した単位に係る特例を定めるとともに、関係規定を整備したこと。

(2)　施行期日

この省令は、平成五年四月一日から施行すること。（附則）

3　高等学校設置基準の一部を改正する省令について

(1)　総合学科の設置について

ア　高等学校の学科として、既存の普通教育を主とする学科及び専門教育を主とする学科に加えて、新たに普通教育及び専門教育を選択履修を旨として総合的に施す学科を規定したこと。（第五条第三号）

イ　上記のアの規定による新たな学科は、総合学科としたこと。（第六条第三項）

(2)　高等学校に置く職員のうち、生徒の養護をつかさどる職員に関する規定を整備したこと。（第一二条及び第一四条第二項〔現行九条〕）

(3)　高等学校の校舎に備えなければならない施設のうち、社会科教室を地理歴史科・公民科教室に、医務室を保健室に改めたこと。（第一九条第一項第三号及び第八号並びに第三一条第一項第五号〔現行一五条〕）

(4)　その他

上記(1)の総合学科については別途通知するものであること。

(5)　施行期日

この省令は、平成五年四月一日から施行すること。ただし、総合学科及び地理歴史科・公民科教室に係る改正以外の改正規

定は公布の日から施行すること。(附則)

4 (略)

○学校教育法施行規則の一部を改正する省令等について(抄)

(平一〇・三・三一　文初高二〇二号　各都道府県教育委員会、各都道府県知事、附属学校を置く各国立大学長あて　文部省初等中等教育局長通知)

このたび、別添1(略)のとおり、「学校教育法施行規則の一部を改正する省令(平成一〇年文部省令第三号)」が平成一〇年三月二七日に公布され、同年四月一日から施行されることになりました。

また、別添2(略)のとおり、「学校教育法施行規則第六三条の四各号の規定により別に定めることとされた学修について定める件」(以下「告示」という。)が平成一〇年三月二七日文部省告示第四一号をもって定められ、同年四月一日から実施されることとなりました。

今回の学校教育法施行規則(以下「省令」という。)の改正及び告示の概要、留意点等は、下記のとおりですので、事務処理上遺漏のないようお願いします。

記

第一　省令改正及び告示の趣旨・概要

1　省令改正及び告示の趣旨

高等学校の生徒の能力・適性・興味・関心等の多様化の実態を踏まえ、学習の選択幅を拡大するとともに、自ら学ぶ意欲の向上により、生涯にわたる学習の基礎を培う観点から、生徒の学校外における体験的な活動や、自らの在り方・生き方を考えて努力した結果をこれまで以上に評価していくこととし、ボランティア活動、就業体験等に係る学修について、各高等学校の判断により、当該学校の単位として認定できるようにするものであること。

2　省令改正及び告示の概要

(1)　学校外における学修の単位認定の対象の拡大について

従来より、高等学校の生徒の学校外における学修として、専修学校における学習成果と技能審査の成果について、単位を認定することが認められていたが、今回の改正により、単位認定の対象となる学校外における学修を拡大し、下記アからウまでの学修を対象とすることとしたこと。(今回新たに対象とされたのは、アの(ア)、(イ)のうち専修学校の専門課程における科目等履修生又は聴講生としての学修及び(エ)並びにウである。)

ア　大学、高等専門学校又は専修学校の高等課程若しくは専門課程における学修その他の教育施設等における学修で以下に掲げるもの(省令第六三条の四第一号〔現行施行規則九八条一号〕関係)

(ア)　大学又は高等専門学校における科目等履修生、研究生又は聴講生としての学修(告示第一項第一号関係)

(イ)　専修学校の高等課程における学修及び専門課程における科目等履修生又は聴講生としての学修(告示第一項第二号関係)

(ウ)　専修学校が高等課程又は専門課程において高等学校の生

徒を対象として行う附帯的教育事業における学修（告示第一項第三号関係）

(エ)　大学において開設する公開講座における学修、公民館その他の社会教育施設において開設する講座における学修その他これらに類する学修で、高等学校教育に相当する水準を有すると校長が認めたもの（告示第一項第四号関係）

イ　知識及び技能に関する審査で以下に掲げるものの合格に係る学修（省令第六三条の四第二号〔現行施行規則九八条二号〕関係）

(ア)　技能審査の認定に関する規則（昭和四二年文部省告示第二三七号）により文部大臣が認定した技能審査で、当該審査の合格に係る学修が高等学校教育に相当する水準を有すると校長が認めたもの（告示第二項第一号関係）

(イ)　(ア)に掲げるもののほか、一定の要件を備えた知識及び技能に関する審査で、当該審査の合格に係る学修が高等学校教育に相当する水準を有すると校長が認めたもの（告示第二項第二号関係）

ウ　ボランティア活動その他の継続的に行われる活動（当該生徒の在学する高等学校の教育活動として行われるものを除く。）に係る学修で以下に掲げるもの（省令第六三条の四第三号〔現行施行規則九八条三号〕関係）

(ア)　ボランティア活動、就業体験その他これらに類する活動に係る学修で、高等学校教育に相当する水準を有すると校長が認めたもの（告示第三項一号関係）

(イ)　スポーツ又は文化に関する分野における活動で顕著な成績をあげたものに係る学修で、高等学校教育に相当する水準を有すると校長が認めたもの（告示第三項第二号関係）

(2)　単位の認定方法について

従来、専修学校における学習成果については、高等学校の科目の単位数の一部として認定することができるとされており、また、技能審査の成果については、審査の内容に対応する高等学校の科目について生徒が修得した単位数に一定の単位数を加えることができるとされていた。今回の改正では、新たに単位認定の対象とされた学校外における学修も含め、単位の認定方法を限定せず、校長の判断によることとしたこと。（省令第六三条の四〔現行施行規則九八条〕関係）

(3)　単位として認定できる数について

省令第六三条の三〔現行施行規則九七条〕の規定に基づき他の高等学校における学習成果について加えることのできる単位数及び改正後の省令第六三条の四〔現行施行規則九八条〕の規定に基づき与えることのできる単位数の合計は、従来と同様、二〇単位を超えないものとすること。（省令第六三条の五〔現行施行規則九九条〕関係）

第二　留意事項

1　学校外における学修については、生徒が主体的に行う学修であり、かつ、自らの在り方・生き方を考えて努力した結果であることから、その単位認定に当たっては、通常の教科・科目の単位認定の際の評価・評定の方法によらず、その趣旨を生かしたものと

なるよう工夫することが必要であること。

2　学校外における学修の単位認定に当たっては、学校外における学修の種類、態様等に応じてオリエンテーションの実施、計画書の提出、活動レポート等による成果の報告など、事前・事後の適切な指導が望まれること。

3　ボランティア活動、就業体験等に係る単位認定については、上記第一の2⑴ウ㋐によるもののほか、高等学校においてあらかじめ開設された教科・科目（「その他の科目」等）の履修として行われるボランティア活動、就業体験等についても、もとより可能であること。

4　各種学校や専修学校一般課程の中には、予備校なども存在するが、そのような学校における特別の進学指導等に係る学習の成果を単位認定の対象とすることについては、学校外における体験的な活動等を評価しようとする本来の趣旨に沿わないと考えられること。

○学校教育法施行規則の一部を改正する省令等について（抄）

（平一七・三・三一　一六文科初一三二一号　各都道府県・指定都市教育委員会、各都道府県知事、各指定都市市長、附属学校を置く各国立大学法人学長あて　文部科学省初等中等教育局長通知）

このたび、別添（略）のとおり、「学校教育法施行規則の一部を改正する省令」（平成一七年文部科学省令第一六号）及び「高等学校学習指導要領の一部を改正する告示」（平成一七年文部科学省告示第五三号）が平成一七年三月三一日に公布され、平成一七年四月一日から施行されることとなりました。

今回の改正は、

①　高等学校において学校外学修により認定できる単位数等の上限を、従来の二〇単位から三六単位に拡大すること

②　高等学校卒業程度認定試験の合格科目に係る学修について、高等学校における科目の履修とみなし単位を与えることができることとすること

③　地方公共団体の新設に伴う学校の設置者変更の手続について、規定の整備を図ること

などを行うものです。

これらの改正の趣旨、内容及び留意点は、下記のとおりですので、十分御了知いただくようお願いします。

また、各都道府県教育委員会におかれては、所管の学校及び域内の市町村に、各都道府県知事におかれては、所轄の学校及び学校法人に対して、このことを十分周知されるようお願いします。

記

第一　改正の趣旨

今回の改正は、次の二点を趣旨として行うものである。

⑴　高等学校の生徒の能力・適性、興味・関心等の多様化の実態を踏まえ、生徒の在学する高等学校での学習の成果に加えて、生徒の在学する高等学校以外の場における体験的な活動等の成果について、より幅広く評価できるようにすることを通じて、高等学校教育の一層の充実を図ること。

⑵　近年、市町村合併が急増していることにかんがみ、新たに設

置される地方公共団体に学校の設置者を変更する場合の手続について、規定の整備を図ること。

第二　改正の内容

1　学校外学修により認定できる単位数等の上限の拡大について

(1)　高等学校においては、①学校教育法施行規則（以下「省令」という。）第六三条の三〔現行施行規則九七条〕の規定に基づき、校長は、生徒が他の高等学校等で修得した一部科目の単位について、当該生徒の在学する高等学校の卒業に必要な単位数のうちに加えることができること、②省令第六三条の四〔現行施行規則九八条〕の規定に基づき、校長は、生徒が学校外において行った学修について、当該生徒の在学する高等学校の科目の履修とみなし単位を与えることができることとされている。

これらの単位数については、省令第六三条の五〔現行施行規則九九条〕の規定により、上記の①と②の合計数が二〇単位を超えないものとされていたが、今回の改正により、この上限を拡大し、①と②の合計数が三六単位を超えないものとした。（省令第六三条の五〔現行施行規則九九条〕関係）

(2)　この規定は、中等教育学校後期課程並びに盲学校、聾学校及び養護学校高等部についても準用することとした。（省令第六五条の一〇第三項〔現行施行規則一一三条三項〕、第七三条の一六第五項〔現行施行規則一三五条五項〕関係）

2　高等学校卒業程度認定試験の合格科目に係る学修の単位認定等について

(1)　従来、高等学校の定時制課程及び通信制課程に在学する生徒については、大学入学資格検定の受検が認められるとともに、高等学校学習指導要領の規定により、入学前又は在学中の大学入学資格検定の合格科目について、それに相当する高等学校の科目の単位として認定することができることとされていた。

平成一七年度から、従来の大学入学資格検定に代わり高等学校卒業程度認定試験が導入されるとともに、従来の大学入学資格検定と異なり、高等学校の全日制課程に在学する生徒にもその受験が認められることとなった。

これらのことを踏まえ、全日制課程、定時制課程及び通信制課程の別を問わず、高等学校の生徒が、在学中又は入学する前に高等学校卒業程度認定試験規則（平成一七年文部科学省令第一号）の定めるところにより合格点を得た試験科目に係る学修について、生徒が在学する高等学校の校長は、当該高等学校における科目の履修とみなし、当該科目の単位を与えることができることについて、省令で規定することとした。また、旧大学入学資格検定に合格した科目についても同様の取り扱いとした。（省令第六三条の六第一号〔現行施行規則一〇〇条一号〕関係）

(2)　高等学校の別科において、高等学校学習指導要領に定めるところに準じて修得した科目を、それに相当する高等学校の科目の単位を修得したものとみなすことができることについては、従来、高等学校学習指導要領に規定されていたが、今回、これを省令で規定することとした。（省令第六三条の六第二号〔現行施行規則一〇〇条二号〕関係）

(3) 上記(1)及び(2)の省令改正に伴い、高等学校学習指導要領の関係規定を削除した。（高等学校学習指導要領第一章第七款の4及び5）

(4) 上記(1)及び(2)の改正に係る規定は、中等教育学校後期課程並びに盲学校、聾学校及び養護学校〔現在は特別支援学校〕高等部についても準用することとした。（省令第六五条の一〇第三項〔現行施行規則一一三条三項〕、第七三条の一六第五項〔現行施行規則一三五条五項〕関係）

3 （略）

第三 留意事項

1 第二の1及び2の制度の活用に当たっては、「学校教育法施行規則の一部を改正する省令等について（平成一〇年三月三一日付け文初高第二〇二号文部省初等中等教育局長通知）」の内容に十分留意しつつ、各学校において、当該学修が教育上有益と認められるか、単位認定の対象となる科目が当該高等学校の教育課程の全体からみて適切であるか等について判断する必要があること。

2 （略）

○高等学校学習指導要領の全部を改正する告示等の公示及び移行措置について（抄）（平二一・三・九 二〇文科初一三三一二号 各都道府県教育委員会、各指定都市教育委員会、各都道府県知事、各指定都市市長、附属学校を置く各国立大学長等あて 文部科学事務次官通知）

このたび、平成二一年三月九日文部科学省令第三号をもって、別添一（略）のとおり学校教育法施行規則の一部を改正する省令（以下「改正省令」という。）が制定され、また、文部科学省告示第三四号をもって、別添二（略）のとおり、高等学校学習指導要領の全部を改正する告示（以下「新学習指導要領という。）が公示されました。

また、現行の高等学校学習指導要領（平成一一年文部省告示第五八号）（以下「現行学習指導要領」という。）から新学習指導要領に移行するために必要な措置（以下「移行措置」という。）について、平成二一年三月九日文部科学省告示第三八号をもって、別添三（略）のとおり、平成二一年四月一日から新高等学校学習指導要領が適用されるまでの間における現行高等学校学習指導要領の特例を定める件（以下「特例告示」という。）が定められました。

今回の改正は、教育基本法及び学校教育法の改正を受け、これらにおいて明確にされた教育の目的及び目標に基づき、平成二〇年一月一七日の中央教育審議会答申「幼稚園、小学校、中学校、高等学校及び特別支援学校の学習指導要領等の改善について」（以下「答申」という。）を踏まえ、高等学校の教育課程の基準の改善を図ったものです。本改正の概要並びに移行措置の概要及び留意事項は下記のとおりですので、十分に御了知いただき、これらに基づく適切な教育課程の編成・実施及びこれらに伴い必要となる教育条件の整備を行うようお願いします。

記

1 改正の概要

(1) 高等学校の教育課程の基準の改善の基本的な考え方

今回の教育課程の基準の改善は、教育基本法及び学校教育法の

改正を受け、これらにおいて明確となった教育の目的及び目標に基づき、答申を踏まえ、次の方針に基づき行ったものであること。

① 教育基本法改正等で明確となった教育の理念を踏まえ、「生きる力」を育成すること

- 「知識基盤社会」の時代においてますます重要となる「生きる力」という理念を継承し、また、「生きる力」を支える「確かな学力」、「豊かな心」、「健やかな体」の調和を重視したこと。
- 教育基本法及び学校教育法の改正により明確となった教育の理念を踏まえ、学校教育においては、伝統と文化を尊重し、それらをはぐくんできた我が国と郷土を愛し、公共の精神を尊び、他国を尊重し、国際社会の平和と発展や環境の保全に貢献する主体性ある日本人を育成することを明確にしたこと。これを踏まえ、伝統や文化に関する教育や道徳教育、体験活動、環境教育等を充実したこと。

② 知識・技能の習得と思考力・判断力・表現力等の育成のバランスを重視すること

- 各教科、総合的な学習の時間及び特別活動（以下「各教科等」という。）において、基礎的・基本的な知識・技能の習得を重視した上で、観察・実験やレポートの作成、論述など知識・技能の活用を図る学習活動を充実し、思考力・判断力・表現力等の育成を重視したこと。
- あらゆる学習の基盤となる言語に関する能力について、国語科のみならず、各教科等においてその育成を重視したこと。
- これらの学習や勤労観・職業観を育てるためのキャリア教育などを通じ、学習意欲を向上するとともに、学習習慣の確立を図るものとしたこと。

③ 道徳教育や体育などの充実により、豊かな心や健やかな体を育成すること

- 体験活動を活用しながら、道徳教育や体力の向上についての指導、安全教育や食育などを発達の段階に応じ充実し、豊かな心や健やかな体の育成を図るものとしたこと。

(2) 主な改善事項

① 共通性と多様性のバランスの重視

- 高等学校教育における共通性と多様性のバランスを重視し、国語、数学及び外国語の各教科について共通必履修科目を設定するとともに、理科について必履修科目の履修の柔軟性を向上させたこと。（別紙一参照）

② 義務教育段階の学習内容の確実な定着を図るための学習機会を設けることを促進

- 中学校と高等学校の円滑な接続の観点から、必要に応じて義務教育段階の学習内容の確実な定着を図るための指導を行うことにより、高等学校段階の学習に円滑に移行することを重視したこと。

③ 言語活動の充実

- 言語は、知的活動やコミュニケーション、感性・情緒の基盤であることから、国語科において適切に表現し的確に理解す

る能力や伝え合う力を育成し、我が国の言語文化への関心を深めるとともに、各教科等における批評、論述、討論といった学習活動を充実したこと。

④ 理数教育の充実

• 科学技術の土台である理数教育の充実を図るため、近年の新しい科学的知見に関する内容を充実するとともに、数学科において統計に関する内容を必修化したり、指導内容と日常生活や社会との関連を重視する科目を新設したりするなどの改善を図ったこと。

⑤ 伝統や文化に関する教育の充実

• 国際社会で活躍する日本人の育成を図るため、各教科等において、我が国や郷土の伝統や文化を受け止め、それを継承・発展させるための教育を充実したこと。

• 具体的には、国語科での古典、地理歴史科及び公民科での歴史や宗教に関する学習、保健体育科での武道、芸術科での伝統音楽や我が国の美術文化などに関する指導を充実したこと。

⑥ 道徳教育の充実

• 学校の教育活動全体を通じて行う道徳教育について、全教師が協力して効果的に展開できるようにするため、その全体計画を作成することとしたこと。

• 公民科、特別活動などにおいて、人間としての在り方生き方に関する学習を充実したこと。

⑦ 体験活動の充実

• ボランティア活動などの社会奉仕体験に関する活動や就業体験に関する活動の充実を図ったこと。

• 職業教育において、産業現場等における長期間の実習を取り入れるなどの就業体験の機会を積極的に設けることを明記したこと。

⑧ 外国語教育の充実

• 外国語科に属する科目のうちコミュニケーション英語Ⅱ及びⅢにおいて、指導する語数の充実を図ったこと。

• 生徒が英語に触れる機会を充実するとともに、授業を実際のコミュニケーションの場面とするため、授業は英語で行うことを基本とすることとしたこと。その際、生徒の理解の程度に応じた英語を用いるよう十分配慮するものとしたこと。

⑨ 職業に関する教科・科目の改善

• 職業人としての規範意識や倫理観、技術の進展や環境、エネルギーへの配慮、地域産業を担う人材の育成等、各種産業で求められる知識と技術、資質を育成する観点から科目の構成や内容を改善したこと。

(3) 施行及び適用の時期

新学習指導要領は、平成二五年四月一日に施行し、同日以降高等学校に入学した生徒に係る教育課程から適用すること（学校教育法施行規則第九一条（同令第一一三条第一項で準用する場合を含む。）の規定により入学した生徒で同日前に入学した生徒に係る教育課程により履修するものを除く。以下同じ。）。

2 移行措置の概要及び留意事項（略）

3 関連事項（略）

○学校教育法施行規則の一部を改正する省令の施行等について

（通知）（抄）（平二七・四・二四　二七文科初二八九号　各都道府県教育委員会、各都道府県知事、附属高等学校を置く各国立大学長等あて　初等中等教育局長通知）

このたび、「学校教育法施行規則の一部を改正する省令」（平成二七年文部科学省令第一九号）（略）並びに「学校教育法施行規則の規定によらないで教育課程を編成することができる場合を定める件の一部を改正する告示」（平成二七年文部科学省告示第九一号）（略）及び「学校教育法施行規則第八十八条の二の規定に基づき、高等学校、中等教育学校の後期課程又は特別支援学校の高等部が履修させることができる授業について定める件」（平成二七年文部科学省告示第九二号）（略）が、平成二七年四月一日に公布され、同日施行されました。さらに、これらの改正に関連し、「不登校児童生徒等を対象とする特別の教育課程を編成して教育を実施する学校に関する指定要項」（平成一七年七月六日文部科学大臣決定。以下「指定要項」という。）（略）が平成二七年四月二四日に改正されました。

制定及び改正の趣旨、概要及び留意事項については、下記のとおりですので、事務処理上遺漏のないよう願います。

各都道府県教育委員会におかれては、所管の学校及び域内の市区町村に、各都道府県知事におかれては、所轄の学校及び学校法人に、各国立大学法人の学長におかれては、附属学校に対して、このことを十分周知されるよう願います。

記

Ⅰ　制度改正の趣旨

今回の制度改正の趣旨は、「ＩＴ利活用の裾野拡大のための規制制度改革の集中アクションプラン」（平成二五年一二月高度情報通信ネットワーク社会推進戦略本部決定）や、「中央教育審議会初等中等教育分科会高等学校教育部会審議まとめ」（平成二六年六月）を踏まえ、今後の高等学校における遠隔教育の在り方を検討し、「高等学校における遠隔教育の在り方について」（平成二六年一二月高等学校における遠隔教育の在り方に関する検討会議）において盛り込まれた内容を制度化するものである。

具体的には、全日制・定時制課程の高等学校、中等教育学校の後期課程及び特別支援学校の高等部（以下「高等学校等」という。）における授業の方法として、多様なメディアを高度に利用して、当該授業を行う教室等以外の場所で履修させる授業（以下「メディアを利用して行う授業」という。）を、学校教育法施行規則（昭和二二年文部省令第一一号。以下「施行規則」という。）に位置付け、制度の弾力化を図ることとする。

あわせて、全日制・定時制課程の高等学校及び中等教育学校の後期課程において、疾病による療養のため又は障害のため、相当の期間高等学校又は中等教育学校の後期課程を欠席すると認められる生徒等を対象として、その実態に配慮した特別な教育課程を編成して教育を実施する必要があると文部科学大臣が認める場合に、不登校生徒を対象とした現行の特例制度と同様に、特別な教育課程を編成することを可能とする。

この場合、高等学校及び中等教育学校の後期課程で、通信の方法

を用いた教育として、事前に収録された授業を、学校から離れた空間で、インターネット等のメディアを利用して配信を行うことにより、生徒が視聴したい時間に受講することが可能な授業の方式（以下「Ⅲ　留意事項　第２」において「オンデマンド型の授業」という。）が認められることとなる。

Ⅱ　制度改正の概要

第１　高等学校等におけるメディアを利用して行う授業の制度化

１　高等学校等は、文部科学大臣が別に定めるところにより、メディアを利用して行う授業を行うことができることとすること。（施行規則第八八条の二〔編者注：平成二七年文部科学省令二八号により、旧八八条の二から八八条の三に移動した〕の新設等）

２　「文部科学大臣が別に定める」ものとは、平成二七年文部科学省告示第九二号に定めたとおり、次に掲げる要件を満たすもので、高等学校等において、対面により行う授業に相当する教育効果を有すると認めたものであること。（平成二七年文部科学省告示第九二号の制定）

(1)　通信衛星、光ファイバ等を用いることにより、多様なメディアを高度に利用して、文字、音声、静止画、動画等の多様な情報を一体的に扱うもので、同時かつ双方向的に行われるものであること。

(2)　メディアを利用して行う授業が行われる教科・科目等の特質に応じ、対面により行う授業を相当の時間数行うものであること。

３　メディアを利用して行う授業については、高等学校及び中等教育学校の後期課程の全課程の修了要件として修得すべき単位数である七四単位のうち三六単位以下とすること。また、特別支援学校の高等部にあっても同旨とすること。（施行規則第九六条第二項及び第一三三条第二項の新設等）

第２　疾病による療養のため又は障害のため、相当の期間高等学校又は中等教育学校の後期課程を欠席すると認められる生徒等に対する特例の制定

１　全日制・定時制課程の高等学校（中等教育学校の後期課程を含む。以下この節及び「Ⅲ　留意事項　第２」において同じ。）において、疾病による療養のため又は障害のため、相当の期間高等学校を欠席すると認められる生徒、高等学校を退学し、その後高等学校に入学していないと認められる者又は学校教育法第五七条に規定する高等学校の入学資格を有するが、高等学校に入学していないと認められる者（以下「療養等による長期欠席生徒等」という。）を対象として、その実態に配慮した特別の教育課程を編成して教育を実施する必要があると文部科学大臣が認める場合、施行規則第八三条及び第八四条の規定によらずに特別の教育課程を編成して教育を実施することができることとすること。

　この措置が認められる場合は、施行規則第八六条並びに平成一七年文部科学省告示第九八号及び平成一七年文部科学省告示第九九号並びに指定要項に基づき、文部科学大臣が当該高等学校を指定する場合とすること。（施行規則第八六条の改正、平成一七年文部科学省告示第九八号の改正及び指定要項の改正）

２　この特別の教育課程において、通信の方法を用いた教育を行う

必要があると文部科学大臣が認める場合には、高等学校学習指導要領（平成二一年文部科学省告示第三四号）第一章第七款（通信制の課程における教育課程の特例）に定める各教科・科目の添削指導の回数及び面接指導の単位時間数の取扱い等（ラジオ放送、テレビ放送その他多様なメディアを利用して行う学習を取り入れた場合の取扱いを含む。）に準じ特別の教育課程を編成すること。通信の方法を用いた教育により認定することができる単位数は、三六単位を上限とすること。（指定要項の改正）

3　療養等による長期欠席生徒等を対象とする特別の教育課程を編成して教育を実施する高等学校に関し、以下の項目について指定要項において定めること。（指定要項の改正）

(1)　趣旨
(2)　高等学校の指定
(3)　実施
(4)　報告の依頼等
(5)　実施計画の変更
(6)　文部科学大臣の是正措置等

Ⅲ　留意事項（略）

（定時制の課程）

第五十三条　高等学校には、全日制の課程のほか、定時制の課程を置くことができる。

②　高等学校には、定時制の課程のみを置くことができる。

【沿　革】　昭二五・四・一九法一〇三により、夜間において授業を行う課程又は特別の時期及び時間において授業を行う課程をあわせて定時制の課程と称することとした。

昭三六・一〇・三一法一六六により、「通常の課程」を「全日制の課程」とするなど課程の名称を改めた。

平一九・六・二七法九六により、旧四四条から五三条に移動した。

【参照条文】　法四条、五六条。施行規則一〇二条～一〇四条。高等学校設置基準。単位制高等学校教育規程。高等学校の定時制教育及び通信教育振興法。市町村立学校職員給与負担法二条。夜間課程を置く高等学校における学校給食に関する法律。

【注　解】

一　本条は、定時制の課程及び独立の定時制高等学校の設置の根拠を定めた規定であり、次の五四条の規定とともに、当初は、勤労青少年に対して高等学校教育を受ける機会を与えるために設けられたものである。

二　「定時制の課程」とは、夜間その他特別の時間又は時期において授業を行う課程をいう。

定時制課程の前身とされる戦前の旧学校制度による学校としては、昭和一八年の中等学校令による中等学校の夜間課程と昭和一〇年の青年学校令により発足した青年学校があり、本法制定当時における規定も「高等学校には、通常の課程の外、夜間において授業を行う課程又は特別の時期及び時間において授業を行う課程を置くことができる。」として夜間の課程と狭義の定時制の課程をはっきり区別していた。

しかしながら、この夜間の課程と狭義の定時制の課程とは、両者とも働きながら学ぶ勤労青少年を対象とした教育である点において本質的に同じものであり、また実態的にも両者は一体的なものとして扱われてきていることから、昭和二五年の本法の改正により、これを一本にまとめて定時制の課程と称することとするとともに修業年限も一律四年以上（昭和六三年に、三年以上に改正）とすることに改められた。

三　定時制の課程を設置しようとするときは、市町村立学校の場合には、都道府県の教育委員会、私立学校の場合には、都道府県知事の認可が必要である（法四条）。

また、このような手続きは、定時制の課程を廃止しようとするとき、又は定時制の課程の分校を設置、廃止しようとするときも同様に必要とされる。

定時制の課程を設置するに当たっては、高等学校設置基準によることとなっている。

四　定時制教育の振興に関しては、昭和二八年に高等学校の定時制教育及び通信教育振興法が制定されている。

この法律は、勤労青年教育の重要性にかんがみ、働きながら学ぶ青年に対して教育の機会均等を保障し、勤労と修

学に対する正しい信念を確立させ、もって国民の教育水準と生産能力の向上に寄与するために定時制教育及び通信教育の振興を図ろうとするものである（同法一条）。

このため、地方公共団体の任務としては、①その地方の実情に基づき、この教育の適正な実施及び運営に関する総合計画を樹立すること、②施設設備の整備充実を図ること、③教育内容及び方法の改善を図ること、④教員の現職教育について、勤労青年教育の特殊性を考慮して、計画をたて、実施を図ること、などにより、できるだけ多数の勤労青年が高等学校教育を受ける機会を持ちうるように努めるものとするとともに、国においても、地方公共団体の振興方策を奨励し、必要な指導助言を与えなければならないものとされている（同法三条）。

また、昭和三五年の同法の一部改正により、教員の定時制通信教育手当が新設され、同時に、公立の高等学校教員に対して支給する定時制通信教育手当についての国庫補助の規定も設けられたが、昭和六〇年の同法の一部改正により、国庫補助は廃止された。現在は、公立の高等学校教員に対する定時制通信教育手当の内容は条例で定める旨のみが規定されている（同法五条）。さらに、従来、国は、公私立高等学校の設置者が定時制教育の設備について一定の基準まで高めようとする場合には経費の補助を行うものと規定されていたが、この国庫補助についても、平成一七年の同法の一部改正により廃止された。

なお、昭和三一年には、夜間課程を置く高等学校における学校給食に関する法律が制定され、働きながら高等学校の夜間課程において学ぶ青年の身体の健全な発達に資するため、夜間学校給食の普及充実を図っていくこととされ、また、昭和二六年の市町村立学校職員給与負担法の一部改正により、定時制の課程のみを置く市町村立高等学校の校長、定時制の課程に関する校務をつかさどる副校長、校務を整理する教頭、主幹教諭（定時制の課程に関する校務の一部を整理する者又は定時制の課程の授業を担任する者に限る）、定時制の課程の授業を担任する指導教諭、教諭、助教諭及び講師で標準法定数内の者の給与等については、都道府県が負担することとされている。

なお、学年による教育課程の区分を設けない定時制の課程における特例については、法五二条の【注解】一一参照。

〔通信制の課程〕

第五十四条　高等学校には、全日制の課程又は定時制の課程のほか、通信制の課程を置くことができる。

② 高等学校には、通信制の課程のみを置くことができる。

③ 市（指定都市を除く。）町村の設置する高等学校については都道府県の教育委員会、私立の高等学校については都道府県知事は、高等学校の通信制の課程のうち、当該高等学校の所在する都道府県の区域内に住所を有する者のほか、全国的に他の都道府県の区域内に住所を有する者を併せて生徒とするものその他政令で定めるもの（以下この項において「広域の通信制の課程」という。）に係る第四条第一項に規定する認可（政令で定める事項に係るものに限る。）を行うときは、あらかじめ、文部科学大臣に届け出なければならない。都道府県又は指定都市の設置する高等学校の広域の通信制の課程について、当該都道府県又は指定都市の教育委員会がこの項前段の政令で定める事項を行うときも、同様とする。

④ 通信制の課程に関し必要な事項は、文部科学大臣が、これを定める。

【沿　革】　昭二八・八・一五法二一三により、旧第二項について規定の整備のための改正を行った。

昭三六・一〇・三一法一六六により、通信による教育を通信制の課程として位置づけるための全面改正を行った。

昭四五・六・一法一一一により、第三項中の「認可」に「（政令で定める事項に係るものに限る。）」という制限が設けられた。

昭五七・七・二三法六九により、第三項中の「文部大臣の承認」を「文部大臣に届け出」に改めた。

平一一・七・一六法八七により、第三項及び第四項中の「監督庁」の明確化を図るとともに、第三項において都道府県の設置する広域通信制の課程についての規定の整備を行った。

平一一・一二・二二法一六〇により、第三項及び第四項中の「文部大臣」を「文部科学大臣」に改めた。

平一九・六・二七法九六により、旧四五条から五四条に移動した。

平二六・六・四法五一により、指定都市への事務・権限の移譲に伴う規定の整備のための改正を行った。

【参照条文】　法四条。施行令二三条二号・九号・一〇号、二四条、二四条の二、二七条の二。施行規則一〇条、一一条、一八条、一〇一条～一〇三条。高等学校の定時制教育及び通信教育振興法。高等学校設置基準。高等学校通信教育規程。単位制高等学校教育規程。

【注　解】

一　本条は、通信制の課程及び独立の通信制高等学校の設置の根拠規定であり、また、広域の通信制の課程その他通信制課程に関し必要な事項は文部科学大臣が定めることを規定したものである。

二　通信による教育は、戦前の旧制度のもとでは正規の学校教育の中には組み入れられていなかったが、本法の制定によって「高等学校は、通信による教育を行うことができる。」との規定が設けられて高等学校教育の一形態として認められ、定時制教育とともに勤労青少年に対して広く高等学校教育の門戸を開くことになった。

発足当初は、実施科目も国語一科目のみに限定されていたが、年々科目数やその単位数も増加し、このことに伴って昭和三〇年度からは通信教育のみで高等学校の卒業資格を得ることができるような措置が講じられた。

さらに、昭和三六年には本法の一部改正により、本条が全面改正されて、全日制及び定時制の課程と並んで通信制の課程が設けられ、また、独立の通信制高等学校の設置が認められたほか、従来の都道府県単位での通信制教育以外にその枠をこえた広域の通信制の課程も新たに設置できるものとされるなど、通信制教育についての拡充整備が図られた。

三　本条三項は、いわゆる広域の通信制の課程に関する規定である。

広域の通信制の課程は、昭和三六年の本法改正により設けられたものであるが、この制度を設けたのは、通信制の課程にあっては、常時通学を要しないため全日制の課程や定時制の課程のように通学地域の制限を設けることは必ずしも必要ではないこと、また、特に通信制の課程で職業に関する学科を設けようとする場合など学校経営上適切な規模にいたるまで生徒数を確保するためには、都道府県の区域を越えてその実施地域を拡大する必要があることなどの理由からであった。

(1) 本条三項の「その他政令で定めるもの」とは、「当該高等学校の所在する都道府県の区域内に住所を有する者のほか、他の二以上の都道府県の区域内に住所を有する者を併せて生徒とするもの」(施行令二四条)である。

(2) 広域の通信制の課程に係る都道府県教育委員会又は都道府県知事の認可に際して文部科学大臣へ届け出るものとした理由は、

ア 全国又は数都道府県の区域にまたがって教育を行う広域の通信制の課程にあっては、通信制の課程が設置されている都道府県以外の区域から相当数の者が通信教育を受けることが予想されるが、これらの生徒は当該都道府県の教育委員会や知事の所管の地域以外に住所を有しているため、学校を所管する教育委員会や知事はこれらの生徒に直接関係をもたないことになるので、文部科学大臣がこのような生徒の保護の任に当たる必要があること

イ 広域の通信制の課程の充実した運営のためには、他の都道府県における協力校の確保が必要であるが、この場合、協力校と実施校の認可権者が異なることになるので、これらの相互の調整には、文部科学大臣が当たることが適当であること

ウ ラジオ、テレビなどの普及により、マスメディアを利用する通信教育が全国的規模で行われるようになってくると、その監督を一都道府県にまったく委ねておくことが必ずしも適当でないこと

などである。

(3)　都道府県教育委員会又は都道府県知事の具体的な認可事項は次のような事項である（法四条、施行令二三条）。

ア　学校の設置・廃止

イ　課程の設置・廃止

ウ　設置者の変更

エ　政令で定める事項

(ア)　学科の設置・廃止

(イ)　分校の設置・廃止

(ウ)　学則の変更

なお、広域の通信制の課程を置く私立高等学校に係る学校の名称と位置の変更、専攻科・別科の設置・廃止等については認可は必要ではなく、都道府県知事に対する届出だけでよいこととされている（施行令二七条の二）。

(4)　文部科学大臣への届出事項として政令等に定めるものは次のとおりである（施行令二四条の二、施行規則一六条）。

ア　学校の設置・廃止

イ　通信制課程の設置・廃止

ウ　設置者の変更

エ　学則の記載事項のうち文部科学省令で定めるものに係る変更

(ア)　修業年限に関する事項

(イ)　収容定員及び職員組織に関する事項

(ウ)　通信教育を行う区域に関する事項

(エ)　協力校に関する事項

ただし、私立学校については、名称と位置の変更は都道府県知事に対する届出事項であるので、広域の通信制にかかる届出を受けたときは、その旨を、当該届出に係る書類の写しを添えて文部科学大臣に報告することとされている（施行令二七条の二第二項、施行規則一八条）。

(5) なお、平成二六年の「地域の自主性及び自立性を高めるための改革の推進を図るための関係法律の整備に関する法律」（平二六法五一）において、指定都市立の高等学校の設置廃止等について都道府県教育委員会の認可を要しないこととしたことに伴い、指定都市立の広域通信制の高等学校の設置廃止等に当たり、認可権者である都道府県教育委員会が行うこととされていた文部科学大臣への届出について、当該指定都市教育委員会が行うことに改められた。

四 通信制の課程に関し必要な事項は、文部科学大臣の定めに委ねられている。

施行規則八〇条では高等学校の設備、編制、学科の種類その他設置に関する事項は、高等学校設置基準の定めるところによると規定しているが、同規則一〇一条一項では、通信制の課程の設備、編制その他に関し必要な事項は、高等学校通信教育規程の定めるところによると規定され、さらに同条二項で通信制の課程については施設、設備及び編制に係るものに限り高等学校設置基準は適用しないとされているので、通信制の課程については、施設、設備及び編制に関する規定を除く高等学校設置基準及び高等学校通信教育規程の定めるところによって運営されることになる。

なお、同じく一〇一条二項で、高等学校に準用されている学年の始期・終期、休業日及び臨時休業に関する規定は、通信制の課程には適用しないものとしている。

現行の高等学校通信教育規程は、昭和三七年九月一日文部省令三二号として制定されたものである。

従来から通信教育に関しては、昭和二三年の「高等学校通信教育規程」（昭二三文部省令五）、昭和三一年の「高等学校通信教育規程」（昭三一文部省令三三）の規定により運用されていたが、昭和三六年の本法の一部改正により通信教育

の整備充実が図られたことに伴って、通信教育規程も昭和三七年に全面的に改められたものである。さらに、平成一六年四月、同規程で定める基準が高等学校の通信制課程で教育を行うために必要な最低の基準であることを明確化するなどの観点から、同規程の一部改正が行われた（平一六文部科学省令二一）。一方で、一部の通信制課程においては、違法・不適切な学校運営や高等学校学習指導要領等に基づかない教育活動などの実態が明らかになったことから、高等学校通信教育の質保証を図る観点から、令和三年三月に同規程等の一部改正が行われた（令和三文部科学省令一四）。

この高等学校通信教育規程の要点は、次のとおりである。

(1)　通信教育の方法等

通信制の課程における教育は、通信手段を主体とし、生徒が自宅等で自主的に学習することを建前としているが、その具体的方法については、添削指導、面接指導及び試験によることとされている（二条一項）。

添削指導とは、生徒が学校に提出する文書による報告書（レポート）を教師が添削し、これを生徒に返送することにより指導する方法である。

この添削指導の回数としては、各教科・科目ごとにおおむね一単位につき三回の標準が高等学校学習指導要領に定められている。

面接指導とは、スクーリングといわれているものであり、生徒が学校に登校して、直接教師の指導を受けるとともに、集団の中で共同学習をする場を提供するもので、生徒の人間形成の面においても重要な意義をもつ指導方法であるといえる。

面接指導の時間数も、高等学校学習指導要領において各教科・科目ごとに定められている。

試験は、通常は定められた回数のレポートを提出し、面接指導にも出席した生徒について受験が認められている。

以上の方法のほか、放送その他の多様なメディアを利用した指導等の方法を加えて行うことができるものとされて

いる（二条二項）。

学校が、その指導計画の中にラジオ放送、テレビ放送のほか、インターネットなどの多様なメディアを利用して行う学習を取り入れた場合には、生徒がこれらの方法により学習し、それに基づいてレポートを作成して提出し、学校がその成果を満足できるものと認めるときは、面接指導の時間数のうち、各メディアごとにそれぞれ一〇分の六（複数のメディアを利用して学習した場合は合わせて一〇分の八）の範囲内で面接指導への出席を免除できることとなっている。

(2)　通信教育連携協力施設

通信制の課程を置く学校（実施校）の設置者は、実施校の行う通信教育について連携協力する施設（通信教育連携協力施設）を設けることができる。通信教育連携協力施設は、面接指導等実施施設と学習等支援施設により構成される。面接指導等実施施設は、実施校の行う面接指導や試験等に協力することとなるが、添削指導は行わない。また、学習等支援施設は、生徒の進路選択及び心身の健康等に係る相談、添削指導に附帯する事務の実施その他の学習活動等の支援について連携協力を行う施設であって、面接指導等実施施設以外のものとされている。

なお、実施校と通信教育連携協力施設が設置者を異にするときは、実施校の設置者は、通信教育連携協力施設の設置者の同意を得なければならない（三条）。

(3)　通信制の課程の規模

実施校における通信制の課程に係る収容定員は、原則として二四〇人以上とされている。また、通信教育連携協力施設を設ける場合には、通信教育連携協力施設ごとの定員を学則で定めるものとする（四条）。

(4)　面接指導を受ける生徒数

同時に面接指導を受ける生徒数は、少人数とすることを基本とし、四〇人を超えてはならない（四条の二）。

(5)　通信教育実施計画の作成等

実施校の校長は、通信教区の実施に当たっては、通信教育を実施する科目等の名称及び目標に関すること、科目等ごとの通信教育の方法及び内容並びに一年間の通信教育の計画に関すること、科目等ごとの学習の成果に係る評価及び単位の修得の認定に当たっての基準に関することを記載した通信教育実施計画を作成し、生徒に対して、あらかじめ明示するものとする（四条の三）。

(6)　教諭、事務職員の数等

実施校における通信制の課程に係る副校長、教頭、主幹教諭、指導教諭及び教諭の数は、五人以上とされている（五条）。また、相当数の通信制の課程に係る事務職員を置かなければならない（六条）。

(7)　施設設備等

実施校の校舎には、教室、図書室、保健室、職員室といった施設や必要な種類及び数の校具及び教具を備えなければならないが、全日制の課程又は定時制の課程を併置する実施校における施設の兼用や独立校における当該独立校と同一敷地内又は敷地の隣接地に所在する他の学校等の施設の兼用も一定の施設について認められている（九条・一〇条）。また、独立校の校舎の面積については、一、二〇〇平方メートル以上とその最低基準が定められている（八条）。

(8)　定時制の課程又は他の通信制の課程との併修

定時制の課程又は他の通信制の課程との併修というのは、ある一つの課程に在籍する生徒が、他の定時制又は通信制の課程にそれぞれの校長の許可を得て在籍し、双方の課程で修得した単位数を合算して卒業に必要な単位数とすることができる制度である。

高等学校通信教育規程には、定時制の課程等との併修に関して次のように規定されている。

（定時制の課程又は他の通信制の課程との併修）

第十二条　実施校の校長は、当該実施校の通信制の課程の生徒が、当該校長の定めるところにより当該高等学校の定時制の課程又は他の高等学校（中等教育学校の後期課程を含む。）の定時制の課

程若しくは通信制の課程において一部の科目又は総合的な探究の時間の単位を修得したときは、当該修得した単位数を当該実施校が定めた全課程の修了を認めるに必要な単位数のうちに加えることができる。

2　定時制の課程を置く高等学校の校長は、当該高等学校の定時制の課程の生徒が、当該校長の定めるところにより当該高等学校の通信制の課程又は他の高等学校（中等教育学校の後期課程を含む。）の通信制の課程において一部の科目又は総合的な探究の時間の単位を修得したときは、当該修得した単位数を当該定時制の課程を置く高等学校が定めた全課程の修了を認めるに必要な単位数のうちに加えることができる。

3　前二項の規定により、高等学校の通信制の課程又は定時制の課程の生徒（以下この項において単に「生徒」という。）が当該高等学校の定時制の課程若しくは通信制の課程又は他の高等学校（中等教育学校の後期課程を含む。以下この項において同じ。）の定時制の課程若しくは通信制の課程において一部の科目又は総合的な探究の時間の単位を修得する場合においては、当該生徒が一部の科目又は総合的な探究の時間の単位を修得しようとする課程を置く高等学校の校長は、当該生徒について一部の科目又は総合的な探究の時間の履修を許可することができる。

4　第一項又は第二項の場合においては、学校教育法施行規則第九十七条の規定は適用しない。

なお、学年による教育課程の区分を設けない通信制の課程における特例については、法五二条の【注解】一一参照。

〔技能教育施設との連携〕

第五十五条　高等学校の定時制の課程又は通信制の課程に在学する生徒が、技能教育のための施設で当該施設の所在地の都道府県の教育委員会の指定するものにおいて教育を受けているときは、校長は、文部科学大臣の定めるところにより、当該施設における学習を当該高等学校における教科の一部の履修とみなすことができる。

②　前項の施設の指定に関し必要な事項は、政令で、これを定める。

【沿　革】　昭三六・一〇・三一法一六六により追加した。

昭六三・一一・一五法八八により、一項中「文部大臣」を「当該施設の所在地の都道府県の教育委員会」に改めた。

平一一・一二・二二法一六〇により、「文部大臣」を「文部科学大臣」に改めた。

平一九・六・二七法九六により、旧四五条の二から五五条に移動した。

【参照条文】　施行令三二条〜三九条。技能教育施設の指定等に関する規則。

【注　解】

一　本条は、いわゆる技能連携制度に関する規定であり、昭和三六年に、学校教育法の一部改正によって追加されたものである。

二　この制度は、職業訓練所や各種学校等の教育訓練機関における技能教育が充実し、なかには高等学校教育と同程度のものもみられるようになった実情を背景として、高等学校の定時制又は通信制の課程に在学する生徒が、同時に技能教育施設で教育を受けている場合には、同様の教育を重複して受けるという二重負担を軽減することにより、勤労青少年の高等学校における学習を容易かつ効果的に行わしめるとともに、より多くの者に高等学校教育を受ける機会を与えようという趣旨から設けられたものであり、あわせて技能教育の効率化を図り、もって科学技術教育の振興に資することをその目的としている。

なお、この制度は、「高等学校の定時制の課程又は通信制の課程に在学する生徒」についてのみ認められるもので、全日制の課程に在学する生徒については適用されない。

三　技能連携の対象となる施設は、「技能教育のための施設で当該施設の所在地の都道府県の教育委員会の指定するもの」である。

技能教育施設としては、職業訓練所、准看護師養成所、経営伝習農場、技能教育を行う専修学校や各種学校などのほか、高等学校の別科なども考えられる。これらの施設のうち、都道府県教育委員会の指定を受けたものが技能連携を行う資格を与えられることになる。

従前、この指定は文部大臣が行うこととされていた。教育訓練の内容や程度が多様で、設置形態や監督関係も異なる各種の技能教育施設における教育で公教育である高等学校教育の一部を代替させることについては、高等学校教育の水準の確保のため文部大臣が全国的な視野に立って関わりをもつことが必要であると考えられたからである。昭和六三年の学校教育法の一部改正は、技能連携制度の定着状況等にかんがみ、指定基準は従来どおり国が定めることとして水準を担保しつつ、指定については、都道府県教育委員会において行うこととし、この制度のより円滑な運用に資するために行われたものである。

指定とは一般に人、物、事物等を特定する行為をいうが、この場合は、申請のあった技能教育施設につき、基準に合致しているか否かを判断して、合致している場合には、公に表示する行為である。技能教育施設は、都道府県教育委員会の指定を受けることにより、技能連携を有効に行い得るのであり、指定を受けずに自ら基準に合致していると判断して技能連携を行うことは認められない。仮に指定を受けていない施設と技能連携して学校が単位を認定してもその行為は無効とされる。

四　「施設の指定に関し必要な事項」は、施行令の第四章技能教育施設の指定（三二条〜三九条）及びこの政令の委任に基づく「技能教育施設の指定等に関する規則」（昭三七文部省令八）で定められている。

(1)　指定の基準

都道府県教育委員会は、申請のあった技能教育施設の指定に当たっては、指定基準に合致しているかどうかを調べ、合致している場合には指定しなければならないが、その基準については、施行令に次のような規定がある。

（指定の基準）

第三十三条　指定の基準は、次のとおりとする。

一　設置者が、高等学校における教育に理解を有し、かつ、この政令及びこの政令に基づく文部科学省令を遵守する等設置者として適当であると認められる者であること。

二　修業年限が一年以上であり、年間の指導時間数が六百八十時

間以上であること。

三　技能教育を担当する者（実習を担任する者を除く。）のうち、半数以上の者が担当する技能教育に係る高等学校教諭の免許状を有する者又はこれと同等以上の学力を有すると認められる者であり、かつ、実習を担任する者のうち、半数以上の者が担任する実習に係る高等学校教諭の免許状を有する者若しくはこれと同等以上の学力を有すると認められる者又は六年以上担任する実習に関連のある実地の経験を有し、技術優秀と認められる者であること。

四　技能教育の内容に文部科学大臣が定める高等学校の教科に相当するものが含まれていること。

五　技能教育を担当する者及び技能教育を受ける者の数、施設及び設備並びに運営の方法が、それぞれ文部科学省令で定める基準に適合するものであること。

また、四号の文部科学大臣の定め及び五号の文部科学省令で定める基準については、技能教育施設の指定等に関する規則に次のような規定がある。

（文部科学大臣が定める高等学校の教科等）

第二条　令第三十三条第四号の文部科学大臣が定める高等学校の教科は、高等学校の職業に関する教科とする。

2　令第三十三条第五号の文部科学省令で定める基準は、次のとおりとする。

一　技能教育を担当する者の数が、技能教育を受ける者の数を二十をもつて除して得た数以上であること。

二　科目ごとに同時に技能教育を受ける者の数が、十人以上であること。

三　高等学校の教科に相当する内容の技能教育を行なうために必要な施設及び設備を有すること。

四　運営の方法が適正であること。

なお、この制度の発足当時の指定基準は、修業年限三年以上、年間の指導時間数八〇〇時間以上というようにかなり厳しい要件を具備するものとされていたため、文部大臣の指定を受ける施設も少なく、ほとんど企業内の職業訓練所に限られていたが、昭和四二年一二月の学校教育法施行令及び技能教育施設の指定等に関する規則の改正（昭四二政令三七五）が行われ、指定基準が緩和されて、技能連携施設の範囲が拡大したことから、指定件数も非常に増加した。

(2) 指定の手続き等

指定の手続き等については、施行令及び技能教育施設の指定等に関する規則に規定されている。

なお、平成一二年には、いわゆる地方分権一括法の施行のため、関係政令や規則の改正が行われたが、その際、技能連携制度の手続きについても見直しが行われ、「連携科目等」の指定や公示等について制度改正が行われた。

施行令及び技能教育施設の指定等に関する規則によると、技能教育施設の設置者が、指定を受けようとするときは、当該施設の所在地の都道府県の教育委員会の定めるところにより、当該施設の所在地の都道府県の教育委員会に対しその指定を申請しなければならない（施行令三二条、技能教育施設の指定等に関する規則一条）。

施設所在地の都道府県教育委員会は、指定基準に基づいて審査し、基準に合致している場合には、連携科目等（当該施設における科目のうち対象となるもの及び当該科目の学習をその履修とみなすことができる高等学校の教科の一部）を併せて指定を行い、施設の名称、所在地及び連携科目等を公示する（施行令三三条の二・三三条の三）。

指定を受けた技能教育のための施設の設置者は、当該施設の名称、所在地、技能教育の種類その他の文部科学省令で定める事項を変更しようとするときは、あらかじめ、届出書に変更の理由及び時期を記載した書類を添えて、指定した都道府県教育委員会に届け出なければならない（施行令三四条一項）。内容変更の届出事項として文部科学省令に定められている事項は次のとおりである（技能教育施設の指定等に関する規則四条）。

（内容変更の届出事項）

第四条　令第三十四条の規定により内容変更の届出をしなければならない事項は、次の各号に掲げる事項とする。

一　技能教育のための施設の名称及び所在地

二　設置者の氏名及び住所（法人にあつては、名称及び主たる事務所の所在地並びに代表者の氏名及び住所）

三　技能教育の種類

四　技能教育の種類ごとの修業年限及び科目ごとの年間の指導時間数

五　技能教育を受ける者の数

六　その他施設所在地教育委員会が定める事項
2　令第三十四条の規定による届出は、届出書に、変更の理由及び時期を記載した書類を添えてしなければならない。

また、当該施設の設置者は、連携科目等の追加、変更又は廃止をしようとするときは、施設指定教育委員会に申請することとされ、当該教育委員会は、その指定や指定の変更、解除等をしたときは、その旨公示することとなっている（施行令三四条二項・三項）。

当該技能教育施設を廃止しようとするときも、廃止しようとする日の三月前までに、施設指定教育委員会に、その旨及び廃止の時期を届け出なければならない（施行令三五条）。

施設指定教育委員会は、指定技能教育施設が指定基準に適合しているかどうかを調査し、設置者に対し、当該指定技能教育施設における技能教育に関する報告又は資料の提出を求めることができ（施行令三七条）、指定技能教育施設が、指定基準に適合しなくなったときは、その指定を解除することができる。なお、指定を解除した場合についても公示することとされている（施行令三六条）。

五　「文部科学大臣の定めるところにより」　高等学校の校長は、都道府県教育委員会の指定を受けた技能連携施設での履修を当該高等学校における教科の一部の履修とみなすことができるのであるが、この「文部科学大臣の定め」としては技能教育施設の指定等に関する規則の中に次のような規定がある。

（連携措置をとることができる科目）
第五条　高等学校の校長は、第二条第一項の教科に属する科目について学校教育法（昭和二十二年法律第二十六号）第五十五条の規定による技能教育のための施設における学習を高等学校の教科の一部の履修とみなす措置（以下「連携措置」という。）をとることができる。高等学校のその他の教科に属する科目で、指定を受けた技能教育のための施設（以下「指定技能教育施設」という。）における技能教育の科目に対応するものとして文部科学大臣が適当と認めるものについても、同様とする。
2　前項後段の文部科学大臣が適当と認める科目は、官報で告示す

る。

（連携）

第六条　連携措置をとろうとする高等学校の校長及び指定技能教育施設の設置者は、協議して、あらかじめ、令第三十三条の二の連携科目等の指導計画その他連携措置に必要な計画を定めなければならない。

２　高等学校の校長は、指定技能教育施設における科目のうち連携措置の対象となるもの（次条において「連携措置に係る科目」という。）の学習に関し、当該指定技能教育施設の設置者に対して、必要な指導及び助言を与えることができる。

（単位の修得の認定等）

第七条　高等学校の校長は、当該高等学校の定時制の課程又は通信制の課程に在学する生徒が、あわせて指定技能教育施設において前条の計画に基づき連携措置に係る科目を学習し、その成果が試験その他の方法により当該科目に対応する高等学校の科目の目標に達していると認めるときは、所定の単位の修得を認定することができる。

２　前項の規定により校長が修得を認定することのできる単位数の合計は、当該高等学校が定めた全課程の修了を認めるに必要な単位数の二分の一以内とする。

六　「履修とみなす」とは、指定技能教育施設での履修を高等学校の履修として取り扱い、高等学校で履修したものとまったく同一の法的効果を与えることである。

高等学校の職業教育を主とする学科においては、実習科目の一部の授業時間を、工場や農場等での作業などの就業体験によって替えることができるという制度が認められている（高等学校学習指導要領第一章第五款４⑷）が、この趣旨が、現場での作業そのものの教育的意義を認めて学校教育の内容に組み入れようとするものであるのに対し、技能連携制度は、学校教育とは異なる指定技能教育施設における教育を一定条件のもとに学校教育と同じように扱おうとするものである。

技能連携の場合は、最大限当該高等学校の総単位数の二分の一まで指定技能教育施設における学習を、そのまま高等学校教育の履修とみなすこととなり、学校教育に与える影響も大きいことから、当該指定技能教育施設の適否をあらかじめ判断するために都道府県教育委員会の指定制度がとられている。

【通　知】

○学校教育法の一部改正について（抄）（昭六三・一一・二一　文初高八八号　各都道府県教育委員会、各都道府県知事、附属学校を置く各国立大学長あて　文部事務次官通達）

このたび、別添（略）のとおり、「学校教育法の一部を改正する法律」（昭和六三年法律第八八号）が一一月一五日に公布され、昭和六四年〔平成元年〕四月一日から施行されることとなりました。

この法律改正の概要及び留意すべき事項は下記のとおりですので、事務処理上遺漏のないようお願いします。

記

1　改正の趣旨

今回の改正は、高等学校の定時制の課程及び通信制の課程の修業年限を弾力化するとともに、それらの課程と連携できる技能教育施設の指定を都道府県の教育委員会において行うこととすることにより、高等学校教育の多様化・弾力化等を図ることとしたものであること。

2　改正の要点及び留意事項

(1)　高等学校の定時制の課程及び通信制の課程と連携できる技能教育施設の指定者について、「文部大臣」から「都道府県の教育委員会」に改めたこと（第四五条の二〔現行法五五条〕関係）。

これは、技能連携制度の定着状況等にかんがみ、指定の基準は従来どおり国が定めることとして水準を担保しつつ、指定については技能教育施設の所在地の都道府県の教育委員会において行うこととし、技能連携制度のより円滑な運用に資することとしたものであること。

(2)　（略）

3　施行期日等

(1)　この法律は、昭和六四年四月一日から施行されること。

(2)　（略）

(3)　この法律の施行前に文部大臣から指定を受けている技能教育施設については、この法律の施行後は、当該施設の所在地の都道府県の教育委員会により指定されたものとみなされるものであること。

○学校教育法施行令等の一部改正について（抄）（平元・三・三一　文初高一二一号　各都道府県教育委員会、各都道府県知事、附属学校を置く各国立大学長あて　文部事務次官通達）

「学校教育法の一部を改正する法律」（昭和六三年法律第八八号）の施行等に伴い、このたび、別添（略）のとおり、「学校教育法施行令の一部を改正する政令」（平成元年政令第八一号）が三月二九日に、「技能教育施設の指定等に関する規則の一部を改正する省令」（平成元年文部省令第一一号）及び「学校教育法施行規則の一部を改正する省令」（平成元年文部省令第一〇号）が三月三一日に公布され、それぞれ四月一日から施行されることとなりました。

この政令及び省令改正の趣旨並びに改正の要点等は下記のとおりですので、事務処理上遺漏のないようお願いします。

記

1 学校教育法施行令の一部改正及び技能教育施設の指定等に関する規則の一部改正関係

(1) 改正の趣旨

今回の改正は、先の学校教育法の一部改正により、高等学校の定時制の課程及び通信制の課程と連携できる技能教育施設の指定を都道府県の教育委員会において行うこととすることに伴い、必要な規定の整備等を行うこととしたものであること。

(2) 改正の要点等（略）

2 （以下略）

〔高等学校の修業年限〕

第五十六条 高等学校の修業年限は、全日制の課程については、三年とし、定時制の課程及び通信制の課程については、三年以上とする。

【沿　革】 昭二五・四・一九法一〇三により、修業年限が一律に三年とされ、ただし書で定時制の課程については四年以上とされた。

昭三六・一〇・三一法一六六により、通信制の課程も含めた各課程の修業年限が規定された。

昭六三・一一・一五法八八により、定時制の課程及び通信制の課程の修業年限を「三年以上」に改めた。

平一九・六・二七法九六により、旧四六条から五六条に移動した。

【参照条文】 法四七条、五三条、五四条。施行規則一〇二条、一〇四条。

【注　解】

一　本条は、高等学校の修業年限について定めたものである。

新制高等学校発足当時は、旧制の高等専門学校程度のものを期待する考えがみられたこともあって、その修業年限については、「高等学校の修業年限は、三年（第一〇年、第一一年、第一二年）を原則とするが、四年あるいは五年のものも認める。」（昭二二・二・一八「新学校制度実施準備に関する件」）や「原則として三年制であるが、特別の職業教育

を行う場合には三年以上とすることができる。」（昭二二・九・五「新学制の実施について」）のように、三年を原則としながらも、それ以上の年限とすることの余地を残す方針がとられた。

このため本法における当初の規定も「高等学校の修業年限は、三年とする。但し、特別の技能教育を施す場合及び第四十四条第一項〔現行法五三条一項〕の課程を置く場合は、その修業年限は、三年を超えるものとすることができる。」となっていた。

昭和二五年に本法の一部改正が行われ、本条のただし書の部分が「但し、定時制の課程を置く場合は、その修業年限は、四年以上とする。」のように改められた。

この改正の趣旨は、「特別の技能教育を施す学校、例えば美術や音楽の課程を置く学校の場合でも、三年で高等学校としての正規の課程を修了させ、更に必要な場合は、専攻科として精深な教育を施すことにした方が、大学への連絡その他を考慮して適当であるので、特別の技能教育を施す場合であっても、修業年限は三年と改正されたのである。また、定時制の課程は、勤労青年を対象とする課程で、通常の課程の三年分の教育を、これと全く同等の程度内容をもって行うには、最低四年を要し、しいて三年にすれば教育上、保健上、勤労青年のために憂うべき事態を生じ、かえって勤労青年に対して思わしくない結果を招き、ひいてはこの課程から勤労青年が閉め出されることをも考慮され、定時制の課程の修業年限を一律に四年以上とすることになったのである。」（昭二五・五・六　文初中一七八号　文部省初等中等教育局長通達「学校教育法の一部を改正する法律について」）とされていた。

しかし、生徒の勤労形態が多様化するとともに、定通併修、技能連携等によって履修形態の弾力化が図られてきたこともあって、定時制の課程及び通信制の課程の生徒であっても、三年間で高等学校を卒業するために必要な単位を履修できる実態が生じてきた。そこで、昭和六三年の学校教育法の一部改正により、定時制の課程及び通信制の課程の修業年限が「三年以上」に改められた。なお、高等学校の定時制及び通信制の課程の修業年限を三年以上と改める

ことに伴い、その修業年限を定めるに当たっては、働きながら学ぶ生徒の実情を十分考慮し、生徒の学習負担が過重なものとならぬよう教育上適切な配慮をするものとしている（施行規則一〇二条）。

二　全日制の課程については、その修業年限は三年と法定されているので、学科や教育課程のいかんを問わず、設置者が四年ないし五年にすることはできない。

なお、修業年限とは、学校の定める教育課程のすべてを修了するのに必要であると定められた年限であるから、その教育課程に基づいて履修した生徒が、不十分な修得に終わった場合に、修業年限を超えて学校にとどまることはもとよりありうることである。

三　定時制の課程の修業年限は、三年以上であるが、施行規則一〇四条二項で「修業年限が三年を超える定時制の課程を置く場合は、その最終の学年は、四月一日に始まり、九月三十日に終わるものとすることができる。」と半年単位の学年も認めている。

学年については、施行規則一〇四条により、小学校の学年について定める五九条の規定が高等学校に準用されているので、高等学校の学年は、四月一日に始まり、翌年三月三一日に終わる。このような学年について、半年単位の学年という特例を三年を超える定時制の課程に認めたのは、高等学校の教育課程は、定時制の課程でも三年間あればこなせるようになってきていることから、三年を超えて、最終学年で必ずしも一年間かけて履修しなければならない程度の内容量があるともいえないので、いたずらに長く学校にとどめておくことを避けようという趣旨である。この特例は、三年を超える定時制の課程についてのみ適用されるものであるから、全日制の課程や修業年限三年の定時制の課程については認められない。

この特例措置を採用するかどうかを決定するのは、学校の設置者であり具体的には設置者の機関であると解される。公立の高等学校については、当該学校を所管する教育委員会が決定することになろう。

四　通信制の課程の修業年限も定時制の課程のそれと同様に三年以上であるが、通信制の課程については、もともと学年の始期及び終期の規定は適用されていない（施行規則一〇一条二項で同五九条を適用除外）ので、三年を超える定時制の課程の特例も適用されない。

通信制の課程においては、単位の修得は一定の回数及び時間の添削指導と面接指導、それに試験によって認められるものであり、また入学の時期や履修の進度も生徒によって異なるという個別指導の色彩が濃いので、一斉指導を前提とした学年の始期及び終期の考え方は、この課程の性質上なじみにくいものである。

しかしながら、通信制の課程の実態としては、入学時期を一定し、年度別にまとまりをもって履修させるような教育課程を編成して、いわゆる規制学習をさせる学校もかなりみられるようになっている。これは、放送を計画的に利用したり、学習における脱落を防ぐなどの教育的配慮に基づくものである。なお、昭和六三年度からは、通信制の課程についても学年による教育課程を設けない単位制による課程が導入された（法五二条の**【注解】**一一参照）。

【通　知】

○学校教育法の一部改正について（抄）（昭六三・一一・二一　文初高八八号　各都道府県教育委員会、各都道府県知事、附属学校を置く各国立大学長あて　文部事務次官通達）

このたび、別添（略）のとおり、「学校教育法の一部を改正する法律」（昭和六三年法律第八八号）が一一月一五日に公布され、昭和六四年〔平成元年〕四月一日から施行されることとなりました。

この法律改正の概要及び留意すべき事項は下記のとおりですので、事務処理上遺漏のないようお願いします。

記

1　改正の趣旨

今回の改正は、高等学校の定時制の課程及び通信制の課程の修業年限を弾力化するとともに、それらの課程と連携できる技能教育施設の指定を都道府県の教育委員会において行うこととすることにより、高等学校教育の多様化・弾力化等を図ることとしたものであること。

2　改正の要点及び留意事項

(1)　（略）

(2)　高等学校の定時制の課程及び通信制の課程の修業年限につい

て、「四年以上」から「三年以上」に改めたこと（第四六条〔現行法五六条〕関係）。

これは、生徒の勤労形態の変化や履修形態の弾力化の状況等による今日の学校の実態にかんがみ、特段の支障なく三年間で卒業に必要な単位を履修できる者については、三年でも卒業する途を開くことができることとしたものであること。

なお、修業年限を定めるに当たっては、生徒の実態等を考慮する必要があり、特に勤労青少年の修学の機会の確保について教育上適切な配慮を行うこと。

3 施行期日等

(1) この法律は、昭和六四年四月一日から施行されること。

(2) 昭和六四年三月三一日以前からの在学者（以下単に「在学者」という。）についても、昭和六四年四月一日以降、この法律が適用されること。

なお、在学者に対し、この法律に基づき修業年限を変更する場合は、教育上適切な配慮を行い当該在学者の修学に支障がないようにする必要があること。

（以下略）

○学校教育法施行令等の一部改正について（抄）（平元・三・三一　文初高一二一号　各都道府県教育委員会、各都道府県知事、附属学校を置く各国立大学長あて　文部事務次官通達）

「学校教育法の一部を改正する法律」（昭和六三年法律第八八号）の施行等に伴い、このたび、別添（略）のとおり、「学校教育法施行令の一部を改正する政令」（平成元年政令第八一号）が三月二九日に、「技能教育施設の指定等に関する規則の一部を改正する省令」（平成元年文部省令第一一号）及び「学校教育法施行規則の一部を改正する省令」（平成元年文部省令第一〇号）が三月三一日に公布され、それぞれ四月一日から施行されることとなりました。

この政令及び省令改正の趣旨並びに改正の要点等は下記のとおりですので、事務処理上遺漏のないようお願いします。

記

1 （略）

2 学校教育法施行規則の一部改正関係

(1) 改正の趣旨

今回の改正は、先の学校教育法の一部改正により、高等学校の定時制の課程及び通信制の課程の修業年限を「三年以上」に改めることに伴い、勤労青年の教育に係る配慮規定を設けるとともに、修業年限が三年を超える定時制の課程について最終学年の始期・終期の特例を設けることとしたものであること。

(2) 改正の要点等

ア、高等学校の定時制の課程又は通信制の課程の修業年限を定めるに当たっては、勤労青年の教育上適切な配慮をするよう努めるものとする旨の規定を設けたこと。（第六四条の三〔現行施行規則一〇二条〕関係）

これは、先の学校教育法の一部改正により、高等学校の定時制の課程及び通信制の課程の修業年限を「三年以上」に改めることに伴い、例えば、修業年限を三年にしようとする等の場合にあっては、これらの課程の本来の趣旨を踏まえ、働

きながら学ぶ生徒の実情を十分考慮し、生徒の学習負担が過重なものとならぬよう配慮して行う必要があることから、新たに明文で規定したものであること。

イ、修業年限が三年を超える定時制の課程を置く場合は、その最終の学年は、四月一日に始まり、九月三〇日に終わるものとすることができることとしたこと。（第六五条第二項〔現行施行規則一〇四条二項〕関係）

これは、高等学校の定時制の課程において、三年を超える修業年限を定める場合には、必ずしも最終学年で一年間かけて履修する必要のない場合も生じるものと思われることから、いたずらに長く高等学校にとどめておくことを避けようとの趣旨で、最終学年を六月とすることが可能となる規定を設けたものであること。

ウ、この省令は平成元年四月一日から施行されること。（附則関係）

（以下略）

【行政実例】

○全日制高等学校の卒業期について（昭二八・一・二一　鳥取県教育委員会教育長あて　文部省初等中等教育局長回答）

【照会】　学校教育法第四六条〔現行法五六条〕及び同法施行規則第四四条〔現行施行規則五九条〕の準用規定により全日制高等学校の卒業期は毎年三月とされていますが、次の事例につき御意見承りたく御照会いたします。

一　三か年間に所要単位の履修不可能にして第四年度において未修単位を履修し所要の八五単位を履修した場合、施行規則第二八条〔現行施行規則五八条〕の準用規定により、学年の中途において随時卒業せしめることはいかん。

二　右の生徒を第四年度において休学とし、通信教育において必要単位を修得した場合、これを復学せしめて前項により随時学年の中途において卒業せしめることはいかん。

三　万一学年の中途において随時卒業せしめることが不適当な場合、施行規則第六五条〔現行施行規則一〇四条〕に規定する定時制の課程の卒業期を全日制課程に準用し、県教育委員会規則により三月、九月の二期を卒業期とすることはいかん。

【回答】　一　学校教育法施行規則第六五条但書〔現行施行規則一〇四条二項〕の定時制の課程に関する学年の規定は、高等学校の通常の課程に準用することはできません。

二　三年間で卒業のための所要単位が履修できないで第四年度の年度途中においてこれを履修した生徒に対し、学年の中途において随時卒業させることはできません。

三　この場合に、第四年度を休学とし、通信教育において必要単位を履修させてから復学させるという方法については、通常の課程と通信教育との二重在籍は認められておりませんから、この場合

にこの方法はとれないわけです。ただし不足単位が通信教育実施科目である場合には、通常の課程を退学し、必要な単位を通信教育によって得て卒業することが可能ですが、その場合は、卒業認定は通信教育実施校の校長によって行われます。

四　三年間で卒業に必要な単位をとれなかった生徒に対しては、できうれば卒業するまで指導するよう学校に対し指導して下さい。

○高等学校の卒業期日について（昭二八・三・一二　委初二九号　広島県教育委員会教育長あて　文部省初等中等教育局長回答）

【照会】　単位不足のため高等学校を卒業し得ない生徒の取扱については別紙案を考慮中でありますが、これに関連して照会いたします。

一　通常の課程の卒業期日は三月でなければならないとする法的根拠

学校教育法施行規則（以下「規則」という。）第二八条〔現行施行規則五八条〕は、卒業に必要な単位を充足した期日をもって卒業日とするようには解釈できないか（単位保留のため卒業し得ない生徒の場合）。

二　四年制の定時制の課程で単位保留のため四年以上を要する生徒の場合、規則第六五条〔現行施行規則一〇四条〕を準用して九月卒業を認めることができるか。

（別紙案）

通常の課程

一　六月末までに単位追認により卒業に必要な単位を充足した場合は、前年度三月にさかのぼり卒業させることができる。

この場合、単位充足の月までの授業料は返却しないものとする。

二　七月以降において単位追認により卒業に必要な単位を充足した場合は、その月までの授業料を徴収し、翌年三月に卒業させるものとする。

この場合、単位充足の日の翌日から休学の措置をとることができるものとする。

定時制の課程

一　八月末までに単位の追認を受けて卒業に必要な単位を充足した場合は、九月に卒業させることができる。

二　九月以降単位の追認を受けて卒業に必要な単位を充足した場合は、翌年三月に卒業させるものとする。

三　前二項においては、単位充足の月までの授業料を徴収し、単位充足の日の翌日から休学の措置をとることができるものとする。

【回答】　一　学校の教育計画は学年の区分にもとづいて構成され、学年は学校教育法施行規則第四四条〔現行五九条〕（第六五条〔現行一〇四条〕により高等学校の通常の課程に準用）により、四月一日に始まり翌年三月三一日に終る。よって生徒が全課程を修了する時期は、学年末期でなければならないものと解する。同施行規則第二八条〔現行五八条〕は卒業証書を授与すべきことを規定したものであって、授与すべき時期について規定したものではない。

二　学校教育法施行規則第六五条但書〔現行一〇四条二項〕で定時制の課程について九月末で終了学年が認められているが、これは、修業年限が四年〔編者注：現在は三年以上〕をこえる定時制

の課程についての規定であるから、修業年限四年の課程のみをおく場合には適用されない。

高等学校においても小・中学校の場合と同じようにその教育課程は学習指導要領の基準によることとなっているが、学習指導要領一般編によれば、科目合格の単位は、学年の始から終まで引続きその科目を履修した場合にのみ与えられ、学年の中途では与えられないこととされている（参照学習指導要領一般編の「Ⅱ教育課程」中「3高等学校の教科と時間配当および単位数」）。（未修了者が学年の終にその科目の単位の一部（例えば国語（甲）の三単位の二単位）を得て、次の学年の中途でその残りの単位（三単位中の一単位）を得るというようなことは起らない。）

したがって、卒業に必要な全単位の修得は学年の終にしかありえず、卒業ということも学年の終にしかありえない。そして一般には、学年は四月に始まり三月に終る（施行規則第六五条〔現行一〇四条〕による第四四条〔現行五九条〕の準用）ので、卒業期は三月末でなければならないこととなる。ただし、四年をこえる修業年限の定時制課程で最後の学年が九月に終る場合（施行規則第六五条〔現行一〇四条〕）には、卒業期は九月末ということになる。

〔**編者注**〕　現行施行規則一〇四条二項で修業年限が三年を超える定時制課程について、九月末卒業を認めている。また同条三項では「特別の必要があり、かつ、教育上支障がないとき」又は単位制高等学校教育規程三条では「教育上支障がない」場合には、学期の区分に従う卒業を認めているが、それは帰国子女などで、当初から計画的に教育課程を編成することを要する場合や単位制高等学校の場合であり、たまたま単位不足が生じ翌年の一学期で単位修得したような場合は該当しない。

〔高等学校の入学資格〕

第五十七条　高等学校に入学することのできる者は、中学校若しくはこれに準ずる学校若しくは義務教育学校を卒業した者若しくは中等教育学校の前期課程を修了した者又は文部科学大臣の定めるところにより、これと同等以上の学力があると認められた者とする。

【**沿　革**】　平一〇・六・一二法一〇一により、「卒業した者」の下に「若しくは中等教育学校の前期課程を修了した者」を追加した。

平一一・七・一六法八七により、「監督庁」を「文部大臣」に改めた。

平一一・一二・二二法一六〇により、「文部大臣」を「文部科学大臣」に改めた。

平一九・六・二七法九六により、旧四七条から五七条に移動した。
平二七・六・二四法四六により、「準ずる学校」の下に「若しくは義務教育学校」を追加した。

【参照条文】 法六六条。施行規則九五条。就学義務猶予免除者等の中学校卒業程度認定規則。

【注　解】

一 本条は、高等学校の入学資格について規定したものである。

二 「これに準ずる学校」としては、特別支援学校の中学部がある。

なお、少年院及び児童自立支援施設においては、在院又は入所中に学校教育法の規定による中学校に準ずる教科を修めた者に対して、修了の事実を証する証明書を発行することができ、この証明書は、各学校の長が授与する卒業証書と同一の効力を有するとされている（少年院については少年院法二七条及び同法施行規則一八条。児童自立支援施設については「当分の間」の措置として児童福祉法等の一部を改正する法律（平九法七四）附則七条に規定）ことから、このような証明書を授与された者も、中学校に準じた学校を卒業した者とみなして、高等学校への入学資格が認められる。

三 平成二七年の義務教育学校の創設（平成二七年法四六による法改正）に伴い、高等学校の入学資格として義務教育学校の卒業者が加えられた。

四 「文部科学大臣の定めるところ」については、施行規則において次のように定めている。

第九十五条　学校教育法第五十七条の規定により、高等学校入学に関し、中学校を卒業した者と同等以上の学力があると認められる者は、次の各号のいずれかに該当する者とする。

一　外国において、学校教育における九年の課程を修了した者

二　文部科学大臣が中学校の課程と同等の課程を有するものとして認定した在外教育施設の当該課程を修了した者

三　文部科学大臣の指定した者

四　就学義務猶予免除者等の中学校卒業程度認定規則（昭和四十

一年文部省令第三十六号）により、中学校を卒業した者と同等以上の学力があると認定された者

五　その他高等学校において、中学校を卒業した者と同等以上の学力があると認めた者

(1)　右のうち二号については、昭和四七年二月の施行規則の一部改正（昭四七文部省令二）により指定在外教育施設を加えたのであるが、平成三年一一月の施行規則の一部改正（平三文部省令四五）による在外教育施設認定制度の発足に伴い現行のように改められた。

これらの施設の認定及び運営等に関しては、「在外教育施設の認定等に関する規程」（平三文部省告示一一四）が定められており、認定を受けた在外教育施設については官報で公示されることとなっている。「在外教育施設の認定について」（平三文部省告示一二〇）に基づき、日本人学校などの中等部が認定されている。なお、経過措置として、従前の指定在外教育施設の当該課程を修了した者についても、高等学校入学資格が認められる。

(2)　三号の文部科学大臣の指定は、「高等学校入学に関し中学校を卒業した者と同等以上の学力があると認められる者の指定」（昭二三文部省告示五八）により学校教育法施行以前の旧制度による学校について行われている。

(3)　四号については、昭和四一年七月の施行規則の一部改正（昭四一文部省令三五）により加えられたものである。

この「就学義務猶予免除者等の中学校卒業程度認定規則」（昭四一文部省令三六）によると、文部科学大臣は、毎年一回、認定試験を実施し（二条）、試験科目は、中学校の国語、社会、数学、理科及び外国語の各教科とし（五条）、これらの試験科目のすべてについて合格点を得た者を、高等学校入学に関し、中学校を卒業した者と同等以上の学力がある者と認定する（一〇条一項）こととなっている。

この試験は、従来、就学義務猶予免除者である者又は就学義務猶予免除者であった者を対象としていたが、国際化の進展やそれに伴う人材の流動化、規制緩和の要請の高まり、生涯学習体系への移行等の観点から、平成九年、平成一一年、平成一五年の三回にわたって改正が行われ、対象が拡大されている（後掲**【通知】**平九・三・三一文初高二〇二

号、平一一・八・三一文初高二〇二号、平一五・三・三一文科初一三三一号参照）。

この試験を受けることができる者について具体的に述べると次のとおりである（三条）。

① 就学義務猶予免除者である者又は就学義務猶予免除者であった者で、受験しようとする認定試験の日の属する年度の終わりまでに満一五歳以上になるもの

② 保護者が就学させる義務の猶予又は免除を受けず、かつ、受験しようとする認定試験の日の属する年度の終わりまでに満一五歳に達する者で、その年度の終わりまでに中学校を卒業できないと見込まれることについてやむを得ない事由があると文部科学大臣が認めたもの（④に掲げる者を除く）

③ 受験しようとする認定試験の日の属する年度の終わりまでに満一六歳以上になる者（①及び④に掲げる者を除く）

④ 日本の国籍を有しない者で、受験しようとする認定試験の日の属する年度の終わりまでに満一五歳以上になるもの

また、高等学校卒業程度認定試験において試験科目の全部について合格点を得た者は、就学義務猶予免除者等の中学校卒業程度認定規則により認定された者とみなすこととされている（一〇条三項）。

(4) 五号については、後掲の【行政実例】参照。

【通　知】

○学校教育法施行規則の一部を改正する省令の一部改正について（抄）（平九・三・三一　文初高二〇二号　各都道府県教育委員会教育長あて　文部省初等中等教育局長通達）

このたび、別添（略）のとおり、「学校教育法施行規則の一部を改正する省令の一部を改正する省令」（平成九年三月二四日文部省令第六号）が公布され、平成九年四月一日から施行されることとなりました。

一　改正の趣旨

第一五期中央教育審議会の第一次答申及び行政改革委員会の報告書などの提言を受け、やむを得ない事情により登校することが

できず、結果として中学校を卒業することができなかった場合においても、同年齢の生徒に遅れることなく高等学校教育を受ける機会が与えられるようにするため、試験を受けようとする学年の終わりまでに満一五歳に達する登校拒否等の生徒についても中学校卒業程度認定試験の受験資格を与えることとする。

二　改正の概要

(1)　従前の学校教育法施行規則（昭和二二年文部省令第一一号。以下「施行規則」と言う。）附則第二項を整理し、第一号と第二号に分けて示したこと。

(2)　当分の間、次に掲げる者を施行規則附則第二項に第三号として加え、施行規則第六三条第四号に掲げる「保護者が就学させる義務を猶予又は免除された子女」〔編者注：現行施行規則九五条四号に相当する。当該号は平成一一年に改正されている。〕とみなすこととし、この者についても、就学義務猶予免除者の中学校卒業程度認定試験の受験資格を与え、文部大臣が中学校を卒業した者と同等以上の学力があるかどうかの認定を行うことができることとしたこと。

保護者が学校教育法第二三条（第三九条第三項で準用する場合を含む。以下同じ。）〔現行法一八条〕の規定による就学させる義務の猶予又は免除を受けず、かつ、小学校、中学校又は盲学校、聾学校若しくは養護学校の小学部若しくは中学部に在学し、その属する学年の終わりまでに満一五歳に達する児童又は生徒で、学校教育法第二三条〔現行法一八条〕の規定による就学させる義務の猶予又は免除を受けることができる事由に相当する事由があると文部大臣が認めたもの。

三　施行期日

この省令は、平成九年四月一日から施行するものとしたこと。

四　留意事項

(1)　就学義務猶予免除者の中学校卒業程度認定試験は、高等学校入学に関し、中学校を卒業した者と同等以上の学力があるかどうかの認定を行うものであり、中学校の校長が行う卒業の認定とは趣旨を異にするものである。したがって、中学校卒業程度認定試験を受験することは、当該生徒に係る卒業認定に影響を及ぼすものではないこと。

(2)　（略）

〔編者注〕　二の施行規則附則二項とは、学校教育法施行規則の一部を改正する省令（昭四一文部省令三五）の附則二項を指す。

○学校教育法施行規則等の一部を改正する省令等について

（抄）（平一一・八・三一　文初高二〇二号　各都道府県教育委員会、各都道府県知事、附属学校を置く各国立大学長あて　文部省初等中等教育局長通知）

このたび、別添1（略）のとおり、就学義務猶予免除者等の中学校卒業程度認定試験の受験資格の拡大を図る「学校教育法施行規則等の一部を改正する省令」が平成一一年八月三一日文部省令第三五号をもって公布され、同日から施行されました。

今回の省令及び告示の概要、留意点等は、下記のとおりですので、事務処理上遺漏のないようお願いします。

記

一　改正の趣旨

今回の改正は、就学義務猶予免除者等の中学校卒業程度認定試験について、我が国の学校教育体系との整合性を勘案しつつ、国際化の進展やそれに伴う人材の流動化、規制緩和の要請の高まりなどの社会の変化に適切に対応するとともに、学習の成果が適切に評価される生涯学習体系への移行を図る観点から、これまで受験資格が認められていなかった者（インターナショナルスクールや外国人学校の卒業者、何らかの事情により義務教育を修了していない者）についても、個人の学力を公的に判断して高等学校へ進学できる道を制度的に開くため、受験資格の拡大を図ることとしたものであること。

二　改正の概要

(1)　就学義務猶予免除者等の中学校卒業程度認定試験の受験資格の拡大等について

ア　就学義務猶予免除者等の中学校卒業程度認定試験（以下「認定試験」という。）を受けることのできる者について、保護者が就学させる義務の猶予又は免除（相当する事由があったと文部大臣が認めたものを含む。）を受けずに義務教育を修了していない者で、受験しようとする認定試験の日の属する年度の終わりまでに満一六歳以上になるもの（下記③の一部）、日本の国籍を有しない者で、受験しようとする認定試験の日の属する年度の終わりまでに満一五歳以上になるもの（下記④）を加え、次のとおりとしたこと。（就学義務猶予免除者等の中学校卒業程度認定規則第三条関係）

①　就学義務猶予免除者である者又は就学義務猶予免除者であった者で、受験しようとする認定試験の日の属する年度の終わりまでに満一五歳以上になるもの

②　保護者が就学させる義務の猶予又は免除を受けず、かつ、小学校、中学校（中等教育学校の前期課程を含む。）又は盲学校、聾（ろう）学校若しくは養護学校の小学部若しくは中学部に在学し、その属する学年の終わりまでに満一五歳に達する児童又は生徒で、就学させる義務の猶予又は免除を受けることができる事由に相当する事由があると文部大臣が認めたもの

③　受験しようとする認定試験の日の属する年度の終わりまでに満一六歳以上になる者（①及び④に掲げる者を除く。）

④　日本の国籍を有しない者で、受験しようとする認定試験の日の属する年度の終わりまでに満一五歳以上になるもの

イ　大学入学資格検定において受検科目のすべてについて合格点を得た者は、就学義務猶予免除者等の中学校卒業程度認定規則により認定された者とみなすこととしたこと。（就学義務猶予免除者等の中学校卒業程度認定規則第八条〔現行一〇条〕関係）

ウ　その他以下の点をはじめ所要の規定の整備を行ったこと。

(ア)　上記アに伴い、学校教育法施行規則第六三条〔現行施行規則九五条〕の高等学校入学資格に関する規定及び学校教育法施行規則の一部を改正する省令（昭和四一年文部省令

第三五号）附則の規定の整備を行ったこと。

(イ)「就学義務猶予免除者の中学校卒業程度認定規則」の題名を「就学義務猶予免除者等の中学校卒業程度認定規則」に改めたこと。

(ウ)日本国籍を有しない者については、受験の願い出に当たって、戸籍抄本又は住民票の写しに替えて外国人登録法の規定による登録原票の写し又は登録原票記載事項証明書を添付することとするとともに、認定試験願書、認定証書、科目合格証書及び認定証明書においては、本籍に替えて国籍を記入することとしたこと。（就学義務猶予免除者等の中学校卒業程度認定規則第七条、第一〇条〔現行九条、一一条〕及び別記様式関係）

(2) 施行日、出願の期限等について

ア この省令は、公布の日から施行すること。

したがって、今回の改正による受験資格の拡大は、平成一一年度の認定試験から実施することとなること。

（以下略）

○就学義務猶予免除者等の中学校卒業程度認定規則の一部を改正する省令について（平一五・三・三一 文科初一三三一号

各都道府県教育委員会、各都道府県知事、附属学校を置く各国立大学長あて 文部科学省初等中等教育局長通知）

このたび、「規制改革推進三か年計画（改定）」（平成一四年三月二九日 閣議決定）において、インターナショナル・スクール卒業者の高等学校に入学する機会を拡大することとされたこと等を踏まえ、別添（略）のとおり、就学義務猶予免除者等の中学校卒業程度認定試験（以下「認定試験」という。）の受験資格の緩和等を図る「就学義務猶予免除者等の中学校卒業程度認定規則の一部を改正する省令」が平成一五年三月三一日文部科学省令第一二号をもって公布され、受験資格の緩和に係るものについては同日から施行され、試験科目の変更に係るものについては平成一六年四月一日から施行されることとなりました。

今回の改正の概要等は、下記のとおりですので、事務処理上遺漏のないようお願いします。

なお、都道府県教育委員会にあっては域内の市町村教育委員会、都道府県知事にあっては所管又は所轄の学校及び学校法人、国立大学長にあってはその管下の附属学校に対して、この趣旨の徹底を図るようお願いします。

記

一 改正の趣旨

今回の改正は、認定試験について、我が国の学校教育体系との整合性を勘案しつつ、国際化の進展やそれに伴う人材の流動化、規制緩和の要請の高まりなどの社会の変化に適切に対応する観点から、平成一五年度の認定試験より、日本国籍を有する者で、やむを得ない事由により、中学校を卒業できないと見込まれる者においても、新たに、同年齢の生徒に遅れることなく高等学校教育を受ける機会が与えられるように措置するものであること。

また、平成一四年度から新中学校学習指導要領が実施され、必修教科としての「外国語」において、英語を原則として履修させるこ

ととしたことを踏まえ、平成一六年度の認定試験より、外国語の試験科目を英語のみとするものであること。

二　改正の概要

(1)　認定試験の受験資格の緩和について（第三条関係）

保護者が就学させる義務の猶予又は免除を受けず、かつ、受験しようとする認定試験の属する年度の終わりまでに満一五歳に達する者で、その年度の終わりまでに中学校を卒業できないと見込まれることについてやむを得ない事由があるもの（第三条第四号に掲げる者を除く。）が認定試験を受けることができることとしたこと。

(2)　認定試験の試験科目の変更について（第五条関係）

外国語の試験科目について、「ドイツ語」及び「フランス語」を削除したこと。

(3)　認定試験の受験資格の拡大に伴う受験手続の変更について（第七条関係）

第三条第二号に掲げる者は、認定試験願書に添えて、中学校を卒業できないと見込まれることについてのやむを得ない事由に関する書類を提出することとしたこと。

(4)　施行日について（附則第一項関係）

この省令は、公布の日から施行すること。ただし、第五条の改正規定は、平成一六年四月一日から施行すること。したがって、今回の改正による受験資格の緩和は、平成一五年度の認定試験から実施し、認定試験の試験科目の変更は、平成一六年度の認定試験から実施すること。

(5)　削除された試験科目の取り扱いについて（附則第二項関係）

この省令の施行に伴い、削除された「ドイツ語」又は「フランス語」の試験科目について既に科目合格している者については、外国語の試験科目についての認定試験を免除されている者とみなすこと。

三　留意事項

(1)　認定試験の受験資格の緩和について（第三条関係）

「保護者が就学させる義務の猶予又は免除を受けず、かつ、受験しようとする認定試験の属する年度の終わりまでに満一五歳に達する者で、その年度の終わりまでに中学校を卒業できないと見込まれることについてのやむを得ない事由」があるものには、以下の者を含むこと。

①　小学校、中学校（中等教育学校の前期課程を含む。）又は盲学校、聾学校若しくは養護学校の小学部若しくは中学部（以下「義務教育諸学校」という。）に在学し、その属する学年の終わりまでに満一五歳に達する児童又は生徒で、登校する意思があるにもかかわらず、やむを得ない事由により義務教育諸学校を欠席している者（改正前の就学義務猶予免除者等の中学校卒業程度認定規則（以下「認定規則」という。）第三条第二号に定める「就学させる義務の猶予又は免除を受けることができる事由に相当する事由がある」もの）

②　インターナショナル・スクール等に在籍する日本国籍を有する者であって、中学校を卒業できないと見込まれることについてやむを得ない事由があると認められる者（帰国子女で

中学校の教育指導に適応することが極めて困難なために就学できなかった者など）であって、年度末に満一五歳に達する者

(2)　日本国籍を有しない者で、年度末に満一五歳以上になる者については、認定規則第三条第四号により、既に受験資格が認められていること。

(3)　認定試験は、高等学校入学に関し、中学校を卒業した者と同等以上の学力があるかどうかの認定を行うものであり、中学校の校長が行う卒業の認定とは趣旨を異にするものである。したがって、認定試験を受験することは、当該受験者に係る卒業認定に影響を及ぼすものではないこと。

【行政実例】

○課程の修了又は卒業の認定等について（抄）（昭二八・三・一二　委初二八号　兵庫県教育委員会教育長あて　文部省初等中等教育局長回答）

【照会】　四　学校教育法施行規則第六三条第三号〔現行施行規則九五条五号〕の規定による「高等学校において中学校を卒業した者と同等以上の学力があると認めた者」とは、具体的にどのような者が想定されるか。

【回答】　四　規則第六三条第三号〔現行施行規則九五条五号〕の「高等学校において中学校を卒業した者と同等以上の学力があると認めた者」とは、義務教育年限が満一二歳までであった当時に義務教育を終え、その後相当年齢に達して高等学校入学を希望する者、義務教育年限をすぎてなお中学校に在学している者等で、高等学校において中学校卒業者と同等以上の学力があると認めた者をいう。

○高等学校の入学資格について（昭三五・一一・九　委初一八三号　鳥取県教育委員会教育長あて　文部省初等中等教育局長回答）

【照会】　市町村教育委員会の事務上の手落ちによって学齢に達しない幼児が小学校に入学し、義務教育の全課程を修了した卒業証書を授与された場合（昭和二八年五月七日　高知県教育委員会教育長あて　初等中等教育局財務課長回答）、当該生徒は他の義務教育修了者より年齢が若いが、引きつづき高等学校へ入学を希望するとき、その入学資格があるか。

【回答】　入学資格を有するものとして取り扱われたい。

○学校教育法施行規則第六三条第三号の認定について（昭三六・七・二一　委初九一号　北海道教育委員会教育長あて　文部省初等中等教育局長回答）

【照会】　一　高等学校において、学校教育法施行規則第六三条第三号〔現行施行規則九五条五号〕の規定により、「中学校を卒業した者と同等以上の学力がある」と認めることができるのは、その高等学校に入学を願い出た者に限るのか。それとも、一般的に何

人についてもその認定をすることができるか。
二　同条同号の認定の方法（たとえば、学力検査の実施）は、高等学校において、自由に定めることができるか。
三　同条同号の認定をしたときは、校長は、その旨の証明書を出願者に対して交付しなければならないか。
四　同条同号の認定について、地方公共団体は、地方自治法第二二二条第一項〔現行二二七条〕の規定により、手数料を徴収することができるか。

【回答】　一　高等学校において、中学校を卒業した者と同等以上の学力があると認めるのは、当該高等学校への入学を願い出た者に限られるものと解する。
二　教育委員会の別段の指示がないかぎり、高等学校において定めることができる。
三　当該学校における認定であって資格付与でないから、証明書を交付することは適当でない。
四　条例で定めるところにより手数料を徴収することができる。

〔高等学校の専攻科及び別科〕

第五十八条　高等学校には、専攻科及び別科を置くことができる。

②　高等学校の専攻科は、高等学校若しくはこれに準ずる学校若しくは中等教育学校を卒業した者又は文部科学大臣の定めるところにより、これと同等以上の学力があると認められた者に対して、精深な程度において、特別の事項を教授し、その研究を指導することを目的とし、その修業年限は、一年以上とする。

③　高等学校の別科は、前条に規定する入学資格を有する者に対して、簡易な程度において、特別の技能教育を施すことを目的とし、その修業年限は、一年以上とする。

【沿　革】　平一〇・六・一二法一〇一により、「これに準ずる学校」の下に「若しくは中等教育学校」を追加した。

平一一・七・一六法八七により、「監督庁」を「文部大臣」に改めた。

平一一・一二・二二法一六〇により、「文部大臣」を「文部科学大臣」に改めた。

平一九・六・二七法九六により、旧四八条から五八条に移動した。

【参照条文】　法四条、六三条。施行令二六条二項、二七条の二第一項二号。施行規則一五〇条。

【注 解】

一　本条は、高等学校の専攻科及び別科について定めたものである。

専攻科及び別科は、高等学校に置かれるものであるから、制度的には高等学校の範疇に入るといえるが、その教育について特別に規制する基準的なものは、次条に定める大学に編入学することができるもの以外には特段ない。したがって、次条に定めるものを除いては、専攻科や別科を修了しても、その資格についての制度的な恩典が与えられるわけではない（ただし一部の国家試験の受験資格が専攻科修了者に認められる例はある）。

二　専攻科及び別科の設置については、市町村立高等学校にあっては都道府県の教育委員会に届け出る必要があり（施行令二六条二項）、私立高等学校にあっては都道府県知事に届け出る必要がある（施行令二七条の二第一項二号）。また、廃止しようとする場合も同様の手続きが要求される。

高等学校設置基準二条二項には「専攻科及び別科の編制、施設、設備等については、この省令に示す基準によらなければならない。ただし、教育上支障がないと認めるときは、都道府県教育委員会等は、専攻科及び別科の編制、施設及び設備に関し、必要と認められる範囲内において、この省令に示す基準に準じて、別段の定めをすることができる。」と規定されているが、専攻科及び別科に適用すべき特別の規定は同基準には設けられていない。

三　専攻科の入学資格は、高等学校若しくはこれに準ずる学校若しくは中等教育学校を卒業した者又は文部科学大臣の定めるところによりこれと同等以上の学力があると認められた者にあるとされているが、これに当たる定めは現在存在していない。ただ、法九〇条の大学の入学資格に関しての文部科学大臣の定めが、施行規則一五〇条において規定されているので、専攻科の性格からこの一五〇条の規定に該当する者が専攻科の入学資格を有するものと考えられる。

また、別科に入学することのできる者は、法五七条に規定する高等学校の入学資格を有する者である。

四　専攻科及び別科における教育課程については、法令上は本条に規定する目的と修業年限一年以上であることのほかは、次条に定める大学に編入することができるものを除き、別段の規制がないので、各学校の設置者においてその設置目的に従って自由に編成することができる。

所定の課程を修了した者には、修了証書が授与されることとなるが、専攻科や別科を修了しても特別の資格が与えられるわけではなく、制度的にはあくまで高等学校卒業者や中学校卒業者と同様の取扱いとなる。ただし、例えば看護や水産関係の専攻科を修了した場合に看護師や三級海技士（航海・機関）の資格を得るための国家試験の受験資格を与えられることがある。このような専攻科における教育課程は、国家試験との関係から必要な規制を受けている。

なお、別科において修得した単位は、高等学校の専門科目の単位とみなすことは可能であり、施行規則一〇〇条では、別科の科目を生徒が修得した場合には、これに相当する高等学校の各教科・科目の単位を修得したものとみなすことができることとされている。

【通　知】

○高等学校産業科を修了した者の取扱について（昭三四・三・一〇　文初中一三九号　各都道府県教育長、各都道府県知事あて　文部省初等中等教育局長通知）

高等学校の産業科については、昭和三三年三月一四日付文初職第一七三号をもって通達しましたが、この通達に基づき設置された産業科の修了者に対しては、下記によって取り扱われるように願います。

記

高等学校産業科の全課程を修了した者に対しては、産業科（別科）の修了証書を授与するようにする。

この際、産業科において履修した科目および単位数を明記した証明書を交付するようにする。この場合、三五単位時間の指導をもって一単位とし、一単位時間は、五〇分とする。

〔大学への編入学〕

第五十八条の二　高等学校の専攻科の課程（修業年限が二年以上であることその他の文部科学大臣の定める基準を満たすものに限る。）を修了した者（第九十条第一項に規定する者に限る。）は、文部科学大臣の定めるところにより、大学に編入学することができる。

【沿　革】平二七・六・二四法四六により新設した。

【参照条文】法五八条二項、一〇八条七項、一二二条、一三二条。施行規則一六一条、一七八条、一八六条。

【注　解】

一　本条は、高等学校の専攻科の課程の修了者が文部科学大臣の定めるところにより大学への編入学ができる旨の規定である。

「修業年限」とは、学校の定める教育課程のすべてを修了するのに必要であると定められた年限であり、修業年限の期間在学していないと卒業できないとの法的効果を生じることとなる。

また、「編入学」とは、異なる学校種で履修した教育課程の一部を、入学後の学校で履修したものとみなすとともに、入学後の学校の修業年限を短縮することである。

大学は、学校教育法八七条の修業年限（四年）の定めに従って教育課程を四年間に割り振ることとなるが、編入学者は、入学前の学校種で履修した教育課程の一部を当該大学で履修したものとみなされることにより、四年間にわたって割り振られた教育課程のうち履修したものとみなされた課程の年数分、修業年限を短縮して卒業することが可能となる。

これまで、大学への編入学は、短期大学及び高等専門学校の卒業生並びに文部科学大臣が定める基準を満たす専修学校専門課程修了生に認められてきた。一方で、高等学校専攻科の修了者についても、大学へ編入学するニーズが高く、①学習者がその目的意識に応じて、自らの学びを柔軟に発展させるとともに、様々な分野に挑戦していくことができるように進路変更の柔軟化を図ることが必要であり、また、②大学が多様な学修歴を有する学生を受け入れていくことは、学生の選択の幅を広げ高等教育段階での学生の流動性を高める観点からも有意義である。本条は、このような趣旨に基づき、中央教育審議会答申「子供の発達や学習者の意欲・能力等に応じた柔軟かつ効果的な教育システムの構築について」（平成二六年一二月二二日）を踏まえて設けられたものである。

なお、本条の大学には短期大学も含まれるものであり、高校専攻科修了者は、本条に基づき、短期大学にも編入学することができる。

二　編入学が認められる高等学校の専攻科の課程は、法五十八条の二において、修業年限が二年以上であることその他の文部科学大臣の定める基準を満たすものに限られており、施行規則一〇〇条の二において、修業年限が二年以上であり、課程の修了に必要な総単位数その他の事項が、別に定める基準を満たすものであることとされている。この文部科学大臣が定める基準として、高等学校の専攻科のうちその課程を修了した者が大学に編入学することができるものの課程の基準（平二八文部科学省告示六三）が定められており、単位の授与、各授業異科目の単位数、授業の方法、全課程の修了要件、教員数、教員の資格、校舎等及び教室の面積等に関して、基準が設けられている。

三　大学への編入学が認められるのは、「第九十条第一項に規定する者」、すなわち「大学入学資格を有する者」に限られる。これは、編入学は修業年限の特例であり、大学入学資格のない者を大学に入学させる効果を持つものではないことによるものである。

【通 知】

○高等学校等の専攻科修了者の大学への編入学制度の創設について（抄）（平二七・六・二四 二七文科初四七三号 各都道府県教育委員会、各都道府県知事、各構造改革特別区域法第一二条第一項の認定を受けた地方公共団体の長、各国公私立大学長、大学を設置する各地方公共団体の長、各公立大学法人の理事長、大学を設置する各学校法人の理事長、大学を設置する各学校設置会社の代表取締役あて 文部科学省初等中等教育局長・文部科学省高等教育局長通知）

このたび、別添（略）のとおり「学校教育法等の一部を改正する法律」（平成二七年法律第四六号。以下「改正法」という。）が平成二七年六月二四日に公布され、平成二八年四月一日から施行されることとなりました。

改正法の概要及び留意事項は下記のとおりですので、事務処理上遺漏ないよう願います。なお、改正法のうち義務教育学校制度の創設に係る事項については別途関係者に周知する予定です。

各都道府県教育委員会におかれては所管の学校及び域内の市町村教育委員会に、各都道府県知事及び構造改革特別区域法第一二条第一項の認定を受けた地方公共団体の長におかれては所管の学校及び所轄の学校法人に、このことを十分周知されるよう願います。

記

第一 改正の趣旨

我が国が将来にわたり成長・発展を続け、一人一人の豊かな人生を実現するためには、子供の発達や学習者の意欲・能力等に応じた教育を実現することが急務である。このため、高等学校、中等教育学校の後期課程及び特別支援学校の専攻科（以下「高等学校等の専攻科」という。）のうち、修業年限二年以上その他の文部科学大臣の定める基準を満たすものを修了した者について、大学へ編入学することができることとするため、学校教育法（昭和二二年法律第二六号。以下「法」という。）を改正したものである。

第二 改正の概要

(1) 高等学校等の専攻科のうち、文部科学大臣が定める基準を満たすものを修了した者（ただし、法第九〇条に規定する大学入学資格を有する者に限る。）は、大学に編入学することができることとしたこと（法第五八条の二関係）。

(2) この改正については、平成二八年四月一日から施行すること（改正法附則第一条関係）。

第三 留意事項

(1) ここでいう「大学」には短期大学を含むこと。

(2) 基準を満たす高等学校等の専攻科であれば、改正法の施行以前に修了した者についても編入学の対象となること。

(3) 各大学においては、編入学を希望する者が修了した高等学校等の専攻科が文部科学大臣が定める基準を満たしていることについて確認した上で編入学の許可をすることとなること。

この文部科学大臣が定める基準については、「子供の発達や学習者の意欲・能力等に応じた柔軟かつ効果的な教育システムの構築について（答申）」（平成二六年一二月二二日中央教育審議会）を踏まえ、既に大学への編入学が認められている専修学校専門課程の基準等も参考にしつつ、具体的な基準を検討する予定であること。

また、修了者が大学に編入学できる高等学校等の専攻科の評価の実施及びその公表の方法等についても併せて検討する予定であり、これらについては別途関係の省令及び告示を検討する予定であること。

加えて、編入学に伴う大学での修業年限の取扱いや、高等学校等の専攻科での学修を大学において単位認定する制度の創設等の関係制度の整備も同時に行う予定であること。

なお、当該省令及び告示の内容については、制定後別途速やかに通知する予定であること。

(4) 改正法は平成二八年四月一日から施行することとされているが、同日に編入学する者を選考するための選抜については本年度内に実施して差し支えないため、今後別途通知する基準を踏まえて、本年度の各大学の編入学者の選考の出願資格に高等学校等の専攻科修了者を加えるか否かを検討されたいこと。

(5) 各大学は、衆議院文部科学委員会及び参議院文教科学委員会の附帯決議を踏まえて、編入学者が大学教育に円滑に移行し、主体的な学びを実現することができるよう配慮すること。その際、前述の評価・公表の仕組みは、高等学校等の専攻科における授業科目の履修状況等を確認する参考となるよう設ける予定であり、各大学においてはこれを活用し、編入学者が教育を組織的・体系的に受けられるよう配慮すること。

(6) その他、本制度の施行に当たって必要となる留意事項については、改正法の整備省令及び告示の通知の際に通知する予定であること。

〔入学、退学、転学等〕

第五十九条　高等学校に関する入学、退学、転学その他必要な事項は、文部科学大臣が、これを定める。

【沿　革】　昭二八・八・五法一六七により、「教科用図書」を削った。
平一一・七・一六法八七により、「監督庁」を「文部大臣」に改めた。
平一一・一二・二二法一六〇により、「文部大臣」を「文部科学大臣」に改めた。
平一九・六・二七法九六により、旧四九条から五九条に移動した。

【参照条文】　施行規則四条、九〇条～一〇〇条。

【注　解】

一　本条は、高等学校に関する入学、退学、転学等の事項についての定めを文部科学大臣に委ねた規定であり、文部科学大臣は、施行規則（第六章高等学校第二節入学、退学、転学、留学、休学及び卒業等）において一連の条文を設け、これらに関する事項についての必要な定めを行っている。

二　「入学」とは、生徒と学校の設置者との間に学校の利用関係を設定することであり、入学することによって、生徒という身分を取得し、在学関係が開始される。

高等学校の入学は、調査書その他必要な書類、選抜のための学力検査の成績等を資料として行う入学者の選抜に基づいて、校長が許可する（施行規則九〇条一項）。

なお、学力検査は、特別の事情のあるときは、これを行わないことができる（同二項）。

この特別の事情のあるときとは、中学校を併置する高等学校に当該中学校の生徒が入学志願するような場合などで、とくに選抜のための学力検査を行わなくても調査書その他必要な書類等を資料として、高等学校の教育を受けるに足る資質と能力を十分に判定し得ると判断される場合や通信制の課程で特別の事由のある場合などをいう。

また、調査書についても特別の事情のあるときは、調査書を資料としない入学者選抜を実施することができる（同三項）。これは、生徒の個性に応じ選抜方法を多様化させる観点から平成五年度から導入されたものであるが、当初、調査書及び学力検査の成績のいずれをも用いずに行うことはできないこととされていた。このことに関しては、平成一〇年一一月の学校教育法施行規則の一部改正（平一〇文部省令三八）により、中高一貫教育制度の実施にあわせ、高等学校入学者選抜の方法について設置者及び学校の裁量の拡大を図るため、調査書及び学力検査の成績のいずれをも用いず、他の資料によることができることとした。

連携型の中高一貫教育を行う高等学校における入学者の選抜については、法六八条の【注解】三参照。
公立の高等学校に係る学力検査は、当該高等学校を設置する都道府県又は市町村の教育委員会が行うこととされている（施行規則九〇条五項）。

高等学校の入学者選抜については、高等学校における特色ある教育の展開、中学校における個性に応じた学習指導及び進路指導と相まって、多様で多元的な選抜方法が行えるように、平成五年二月二二日付け文初高二四三号の通知及び平成九年一一月二八日付け文初高二四三号の通知に具体的な改善方策が示されている（後掲【通知】参照）。

さらに、公立高等学校の通学区域について、従前は、地教行法に規定があった。しかし、教育委員会が、地域住民や保護者の意向、生徒の進路希望等を踏まえながら、通学区域をより弾力的に設定できるようにするため、その規定を削除し、通学区域の有無を含む設定の在り方について教育委員会の主体的な判断に委ねることとされた（平一三・八・二九　一三文科初五七一号。後掲【通知】参照）。

三　調査書（いわゆる内申書）については、個人情報保護条例等に基づき、本人への開示請求などがなされるケースが増えている。調査書は、高等学校入学者選抜のために用いられる資料であり、その作成に当たっては、評価が公正かつ客観的に行われることが重要であり、これを開示するかどうかについては、こうした点を踏まえて対応すべきものであろう。

調査書や指導要録の開示請求に関しては、全面開示を前提としては記載内容が形骸化し、本来の機能を果たせなくなるという慎重論がある一方で、評価は批判に耐えられるべきものでなければならないなどとして全面開示を適当とする積極論があったが、指導要録については、「所見」欄等の情報は非開示情報に当たるとする最高裁（平成一五年一一月一一日判決）の判断が示された（法五条の【判決例】参照）。

四　広義の入学の範疇に入るが、第一学年当初の入学時以外の時期に新たに高等学校教育を受けるために中途入学

する場合には、「編入学」という用語が使われている。施行規則九一条の「第一学年の途中又は第二学年以上に入学を許可される者は、相当年齢に達し、当該学年に在学する者と同等以上の学力があると認められた者とする。」という規定が編入学についての規定である。

編入学は、新たに高等学校教育を受けるという点において、他の高等学校からの異動である転入学とは異なる。

高等学校への編入学を認めるに当たって、高等学校入学資格を有することは必要であるとしても、単に相当年齢に達しており、かつ相当の学力があれば特別の前歴は問わなくてもよいのか、あるいは、例えば高等専門学校もしくは我が国の高等学校に相当する外国の正規の学校など高等学校と同等程度の学校への在学又は過去における高等学校への在学経験というような一定の学歴資格を求めるのかという問題がある。

文部科学省においては、編入学についての規定の安易な適用が、現行の高等学校教育制度とこれに関連する高等学校卒業程度認定試験制度、技能連携制度、教員免許制度、入学者選抜制度などの関係において法的に矛盾を生じ、混乱を招くおそれもあることから、本条の濫用を極力防止したいという考え方に立った指導が、後掲の行政実例にみられるように従来から行われてきている。

高等学校への編入学をどのような者について認めるかは、学校制度の仕組みを乱すおそれのない範囲内において、高等学校教育をめぐる諸情勢の変化なども考慮しながら、判断すべきものであるが、最近における国際化の進展に伴い海外からの帰国子女が増加している実態にかんがみ、昭和六三年一一月一日から施行規則の編入学の規定を整備し、従来第二学年以上としていたのを改め、第一学年の途中からも帰国子女が高等学校へ入学・編入学できるよう機会の拡大を図る措置が講じられた。また、特別の必要があり、教育上支障がないときは、四月から始まり三月に終わる学年の途中においても、学期の区分に従い、入学を許可し並びに各学年の課程の修了及び卒業の認定を行うことができることとされた（施行規則九一条・一〇四条三項。後掲【**通知**】昭六三・一〇・八　文初高七二号参照）。

五　「転学」とは、高等学校の生徒が、他の高等学校の相当学年に入学することをいう。同種の学校間における在籍関係の異動であり、高等学校教育を受けるという点では継続性がみられるものである。

転学先の学校に入学することを特に区別している場合には、転入学という用語が用いられ、また、同一学校における全日制、定時制及び通信制の課程相互の間の異動については、転籍という用語が用いられている。

他の高等学校に転学を志望する生徒のあるときは、校長は、その事由を具し、生徒の在学証明書その他必要な書類を転学先の校長に送付しなければならない。

転学先の校長は、教育上支障がない場合には、転学を許可することができる（施行規則九二条一項）。この規定は、従来、欠員がある場合には転学を許可することができるとされていたものが、昭和五九年の施行規則の改正により改められたものである（後掲【**通知**】昭五九・七・二〇　文初高二八二号参照）。これにより、校長は欠員の有無にかかわらず、学校の状況や生徒の履修の見込みなどを総合的に判断し、転入学の許可について決定することができるようになった。この場合、後掲通知にもあるように、生徒に高等学校教育の機会を広く確保するという見地から、できる限り積極的な対応を図っていくことが望ましい。

なお、生徒が転学した場合には、転学前の学校の校長は、その作成に係る当該生徒の指導要録の写しを作成し、その写し（転学してきた生徒については転学により送付を受けた指導要録の写しを含む）及び中学校から進学の際に送付を受けた抄本又は写しを転学先の校長に送付しなければならない（施行規則二四条三項）。

六　昭和六三年の施行規則の一部改正（昭六三文部省令四）で、外国の高等学校への留学に関し、次の規定が追加された（平成二二年の施行規則の一部改正（平二二文部科学省令八）で単位数の上限を改正）。

第九十三条　校長は、教育上有益と認めるときは、生徒が外国の高等学校に留学することを許可することができる。

2　校長は、前項の規定により留学することを許可された生徒について、外国の高等学校における履修を高等学校における履修とみ

いては、従来どおり学年の終期において各学年の課程の修了又は卒業の認定を行うものであること。

(4) 校長は、留学を許可するに当たっては、あらかじめ外国の高等学校との間で協議を行い、当該留学の概要を把握するものとすること。

ただし、やむを得ない事情により事前の協議を行うことが困難な場合には、学校間での事前の協議を欠くことも差し支えないこと。

(5) 今回の措置による留学は、生徒の身分取扱いに関する事項であり、かつ、生徒の卒業要件にかかわる事項でもあるので、実施に当たっては、あらかじめ、各高等学校において具体的な実施方法等について定めることが必要であること。

(6) (1)によらないで、生徒が在学中に休学を認められ、外国の高等学校で学習することは従来どおり差し支えないこと。

ただし、この場合における外国の高等学校での学習については、高等学校における単位とみなし、また、当該休学期間を在学期間に算入するものではないこと。

3 施行期日等

(1) 今回の規則の改正は、昭和六三年四月一日から施行されること。

(2) 昭和六三年三月三一日以前に休学の許可を得て外国の高等学校で学習している生徒についても、昭和六三年四月一日以降相当と認められる場合は留学として取扱うことができること。

4 特殊教育諸学校高等部における取扱い

特殊教育諸学校高等部についても、前記の措置に準ずることとしたこと。(第七三条の一六第五項〔現行施行規則一三五条五項〕による第六一条の二〔現行施行規則九三条〕の準用)

○学校教育法施行規則の一部改正について（抄）(昭六三・一〇・八　文初高七二号　各都道府県教育委員会、各都道府県知事、附属学校を置く各国立大学長、各国公私立高等専門学校長あて　文部事務次官通達)

このたび、別添（略）のとおり、「学校教育法施行規則の一部を改正する省令」(昭和六三年文部省令第三八号)が一〇月八日に公布され、昭和六三年一一月一日から施行されることとなりました。

この省令改正の概要及び留意すべき事項は下記のとおりですので、事務処理上遺漏のないようお願いします。

記

1 改正の趣旨

今回の改正は、国際化の進展に伴い帰国子女等が増加している実態にかんがみ、その高等学校等への円滑な受け入れを促進するため、帰国子女等に対する入学・編入学機会の拡大を図る措置を講じたものであること。

2 高等学校における取扱い

(1) 高等学校の第一学年の当初以外の時期に入学することを許可される者は、相当年齢に達し、入学させようとする学年に在学する他の生徒と同等以上の学力があると認められた者とすることとしたこと。(第六〇条〔現行施行規則九一条〕)

これは、従来、編入学については第二学年以上の場合につい

修科目を履修していない場合に高等学校の全課程の修了を認定することはできないものと解されている。

【通　知】

○学校教育法施行規則の一部改正について（抄）（昭六三・二・三　文初高七二号　各都道府県教育委員会、各都道府県知事、附属学校を置く各国立大学長あて　文部事務次官通達）

このたび、別添（略）のとおり、「学校教育法施行規則の一部を改正する省令」（昭和六三年文部省令第四号）が二月三日に公布され、昭和六三年四月一日から施行されることとなりました。

この省令改正の概要及び留意すべき事項は下記のとおりですので、事務処理上遺漏のないようお願いします。

記

1　改正の趣旨

今回の改正は、高等学校の生徒が在学する高等学校を休学又は退学することなく外国の高等学校において教育を受け、国内の高等学校の単位として修得できるようにすることにより、外国の高等学校と我が国の高等学校との円滑な交流を促進し、高等学校教育の充実に資するよう所要の措置を講じたものであること。

2　高等学校における取扱い

(1)　高等学校の校長は、教育上有益と認めるときは、生徒が外国の高等学校に留学することを許可することができること。（第六一条の二第一項〔現行施行規則九三条一項〕）

今回の措置は、生徒が外国の高等学校において教育を受けることが教育上有益であると校長が判断した場合に実施するものであり、留学を許可するに当たっては、当該留学が生徒の教育上適切かどうか等を考慮する必要があること。

また、外国の高等学校とは、外国における正規の後期中等教育機関をいうこと。

(2)　校長は、生徒の外国の高等学校における履修を国内の高等学校における履修とみなし、三〇単位以内の範囲で単位の修得を認定することができること。（第六一条の二第二項〔現行施行規則九三条二項〕）

この場合、外国の高等学校においては、履修及び評価の形態が我が国の高等学校の場合と異なることが少なくないので、その実態に応じて適切な方法により、我が国の単位として換算して認定すること。

(3)　校長は、(2)により単位の修得を認定された生徒については、留学が終了した時点において、学年の途中においても、各学年の課程の修了又は卒業を認めることができること。（第六一条の二第三項〔現行施行規則九三条三項〕）

これは、学年をまたがって留学した生徒についての取扱いを規定したものであり、学年をまたがらないで留学した生徒につ

び第三項関係）

(2) 高等学校の入学者選抜の改善については、平成五年二月二二日付け文初高第二四三号「高等学校の入学者選抜について」及び平成九年一一月二八日付け文初高第二四三号「高等学校の入学者選抜の改善について」を踏まえて、選抜方法の多様化と評価尺度の多元化の観点から様々な取組が行われているところであるが、平成九年六月の中央教育審議会答申及び同年一一月の上記通知において示しているように、生徒の多様な能力・適性等を多面的に評価するとともに、各高等学校の特色を生かした選抜を行うためには、その選抜方法について、都道府県レベルにとどまらず、各高等学校レベルで一層工夫を生かした方途を講ずることができるようにする必要がある。

今回の改正は、このような考えの下に中等教育の多様化を推進する中高一貫教育制度の実施にあわせて、高等学校の入学者選抜の方法について、設置者及び学校の裁量の拡大を図ることとしたものであること。

○地方教育行政の組織及び運営に関する法律の一部を改正する法律の施行について（抄）（平一三・八・二九　一三文科初五七一号　各都道府県教育委員会、各都道府県知事、各指定都市教育委員会、各指定都市市長あて　文部事務次官通知）

このたび、別添（略）のとおり、「地方教育行政の組織及び運営に関する法律の一部を改正する法律」（以下「改正法」という。）が平成一三年七月一一日法律第一〇四号をもって公布され、平成一四年一月一一日から施行されることとなりました。

記

第一　改正の趣旨

1・2 （略）

3 公立高等学校の通学区域に係る規定の削除関係

公立高等学校の通学区域に係る規定を削除し、今後、公立高等学校の通学区域の設定については、各教育委員会の判断に委ねることとしたものであること。

第二　改正法の概要

1・2 （略）

3 公立高等学校の通学区域に係る規定の削除関係

公立高等学校の通学区域に係る規定を削除したこと。（法第五〇条）

第三　留意事項

1・2 （略）

3 公立高等学校の通学区域に係る規定の削除関係

(1) 本改正は、一律に、通学区域をいわゆる全県一学区にすることや通学区域の拡大を意図するものではなく、公立高等学校の通学区域の設定について、これを設定するか否か、また、どのように設定するかについて、これを教育委員会の判断に委ねようとする趣旨のものであること。

(2) なお、本改正を踏まえ、その施行日（平成一四年一月一一日）までに、公立高等学校の通学区域に係る教育委員会規則において、その制定根拠が法第五〇条であることを明確にしている教育委員会においては、当該教育委員会規則の見直しを行う

高四七五号　各都道府県教育委員会、各都道府県知事、附属学校を置く各国立大学長、国立久里浜養護学校長あて　文部省初等中等教育局長、文部省教育助成局長通知）

先の第一四二回国会において成立した「学校教育法等の一部を改正する法律」（以下「改正法」という。）の改正の趣旨及び概要については、既に本年六月二六日付け文部省初等中等教育局長及び教育助成局長通知（文初高第四七五号）により通知したところでありますが、この度、同改正を受け、別添１（略）のとおり、学校教育法施行令等の関係政令の改正を行う「学校教育法等の一部を改正する法律の施行に伴う関係政令の整備に関する政令（平成一〇年政令第三五一号）」（以下「改正政令」という。）が平成一〇年一〇月三〇日に公布され、平成一一年四月一日から施行されることとなりました。

また、別添２（略）のとおり、「学校教育法施行規則等の一部を改正する省令（平成一〇年文部省令第三八号）」（以下「改正省令」という。）が平成一〇年一一月一七日に公布され、平成一一年四月一日から施行されることとなりました。

あわせて、別添３（略）のとおり、「中等教育学校並びに併設型中学校及び併設型高等学校の教育課程の基準の特例を定める件（平成一〇年文部省告示第一五四号）」（以下「文部省告示」という。）が平成一〇年一一月一七日に公布され、平成一一年四月一日から施行されることとなりました。

第一に、（略）

第二に、高等学校の入学者選抜の改善については、平成八年七月一九日及び平成九年六月二六日の中央教育審議会答申における提言等を踏まえ、平成九年一一月二八日付け文初高第二四三号「高等学校の入学者選抜の改善について」により通知したところでありますが、中高一貫教育制度の実施にあわせ、高等学校の入学者選抜について、生徒の多様な能力、適性等を多面的に評価するとともに、一層各高等学校の特色を生かした選抜を行いうるように、その選抜方法について設置者及び各高等学校の裁量の拡大を図るための学校教育法施行規則の規定の整備を行っています。

これらの概要及び留意点については下記のとおりですので、十分にご了知の上、各都道府県等における中高一貫教育実践研究事業等を通じ、中高一貫教育の推進に向けた積極的な取組をいただくようお願いします。

記

第一（略）

第二　高等学校入学者選抜の改善

(1)　現在、高等学校の入学者選抜については、調査書その他必要な書類、選抜のための学力検査の成績等を資料として行うこととなっており、特別の事情のあるときは、調査書又は学力検査の成績のいずれかを用いないことができることとなっているが、調査書及び学力検査の成績のいずれをも用いずに行うことはできないこととなっている。今回の改正は、施行規則第五九条第三項のただし書を削り、調査書及び学力検査のいずれをも用いず、他の方法によることを可能とすることとしたものであること。（施行規則第五九条〔現行施行規則九〇条〕第二項及

七　休学及び退学に関しては、施行規則九四条で「生徒が、休学又は退学をしようとするときは、校長の許可を受けなければならない。」と規定されている。

「休学」とは、学校に在籍する生徒が、校長の許可のもとに学校施設の利用関係を一定期間休止することをいう。利用関係の休止ではあっても、学校の一方的な意思に基づいて行う懲戒処分としての停学とは異なる。休学は、病気その他の正当な理由により、合意のもとに学校の利用関係を休止するものであるから、その期間中は授業料の納入は必要としないのが通例である。

休学の具体的な定めは、学則に記載しなければならないこととされている（施行規則四条一項六号）。

「退学」とは、学校に在学する生徒が、その学校の全課程を修了して卒業するに至らない前に、その生徒としての身分を失うことであり、これにより学校の利用関係は廃止される。

退学の事由としては、①生徒の自己の都合によるもの、②懲戒処分として行われるもの、③授業料等の滞納によるものなどがあるが、施行規則九四条の規定により校長の許可を受けなければならないものは、①の事由によるものだけで、②及び③の事由による退学については、校長が一方的に命ずるというかたちで行われる。

八　「卒業」とは、学校の全課程の修了をいい、これをもって生徒の在学関係は終了する。

校長は、生徒の高等学校の全課程の修了を認めるに当たっては、高等学校学習指導要領の定めるところにより、七四単位以上を修得した者について、行わなければならない（施行規則九六条）。

高等学校学習指導要領では、卒業の認定に関して、「学校においては、卒業までに修得させる単位数を定め、校長は、当該単位数を修得した者で、特別活動の成果がその目標からみて満足できると認められるものについて、高等学校の全課程の修了を認定するものとする。この場合、卒業までに修得させる単位数は、七四単位以上とする。」と規定されているほか、卒業までにすべての生徒に履修させるべき各教科・科目も定められている。このため、この必履

なし、三十六単位を超えない範囲で単位の修得を認定することができる。

3 校長は、前項の規定により単位の修得を認定された生徒について、第百四条第一項において準用する第五十九条又は第百四条第二項に規定する学年の途中においても、各学年の課程の修了又は卒業を認めることができる。

この改正は、高等学校の生徒が在学する高等学校を休学又は退学することなく外国の高等学校において教育を受け、国内の高等学校の単位として修得できるようにすることにより、外国の高等学校と我が国の高等学校との円滑な交流を促進し、高等学校教育の充実に資することをねらいとしたものである（後掲**【通知】**昭六三・二・三　文初高七二号参照）。昭和六三年四月一日から施行された。

外国の高等学校とは、外国における正規の後期中等教育機関をいう。校長は、留学を許可するに当たっては、原則として、あらかじめ外国の高等学校との間で協議を行い、当該留学の概要を把握し、当該留学が生徒の教育上適切かどうかを考慮する必要がある。

校長は、生徒の外国の高等学校における履修を国内の高等学校における履修とみなし、三六単位以内の範囲で単位の修得を認定することができる。この場合、外国の高等学校においては、履修及び評価の形態が我が国の高等学校の場合と異なることが少なくないので、その実態に応じて適切な方法により換算して認定することとなる。

また、校長は留学による単位の修得を認めた生徒について、留学が終了した時点において、学年の中途においても進級又は卒業の認定をすることができる。したがって、留学から帰ってきた生徒についてはかつての同級生の学年に戻ることができるようになり、留学のために進級や卒業が一年遅れるということはなくなる。もっとも、このような取り扱いが可能となるためには進級認定に必要な単位数が三六単位以下である必要があり、学校が進級規程等においてこの単位数を上回る基準を定めている場合には、規程の見直しや弾力的な進級等の認定を行うことが留学制度の趣旨にかなうものといえる。

の教育に多大の影響を与えていることに鑑み、その是正を図ること。

(2) 進路指導の改善等について

ア　高等学校への進学に関する進路指導については、各高等学校の校風や教育内容の特色を踏まえて、生徒が自らの生き方を考え、目的意識を持って主体的に自己の進路を選択・決定するという方向に一層の改善を進めること。

イ　高等学校及び中学校は、相互の連携協力を密にして、各高等学校の校風や教育内容、入学者選抜についての情報を、生徒や保護者に積極的に提供するとともに、高等学校等への体験入学を行うなど啓発的な体験を積極的に取り入れること。また、各都道府県及び市町村教育委員会等においては、中学校や生徒・保護者に対する情報提供体制を整備していくこと。

特に、上記(1)を踏まえて各高等学校で進められる入学者選抜方法の改善内容については、中学校や生徒・保護者に正確な情報を提供するよう留意すること。

ウ　入学者選抜の改善を進めていくために、各都道府県において、行政の支援の下、国公私立の高等学校と中学校の関係者による連絡協議体制を整備し、入学者選抜の在り方に関する両者の相互理解と恒常的な連絡協議の場として積極的に活用していくこと。早期化の傾向が見られる入学者選抜の時期については、このような場を積極的に活用することなどにより、中学校教育への支障がないよう適正化に努めること。

3　**高等学校教育の多様化と柔らかなシステムの実現について**

ア　過度の受験競争の背景の一つである高等学校間の序列意識の問題については、各高等学校が、教育内容の個性化や多様化を進め、特色を発揮し、魅力ある校風を育んでいくことを通じて、その改革を促していくことが必要であること。

イ　過度の受験競争を緩和するためには、高等学校教育を受ける機会を広く確保していくことを可能とし、高等学校教育全体を柔らかなシステムとしていくことが重要であり、こうした観点から、生徒が積極的な進路変更を希望する場合の学校間あるいは学科間の移動や、保護者の転勤や帰国等に伴う転入学や編入学の受入れを一層積極的に認めること。また、高等学校の中途退学者の受入れや高等学校を休学して社会経験等を経た後の復学、中学校卒業後に社会経験等を経た者などの受入れについても柔軟に対応すること。

ウ　高等学校の個性化・多様化を進めるとともに、高等学校における生徒の柔軟な受入れを実現するため、単位制高等学校や総合学科の一層の整備を図っていくこと。

また、学校間の序列意識を解消していくためにも、他の高等学校等において学習する機会を拡充することは大きな意義をもつものであり、高等学校相互の学校間連携等を更に積極的に推進すること。

○学校教育法等の一部を改正する法律の施行に伴う関係政令の整備に関する政令及び学校教育法施行規則等の一部を改正する省令等の公布について（抄）

（平一〇・一一・二四　文初

さわしい者を選抜するか」という視点とともに、「多様な能力・適性や意欲・関心を持つ生徒が、いかに自分に合った進路を的確に選択できるようにするか」という視点を重視して、入学者選抜の一層の改善に向けた努力を傾注すべきであること。

2　高等学校の入学者選抜の改善等のための今後の取組について

(1)　入学者選抜の改善について

ア　第二次答申においては、学力検査について、「一点の差を争わせるのではなく、一定以上の点数が取れれば足りるという基本的な考え方に立って取り扱うことが望まれる」、「生徒の多様な能力・適性、意欲、努力の成果や活動経験などを様々な観点から評価していく場合、一点差刻みで合否を決することに意義を見出すことはできない」、「各高等学校において自校の教育を受けるのに適当と考える水準に達していれば、ある程度の幅を持って合格とする」などの指摘がなされている。これらの指摘を踏まえ、具体的には、学力検査において一定以上の点数を得ていれば、他の資料によって選抜を行っていくという方法等が広く進められるべきであること。

イ　学力検査の問題については、単に知識の量を問うような問題はできるだけ避け、思考力や分析力などを問う問題の出題を一層工夫すること。また、教科の枠にとらわれない総合問題についても研究を進めていくことが望まれること。

ウ　また、入学者選抜の資料・方法について、調査書と学力検査の比重の置き方の弾力化、調査書の評価の工夫、小論文・面接・実技検査の実施、各種技能審査や学校内外における文化活動・スポーツ活動・ボランティア活動などの積極的な評価と、そのための地域の社会教育関係団体等からの報告の活用、生徒が進学動機や中学校時代に主体的に学んだ事柄等を自ら記述した書類の活用、推薦入学の積極的な活用と改善など、様々な提言が行われており、これらの提言を参考としつつ、一層の選抜方法の改善に努めること。

エ　登校拒否の生徒については、進学動機等を自ら記述した書類など調査書以外の選抜資料の活用を図るなど、より適切な評価に配慮すること。また、障害のある者については、障害の種類や程度等に応じて適切な評価が可能となるよう、学力検査の実施に際して一層の配慮を行うとともに、選抜方法の多様化や評価尺度の多元化を図ること。

オ　公立高等学校については、入学者選抜の改善が都道府県レベルの取組にとどまらないよう、各都道府県教育委員会が、一定の範囲で具体的な選抜方法について各高等学校の判断に委ねることも検討すること。

また、各高等学校において、入学者選抜の改善に具体的に取り組む際には、同一学科の入学定員を区分して、部分的に異なる選抜方法を導入するなどの取組についても工夫すること。

カ　一部の国私立の高等学校及び中学校において、いわゆる難問奇問など、中学校及び小学校の学習指導要領の趣旨を逸脱した出題がなされていることが、受験のための知識を詰め込む傾向や学校教育と受験勉強の乖離を招くなど、中学校以下

(6) 国立の高等学校の入学者選抜に関し、選抜方法の多様化、選抜尺度の多元化については、1(1)〜(2)の趣旨に即し一層の改善を図ること。

また、学力検査の出題内容については、より適切な出題がなされるよう改善を図ること。

○高等学校の入学者選抜の改善について（抄）（平九・一一・二八 文初高二四三号 各都道府県教育委員会、各都道府県知事、附属学校を置く各国立大学長あて 文部省初等中等教育局長通知）

標記の件については、平成五年二月二二日付け文初高第二四三号「高等学校の入学者選抜について」を踏まえ、各都道府県・高等学校等において、選抜方法の多様化と選抜尺度の多元化の観点から、改善のための様々な取組をいただいているところですが、平成八年七月一九日に、中央教育審議会から出された「二一世紀を展望した我が国の教育の在り方について（第一次答申）」においては、完全学校週五日制の下で、子どもたちに［ゆとり］を与え、［生きる力］を育成するためには、過度の受験競争の緩和が必要であり、この観点から、高等学校入学者選抜について、今後一層改善が進められることが強く望まれると指摘されています。

そして、本年六月二六日には、中央教育審議会から、「二一世紀を展望した我が国の教育の在り方について（第二次答申）」が出され、この中で、高等学校の入学者選抜の改善等について具体的な提言がなされました。

また、今月一七日には、教育課程審議会から、「教育課程の基準の改善の基本方向について」中間まとめが公表され、この中で、「教育課程の基準の改善のねらいの実現は、これに関連する教育条件の改善等に負うところが大きい」として、上級学校の入学者選抜の改善を図る必要があるとされております。

本年六月二六日の中央教育審議会第二次答申における高等学校の入学者選抜に関する部分は別添のとおりですが、入学者選抜の改善が極めて大きな意義をもつものであることを踏まえ、貴職におかれては、特に下記の点に留意いただき、一層の改善が図られるようお願いします。

記

1 高等学校の入学者選抜の現状について

(1) 高等学校入学者選抜については、第一四期中央教育審議会の答申（平成三年四月）や「高等学校教育の改革の推進に関する会議」の報告（平成五年一月）等を踏まえ、各都道府県・学校等において、改善のための努力が進められてきているが、いわゆる「影響力のある特定の高等学校をめぐる受験競争は依然として厳しく」、また、選抜方法は「狭い意味での学力の評価に重点が置かれるなど画一的な点が多い」などの状況にあると考えられること。

(2) このような状況を踏まえ、中学校以下の教育に与えている影響を直視し、いわゆる影響力のある特定の高等学校をはじめ、全体として、選抜方法の多様化、評価尺度の多元化の観点に立った入学者選抜の改善を一層進めていく必要があること。

また、その際は、各高等学校においては、「いかに自校にふ

頼って行われるのではなく、学校の教育活動全体を通じて的確に把握した生徒の能力・適性、興味・関心や将来の進路希望等に基づき、また、進学しようとする高等学校や学科の特色や状況を生徒が十分理解した上でなされるべきであること。

(2)　中学校においては、平素から一人一人の生徒が自らの進路を主体的に考え選択する能力や態度を育成し、それが進路決定に生かされることが重要であり、進路指導に当たっては、教師の適切な指導のもとに、このような生徒の主体的な選択を生かしていくことが必要であること。

(3)　中学校においては、進路指導主事等が中心となって生徒や保護者に専門的な指導助言を行ったり、相談に応じられる体制を整備すること。

なお、進路指導主事等の研修の充実等について一層の配慮を行うこと。

(4)　高等学校の教育上の特色や入学者選抜方法について、生徒や保護者が十分な認識をもって判断できるよう、中学校は情報の収集と提供に努めるとともに、高等学校は、広報活動や体験入学の実施などに積極的に取り組むこと。

(5)　推薦入学における生徒の推薦に当たっては、中学校においては、日ごろから生徒の優れた点や長所に関する把握に努めるとともに、例えば、学校外の活動についても、長期間にわたる又は質の高い文化活動やボランティア活動の活動歴等について関係者から報告を受け、その活動の実績を勘案して高等学校に推薦するなどの方法が考えられるので、一層の工夫を行うこと。

5　留意すべき事項について

(1)　高等学校入学者選抜については、各都道府県における国・公・私立を通じた改善が必要であり、そのため、国・公・私立の高等学校及び中学校の関係者が定期的に協議する場を設け、選抜日程、選抜方法や選抜に関する資料、出題内容の改善などについて、関係者は最善の努力をすること。

なお、その際、必要に応じ中学校の入学者選抜に関して、小学校の関係者の参加も得て協議することも考慮すること。

(2)　高等学校入学者選抜は、あまり早い時期に行われないようにするとともに、中学校の教育活動の成果を十分評価することができる資料及び時期により行われることについて特に配慮すること。

(3)　海外から帰国した生徒、保護者の転勤に伴う生徒、高等学校を中途退学した生徒などの転・編入学等については、可能な限り弾力的に取り扱っていくこと。

(4)　身体に障害のある生徒については、単に障害のあることのみをもって高等学校入学者選抜において不合理な取扱いがなされることがないよう、選抜方法上の工夫など適切な配慮を行うこと。

(5)　高等学校入学者選抜の改善のために、高等学校入学者選抜の在り方について検討・協議する場を設けること、高等学校入学者選抜に関する情報を広く一般に提供すること、更に専門的な情報収集と調査研究を継続的に行うことなどに一層配慮すること。

(6) 一部の地域で行われている、いわゆる単願推薦等についての事前相談等については、推薦入学と同様に、公教育としてふさわしい適切な資料に基づいて行うことはもとより、あまり早い時期に行われないよう関係者が十分協議し、一層の改善を図ること。

また、選抜要項上、日程、募集人員、選抜方法などについて明示すること。

3 業者テストの偏差値を用いない入学者選抜の改善について

(1) 高等学校の入学者選抜は公教育としてふさわしい適切な資料に基づいて行われるべきものであり、業者テストの結果を資料として用いた入学者の選抜が行われることがあってはならないこと。

また、中学校における進路指導は日ごろの学習成績や活動の状況等による生徒の能力・適性、興味・関心等に基づき総合的に行われるべきものであり、業者テストによる偏差値等に依存した進路指導は行わないこと。

(2) 入学者選抜に関し一切、中学校にあっては、業者テストの結果を高等学校に提供しないよう、また、高等学校にあっては、業者テストや学習塾の実施するテストの偏差値の提供を中学校に求めないよう、平成六年度入学者選抜から直ちに改善すること。

さらに、高等学校は、業者テストの実施者はもとより、学習塾に対しても資料の提供を求めたり、保護者や生徒から業者テストの偏差値を求めたりするようなこともあってはならず、併せて直ちに改善すること。

(3) 中学校は業者テストの実施に関与することは厳に慎むべきであり、授業時間中及び教職員の勤務時間中に業者テストを実施してはならないし、また、教職員は業者テストの費用の徴収や監督、問題作成や採点に携わることがあってはならないこと。

そのため、学校の管理運営及び教職員の服務の適正が図られるよう直ちに改善すること。

また、業者テストの偏差値等に依存して、中学校において生徒の適性や希望などを無視して生徒が志望する高等学校を受験させないよう指導したりすることがないよう、直ちに改善すること。

(4) 公益法人や校長会の行うテストについては、学校が連携協力して問題作成や採点に携わるなどそれぞれの学校が教育活動として行う性質のものであれば、一つの方策であるが、このようなテストも進路指導の一参考資料を得るために行うものであり、選抜の資料として用いられるべきものではなく、高等学校に対しその結果の提供を行うものであってはならないこと。

また、学校が連携協力して問題作成や採点に携わるなどそれぞれの学校が教育活動として行う性質のものでない限り、中学校が授業時間中や教職員の勤務時間中にテストを実施するなどその実施に関与することは厳に慎むべきことであること。

これらの点について、直ちに改善すること。

4 中学校における進路指導の充実について

(1) 生徒の進路の選択や学校の選択に関する指導は、偏差値に

いこと。

このため、例えば、各学校・学科等ごとに、あるいは定員の一部ごとに、合否判定の資料として用いる教科を減らしたり、教科によって評定の比重を変えたり、選択教科を重視して用いたりすることなどが考えられること。

エ　生徒の個性を多面的にとらえたり、生徒の優れている点や長所などを積極的に評価するため、調査書の学習成績の記録以外の記録を充実し、活用するよう十分配慮すること。

その際、点数化が困難なスポーツ活動、文化活動、社会活動、ボランティア活動などについても適切に評価されるようにしていくことが望ましいこと。

オ　調査書の記載事項については、高等学校入学者選抜の資料として、真に必要な事項に精選すること。

(6)　面接について

面接については、積極的に活用することが望ましいこと。

(7)　通学区域について

通学区域については、各都道府県で地域の実情を踏まえながら各高等学校に特色を持たせ、生徒の特性に応じた学校選択が可能となるような方向で検討する必要があること。また、生徒の居住地によって高等学校受験の機会が大きく異なることのないよう配慮する必要があること。

2　私立高等学校の入学者選抜の改善について

(1)　私立高等学校における入学者選抜については、各私立学校及び私学団体の自主的改善努力を促しつつ、1(1)～(6)の趣旨に即し、選抜方法の多様化、選択尺度の多元化を進めるなど一層の改善を図ること。

(2)　私立高等学校の入学者選抜及びその教育方針や教育活動などに関する的確な情報が、生徒や保護者に入手されやすいよう、私立高等学校、中学校、私学担当部局等それぞれが一層の工夫・努力を行うこと。

(3)　入学者選抜の学力検査の出題内容については、公立高等学校の学力検査問題の改善と並行して、より適切な出題がなされるよう、学校関係者による問題分析等の調査研究を推進すること。

この調査研究に基づき、中学校教育に与える影響にかんがみ、不適切と認められる出題について、当該学校に対してその改善を促すとともに、望ましい出題についても公表するなど、一層の改善が図られるようにすること。

(4)　受験機会の複数化や多様な選抜方法の実施については、公立私立を通した観点からも要請されるので、募集方法や選抜の日程について、公立私立間で十分調整し、生徒にとって負担過重とならず、適切な受験機会が選択できるよう配慮すること。

(5)　推薦入学の実施に当たっては、特に、スポーツ活動、文化活動、社会活動、ボランティア活動などの諸活動の実績などの資料による選抜方法の工夫を行うとともに、その実施時期については、あまり早い時期に行われないよう、地域の実情に即し、教育委員会、知事部局、公立・私立高等学校及び中学校関係者が十分協議し、一層の改善を図ること。

(3) 入学者選抜の資料について

ア　合否の判定の際の調査書と学力検査の成績の比重の置き方については、生徒の選択の幅の拡大等のため、各学校・学科等、あるいは定員の一部ごとに異なる方式で合否の判定を行うことについての工夫がなされるよう配慮すること。

さらに、生徒の個性に応じ選抜方法を多様化させるという観点から、各学校・学科等ごとに、あるいは定員の一部ごとに、学力検査を実施しない選抜、調査書の比重を大幅に軽減する選抜や調査書を用いない選抜などを行うことも考えられること。

イ　ただし、調査書を用いない選抜を実施する場合には、中学校教育に大きな影響を与えることから、例えばこの方式は例外的な方式であるとの位置付けのもとに定員の一部についてのみ適用する方法などが考えられること。また、学力検査の成績を主たる資料としつつ、面接や小論文・実技検査などを組み合わせて行うことも考えられること。

(4) 学力検査の在り方について

ア　学力検査の問題作成については、中学校の教育課程の趣旨に即し、知識の量や程度を問う出題に偏ることなく、例えば論述式の解答を求める出題や思考力・分析力を問う出題を増やすなど、中学校の新しい教育課程で重視されるべき能力が適切に反映されるよう一層の工夫改善を図ること。

イ　学力検査の実施教科については、生徒の個性に応じた学校選択や各学校・学科等の特色に応じた選抜を可能とし、さらに、中学校における選択履修の幅の拡大の趣旨を生かすため、各学校・学科等ごとに工夫を行うことが望ましいこと。

このため、例えば、各学校・学科等ごとに、あるいは定員の一部ごとに、実施教科数を増減したり、教科によって配点の比重を変えたり、学校ごとに学力検査問題を一部作成して付加したり、教育委員会が多くの問題を作成し各学校がそこから選択して出題したり、生徒が教科を選択したりすることなどが考えられること。

(5) 調査書の在り方について

ア　調査書については、高等学校入学者選抜の資料としての客観性・公平性を確保するよう留意しつつ、生徒の個性を多面的にとらえたり、生徒の優れている点や長所を積極的に評価し、これを活用していくこと。

イ　調査書の学習成績の記録の評定については、中学校学習指導要領及び中学校生徒指導要録の改訂の趣旨に即した改善の努力を進めること。

また、中学校の新しい教育課程における選択履修の幅の拡大の趣旨を生かすため、調査書の記載に当たり適切な工夫を行うとともに、選択教科の学習の成果の活用について工夫するよう配慮すること。

ウ　調査書の学習成績の記録の活用については、生徒の個性に応じた学校選択や各学校・学科等の特色に応じた選抜を可能とし、さらに、中学校における選択履修の幅の拡大の趣旨を生かすため、各学校・学科等ごとに工夫を行うことが望まし

また、高等学校教育については、多様な生徒の個性を伸長することを重視し、各高等学校における特色ある個性的な教育の展開を一層推進することが肝要であります。この観点から、特色ある高等学校づくり、個性豊かで多様な教育活動の充実、新学習指導要領の趣旨に即した選択幅の広い教育課程の編成、学科・コース等の多様化、新しいタイプの学校の奨励などについて一層積極的な取組みを併せてお願いします。

おって、都道府県教育委員会にあっては管下の各市町村教育委員会に対して、都道府県知事にあっては所管の学校法人及び私立学校に対して、国立大学長にあっては管下の学校に対して、この趣旨の徹底を図るようお願いします。

記

1　公立高等学校の入学者選抜の改善について

(1)　多様な選抜方法の実施について

ア　高等学校の入学者選抜は、各高等学校、学科等の特色に配慮しつつ、その教育を受けるに足る能力・適性等を判定して行うものとすること。

イ　高等学校入学者選抜の在り方は、各学校・学科・コースごとの特色に応じて多様であることが望ましいこと。

さらに、同一の学校・学科等の中でも入学定員を区分して複数の尺度に基づく異なる選抜方法を実施することにも配慮すること。

このため、例えば、各学校・学科等ごとに、あるいは定員の一部ごとに、学力検査の実施教科や教科ごとの配点を変えたり、調査書と学力検査の成績の比重の置き方を変えたり、調査書の中の重視する部分を変えたりすることなどが考えられること。

(2)　多段階の入学者選抜の実施について

ア　受験機会の複数化及び推薦入学の活用などにより、多段階にわたり入学者選抜が実施されるよう十分配慮すること。

イ　推薦入学については、専門学科のみでなく、普通科においても教育上の特色づくりと並行して一層活用されるよう配慮すること。

ウ　推薦入学の実施に当たっては、その意義にかんがみ、スポーツ活動、文化活動、社会活動、ボランティア活動などの諸活動の実績などの資料による選抜方法の工夫を行うこと。

この観点から、調査書の学習成績の記録以外の記録の部分を重視した選抜を行うことはもとより、さらに、例えば、一定の定員枠を設けて、中学校長の推薦に基づき、長期間にわたる又は質の高い文化活動やボランティア活動の活動歴等により選考を行い、調査書の学習成績の記録の評定の成績を求めないこととする選抜を行うことが考えられること。

エ　推薦入学の実施時期については、中学校教育に悪影響を及ぼさず、また、中学校における教育活動の成果を十分評価することができる時期とすること。このため、推薦入学があまり早い時期に行われないよう、地域の実情に即し、教育委員会、知事部局、公立・私立高等学校及び中学校関係者が十分協議し、一層の改善を図ること。

び「高等学校通信教育規程の一部を改正する省令」（平成五年文部省令第六号）が平成五年三月十日に公布されました。

これらの省令改正は、総合学科の設置など各設置者及び各学校の創意工夫により高等学校教育の個性化・多様化を推進する趣旨のものであり、その概要等は下記のとおりですので、事務処理上遺漏のないようお願いします。

記

1　学校教育法施行規則の一部を改正する省令について

(1)　調査書を用いない高等学校入学者選抜について

ア　高等学校の入学者の選抜においては、必ず調査書を選抜の資料としなければならないこととされているが、これを改め、特別の事情のあるときは、調査書を資料としない入学者選抜を実施することができることとしたこと。（ただし、学力検査を行わない場合は除く。）（第五十九条第三項〔現行施行規則九〇条三項〕）

イ　中学校の校長は、中学校卒業後、高等学校等の学校に進学しようとする生徒のある場合には、調査書その他必要な書類をその生徒の進学しようとする学校の校長あて送付しなければならないこととされているが、上記アの規定により高等学校において調査書を資料としない入学者選抜を実施する場合は、調査書の送付を要しないこととしたこと。（第五十四条の三〔現行施行規則七八条〕）

(2)〜(6)　（略）

(7)　その他

ア　その他所要の規定の整備を行ったこと。（第七十三条の十六第五項〔現行施行規則一三五条五項〕及び附則第二項）

イ　上記(1)については、平成五年二月二十二日付け文初高第二百四十三号文部事務次官通知「高等学校の入学者選抜について」の趣旨を十分踏まえること。

ウ　（略）

(8)　施行期日

この省令は、平成五年四月一日から施行すること。（附則第一項）

（以下略）

○高等学校の入学者選抜について（平五・二・二二　文初高二四三号　各都道府県教育委員会、各都道府県知事、附属学校を置く各国立大学長あて　文部事務次官通知）

このことについては、文部省において、これまでの高等学校入学者選抜の実施状況や今後の高等学校教育改革の動向等を踏まえ、関係者の協力を求めてその改善について検討を加えてきましたが、このたび、高等学校教育の改革の推進に関する会議第三次報告（別添略）としてまとめを得たところであります。

ついては、同報告の趣旨を踏まえ、今後、高等学校入学者選抜については、下記によることとしますので、貴職におかれては、高等学校における入学者選抜等の適切な実施が図られるようお願いします。

なお、入学者選抜の改善を進めるに当たっては、同報告の内容に十分留意されるようお願いします。

てのみ規定されていたが、帰国子女など外国の高等学校から我が国の高等学校への編入学を希望する者が増加しているところから、その円滑な受け入れを促進するため、第一学年の途中の場合をも規定し、各学年を通じ、随時、編入学を行うことができることを明らかにしたものであること。

なお、この場合、第一学年の途中への入学については、外国の学校と我が国の学校とでは卒業・入学の時期に相当のずれがある場合が多いこと等にかんがみ、外国において我が国の中学校に相当する学校教育の課程を修了し、高等学校に相当する課程に在学するには至っていない者についても、相当年齢に達し、他の生徒と同等以上の学力があり、当該高等学校の教育課程を履修し得ると認められる場合には、第一学年の途中に入学することを許可することができること。

(2)　高等学校の校長は、特別の必要があり、かつ、教育上支障がないときは、四月に始まり三月に終わる学年の途中においても、学期の区分に従い、入学を許可し並びに各学年の課程の修了及び卒業の認定を行うことができることとしたこと。（第六五条第三項〔現行施行規則一〇四条三項〕）

これは、外国の学校と我が国の学校とでは卒業・入学の時期に相当のずれがある場合が多いことにかんがみ、帰国子女など外国において我が国の中学校に相当する学校教育の課程を修了した者について、四月・三月以外の時期に我が国の高等学校に入学させ及び卒業させようとする場合の特例を定めたものであること。

この場合においては、教育課程について特別な編成を行うなど教育上支障がないよう配慮するとともに、生徒の進級及び卒業の取扱いについて修業年限に従い適切なものとなるようにする必要があること。

3　高等専門学校及び特殊教育諸学校高等部における取扱い

高等専門学校及び特殊教育諸学校高等部についても、前記の措置に準ずることとしたこと。（第七二条の六及び第七三条の一六第五項による第六〇条並びに第六五条第三項の準用〔現行施行規則一七八条及び一三五条五項による九一条並びに一〇四条三項の準用〕）

4　その他

その他所要の規定の整備をしたこと。（第七二条の六及び第七八条〔現行施行規則一七八条及び一九〇条〕）

5　施行期日

今回の規則の改正は、昭和六三年一一月一日から施行されること。

○学校教育法施行規則の一部を改正する省令等について（抄）

（平五・三・二二　文初高二〇二号　各都道府県教育委員会、各都道府県知事、附属学校を置く各国立大学長あて　文部省初等中等教育局長通達）

このたび、別添（略）のとおり、「学校教育法施行規則の一部を改正する省令」（平成五年文部省令第三号）、「高等学校設置基準の一部を改正する省令」（平成五年文部省令第四号）、「単位制高等学校教育規程の一部を改正する省令」（平成五年文部省令第五号）及

こと。

【行政実例】

○高等学校編入学の資格について（昭三八・一〇・九　島根県総務部長あて　振興課長回答）

【照会】　当県認可の松江高等経理学校（各種学校）が昭和三九年四月一日松江経理高等学校を新設したい旨認可申請があり、認可を検討中であります。

つきましては、現在同校商業科在学中の一年および二年生をそれぞれ新設高校の二年および三年生に編入することにしておりますが、これは学校教育法施行規則第六〇条〔現行施行規則九一条〕の規定により編入して差しつかえないものと解されますが、この点いかがでしょうか。

記

1　同校は、高等学校学習指導要領に基づく教育を行い、教科書は、文部省検定のものを使用しております。

【回答】　学校教育法施行規則第六〇条〔現行施行規則九一条〕の規定は高等学校の第二学年以上に入学を許可される者は、相当年齢に達し、高等学校の各学年の課程を修了した者と同等以上の学力があると認められた者にかぎる趣旨であって、各種学校において、高等学校学習指導要領に基づいて教育を実施していても、当該教育を受けたからといって、それだけの理由をもって、その者をただちに高等学校に編入学させることを認める趣旨ではない。

○各種学校から高等学校への編入学について（昭四一・七・一初中七〇号　静岡県学事文書課長あて　文部省中等教育課長回答）

【照会】　高等学校第二学年以上への編入学について疑義がありますので下記事項につき御教示願います。

記

1　教育内容が高等学校の教育課程に準じた各種学校に在籍する生徒（相当年齢に達し前各学年の学力があるものと仮定する）が高等学校第二学年以上に入学を希望する場合編入学は可能か。

なお、実例として当該各種学校は、高等学校の商業に関する教育課程に準じた教育を行なっている（別添学則（略）参照）。

2　准看護婦学校（各種学校として知事の認可および厚生大臣の指定を受けている施設）の第一学年修了者が看護科を有する定時制高等学校の第二学年に入学を希望する場合、編入学は可能か。

添付書類（略）

【回答】　昭和四一年五月二一日付け学文第二四七号で照会のあった標記のことについては、下記のとおり回答します。

記

1　記の1について

教育課程が高等学校の教育課程に類似する各種学校の教育を受

けた場合であっても、当該各種学校に在籍する生徒を高等学校の第二学年以上に入学させることは適当でない。

2　記の2について

1により了知されたい。

○高等学校において修得した単位数と卒業認定について（昭二九・八・七　委初二三一号　岐阜県教育委員会教育長あて文部省初等中等教育局長回答）

【照会】　一　生徒が必要な単位を八五単位修得しているときは必ず卒業させなければならないか。

二　各学校において八五単位以上例えば九〇単位をその学校の卒業必修単位として定めることは違法になるか。

三　学校の規定として卒業に必要な単位を八五単位以上例えば九〇単位と定めたとき八六単位より修得出来なかった生徒が卒業の権利を申し出たとき、学校の規定として卒業を認めないことは法的に成り立つか成り立たないか。

【回答】　学習指導要領に規定する八五単位とは一般的に、卒業に必要な最低単位数を定めたものであって各学校は、八五単位をこえて生徒が履修すべき単位数を定めることができる。卒業の認定は、生徒が履修すべき課程を修了したと認められる場合に行われるものであるから、八五単位以上に生徒が履修すべき単位数が定められている場合には、生徒が学習指導要領に示した必要な八五単位を修得したときにおいても、校長はその生徒を卒業させないことができる。

ただしこの場合においても諸般の事情を総合的に考察し、その生徒が高等学校の課程を修了したと認めうる場合は、卒業の認定を行ってよい。

なお、生徒が履修すべき単位数を八五単位以上とする場合には、生徒の負担が過重にならないよう注意する必要がある。

〔編者注〕「八五単位以上」は、平成元年の学習指導要領では「八〇単位以上」とされており、平成一一年の学習指導要領では「七四単位以上」とされている。

〔参考〕

昭和二八年二月二七日　　中等教育課長

各　位殿

高等学校の卒業認定と履修単位との関係について今回下記のとおり伺定決裁がありましたので御了知下さい。

記

高等学校の卒業認定と履修単位との関係について

(1)　卒業の認定は学校教育法施行規則第二七条〔現行施行規則五七条〕および第六五条〔現行施行規則一〇四条〕によって校長が行う。

校長は高等学校教育の目的、目標にてらし、法規、学則等に基いて、教科の学習とホーム・ルーム等必要な特別教育活動とからなる全教育課程を修了したと認められる生徒に対して卒業の認定をする。

(2)　卒業するために生徒が履修しなければならない単位（教科、科目）については、学習指導要領一般篇四二ページに「高等学校を卒業するためには……合計八五単位以上を履修しなければならな

い……」と述べられているが、その趣旨は次の通りである。

　八五単位というのは卒業に必要な最低単位を示したもので、学校は八五単位をこえて生徒が履修すべき単位を定めることができる。この場合生徒の負担が過重にならないように注意する必要がある。学校が履修すべきものと定めた科目（単位数）または特別に課した実習のうち履修し得なかったものがあった場合の卒業の認定は諸般の事情の総合的考察によって、その生徒が高等学校の全課程を修了したと認められるかどうかによって校長が行う。

　この際共通必修として定められた三八単位および卒業に必要な最低単位数である八五単位を履修したことが認められたものでなければならないことはいうまでもない。

○使用料、手数料条例の疑義について（昭二八・八・二七　委初三五三号　高知県教育委員会あて　文部省地方課長回答）

【照会】　県立学校入学料、入学手数料、授業料条例制定の場合、全国的にこの条例中に罰則の形式でそれぞれの未納者に対しては一定の猶予期間を経過してなお未納の場合は、退学処分に附する旨規定してあるように聴いているがこのように罰則条項を本条例に挿入することが妥当か否か、又妥当でないとしても挿入することが不都合なものかどうか至急御指示を仰ぎたく、御依頼する。

【回答】　県立学校入学料、入学手数料及び授業料に関する条例に、それらの使用料、手数料の未納者に対しておたずねのように、一定の手続をへた後、その者を退学処分に附する旨規定することは差し支えないものと解する。

【判決例】

○調査書に本人に不利な記載をしてはならないというわけではない（東京高判昭五七・五・一九判例時報一〇四一号二四頁）

　調査書が本人にとって有利に働くこともあれば不利に働くこともあるのは事柄の性質上当然のことであり、本人にとって有利にしか働かない調査書制度なるものを想定することは不可能である。それ故、学校長は進学のための調査書に本人に不利なことを記載してはならないとの被控訴人の見解は、合理的な基礎を欠く独自の見解といわざるを得ない。

（調査書の評定、備考をいかに記載するかについては、学校長が）広範な裁量権限を有していることはいうまでもなく、それが事実に反しているなど特段の事情がない限り、違法とされる理由はない。

○調査書には、生徒の性格、行動に関しても客観的事実を公正に記載すべきである（最（二小）判昭六三・七・一五判例時報一二八七号六五頁、判例タイムズ六七七号五九頁）

　調査書は、学校教育法施行規則五九条一項（現行施行規則九〇条一項）の規定により学力検査の成績等と共に入学者の選抜の資料と

され、その選抜に基づいて高等学校の入学が許可されるものであることにかんがみれば、その選抜の資料の一とされる目的に適合するよう生徒の学力はもちろんその性格、行動に関しても、それを把握し得る客観的事実を公正に調査書に記載すべきである。

〔校長、教頭、教諭その他の職員〕

第六十条　高等学校には、校長、教頭、教諭及び事務職員を置かなければならない。

② 高等学校には、前項に規定するもののほか、副校長、主幹教諭、指導教諭、養護教諭、栄養教諭、養護助教諭、実習助手、技術職員その他必要な職員を置くことができる。

③ 第一項の規定にかかわらず、副校長を置くときは、教頭を置かないことができる。

④ 実習助手は、実験又は実習について、教諭の職務を助ける。

⑤ 特別の事情のあるときは、第一項の規定にかかわらず、教諭に代えて助教諭又は講師を置くことができる。

⑥ 技術職員は、技術に従事する。

【沿　革】　昭二五・四・一九法一〇三により、養護教諭、助教諭、技術職員その他必要な職員を置くことができるとされた。

昭三六・一〇・三一法一六六により、「の外」を「のほか」と改めた。

昭四九・六・一法七〇により、教頭、養護助教諭、実習助手を加え、特別の事情のあるときは、教諭に代えて助教諭又は講師を置くことができることとした。

平一九・六・二七法九六により「前項の」を「前項に規定するものの」に改め、「養護教諭」の前に「副校長、主幹教諭、指導教諭、」を、「養護助教諭」の前に「栄養教諭」を追加し、第五項を第六項に第四項を第五項に移動し、新たに第三項を設け、旧五〇条から六〇条に移動した。

【参照条文】　法七条、三七条、六二条。施行規則八一条、八二条、一〇四条。高等学校設置基準八条～一一条。高校標準法七条～一二条。学校保健安全法二三条。

【注　解】

一　本条は、高等学校として必要な職員についてその種類と各職員の職務について規定したものである。

校長、副校長、教頭、主幹教諭、指導教諭、教諭、助教諭、栄養教諭、養護教諭、養護助教諭、講師及び事務職員の職務内容やその他必要な職員として置かれるものに関しては、小学校の職員の場合とほぼ同様であるので、説明を省略する（法三七条の**【注解】**九～二四参照）。

二　教職員配置の基準については、高等学校設置基準（以下「設置基準」という）に規定されているが、それによる教諭の数等は次のようになっている。なお、高等学校設置基準は、最低基準としての位置付けを明確にする観点から、平成一六年、全部改正され（平一六文部科学省令二〇）、全体として弾力的、大綱的な規定に改められている。

(1)　副校長及び教頭の数は、当該高等学校に置く全日制の課程又は定時制の課程ごとに一人以上とし、主幹教諭、指導教諭及び教諭の数は、当該高等学校の収容定員を四〇で除して得た数以上としている（設置基準八条一項）。

教諭等は、特別の事情があり、かつ、教育上支障がない場合は、助教諭又は講師をもって代えることができ（八条二項）、また、高等学校に置く教員等は、教育上必要と認められる場合は、他の学校の教員等と兼ねることができる（八条三項）。

(2)　事務職員は、小・中学校の場合と異なり特別の事情がある場合の例外を認めることなく必置されるものであるが、その数については、全日制の課程及び定時制の課程の設置の状況、生徒数等に応じ、相当数の事務職員を置かなければならない（一一条）。

(3)　養護教諭等については、高等学校には、相当数の養護をつかさどる主幹教諭、養護教諭その他の生徒の養護をつかさどる職員を置くよう努めなければならない（九条）。

(4)　実習助手については、高等学校には、必要に応じて相当数の実習助手を置くものとされている（一〇条）。

実習助手は、教育に直接関係し、教員の職務に準ずる職務を行う者であることから、教育公務員特例法の規定が準用されている（同法三〇条、同法施行令一〇条二項）。

(5) 技術職員については、設置基準においては何らの規定が設けられていない。技術職員は、農業、水産、工業等の職業教育を主とする学科において、例えば機械器具の調整や保護などの技術に従事する職員が必要とされることから、法令に規定されたものであるが、その資格や職務内容が不明確である。

三 以上の設置基準の規定は、国・公・私立の高等学校を通じて適用される学校を設置するために必要な最低の基準という性格をもつものであるが、公立の高等学校については、公立高等学校の適正配置及び教職員定数の標準等に関する法律により、教職員定数（都道府県又は市町村ごとの総数）の標準等が定められている。

参考までに、現行の高校標準法によれば、全日制普通科の定員別の教職員数は次表のとおりである（これ以外に、用務員などが置かれるが、高校標準法には規定はなく、地方交付税の算定の基準が参考となる）。

定員別教職員数（全日制普通科）

収容定員	校長	教頭	教諭	養護教諭	実習助手	事務職員	合計
一二〇人	一人	〇人	八人	一人	〇人	一人	一一人
二四〇	一	一	一五	一	一	二	二一
三六〇	一	一	二三	一	一	二	二九
四八〇	一	一	二九	一	一	三	三六
六〇〇	一	一	三五	一	一	四	四三
七二〇	一	一	四三	一	一	四	五一
八四〇	一	一	四八	二	一	四	五七
九六〇	一	二	五二	二	一	五	六三

一、〇八〇	一	二	五九	二	二	五	七一
一、二〇〇	一	二	六五	二	二	五	七七
一、三二〇	一	二	七〇	二	二	六	八三
一、四四〇	一	二	七六	二	二	六	八九
一、五六〇	一	二	八二	二	二	六	九五

（注）この他に、外国語等の少人数指導、多様な教科・科目を開設する学校等の定数加配がある。

四　教諭は、生徒の教育をつかさどることを職務としているが、教諭の職務はこれだけに限定されるものではなく、学校の管理運営上必要とされる校務を分担することも職務とされている。

このような校務分掌に関しては、教育委員会の定める学校管理規則や校長の定める校務分掌規程等に基づいて学校の内部組織として定められているが、職務の内容がある程度明確に定まっており、かつ学校運営上必要とされる基本的なものについては、昭和五〇年一二月に、教諭をもって充てる職としての主任等が省令化され、国の法令上の整備が図られた（法三七条の**【注解】五**参照）。

高等学校に置かれる主任等については、施行規則一〇四条一項で小・中学校の規定を準用しているほか、施行規則八一条、八二条で学科主任、農場長と事務長についての規定を設けている。

第八十一条　二以上の学科を置く高等学校には、専門教育を主とする学科（以下「専門学科」という。）ごとに学科主任を置き、農業に関する専門学科を置く高等学校には、農場長を置くものとする。

2　前項の規定にかかわらず、第四項に規定する学科主任の担当する校務を整理する主幹教諭を置くときその他特別の事情のあるときは学科主任を、第五項に規定する農場長の担当する校務を整理する主幹教諭を置くときその他特別の事情のあるときは農場長を、それぞれ置かないことができる。

3　学科主任及び農場長は、指導教諭又は教諭をもつて、これに充

てる。

4 学科主任は、校長の監督を受け、当該学科の教育活動に関する事項について連絡調整及び指導、助言に当たる。

5 農場長は、校長の監督を受け、農業に関する実習地及び実習施設の運営に関する事項をつかさどる。

第八十二条 高等学校には、事務長を置くものとする。

2 事務長は、事務職員をもつて、これに充てる。

3 事務長は、校長の監督を受け、事務職員その他の職員が行う事務を総括する。

五 平成一九年の本法の改正により導入された副校長、主幹教諭及び指導教諭の校務内容等については法三七条の【注解】一〇、一四、一五参照。

【判決例】

○高校の教諭が生徒会誌に対して行った紀行文の寄稿について、校長が掲載しないよう指示した措置は違法とはいえない

（東京高判平一六・二・二五判例時報一八六七号五四頁）

高等学校の校長は、校務をつかさどり、所属職員を監督するものであるところ（学校教育法五一条、二八条三項（現行法六二条、三七条四項、以下同じ。））、この校務には教諭その他所属職員の処理している仕事のすべてが含まれると解されるから、校長は、教諭の教育活動（ただし、授業等の具体的内容及び方法においてある程度の裁量が認められる（中略））に対し職務命令を発することができると解すべきである。

本件生徒会誌は、教育活動の一環としての特別活動である生徒会活動の一部として（略）高校が発行するものであるから、その校長である被控訴人校長には、学校教育法五一条、二八条三項により、本件生徒会誌の編集、発行に関して、校務としてその顧問を担当する教諭らを適切に指導する立場にあり、生徒会誌の編集、発行についてもその最終的な権限を有し、その責任を負うものということができる。

（中略）前記のとおり、校長は生徒会誌の編集、発行につき最終的な権限を有するのであるから、被訴訟人校長は、本件生徒会誌に本件寄稿を掲載するか否かを決定する権限を有するものであり、その権限の行使である本件指示は、憲法二一条、二三条又は二六条に違反するものではない。

〔二人以上の教頭の設置〕

第六十一条 高等学校に、全日制の課程、定時制の課程又は通信制の課程のうち二以上の課程を置くときは、それぞれの課程に関する校務を分担して整理する教頭を置かなければならない。ただし、命を受けて当該課程に関する校務をつかさどる副校長が置かれる一の課程については、この限りでない。

【沿　革】 昭四九・六・一法七〇により追加した。平一九・六・二七法九六により、ただし書を追加し、旧五〇条の二から六一条に移動した。

【参照条文】 法三七条、五三条、五四条。

【注　解】

一 本条は、昭和四九年の本法の一部改正により教頭の職が法律化されたことに伴い、新たに設けられた規定である。

本条が設けられる以前には、定時制の課程又は通信制の課程が併置される場合は、定時制主事又は通信制主事が置かれることとなっていた。

この定時制主事・通信制主事については、昭和二三年以来制度化されており、実質的に課程の校務をとりまとめてきたが、教頭との関係においてその職務分担や待遇の問題等もあった。昭和四九年に教頭の職が法律に位置づけられ、その処遇の改善が図られたのを契機として、従来の定時制主事や通信制主事についても、それぞれの課程に関する校務を分担して整理する教頭としての位置づけがなされたのである。

二 副校長は校長の命を受けて校務の一部を処理できる職として、平成一九年の本法改正により導入された職である。課程に関する校務をつかさどる副校長が置かれる場合には、本条が規定している課程に関する校務を分担・整理

する教頭の職務は副校長が処理することになる。このため課程ごとに教頭を置かなければならないという本則に対する例外をただし書として追加したものである。なお、法三七条三項では、副校長を置くときは教頭を置かないことができる旨規定されている。

〔準用規定〕

第六十二条　第三十条第二項、第三十一条、第三十四条、第三十七条第四項から第十七項まで及び第十九項並びに第四十二条から第四十四条までの規定は、高等学校に準用する。この場合において、第三十条第二項中「前項」とあるのは「第五十一条」と、第三十一条中「前条第一項」とあるのは「第五十一条」と読み替えるものとする。

【沿　革】　昭二五・四・一九法一〇三により、五〇条が改正されたことに伴い、二八条の準用項目を改めた。

昭二八・八・五法一六七により、二一条が改正されたことにより同条が新たに準用条文として加えられた。

昭四九・六・一法七〇により、二八条が改正されたことに伴い、同条の準用項目を改めた。

平一三・七・一一法一〇五により、一八条の二を新たに準用規定として加え、読み替え規定を置いた。

平一六・五・二一法四九により、二八条が改正されたことに伴い、同条の準用項目を改めた。

平一九・六・二七法九六により、準用規定のすべてが移動したことに伴い、準用項目を改め、五一条から六二条に移動。

【参照条文】　法附則九条。

【注　解】

一　本条では、学習指導の配慮事項、体験活動等の充実、検定を経た教科用図書の使用等、職員、学校運営評価及び情報提供義務、私立学校の所管に関する規定を高等学校に準用することを明記したものである。

二　高等学校にあっては、中等教育学校後期課程及び特別支援学校並びに特別支援学級と同様に、当分の間は、文

部科学大臣の定めるところにより、法三四条一項に規定する教科用図書以外の教科用図書を使用することができる（法附則九条）。これについての「文部科学大臣の定め」としては、施行規則の次の規定がある。

第八十九条　高等学校においては、文部科学大臣の検定を経た教科用図書又は文部科学省が著作の名義を有する教科用図書のない場合には、当該高等学校の設置者の定めるところにより、他の適切な教科用図書を使用することができる。

2　第五十六条の五の規定は、学校教育法附則第九条第二項において準用する同法第三十四条第二項又は第三項の規定により前項の他の適切な教科用図書に代えて使用する教材について準用する。

従前一〇七条教科書といわれていたものであるが、この教科書は、検定教科書でも文部科学省著作教科書でもなく、一般に市販されている図書で教科の主たる教材となりうるものを教科用図書として設置者が指定するものであり、きわめて例外的である。

なお、実定法上、「教科書」というときは、文部科学大臣の検定を経たもの又は文部科学省が著作の名義を有するものだけをいい、法附則九条の教科書は含まない（教科書の発行に関する臨時措置法二条）ので、その意味からいえば「教科用図書」の方が広い概念である。

第七章　中等教育学校

〔中等教育学校の目的〕

第六十三条　中等教育学校は、小学校における教育の基礎の上に、心身の発達及び進路に応じて、義務教育として行われる普通教育並びに高度な普通教育及び専門教育を一貫して施すことを目的とする。

【沿　革】　平一〇・六・一二法一〇一により新設した。
平一九・六・二七法九六により、「及び進路」を追加し、「中等普通教育」を「義務教育として行われる普通教育」に、「高等普通教育」を「高度な普通教育」にそれぞれ改め、旧五一条の二から六三条に移動した。

【参照条文】　憲法二六条。教育基本法一条、二条、五条。法二九条、四五条、五〇条。

【注　解】

一　本条は、中等教育学校の目的について定めた規定である。
中等教育学校は、平成一〇年、学校教育法等の一部を改正する法律（平一〇法一〇一）により創設された学校制度であり、平成一一年度から設置された。中学校における教育と高等学校における教育を一貫して施すこと、すなわち中高一貫教育を行うために設けられた学校である。

二　創設に至るまでの経緯は次のとおりである。

(1)　中央教育審議会答申（昭和四六年）及び臨時教育審議会答申（昭和六〇年）

戦後の我が国の初等中等教育の学校制度は、六・三・三制を基本としてきたが、高等学校進学率の急激な上昇等に伴い、中学校教育と高等学校教育をあわせた「中等教育」としての視点から、両者の結び付きをより緊密にすべきであるとの考え方が強まってきた。このような流れの中で、中高一貫教育制度の導入が昭和四六年の中央教育審議会答申や昭和六〇年の臨時教育審議会第一次答申において次のように提言された。

①　中央教育審議会答申「今後における学校教育の総合的な拡充整備のための施策について」（昭和四六年六月）

「現在の学校体系について指摘されている問題の的確な解決をはかる方法を究明し、漸進的な学制改革を推進するため、その第一歩として次のようなねらいをもった先導的な試行に着手する必要がある。……

(2)　中等教育が中学校と高等学校とに分割されていることに伴う問題を解決するため、これらを一貫した学校として教育を行い幅広い、資質と関心をもつ生徒の多様なコース別、能力別の教育を、教育指導によって円滑かつ効果的に行うこと。」

②　臨時教育審議会第一次答申（昭和六〇年六月）

「現行の中学校教育と高等学校教育を統合し、これを青年期の教育として一貫して行うことにより、生徒の個性の伸長を継続的、発展的に図ることを目指す新しい学校として、地方公共団体、学校法人などの判断により、六年制中等学校を設置できるようにする。」

しかし、これらの提言は実施されるには至らなかった。その理由としては、受験競争の低年齢化のおそれがあるなどにより必ずしも教育関係者等の理解が得られなかったこと、当時は都道府県等においても一五歳人口の増加や進学率の上昇に対応した高等学校の増設等に優先的に取り組む必要があったこと、などが考えられる。

(2)　中等教育の多様化と中央教育審議会第二次答申（平成九年六月）

その後、平成二年度に高等学校進学率が九五％を超え、以後漸増ないしは横ばいで推移するとともに、一五歳人口も平成元年度をピークに以降減少が続くというように状況は変化し、生徒の能力・適性、興味・関心等の多様化に対応して、高等学校における総合学科や単位制高校の設置などの中等教育の多様化が推進されるようになってきた。

このような状況の中で、平成七年四月に発足した第一五期中央教育審議会は、中高一貫教育について審議を行い、第一六期にもこれを引き継ぎ、平成九年六月の「二十一世紀を展望した我が国の教育の在り方について」（第二次答申）において、中高一貫教育の選択的導入の提言を行った。この答申の要点は次のとおりである。

- ゆとりの中で子どもたちの個性や創造性を伸ばすことができるよう中高一貫教育を導入する。この場合、中高一貫教育と現行の中学校・高等学校の制度はそれぞれ利点と同時に問題点も有しており、六・三・三制を一律に六・六制に改めるのではなく、子どもたちや保護者が総合的に判断し、いずれをも選択可能となるよう、選択的に導入することが適当である。
- 中高一貫教育の導入に当たっては、受験競争の低年齢化につながったり、受験準備に偏した教育が行われることのないよう、配慮が必要であり、特に公立学校においては入学者を定めるに当たって学力試験を行わないこととする。
- 中高一貫教育を導入するかどうか、導入するとすればどのような学校とするのかは、設置者である地方公共団体や学校法人の判断に委ねる。
- 中高一貫教育の実施形態としては、

① 同一の設置者が中学校・高等学校を併設する
a 独立した中学校・高等学校を併設
b 一つの六年制の学校として設置・運営
② 市町村立中学校と都道府県立高等学校を連携する

の類型が考えられ、学校設置者がそのいずれも選択できるよう、所要の制度改正を行うことが必要である。

• 中高一貫教育を行う学校の教育内容は設置者が決定すべきことであるが、ゆとりの中で個性や創造性を伸ばすという中高一貫教育の趣旨を踏まえた特色あるものが望まれる。

(3) 中高一貫教育制度の導入

この第二次答申を受け、文部省は、平成一〇年三月、中高一貫教育制度を導入するための「学校教育法等の一部を改正する法律案」を第一四二回通常国会に提出し、同年六月に同国会において成立、一部の規定を除いて平成一一年四月一日から施行された。

この改正は、中等教育の多様化を一層推進し、生徒の個性をより重視した教育を実現するため、現行の義務教育制度を前提としつつ、中学校と高等学校の制度に加えて、中高一貫教育制度を選択的に導入するものである。すなわち、それまでの教育内容・方法等における多様化に加えて、学校制度の面においても中等教育の多様化を図ることとし、答申における中高一貫教育を「一つの六年制の学校として設置・運営」する実施形態として、新たに中等教育学校の制度を創設するとともに、「同一の設置者が独立した中学校・高等学校を併設」する実施形態（いわゆる併設型）についても規定を設けた（法七一条）。また、併せて、中高一貫教育を実施する公立学校に関する教職員定数の算定並びに教職員給与費及び施設費に係る国庫負担等の行財政措置等について

も所要の法律改正を行った。

なお、答申でいう「市町村立中学校と都道府県立高等学校を連携する」実施形態については、既存の学校制度によるものであることから法律改正はなされず、施行規則七五条及び八七条に規定が設けられた（法六八条の【注解】三参照）。

三　中等教育学校は、中学校における教育と高等学校における教育を一貫して施すための学校であり、その目的は、中学校の目的である「義務教育として行われる普通教育」と高等学校の目的である「高度な普通教育及び専門教育」を一貫して施すことである。中等教育学校は、中学校と同様に、学校体系上、小学校に続く学校であることから、「小学校における教育の基礎の上に」教育を施すものであり、また、小学校、中学校及び高等学校と同様に「心身の発達及び進路に応じて」教育を施すものである。

「一貫して施す」とは、「義務教育として行われる普通教育」に引き続いて「高度な普通教育及び専門教育」を連続性をもって施すことをいう。具体的には、通常は入学者選抜（施行規則九〇条参照）によって途切れている中学校教育（義務教育として行われる普通教育）と高等学校教育（高度な普通教育及び専門教育）を途切れることなく行うこと、一貫性のある教育課程を編成することなどによって実現される。この中等教育学校の目的のどの部分を中等教育学校のどの段階で実現するかは、法六六条及び六七条に規定されており、また、中等教育学校の課程の前半三年間（前期課程）は中学校と同様に義務教育に該当するものである（法一七条二項）。

「義務教育として行われる普通教育」は中学校の目的（法四五条）と同一であり、「高度な普通教育及び専門教育」は高等学校の目的（法五〇条）と同一であるが、単一の学校においてこの両者を一貫して施すことを目的としている点で、中等教育学校は中学校及び高等学校のいずれとも異なる特色を有している。

「義務教育として行われる普通教育」の意義については法四五条の【注解】二を、「進路に応じて」教育を施すこと

や「高度な普通教育及び専門教育」の意義については法五〇条の【注解】二及び三参照。

【通　知】

○中高一貫教育制度の導入に係る学校教育法等の一部改正について（抄）（平一〇・六・二六　文初高四七五号　各都道府県教育委員会、各都道府県知事、附属学校を置く各国立大学長、国立久里浜養護学校長あて　文部省初等中等教育局長通知）

先の第一四二回国会において「学校教育法等の一部を改正する法律」（以下「改正法」という。）が成立し、別添一（略）のとおり、平成一〇年六月一二日付けをもって、法律第一〇一号として公布され、平成一一年四月一日から施行されることとなりました。

今回の改正は、中等教育の多様化を一層推進し、生徒の個性をより重視した教育を実現するため、現行の義務教育制度を前提としつつ、中学校と高等学校の制度に加えて、中高一貫教育制度を選択的に導入することとし、学校教育法上、新たな学校種として中等教育学校を創設するとともに、同一の設置者が設置する中学校及び高等学校において中高一貫教育を行う制度を設けるものであります。

また、併せて中高一貫教育に係る行財政措置として、中高一貫教育を実施する公立学校に関する教職員定数の算定並びに教職員給与費及び施設費に係る国庫負担等については、現行の中学校及び高等学校と同様の措置を講ずることとしております。

我が国の中等教育については、これまでも、生徒の能力・適性、興味・関心等の多様化に対応して、現行の学校制度の下において、総合学科や単位制高等学校など新しいタイプの高等学校の設置、選択幅の広い教育課程の編成を行う等さまざまな取組みが進められてきているところであります。

しかし、生徒一人一人がそれぞれの個性や創造性を伸ばし、我が国が活力ある社会として発展していくためには、学校制度についても、生徒一人一人の能力・適性、興味・関心、進路希望等に応じた多様で柔軟なものとしていく必要があります。今回の改正は、このような観点に立って行われたものであります。

その概要は下記のとおりですので、十分にご了知の上、事務処理上遺漏のないようにお願いします。

また、本改正法については、衆議院文教委員会及び参議院文教・科学委員会において、中高一貫校がいわゆる「受験エリート校」化することがあってはならないことや、受験競争の低年齢化を招くことのないよう、公立学校の場合には入学者の決定に当たって学力試験は行わないことなどについて、別添二（略）の附帯決議が付されています。中高一貫教育の導入等について検討されるに当たっては、これらの点に十分留意され、中高一貫教育制度がその趣旨に沿って導入されるよう配慮願います。

記

1　学校教育法の一部改正（改正法第一条）

(1)　中等教育学校の創設（第一条）

我が国における学校の種類として、新たに中等教育学校を設けることとしたこと。

なお、本条に規定されることにより、他の学校種と同様、設置者（第二条）、設置基準（第三条）、設置廃止等の認可（第四条）、学校の管理及び経費の負担（第五条）、授業料の徴収（第六条）、校長及び教員の配置並びにその資格（第七条、第八条及び第九条）、生徒等の懲戒（第一一条）、学校閉鎖命令（第一三条）、名称使用制限（第八三条の二〔現行法一三五条〕）に係る規定等の適用があることとなること。

(2)　中等教育学校の設置等に係る認可等（第四条）

中等教育学校の後期課程の全日制の課程、定時制の課程及び通信制の課程の設置廃止等について、高等学校と同様に、監督庁の認可事項としたこと。

(3)　中等教育学校の前期課程における授業料の徴収（第六条）

国立又は公立の中等教育学校の前期課程における義務教育について、中学校等と同様に、授業料を徴収することができないものとしたこと。

(4)　就学義務（第三九条第一項〔現行法一七条二項〕）

保護者がその子女を中等教育学校の前期課程に就学させることを、就学義務の履行として位置付けることとしたこと。

(5)　高等学校入学資格（第四七条〔現行法五七条〕）

中等教育学校の前期課程を修了した者は、中学校を卒業した者等と同様に、高等学校への入学資格を有するものとしたこと。

(6)　高等学校専攻科の入学資格（第四八条第二項〔現行法五八条二項〕）

中等教育学校を卒業した者は、高等学校を卒業した者等と同様に、高等学校の専攻科への入学資格を有するものとしたこと。

(7)　中等教育学校の目的（第五一条の二〔現行法六三条〕）

中等教育学校は、小学校における教育の基礎の上に、心身の発達に応じて、中等普通教育並びに高等普通教育及び専門教育を一貫して施すことを目的とすること。

なお、「中等普通教育」は中学校の目的と同一であり、「高等普通教育及び専門教育」は高等学校の目的と同一であるが、中等教育学校においては、この両者を「一貫して施す」ことを目的とするものであること。

(8)　中等教育学校の目標（第五一条の三〔現行法六四条〕）

中等教育学校が「中等普通教育」に引き続いて「高等普通教育及び専門教育」を一貫して施すことを目的としていることから、中等教育学校における教育の目標として、高等学校教育と同様に、国家及び社会の有為な形成者として必要な資質を養うこと等を定めたこと。

(9)　中等教育学校の修業年限並びに前期課程及び後期課程の区分（第五一条の四及び第五一条の五〔現行法六五条及び六六条〕）

中等教育学校の修業年限は六年とし、前期三年の前期課程及び後期三年の後期課程に区分したこと。これは、前期三年が中学校

と同様の教育段階であり、後期三年が高等学校と同様の教育段階であることによるものであること。

なお、後期課程に定時制の課程又は通信制の課程を置く場合については、第五一条の九第二項〔現行法七〇条二項〕の規定により、当該定時制の課程又は通信制の課程に係る後期課程の修業年限は三年以上、中等教育学校の修業年限は六年以上となるものであること。

⑽ 前期課程及び後期課程の目的及び目標（第五一条の六〔現行法六七条〕）

中等教育学校の前期課程においては、中等普通教育を施すことを目的として、中学校における教育と同一の目標の達成に努め、後期課程においては、高等普通教育及び専門教育を施すことを目的として、中等教育学校における教育の目標の達成に努めなければならないものとしたこと。

なお、これは中等教育学校の目的のどの部分を前期課程又は後期課程のいずれにおいて実現するのかを明らかにするものであること。

⑾ 中等教育学校の教科及び学科（第五一条の七〔現行法六八条〕）

中等教育学校の前期課程の教科並びに後期課程の学科及び教科に関する事項は、中等教育学校の目的・目標並びに前期課程及び後期課程のそれぞれの目的・目標に従い、監督庁が定めるものとしたこと。なお、前期課程又は後期課程における教科については、基本的にそれぞれ中学校又は高等学校に準じ、後期課程における学科については高等学校に準じることとなるよう学校教育法施行規則等において規定する予定であること。

⑿ 中等教育学校の教職員（第五一条の八〔現行法六九条〕）

中等教育学校には、校長、教頭、教諭、養護教諭及び事務職員を置かなければならないものとし、そのほか、実習助手、技術職員その他必要な職員を置くことができるものとするとともに、特別の事情のあるときは、教諭に代えて助教諭又は講師を、養護教諭に代えて養護助教諭を置くことができるものとしたこと。

なお、第五一条の九第一項〔現行法七〇条一項〕の規定により、校長、教頭、教諭、養護教諭、事務職員、助教諭、講師及び養護助教諭の職務については学校教育法第二八条第三項から第一一項まで〔現行法三七条四項、七項、八項、一一項から一八項まで〕の規定を準用し、実習助手及び技術職員の職務については同法第五〇条第三項及び第五項〔現行法六〇条四項及び六項〕の規定を準用することとしたこと。

⒀ 準用規定等（第五一条の九〔現行法七〇条〕）

「教科用図書の使用義務」、「校長・教頭・教諭等の職務」、「私立学校の所管」、「入学・退学・転学その他必要な事項について監督庁が定めること」及び「実習助手及び技術職員の職務」に関する現行の学校教育法上の諸規定を中等教育学校に準用することとしたこと。なお、中等教育学校の入学、退学、転学等については、学校教育法施行規則において定める予定であること。

また、「定時制の課程・通信制の課程の設置等」、「技能教育施設との連携」、「専攻科・別科の設置等」、「二人以上の教頭の配

置」に関する現行の学校教育法上の高等学校についての諸規定を中等教育学校の後期課程に準用することとしたこと。（同条第一項関係）

また、後期課程に定時制の課程又は通信制の課程を置く中等教育学校について、高等学校と同様に、当該定時制の課程又は通信制の課程に係る後期課程の修業年限を三年以上とするとともに、中等教育学校の修業年限を六年以上としたこと。（同条第二項関係）

⒁　同一の設置者が設置する中学校及び高等学校における中高一貫教育（第五一条の一〇〔現行法七一条〕）

同一の設置者が併設する中学校及び高等学校（以下「併設型の中学校・高等学校」という。）においては、それぞれが独立した学校でありながらも、監督庁が定めるところにより、中等教育学校に準じて、中学校教育と高等学校教育を一貫して施すことができることとしたこと。

なお、この場合の「同一の設置者」とは、国立の場合は国、公立の場合は同一の地方公共団体、私立の場合は同一の学校法人であり、監督庁の定めとしては、教育課程の編成や併設型中学校及び併設型高等学校への入学等について、学校教育法施行規則において定める予定であること。

⒂　中等教育学校卒業者の大学入学資格（第五六条〔現行法九〇条〕）

中等教育学校の卒業者について、高等学校の卒業者等と同様に、大学への入学資格を有するものとしたこと。

⒃　監督庁（第一〇六条関係〔現行法では削除〕）

通信制の課程に関し必要な事項、専攻科への入学資格、入学・退学・転学その他必要な事項、前期課程の教科及び後期課程の学科・教科に関する事項、併設型の中学校・高等学校における一貫教育についての必要事項について定める監督庁を、当分の間、文部大臣としたこと。（同条第一項関係）

また、設置廃止等の認可、設備・授業等の変更命令を行う監督庁を、公立の中等教育学校について、当分の間、都道府県の教育委員会としたこと。（同条第二項関係）

⒄　その他の事項（第七五条、第八二条の三、第八九条、第九〇条、第九一条、第九二条、第一〇三条、第一〇七条関係〔現行法八一条、一二五条、一四三条から一四六条まで、附則七条、附則九条〕）

中等教育学校における特殊学級（編者注：現行の特別支援学校）の設置、専修学校における教育の対象、学校閉鎖命令違反等についての罰金額の引き上げ、特別の事情がある場合の養護教諭の必置義務の免除、検定済等教科用図書以外の教科用図書の使用について所要の改正を行ったこと。

2〜8　（略）

9　教育職員免許法の一部改正（改正法第九条）

中等教育学校の教員については、中学校の教員の免許状及び高等学校の教員の免許状を有する者でなければならないものとしたこと。（第三条関係）

ただし、中学校の教諭の免許状又は高等学校の教諭の免許状を

有する者は、当分の間、それぞれ中等教育学校の前期課程又は後期課程の教科の教授等を担任する教諭又は講師となることができるものとしたこと。（附則第二〇項〔現一七項〕関係）

10　改正法附則関係

(1)　施行期日（改正法附則第一条）

中高一貫教育制度の導入に係る改正規定については、平成一一年四月一日から施行するものとしたこと。したがって、中等教育学校の設置及び併設型の中学校・高等学校における中高一貫教育の実施については、平成一一年四月一日以降可能となるものであること。

(2)　中等教育学校の設置のための手続き等（改正法附則第二条）

中等教育学校の設置のため必要な手続その他の行為は、この法律の施行前においても行うことができることとしたこと。したがって、公立又は私立の中等教育学校の設置認可の申請及び認可、公立の中等教育学校の設置のための条例制定等の準備行為は、施行前においても行うことができるものであること。

なお、中等教育学校の設置認可等の手続き等については、法律に定めるもののほか、学校教育法施行令、同施行規則等において定める予定であること。

(3)　文部省設置法の一部改正（改正法附則第一八条）

中等教育学校における教育に係る事務を文部省の事務に位置付ける等の所要の規定の整備を行ったこと。

(4)　国立学校設置法の一部改正（改正法附則第一九条）

国立大学若しくは国立大学の学部又は国立短期大学に附属して設置する国立学校の種類に中等教育学校を加えることとしたこと。

(5)　私立学校法の一部改正（改正法附則第二一条）

私立の中等教育学校の後期課程の学科、全日制の課程等の設置廃止等について、私立高等学校と同様に、所管庁の認可によらしめることとしたこと等。（第五条関係）

また、各都道府県に置かれる私立学校審議会の委員区分に私立の中等教育学校の校長又は教員等を加えることとしたこと。（第一〇条関係）

私立の中等教育学校の後期課程に広域の通信制課程を置く場合、これを寄附行為において定めるべきこととしたこと。（第三〇条関係）

その他所要の規定の整備を行ったこと。（第六四条関係）

(6)　義務教育諸学校の教科用図書の無償措置に関する法律の一部改正（改正法附則第三七条）

中等教育学校の前期課程の生徒を教科用図書の無償給付の対象としたこと。（第二条関係）

また、公立の中等教育学校の前期課程及び併設型の公立の中学校において使用する教科用図書については、市町村又は都道府県の教育委員会が学校ごとにこれを採択するものとしたこと。（第一三条、第一五条及び第一六条関係）

(7)　その他の関係法律の一部改正（改正法附則第四条から第一七条、第二〇条、第二二条から第三六条、第三八条から第六〇条関係）

新たな学校種として中等教育学校を設けることに伴い、関係法律について必要な規定の整備を行ったこと。

○学校教育法等の一部を改正する法律の施行に伴う関係政令の整備に関する政令及び学校教育法施行規則等の一部を改正する省令等の公布について（抄）（平一〇・一一・二四　文初高四七五号　各都道府県教育委員会、各都道府県知事、附属学校を置く各国立大学長、国立久里浜養護学校長あて　文部省初等中等教育局長通知）

先の第一四二回国会において成立した「学校教育法等の一部を改正する法律」（以下「改正法」という。）の改正の趣旨及び概要については、既に本年六月二六日付け文部省初等中等教育局長及び教育助成局長通知（文初高第四七五号）により通知したところでありますが、この度、同改正を受け、別添一（略）のとおり、学校教育法施行令等の関係政令の改正を行う「学校教育法等の一部を改正する法律の施行に伴う関係政令の整備に関する政令（平成一〇年政令第三五一号）」（以下「改正政令」という。）が平成一〇年一〇月三〇日に公布され、平成一一年四月一日から施行されることとなりました。

また、別添二（略）のとおり、「学校教育法施行規則等の一部を改正する省令（平成一〇年文部省令第三八号）」（以下「改正省令」という。）が平成一〇年一一月一七日に公布され、平成一一年四月一日から施行されることとなりました。

あわせて、別添三（略）のとおり、「中等教育学校並びに併設型中学校及び併設型高等学校の教育課程の基準の特例を定める件（平成一〇年文部省告示第一五四号）」（以下「文部省告示」という。）が平成一〇年一一月一七日に公布され、平成一一年四月一日から施行されることとなりました。

これらの改正においては、第一に、改正法による中高一貫教育制度の実施に伴う関係規定の整備として、改正政令においては、就学事務等に係る関係規定の整備及び教職員給与費、施設整備費等に係る各国庫負担・補助制度、定時制教育又は通信制教育に従事する実習助手等に係る資格制度等において中等教育学校の前期課程又は後期課程をそれぞれ中学校又は高等学校と同様の取扱いとするための規定の整備を行っています。

また、改正省令においては、中等教育学校に係る教科・学科、入学、退学、転学等の諸規定の整備及び同一の設置者が設置する中高一貫教育を行う中学校及び高等学校（以下「併設型中学校」及び「併設型高等学校」という。）に係る諸規定の整備を行うとともに、中学校及び高等学校において設置者間の協議に基づき中高一貫教育を行う場合の当該中学校及び高等学校（以下「連携型中学校」及び「連携型高等学校」という。）に係る教育課程の編成・実施等に係る規定の整備を行っています。

第二に、高等学校の入学者選抜の改善については、平成八年七月一九日及び平成九年六月二六日の中央教育審議会答申における提言等を踏まえ、平成九年一一月二八日付け文初高第二四三号「高等学校の入学者選抜の改善について」により通知したところでありますが、中高一貫教育制度の実施にあわせ、高等学校の入学者選抜について、生徒の多様な能力、適性等を多面的に評価するとともに、一

層各高等学校の特色を生かした選抜を行いうるように、その選抜方法について設置者及び各高等学校の裁量の拡大を図るための学校教育法施行規則の整備を行っています。

これらの概要及び留意点については下記のとおりですので、十分にご了知の上、各都道府県等における中高一貫教育実践研究事業等を通じ、中高一貫教育の推進に向けた積極的な取組みをいただくようお願いします。

また、各都道府県教育委員会及び各都道府県知事におかれては、域内の市町村教育委員会、所轄の学校及び学校法人等に対しても本件につき周知されるようお願いします。

記

第一　中高一貫教育制度の実施に伴う中等教育学校等に係る関係規定の整備

1　学校教育法等の一部を改正する法律の施行に伴う関係政令の整備に関する政令関係

(1)　中等教育学校及び併設型中学校に係る就学手続き

ア　就学予定者に対する入学期日等の通知、学校の指定等（学校教育法施行令（以下「施行令」という。）第五条、第六条、第七条及び第八条関係）

中等教育学校及び併設型中学校への入学は当該学校への入学希望者についての選抜を経て決定されるものであることから、市町村の教育委員会は、これらの学校への入学者については、当該市町村の就学予定者及び新たに学齢簿に記載された学齢生徒等に対して行う就学すべき学校の指定並びに保護者の申立による就学指定された学校の変更の対象としないこととするとともに、当該学校の校長に対して、就学すべき学校の指定に伴う氏名及び入学期日の通知を行うことを要しないこととしたこと。

イ　中等教育学校及び併設型中学校への就学手続き（施行令第九条関係）

保護者が学齢生徒を中等教育学校又は併設型中学校に就学させようとする場合には、当該学校における就学を承諾する権限を有する者の承諾を証する書面を添え、その住所の存する市町村の教育委員会に届出を行うこととしたこと。

また、市町村が設置する中等教育学校又は併設型中学校に他の市町村の学齢生徒を入学させようとする場合、その入学は選抜を経て決定されるものであることから、当該市町村の教育委員会は当該学齢生徒の住所の存する市町村の教育委員会とあらかじめ協議を行うことを要しないこととしたこと。

なお、市町村が設置する中等教育学校又は併設型中学校に当該市町村に住所の存する学齢生徒を入学させようとする場合の保護者の届出は就学先についての当該生徒の意志を確認するために行われるものであり、当該事務手続きは、簡略なものとするよう配慮すること。

ウ　中等教育学校又は併設型中学校に在学する学齢生徒が退学した場合の取扱い（施行令第一〇条関係）

中等教育学校又は併設型中学校に在学する学齢生徒が義務教育の課程を修了する前に退学した場合には、当該学校の校

長は学齢生徒の住所の存する市町村の教育委員会にこれを通知することとしたこと。

エ　中等教育学校に在学する学齢生徒に関する教育委員会への通知等（施行令第一二条、第一九条及び第二〇条関係）

中等教育学校に在学する学齢生徒で在学中に盲者等となったものがある場合には、当該生徒の在籍する中等教育学校の校長は速やかに当該生徒の住所の存する市町村の教育委員会に対してその旨を通知しなければならないこととしたこと。

また、中等教育学校の校長は、当該学校に在学する学齢生徒についてその出席状況を明らかにしておくとともに、出席状況が正当な理由なく良好でない場合には、速やかに当該生徒の住所の存する市町村の教育委員会に対してその旨を通知しなければならないこととしたこと。

オ　中等教育学校の前期課程の全課程修了者の通知（施行令第二二条関係）

中等教育学校の校長は、当該学校に在学する学齢生徒が前期課程の全課程を修了した場合には、その旨を当該生徒の住所の存する市町村の教育委員会に通知しなければならないこととしたこと。

(2)　中等教育学校に係る認可及び届出事項

中等教育学校の後期課程の学科の設置及び廃止等について、監督庁の認可事項とするとともに、市町村立中等教育学校に係る名称変更等について、都道府県の教育委員会に対する届出事項としたこと。（施行令第二三条及び第二六条関係）

(3)　中等教育学校の技能教育施設の指定

中等教育学校の後期課程に係る技能教育施設について、高等学校に係る技能教育施設の指定についての規定を準用するものとしたこと。（施行令第三九条関係）

(4)　中等教育学校及び併設型中学校・併設型高等学校の教職員定数等に係る取扱い（略）

(5)　中等教育学校及び併設型中学校・併設型高等学校の施設等に係る取扱い（略）

(6)　その他の規定の整備

その他関係政令について、定時制教育又は通信制教育に従事する実習助手等に係る各種資格制度等において中等教育学校の卒業者を高等学校の卒業者と同等に取扱うこととする等の所要の規定の整備を行ったこと。（改正政令第七条から第一八条、第二〇条、第二二条から第三一条、第三三条から第五六条及び附則第二項関係）

2　学校教育法施行規則等の一部を改正する省令関係

(1)　中等教育学校に係る認可及び届出事項

ア　私立の中等教育学校の設置、廃止等に係る届出（学校教育法施行規則（以下「施行規則」という。）第二条関係）

私立の中等教育学校の前期課程における二部授業の実施、後期課程の学科、専攻科又は別科の設置、廃止等について都道府県知事への届出事項としたこと等。

イ　学則の記載事項（施行規則第四条関係）

通信制の課程を置く中等教育学校の後期課程の設置の認可

の申請又は届出の際の提出書類中の学則における記載事項を定めたこと。

ウ　認可の申請又は届出に係る添付書類等

中等教育学校の後期課程の全日制・定時制・通信制の課程、学科、専攻科若しくは別科の設置及び廃止に係る認可の申請又は届出に係る添付書類等について定めたこと。

(2)　中等教育学校の校長及び教頭の資格要件

中等教育学校の校長の資格要件について、専修免許状を有し、五年以上の教育に関する職の経験を有することとするとともに、中等教育学校の教頭の資格要件について、中学校教諭の専修免許状又は一種免許状及び高等学校教諭の専修免許状を有し、五年以上の教育の職の経験を有することとしたこと。

また、このうち免許状に係る要件については、当分の間の特例を設けていること。

(3)　中等教育学校の設置基準及び教育課程等の取扱い

ア　中等教育学校の設置基準等

中等教育学校の後期課程の設備、編制及び学科の種類については、高等学校設置基準の規定を準用することとしたこと。

なお、中等教育学校の前期課程については中学校と同様の取扱いとなるものであること。

イ　中等教育学校の前期課程の授業時数

中等教育学校の前期課程の各学年における必修教科等の授業時数、選択教科等に充てる授業時数及び各学年におけるこれらの総授業時数については、施行規則別表第三の二〔現行施行規則別表四〕に定めるところによるものとしたこと。

ウ　中等教育学校の教育課程の基準

中等教育学校の教育課程については、前期課程に関しては中学校学習指導要領の規定を、後期課程に関しては高等学校学習指導要領の規定をそれぞれ準用するとともに、教育課程の基準の特例として文部大臣が別に定めるところ（文部省告示）によるものとしたこと。

エ　中等教育学校への入学

中等教育学校への入学については、設置者の定めるところにより、校長がこれを許可することとしたこと。この場合、公立の中等教育学校においては、学力検査を行わないこととしたこと。

なお、具体的な選抜方法としては、当該中等教育学校の特色に応じて、生徒の適性等を判断する適切な方法で行われるよう努め、受験競争の低年齢化を招くことがないよう十分に配慮すること。

オ　中等教育学校の後期課程の通信制の課程及び単位制の課程の基準

中等教育学校の後期課程に通信制の課程を置く場合の設備、編制等については、高等学校通信教育規程の規定を準用するとともに、中等教育学校の後期課程に単位制の課程を置く場合の入学等に関する必要な事項については、単位制高等学校教育規程の規定を準用することとしたこと。

カ　関連規定の中等教育学校への準用

　教務主任、学年主任等の設置、各学年の課程の修了又は卒業を認めるに当たっての成績の評価、編入学の許可等に関する中学校及び高等学校に係る学校教育法施行規則上の規定を中等教育学校に準用することとしたこと。

　また、学級の編制等に関する施行規則上の中学校に係る規定を中等教育学校の前期課程に、学科主任、農場長等の設置、留学、他の高等学校等における学修の単位認定等に関する施行規則上の高等学校に係る諸規定を中等教育学校の後期課程にそれぞれ準用することとしたこと。

キ　中等教育学校の前期課程の特殊学級

　中等教育学校の前期課程における特殊学級の一学級の標準について、法令の定めのある場合を除き、一五人以下とするとともに、特殊学級に係る教育課程について、特に必要がある場合には、特別の教育課程によることができることとしたこと等。

(4)　併設型中学校及び併設型高等学校の教育課程等の取扱い

ア　併設型中学校及び併設型高等学校の教育課程の基準

　併設型中学校及び併設型高等学校の教育課程については、教科の種類等について、それぞれ中学校又は高等学校の基準を適用するほか、教育課程の基準の特例として文部大臣が別に定めるところ（文部省告示）によるものとしたこと。

イ　併設型中学校及び併設型高等学校の教育課程の編成

　併設型中学校及び併設型高等学校においては、中学校における教育と高等学校における教育を一貫して施すため、設置者の定めるところにより教育課程を編成するものとしたこと。

　なお、設置者は、教育委員会規則等において、当該中学校及び高等学校が学校教育法第五一条の一〇〔現行法七一条〕の規定により中高一貫教育を施すものである旨を明らかにするとともに、各学校においては学校間の協議を経て教育課程を編成する旨を定めるものとすること。

ウ　併設型高等学校への入学

　併設型高等学校においては、当該高等学校に係る併設型中学校の生徒については入学者の選抜を行わないものとしたこと。

エ　関連規定の併設型中学校への準用

　併設型中学校の教科の授業時数について施行規則別表第三の二〔現行施行規則別表四〕によることとするとともに、併設型中学校への入学については、中等教育学校の場合と同様の取扱いとするものとしたこと。

(5)　連携型中学校及び連携型高等学校の教育課程等の取扱い

ア　連携型中学校及び連携型高等学校の教育課程の編成及び実施

　中学校及び高等学校においては、高等学校又は中学校における教育との一貫性に配慮した教育を施すため、当該学校の設置者が設置者間の協議に基づき定めるところにより、教育課程を編成することとするとともに、当該中学校及び高等学校は、両者が連携してそれぞれの教育課程を実

施するものとしたこと。

なお、この連携型中学校の設置者及び連携型高等学校の設置者は、それぞれの教育委員会規則等により、これらの学校が学校教育法施行規則第五四条の三又は第五七条の四〔現行七五条及び八七条〕の規定により中高一貫教育を施すものである旨を明らかにするとともに、各学校においては学校間の協議を経て教育課程を編成する旨を定めるものとすること。また、連携型中学校及び連携型高等学校において教育課程を実施するに当たっては、例えば、連絡協議会を設けるなどの連携を確保するための方策等についても定めることが望ましいこと。

イ　連携型高等学校の入学者選抜

連携型高等学校における入学者の選抜は、第五四条の三第一項〔現行七五条一項〕の規定により編成する教育課程に係る連携型中学校の生徒については、連携型の中高一貫教育の趣旨が生かせるよう、調査書及び学力検査の成績以外の資料により行うことができることとしたこと。

(6)　その他の規定の整備

ア　中等教育学校及び併設型中学校における懲戒処分

公立の中等教育学交及び併設型中学校においては、学齢生徒に対して懲戒処分としての退学処分を行うことができるものとしたこと。

イ　学齢簿の記載事項、高等学校における学校間連携について定めるとともに、その他関係省令について、公立の中等教育学校の後期課程における学級編制の基準に係る報告について定める等所要の規定の整備を行ったこと。

3　中等教育学校並びに併設型中学校及び併設型高等学校の教育課程の基準の特例関係

(1)　中等教育学校の前期課程及び併設型中学校に係る特例

各学年において、必修教科の授業時数から七〇単位時間を超えない範囲で授業時数を減じ、その減じた授業時数を当該必修教科の内容を代替することのできる内容の選択教科の授業時数の増加に充てることができることとしたこと。ただし、各学年において、必修教科の授業時数から減ずる授業時数は、各必修教科当たり三五単位時間を限度としたこと。

選択教科の授業時数については、外国語は各学年において一〇五から一四〇単位時間を標準とし、特に必要がある場合には、標準授業時数の限度を超えて必要な授業時数を定めることができることとしたこと。また、外国語以外の選択教科は、三五単位時間の範囲内で必要な授業時数を定めることとし、特に必要がある場合には、三五単位時間を超えて必要な授業時数を定めることができることとしたこと。

また、選択教科の種類については、各学年とも中学校学習指導要領第二章に示す全ての教科を開設できることとしたこと。

(2)　中等教育学校の後期課程及び併設型高等学校に係る特例

普通科においては、「その他の科目」及び「その他特に必要な教科」に関する科目に係る修得単位数を、合わせて三〇単位まで卒業に必要な単位数に加えることができることとしたこ

と。

第二　高等学校入学者選抜の改善（略）

〔中等教育学校の目標〕

第六十四条　中等教育学校における教育は、前条に規定する目的を実現するため、次に掲げる目標を達成するよう行われるものとする。

一　豊かな人間性、創造性及び健やかな身体を養い、国家及び社会の形成者として必要な資質を養うこと。

二　社会において果たさなければならない使命の自覚に基づき、個性に応じて将来の進路を決定させ、一般的な教養を高め、専門的な知識、技術及び技能を習得させること。

三　個性の確立に努めるとともに、社会について、広く深い理解と健全な批判力を養い、社会の発展に寄与する態度を養うこと。

【沿　革】　平一〇・六・一二法一〇一により新設した。

平一九・六・二七法九六により、第一号に「豊かな人間性、創造性及び健やかな身体を養い」を、第三号に「社会の発展に寄与する態度を養う」をそれぞれ追加する等の改正を行い、旧五一条の三から六四条に移動した。

【参照条文】　教育基本法一条。法五一条、六六条、六七条。

【注　解】

一　本条は、前条に示されている中等教育学校の目的を実現するために、中等教育学校において達成すべき目標を規定したものである。

中等教育学校において達成すべき目標、すなわち目指すべき到達点は、中等教育学校が「義務教育として行われる

普通教育」に引き続いて「高度な普通教育及び専門教育」を一貫して施すことを目的としていることから、「中学校における教育の基礎の上に」「高度な普通教育及び専門教育を施すこと」を目的とする（法五〇条）高等学校の目標（法五一条）と同一のものとされている。つまり、この高等学校の目標の規定は、高等学校にとどまらず広く中等教育全体の到達目標としての性格をも有しているといえるのである。

ただし、中等教育学校は義務教育として行われる普通教育をも目的としていることから、第一号においては、法五一条と異なり、「義務教育として行われる普通教育の成果を更に発展拡充させて」という文言は含まれていない。

二　中等教育学校の前期課程及び後期課程のそれぞれの目標については、法六七条に規定されている。なお、この場合の前期課程の目標とは、中等教育学校の目標すなわち最終的到達点に向けて前期課程において達成すべきいわば中間目標というべきものととらえることができる。

三　各号の意義については、法五一条の【注解】参照。

〔中等教育学校の修業年限〕

第六十五条　中等教育学校の修業年限は、六年とする。

【沿　革】　平一〇・六・一二法一〇一により新設した。平一九・六・二七法九六により、旧五一条の四から六五条に移動した。

【参照条文】　法四七条、五六条、六三条、六四条、七〇条二項。施行規則一一三条。

【注　解】

一　本条は、中等教育学校の修業年限を定めた規定である。

中等教育学校における教育は、中学校教育と同様の「義務教育として行われる普通教育」と高等学校教育と同様の「高度な普通教育及び専門教育」を一貫して施すことを目的とする（法六三条）ものであることから、中等教育学校の目的及び目標（法六四条）を達成する上で必要な修業年限については、中学校の修業年限である三年（法四七条）と高等学校の修業年限である三年（法五六条）を併せた六年と定めたものである。

二　また、高等学校の修業年限は、定時制の課程及び通信制の課程については、三年以上とされている（法五六条）ため、中等教育学校でその後期課程に定時制の課程又は通信制の課程を置く場合については、当該定時制の課程又は通信制の課程に係る中等教育学校の修業年限は六年以上（法七〇条二項）とされている（法七〇条の**【注解】**参照）。

三　なお、中等教育学校で、その後期課程に定時制の課程又は通信制の課程を置くものについては、働きながら学ぶ生徒の実情を十分考慮し、その修業年限を定めるに当たっては、生徒の負担が過重なものとならないように教育上の適切な配慮を行うこと（施行規則一一三条三項で準用する施行規則一〇二条）、また、定時制の課程を置くものでその修業年限が三年を超えるものの最終学年については、特例として半年単位の学年を定めることができること（施行規則一一三条三項で準用する施行規則一〇四条二項）等の高等学校についての諸規定が同様に適用されることとなる。

四　さらに、中等教育学校においても、高等学校と同様に、後期課程において学年によらない課程（単位制の課程）（施行規則一一三条三項で準用する施行規則一〇三条一項）を置くことができる。ただし、その場合であっても、前期課程については、各学年毎にその修了を認定することとなる（施行規則一一三条一項で準用する施行規則五七条）。

〔課程の区分〕

第六十六条　中等教育学校の課程は、これを前期三年の前期課程及び後期三年の後期課程に区分する。

【沿　革】　平一〇・六・一二法一〇一により新設した。

平一九・六・二七法九六により、旧五一条の五から六六条に移動した。

【参照条文】　法六五条。

【注　解】

一　本条は、中等教育学校の課程を、前期三年の前期課程と後期三年の後期課程に区分することについて定めたものである。

二　中等教育学校は、六年間の修業年限を通じて、「義務教育として行われる普通教育並びに高度な普通教育及び専門教育を一貫して施す」もの（法六三条）であるが、このうち、前半三年間においては、中学校と同様の「義務教育として行われる普通教育」を施し、後半三年間においては高等学校と同様の「高度な普通教育及び専門教育」を施すものであり、その前半と後半でそれぞれ異なる目的を有し、また、学齢生徒と義務教育修了後の生徒という異なる段階の生徒を対象として教育を行うものである。このため、六年間の課程を教育の目的及び対象生徒に応じて前期及び後期の課程に区分したものである。

三　中等教育学校の前期課程及び後期課程のそれぞれの目的・目標については、法六七条に規定されている。なお、本条における中等教育学校の「課程」とは、学校が提供し、生徒等が履修すべき体系化された教育そのものを指すものであるが、前期課程・後期課程の区分を設けることにより、中等教育学校の学校組織が二つに分断されることを意味するものではない。したがって、例えば、前期課程の修了は、上級学年への進級として捉えられるものである。

四　なお、このような前期課程・後期課程の区分を前提として、①前期課程を修了した者への高等学校入学資格の付与（法五七条）、②公立学校の場合に、義務教育段階である前期課程について中学校と同様の教職員給与費・施設費の国庫負担や教職員定数等の行財政措置（義務標準法、義務教育費国庫負担法等）、③後期課程についての全日制・定時

制・通信制、専攻科・別科、普通科・専門学科・総合学科、単位制などの現行の高等学校についての諸制度の適用（法七〇条で準用する法五三条・五四条・五八条、施行規則一〇六条・一一二条等）などの措置が講じられている。

五　なお、中等教育学校の後期課程に定時制の課程又は通信制の課程を置く場合には、当該定時制の課程又は通信制の課程については、「後期三年の後期課程」が「後期三年以上の後期課程」となることについて、法七〇条二項に規定されている。

〔前期課程及び後期課程の目的・目標〕

第六十七条　中等教育学校の前期課程における教育は、第六十三条に規定する目的のうち、小学校における教育の基礎の上に、心身の発達に応じて、義務教育として行われる普通教育を施すことを実現するため、第二十一条各号に掲げる目標を達成するよう行われるものとする。

②　中等教育学校の後期課程における教育は、第六十三条に規定する目的のうち、心身の発達及び進路に応じて、高度な普通教育及び専門教育を施すことを実現するため、第六十四条各号に掲げる目標を達成するよう行われるものとする。

【沿　革】　平一〇・六・一二法一〇一により新設した。

平一九・六・二七法九六により、「中等普通教育」を「義務教育として行われる普通教育」に、「高等普通教育」を「高度な普通教育」に改める等の改正を行い、旧五一条の六から六七条に移動した。

【参照条文】　法四五条、四六条、五〇条、五一条、六三条、六四条。

【注　解】

一　本条は、中等教育学校の前期課程及び後期課程のそれぞれの目的・目標を定めたものである。

二　中等教育学校全体としての目的は、「義務教育として行われる普通教育並びに高度な普通教育及び専門教育を一貫して施す」こと（法六三条）であるが、本条は、この目的のどの部分を中等教育学校のどの段階で実現しようとするのか、また、それを実現するためにどのような目標の達成に努めるべきかを明らかにしたものである。

三　本条一項においては、中等教育学校の前期課程においては、義務教育として行われる普通教育を施すことを目的とし、中学校教育の目標と同一の目標（法四六条）の達成に努めなければならないことを規定している。すなわち、中等教育学校の目的のうち、義務教育として行われる普通教育を施すことを実現しようとする中等教育学校の前期課程においては、中等教育学校の目標すなわち最終的到達点に向け、どの段階までの達成を目指すべきかというといいわば中間目標を示すのが前期課程の目標であり、それは同じ義務教育として行われる普通教育を目的とする中学校の目標（法四六条）と同一のものとされている。

なお、「義務教育として行われる普通教育」すなわち中学校における教育と「高度な普通教育及び専門教育」すなわち高等学校における教育は、学校教育体系上連続性のあるものであることから、前期課程の目標達成に努めることは、中等教育学校の目標達成に向けその基礎を形成することとなるものである。

四　本条二項においては、中等教育学校の後期課程においては、中等教育学校の目的のうち、高度な普通教育及び専門教育を施すことを目的とし、中等教育学校の目標（法六四条各号）の達成に努めなければならないことを規定している。

中等教育学校の後期課程においては、前期課程において達成されたいわば中間目標の基礎の上に、中等教育学校の目標の最終的な達成に努めることとなるものであることから、後期課程の目標は中等教育学校の目標（法六四条各号）

そのものとされている。

〔中等教育学校の教育課程及び学科〕

第六十八条　中等教育学校の前期課程の教育課程に関する事項並びに後期課程の学科及び教育課程に関する事項は、第六十三条、第六十四条及び前条の規定並びに第七十条第一項において読み替えて準用する第三十条第二項の規定に従い、文部科学大臣が定める。

【沿　革】　平一〇・六・一二法一〇一により新設した。
平一一・七・一六法八七により、「監督庁」を「文部大臣」に改めた。
平一一・一二・二二法一六〇により、「文部大臣」を「文部科学大臣」に改めた。
平一九・六・二七法九六により、「教科」を「教育課程」に改め、準用する三〇条二項の規定を明記する等の改正を行い、旧五一条の七から六八条に移動した。

【参照条文】　法四八条、五二条、六三条、六四条、六七条。施行規則一〇六条〜一〇九条、一一一条〜一一三条。中学校設置基準。高等学校設置基準。

【注　解】

一　本条は、中等教育学校の前期課程の教育課程に関する事項並びに後期課程の学科及び教育課程に関する事項は、それぞれ中学校（法四八条）及び高等学校（法五二条）と同様に、文部科学大臣が定めること、文部科学大臣がこれを定めるに当たっては、法六三条の中等教育学校の目的、法六四条の中等教育学校における教育の目標並びに法六七条の前期課程及び後期課程のそれぞれの目的・目標に従って定めなければならないことを規定している。「学科」の意義については法五二条の【注解】参照。

二　中等教育学校の教育課程に関しては、前期課程については中学校学習指導要領の規定を、後期課程については高等学校学習指導要領の規定を準用することとしつつ、中高一貫教育の特色ある教育課程を編成することができるよう特例措置も講じられている。具体的には、中等教育学校の教育課程（注：平成二〇年の中学校学習指導要領改訂又は平成二一年の高等学校学習指導要領改訂に係る学校教育法施行規則の一部改正及び告示の施行期日はそれぞれ平成二四年四月一日又は平成二五年四月一日である。）に関する事項についての文部科学大臣の定めは、学校教育法施行規則七章一節（中等教育学校）の諸条文に具体的に示されている。

(1)　まず、中等教育学校の前期課程については、施行規則一〇六条一項において、「中等教育学校の前期課程の設備、編制その他設置に関する事項については、中学校設置基準の規定を準用する。」と規定している。

また、その教育課程については、中学校と同様に、各教科、特別の教科である道徳、総合的な学習の時間及び特別活動によって、編成するものとされている。各教科は、国語、社会、数学、理科、音楽、美術、保健体育、技術・家庭及び外国語とされている（施行規則一〇八条一項で準用する七二条）。また、前期課程の各学年における各教科等の授業時数及び各学年におけるこれらの総授業時数について、施行規則別表四に定める授業時数を標準とし、中学校学習指導要領を準用することとされている（施行規則一〇七条・一〇八条一項）。

別表第四（第七十六条、第百七条、第百十七条関係）

区分		第一学年	第二学年	第三学年
各教科の授業時数	国語	一四〇	一四〇	一〇五
	社会	一〇五	一〇五	一四〇
	数学	一四〇	一〇五	一四〇
	理科	一〇五	一四〇	一四〇
	音楽	四五	三五	三五
	美術	四五	三五	三五
	保健体育	一〇五	一〇五	一〇五
	技術・家庭	七〇	七〇	三五
	外国語	一四〇	一四〇	一四〇

特別の教科である道徳の授業時数	三五	三五	三五
総合的な学習の時間の授業時数	五〇	七〇	七〇
特別活動の授業時数	三五	三五	三五
総授業時数	一〇一五	一〇一五	一〇一五

備考
一　この表の授業時数の一単位時間は、五十分とする。
二　特別活動の授業時数は、中学校学習指導要領（第百八条第一項において準用する場合を含む。次号において同じ。）で定める学級活動（学校給食に係るものを除く。）に充てるものとする。
三　各学年においては、各教科の授業時数から七十を超えない範囲内の授業時数を減じ、文部科学大臣が別に定めるところにより中学校学習指導要領で定める選択教科の授業時数の増加に充てることができる。ただし、各学年において、各教科の授業時数から減ずる授業時数は、一教科当たり三十五を限度とする。

(2)　中等教育学校の後期課程については、施行規則一〇六条二項において「中等教育学校の後期課程の設備、編制、学科の種類その他設置に関する事項については、高等学校設置基準の規定を準用する。」と規定している。また、中等教育学校の後期課程の教育課程については高等学校学習指導要領を準用することとされている（施行規則一〇八条二項）。

(3)　中等教育学校の教育課程については、施行規則七章に定めるもののほか、教育課程の基準の特例として文部科学大臣が別に定めるところによるものとし（同一〇九条）、「中等教育学校並びに併設型中学校及び併設型高等学校の教育課程の基準の特例を定める件」（平一〇文部省告示一五四）において教育課程の基準の特例を定めている。

○中等教育学校並びに併設型中学校及び併設型高等学校の教育課程の基準の特例を定める件（平一〇・一一・一七文部省告示一五四）

最終改正　平二三・一一・一文部科学省告示一五七

1　中等教育学校並びに併設型中学校及び併設型高等学校における中高一貫教育（中学校における教育及び高等学校における教育を一貫して施す教育をいう。以下同じ。）において特色ある教育課程を編成することができるよう次のように教育課程の基準の特例を定める。

一　中等教育学校の前期課程又は併設型中学校において、学校教

育法施行規則別表第四備考第三号の規定により各教科の授業時数を減ずる場合は、その減ずる時数を当該各教科の内容を代替することのできる内容の選択教科の授業時数に充てること。

二　中等教育学校の後期課程又は併設型高等学校の普通科においては、生徒が高等学校学習指導要領（平成二十一年文部科学省告示第三十四号）第一章第二款の4及び5に規定する学校設定科目及び学校設定教科に関する科目について修得した単位数を、合わせて三十六単位を超えない範囲で中等教育学校又は併設型高等学校が定めた全課程の修了を認めるに必要な単位数のうちに加えることができること。

三　中等教育学校並びに併設型中学校及び併設型高等学校における指導については、次のように取り扱うものとすること。

イ　中等教育学校の前期課程及び併設型中学校と中等教育学校の後期課程及び併設型高等学校における指導の内容については、各教科や各教科に属する科目の内容のうち相互に関連するものの一部を入れ替えて指導することができること。

ロ　中等教育学校の前期課程及び併設型中学校における指導の内容の一部については、中等教育学校の後期課程及び併設型高等学校における指導の内容に移行して指導することができること。

ハ　中等教育学校の後期課程及び併設型高等学校における指導の内容の一部については、中等教育学校の前期課程及び併設型中学校における指導の内容に移行して指導することができること。この場合においては、中等教育学校の後期課程及び併設型高等学校において当該移行した指導の内容について再度指導しないことができること。

ニ　中等教育学校の前期課程及び併設型中学校における各教科の内容のうち特定の学年において指導することとされているものの一部については、他の学年における指導の内容に移行して指導することができること。この場合においては、当該特定の学年において、当該移行した指導の内容について再度指導しないことができること。

2　中等教育学校並びに併設型中学校及び併設型高等学校における中高一貫教育においては、六年間の計画的かつ継続的な教育を施し、生徒の個性の伸長、体験学習の充実等を図るための特色ある教育課程を編成するよう配慮するものとする。

(4)　中等教育学校の後期課程における通信制の課程の設備、編制その他に関し必要な事項については高等学校通信教育規程の規定、中等教育学校の後期課程における学年による教育課程の区分を設けない場合における入学等に関する特例その他必要な事項については単位制高等学校教育規程の規定をそれぞれ準用することとしている（施行規則一一一条及び一一二条）。「単位制高等学校」については、法五二条の【注解】一〇参照。

三　なお、中等教育学校及び併設型の中高一貫教育（法七一条）の導入に併せて、平成一〇年一一月の施行規則の一部改正等により、いわゆる連携型の中高一貫教育（市町村立中学校と都道府県立高等学校等の連携）についての規定が設けられているので、直接本条にかかわるものではないが、便宜上ここで述べておく。

第七十五条　中学校（併設型中学校、小学校連携型中学校及び第七十九条の九第二項に規定する小学校併設型中学校を除く。）においては、高等学校における教育との一貫性に配慮した教育を施すため、当該中学校の設置者が当該高等学校の設置者との協議に基づき定めるところにより、教育課程を編成することができる。

2　前項の規定により教育課程を編成する中学校（以下「連携型中学校」という。）は、第八十七条第一項の規定により教育課程を編成する高等学校と連携し、その教育課程を実施するものとする。

第七十六条　連携型中学校の各学年における各教科、特別の教科である道徳、総合的な学習の時間及び特別活動のそれぞれの授業時数並びに各学年におけるこれらの総授業時数は、別表第四に定める授業時数を標準とする。

第七十七条　連携型中学校の教育課程については、この章に定めるもののほか、教育課程の基準の特例として文部科学大臣が別に定めるところによるものとする。

第八十七条　高等学校（学校教育法第七十一条の規定により中学校における教育と一貫した教育を施すもの（以下「併設型高等学校」という。）を除く。）においては、中学校における教育との一貫性に配慮した教育を施すため、当該高等学校の設置者が当該中学校の設置者との協議に基づき定めるところにより、教育課程を編成することができる。

2　前項の規定により教育課程を編成する高等学校（以下「連携型高等学校」という。）は、連携型中学校と連携し、その教育課程を実施するものとする。

第八十八条　連携型高等学校の教育課程については、この章に定めるもののほか、教育課程の基準の特例として文部科学大臣が別に定めるところによるものとする。

第九十条　高等学校の入学は、第七十八条の規定により送付された調査書その他必要な書類、選抜のための学力検査（以下この条において「学力検査」という。）の成績等を資料として行う入学者の選抜に基づいて、校長が許可する。

2　学力検査は、特別の事情のあるときは、行わないことができる。

3　調査書は、特別の事情のあるときは、入学者の選抜のための資料としないことができる。

4　連携型高等学校における入学者の選抜は、第七十五条第一項の規定により編成する教育課程に係る連携型中学校の生徒については、調査書及び学力検査の成績以外の資料により行うことができる。

5　公立の高等学校（公立大学法人の設置する高等学校を除く。）

に係る学力検査は、当該高等学校を設置する都道府県又は市町村　―　の教育委員会が行う。

当初、施行規則七五条及び八七条の規定が設けられ、中学校及び高等学校においては、高等学校又は中学校における教育との一貫性に配慮した教育を施すため、当該学校の設置者が設置者間の協議に基づき定めるところにより、教育課程を編成することができ、当該中学校及び高等学校（以下、「連携型中学校」及び「連携型高等学校」という）は、両者が連携してそれぞれの教育課程を実施するものとされた。

また、平成一六年四月には、連携型中学校及び連携型高等学校についても、中高一貫教育として特色ある教育課程を編成することができるよう、施行規則が一部改正（平一六文部科学省令二二）されて、七六条、七七条及び八八条が新たに設けられるとともに、「連携型中学校及び連携型高等学校の教育課程の基準の特例を定める件」（平一六文部科学省告示六一）により教育課程の基準の特例が定められた。

○連携型中学校及び連携型高等学校の教育課程の基準の特例を定める件（平一六・三・三一文部科学省告示六一）

最終改正　令三・三・三一文部科学省告示六二

1　連携型中学校及び連携型高等学校における中高一貫教育（中学校における教育と高等学校における教育との一貫性に配慮して施す教育をいう。以下同じ。）において特色ある教育課程を編成することができるよう次のように教育課程の基準の特例を定める。

一　連携型中学校において、学校教育法施行規則別表第四備考第三号の規定により各教科の授業時数を減ずる場合は、その減ずる時数を当該各教科の内容を代替することのできる内容の選択教科の授業時数に充てること。

二　連携型高等学校の普通教育を主とする学科においては、生徒が高等学校学習指導要領（平成三十年文部科学省告示第六十八号）第一章第二款の3の(1)のエ及びオに規定する学校設定科目及び学校設定教科に関する科目について修得した単位数を、合わせて三十六単位を超えない範囲で連携型高等学校が定めた全課程の修了を認めるに必要な単位数のうちに加えることができること。

2　連携型中学校及び連携型高等学校における中高一貫教育においては、六年間の計画的かつ継続的な教育を施し、生徒の個性の伸長、体験学習の充実等を図るための特色ある教育課程を編成するよう配慮するものとする。

なお、この連携型中学校の設置者及び連携型高等学校の設置者は、それぞれの教育委員会規則等により、これらの学校が施行規則七五条又は八七条の規定により中高一貫教育を施すものである旨を明らかにするとともに、各学校においては学校間の協議を経て教育課程を編成する旨を定めることが必要である。また、連携型中学校及び連携型高等学校において教育課程を実施するに当たっては、例えば、連絡協議会を設けるなどの連携を確保するための方策等についても定めることが望ましいとされている。

連携型高等学校における入学者の選抜は、連携の対象となる連携型中学校の生徒については、連携型の中高一貫教育の趣旨が生かせるよう、調査書及び学力検査の成績以外の資料により行うことができることとされている（施行規則九〇条四項）。

〔校長、教頭、教諭その他の職員〕

第六十九条　中等教育学校には、校長、教頭、教諭、養護教諭及び事務職員を置かなければならない。

②　中等教育学校には、前項に規定するもののほか、副校長、主幹教諭、指導教諭、栄養教諭、実習助手、技術職員その他必要な職員を置くことができる。

③　第一項の規定にかかわらず、副校長を置くときは教頭を、養護をつかさどる主幹教諭を置くときは養護教諭を、それぞれ置かないことができる。

④　特別の事情のあるときは、第一項の規定にかかわらず、教諭に代えて助教諭又は講師を、養護教諭に代えて養護助教諭を置くことができる。

【沿　革】　平一〇・六・一二法一〇一により新設した。
平一六・五・二一法四九により、「栄養教諭」を追加した。

平一九・六・二七法九六により、第二項中「栄養教諭」の前に「副校長、主幹教諭、指導教諭、」を追加し、第三項を第四項とし、新たに第三項を設け、五一条の八から六九条に移動。

【参照条文】 法七条、三七条、四九条、六〇条、七〇条。施行規則一一三条。学校保健安全法二三条。

【注　解】

一　本条は、中等教育学校として必要な職員についてその種類と各職員の職務について規定したものである。

中等教育学校に置く教職員については、中等教育学校の目的及び目標にかんがみて、中学校又は高等学校のいずれかで必置とされている職員については必置とされ、中学校又は高等学校で任意設置とされている職員については任意設置とされている。すなわち、中学校及び高等学校の両方で必置とされている校長及び教諭、中学校で必置とされている養護教諭、高等学校で必置とされている教頭及び事務職員については、中等教育学校においても必置とされている。

また、中学校及び高等学校の両方で任意設置とされている副校長、主幹教諭、指導教諭、栄養教諭、高等学校で任意設置とされている実習助手、技術職員その他必要な職員については任意設置とされている。

なお、高等学校で必置とされている教頭については副校長を置くときは置かないことができ、中学校で必置とされている養護教諭については養護をつかさどる主幹教諭を置くときは置かないことができることとされている。

さらに、特別の事情のあるときは、中学校及び高等学校と同様に、教諭に代えて助教諭又は講師を、中学校と同様に、養護教諭に代えて養護助教諭を置くことができるとされている。「特別の事情のあるとき」については、法三七条の**【注解】**二三参照。なお、中学校と同様、当分の間、養護教諭を置かないことができるとされている（法附則七条）。

二　これらの職員の職務内容については、法七〇条において、校長、副校長、教頭、主幹教諭、指導教諭、教諭、養護教諭、栄養教諭、事務職員等については法三七条四項から一七項までの規定が、実習助手及び技術職員については法六〇条四項及び六項の規定が準用されている。

三　中等教育学校における校長、副校長及び教頭の資格については、施行規則において、高等学校と同様の資格を求めている（施行規則二〇条・二二条及び二三条）。

四　中等教育学校に置かれる主任等については、施行規則一一三条において、小・中学校の規定と高等学校の事務長についての規定を準用している。また、高等学校の学科主任と農場長についての規定を、中等教育学校の後期課程に準用している。

〔準用規定及び定時制・通信制課程に係る修業年限〕

第七十条　第三十条第二項、第三十一条、第三十四条、第三十七条第四項から第十七項まで及び第十九項、第四十二条から第四十四条まで、第五十九条並びに第六十条第四項及び第六項の規定は中等教育学校に、第五十三条から第五十五条まで、第五十八条、第五十八条の二及び第六十一条の規定は中等教育学校の後期課程に、それぞれ準用する。この場合において、第三十条第二項中「前項」とあるのは「第六十四条」と、第三十一条中「前条第一項」とあるのは「第六十四条」と読み替えるものとする。

②　前項において準用する第五十三条又は第五十四条の規定により後期課程に定時制の課程又は通信制の課程を置く中等教育学校については、第六十五条の規定にかかわらず、当該定時制の課程又は通信制の課程に係る修業年限は、六年以上とする。この場合において、第六十六条中「後期三年の後期課程」とあるのは、「後期三年以上の後期課程」とする。

【沿　革】　平一〇・六・一二法一〇一により新設した。

平一三・七・一一法一〇五により、一八条の二を準用規定として追加し、読み替え規定を置いた。

平一六・五・二一法四九により、二八条が改正されたことに伴い、同条の準用項目を改めた。

平一九・六・二七法九六により、準用される規定の移動に伴う改正を行い、旧五一条の九から七〇条に移動した。

平二七・六・二四法四六により、第一項の「第五十八条」の下に、「、第五十八条の二」を加えた。

【参照条文】　法附則九条。施行規則一一〇条、一一三条。

【注　解】

一　本条は、小学校及び高等学校についての規定のうち必要なものを中等教育学校又は中等教育学校の後期課程に準用する旨を定めたものである。

学習指導の配慮事項（法三〇条二項）、体験活動等の充実（法三一条）、教科用図書・教材の使用（法三四条）、校長・教頭・教諭等の職務（法三七条四項から一七項まで及び一九項）、学校運営評価及び情報提供義務（法四二条・四三条）、私立学校の所管（法四四条）に関する小学校の規定、入学・退学・転学等の文部科学大臣の定めへの委任（法五九条）、実習助手及び技術職員の職務（法六〇条四項及び六項）に関する高等学校の規定を中等教育学校に準用している。

また、定時制の課程（法五三条）、通信制の課程（法五四条）、技能教育施設との連携（法五五条）、専攻科及び別科（法五八条）、複数教頭の設置（法六一条）に関する高等学校の規定を中等教育学校の後期課程に準用している。

二　さらに、高等学校の修業年限は定時制の課程及び通信制の課程については三年以上とされていることから（法五六条）、本条一項で準用される法五三条又は五四条の規定に基づき、中等教育学校の後期課程に定時制の課程又は通信制の課程を置く場合には、高等学校と同様に、当該定時制の課程又は通信制の課程に係る後期課程の修業年限を三年以上とするとともに、中等教育学校の修業年限を六年以上とすることとし、法六五条及び六六条の規定についての

特例を定めている。

三　準用される条文の個々の規定の内容については、準用される各規定の**【注解】**参照。

準用された法五九条の規定について文部科学大臣の定めとして、施行規則に次の規定がある。

第百十条　中等教育学校の入学は、設置者の定めるところにより、校長が許可する。

２　前項の場合において、公立の中等教育学校については、学力検査を行わないものとする。

また、施行規則一一三条において、高等学校への編入学、高等学校における休学及び退学の規定が中等教育学校に、他の高等学校への転学、外国の高等学校への留学の規定が中等教育学校の後期課程にそれぞれ準用されている。

なお、中等教育学校の前期課程への就学は、法一七条二項において就学義務の履行として位置付けられているが、住所地の市町村立の場合であっても、就学指定により就学することとなる一般の市町村立の中学校とは異なり、施行令九条等の規定により、国・私立の中学校と同様に区域外就学等として扱われている。

四　なお、中等教育学校への規定の準用に関しては次のような点に留意する必要がある。

(1)　法三五条の規定が準用されていない。すなわち、性行不良であって他の児童の教育に妨げがあると認める児童があるときは、市町村の教育委員会は、その児童の保護者に対して、児童の出席停止を命ずることができるという規定の準用がない。

市町村立中学校は、義務教育の権利保障のための生徒の最終的な受け入れ機関としての性格を有しているため、退学は認められておらず（施行規則二六条三項）、他の生徒の義務教育を受ける権利を保障する観点からの出席停止措置が認められている。

一方、中等教育学校の前期課程は、市町村立の場合であっても国立・私立の中学校と同様、生徒の最終的な受け入

れ機関ではなく、希望者について校長が入学を認める性格のものであり（施行規則一一〇条）、懲戒としての退学を認めることができる（施行規則二六条三項）。その限りで出席停止措置は必要ないことから、法三五条の規定を準用しないこととしたものと解される。

(2) 法一九条は、経済的理由によって、就学困難と認められる学齢児童又は学齢生徒の保護者に対しては、市町村は、必要な援助を与えなければならないと規定している。従前は、学齢児童のみについて規定し、中学校に準用されていたものの、中等教育学校の前期課程には準用されていなかった。この点、平成一九年の法改正の際に規定を整備して疑義を解消している。

〔同一の設置者が設置する中学校・高等学校における一貫教育〕

第七十一条 同一の設置者が設置する中学校及び高等学校においては、文部科学大臣の定めるところにより、中等教育学校に準じて、中学校における教育と高等学校における教育を一貫して施すことができる。

【沿　革】平一〇・六・一二法一〇一により新設した。
平一一・七・一六法八七により、「監督庁」を「文部大臣」に改めた。
平一一・一二・二二法一六〇により、「文部大臣」を「文部科学大臣」に改めた。
平一九・六・二七法九六により、旧五一条の一〇から七一条に移動した。

【参照条文】施行規則一一四条～一一七条。

【注　解】

一　本条は、同一の設置者が設置する中学校と高等学校においては、文部科学大臣の定めるところにより、中等教

育学校に準じて、中学校における教育と高等学校における教育を一貫して施すことができることを定めたものであり、いわゆる併設型の中高一貫教育の根拠規定である。

二　中学校及び高等学校はそれぞれ独立かつ完結した目的・目標を有する学校制度であり、中学校においては「義務教育として行われる普通教育」を、高等学校においては「高度な普通教育及び専門教育」を目的として、その目標の達成に努めるものである。しかし、「義務教育として行われる普通教育並びに高度な普通教育及び専門教育を一貫して施すことを目的とする」中等教育学校の制度が創設されたことに伴い、同一の設置者が設置する中学校及び高等学校においては、それぞれが独立した学校でありながらも、両者が緊密に連携して、中等教育学校に準じて、中学校教育と高等学校教育を一貫して施すことができることを規定したものである。

三　「同一の設置者」とは、国立の場合は国（国立大学法人を含む）、公立の場合は同一の地方公共団体、私立の場合は同一の学校法人である。設置者の異なる中学校と高等学校の間では、中等教育学校に準じるような形で一貫した教育を行うことは困難と考えられることから、同一の設置者の場合に限られているものである。

四　「中等教育学校に準じて」とは、義務教育として行われる普通教育並びに高度な普通教育及び専門教育を「一貫して」施すという中等教育学校の目的に準じるという点に意味がある。これは具体的には、一貫した教育課程を編成すること（施行規則一一五条）や、高等学校入学者選抜を課さない（施行規則一一六条）という形で実現されることとなる。

五　「文部科学大臣の定め」としては、施行規則により、次のような事項が定められている。

第百十四条　併設型中学校の教育課程については、第五章に定めるもののほか、教育課程の基準の特例として文部科学大臣が別に定めるところによるものとする。

2　併設型高等学校の教育課程については、第六章に定めるもののほか、教育課程の基準の特例として文部科学大臣が別に定めるところによるものとする。

併設型中学校及び併設型高等学校の教育課程については、教科の種類等について、それぞれ中学校及び高等学校の基準を適用するほか、中高一貫教育として特色ある教育課程を編成することができるよう、中等教育学校の場合と同様の教育課程の基準の特例（平一〇文部省告示一五四）が定められている（法六八条の【注解】二(3)参照）。

第百十五条　併設型中学校及び併設型高等学校においては、中学校における教育と高等学校における教育を一貫して施すため、設置者の定めるところにより、教育課程を編成するものとする。

併設型中学校及び併設型高等学校は、学校の種別としては既存の中学校及び高等学校であるが、同一の設置者が管理運営するものであるから、当該中学校及び高等学校が併設型の中高一貫教育を施すものであることを明らかにするため、設置者の定めるところにより、教育課程を編成するものとしたものである。この場合、設置者は、公立学校の場合には教育委員会規則において、私立学校の場合には学校法人が定める学則において、国立学校の場合には大学の学則（附属学校規程）において、それぞれ当該中学校と高等学校が併設型の中高一貫教育を施すものである旨を明らかにするとともに、各学校においては学校間の協議を経て教育課程を編成する旨を定めることが必要となる。

第百十六条　第九十条第一項の規定にかかわらず、併設型高等学校においては、当該高等学校に係る併設型中学校の生徒については入学者の選抜は行わないものとする。

併設型中学校及び併設型高等学校は、それぞれ独立した学校であることから、本来は当該高等学校への進学に際して、入学者の選抜が行われることとなるが、中等教育学校に準じて中学校における教育と高等学校における教育を一貫して施すという併設型の中高一貫教育の趣旨を踏まえ、併設型中学校から進学する生徒については、入学者の選抜は行わないこととしたものである。併設型中学校以外の中学校から併設型高等学校へ進学する生徒については、入学

者の選抜が行われることとなる。

第百十七条　第百七条及び第百十条の規定は、併設型中学校に準用する。

併設型中学校の教科の授業時数については、中等教育学校の前期課程の場合と同様、施行規則別表四によることとしている。

また、併設型中学校への入学については、中等教育学校の場合と同様に、設置者の定めるところにより、校長が許可することとし、この場合、公立の併設型中学校においては、学力検査を行わないものとしている。

六　いわゆる連携型の中高一貫教育（市町村立中学校と都道府県立高等学校等の連携）については、施行規則七五条～七七条、八七条～九〇条に規定されている（法六八条の**【注解】**三参照）。

第八章　特別支援教育

〔特別支援学校の目的〕

第七十二条　特別支援学校は、視覚障害者、聴覚障害者、知的障害者、肢体不自由者又は病弱者（身体虚弱者を含む。以下同じ。）に対して、幼稚園、小学校、中学校又は高等学校に準ずる教育を施すとともに、障害による学習上又は生活上の困難を克服し自立を図るために必要な知識技能を授けることを目的とする。

【沿　革】　昭三六・一〇・三一法一六六により、「夫ミ」を「それぞれ」に改め、「盲者」の下に「（強度の弱視者を含む。以下同じ。）」を加え、「聾者」を「聾者（強度の難聴者を含む。以下同じ。）」に、「精神薄弱、身体不自由その他心身に故障のある者」を「精神薄弱者、肢体不自由者若しくは病弱者（身体虚弱者を含む。以下同じ。）」に、「併せて」を「あわせて」に改めた。

平一〇・九・二八法一一〇により、「精神薄弱者」を「知的障害者」に改めた。

平一八・六・二一法八〇により、「盲学校、聾学校又は養護学校」を「特別支援学校」に改め、「それぞれ」を削除し、「盲者（強度の弱視者を含む。以下同じ。）、聾者（強度の難聴者を含む。以下同じ。）又は」を「視覚障害者、聴覚障害者、」に、「肢体不自由者若しくは」を「肢体不自由者又は」に、「教育を施し、あわせてその欠陥を補うために、」を「教育を施すとともに、障害による学習上又は生活上の困難を克服し自立を図るために」に改めた。

平一九・六・二七法九六により、旧七一条から七二条に移動した。

【参照条文】　教育基本法一条、二条、四条二項。法二一条～二三条、二九条、三〇条、四五条、四六条、五〇条、五一条、七六条。

【注　解】

一　本章は、特別支援教育に関して規定する章であり、章名は、本法の制定以来、「特殊教育」とされてきたが、平成一八年の学校教育法の一部改正（平一八法八〇）により「特別支援教育」に改められた。

「特殊教育」の語は、明治一四年改正の文部省事務取扱規則において用いられて以来、障害のある児童生徒等の教育について用いられてきたものである。本語には定義規定はなかったが、本章には盲学校、聾学校及び養護学校並びに小・中学校等の特殊学級の制度についての規定が置かれていたことから、「特殊教育」とは、これらの制度に基づき、児童生徒等の障害の種類や程度に応じた固定的な特別な場を設定し、これらに児童生徒を属せしめ、手厚くきめ細かな教育を行うことにその主眼が置かれてきたものということができる。

しかし、盲・聾・養護学校において、複数の障害を併せ有する児童生徒等の割合が高まるにつれて、障害の種類に応じて固定的な特別の場を設定するよりも、一人ひとりの教育的ニーズに応じて弾力的に教育の場を用意し教育を行うこととする必要性が高まるとともに、例えば発達障害者支援法（平一六法一六七）が平成一七年四月一日より施行されるなど障害の概念や範囲も変化する中で、通常学級におけるこのような特別な支援を必要とする児童生徒等への対応も急務とされた。

こうした状況に柔軟に対応するため、従来の「特殊教育」の考え方を改め、児童生徒等一人ひとりの教育的ニーズを把握し、これを踏まえて教育の場を弾力的に設定し、生活や学習上の困難を克服するための適切な指導や必要な支援を行うこととするとともに、「特別支援教育」に用語を改め、平成一八年の本法の改正により新しい学校制度としてスタートした。なお、平成一三年一月の省庁再編の際に、文部科学省組織令においては、既に、同様の考え方に基

づき、障害のある児童生徒等に対する教育を所管する課の名称が「特殊教育課」から「特別支援教育課」とされている。

また、平成一八年一二月には教育基本法が改正され、教育の機会均等について規定する同法四条に、新たに二項として、障害のある者が、障害の状態に応じ十分な教育を受けられるよう、国及び地方公共団体が教育上必要な支援を講ずべきことが規定された。

（教育の機会均等）

第四条

2　国及び地方公共団体は、障害のある者が、その障害の状態に応じ、十分な教育を受けられるよう、教育上必要な支援を講じなければならない。

3　（略）

更に、令和三年九月には、在籍者数の増加により慢性的な教室不足が生じている特別支援学校の教育環境を改善する観点から、特別支援学校設置基準が策定された（令和四年四月一日施行。ただし、編制、施設及び設備については令和五年四月一日施行。）。

○特別支援学校設置基準（令和三・九・二四　文部科学省令四五）

（趣旨）

第一条　特別支援学校は、学校教育法（昭和二十二年法律第二十六号）その他の法令の規定によるほか、この省令の定めるところにより設置するものとする。

2　この省令で定める設置基準は、特別支援学校を設置するのに必要な最低の基準とする。

3　特別支援学校の設置者は、特別支援学校の編制、施設及び設備等がこの省令で定める設置基準より低下した状態にならないようにすることはもとより、これらの水準の向上を図ることに努めなければならない。

（校舎及び運動場の面積等）

第十四条　校舎及び運動場の面積は、法令に特別の定めがある場合を除き、別表に定める面積以上とする。ただし、地域の実態その他により特別の事情があり、かつ、教育上支障がない場合は、この限りでない。

2　校舎及び運動場は、同一の敷地内又は隣接する位置に設けるものとする。ただし、地域の実態その他により特別の事情があり、かつ、教育上及び安全上支障がない場合は、その他の適当な位置

にこれを設けることができる。

（校舎に備えるべき施設）

第十五条　校舎には、少なくとも次に掲げる施設を備えるものとする。ただし、特別の事情があるときは、教室と自立活動室及び保育室と遊戯室とは、それぞれ兼用することができる。

一　教室（普通教室、特別教室等とする。ただし、幼稚部にあっては、保育室及び遊戯室とする。）

二　自立活動室

三　図書室（小学部、中学部又は高等部を置く特別支援学校に限る。）、保健室

四　職員室

2　校舎には、前項に掲げる施設のほか、必要に応じて、専門教育を施すための施設を備えるものとする。

別表（第十四条関係）（略）

二　本条は、特別支援学校の目的に関する規定である。

我が国の特殊教育は、明治一一年に開設された京都の盲唖院における教育をもって、その始まりとされている。明治一三年には、東京の楽善会訓盲院でも教育が始められた。しかし、この種の学校は、学校制度の中での位置づけが不明確であったため、明治二三年の小学校令で初めて盲唖学校に関する規定を設け、市町村立又は私立の学校の設置が認められた。

これらの学校は、小学校令において小学校に類する学校としての位置づけのままで、盲と聾という性質を異にする障害のある児童生徒等を同時に同一校で教育することには不都合が多いこと、また、学校の多くは私立で経営が不安定であったため、大正一二年に、単独の勅令である「盲学校及聾唖学校令」が制定され、我が国の盲唖学校は盲学校と聾唖学校に制度上分離されるとともに、道府県はこれらの学校を設置すべきことが義務づけられた。この勅令を契機として、これまで私立学校が多かった盲学校と聾唖学校は、道府県に移管されていく傾向が強まった。

盲・聾教育以外の障害のある子どもに対する教育についても、明治後半期から次第に展開されるようになった。昭和一六年三月には、国民学校令が公布され、同令施行規則五三条に「国民学校ニ於テハ身体虚弱、精神薄弱其ノ他心身ニ異常アル児童ニシテ特別養護ノ必要アリト認ムルモノノ為ニ学級又ハ学校ヲ編制スルコトヲ得」と規定され、そ

れらの施設は「養護学級」又は「養護学校」と称せられることとなった。さらに、同様の養護学級を中学校、高等女学校においても編制できることとした。

戦後、学校教育法では、障害のある子どもに対する教育を行う学校として、盲学校、聾学校及び養護学校の三種類の学校が設けられ、それぞれ盲者、聾者又は知的障害者、肢体不自由者若しくは病弱者（身体虚弱者）に対する教育を行うこととされた。このうち「聾学校」は、従前、聾唖学校と称され、聾唖者に対し教育を行うものとされていたものであるが（盲学校及聾唖学校令一条）、「聾唖」という状態は、聾教育によって予防しうるという考え方から、「聾学校」と称することとされたものである。また「養護学校」の対象者は、法制定当初、「精神薄弱、身体不自由その他心身に故障のある者」とされていたが、「心身に故障のある者」の範囲は広く、病弱者、身体虚弱者のほか、弱視者、難聴者等をも含むことになるので、養護学校の設置義務及び就学義務を課する場合を考慮して、昭和三六年の本法改正により、「精神薄弱者、肢体不自由者若しくは病弱者（身体虚弱者を含む。）」として対象児童生徒の範囲が明確にされた。「精神薄弱者」の語は、平成一〇年に「精神薄弱の用語の整理のための関係法律の一部を改正する法律」により「知的障害者」に改められた。

三　盲・聾・養護学校の制度は、前述した平成一八年の本法の一部改正により、「特別支援学校」の制度に転換された（平成一九年度から施行）。これは、平成一七年一二月の中央教育審議会答申「特別支援教育を推進するための制度の在り方について」において、障害種別を超えた特別支援学校の創設が提言されたことを踏まえたものである。特別支援学校は、視覚障害者、聴覚障害者、知的障害者、肢体不自由者又は病弱者（身体虚弱者を含む）に対する教育を行う学校であり、従来の盲・聾・養護学校の制度の下で教育を行ってきた対象と同一であるが、児童生徒の障害の重複化に対応した適切な教育を行うため、障害種別の区分が廃止され、一つの学校において複数の障害種に対する教育を行うことができるようになった。

この際、従来の「盲者」「聾者」の語についても、その他制定・改正された法令における例に倣い、「視覚障害者」「聴覚障害者」に用語が改められた。

四　「準ずる教育を施す」とは、幼児、児童及び生徒の障害の状態及び能力・適性等を十分考慮して、それぞれ幼稚園、小学校、中学校、高等学校の教育目標の達成に努める教育を行うことをいう。

五　「障害による学習上又は生活上の困難を克服し自立を図るために必要な知識技能を授ける」に関しては、具体的には施行規則上、小学部、中学部及び高等部のそれぞれの教育課程において、自立活動という領域が特別に編成されることとなっている（施行規則一二六条～一二八条）。また、特別支援学校幼稚部教育要領においても、ねらい及び内容に、自立活動という領域が設けられている。

従来、「欠陥を補うために、必要な知識技能を授ける」と規定されていたが、現行法令上「欠陥」の語が人について用いられる例は極めて僅かであったことから、平成一八年の本法の一部改正の際に用語の整理が行われたものである。

【通　知】

○特別支援教育の推進のための学校教育法等の一部改正について（抄）（平一八・七・一八　文科初四四六号　各都道府県知事、各都道府県教育委員会、各国公私立大学長、独立行政法人国立特殊教育総合研究所理事長あて　文部科学省初等中等教育局長通知）

このたび、別添一（略）のとおり、「学校教育法等の一部を改正する法律（平成一八年法律第八〇号）」（以下「改正法」という。）が平成一八年六月二一日に公布され、平成一九年四月一日から施行されることとなりました。

今回の改正は、近年、児童生徒等の障害の重複化や多様化に伴い、一人一人の教育的ニーズに応じた適切な教育の実施や、学校と福祉、医療、労働等の関係機関との連携がこれまで以上に求められているという状況に鑑み、児童生徒等の個々のニーズに柔軟に対応し、適切な指導及び支援を行う観点から、複数の障害種別に対応した教育を実施することができる特別支援学校の制度を創設するとともに、小中学校等における特別支援教育を推進すること等により、

障害のある児童生徒等の教育の一層の充実を図るものであります。

改正の概要及び留意事項については下記のとおりですので、関係各位におかれては、その趣旨を十分御理解の上、盲学校、聾学校及び養護学校の特別支援学校への円滑な移行を含め、適切な対応をお願いするとともに、各都道府県教育委員会におかれては、所管の学校及び域内の市区町村教育委員会に対して、各都道府県知事におかれては、所轄の学校及び学校法人に対し、速やかに周知を図るようお願いします。

また、本改正法については、参議院文教科学委員会及び衆議院文部科学委員会において、改正法による改正後の学校教育法第七一条の三〔現行法七四条〕に規定する特別支援学校の行う助言又は援助（センター的機能）の十全な発揮、特別支援学校の教員免許状の取得促進、就学先の指定に際しての本人・保護者の意向の十分な聴取及び相談機能の充実、障害のある児童生徒等と障害のない児童生徒等との交流及び共同学習の積極的な推進、就労のための支援に努めることなどについて、別添二（略）及び別添三（略）の附帯決議が付されております。特別支援教育の推進に際しては、これらの点に十分留意されるよう御配慮願います。

なお、関係政令及び省令の改正については、追ってこれを行い、その内容については別途通知する予定ですので御承知おきください。

記

第一～第五　（略）

第六　留意事項

(1)　特別支援学校の設置については、公立学校は設置条例において、私立学校は寄附行為において、当該学校が学校教育法上の特別支援学校として設置されている旨を明確に規定する必要があること。その上で、現に設置されている盲学校、聾学校又は養護学校を特定の障害種別に対応した教育を専ら行う特別支援学校とする場合には、「盲学校」、「聾学校」又は「養護学校」の名称を用いることも可能であること。

なお、国立大学附属の特別支援学校については、追って国立大学法人法施行規則（平成一五年文部科学省令第五七号）の改正を行うこととしている。

(2)　各特別支援学校においていずれの障害種別に対応した教育を行うこととするかについては、当該学校の設置者がそれぞれの地域の実情に応じて判断することとなること。

その際には、児童生徒等ができる限り地域の身近な特別支援学校に就学できるようにすること、同一の障害のある児童生徒等による一定規模の集団が学校教育の中で確保され、障害種別ごとの専門的指導により児童生徒等の能力を可能な限り発揮できるようにすること等を勘案しつつ、児童生徒等の障害の重複化への対応という今般の制度改正の趣旨を踏まえ、可能な限り複数の障害種別に対応した教育を行う方向で検討されることが望ましいこと。

(3)　特別支援学校の行う助言又は援助に関しては、第七一条の三〔現行法七四条〕に「幼稚園、小学校、中学校、高等学校又は中等教育学校」が列記され、これらの要請に応じて助言又は援助を行うよう努めるものとする旨規定しているが、これらの機

関のみならず、保育所をはじめとする保育施設（認定こども園（就学前の子どもに関する教育、保育等の総合的な提供の推進に関する法律（平成一八年法律第七七号）第三条第一項又は第二項の認定を受けた施設及び同条第三項の規定による公示がされた施設をいう。）を含む。）などの他の機関等に対しても同様に助言又は援助に努めることとされたいこと。

(4) 教育職員免許法附則第一六項において、小学校、中学校、高等学校又は幼稚園の教諭の免許状を有する者は、当分の間、特別支援学校の教員免許状を有さなくとも、特別支援学校の相当する各部の教諭又は講師となることができる旨を規定しているが、各大学においては、特別支援教育のための教員養成の充実、各特別支援学校の設置者及び任命権者においては、採用時における特別支援学校の教員免許状保有者の確保及び現職教員の特別支援学校の教員免許状の取得を促進し、特別支援学校の教員免許状の保有状況の改善に努められたいこと。

(5) 今回の制度改正により、小中学校等における特別支援教育が明確に位置付けられたことを踏まえ、すべての教員の特別支援教育に関する理解を促進するため、各大学においては、教職課程における特別支援教育に関する内容の充実及び適切な単位認定、各学校の設置者及び任命権者においては、特別支援教育についての現職研修の充実及び教員採用における内容の適切な取扱いにより一層努められたいこと。なお、大学における教員養成について発達障害に関する内容を取扱うことを求めている「発達障害のある児童生徒等への支援について」（平成一七年四月一日付一七文科初第二一一号初等中等教育局長、高等教育局長、スポーツ・青少年局長通知）の記の第三の一も併せて参照されたいこと。

(6) 各地方公共団体においては、特別支援学校の適切な施設整備が推進されるよう、予算の確保及びその適切な執行に努めていただきたいこと。

(7) 以下の規定の適用に当たっては、各特別支援学校を、当該特別支援学校の学級数（重複障害学級については、当該重複する障害種別のうちより手厚い条件整備を要する障害種別の学級とみなす。）が最も多い障害種別に区分すること。

この場合において、学級数が最も多い障害種別が複数となる場合は、これらのうちより手厚い条件整備を要する障害種別に区分することとし、これらの取扱いにより疑義のある場合には文部科学省に確認されたいこと。

- 義務教育諸学校等の施設費の国庫負担等に関する法律第八条第二項及び附則第三項
- 公立義務教育諸学校の学級編制及び教職員定数の標準に関する法律第一一条第一項第四号及び第一五条第二号
- 公立高等学校の適正配置及び教職員定数の標準等に関する法律第一七条第四号及び同条第五号並びに第一九条第二号

なお、公立義務教育諸学校の学級編制及び教職員定数の標準に関する法律及び公立高等学校の適正配置及び教職員定数の標準等に関する法律に基づく教職員定数の標準は、教職員の配置の適正化を図り、教育水準の維持向上のために定められていることを踏

まえ、各都道府県において適切に教職員配置がなされることが必要であること。

〔各特別支援学校が行う教育〕

第七十三条　特別支援学校においては、文部科学大臣の定めるところにより、前条に規定する者に対する教育のうち当該学校が行うものを明らかにするものとする。

【沿　革】平一八・六・二一法八〇により新設した。
平一九・六・二七法九六により旧七一条の二から七三条に移動した。

【参照条文】施行規則一一九条。

【注　解】

一　本条は、各特別支援学校において、七二条に規定する障害者（視覚障害者、聴覚障害者、知的障害者、肢体不自由者又は病弱者（身体虚弱者を含む。））に対する教育のうち、当該学校が行うものを明らかにすることとするものである。

二　平成一八年の本法の改正により、盲・聾・養護学校の区分がなくなったが、特別支援学校という学校名からは個々の学校がどの障害種別を扱う学校かが明らかでなくなるため、障害のある児童生徒等の就学を円滑にする必要性や、設置者が当該学校の教育についての対外的な説明責任を果たす観点から、各特別支援学校教育の対象とする障害種別を明らかにすることとした。

三　本条を受けた施行規則一一九条において次のとおり、当該学校の施設設備や当該学校所在地域における障害のある児童生徒等の状況等を考慮しつつこれを学則その他の設置者の定める規則において明らかにするとともに、その情報を積極的に提供すべきこととしている。ここにいう「学則その他の設置者の定める規則」とは、国立大学に附属

して設置される学校にあっては国立大学法人の規則を、公立学校にあっては教育委員会規則又は条例を、私立学校にあっては学校法人の定める規則をいう（平一九・三・三〇　一八文科初一二九〇号　文部科学事務次官通知「学校教育法等の一部を改正する法律の施行に伴う関係政令等の整備について」後掲【通知】参照）。

第百十九条　特別支援学校においては、学校教育法第七十二条に規定する者に対する教育のうち当該特別支援学校が行うものを学則その他の設置者の定める規則（次項において「学則等」という。）で定めるとともに、これについて保護者等に対して積極的に情報を提供するものとする。

2　前項の学則等を定めるに当たっては、当該特別支援学校の施設及び設備等の状況並びに当該特別支援学校の所在する地域における障害のある児童等の状況について考慮しなければならない。

【通　知】

○学校教育法等の一部を改正する法律の施行に伴う関係政令等の整備について（抄）（平一九・三・三〇　一八文科初一二九〇号　各都道府県知事、各都道府県教育委員会、各国公私立大学長、独立行政法人国立特殊教育総合研究所あて　文部科学事務次官通知）

第二　改正省令の主な概要

(1)　学校教育法施行規則の一部改正

①　改正学校教育法においては盲・聾・養護学校の区分がなくなるが、特別支援学校という学校名からは個々の学校がどの障害種別を扱う学校かが明らかでなくなるため、障害のある児童生徒等の就学を円滑にする必要性や、設置者が当該学校の教育についての対外的な説明責任を果たす観点から、各特別支援学校の扱う障害種別を明らかにする必要がある。

このため改正学校教育法第七一条の二〔現行法七三条〕の規定により、各特別支援学校は教育の対象とする障害種別を明らかにすることとしているところであり、これを受けた本省令において、当該学校の施設設備や当該学校所在地域における障害のある児童生徒等の状況等を考慮しつつこれを学則その他の設置者の定める規則において明らかにするとともに、その情報を積極的に提供すべきこととした（改正学校教育法第七一条の二〔現行法七三条〕参照）。

（中略）

第四　留意事項

(2)　学校教育法第七一条の二〔現行法七三条〕の規定を実施するための学校教育法施行規則七三条の二第一項〔現行施行規則一一九条〕にいう「学則その他の設置者の定める規則」について

は、国立大学に附属して設置される学校にあっては国立大学法人の規則を、公立学校にあっては教育委員会規則又は条例を、私立学校にあっては学校法人の定める規則をいうものとすること。

（特別支援学校のセンター的機能）

第七十四条　特別支援学校においては、第七十二条に規定する目的を実現するための教育を行うほか、幼稚園、小学校、中学校、義務教育学校、高等学校又は中等教育学校の要請に応じて、第八十一条第一項に規定する幼児、児童又は生徒の教育に関し必要な助言又は援助を行うよう努めるものとする。

【沿　革】　平一八・六・二一法八〇により新設した。

平一九・六・二七法九六により旧七一条の三から七四条に移動し、「第七十一条」を「第七十二条」に、「第七十五条」を「第八十一条」に改めた。

平二七・六・二四法四六により「中学校」の下に「、義務教育学校」を加えた。

【参照条文】　法八一条。

【注　解】

一　本条は、特別支援学校の、障害のある児童生徒等に対する教育についての地域における中核的な機関として担うべき役割、いわゆるセンター的機能について規定するものである。

二　近年、小・中学校等においては、通常の学級に在籍する学習障害（ＬＤ）、注意欠陥多動性障害（ＡＤＨＤ）等を含む障害のある児童生徒等に対する適切な指導及び必要な支援が喫緊の課題となっており、小・中学校等においては校内体制の整備や通常学級における配慮等が行われてきているところであるが、こうした取組を一層進めていくためには、障害のある児童生徒等の教育についての知見と高い専門性を有する特別支援学校が、必要に応じ、その専

門性を発揮して小・中学校等における取組を支援することが重要である。

このため、平成一七年一二月の中央教育審議会答申「特別支援教育を推進するための制度の在り方について」等も踏まえ、センター的機能が本法において位置づけられた。

その際、特別支援学校は、一義的には在籍する児童生徒等の教育を行うことを目的とするものであり、センター的機能は、在籍児童生徒等に対する教育に加え、必要に応じて行われるべきものであることから、努力義務として規定された。

三 特別支援学校のセンター的機能としては、具体的には以下のようなものが想定される。

① 小・中学校等における個々の障害のある児童生徒等の指導に関する助言・相談、個別の教育支援計画や個別の指導計画の策定に当たっての支援など、小・中学校等の教員への支援機能

② 小・中学校等に在籍する障害のある児童生徒等や保護者への相談・情報提供など、特別支援教育に関する相談・情報提供機能

③ 小・中学校等に在籍する障害のある児童生徒等を対象とする特別支援学校教員による小・中学校等への巡回による指導など、障害のある児童生徒等に対する指導機能

④ 個別の教育支援計画等の策定や就労移行支援に当たり、福祉、医療、労働などの関係機関等との連絡・調整を行うなど、福祉、医療、労働などの関係機関等との連絡・調整機能

⑤ 校内研修会や事例検討会の講師としての協力など、小・中学校等の教職員に対する研修への協力

⑥ 入出力支援機器等の教材・教具など、小・中学校等に在籍する児童生徒等への施設設備の提供

四 なお、特別支援学校の行う助言又は援助に関しては、「幼稚園、小学校、中学校、義務教育学校、高等学校又は中等教育学校」が列記され、これらの要請に応じて助言又は援助を行うよう努めるものとされているが、これらの

機関のみならず、保育所や認定こども園をはじめとする保育施設などの他の機関等に対しても同様に助言又は援助に努めることも期待されている（平一八・七・一八　一八文科初四四六号　文部科学事務次官通知「特別支援教育の推進のための学校教育法等の一部改正について」後掲【**通知**】参照）。

【通　知】

○特別支援教育の推進のための学校教育法等の一部改正について（抄）（平一八・七・一八　一八文科初第四四六号　各都道府県知事、各都道府県教育委員会、各国公私立大学長、独立行政法人国立特殊教育総合研究所理事長あて　文部科学事務次官通知）

第六　留意事項

(3)　特別支援学校の行う助言又は援助に関しては、第七一条の三〔現行法七四条〕に「幼稚園、小学校、中学校、高等学校又は中等教育学校」が列記され、これらの要請に応じて助言又は援助を行うよう努めるものとする旨規定しているが、これらの機関のみならず、保育所をはじめとする保育施設（認定こども園〔就学前の子どもに関する教育、保育等の総合的な提供の推進に関する法律（平成一八年法律第七七号）第三条第一項又は第二項の認定を受けた施設及び同条第三項の規定による公示がされた施設をいう。〕を含む。）などの他の機関等に対しても同様に助言又は援助に努めることとされたいこと。

〔障害の程度〕

第七十五条　第七十二条に規定する視覚障害者、聴覚障害者、知的障害者、肢体不自由者又は病弱者の障害の程度は、政令で定める。

【沿　革】　昭三六・一〇・三一法一六六により、新設した。

平一〇・九・二八法一一〇により、「精神薄弱者」を「知的障害者」に改めた。

平一八・六・二一法八〇により旧七一条の二から旧七一条の四に移動し、「前条の盲者、聾（ろう）者又は」を「第七十一条に規

定する視覚障害者、聴覚障害者、」に、「肢体不自由者」を「肢体不自由者」に、「心身の故障」を「障害」に、「政令でこれを」を「政令で」に改めた。。

平一九・六・二七法九六により旧七一条の四から七五条に移動し、「第七十一条」を「第七十二条」に改めた。

【参照条文】 施行令二二条の三。

【注　解】

一　本条は、第七二条で規定されている特別支援学校で教育を施す者の障害の程度の定めを、政令に委任している規定である。

「障害の程度」の語は、従来「心身の故障の程度」と規定されていたが、平成一八年の本法の改正の際、より適切な語に改められた。

二　この政令の定めとして施行令二二条の三が規定されている。この障害の程度の定めは、障害のある児童生徒がその障害の種類、程度に応じて最もふさわしい教育が受けられるように定められたものである。

当初は、昭和二八年の文部事務次官通知「教育上特別な取扱を要する児童生徒の判別基準について」において規定されていたが、就学義務の適切な履行を図るため法令上明確化することが適当であることから、昭和三七年に当時の科学技術等の水準を前提に、医学、教育学上等の観点から児童生徒の一般的な就学能力を勘案して施行令において規定することとされたものである。その後約四〇年間にわたって実質的な見直しは行われなかったため、視覚補助具、補装具、補聴器等の性能の向上等により、実態と合致しない面が生じていた。このため、平成一四年、医学、科学技術の進歩等を踏まえ、実態に合致するように障害の程度に関する施行令二二条の三の規定が改正された（平一四政令一六三）。

なお、教育上特別の取扱いを要する児童生徒等の教育措置などに当たっての留意事項及びこの判断を適切にするた

めの教育支援委員会（従来の就学指導委員会）の整備については、文部科学省初等中等教育局長通知「障害のある児童生徒等に対する早期からの一貫した支援について」（平二五・一〇・四 二五文科初七五六号）「障害のある子供の教育支援の手引〜子供たち一人一人の教育的ニーズを踏まえた学びの充実に向けて〜」（令三・六・三〇）が出されている（後掲【通知】参照）。

第二十二条の三 法第七十五条の政令で定める視覚障害者、聴覚障害者、知的障害者、肢体不自由者又は病弱者の障害の程度は、次の表に掲げるとおりとする。

区分	障害の程度
視覚障害者	両眼の視力がおおむね〇・三未満のもの又は視力以外の視機能障害が高度のもののうち、拡大鏡等の使用によつても通常の文字、図形等の視覚による認識が不可能又は著しく困難な程度のもの
聴覚障害者	両耳の聴力レベルがおおむね六〇デシベル以上のもののうち、補聴器等の使用によつても通常の話声を解することが不可能又は著しく困難な程度のもの
知的障害者	一 知的発達の遅滞があり、他人との意思疎通が困難で日常生活を営むのに頻繁に援助を必要とする程度のもの 二 知的発達の遅滞の程度が前号に掲げる程度に達しないもののうち、社会生活への適応が著しく困難なもの
肢体不自由者	一 肢体不自由の状態が補装具の使用によつても歩行、筆記等日常生活における基本的な動作が不可能又は困難な程度のもの 二 肢体不自由の状態が前号に掲げる程度に達しないもののうち、常時の医学的観察指導を必要とする程度のもの
病弱者	一 慢性の呼吸器疾患、腎臓疾患及び神経疾患、悪性新生物その他の疾患の状態が継続して医療又は生活規制を必要とする程度のもの 二 身体虚弱の状態が継続して生活規制を必要とする程度のもの

備考
一 視力の測定は、万国式試視力表によるものとし、屈折異常があるものについては、矯正視力によつて測定する。
二 聴力の測定は、日本産業規格によるオージオメータによる。

三 障害のある児童生徒等については、その可能性を最大限に伸ばし、自立し、社会参加するための基盤となる生

きる力を培うため、障害の状態等に応じて特別支援学校や小・中学校の特別支援学級において、あるいは通級による指導の活用等により、一人一人の教育的ニーズを把握した上で適切な指導や必要な支援を行うことが重要である。障害のある者で、その障害の程度が施行令二二条の三に定める程度の者のうち当該市町村の教育委員会が、その者の障害の状態、その者の教育上必要な支援の内容、地域における教育の体制の整備の状況その他の事情を勘案して、その住所の存する都道府県の設置する特別支援学校に就学させることが適当であると認める者については、適切な就学先を決定する手続が施行令に規定されている。この規定は、平成一四年及び平成二五年に一部改正され、制度改正が行われてきた。

四　平成一四年の改正の概要は次のとおりである。

エレベータ、スロープ等の学校施設のバリアフリー化の進展及び障害のある児童生徒の学習活動を支援する学習用機器の開発等により障害のある児童生徒が小学校や中学校等において適切な教育を受けることができる場合も多く現実のものとなっている。また、平成一二年四月の地方分権一括法の施行により地方公共団体の自己決定・自己責任の原則の一層の徹底を図る観点から国の機関委任事務は廃止することとされ、就学事務は市町村の教育委員会が行う自治事務とされた。したがって、従来以上に、市町村の教育委員会には、地域の実情を適切に踏まえて障害のある児童生徒に対し最もふさわしい教育を提供することが求められることとなった。

このような学校を取り巻く環境の変化を受け、また教育の地方分権等の観点から、障害のある児童生徒の教育的ニーズに応じた適切な教育が行われるよう、国が定める就学基準について医学や科学技術の進展等を踏まえて見直すとともに、市町村教育委員会が行う就学事務について国が定める手続きの弾力化を図ることとし、施行令が改正された（平成一四年九月一日施行）。

具体的な手続としては、市町村教育委員会は、就学時の健康診断等で視覚障害者、聴覚障害者、知的障害者、肢体

不自由者、病弱者（以下「視覚障害者等」という）と判断された者については、その氏名及び特別支援学校に就学させるべき旨を、都道府県教育委員会に一二月末までに通知するとともに、その者の学齢簿の謄本を送付する。ただし、市町村教育委員会が、視覚障害者等のうち、その者の障害の状態に照らして、当該市町村が設置する小学校又は中学校において適切な教育を受けることができる特別の事情があると認める者（以下「認定就学者」という）については、その保護者に対して一月末までに小学校又は中学校の入学期日を通知しなければならない。都道府県教育委員会は、施行令一一条の規定により市町村教育委員会から通知を受けた就学予定者（認定就学者を除く）の保護者に対し、一月末までに、特別支援学校の入学期日の通知、就学すべき学校の指定をしなければならない。また、当該学校長及び市町村教育委員会に対し、当該就学予定者の氏名及び入学期日等の通知をしなければならない。

市町村教育委員会が、小学校又は中学校において適切な教育を受けることができる特別の事情があるとして、「認定就学者」の認定を行うに当たっては、小・中学校における体制整備の状況等について留意する必要があるとされた。

五　平成一八年に国連総会において採択された障害者の権利に関する条約は、障害のある者が、能力等をその可能な最大限度まで発達させ、自由な社会に効果的に参加することを可能とするとの教育理念の下で、障害のある者と障害のない者とが可能な限り共に教育を受ける仕組みである「インクルーシブ教育システム」の理念を提唱した（我が国は平成一九年署名・平成二六年批准）。

本条約の批准に向けては、平成二三年八月に障害者基本法の改正が行われたほか、平成二四年七月に公表された中央教育審議会初等中等教育分科会の報告において、「インクルーシブ教育システムにおいては、同じ場で共に学ぶことを追求するとともに、個別の教育的ニーズのある幼児児童生徒に対して、自立と社会参加を見据えて、その時点で教育的ニーズに最も的確に応える指導を提供できる、多様で柔軟な仕組みを整備することが重要である」ことなどが

提言された。

これらを踏まえ、平成二五年の施行令の一部改正（平二五政二四四）により、障害のある児童生徒の就学先の決定について、特別支援学校への就学を原則とし、例外的に小中学校への就学を可能としていた平成一四年以来の制度から、新たに、障害の状態、本人の教育的ニーズ、本人・保護者の意見、専門家の意見、学校や地域の状況等を踏まえた総合的な観点から就学先を決定する制度へと改められた。

なお、就学時に決定した学びの場は固定したものではなく、児童生徒の発達の程度等を勘案しながら柔軟に転学ができることを、全ての関係者の共通理解とすることが必要である（平二五・一〇・四　二五文科初七五六号　文部科学省初等中等教育局長通知「障害のある児童生徒等に対する早期からの一貫した支援について」後掲【通知】参照）。

六　就学指導に当たっては、従来より、障害の種類、程度等の判断について専門的な立場から調査・審議を行うための就学指導委員会が設置されていた。このような就学指導委員会の位置づけの明確化を図るため、平成一四年、施行令が改正され、市町村教育委員会は、障害のある学齢児童の就学に当たり、当該児童の障害の種類、程度等について判断をしたり、小学校において適切な教育を受けることができる特別の事情があるかどうか判断する際には、教育学、医学、心理学その他の心身の故障のある児童生徒の就学に関する専門的知識を有する者の意見を聴くものとすることとされた（施行令一八条の二）。更に、平成二五年の施行令の一部改正を受け、就学指導委員会は、就学後の一貫した支援についても助言を行う等の機能の拡充を図ることが求められることから、教育支援委員会等への名称変更が行われている。

また、日常生活上の状況等をよく把握している保護者の意見も聴取することにより、当該児童の教育的ニーズを的確に把握できることが期待されることから、平成一八年の本法改正に係る国会審議における議論及び衆・参両院の附帯決議等も踏まえて、同法改正の施行に伴う整備政令において更に見直され、専門家に加え、保護者の意見について

も聴くこととされている（平成一九年四月一日施行）。

なお、平成六年一〇月一日から、行政手続法が施行され、不利益処分を行う場合には、事前に、聴聞又は弁明の機会を付与するための手続を執ることとなったが、就学すべき学校の指定等の処分については、処分の性質上、行政手続法三章の規定（聴聞、弁明の機会の付与など）は適用されないこととなっている（法一三八条の【注解】参照）。

【通　知】

○学校教育法施行令の一部改正について（抄）（平二五・九・一　二五文科初六五五号　各都道府県・指定都市教育委員会教育長、各都道府県知事、附属学校を置く各国立大学法人学長、構造改革特別区域法第一二条第一項の認定を受けた各地方公共団体の長、独立行政法人特別支援教育総合研究所理事長あて　文部科学事務次官通知）

このたび、別添のとおり、「学校教育法施行令の一部を改正する政令」（以下「改正令」という。）が閣議決定され、平成二五年八月二六日付けをもって政令第二四四号として公布されました。その改正の趣旨及び内容等は下記のとおりですので、十分に御了知の上、適切に対処くださるようお願いします。

また、各都道府県教育委員会におかれては所管の学校及び域内の市町村教育委員会に対して、各指定都市教育委員会におかれては所管の学校に対して、各都道府県知事及び構造改革特別区域法第一二条第一項の認定を受けた各地方公共団体の長におかれては所轄の学校及び学校法人等に対して、各国立大学法人学長におかれては附属学校に対して、改正の趣旨及び内容等について周知を図るとともに、必要な指導、助言又は援助をお願いします。

記

第一　改正の趣旨

今回の学校教育法施行令の改正は、平成二四年七月に公表された中央教育審議会初等中等教育分科会報告「共生社会の形成に向けたインクルーシブ教育システム構築のための特別支援教育の推進」（以下「報告」という。）において、「就学基準に該当する障害のある子どもは特別支援学校に原則就学するという従来の就学先決定の仕組みを改め、障害の状態、本人の教育的ニーズ、本人・保護者の意見、教育学、医学、心理学等専門的見地からの意見、学校や地域の状況等を踏まえた総合的な観点から就学先を決定する仕組みとすることが適当である。」との提言がなされたこと等を踏まえ、所要の改正を行うものであること。

なお、報告においては、「その際、市町村教育委員会が、本人・保護者に対し十分情報提供をしつつ、本人・保護者の意見を

最大限尊重し、本人・保護者と市町村教育委員会、学校等が教育的ニーズと必要な支援について合意形成を行うことを原則とし、最終的には市町村教育委員会が決定することが適当である。」との指摘がなされており、この点は、改正令における基本的な前提として位置付けられるものであること。

第二　改正の内容

視覚障害者等（視覚障害者、聴覚障害者、知的障害者、肢体不自由者又は病弱者（身体虚弱者を含む。）で、その障害が、学校教育法施行令第二二条の三の表に規定する程度のものをいう。以下同じ。）の就学に関する手続について、以下の規定の整備を行うこと。

1　就学先を決定する仕組みの改正（第五条及び第一一条関係）

市町村の教育委員会は、就学予定者のうち、認定特別支援学校就学者（視覚障害者等のうち、当該市町村の教育委員会が、その者の障害の状態、その者の教育上必要な支援の内容、地域における教育の体制の整備の状況その他の事情を勘案して、その住所の存する都道府県の設置する特別支援学校に就学させることが適当であると認める者をいう。以下同じ。）以外の者について、その保護者に対し、翌学年の初めから二月前までに、小学校又は中学校の入学期日を通知しなければならないとすること。

また、市町村の教育委員会は、就学予定者のうち認定特別支援学校就学者について、都道府県の教育委員会に対し、翌学年の初めから三月前までに、その氏名及び特別支援学校に就学させるべき旨を通知しなければならないとすること。

2　障害の状態等の変化を踏まえた転学（第六条の三及び第一二条の二関係）

特別支援学校・小中学校間の転学について、その者の障害の状態の変化のみならず、その者の教育上必要な支援の内容、地域における教育の体制の整備の状況その他の事情の変化によっても転学の検討を開始できるよう、規定の整備を行うこと。

3　視覚障害者等による区域外就学等（第九条、第一〇条、第一七条及び第一八条関係）

視覚障害者等である児童生徒等をその住所の存する市町村の設置する小中学校以外の小学校、中学校又は中等教育学校に就学させようとする場合等の規定を整備すること。

また、視覚障害者等である児童生徒等をその住所の存する都道府県の設置する特別支援学校以外の特別支援学校に就学させようとする場合等の規定を整備すること。

4　保護者及び専門家からの意見聴取の機会の拡大（第一八条の二関係）

市町村の教育委員会は、児童生徒等のうち視覚障害者等について、小学校、中学校又は特別支援学校への就学又は転学に係る通知をしようとするときは、その保護者及び教育学、医学、心理学その他の障害のある児童生徒等の就学に関する専門的知識を有する者の意見を聴くものとすること。

5　施行期日（附則関係）

改正令は、平成二五年九月一日から施行すること。

第三　留意事項

1　平成二三年七月に改正された障害者基本法第一六条においては、障害者の教育に関する以下の規定が置かれているところであり、障害のある児童生徒等の就学に関する手続については、これらの規定を踏まえて対応する必要があること。特に、改正後の学校教育法施行令第一八条の二に基づく意見の聴取は、市町村の教育委員会において、当該視覚障害者等が認定特別支援学校就学者に当たるかどうかを判断する前に十分な時間的余裕をもって行うものとし、保護者の意見については、可能な限りその意向を尊重しなければならないこと。

【参考：障害者基本法（抄）】（略）

2　以上のほか、障害のある児童生徒等の就学に関する手続に関しては、報告において、「現在、多くの市町村教育委員会に設置されている「就学指導委員会」については、早期からの教育相談・支援や就学先決定時のみならず、その後の一貫した支援についても助言を行うという観点から、「教育支援委員会」（仮称）といった名称とすることが適当である。」との提言がなされており、この点についても留意する必要があること。

○障害のある児童生徒等に対する早期からの一貫した支援について（平二五・一〇・四　二五文科初七五六号　各都道府県・指定都市教育委員会教育長、各都道府県知事、附属学校を置く各国立大学法人学長、構造改革特別区域法第一二条第一項の認定を受けた各地方公共団体の長、独立行政法人国立特別支援教育総合研究所理事長あて　文部科学省初等中等教育局長通知）

中央教育審議会初等中等教育分科会報告「共生社会の形成に向けたインクルーシブ教育システム構築のための特別支援教育の推進（平成二四年七月）」における提言等を踏まえた、学校教育法施行令の一部改正の趣旨及び内容等については、「学校教育法施行令の一部改正について（通知）」（平成二五年九月一日付け二五文科初第六五五号）をもってお知らせしました。この改正に伴う、障害のある児童生徒等に対する早期からの一貫した支援について留意すべき事項は下記のとおりですので、十分に御了知の上、適切に対処下さるようお願いします。

なお、「障害のある児童生徒の就学について（通知）」（平成一四年五月二七日付け一四文科初第二九一号）は廃止します。

また、各都道府県教育委員会におかれては所管の学校及び域内の市町村教育委員会に対して、各指定都市教育委員会におかれては所管の学校に対して、各都道府県知事及び構造改革特別区域法第一二条第一項の認定を受けた各地方公共団体の長におかれては所轄の学校及び学校法人等に対して、各国立大学法人学長におかれては附属学校に対して、下記について周知を図るとともに、必要な指導、助言又は援助をお願いします。

記

第一　障害のある児童生徒等の就学先の決定

1　障害のある児童生徒等の就学先の決定に当たっての基本的な

考え方

(1) 基本的な考え方

障害のある児童生徒等の就学先の決定に当たっては、障害のある児童生徒等が、その年齢及び能力に応じ、かつ、その特性を踏まえた十分な教育が受けられるようにするため、可能な限り障害のある児童生徒等が障害のない児童生徒等と共に教育を受けられるよう配慮しつつ、必要な施策を講じること。

(2) 就学に関する手続等についての情報の提供

市町村の教育委員会は、乳幼児期を含めた早期からの教育相談の実施や学校見学、認定こども園・幼稚園・保育所等の関係機関との連携等を通じて、障害のある児童生徒等及びその保護者に対し、就学に関する手続等についての十分な情報の提供を行うこと。

(3) 障害のある児童生徒等及びその保護者の意向の尊重

市町村の教育委員会は、改正後の学校教育法施行令第一八条の二に基づく意見の聴取について、最終的な就学先の決定を行う前に十分な時間的余裕をもって行うものとし、保護者の意見については、可能な限りその意向を尊重しなければならないこと。

2 特別支援学校への就学

(1) 就学先の決定

視覚障害者、聴覚障害者、知的障害者、肢体不自由者又は病弱者（身体虚弱者を含む。）で、その障害が、学校教育法施行令第二二条の三に規定する程度のもののうち、市町村の教育委員会が、その者の障害の状態、その者の教育上必要な支援の内容、地域における教育の体制の整備の状況その他の事情を勘案して、特別支援学校に就学させることが適当であると認める者を対象として、適切な教育を行うこと。

(2) 障害の判断に当たっての留意事項

ア 視覚障害者

専門医による精密な診断に基づき総合的に判断を行うこと。なお、年少者、知的障害者等に対する視力及び視力以外の視機能の検査は困難な場合が多いことから、一人一人の状態に応じて、検査の手順や方法をわかりやすく説明するほか、検査時の反応をよく確認すること等により、その正確を期するように特に留意すること。

イ 聴覚障害者

専門医による精密な診断結果に基づき、失聴の時期を含む生育歴及び言語の発達の状態を考慮して総合的に判断を行うこと。

ウ 知的障害者

知的機能及び適応機能の発達の状態の両面から判断すること。標準化された知能検査等の知的機能の発達の遅滞を判断するために必要な検査、コミュニケーション、日常生活、社会生活等に関する適応機能の状態についての調査、本人の発達に影響がある環境の分析等を行った上で総合的に判断を行うこと。

エ　肢体不自由者

　専門医の精密な診断結果に基づき、上肢、下肢等の個々の部位ごとにとらえるのでなく、身体全体を総合的に見て障害の状態を判断すること。その際、障害の状態の改善、機能の回復に要する時間等を併せ考慮して判断を行うこと。

オ　病弱者（身体虚弱者を含む。）

　医師の精密な診断結果に基づき、疾患の種類、程度及び医療又は生活規制に要する期間等を考慮して判断を行うこと。

3　小学校、中学校又は中等教育学校の前期課程への就学

(1)　特別支援学級

　学校教育法第八一条第二項の規定に基づき特別支援学級を置く場合には、以下の各号に掲げる障害の種類及び程度の児童生徒のうち、その者の障害の状態、その者の教育上必要な支援の内容、地域における教育の体制の整備の状況その他の事情を勘案して、特別支援学級において教育を受けることが適当であると認める者を対象として、適切な教育を行うこと。

　障害の判断に当たっては、障害のある児童生徒の教育の経験のある教員等による観察・検査、専門医による診断等に基づき教育学、医学、心理学等の観点から総合的かつ慎重に行うこと。

①　障害の種類及び程度

ア　知的障害者

　知的発達の遅滞があり、他人との意思疎通に軽度の困難があり日常生活を営むのに一部援助が必要で、社会生活への適応が困難である程度のもの

イ　肢体不自由者

　補装具によっても歩行や筆記等日常生活における基本的な動作に軽度の困難がある程度のもの

ウ　病弱者及び身体虚弱者

一　慢性の呼吸器疾患その他疾患の状態が持続的又は間欠的に医療又は生活の管理を必要とする程度のもの

二　身体虚弱の状態が持続的に生活の管理を必要とする程度のもの

エ　弱視者

　拡大鏡等の使用によっても通常の文字、図形等の視覚による認識が困難な程度のもの

オ　難聴者

　補聴器等の使用によっても通常の話声を解することが困難な程度のもの

カ　言語障害者

　口蓋裂、構音器官のまひ等器質的又は機能的な構音障害のある者、吃音等話し言葉におけるリズムの障害のある者、話す、聞く等言語機能の基礎的事項に発達の遅れがある者、その他これに準じる者（これらの障害が主として他の障害に起因するものではない者に限る。）で、

その程度が著しいもの

キ　自閉症・情緒障害者

一　自閉症又はそれに類するもので、他人との意思疎通及び対人関係の形成が困難である程度のもの

二　主として心理的な要因による選択性かん黙等があるもので、社会生活への適応が困難である程度のもの

② 留意事項

特別支援学級において教育を受けることが適当な児童生徒の障害の判断に当たっての留意事項は、ア～オについては2⑵と同様であり、また、カ及びキについては、その障害の状態によっては、医学的な診断の必要性も十分に検討した上で判断すること。

(2) 通級による指導

学校教育法施行規則第一四〇条及び第一四一条の規定に基づき通級による指導を行う場合には、以下の各号に掲げる障害の種類及び程度の児童生徒のうち、その者の障害の状態、その者の教育上必要な支援の内容、地域における教育の体制の整備の状況その他の事情を勘案して、通級による指導を受けることが適当であると認める者を対象として、適切な教育を行うこと。

障害の判断に当たっては、障害のある児童生徒に対する教育の経験のある教員等による観察・検査、専門医による診断等に基づき教育学、医学、心理学等の観点から総合的かつ慎重に行うこと。その際、通級による指導の特質に鑑み、個々の児童生徒について、通常の学級での適応性、通級による指導に要する適正な時間等を十分考慮すること。

① 障害の種類及び程度

ア　言語障害者

口蓋裂、構音器官のまひ等器質的又は機能的な構音障害のある者、吃音等話し言葉におけるリズムの障害のある者、話す、聞く等言語機能の基礎的事項に発達の遅れがある者、その他これに準じる者（これらの障害が主として他の障害に起因するものではない者に限る。）で、通常の学級での学習におおむね参加でき、一部特別な指導を必要とする程度のもの

イ　自閉症者

自閉症又はそれに類するもので、通常の学級での学習におおむね参加でき、一部特別な指導を必要とする程度のもの

ウ　情緒障害者

主として心理的な要因による選択性かん黙等があるもので、通常の学級での学習におおむね参加でき、一部特別な指導を必要とする程度のもの

エ　弱視者

拡大鏡等の使用によっても通常の文字、図形等の視覚による認識が困難な程度の者で、通常の学級での学習におおむね参加でき、一部特別な指導を必要とするもの

オ　難聴者

補聴器等の使用によっても通常の話声を解することが困難な程度の者で、通常の学級での学習におおむね参加でき、一部特別な指導を必要とするもの

カ　学習障害者

全般的な知的発達に遅れはないが、聞く、話す、読む、書く、計算する又は推論する能力のうち特定のものの習得と使用に著しい困難を示すもので、一部特別な指導を必要とする程度のもの

キ　注意欠陥多動性障害者

年齢又は発達に不釣り合いな注意力、又は衝動性・多動性が認められ、社会的な活動や学業の機能に支障をきたすもので、一部特別な指導を必要とする程度のもの

ク　肢体不自由者、病弱者及び身体虚弱者

肢体不自由、病弱又は身体虚弱の程度が、通常の学級での学習におおむね参加でき、一部特別な指導を必要とする程度のもの

② 留意事項

通級による指導を受けることが適当な児童生徒の指導に当たっての留意事項は、以下の通りであること。

ア　学校教育法施行規則第一四〇条の規定に基づき、通級による指導における特別の教育課程の編成、授業時数については平成五年文部省告示第七号により別に定められていること。同条の規定により特別の教育課程を編成して指導を行う場合には、特別支援学校小学部・中学部学習指導要領を参考として実施すること。

イ　通級による指導を受ける児童生徒の成長の状況を総合的にとらえるため、指導要録において、通級による指導を受ける学校名、通級による指導の授業時数、指導期間、指導内容や結果等を記入すること。他の学校の児童生徒に対し通級による指導を行う学校においては、適切な指導を行う上で必要な範囲で通級による指導の記録を作成すること。

ウ　通級による指導の実施に当たっては、通級による指導の担当教員が、児童生徒の在籍学級（他の学校で通級による指導を受ける場合にあっては、在学している学校の在籍学級）の担任教員との間で定期的な情報交換を行ったり、助言を行ったりする等、両者の連携協力が図られるよう十分に配慮すること。

エ　通級による指導を担当する教員は、基本的には、この通知に示されたうちの一の障害の種類に該当する児童生徒を指導することとなるが、当該教員が有する専門性や指導方法の類似性等に応じて、当該障害の種類とは異なる障害の種類に該当する児童生徒を指導することができること。

オ　通級による指導を行うに際しては、必要に応じ、校長、教頭、特別支援教育コーディネーター、担任教員、その他必要と思われる者で構成する校内委員会において、その必要性を検討するとともに、各都道府県教育委

員会等に設けられた専門家チームや巡回相談等を活用すること。

カ　通級による指導の対象とするか否かの判断に当たっては、医学的な診断の有無のみにとらわれることのないよう留意し、総合的な見地から判断すること。

キ　学習障害又は注意欠陥多動性障害の児童生徒については、通級による指導の対象とするまでもなく、通常の学級における教員の適切な配慮やティーム・ティーチングの活用、学習内容の習熟の程度に応じた指導の工夫等により、対応することが適切である者も多くみられることに十分留意すること。

4　その他

(1)　重複障害のある児童生徒等について

重複障害のある児童生徒等についても、その者の障害の状態、その者の教育上必要な支援の内容、地域における教育の体制の整備の状況その他の事情を勘案して、就学先の決定等を行うこと。

(2)　就学義務の猶予又は免除について

治療又は生命・健康の維持のため療養に専念することを必要とし、教育を受けることが困難又は不可能な者については、保護者の願い出により、就学義務の猶予又は免除の措置を慎重に行うこと。

第二　早期からの一貫した支援について

1　教育相談体制の整備

市町村の教育委員会は、医療、保健、福祉、労働等の関係機関と連携を図りつつ、乳幼児期から学校卒業後までの一貫した教育相談体制の整備を進めることが重要であること。また、都道府県の教育委員会は、専門家による巡回指導を行ったり、関係者に対する研修を実施する等、市町村の教育委員会における教育相談体制の整備を支援することが適当であること。

2　個別の教育支援計画等の作成

早期からの一貫した支援のためには、障害のある児童生徒等の成長記録や指導内容等に関する情報について、本人・保護者の了解を得た上で、その扱いに留意しつつ、必要に応じて関係機関が共有し活用していくことが求められること。

このような観点から、市町村の教育委員会においては、認定こども園・幼稚園・保育所において作成された個別の教育支援計画等や、障害児相談支援事業所で作成されている障害児支援利用計画や障害児通所支援事業所等で作成されている個別支援計画等を有効に活用しつつ、適宜資料の追加等を行った上で、障害のある児童生徒等に関する情報を一元化し、当該市町村における「個別の教育支援計画」「相談支援ファイル」等として小中学校等へ引き継ぐなどの取組を進めていくことが適当であること。

3　就学先等の見直し

就学時に決定した「学びの場」は、固定したものではなく、それぞれの児童生徒の発達の程度、適応の状況等を勘案しながら、柔軟に転学ができることを、すべての関係者の共通理解と

することが適当であること。このためには、２の個別の教育支援計画等に基づく関係者による会議等を定期的に実施し、必要に応じて個別の教育支援計画等を見直し、就学先等を変更できるようにしていくことが適当であること。

４　教育支援委員会（仮称）

現在、多くの市町村の教育委員会に設置されている「就学指導委員会」については、早期からの教育相談・支援や就学先決定時のみならず、その後の一貫した支援についても助言を行うという観点から機能の拡充を図るとともに、「教育支援委員会」（仮称）といった名称とすることが適当であること。

〔特別支援学校の各部〕

第七十六条　特別支援学校には、小学部及び中学部を置かなければならない。ただし、特別の必要のある場合においては、そのいずれかのみを置くことができる。

②　特別支援学校には、小学部及び中学部のほか、幼稚部又は高等部を置くことができ、また、特別の必要のある場合においては、前項の規定にかかわらず、小学部及び中学部を置かないで幼稚部又は高等部のみを置くことができる。

【沿　革】　昭三六・一〇・三一法一六六により、「但し」を「ただし」に改め、第二項「盲学校、聾学校及び養護学校には、幼稚部及び高等部を置くことができる。」を全文改めた。

平一八・六・二一法八〇により、「盲学校、聾（ろう）学校及び養護学校」を「特別支援学校」に、「一」を「いずれか」に改めた。

平一九・六・二七法九六により、七二条から七六条に移動。

【参照条文】　法八〇条。施行令二三条。施行規則一一条～一一五条、一一八条～一二五条。

【注　解】

一　本条は、特別支援学校の組織について規定している。すなわち、各特別支援学校では小学部と中学部は都道府

県の義務設置であり、このほか幼稚部と高等部を置くことができる。

二　本条一項中「小学部及び中学部を置かなければならない。」としたのは、小学部及び中学部が義務教育の段階に属するからであり、小学校及び中学校の義務設置と同趣旨によるものである。

一項ただし書の「特別の必要のある場合においては、」の意義については必ずしも明らかではないが、従前の盲学校及聾唖学校令（七条）には、これに相当するものとして「土地ノ情況ニ依リ必要アル場合ニ於テハ」の規定があった。このただし書は、都道府県に特別支援学校の設置を義務づけている法八〇条の規定と併せ読むときは、都道府県が特別支援学校をそれぞれ一校ずつ設置する場合には、小学部及び中学部のいずれも欠くことのできないものであるから適用がなく、したがって、都道府県がそれぞれ二校以上設置する場合とか、義務設置とされていない市町村立又は私立の学校について適用のある規定と解すべきである。

三　本条二項中「小学部及び中学部のほか、幼稚部又は高等部を置くことができ、」とは、小学部及び中学部は義務設置であるが、幼稚部又は高等部は任意設置であることを示している。この場合においては、小学部及び中学部と併置されることが原則である。

「特別の必要のある場合においては、前項の規定にかかわらず、小学部及び中学部を置かないで幼稚部又は高等部のみを置くことができる。」としたのは、昭和三六年の本法改正で、障害のある者の早期教育あるいは職業教育充実の見地から幼稚部又は高等部だけの学校を設置することを認めることとした趣旨である。

四　特別支援学校には、各部に主事を置くことができる。

主事は、その部に属する教諭等をもって充てる。主事の職務は、校長の監督を受け、部に関する校務をつかさどることである（施行規則一二五条）。

〔教育課程及び学科〕

第七十七条　特別支援学校の幼稚部の教育課程その他の保育内容、小学部及び中学部の教育課程又は高等部の学科及び教育課程に関する事項は、幼稚園、小学校、中学校又は高等学校に準じて、文部科学大臣が定める。

【沿　革】　昭二八・八・五法一六七により、「小学部及び中学部の教科及び教科用図書、高等部の学科、教科及び教科用図書」を「小学部及び中学部の教科、高等部の学科及び教科」に改めた。

昭三六・一〇・三一法一六六により、「聾学校」を「聾学校」に改めた。

平一一・七・一六法八七により、「監督庁」を「文部大臣」に改めた。

平一一・一二・二二法一六〇により、「文部大臣」を「文部科学大臣」に改めた。

平一八・六・二一法八〇により、「盲学校、聾学校及び養護学校」を「特別支援学校」に改めた。

平一九・六・二七法九六により、「教科」を「教育課程」に改め、旧七三条から七七条に移動した。

【参照条文】　法八二条。施行規則一二六条～一三三条。

【注　解】

一　本条は、特別支援学校の教育課程についての定めを文部科学大臣に委ねる規定である。すなわち、これらの学校の幼稚部の教育課程その他の保育内容、小学部及び中学部の教育課程、高等部の学科及び教育課程については、それぞれ幼稚園、小学校、中学校又は高等学校の教育（保育）内容をそのまま適用するのでなく、これらの教育（保育）内容に準じて文部科学大臣が別に定めることとしている（法三三条の**【注解】**三参照）。

二　文部科学大臣の定めとしては、施行規則一二六条（特別支援学校の小学部の教育課程）、一二七条（特別支援学校の中学部の教育課程）、一二八条（特別支援学校の高等部の教育課程）、一二九条（その他教育課程の基準）、一三〇条（特別支援学校の

授業の特例）、一三一条（特別支援学校の教育課程の特例）、一三二条（研究上の特例）、一三二条の二（地域等の特色を生かした教育課程の特例）がある（法三三条の【注解】参照）。

三　特別支援学校の小学部、中学部又は高等部の教育課程の領域については、原則としてそれぞれ小学校、中学校又は高等学校の教育課程の領域に自立活動を加えて編成されているが（施行規則一二六条〜一二八条）、特別支援学校の小学部、中学部又は高等部においては、特に必要がある場合は、各教科、各科目の全部又は一部について合わせて授業を行うことができるほか、知的障害者又は複数の種類の障害を併せ有する児童生徒を教育する場合は、各教科、特別の教科である道徳（高等部にあっては道徳）、外国語活動、特別活動及び自立活動の全部又は一部について合わせて授業を行うことができる（同一三〇条）。複数の種類の障害を併せ有する児童生徒を教育する場合又は障害のため通学して教育を受けることが困難な児童生徒に対して教員を派遣して教育を行う場合においては、特に必要があるときは、特別の教育課程によることができる（同一三一条一項）。

特別支援学校の小学部の教育課程は、国語、社会、算数、理科、生活、音楽、図画工作、家庭及び体育の各教科、特別の教科である道徳、外国語活動、総合的な学習の時間、特別活動並びに自立活動によって編成される。ただし、知的障害者である児童を教育する場合には、生活、国語、算数、音楽、図画工作及び体育の各教科、特別の教科である道徳、特別活動並びに自立活動によって教育課程を編成するものとされている（施行規則一二六条）。

特別支援学校の中学部の教育課程は、国語、社会、数学、理科、音楽、美術、保健体育、技術・家庭及び外国語の各教科、特別の教科である道徳、総合的な学習の時間、特別活動並びに自立活動によって編成される。ただし、知的障害者である生徒を教育する場合には、国語、社会、数学、理科、音楽、美術、保健体育及び職業・家庭の各教科、特別の教科である道徳、総合的な学習の時間、特別活動並びに自立活動によって教育課程を編成するものとされている（施行規則一二七条）。

特別支援学校の高等部の学科については、「特別支援学校設置基準」（令三文部省令四五）で規定されている。特別支援学校の高等部の学科は、それぞれ普通教育を主とする学科と専門教育を主とする学科に分けられている。

専門教育を主とする学科のうち、視覚障害者である生徒に対する教育を行う学科としては、家庭に関する学科、音楽に関する学科、理療に関する学科、理学療法に関する学科その他専門教育を施す学科として適正な規模及び内容があると認められるもの（以下、「その他の学科」という）、聴覚障害者である生徒に対する教育を行う学科としては、農業に関する学科、工業に関する学科、商業に関する学科、家庭に関する学科、美術に関する学科、理容・美容に関する学科、歯科技工に関する学科、その他の学科、知的障害者、肢体不自由者又は病弱者である生徒に対する教育を行う学科としては、農業に関する学科、工業に関する学科、商業に関する学科、家庭に関する学科、産業一般に関する学科、その他の学科である。

また、特別支援学校の高等部の教育課程は、施行規則の別表三及び別表五に定める各教科に属する科目、総合的な探究の時間、特別活動並びに自立活動によって編成される。ただし、知的障害者である生徒を教育する場合には、国語、社会、数学、理科、音楽、美術、保健体育、職業、家庭、外国語、情報、家政、農業、工業、流通・サービス及び福祉の各教科、特別支援学校高等部学習指導要領で定めるこれら以外の教科、特別の教科である道徳、総合的な学習の時間、特別活動並びに自立活動によって教育課程を編成するものとされている（施行規則一二八条）。

また、特別支援学校幼稚部教育要領、小学部・中学部学習指導要領及び高等部学習指導要領の総則では、障害のある幼児児童生徒の経験を広めて積極的な態度を養い、社会性や豊かな人間性をはぐくむために、学校の教育活動全体を通じて、幼稚園又は小・中・高等学校の幼児児童生徒などと交流及び共同学習を計画的、組織的に行うとともに、地域の人々などと活動を共にする機会を積極的に設けるよう一層配慮する必要があることを示している。

四　現行規定では、特別支援学校の教育課程は、それぞれ教育課程の基準として文部科学大臣が公示する教育要領

又は学習指導要領によるものとされる（施行規則一二九条）。

しかし、この指導要領は昭和三八年度までは事務次官通達という形式で作成されていた。昭和三三年に、小学校及び中学校については学習指導要領を文部省告示として公示することとしたが、特殊教育については遅れ、昭和三九年に盲学校及び聾学校学習指導要領小学部編が、四〇年に中学部編が文部省告示としてそれぞれ制定された。しかし、養護学校については、その歴史が浅いため、取り敢えず昭和三八年に養護学校小学部・中学部学習指導要領精神薄弱教育編及び養護学校小学部学習指導要領肢体不自由教育編・病弱教育編が、翌三九年に養護学校中学部学習指導要領肢体不自由教育編・病弱教育編が次官通達により制定された。

高等部の学習指導要領は、盲学校及び聾学校について、昭和四一年に文部省告示として制定されたが、この時期には養護学校については未制定であった。以下、学習指導要領の改訂等の概要を整理する。

㈠　昭和四三年の小学校学習指導要領の改訂、翌四四年の中学校学習指導要領の改訂及び四五年の高等学校学習指導要領の改訂に伴い、さらに特殊教育諸学校に在学する児童生徒の心身の障害の状態に応じて適切な教育を行うため、小・中学部については昭和四六年三月に、高等部については四七年一〇月に改訂・告示された。

これらの改訂の特徴は次のとおりである。

⑴　障害の状態を改善し又は障害を克服するために必要な特別の指導分野の重要性から、新たに「養護・訓練」の領域が設けられたこと。

⑵　障害の状態及び能力・適性などに応ずる教育をすすめるための方途のひとつとして、学校において特に必要がある場合には、学習が困難な児童生徒について、各教科の目標及び内容の一部を欠き、又はその全部若しくは一部を下学年の各教科の目標及び内容若しくは一部によって替えることができるとされたこと。

⑶　障害を二つ以上併せ有する重複障害の児童生徒に係る特例として、併せ有する障害の種類に対応する他の

盲・聾・養護学校の各教科の目標及び内容の一部を取り入れることができることとされ、また、重複障害の児童生徒のうち、学習が著しく困難な者については、養護・訓練を主とした指導を行うことができることとされたこと。

㈡　昭和五二年の小・中学校の学習指導要領の改訂及び五三年の高等学校学習指導要領の改訂との関連から、五四年七月、新しい盲・聾・養護学校の学習指導要領が改訂・告示された。これらの改訂の特徴は次のとおりである。

⑴　小・中・高等学校の新学習指導要領に準じて改訂が図られたこと

基本的には、小・中・高等学校に準じて改訂が行われ、人間性豊かな児童生徒の育成を重視し、教育内容を基礎的・基本的な事項に精選して、ゆとりある学校生活の中で学校や教師の創意工夫などと相まって、徳・知・体の基礎と基本を確実に身につけさせることを目指すこととし、このため道徳教育及び体育の指導の充実を図るとともに、各教科の指導内容の精選、標準授業時数や高等部における卒業に必要な単位数の削減などが行われた。

⑵　前回の改訂の趣旨を踏襲して、より一層の充実が図られたこと

前回の改訂において、児童生徒の障害の状態及び能力・適性等に応じて教育課程の弾力的な編成ができるように配慮され、また、障害を克服するための特別の指導分野として「養護・訓練」が設けられるなど基本的な改善が図られたところであるが、昭和五四年の改訂では、重複障害者に係る教育課程の一層の弾力化や高等部において「養護・訓練」に充てた授業時数を卒業に必要な単位数に含めることができるなどの措置が講じられた。

⑶　養護学校教育の義務制実施及び特殊教育をめぐる社会情勢の変化への対応が図られたこと

①　障害のため通学して教育を受けることが困難な児童生徒に対して、教員を派遣して教育を行う場合（いわゆる訪問教育）について、その教育課程の編成の特例が示された。

②　児童福祉施設等との連携を一層密にして、指導の効果を上げるよう配慮すべきことが示された。

③　障害のある児童生徒の経験を広め、社会性を養い、好ましい人間関係を育てるため、学校の教育活動全体

を通じて小・中・高等学校の児童生徒等と活動を共にする機会を積極的に設けるように配慮する必要があることが示された。

④　養護学校の高等部（知的障害者を教育する養護学校の高等部を除く）における職業に関する標準的な教科及び科目が新たに示されるとともに、盲学校及び聾学校の高等部における職業に関する各科目については、免許取得に係る関連法規の改正等に伴い所要の改訂が行われた。

(4)　学習指導要領の編成の形式が改められたこと

特殊教育諸学校の学習指導要領は、従来、盲学校、聾学校及び養護学校（知的障害、肢体不自由、病弱）の種類ごとに、それぞれ作成されていたが、昭和五四年の改訂により、特殊教育諸学校共通・各部別の学習指導要領に改められた。

㈢　平成元年の小・中・高等学校の学習指導要領及び幼稚園教育要領の改訂との関連で、小・中・高等部の学習指導要領の改訂及び幼稚部教育要領の制定が行われた。これらの改訂の特徴は、次のとおりである。

(1)　幼稚部の教育課程については、幼稚園教育要領を準用することとされていたが、盲学校、聾学校及び養護学校の幼稚部から高等部までの調和と統一のある教育を進める観点及び障害のある幼児に対する早期教育の必要性を重視する立場から、幼稚園教育要領の改訂の趣旨を取り入れ、新たに幼稚部の教育課程の基準として幼稚部教育要領を制定したこと。

(2)　児童生徒の障害の種類と程度に応じた教育の一層の充実を図る必要があるため、学校の種別ごとに、各教科の配慮事項等の示し方を改善するとともに、養護・訓練については、これまでの実施の経験を踏まえ、指導計画の作成と内容の取扱いにおいて、個々の児童生徒の障害の状態や発達段階に応じて必要とされる具体的な指導事項を選定する際の観点を示したこと。

(3)　高等部における職業教育については、これまでの実施の経験や社会情勢の変化等を踏まえ、時代の要請に対応した教育内容の充実や新たな学科の設置を図り、障害のある生徒の社会参加・自立の一層の推進を図ることとしたこと。

㈣　平成一一年の小・中・高等学校の学習指導要領及び幼稚園教育要領の改訂作業と同時に、小・中・高等部の学習指導要領及び幼稚部教育要領の改訂作業が進められた。これらの改訂の特徴は、幼児児童生徒の障害の重度・重複化や社会の変化等を踏まえ、一人一人の障害の状態等に応じたきめ細かな指導が行われるよう幼・小・中・高等学校の教育課程の基準に準じた改善を図るとともに、主に次のような改善を図ったことである。

(1)　障害の重度・重複化への対応

障害の状態を改善・克服するための指導領域である「養護・訓練」について、自立を目指した主体的な活動を一層推進する観点から、目標にその旨を明記し、内容についても、コミュニケーションや運動・動作の基本的技能に関する指導等が充実されるよう改善するとともに、その名称を「自立活動」に変更したこと。また、障害の状態等に応じた個別の指導計画の作成について規定したこと。

高等部の訪問教育に係る規定を整備したこと。

(2)　早期からの適切な対応

幼稚部において、三歳未満の乳幼児を含む教育相談に関する事項を新たに規定したこと。

重複障害の幼児について、専門機関との連携に特に配慮することなど、指導上の留意事項を新たに示すとともに、障害に応じた適切な配慮がなされるよう指導計画作成上の留意事項を充実したこと。

(3)　職業的な自立の推進等

知的障害者を教育する養護学校において、職業教育を充実する観点などから、高等部に「情報」及び「流通・

サービス」を、また、社会の変化等に対応するため、中学部及び高等部に「外国語」をそれぞれ選択教科として新設したこと。

盲学校や聾学校の専門教科・科目については、学校が特色ある教育課程を編成できるよう科目構成を大綱化するとともに、内容の範囲等を明確化したこと。

交流教育について、その意義を一層明確に規定したこと。

(五) 平成一五年の小・中・高等学校の学習指導要領の一部改正と同時に、盲学校、聾学校及び養護学校小学部・中学部並びに盲学校、聾学校及び養護学校高等部学習指導要領の一部改正がなされた。これらの一部改正の趣旨は、学習指導要領に示す基礎的・基本的な内容の確実な定着を図るとともに、各学校の裁量により創意工夫を生かした特色ある取組を行うことによって、児童生徒に、知識や技能に加え、学ぶ意欲や、自分で課題を見付け、自ら学び、主体的に判断し、行動し、問題を解決する資質や能力などの確かな学力を育成し、生きる力をはぐくむという学習指導要領のねらいの一層の実現を図ったことである。

学習指導要領の一部改正等の内容については、小・中・高等学校の学習指導要領の一部改正に準じた内容となっており、学習指導要領の基準性を踏まえた指導の一層の充実、総合的な学習の時間の一層の充実がなされるよう改善を図っている（法三三条の【注解】五(8)参照）。

(六) 平成一九年四月からの学校教育法の一部を改正する法律の施行に伴い、学習指導要領等について、それぞれ、特別支援学校幼稚部教育要領、特別支援学校小学部・中学部学習指導要領、特別支援学校高等部学習指導要領に名称変更するなどの改正が行われた。

(七) 平成二一年三月の特別支援学校の学習指導要領等の改訂は、平成二〇年の幼稚園教育要領及び小・中学校学習指導要領の改訂並びに平成二一年の高等学校学習指導要領の改訂等を踏まえ行われた。即ち、教育基本法及び学校教

育法の改正を受け、これらにおいて明確となった教育の目的、目標等を踏まえ、次の方針に基づき、幼稚園、小学校、中学校、高等学校の教育課程の基準の改善に準じた改善を行ったものである。

(1)　教育基本法改正等で明確となった教育の理念を踏まえ、「生きる力」を育成すること

(2)　知識・技能の習得と思考力・判断力・表現力等の育成のバランスを重視すること

(3)　道徳教育や体育などの充実により、豊かな心や健やかな体を育成すること

これらに加え、障害のある幼児児童生徒が自己の持つ能力や可能性を最大限に伸ばし、自立し社会参加するために必要な力を培うためには、一人一人の障害の状態等に応じたきめ細やかな指導を一層充実することが重要であることから次のような改善を行った。

①　障害の重度・重複化、多様化への対応　「自立活動」について、障害の重度・重複化、発達障害を含む多様な障害に応じた指導を充実するため内容を新たに示すなどの改善を図るとともに、指導計画作成の手順等を明確にした。重複障害者や訪問教育に関し、指導計画作成上の配慮事項を規定した。

②　一人一人に応じた指導の充実　すべての幼児児童生徒について、各教科等にわたる「個別の指導計画」を作成することを規定した。教育、医療、福祉、労働等の関係機関が連携し、すべての幼児児童生徒に「個別の教育支援計画」を作成することを規定した。

③　自立と社会参加に向けた職業教育の充実　高等部の専門教科として「福祉」を新設した。地域や産業界等と連携し、職業教育や進路指導の充実を図ることを規定した。

④　交流及び共同学習の推進　幼児児童生徒の「交流及び共同学習」を計画的、組織的に行うことを規定した。

(八)　平成二九年四月及び平成三一年二月の特別支援学校の学習指導要領等の改訂は、平成二九年の幼稚園教育要領及び小・中学校学習指導要領の改訂並びに平成三〇年の高等学校学習指導要領の改訂等を踏まえて行われており、改

訂においては、以下の三点を基本的な考え方としている。
(1) 社会に開かれた教育課程の実現、育成を目指す資質・能力、主体的・対話的で深い学びの実現に向けた授業改善、各学校におけるカリキュラム・マネジメントの確立など、初等中等教育全体の改善・充実の方向性を重視。
(2) 障害のある子供たちの学びの場の柔軟な選択を踏まえ、幼・小・中・高等学校の教育課程との連続性を重視。
(3) 障害の重度・重複化、多様化への対応と卒業後の自立と社会参加に向けた充実。
また、教育内容等については次のような改善を行った。
① 学びの連続性を重視した対応　「重複障害者等に関する教育課程の取扱い」について、子供たちの学びの連続性を確保する視点から、基本的な考え方を規定するとともに、知的障害者である子供のための各教科等の目標や内容についての目標や内容について、各部や各段階、幼稚園や小・中学校とのつながりに留意したうえで、育成を目指す資質・能力の三つの柱に基づき整理。
② 一人一人に応じた指導の充実　子供の障害の状態や特性等を十分考慮し、育成を目指す資質・能力を育むため、障害の特性等に応じた指導上の配慮を充実するとともに、コンピュータ等の情報機器（ＩＣＴ機器）の活用等について規定するとともに、発達障害を含む多様な障害に応じた指導を充実するため、自立活動の内容として、「障害の特性の理解と生活環境の調整に関すること」などを規定。
③ 自立と社会参加に向けた教育の充実　卒業後の視点を大切にしたカリキュラム・マネジメントを計画的・組織的に行うこと、幼稚部、小学部、中学部段階からのキャリア教育の充実、生涯学習への意欲を高めることや、生涯を通じてスポーツや文化芸術活動に親しみ、豊かな生活を営むことができるよう配慮すること等を規定。
五　特別支援学校において使用する教科用図書については、文部科学大臣の検定を経た教科用図書又は文部科学省が著作の名義を有する教科用図書を使用しなければならない（法八二条の規定により同法三四条一項を準用）ことを原則と

するが、当分の間は、文部科学大臣の定めるところにより、それらの教科用図書以外の教科用図書を使用することができる（法附則九条）。

また、特別支援学校の小学部、中学部又は高等部において重複障害児童生徒の教育又は教員を派遣して教育を行う場合、特に必要があるときは、特別の教育課程によることができるが（施行規則一三一条一項）、この場合においては、文部科学大臣の検定を経た教科用図書又は文部科学大臣において著作権を有する教科用図書を使用することが適当でないときには、当該学校の設置者の定めるところにより、他の適切な教科用図書を使用することができる（施行規則一三一条二項）。

六　学級編制の標準については、幼稚部にあっては一学級の幼児数は五人以下が標準とされている（設置基準五条一項）。特別支援学校の小学部又は中学部にあっては一学級の児童又は生徒の数は六人以下（設置基準五条二項）、高等部にあっては一学級は八人以下（設置基準五条三項）と定められている。また、各学部とも障害を二以上併せ有する幼児児童生徒で学級を編制する場合にあっては一学級三人以下と定められている。

〔寄宿舎の設置〕

第七十八条　特別支援学校には、寄宿舎を設けなければならない。ただし、特別の事情のあるときは、これを設けないことができる。

【沿　革】　昭四九・六・一法七〇により新設した。
平一八・六・二一法八〇により、「盲学校、聾（ろう）学校及び養護学校」を「特別支援学校」に改めた。
平一九・六・二七法九六により、旧七三条の二から七八条に移動した。

【参照条文】　施行規則一二四条。

【注　解】

一　本条は、特別支援学校に寄宿舎の設置を義務づける規定である。従前施行規則で規定されていた寄宿舎の設置義務を、昭和四九年の法改正により、法律で明確にしたものである。

二　特別支援学校について、寄宿舎を義務設置としたのは、これらの学校に在学する児童生徒の状況及び特別支援学校の設置状況にかんがみて、特別な場合を除き、通学が困難な児童生徒のために、寄宿舎を設置することが必要であるとの考えによるものである。

寄宿舎を設けないことができる「特別の事情」とは、就学者が自宅から通学可能な範囲内にのみ居住する場合とか、医療機関とか児童福祉施設に併設する学校で、就学者が医療機関又は児童福祉施設の入所者に限定されている場合である。

三　寄宿舎を設ける特別支援学校には、寄宿舎指導員を置かなければならない（法七九条）。また、寄宿舎を設ける特別支援学校には寮務主任及び舎監を置くこととされている（施行規則一二四条一項）。寮務主任及び舎監は指導教諭又は教諭をもって充てられる。寮務主任は、校長の監督を受け、寮務に関する事項について連絡調整及び指導、助言に当たる。舎監は、校長の監督を受け、寄宿舎の管理及び寄宿舎における児童等の教育に当たる。また、寮務主任の担当する寮務を整理する主幹教諭を置くときや寄宿舎の規模が小規模である等特別の事情のあるときは、寮務主任は置かないことができる（施行規則一二四条二項～五項）。

〔寄宿舎指導員〕

第七十九条　寄宿舎を設ける特別支援学校には、寄宿舎指導員を置かなければならない。

②　寄宿舎指導員は、寄宿舎における幼児、児童又は生徒の日常生活上の世話及び生活指導に従事する。

【沿　革】　昭四九・六・一法七〇により新設した。

平一三・七・一一法一〇五により、「寮母」を「寄宿舎指導員」に、「養育」を「日常生活上の世話及び生活指導」に改めた。

平一八・六・二一法八〇により、「盲学校、聾学校及び養護学校」を「特別支援学校」に改めた。

平一九・六・二七法九六により、旧七三条の三から七九条に移動した。

【参照条文】　施行規則一二三条。教育公務員特例法施行令九条。

【注　解】

一　本条は、寄宿舎指導員の設置義務を定めた規定である。寄宿舎を設けている特別支援学校には、すべて寄宿舎指導員を置かなければならない。これらの学校に在学している児童生徒等の状況にかんがみ、寄宿舎指導員は不可欠であり、またその職務の重要性から、従前施行規則で定められていたものを、昭和四九年の本法改正により、法律上明確にしたものである。昭和四九年の改正では、「寮母」とされていたが、平成一三年の改正により、「寄宿舎指導員」とされた。これは、従前の盲学校、聾学校及び養護学校に置かれていた寮母については、従来から女性に限るものではなかったが、年々男性が増えてきている状況等を踏まえ、男女共同参画社会の形成の促進の観点から、その名称を見直すこととした。変更する名称については、当時の盲学校、聾学校及び養護学校の児童生徒等の障害の重度・重複化に伴い、その職務のうち、生活指導に重点が置かれている現状を踏まえ、「寄宿舎指導員」とした。

二　寄宿舎指導員の職務については、昭和四九年の改正では、「寮母は、寄宿舎における児童、生徒又は幼児の養育に従事する。」と規定されていたが、平成一三年の改正により、「寄宿舎指導員は、寄宿舎における児童、生徒又は幼児の日常生活上の世話及び生活指導に従事する。」と改めた。これは、当時の盲学校、聾学校及び養護学校の児童生徒等の障害の重度・重複化に伴い、その職務が食事、洗濯等の日常生活における世話に加えて、日常生活の習慣及

び社会生活技術を身につけるための生活指導を行う部分が増大していたため、その職務内容規定を実態により即したものとしたのである。

三 寄宿舎指導員は、任用、服務等については、教育公務員特例法の大学以外の学校の教員に関する規定が準用される（教育公務員特例法施行令一〇条二項）。資格については特別の規定はなく、多くの場合、教育職員免許状を有する者、保育士資格を有する者等が任用されている。

四 寄宿舎指導員の数は、寄宿舎に寄宿する児童等の数を六で除して得た数以上を標準とするとされている（施行規則一二三条）。公立の特別支援学校にあっては、義務標準法一三条に次のように規定されている。

第十三条 寄宿舎指導員の数は、寄宿舎を置く特別支援学校ごとに次に定めるところにより算定した数の合計数（その数が十二に達しない場合にあつては、十二）を合計した数とする。
一 寄宿舎に寄宿する小学部及び中学部の児童及び生徒（肢体不自由者である児童及び生徒を除く。）の数の合計数に五分の一を乗じて得た数
二 寄宿舎に寄宿する肢体不自由者である小学部及び中学部の児童及び生徒の数の合計数に三分の一を乗じて得た数

また、高校標準法二〇条に、次のように規定されている。

（寄宿舎指導員の数）
第二十条 寄宿舎指導員の数は、寄宿舎を置く特別支援学校ごとに次に定めるところにより算定した数の合計数（高等部の生徒のみを寄宿させる寄宿舎のみを置く特別支援学校について当該合計数が十二に達しない場合にあつては、十二）を合算した数とする。
一 寄宿舎に寄宿する高等部の生徒（肢体不自由者である生徒を除く。）の数に五分の一を乗じて得た数
二 寄宿舎に寄宿する肢体不自由者である高等部の生徒の数に三分の一を乗じて得た数

〔特別支援学校の設置義務〕

第八十条　都道府県は、その区域内にある学齢児童及び学齢生徒のうち、視覚障害者、聴覚障害者、知的障害者、肢体不自由者又は病弱者で、その障害が第七十五条の政令で定める程度のものを就学させるに必要な特別支援学校を設置しなければならない。

【沿　革】　昭二三・七・一五法一七〇により、「その議会の議決を経て、」を削除した。

昭三六・一〇・三一法一六六により、「学齢生徒の中」を「学齢生徒のうち」に、「聾者」を「聾者」に、「精神薄弱、身体不自由その他心身に故障のある者」を「精神薄弱者、肢体不自由者若しくは病弱者で、その心身の故障が、第七十一条の二の政令で定める程度のもの」に改めた。

平一〇・九・二八法一一〇により、「精神薄弱者」を「知的障害者」に改めた。

平一八・六・二一法八〇により、「盲者・聾者又は」を「視覚障害者、聴覚障害者、」に、「心身の故障」を「障害」に、「盲学校、聾学校又は養護学校」を「特別支援学校」に改めた。

平一九・六・二七法九六により、旧七四条から八〇条に移動した。

【参照条文】　憲法二六条。教育基本法四条二項。法一七条、三八条、四九条。

【注　解】

一　本条は、都道府県に対して、特別支援学校の設置義務を課した規定である。小学校及び中学校については、市町村に設置義務を課しているが（法三八条・四九条）、特別支援学校について、都道府県に設置義務を課したのは、これらの学校は、対象となる児童生徒等の数の上からみても、市町村単位とすることは困難であり、かつ、この教育の一定の水準と学校規模を維持するためには、都道府県を設置単位とすることが適当であるという現実的考慮によるものと解される。

二　従前の盲学校、聾学校及び養護学校の設置義務に関する部分の施行期日は、政令でこれを定めるとされてい

た。これを受けて盲学校及び聾学校の設置義務に関する部分は昭和二三年四月一日から施行された（中学校の就学義務並びに盲学校及び聾学校の就学義務及び設置義務に関する政令（昭二三政令七九））。また、養護学校の設置義務に関する部分は昭和五四年四月一日から施行された（学校教育法中養護学校における就学義務及び養護学校の設置義務に関する部分の施行期日を定める政令（昭四八政令三三九））。

三　本条は、都道府県に対し学校の設置義務を規定したものであり、これに対して、法一七条一項及び二項は、保護者に対する就学義務を規定したものである。この双方の義務が相まって、特別支援学校の小学部及び中学部における九年の義務教育が確保されているのである。

法一七条の【注解】一参照。

〔特別支援学級〕

第八十一条　幼稚園、小学校、中学校、義務教育学校、高等学校及び中等教育学校においては、次項各号のいずれかに該当する幼児、児童及び生徒その他教育上特別の支援を必要とする幼児、児童及び生徒に対し、文部科学大臣の定めるところにより、障害による学習上又は生活上の困難を克服するための教育を行うものとする。

②　小学校、中学校、義務教育学校、高等学校及び中等教育学校には、次の各号のいずれかに該当する児童及び生徒のために、特別支援学級を置くことができる。

一　知的障害者

二　肢体不自由者

三　身体虚弱者

四　弱視者

五　難聴者
六　その他障害のある者で、特別支援学級において教育を行うことが適当なもの
③　前項に規定する学校においては、疾病により療養中の児童及び生徒に対して、特別支援学級を設け、又は教員を派遣して、教育を行うことができる。

【沿　革】　昭三六・一〇・三一法一六六により、第一項（現第二項）各号を改めた。

平一〇・六・一二法一〇一により、「及び高等学校」を「高等学校及び中等教育学校」に、「一に」を「いずれかに」に、「肢体不自由者」を「肢体不自由者」に、「行なう」を「行う」に改めた。

平一〇・九・二八法一一〇により、「精神薄弱者」を「知的障害者」に改めた。

平一八・六・二一法八〇により、第二項中「学校は」を「学校においては」に、「特殊学級」を「特別支援学級」に改め、同項を第三項に移動し、第一項中「特殊学級」を「特別支援学級」に、「心身に故障」を「障害」に改め、同項を第二項に移動し、第一項を新設した。

平一九・六・二七法九六により、旧七五条から八一条に移動した。

平二七・六・二四法四六により、「中学校」の下に「、義務教育学校」を追加した。

【参照条文】　発達障害者支援法八条。施行規則一三六条～一四一条。

【注　解】

一　本条一項は、学習障害（ＬＤ）、注意欠陥多動性障害（ＡＤＨＤ）を含む障害のある児童生徒等に対して適切な教育を行うため、小・中学校等において、特別支援学級及び通常の学級に在籍する教育上特別の支援を必要とする児童生徒等に対し、障害による困難を克服するための教育を行うことを規定するものである。
平成一四年に文部科学省が実施した全国実態調査によれば、小学校又は中学校の通常の学級に在籍している児童生

徒のうち、学習障害、注意欠陥多動性障害等により、学習面や生活面で特別な教育的支援を必要とすると考えられる者が約六%の割合で存在する可能性が示されているとともに、これらの児童生徒等を含む発達障害のある者への支援の促進を目的とする発達障害者支援法（平一六法一六七）が平成一七年度から施行され、これら特別な支援を必要とする児童生徒等への対応が急務となった。

このような状況にあって、すべての小・中学校において取組を一層充実させるため、特別支援学級に在籍する児童生徒はもとより、通常学級に在籍する教育上特別の支援を必要とする児童生徒等に対し、適切な教育を行う旨の明示的な規定を設けたものである。

二　「次項各号のいずれかに該当する幼児、児童及び生徒」とは、特別支援学級の対象となる障害のある幼児、児童及び生徒をいう。

「その他教育上特別の支援を必要とする幼児、児童及び生徒」とは、通級による指導（施行規則一四〇条）の対象となる障害のある幼児、児童及び生徒並びに通常の学級において障害による種々の困難に関して特別な配慮を必要とする児童生徒等をいう。

「文部科学大臣の定めるところにより」とは、具体的な内容及び留意事項等について学習指導要領等に委ねる趣旨である。

三　本条二項は、小学校、中学校、義務教育学校、高等学校及び中等教育学校に特別支援学級を置くことができることを定めた規定である。

「特別支援学級」とは、障害があるため、通常の学級では適切な教育が受けられない児童生徒に対して、特別に編制される学級である。法文上では、高等学校にも特別支援学級を設けることができることになっているが、高等学校の特別支援学級において特別の教育課程を編成できるとする規定は置かれていない（小・中学校等については施行規則第一

三八条に規定）。

四　特別支援学級は、かつての国民学校、中学校及び高等女学校における養護学級に対応するものである。たとえば、国民学校令施行規則五三条によれば、「国民学校ニ於テハ身体虚弱、精神薄弱其ノ他心身ニ異常アル児童ニシテ特別養護ノ必要アリト認ムルモノノ為ニ学級又ハ学校ヲ編制スルコトヲ得」とあった。

学校教育法制定により「特殊学級」とされ、当初「盲者及び弱視者」、「聾者及び難聴者」と規定されていたのを、昭和三六年の本法改正で「弱視者」、「難聴者」としたのは、昭和二三年から学年進行で実施された盲学校及び聾学校への就学義務が昭和三一年度をもって完成したこともあり、視覚障害者及び聴覚障害者に適切な教育を行うという観点から、視覚障害者又は聴覚障害者を小学校又は中学校で教育できるという建前をかえ、盲学校又は聾学校において教育すべきであるという原則を確立しようとしたものである。

その後、平成一八年の本法改正により「特殊教育」の用語が「特別支援教育」に改められるに際し、「特殊学級」は「特別支援学級」に改められた。

現在、各学校に設けられている特別支援学級の種類は、知的障害、肢体不自由、病弱・身体虚弱、弱視、難聴、言語障害及び自閉症・情緒障害である。

特別支援学級で教育を受ける者の障害の程度は、一般に、施行令二二条の三の表で規定されている程度より軽度のものと考えられるが、施行令二二条の三の表に該当する程度の障害のある児童生徒も、市町村教育委員会が、総合的な観点から、小学校又は中学校において教育を受けることが適当であると判断して小学校又は中学校に就学し、特別支援学級に在籍することが考えられる。特別支援学校の場合とは異なり、特別支援学級への就学義務というものはない（保護者は、小学校又は中学校に就学させる義務を負っているにすぎず、具体的にどの学級に入級させるかは、校長の権限である）。

五　特別支援学級は、市町村教育委員会に設置が義務づけられてはいないが、障害のある者の教育の充実という点

から考えれば、できるだけ設置することが望ましい。

特別支援学級は、本条二項各号の区分に従って設置すべきもので、これらを一緒にした特別支援学級は、特別の事情のないかぎり望ましくない（施行規則一三七条）。また、小学校若しくは中学校又は中等教育学校の前期課程に置く場合にあっては、一学級の児童生徒の数は、法令に特別の定のある場合を除き、一五人以内で編制することが標準とされている（施行規則一三六条）が、通常の学級の場合の原則と異なり、必ずしも同学年の児童生徒で学級編制をする必要はない。公立の学校及び中等教育学校の前期課程の特別支援学級については、義務標準法三条二項において、八人の学級編制を標準としている。

六　特別支援学級の教育課程については、通常の学級における場合と同様であるが、特に必要がある場合は、特別の教育課程によることができる（施行規則一三八条）。

また、その場合には、使用教科書についても、検定教科書を使用することが適当でないときは、特別支援学級を置く学校の設置者の定めるところにより、他の適切な教科用図書を使用することができる（施行規則一三九条）。

七　「その他障害のある者で、特別支援学級において教育を行うことが適当なもの」とは、具体的には、言語障害者及び自閉症・情緒障害者等があげられる。

八　本条三項の疾病により療養中の児童生徒のための特別支援学級は、実際には前項三号の身体虚弱者等のための特別支援学級と重複することとなろう。

九　以上で述べた特別支援学級は、特別に編制された学級に児童生徒が在籍するいわゆる固定式の指導が行われる場である。これとは別に、小学校若しくは中学校又は中等教育学校の前期課程の通常の学級に在籍する比較的軽度な障害がある児童生徒に対して、特別の指導の場（いわゆる通級指導教室）において、障害に応じて特別の指導を行う「通級による指導」が平成五年四月一日から小学校及び中学校で、平成三〇年四月一日から高等学校で制度化された。

通級による指導の対象となる者は、特別支援学級に入級している者以外で比較的軽度の言語障害者、自閉症者、情緒障害者、弱視者、難聴者、学習障害者、注意欠陥多動性障害者及びその他障害のある者で特別の教育課程による教育を行うことが適当なものであり、文部科学大臣が別に定めるところにより、特別の教育課程により教育することができる（施行規則一四〇条）。

通級による指導の特別な教育課程の編成については、障害に応じた特別の指導（いわゆる自立活動の指導等）を、小学校、中学校又は高等学校の教育課程に加え、又はその一部に替えることができるものとされている（平五文部省告示七）。特別の指導は、障害に基づく種々の困難の改善又は克服を目的とする指導であるが、特に必要があるときは、障害の状態に応じて各教科の内容を取り扱いながら行うことができる。

また、通級による指導を他の学校で行ういわゆる他校通級の場合には、当該児童生徒が在籍する学校の校長は、他の学校で受けた授業を当該在籍する学校の特別の教育課程に係る授業とみなすことができるとされている（施行規則一四一条）。

○学校教育法施行規則第百四十条の規定による特別の教育課程について定める件（平五・一・二八文部省告示七）

最終改正　令四・三・三一文部科学省告示五四

小学校、中学校、義務教育学校、高等学校又は中等教育学校において、学校教育法施行規則（以下「規則」という。）第百四十条各号のいずれかに該当する児童又は生徒（特別支援学級の児童及び生徒を除く。以下同じ。）に対し、同条の規定による特別の教育課程を編成するに当たっては、次に定めるところにより、当該児童又は生徒の障害に応じた特別の指導（以下「障害に応じた特別の指導」という。）を、小学校、中学校、義務教育学校、高等学校又は中等教育学校の教育課程に加え、又はその一部に替えることができるものとする。ただし、高等学校又は中等教育学校の後期課程においては、障害に応じた特別の指導を、高等学校学習指導要領（平成三十年文部科学省告示第六十八号）第一章第二款の3(2)のアに規定する必履修教科・科目及び総合的な探究の時間、同款の3(2)のイに規定する普通科以外の普通教育を主とする学科において全ての生徒に履修させる学校設定教科に関する科目、同款の3(2)のウに規定する専門学科において全ての生徒に履修させる専門教科・科目、同款の3

(2)のエに規定する総合学科における「産業社会と人間」並びに同款の3(3)のエ、オ及びカ並びに同款の5(7)の規定により行う特別活動に替えることはできないものとする。

1　障害に応じた特別の指導は、障害による学習上又は生活上の困難を改善し、又は克服することを目的とする指導とし、特に必要があるときは、障害の状態に応じて各教科の内容を取り扱いながら行うことができるものとする。

2　小学校、中学校若しくは義務教育学校又は中等教育学校の前期課程における障害に応じた特別の指導に係る授業時数は、規則第百四十条第一号から第五号まで及び第八号に該当する児童又は生徒については、年間三十五単位時間から二百八十単位時間までを標準とし、同条第六号及び第七号に該当する児童又は生徒については、年間十単位時間から二百八十単位時間までを標準とし、当該指導に加え、学校教育法施行規則第五十六条の二等の規定による特別の教育課程について定める件（平成二十六年文部科学省告示第一号）に定める日本語の能力に応じた特別の指導を行う場合は、授業時数の合計がおおむね年間二百八十単位時間以内とする。

3　高等学校又は中等教育学校の後期課程における障害に応じた特別の指導に係る修得単位数は、年間七単位を超えない範囲で当該高等学校又は中等教育学校が定めた全課程の修了を認めるに必要な単位数のうちに加えることができるものとする。

【通　知】

○障害のある児童生徒等に対する早期からの一貫した支援について（平二五・一〇・四　二五文科初七五六号文部科学省初等中等教育長通知、法七五条の【通知】参照）

【判決例】

○特殊学級〔現行特別支援学級〕**への入級処分は校長の権限であるとされた事例**（札幌高判平六・五・二四）

控訴人は、被控訴人留萌中校長による平成五年四月七日の特殊学級への入級処分（以下、「本件入級処分」という。）は、控訴人や両親の学級選択権を侵害した違法があるとし、その根拠として、憲法二六条、憲法一三条後段、学校教育法などに基づき右の選択権を有する旨を主張する。

しかしながら、それらの主張を子細に検討しても、学校長の入級処分に際し、両親や子どもの意思に従うこと、すなわち、それらの者に学級選択権があるとの結論を得ることはできない。

憲法二六条は、福祉国家の理念に基づき、国の教育に対する積極的責務と親の子女に普通教育を受けさせる義務を宣言したものであ

るが、その背後には、子どもの教育は教育を施す者の支配的権能ではなく、子どもの学習する権利に対応し、その充足をはかり得る立場にある者の責務に属するものとして捉えるべきであるとの理念があると解される。したがって、国及び地方公共団体が、適切な普通教育を実施する最終責任を負担するとしても、その実施にあたり自らの判断のみによって専断することが許されるものではない。子どもは教育の主体として、親はその自然的関係により子女を教育する立場にあるものとして、教師や国、地方公共団体とともにそれぞれ役割を持ち、この役割にしたがって教育の内容方法に関与することができる立場にあるというべきである。しかし、子どもが学習権の主体であるからといって、人格の未成熟を前提にその完成を目指すために教育を受ける子ども自身が、教育内容を決定できるという意見は到底採用できないし、学級編制や普通学級と特殊学級の振り分け入級処分については、当該子どもに対する教育的配慮が最優先されるべきであるとしても、学校における教育設備、教諭や介護員等の要員の問題を抜きにして決定することはできないところである。このことから、現行法秩序のもとにおいては、これについては校務をつかさどる校長に一定の枠内で権限を与え、その専門的経験知識に立脚した客観的視野のもとに、子どもにとって、また学級運営上より適切な結論をだすことを期待しているものと解すべきである。このようにみてくると、R地方就学指導委員会の専門的検討判断を踏まえ、その他の諸般の事情を総合的に勘案のうえなされた被控訴人校長の本件入級処分を違法とすることはできない。また、憲法一三条の幸福追求権も子どもや親が主観的に欲するところのものが、直ちに同条の「幸福」に該当するとはいえないし、前記憲法二六条に関して判断したところと同じ理由により、憲法一三条によっても、学級選択権を子どもや親に保障したものとは解することができない。その他、控訴人の主張する憲法一四条や学校教育法、更に国際法的見地にしたがって検討しても、結局、子どもや親に主張にかかるような選択権を肯定することは困難である。

〔準用規定〕

第八十二条　第二十六条、第二十七条、第三十一条（第四十九条及び第六十二条において読み替えて準用する場合を含む。）、第三十二条、第三十四条（第四十九条及び第六十二条において準用する場合を含む。）、第三十六条、第三十七条（第二十八条、第四十九条及び第六十二条において準用する場合を含む。）、第四十二条から第四十四条まで、第四十七条及び第五十六条から第六十条までの規定は特別支援学校に、第八十四条の規定は特別支援学校の高等部に、それぞれ準用する。

【沿　革】昭二八・八・五法一六七により、「第十九条」を「第十九条、第二十一条」に改めた。

昭三六・一〇・三一法一六六により、「第二十一条」の下に「（第四十条及び第五十一条において準用する場合を含む。）」を加え、「第四十五条から第四十八条まで、第五十条」を「第四十六条から第五十条まで」に改め、「養護学校に」の下に「、第五十四条の二の規定は、盲学校、聾学校及び養護学校の高等部に」を加えた。

昭四九・六・一法七〇により、「第二十八条（第四十条及び第五十一条」を「第二十八条（第四十条、第五十一条及び第八十二条」に改めた。

昭五六・六・一一法八〇により、「第五十四条の二」を「第五十四条の二第一項」に改めた。

平一三・七・一一法一〇五により、「第十九条」を「第十八条の二（第四十条及び第五十一条において読み替えて準用する場合を含む。）、第十九条」に、「第五十四条の二第一項」を「第五十二条の二」に改めた。

平一八・六・二一法八〇により、「盲学校、聾学校及び養護学校」を「特別支援学校」に改めた。

平一九・六・二七法九六により、旧七六条を八二条に移動し、準用される条文を現行の条文に改めた。

【参照条文】　法三五条、五三条、五四条。

【注　解】

一　本条は、特別支援学校について、幼稚園、小学校、中学校及び高等学校に関する規定を準用する規定である。すなわち、幼稚園に関する規定はこれらの学校の幼稚部に、小学校に関する規定はこれらの学校の小学部に、中学校に関する規定はこれらの学校の中学部に、高等学校に関する規定はこれらの学校の高等部に、それぞれ準用される。なお、これらの規定の準用に関して次の点に留意する必要がある。

(1)　法三五条の規定が準用されていない。すなわち、性行不良であって他の児童の教育に妨げがあると認める児童があるときは、学校の管理機関が、その児童の保護者に対して、児童の出席停止を命ずることができるという規定の準用がない。特別支援学校については、出席停止を必要とするような状況が想定されないことから、出席停止に関す

る規定は適用しないこととされたものである。

⑵　法五三条及び五四条の規定が準用されていない。すなわち、高等学校に定時制の課程及び通信制の課程を置くことができるという規定の準用がない。これらの学校の性格上、定時制の課程及び通信制の課程を置くには、種々の困難が認められるので、定時制の課程及び通信制の課程を置かない趣旨と解する。

⑶　法八四条の「大学は、通信による教育を行うことができる。」という規定が、特別支援学校の高等部に準用されており、施行令二七条、二七条の二により、高等部の通信教育に関する規程の変更について都道府県教育委員会又は都道府県知事に届け出るべきことを定めている。しかし、特別支援学校の高等部教育の実態から考えると、これらの学校が通信教育によって教育することは、実際上きわめて多くの困難が伴うであろう（施行規則一三四条）。

二　施行規則一三五条において小学校、中学校、高等学校及び幼稚園に関する施行規則の諸規定を特別支援学校に準用している。

第九章　大　　学

〔大学の目的等〕

第八十三条　大学は、学術の中心として、広く知識を授けるとともに、深く専門の学芸を教授研究し、知的、道徳的及び応用的能力を展開させることを目的とする。

② 大学は、その目的を実現するための教育研究を行い、その成果を広く社会に提供することにより、社会の発展に寄与するものとする。

【沿　革】　平一九・六・二七法九六により、第二項を追加し、旧五二条から八三条に移動した。

【参照条文】　教育基本法一条、二条、六条、七条。

【注　解】

一　平成一八年の教育基本法の改正により、同法七条として大学に関する規定が新設され、教育、研究及びこれらの成果の社会への提供を通じて社会の発展に寄与することが規定された。

教育基本法においては、基本的に個別の学校種については規定せず、学校教育法にゆだねられているが、大学については、今日、「知の世紀」といわれる社会において、重要な役割を果たすことが期待されているとともに、①教育

と研究を一体として行っていること、②社会とのかかわりにおいて、社会の発展への寄与が特に求められていること、③大学の自治に基づく配慮の必要があること、④国際的にも一定の共通性が認められる存在であること、といった特別な性格を有する存在であることから、その役割の重要性・特殊性を踏まえ、新たに規定されたものである。

教育基本法七条一項は、大学の基本的役割を示した規定であり、同条二項は一項に掲げる役割を十分に果たせるよう、大学における教育研究の特性が特に尊重されるべき旨を規定している。

（大学）

第七条 大学は、学術の中心として、高い教養と専門的能力を培うとともに、深く真理を探究して新たな知見を創造し、これらの成果を広く社会に提供することにより、社会の発展に寄与するものとする。

2 大学については、自主性、自律性その他の大学における教育及び研究の特性が尊重されなければならない。

教育基本法の規定は、教育に関する理念や原則を示すものであり、同法の改正が、ただちに関係法令の改正につながるものではない。しかしながら、平成一八年の同法の全面改正により教育に関する理念や原則として新たに明示された事項については、関係法令においても明確に規定することが適当と考えられることから、同法において新たに教育の目標等として明示された事柄を踏まえ、学校教育法における各学校種の目的・目標に関する規定について見直しを行うこととしたものである。

大学の目的について定めていた平成一九年の本法改正前の本条の規定（旧五二条）においては、教育と研究については規定されていたが、教育基本法七条一項に規定する教育、研究及び社会の発展への寄与の三つの役割のうち、社会の発展への寄与については特段の規定が設けられていなかった。このため、大学の目的に関する規定については、新たに社会の発展への寄与に関する内容を盛り込む方向で検討を行い、本条二項として新設する改正を行った。

本条二項として別の項に規定したのは、社会の発展への寄与については、これを行うことを直接の目的として大学

という学校種が設けられているという性質のものではなく、これを目的として規定することは適当ではないと考えられたためである。しかしながら、社会の発展への寄与については、教育及び研究と同様に大学としての重要な役割であり、目的と密接な関連を有するものであることから、別の条とするのではなく、二項として規定したものである。

二　学校教育法制定前においては、大学その他の高等教育機関については、帝国大学令、大学令、高等学校令、専門学校令、師範教育令等の各種勅令によってその根拠が定められていたが、これらの諸勅令は、学校教育法の制定とともに廃止され、すべて学校教育法において規定されるところとなった。このことは、戦前の大学制度が、世界の学術研究活動に伍して、一定の水準を確保してゆくという観点から設けられ、初等教育、中等教育と同一の学校教育体系上の位置づけはいわば第二義的であったのに対し、大学が、小学校、中学校、高等学校に接続し、積み上げられた一貫した学校体系の一環として位置づけられたことをも意味するものと考えられる。

三　本条一項は、大学の目的を明らかにしている。大学の目的について、旧大学令一条は、「大学ハ国家ニ須要ナル学術ノ理論及応用ヲ教授シ並其ノ蘊奥ヲ攻究スルヲ以テ目的トシ兼テ人格ノ陶冶及国家思想ノ涵養ニ留意スヘキモノトス」と規定していたが、学校教育法においては、このうち、「学術の中心」という歴史的にも世界的にも認められた大学の在り方を明らかにするとともに、旧学制における高等学校及び大学の役割の新学制への再編成に応じ、「広く知識を授ける」とともに「深く専門の学芸を教授研究し、知的、道徳的及び応用的能力を展開させる」と表現し、「学術ノ理論及応用ヲ教授シ並其ノ蘊奥ヲ攻究スル」という部分は、法九九条に定める大学院の目的においてその機能が表わされるところとなっている。

四　「広く知識を授ける」ということは、いわゆる一般教育の重視を表わしていると解されている。この一般教育は、学校教育法の立法過程に大きな影響を及ぼした米国教育使節団報告書の考え方及び学制改革を通じ新制の高等学校における教育課程では旧制高等学校における教育課程を包摂することが困難となった事情を反映していると考えら

れるが、新制大学の大きな特色となったものである反面、旧制大学とは異質の要素として、数多くの改善のための施策と各大学における改革の努力が重ねられながら、今日においても、なお完全に定着しているとは必ずしもいえない状況にあると思われるものである。

五　大学は、「深く専門の学芸を教授研究」することとされている。大学が学術の中心であり、また、最終段階の学校制度であるところから、学問の専門化、多様化等に応じた「専門の学芸」をその対象として深く教授研究するという機能をもつのである。この場合、大学は「教授研究」の両機能を果たすものであって、単に教育活動を行うのみのものではなく、また研究所のように単に研究活動のみを行うものではなく、それぞれ相互に相助けてその機能を発揮するものである。

六　「知的、道徳的及び応用的能力を展開させる」という目的は、旧大学令の「人格ノ陶冶」という目的に対応するものであるが、旧大学令におけるこの目的が「兼テ」と表現されていたのに対し、中心的な目的として規定されており、この点においても学校教育制度上の大学の位置づけが明確に示されているといえよう。

七　本条二項は、大学の基本的役割に関する改定である。「社会の発展に寄与」する手段としては、国際協力、公開講座や産学官連携等を通じての直接的な社会貢献に限定されるものではなく、人材の養成と学術研究活動という根本的な役割を果たすこと自体も長期的観点からの社会貢献である。

八　(1)　大学における教育内容は最終的には各大学において決定されるべきものであるが、その教育課程、卒業の要件等については、大学設置基準（昭三一文部省令二八）の定めるところに拠っている。大学設置基準は、教育課程に関する定めのほか、学部、学科等の組織、教員の資格、収容定員、校地・校舎、設備等広く大学を設置するのに必要な最低の基準について定めている。平成三年に大学設置基準の大幅な改正が行われたが、それにいたるまでも特に教育課程を中心に数次にわたる改善が行われてきたところであるので、便宜上ここでその役割、制定に至るまでの経緯

等について整理するとともに、最近の主要な改正の経緯について述べることとし、他の関係条文に関連の深い事項については、それぞれの箇所で改めて触れることとしたい。

⑵　大学は、学校教育制度における最終段階のものとして多様に専門化して行くことを当然の前提としており、しかも、形式化ないしは画一化に最もなじみにくい研究活動を必須の機能としている。このことを考えると、個々の大学が個性と特色を発揮し、それぞれ独自の姿で発展できるようにすることが望ましいということができよう。そして、このような観点からみれば、制度上の制約はできる限り少ない方がよいわけである。しかし、反面、大学は我が国の公教育制度の重要な一環をなすものであり、大学としての共通性の確保、さらにはその水準の維持と公共性の確保とは、国の責務であるといわなければならない。したがって、どこまでが大学として保持すべき基本的な要件であるかを見きわめ、できる限り弾力的な取扱いを行うことができるよう配慮しつつ、これを基準として設定し、それ以外はできるだけ大学の自由に委ねることが適当であると考えられる。

ところで、各大学の自主的な改革を容易にするため、大学改革の推進が基本的には各大学の自主的な努力にまつべきものであるとの認識に立って、大学制度の弾力化が数次にわたって行われてきているが、このような改善は、新制大学発足以来の経験に基づく設置基準の再検討という一般的要請と、大学紛争を契機とする大学改革論議の過程での大学制度の根本的な再考の機運とをその要因とするものであったと思われる。すなわち、新制大学発足以来永年にわたりその運営の経験を積み重ねてきた結果、制度発足の当初必要であると考えられていた制約であっても、現在では必ずしも必要であるとはいい難いものがあり、必要な修正を加えるとともに不必要な制約は取り除こうとしたのが前者である。

これに対し、後者は、昭和四三年頃からの大学紛争を直接の契機として、多くの大学において自主的な大学改革が検討されていく中で、大学制度について基本的な問い直しが行われたが、今日の大学改革が戦後の新制大学の発足時

のように旧制度を否定し、新制度を創設するという形で進めることはできず、といって現行制度の枠に固執するだけでは改革を進め得ないため、改革推進の一助として実験的な試みを可能にしようとしたものである。この意味での弾力化は、各種の大学改革構想が、その妥当性についてなお未知の要素を残しているにしても、その実現の可能性を開くことにより、新しい大学を求める糸口を作り、さらにその実験的な試みの積み重ねから、全大学に共通する新しい価値を発見して行くことに資そうとするものである。そのような意味での弾力化は、現行制度によるこれまでの大学の在り方の継続を否定するものではないことに留意すべきであろう。

近年、大学における教育研究の高度化、個性化、活性化を図る観点から大学設置基準の大綱化、大学評価システムの導入などにより、大学改革は、かなり進展してきている。

また、このような大学改革とは別に規制改革の観点から、平成一四年に導入された構造改革特別区域制度などにより、株式会社による学校設置の容認や大学設置基準の緩和等の措置が講じられている。

(3)　これまでに行われた大学制度の改善のための措置をまとめてみると、次の表のようになっている。

年　月	事　項	内　容
昭和四五・八・三一 （四六・四・一施行）	大学設置基準の一部改正	1　一般教育科目に関する授業科目は、人文、社会、自然の三分野にわたって開設すれば足りるものとしたこと。 2　総合科目（二以上の学問分野の内容を総合して編成された授業科目）の開設も認められたこと。 3　卒業要件を、人文、社会、自然の三分野にわたって三六単位修得すれば足りるものとしたこと。また、そのうち一二単位までは、外国語科目、基礎教育科目又は専門教育科目の単位で代えられることとしたこと。
昭和四七・三・一八	大学設置基準の一部	他の大学（外国の大学を含む）における授業科目の履修を認め、そのうち三〇単位を限

（四・一施行）	改正	度として当該大学での修得とみなすことができることとしたこと。
昭和四八・九・二九（一〇・一施行）	学校教育法の一部改正	1 大学に学部以外の教育研究上の基本となる組織を置くことができることとしたこと。 2 医学、歯学の学部において、六年間を通じる一貫教育をも実施することができることとしたこと。 3 副学長を置くことができることとしたこと。
昭和四八・一一・二八（同日施行）	大学設置基準の一部改正	1 学部以外の教育研究上の基本となる組織の要件を定めたこと。 2 授業科目の区分について、学生の専攻との関連で弾力的な取扱いができることとしたこと。 3 授業期間について、従来の二学期制に加えて、三学期制もとりうることとしたこと。 4 医学、歯学の学部において、六年一貫制をとる場合も含めて、卒業要件を整備したこと。
昭和四九・六・二〇（五〇・四・一施行）	大学院設置基準の制定	1 修士課程の目的に専門職業教育を加えるとともに博士課程の目的を明確にしたこと。 2 博士課程の修業年限を標準的なものとするとともに、単位制による制約を緩和したこと。 3 研究科の組織は、その目的に即して弾力的に編制できることを明らかにしたこと。 4 他の大学院等で授業・研究指導の一部を受けることができることを明らかにしたこと。
昭和五〇・一二・二五（五一・四・一施行）	大学設置基準の一部改正	1 医学、歯学の学部について教育研究目的に即して弾力的な組織編制が行えるようにしたこと。 2 医学、歯学の学部の教育課程の取扱いについて、一般の学部に準じた弾力化を行ったこと。 3 医学、歯学の学部の専門教育科目の各授業科目ごとの授業時間数の配分割合を弾力化したこと。
昭和五一・五・二五（六・一施行）	学校教育法の一部改正 大学院設置基準の一	1 研究科を認可事項としたこと。 2 後期三年の博士課程を設置することができることとしたこと。 3 いわゆる独立大学院（学部を置かず、大学院を置く大学）を設置することができるこ

	部改正（五一・五・三一）	ととしたこと。 4 大学院の名称を保護したこと。
昭和五一・五・三一（六・一施行）	学校教育法施行規則の一部改正	学年の途中においても、学期の区分に従い、学生を入学・卒業させることができることとしたこと。
昭和五三・一一・九（同日施行）	大学院設置基準の一部改正	医学又は歯学の研究科について、大学院設置基準を適用することとし、 1 医学及び歯学の研究科に、基礎的分野の教育研究者等の養成を行うため、修士課程を置くことができることとしたこと。 2 医学又は歯学を履修する博士課程の標準修業年限は四年とすることとしたこと。
昭和五六・六・一一（同日施行）	学校教育法の一部改正	大学には、通信による教育を行う学部を置くことができることとしたこと。
昭和五六・一〇・二九（五七・四・一施行） 昭和五七・三・二三（四・一施行）	大学通信教育設置基準の制定 短期大学通信教育設置基準の制定	1 通信教育を行いうる分野を明示せず、個々の申請に応じて判断することとしたこと。 2 放送授業を認めたこと。 3 卒業要件として履修すべき面接授業による単位三〇単位中一〇単位（短大については、一五単位中五単位）は、放送授業によることができることとしたこと。 4 他の大学の公開講座等における体育実技の履修を認めたこと。
昭和五七・三・二三（四・一施行）	大学設置基準の一部改正	1 大学は、教育上適当であると認めるときは、短期大学とも単位互換ができるものとしたこと。 2 外国において相当の期間中等教育を受けた者について、大学が教育上必要と認める場合、履修科目等の特例を置く等の弾力化を図ったこと。
昭和五八・六・二四（五九・四・一施行）	大学設置基準の一部改正	大学の近接夜間学部に係る専任教員数、校地面積基準を緩和したこと。
昭和五九・八・一三（同日施行）	大学設置基準の一部改正 短期大学設置基準の	期間を付した入学定員増を行う大学、短期大学に係る専任教員数、校地面積基準を緩和したこと。

	一部改正	
昭和五九・一〇・三一 （同日施行）	大学通信教育設置基準の一部改正 短期大学通信教育設置基準の一部改正	大学（短期大学）の通信教育の聴講生が、当該大学（短期大学）の通信教育の課程に入学した場合、聴講生として聴講した授業科目について単位を与え、卒業要件に算入できることとしたこと。
昭和六〇・二・五 （同日施行）	大学設置基準の一部改正 短期大学設置基準の一部改正	専攻分野について優れた知識及び経験を有する者について、学位、研究上の業績又は教育の経歴の有無にかかわらず、大学（短期大学）の教員の資格を認めたこと。
昭和六〇・九・四 （同日施行）	大学設置基準の一部改正 短期大学設置基準の一部改正	大学（短期大学）の校地の面積について、教育に支障のない限度において二分の一の範囲内で基準面積（短期大学の場合、校地基礎面積）の一部を減ずることができることとしたこと。
平成　元・九・一 （同日施行）	大学院設置基準の一部改正 学位規則の一部改正 学校教育法施行規則の一部改正	1　修士課程について、次の改正を行ったこと。 ア　夜間大学院を設けることができることとしたこと。 イ　標準修業年限を二年と定めたこと。 ウ　研究指導の委託を可能にしたこと。 2　博士課程の目的に、研究者養成以外に多様な高度の能力の養成を加えたこと。 3　大学院教員を広く社会に求めることができるようにしたこと。 4　大学に三年以上在学した者で、大学院において、所定の単位を優れた成績をもって修得したものと認めた者に、大学院入学資格を付与したこと。
平成三・四・二 （七・一施行）	学校教育法の一部改正 学位規則の一部改正	1　学士を学位に位置付けたこと。 2　学位授与機構の新設（国立学校設置法の一部改正）にあわせて学位授与機構の学位授与に関する規定を整備したこと。

	（三・六・三）	3　修士及び博士の種類を廃止したこと。 4　医学・歯学の進学課程と専門課程の区分に関する規定を削除した。
平成三・六・三 （七・一施行）	大学設置基準の一部改正 短期大学設置基準の一部改正 大学院設置基準の一部改正 大学通信教育設置基準の一部改正 短期大学通信教育設置基準の一部改正	1　自己点検・評価の努力義務を規定したこと。 2　教育組織については、学部の例示をやめるとともに、学科に替えて課程を設けることができる場合についての規定を弾力化したこと。 3　一般教育科目、専門教育科目等の授業科目の区分に関する規定を廃止し、教育課程の編成方針についての規定を設けたこと。 4　卒業要件については、3に対応して、授業科目の区分に応じて修得すべき単位数についての規定を廃止し、在学年限、総単位数のみ規定したこと。 5　教員組織については、3に対応して、従来の授業科目の区分に応じて教員数を定める方式を改めるとともに、兼任教員数の制限を廃止したこと。 6　単位の計算方法について弾力化したこと。 7　授業期間や授業を受ける学生数についての規定を弾力化したこと。 8　昼夜開講制について規定したこと。 9　正規学生以外の者で一部の授業科目を履修する者（科目等履修生）に対し単位を与えることができることとしたこと。 10　編入学定員を設けることを可能にするため、教員組織、校舎等の基準については従来の入学定員に基づき算定する方式から収容定員に基づき算定する方式に改めたこと。 11　大学以外の教育施設等における学修について、大学における授業科目の履修とみなして単位を与えることができることとしたこと。 12　既修得単位についての規定を整備したこと。 13　施設については、体育館を原則として備えるものとするとともに、情報処理施設、語学学習施設等をなるべく備えるものとし、図書館に関する規定を整備したこと。
平成五・一〇・一 （同日施行）	大学院設置基準の一部改正	1　従来修士課程について認められていた夜間大学院や教育方法の特例を博士課程についても認めたこと。

		2　入学前の既修得単位を一〇単位を超えない範囲で当該大学院における修得単位とみなすことができることとしたこと。 3　大学院についても科目等履修生の制度を導入したこと。
平成六・八・一〇（同日施行）	学校教育法施行規則の一部改正	大学院の入学資格の弾力化について、外国の大学に関する取扱いを明確にしたこと。
平成七・一二・二六（同日施行）	学校教育法施行規則の一部改正	代議員会等の位置づけを明確にしたこと。
平成九・六・五（同日施行）	大学設置基準の一部改正 短期大学設置基準の一部改正	期間を付した入学定員の期限を延長したこと。
平成一〇・三・三一（同日施行）	大学設置基準の一部改正 大学通信教育設置基準の一部改正 大学院設置基準の一部改正 短期大学設置基準の一部改正 短期大学通信教育設置基準の一部改正	1　通信情報技術の進展や社会の大学等への期待の高まりに対応しつつ、特色のある教育研究を展開し得るよう、多様なメディアを高度に利用した授業の位置づけを明確にしたこと。 2　校地面積基準を緩和したこと。 3　大学院に通信教育を行う修士課程を置くことができることとしたこと。
平成一一・三・三一（同日施行）	学校教育法施行規則の一部改正 大学設置基準の一部	1　秋季入学を各大学においてより柔軟に導入できるよう学年の途中における入学及び卒業に関する規定を改正したこと。 2　単位互換並びに大学及び短期大学以外の教育施設等における学修の単位認定を拡大し

	改正 短期大学設置基準の一部改正	たこと。
平成一一・五・二八 （一二・四・一施行）	学校教育法の一部改正	1 大学の定める単位を優秀な成績で修得した者について、三年以上の在学で卒業を認めることができることとしたこと。 2 学部長の設置及びその所掌事務について規定したこと。 3 研究科を学部と同様に大学に置くこととするとともに、研究科の数については、特に原則、例外の別を設けないこととしたこと。 4 研究科の設置に代えて、研究科以外の教育研究上の基本となる組織を置くことができることとしたこと。
平成一一・八・三一 （同日施行）	学校教育法施行規則の一部改正	1 大学の医学、歯学又は獣医学を履修する課程に四年以上在学した者等で、所定の単位を優れた成績をもって修得したと大学院において認めたものに、大学院入学資格を付与したこと。 2 大学院において、個別の入学資格審査により、大学卒業者と同等以上の学力があると認めた者で二二歳に達したものに、大学院入学資格を付与したこと。
平成一一・九・一四 （同日施行）	大学設置基準の一部改正 大学通信教育設置基準の一部改正 大学院設置基準の一部改正	1 自己点検・評価及びその結果の公表をするものとし、その結果について外部による検証を行うよう努めなければならないこととしたこと。 2 教育研究活動等の状況について、積極的に情報提供するものとしたこと。 3 授業の内容及び方法の改善のための組織的な取組に努めなければならないとしたこと。 4 学生の履修科目登録単位数の上限を設定するよう努めなければならないとしたこと。 5 修士課程について、一定の場合には、標準修業年限を二年を超えるものとすること又は一年以上二年未満の期間とすることができるものとしたこと。 6 一定規模以上の研究科については大学院専任の教員を置くものとしたこと。

		7　専門大学院制度を整備したこと。
平成一一・九・二四 （同日施行）	短期大学設置基準の一部改正 短期大学通信教育設置基準の一部改正	1　自己点検・評価及びその結果の公表をするものとし、その結果について外部による検証を行うよう努めなければならないこととしたこと。 2　教育研究活動等の状況について、積極的に情報提供するものとしたこと。 3　授業の内容及び方法の改善のための組織的な取組に努めなければならないとしたこと。 4　学生の履修科目登録単位数の上限を設定するよう努めなければならないとしたこと。
平成一三・三・三〇 （同日施行）	大学設置基準の一部改正 大学通信教育設置基準の一部改正 短期大学設置基準の一部改正 短期大学通信教育設置基準の一部改正 学校教育法施行規則の一部改正	1　学科目制又は講座制に限らず、大学の定めるところにより教員組織を編制することができるものとしたこと。 2　教員の資格について、教育を担当するにふさわしい教育上の能力を有することを要件とすることとしたこと。 3　外国において授業を履修させることができるものとし、多様なメディアを高度に利用して履修させる場合についても同様としたこと。 4　外国の大学等が行う通信教育による授業を履修して修得した単位を、一定の単位数まで我が国の大学等において修得したものとみなすことができることとしたこと。 5　通信教育において、卒業の要件として修得すべき単位のうち一定の単位数以上は、面接授業又はメディアを利用して行う授業により修得するものとしたこと。 6　外国の学校が行う通信教育により当該外国の学校教育における一六年の課程を修了した者に大学院入学資格を付与すること。
平成一三・七・一一 （同日施行。ただし、1及び3は一四・四・一施行）	学校教育法の一部改正 学校教育法施行規則の一部改正 （一三・一一・二七）	1　高等学校を卒業した者等でなくても、大学の定める分野において特に優れた資質を有すると認めるものを当該大学に入学させること（いわゆる「飛び入学」）ができることとしたこと。 2　大学院を置く大学には、夜間において授業を行う研究科又は通信による教育を行う研究科を置くことができることを明確化したこと。 3　大学に一定年数以上在学した者であって、大学の定める単位を優秀な成績で修得した

		と認めるものを大学院に入学させることができることとしたこと。 4　大学は、勤務年数を問わずに名誉教授の称号を授与できるものとしたこと。
平成一四・三・二八 （同日施行）	大学設置基準の一部改正 大学院設置基準の一部改正 短期大学設置基準の一部改正	1　学生が修業年限を超えて一定の期間にわたり計画的に教育課程を履修することを申し出たときは、その計画的な履修を認めることができるものとしたこと。 2　大学院に通信教育を行う博士課程を置くことができることとしたこと。 3　専門大学院の標準修業年限を一年以上二年未満とすることができることとしたこと。
平成一四・一一・二九 （一五・四・一施行。ただし、4、5は一六・四・一施行）	学校教育法の一部改正 学位規則の一部改正 （一五・三・三一）	1　大学院の目的として高度専門職業人養成を明らかにするとともに、これに特化した教育を行う大学院を「専門職大学院」としたこと。 2　専門職大学院の課程を修了した者に高度な専門職業能力を証明する学位として専門職学位を授与することとしたこと。 3　閉鎖命令を発動するに至る事前の緩やかな措置（改善勧告、変更命令等）を導入したこと。 4　組織改編の前後で授与する学位の種類・分野に変更がない場合は認可を不要とし、事前届出としたこと。 5　国の認証を受けた評価機関が大学を定期的に認証評価し、大学評価基準に従い認証評価する仕組みを導入したこと。
平成一五・三・三一 （四・一施行）	大学設置基準の一部改正 大学院設置基準の一部改正 短期大学設置基準の一部改正	1　大学設置基準等の設置審査における諸基準が最低基準であるという観点とともに、諸基準の一覧性を高め、明確化を図るという観点から、大学設置基準等の規定の整備を行ったこと。 （例） • 教員の構成が特定の年齢層に著しく偏ることのないよう配慮するものとすること。 • 学長となることができる者は、人格が高潔で、学識が優れ、かつ、大学運営に関し識見

	専門職大学院設置基準の制定 学位規則の一部改正	を有すると認められる者とすること。 ・収容定員は教育研究の質及び教育環境の確保、保証を図る観点から、その適正な管理が行われるものとすること。 ・授業を校舎及び附属施設以外の場所で行うことができることとすること。 ・入学者選抜については、公正かつ妥当な方法により、適当な体制を整えて行うものとすること。 ・校地の面積は学生一人当たり一〇平方メートルとして収容定員を基礎として算出した面積に附属病院建築面積を合計した面積とすること。 ・教員組織、校舎等の施設及び設備については、別に定めるところにより、段階的に整備することができること。 ・大学院には二以上の大学が協力して教育研究を行う研究科を置くことができることとすること。 2　専門職大学院設置基準を制定したこと。 3　専門職大学院の課程を修了した者に授与する学位は修士（専門職）とすること。 4　法科大学院の課程を修了した者に授与する学位は法務博士（専門職）とすること。
平成一五・九・一九 （同日施行）	学校教育法施行規則の一部改正	次の者について大学に入学することができることとしたこと。 1　国際的な評価団体の認定を受けた外国人学校の一二年の課程を修了した者で、一八歳に達した者 2　我が国において、高等学校に相当する外国の学校の課程（一二年）と同等の課程を有するものとして外国の学校教育制度において位置付けられた教育施設の課程を修了した者で、一八歳に達した者 3　大学において、個別の入学資格審査により、高校を卒業した者と同等以上の学力があると認めた者で、一八歳に達した者 （1及び2は告示の改正によるもの）
平成一六・五・二一	学校教育法等の一部	薬学を履修する課程のうち臨床に係る実践的な能力を培うことを主たる目的（薬剤師養

（一八・四・一施行）	改正 学校教育法施行規則の一部改正（一六・一二・一五以下同じ。） 大学設置基準の一部改正 大学院設置基準の一部改正	成を目的）とするものの修業年限を六年間としたこと。
平成一六・一二・一三（同日施行。ただし、2は一七・四・一施行）	学校教育法施行規則の一部改正 大学設置基準の一部改正 短期大学設置基準の一部改正 大学院設置基準の一部改正 専門職大学院設置基準の一部改正	1　外国大学の日本校のうち、外国の大学の課程を有するものとして当該外国の学校教育制度において位置付けられたものについて、日本の大学院への入学資格、日本の大学への転学・編入学、日本の大学との単位互換に関し、外国の大学に準じて取り扱うこととしたこと。 2　日本の大学、大学院及び短期大学は、文部科学大臣が別に定めるところにより、外国に、学部、学科、研究科、専攻その他の組織の一部を設けることができることとしたこと。
平成一七・七・一五（1は一七・一〇・一施行、2～5は一九・四・一施行）	学校教育法の一部改正 大学設置基準の一部改正（一八・三・三一以下同じ。）	1　短期大学卒業者に「短期大学士」の学位が授与されることとしたこと。 2　大学の教員組織の見直しとして、助教授を廃止し、「准教授」を設けるとともに、助手のうち主として教育研究を行う者のために、「助教」の職を設けることとしたこと。 3　講座制及び学科目制を前提とした規定を削除するとともに、大学は教育研究組織の規模並びに授与する学位の種類及び分野に応じ必要な教員を置き、適切な教員組織を設けるものとしたこと。

	高等専門学校設置基準の一部改正 大学院設置基準の一部改正 短期大学設置基準の一部改正	4　専任教員の要件を明確化したこと。 5　大学院における教育力向上のため、大学院設置基準の規定の整備を行ったこと。 （例） ・研究科又は専攻ごとに人材の養成に関する目的その他の教育研究上の目的を学則等に定め、公表するものとしたこと。 ・一の授業科目について、講義と実習など二以上の方法の併用により行う場合の単位の計算方法を定めたこと。 ・学生に対して、授業及び研究指導の方法及び内容並びに一年間の授業及び研究指導の計画をあらかじめ明示するとともに、学習の成果及び学位論文に係る評価並びに修了の認定の基準をあらかじめ明示し、当該基準に従って適切に行うものとしたこと。 ・授業及び研究指導の内容及び方法の改善を図るための組織的な研修及び研究を実施するものとしたこと。
平成一七・九・九 （同日施行）	学校教育法施行規則の一部改正	文部科学大臣が定める基準を満たす専修学校専門課程で文部科学大臣が指定するものを修了した者に大学院入学資格を付与したこと。
平成一九・三・一 （一九・四・一施行）	専門職大学院設置基準の一部改正 学位規則の一部改正	1　教員養成に特化した専門職大学院である「教職大学院制度」を創設したこと。 2　教職大学院の授与する学位を「教職修士（専門職）」としたこと。
平成一九・六・二七 （一二・二六施行）	学校教育法の一部改正 学校教育法施行規則の一部改正 （一九・一二・二五）	1　教育基本法の改正を踏まえ、大学の目的に関する規定を見直したこと。 2　履修証明の制度を創設したこと。 3　教育研究活動状況を公表するものとしたこと。
平成一九・七・三一 （二〇・四・一施行）	大学設置基準の一部改正	学部等における教育力向上のための必要な措置を講じるとともに、その教育の質を保証する上で備えるべき基準をより明確にするため、大学設置基準等の規定の整備を行ったこ

	高等専門学校設置基準の一部改正 大学院設置基準の一部改正 短期大学設置基準の一部改正 専門職大学院設置基準の一部改正	と。 （例） •学部等、学科等ごとに、人材の養成に関する目的その他の教育研究上の目的を学則等に定め、公表するものとしたこと。 •二以上の校地において教育を行う場合においては、それぞれの校地ごとに必要な教員を置くとともに、必要な施設及び設備を備えるものとしたこと。 •教育上の目的を達成するために必要な授業科目を自ら開設するものとしたこと。 •一の授業科目について、講義と実習など二以上の方法の併用により行う場合の単位の計算方法を定めたこと。 •学生に対して、授業の方法及び内容並びに一年間の授業の計画、学修の成果に係る評価及び卒業の認定の基準をあらかじめ明示し、当該基準にしたがって適切に行うこととしたこと。 •授業の内容及び方法の改善を図るための組織的な研修及び研究を実施するものとしたこと。 •科目等履修生等を相当数受け入れる場合、それぞれ相当の専任教員並びに校地及び校舎の面積を増加するとともに、科目等履修生等の人数は、適当な人数とすること。 •原則、専用の施設を備えた校舎を有することとしたこと。 •基準校舎面積は専用部分の面積としたこと。
平成一九・一二・一四 （1については二〇・四・一施行、2については同日施行）	学校教育法施行規則の一部改正 大学院設置基準の一部改正	1　大学の学年の始期及び終期は学長が定めるものとしたこと。 2　博士課程の標準修業年限は、教育研究上の必要があると認められる場合には、一貫制の課程については五年を、区分制における前期の課程については二年を、後期の課程については三年を、それぞれ超えることができることとしたこと。
平成二〇・七・三一 （同日施行）	学校教育法施行規則の一部改正	大学に附置される研究施設のうち、全国の関連研究者に利用させることにより我が国の学術研究の発展に特に資するものを文部科学大臣が共同利用・共同研究拠点として認定できることとしたこと。

平成二〇・一一・一三（二一・三・一施行）	大学設置基準の一部改正 大学院設置基準の一部改正 短期大学設置基準の一部改正 専門職大学院設置基準の一部改正	国公私立を通じ、複数の大学が相互に教育研究資源を有効に活用しつつ、大学の学部及び学部の学科、大学院の研究科及び専攻並びに短期大学の学科について、共同で教育課程（共同教育課程）を編成する仕組みを創設したこと。
平成二一・八・二〇（二一・九・一施行）	学校教育法施行規則の一部改正	教育関係共同利用拠点制度を創設したこと。及び、教育関係共同利用拠点の認定の基準等を定めたこと。
平成二二・二・二五（二三・四・一施行）	大学設置基準の一部改正 短期大学設置基準の一部改正	大学（短期大学を含む。）は、当該大学及び学部等の教育上の目的に応じ、学生が卒業後自らの資質を向上させ、社会的及び職業的自立を図るために必要な能力を、教育課程の実施及び厚生補導を通じて培うことができるよう、大学内の組織間の有機的な連携を図り、適切な体制を整えるものとすることを定めたこと。
平成二二・六・一五（二三・四・一施行）	学校教育法施行規則の一部改正 大学設置基準の一部改正 高等専門学校設置基準の一部改正 大学院設置基準の一部改正 短期大学設置基準の一部改正	①　大学（短期大学、大学院を含む。）は、教育研究活動等の状況についての情報を公表するものとすること。 ②　大学は、教育上の目的に応じ学生が修得すべき知識及び能力に関する情報を積極的に公表するよう努めるものとすること。 ③　教育情報の公表は、そのための適切な体制を整えた上で、刊行物への掲載、インターネットの利用その他広く周知を図ることができる方法によって行うものとすること。 ④　大学の教育情報の公表に関する①～③について、高等専門学校に準用すること。 ⑤　大学の総合的な状況に係る認証評価の大学評価基準に、教育研究活動等の状況に係る情報の公表に関することが含まれるものとすること。

	細目省令の一部改正	
平成二四・五・一〇（二五・一・一施行）	大学設置基準の一部改正 短期大学設置基準の一部改正	① やむを得ない事由により、空地を校舎の敷地に有することができないと認められる場合に、学生が休息その他に利用するため、適当な空地を有することにより得られる効用と同等以上の効用が得られる措置を大学（短期大学を含む。）が講じている場合に限り、空地を校舎の敷地に有しないことができることとすること。 ② やむを得ない事由により、運動場を設けることができないと認められる場合において、運動場を設けることにより得られる効用と同等以上の効用が得られる措置を大学が講じており、かつ、教育に支障がないと認められる場合に限り、運動場を設けないことができることとすること。
平成二五・三・二九（二五・四・一施行）	大学設置基準の一部改正 短期大学設置基準の一部改正	各授業科目の授業期間について、十週又は十五週にわたる期間を単位として行うことを原則としつつ、教育上必要があり、かつ、十分な教育効果をあげることができると認められる場合には、各大学及び短期大学における創意工夫により、多様な授業期間の設定を可能としたこと。
平成二六・一一・二四（同日施行）	大学設置基準の一部改正 大学院設置基準の一部改正 短期大学設置基準の一部改正 専門職大学院設置基準の一部改正	① 我が国の大学等と外国の大学等が大学間協定に基づき連携して編成する教育課程や、当該教育課程を編成する学科等の新設に際しての専任教員数等について特例を設けたこと。 ② 特例を設けるに当たって、我が国の大学等が当該学科等を設置するための要件や、当該教育課程の編成・実施に当たって、我が国の大学等と外国の大学等が協議しなければならない事項等を定めたこと。
平成二八・三・三一（二九・四・一施行）	学校教育法施行規則の一部改正	大学は、当該大学、学部又は学科若しくは課程ごとに、その教育上の目的を踏まえて、「卒業の認定に関する方針」、「教育課程の編成及び実施に関する方針」、「入学者の受入れに関する方針」を定め、これを公表するものとしたこと。
平成二八・三・三一	大学設置基準の一部	大学等は、当該大学等の教育研究活動等の適切かつ効果的な運営を図るため、その職員

（二九・四・一施行）	改正 高等専門学校設置基準の一部改正 大学院設置基準の一部改正 短期大学設置基準の一部改正	に必要な知識及び技能を習得させ、並びにその能力及び資質を向上させるための研修の機会を設けることその他必要な取組を行うものとしたこと。
平成二九・三・三一 （二九・四・一施行）	大学設置基準の一部改正 高等専門学校設置基準の一部改正 大学院設置基準の一部改正 短期大学設置基準の一部改正 専門職大学院設置基準の一部改正	①　大学等は、当該大学等の教育研究活動等の適切かつ効果的な運営を図るため、当該大学等の教員と事務職員等との適切な役割分担の下で、これらの者の間の連携体制を確保し、これらの者の共同によりその職務が行われるよう留意するものとしたこと。 ②　国際連携教育課程に係る授業科目の履修で修得する単位数には、入学前の既修得単位の認定により修得したものとみなす単位を含まないものとする規定について、国際連携教育課程を編成し、及び実施するために特に必要と認められる場合は、この限りでないこととしたこと。
平成三〇・一・二六 （三一・四・一施行）	大学設置基準の一部改正 短期大学設置基準の一部改正	専門職大学の制度化が図られたことを踏まえ、「専門職学科制度」を創設したこと。
平成三〇・五・一 （同日施行）	学校教育法施行規則の一部改正	文部科学大臣が「国際共同利用・共同拠点」を認定する仕組みを創設したこと。
平成三〇・六・二九	大学設置基準の一部	①　工学に関する学部を設ける大学であって当該学部を基礎とする大学院の研究科を設け

（同日施行）	改正 大学院設置基準の一部改正	るものは、当該学部における教育及び当該研究科における教育の連続性に配慮した教育課程を編成することができることとしたこと。 ② 工学分野の連続性に配慮した教育課程を編成する大学は、当該大学における工学に関する学部等において、工学以外の専攻分野に係る授業科目、企業等との連携による授業科目その他多様な授業科目を開設するよう努めるものとしたこと。 ③ 工学部に課程、工学系の大学院に研究科以外の基本組織を設けた場合の専任教員の基準を、学科・専攻等の単位ではなく、学部・研究科以外の基本組織単位で定めることとしたこと。
令和元・八・一三 （同日施行）	学校教育法施行規則の一部改正 大学設置基準の一部改正 大学院設置基準の一部改正 短期大学設置基準の一部改正 専門職大学設置基準の一部改正 専門職短期大学設置基準の一部改正	① 大学は、大学の定めるところにより、当該大学の学校教育法第一〇五条に規定する特別の課程を履修した者に対し、単位を与えることができるものとしたこと。 ② 修業年限の通算の対象に特別の課程を履修する者として一定の単位を修得した者を加えることとしたこと。 ③ 大学は、当該大学の定めるところにより、当該大学の学生又は科目等履修生として体系的に開設された授業科目の単位を修得した者に対し、学修証明書を交付することができるものとしたこと。 ④ 大学が特別の課程の編成に当たってあらかじめ公表するべき事項として単位授与の有無及び実施体制を新たに加えることとしたこと。 ⑤ 大学に専攻分野におけるおおむね五年以上の実務の経験を有し、かつ、高度の実務の能力を有する教育を置く場合であって、当該教員が一年につき六単位以上の授業科目を担当する場合には、大学は当該教員が教育課程の編成において責任を担うこととするよう努めるものとすることとしたこと。 ⑥ 大学は当該大学に置かれる二以上の学部等との緊密な連係及び協力の下、横断的な分野に係る教育課程を実施する学部等以外の基本組織（学部等連係課程実施基本組織等）を置くことができるものとしたこと。あわせて学部等連係課程実施基本組織等を置く場合の専任教員数等の基準の特例を設けることとしたこと。

令和三・二・二六（同日施行）	大学設置基準の一部改正 専門職大学設置基準の一部改正 大学院設置基準の一部改正 専門職大学院設置基準の一部改正 短期大学設置基準の一部改正 専門職短期大学設置基準の一部改正 学校教育法施行規則の一部改正	①　大学は、次のいずれかに該当する他の大学が当該大学と連携して開設する授業科目（連携開設科目）を、当該大学が自ら開設したものとみなすことができるものとしたこと。 ・当該大学の設置者（文部科学大臣が定める一定の基準に適合するものに限る。）が設置する他大学 ・大学等連携推進法人（当該大学の設置者が社員であるものであり、かつ、連携開設科目に係る業務を行うものに限る。）の社員が設置する他大学 ②　当該大学が自ら開設したものとみなすことができる連携開設科目は，大学等連携推進法人が策定する連携推進方針等に沿って開設されなければならないものとしたこと。 ③　大学は、学生が他の大学において履修した連携開設科目について修得した単位を、当該大学における授業科目の履修により修得したものとみなすものとすること。 ④　卒業等の要件として修得すべき単位数のうち、連携開設科目により修得したものとみなすものとする単位数の上限を定めるものとしたこと。

これらの改善のうち、設置認可の緩和、学部以外の教育研究の基本となる組織に関する改正、通信教育設置基準の制定及び大学院（専門職大学院）に関する改正などについては、別の関係部分で述べることとし、ここでは、学部における教育課程に関する改善について、その内容を概観しておきたい。

昭和四五年の改正は、一般教育に関する教育課程編成の弾力化を図ったものである。それまで一般教育科目は、その内容により、人文科学、社会科学及び自然科学の三系列に分けられ、大学は一般教育に関する授業科目として、その三系列についてそれぞれ三科目以上、全体としては一二科目以上の授業科目を開設すべきものとされていた。しかし、各大学における一般教育科目については、人文、社会、自然の三分野のうち、どのような内容に重点を置いて授

業科目を開設するかについて、基準で一律に規定するよりも、各大学の自主的な判断に委ねる方が適当であるとの考え方に立って、各分野にわたるべきことのみを定め、各分野ごとに開設すべき授業科目数については、これを示さないこととしたものである。

また、それまでの基準においては、授業科目として、伝統的な学問分野の区分に従ったいわゆる「単一科目」のみが示されていたが、一定の主題についていくつかの専門分野にわたる内容をまとめて、諸分野の関連や歴史的な流れ、あるいは地域比較といった角度から事柄を総合的に把握・理解できるように工夫された、いわゆる「総合科目」も開設し得ることを基準上明確にし、一般教育の内容を豊かなものとすることの助けとすることとしている。

昭和四七年の改正は、いわゆる単位の互換制度の実施を可能としたものである。大学は、大学設置基準の定めるところに従って授業科目を開設し、学生は大学の定める教育課程に従って開設された授業科目を履修しているが、それまで、学生が履修する授業科目は当該大学が開設するもの以外のものは認められていなかった。それは、学生に対しては大学が自らの判断において教育課程を立案し、これに基づいて大学教育にふさわしい内容の教育を実施する責任を有している以上、当然のことと考えられていたからである。もとより学生の教育について当該大学が責任をもつことは当然のことであるが、具体的な取扱いは弾力性に欠けるうらみがあり、結果として大学間の交流と協力を促進する上で障害となり、大学の閉鎖性といわれる状態を招く一つの要因となることも否定し難いものがあったため、大学の判断で、教育上有益と認めるときは、所定の条件の下で学生が他の大学で授業科目を履修することを認めることとし、大学間の交流・協力の促進と教育内容の充実に資することとされたものである。

昭和四八年の改正のうち教育課程に直接かかわるものは、授業科目の区分の弾力化である。これは、同一の授業科目であってもそれを履修する学生の専攻等との関連で異なる区分の授業科目として履修させることができるようにしたものであり、例えば他学部の専門教育科目や基礎教育科目を一般教育科目として履修したり、また逆に特定の一般

教育科目を特定の学部の学生が基礎教育科目として履修したりすることが可能となるため、教育課程の内容を豊かにし、また、学生の専攻を軸とした有機的・総合的な教育課程の編成を容易にしたものである。

昭和五七年の改正は、それまでの教育課程の弾力化を一層進めるとともに、帰国子女や留学生についての特例を定めたものである。

① 新たに大学・短期大学の間においても三〇単位を限度として、単位の互換制度を認めることとしたこと、及び外国語又は体育を専攻する学科における卒業要件について、外国語学部・学科にあっては外国語科目の単位を、体育学部・学科にあっては保健体育科目の単位を課さず、これに代えて基礎教育科目又は専門教育科目の単位を修得させることができることとした。

② 外国において相当の期間中等教育を受けた者の教育について必要があると認める場合は、一般教育科目（一六単位まで）、外国語科目（八単位）、保健体育科目（講義二時間）に代えて、日本語科目及び日本事情に関する科目を卒業の要件として課すことができるとの措置がとられた。

昭和五八年以降平成三年までの改正（平成三年四月の学校教育法の改正を除く）は、それぞれ大学が多様なかたちで発展することを可能にするようにという従来からの方針に即し、教員数、校地、教員資格等について弾力化を図ったものであり、その概要は次のとおりとなっている。

昭和五八年の改正は、夜間学部の専任教員の数について同じ種類の昼間学部と近接（通常の方法により一時間以内に到達できる距離にあることを意味する）した施設等を使用する夜間学部の専任教員の数は、同じ種類の昼間学部と同一の施設等を使用する夜間学部と同様昼間学部の場合の三分の一以上としたこと、また校地や校舎についても弾力化を図ったものである。

昭和五九年八月の改正は、昭和六一年度からの一八歳人口の急増に対応する暫定措置として専任教員数について、

昭和六一年度から平成四年度までの間に期間（昭和六一年度から平成一一年度までの間の年度間に限る）を付して入学定員を増加する大学において、大学設置基準の専任教員数に関する規定により当該入学定員の増加に伴い必要とされる専任教員数が増加することとなるときは、当該増加することとなる数の専任教員を置くことが原則であるが、教育に支障のない限度において、兼任の教員をもって充てることができるものとしたものであり、校地の面積についても、期間を付して入学定員を増加する大学における校地の面積の算定については、当該入学定員の増加はないものとみなして校地面積の増加は不要としたものである。

昭和五九年一〇月の改正は、大学通信教育設置基準の改正により、大学入学資格ありと認められる大学通信教育の聴講生が大学の通信教育に入学した場合の入学前の当該大学における聴講生として授業科目を聴講し当該授業科目について聴講の成果の認定を受けている者については、当該大学が教育上有益と認めるときは、聴講生としての聴講を当該入学した大学における履修とみなし、その成果について単位を与え、卒業に必要な単位に含めることができることとし、大学通信教育の一層の充実を図ったものである。この措置は、大学の通信教育に入学する前の当該大学の通信教育における聴講生としての授業科目の聴講全般について認められたものである（法八六条の【注解】六参照）。

平成三年六月の改正は、大学審議会の答申を受け、大学がその理念、目的に基づき特色ある教育研究を展開できるよう、大学設置基準の大綱化により教育課程を中心とするソフト面に関する枠組みを最小限とし、併せて大学がその水準を自ら維持向上させていくため、自己点検・評価システムの導入を図るものである。また、昼夜開講制の規定の整備、編入学定員の設定を可能にする改正、科目等履修生の制度の導入、大学以外の学校や教育施設等での学修について大学の単位として認定できるようにすることなど、生涯学習等に対応した大学における学習機会の多様化を図るための改正を行っている（詳細については、後掲の【通知】平三・六・二四　文高大一八四号参照）。

○大学設置基準第二十九条第一項の規定により大学が単位を与えることのできる学修を定める件（平三・六・五文部省告示六八）

最終改正　令元・八・一三文部科学省告示五四

大学設置基準（昭和三十一年文部省令第二十八号）第二十九条第一項の規定により、大学が単位を与えることのできる学修を次のように定め、平成三年七月一日から施行する。

一　大学の専攻科又は学校教育法（昭和二十二年法律第二十六号）第百五条の規定により大学が編成する特別の課程における学修

二　高等学校（中等教育学校の後期課程及び特別支援学校の高等部を含む。）の専攻科の課程（学校教育法第五十八条の二（同法第七十条第一項及び第八十二条において準用する場合を含む。）に規定するものに限る。）における学修で、大学において大学教育に相当する水準を有すると認めたもの

三　高等専門学校の課程（学校教育法第百二十三条において準用する同法第百五条に規定する特別の課程を含む。）における学修で、大学において大学教育に相当する水準を有すると認めたもの

四　専修学校の専門課程のうち修業年限が二年以上のもの又は学校教育法第百三十三条において準用する同法第百五条に規定する専門課程を置く専修学校が編成する特別の課程における学修で、大学において大学教育に相当する水準を有すると認めたもの

五　次に掲げる学校以外の教育施設で学校教育に類する教育を行うものにおける学修で、大学において大学教育に相当する水準を有すると認めたもの

イ　防衛省設置法（昭和二十九年法律第百六十四号）による防衛大学校

ロ　職業能力開発促進法（昭和四十四年法律第六十四号）による職業能力開発短期大学校、職業能力開発大学校及び職業能力開発総合大学校（旧職業訓練法（昭和三十三年法律第百三十三号）による中央職業訓練所及び職業訓練大学校、職業訓練法の一部を改正する法律（昭和六十年法律第五十六号）による改正前の職業訓練法（昭和四十四年法律第六十四号）による職業訓練大学校及び職業訓練短期大学校並びに職業能力開発促進法及び雇用促進事業団法の一部を改正する法律（平成九年法律第四十五号）による改正前の職業能力開発促進法による職業能力開発大学校を含む。）

ハ　独立行政法人水産大学校法（平成十一年法律第百九十一号）による独立行政法人水産大学校（旧水産庁設置法（昭和二十三年法律第七十八号）による水産講習所並びに旧農林水産省設置法（昭和二十四年法律第百五十三号）、旧農林水産省組織令（昭和二十七年政令第三百八十九号）及び独立行政法人国立公文書館等の設立に伴う関係政令の整備等に関する政令（平成十二年政令第三百三十三号）による改正前の農林水産省組織令（平成十二年政令第二百五十三号）による水産大学校を含む。）

ニ　高度専門医療に関する研究等を行う独立行政法人に関する法律（平成二十年法律第九十三号）による国立高度専門医療研究センターの職員の養成及び研修を目的として看護に関する学理及び技術の教授及び研究並びに研修を行う施設（厚生労働省組

織規則の一部を改正する省令（平成二十二年厚生労働省令第五十八号）による改正前の厚生労働省組織規則（平成十三年厚生労働省令第一号）による国立看護大学校を含む。）

ホ　国土交通省組織令（平成十二年政令第二百五十五号）による気象大学校（旧運輸省設置法（昭和二十四年法律第百五十七号）及び旧運輸省組織令（昭和五十九年政令第百七十五号）による気象大学校を含む。）及び海上保安大学校（旧運輸省組織令による海上保安大学校を含む。）

六　教育職員免許法（昭和二十四年法律第百四十七号）別表第三備考第六号の規定により文部科学大臣の認定を受けて大学、短期大学等が行う講習又は公開講座における学修で、大学において大学教育に相当する水準を有すると認めたもの

七　社会教育法（昭和二十四年法律第二百七号）第九条の五の規定により文部科学大臣の委嘱を受けて大学、短期大学その他の教育機関が行う社会教育主事の講習における学修で、大学において大学教育に相当する水準を有すると認めたもの

八　図書館法（昭和二十五年法律第百十八号）第六条の規定により文部科学大臣の委嘱を受けて大学又は短期大学が行う司書及び司書補の講習における学修で、大学において大学教育に相当する水準を有すると認めたもの

九　学校図書館法（昭和二十八年法律第百八十五号）第五条第三項の規定により文部科学大臣の委嘱を受けて大学又は短期大学が行う司書教諭の講習における学修で、大学において大学教育に相当する水準を有すると認めたもの

十　青少年及び成人の学習活動に係る知識・技能審査事業の認定に関する規則（平成十二年文部省令第二十五号）又は技能審査の認定に関する規則（昭和四十二年文部省告示第二百三十七号）による文部科学大臣の認定を受けた技能審査の合格に係る学修で、大学において大学教育に相当する水準を有すると認めたもの

十一　アメリカ合衆国の営利を目的としない法人であるエデュケーショナル・テスティング・サービスが英語の能力を判定するために実施するトフル及びトーイック又は次に掲げる要件を備えた知識及び技能に関する審査であってこれらと同等以上の社会的評価を有するものにおける成果に係る学修で、大学において大学教育に相当する水準を有すると認めたもの

イ　審査を行うものが国又は一般社団法人若しくは一般財団法人その他の団体であること。

ロ　審査の内容が、学校教育法（昭和二十二年法律第二十六号）第八十三条に規定する大学の目的に照らし適切なものであること。

ハ　審査が全国的な規模において、毎年一回以上行われるものであること。

ニ　審査の実施の方法が、適切かつ公正であること。

平成三年の大学設置基準等の一部改正において特に重要なのは、一般教育科目、専門教育科目等の授業科目の区分の廃止である。大学審議会答申「大学教育の改善について」（平成三年二月）においては、大学が遵守すべきカリキュ

ラムの枠組みを大学設置基準で細かく規定することにより、大学教育の内容・水準が大学の如何を問わずある程度保証されてきたという点が評価される一方で、次のような問題点があるとしている。具体的には、①各大学が自由で個性的なカリキュラムを設計しようとする際に障害となっている面があること、②各大学におけるカリキュラムの在り方についての真剣な検討や改善のための努力を怠らせることになっている面があること、③一般教育等の理念・目標を実現するためには、そのことを目的とした授業科目区分を設定して教育する方法以外にも様々な方法が考えられること、④大学教育は四年間の教育全体を通じて行われるべきものであり、専門教育についても学校教育法に規定する大学の目的（現行法八三条一項）や一般教育等の理念・目標とするところに留意して教育が行われるようにする必要があること等があげられている。

このような答申の考え方を踏まえ、平成三年の大学設置基準等の一部改正においては、各大学がカリキュラムを自由に設計し得るようにするため、カリキュラムの枠組みに関する基準を大幅に簡素化し、一般教育科目、専門教育科目等の科目区分を廃止するとともに、教育課程の編成についての基本的な在り方を次のように設けた。この二項の規定は法八三条一項の大学の目的を踏まえた教育課程の編成を求めたものということができる。

（教育課程の編成方針）

第十九条　大学は、当該大学、学部及び学科又は課程等の教育上の目的を達成するために必要な授業科目を自ら開設し、体系的に教育課程を編成するものとする。

２　教育課程の編成に当たつては、大学は、学部等の専攻に係る専門の学芸を教授するとともに、幅広く深い教養及び総合的な判断力を培い、豊かな人間性を涵（かん）養するよう適切に配慮しなければならない。

また、設置基準の大綱化による制度の弾力化の趣旨を生かしていくためには、大学がその教育理念・目標を明確にするとともに、自らの教育研究活動の状況について不断に点検をし、教育研究の改善のための努力を行うことが必要である。このような観点から、自己点検・評価に関する努力義務規定が新たに大学設置基準に設けられた。

平成九年六月の改正は、平成一一年度を終期とする期間を付して増加した入学定員について、平成一六年度までを限度として延長する場合の専任教員数及び校地の面積の算定については、従前の取扱いを引き続き適用することとしたものである。

平成一〇年三月の改正は、情報通信の進展と高等教育の将来像を視野に入れつつ、当面予想される形態であるマルチメディアを活用して隔地間で行われる遠隔授業の制度上の取扱い等について定め（法八四条の**【注解】**四参照）、また、校地面積の基準について弾力化を図ったものである。

平成一一年三月の改正は、秋季入学の導入を促進するとともに、学生の主体的学習意欲及びその学習成果を積極的に評価し得るよう、単位互換並びに大学及び短期大学以外の教育施設等における学修の単位認定を「三〇単位」から「六〇単位」に拡大するなど、制度の弾力化を進めたものである（後掲**【通知】**平一一・三・三一　文高大三二〇号参照）。

平成一一年九月の改正は、大学自らが教育研究の質的充実を進める責任があることを明確にするとともに教育研究活動の透明性を高めるため、自己点検・評価及びその結果の公表を各大学の義務とするとともに、その結果について外部の者による検証を行うことを努力義務とし、また、教育研究活動等について、各大学は積極的に情報提供するものとした。

さらに、授業内容・方法の改善及び単位制度の実質化により大学教育の質の確保を図るため、授業内容・方法の改善のための組織的な取組に努めるものとするとともに、学生の履修科目登録単位数の上限を設定するよう努めるものとした（後掲**【通知】**平一一・九・一四　大高大二二六号参照）。

平成一三年三月の改正は、柔軟かつ機動的な教育研究の展開を図ることができるよう講座等の教員組織の弾力化を図るとともに、教員の資格について教育上の能力を重視することを明確にし、さらに、情報通信技術の活用の観点から、遠隔授業の在り方及び国境を越えて提供される教育の在り方について見直しを図ったものである（法八四条の**【通**

知】参照）。

平成一四年三月の改正は、社会人等の受入れを一層促進する観点から、各大学が長期履修学生制度を設けることができることを明確にしたものである（法八七条の**【通知】**参照）。

平成一四年一一月の改正は、大学等の一層の主体的・機動的な教育研究活動等を促進するために、学位の種類や分野の変更等を伴わない学部等の設置については認可を受けることを要しないこととするとともに、教育研究活動等の質の保証を図るため、勧告等の是正措置や認証評価制度を設けることとしたものである（法四条の**【注解】**六、後掲**【通知】**平一五・三・三一　一五文科高一六二号参照）。

平成一五年三月には、大学が授業の一部を校舎及び附属施設以外の場所で行う場合（いわゆるサテライトキャンパス）について、要件を明確化するため、文部科学省告示が定められた（平一五文部科学省告示四三）。

○大学が授業の一部を校舎及び附属施設以外の場所で行う場合について定める件（平一五・三・三一文部科学省告示四三）

大学設置基準第二十五条第四項の規定に基づき、大学が授業の一部を校舎及び附属施設以外の場所で行う場合は、次に掲げる要件を満たすものとする。

一　実務の経験を有する者等を対象とした授業を行うものであること

二　校舎及び附属施設において十分な教育研究を行い、その一部を校舎及び附属施設以外の場所において行うものであること

三　当該授業を行う校舎及び附属施設以外の場所は、実務の経験を有する者等の利便及び教員等の移動等に配慮し、教育研究上支障がない位置にあること

四　当該授業を行う校舎及び附属施設以外の場所は、教育にふさわしい環境を有し、当該場所には、学生自習室その他の施設及び図書等の設備が適切に整備されていること

また、この際、大学設置基準等の設置審査における諸基準が最低基準であるという観点とともに、諸基準の一覧性を高めて明確化を図るという観点から、大学設置基準等の規定の整備が行われ、授業を校舎及び附属施設以外の場所で行うことができることとすることや、校地の面積は学生一人当たり一〇平方メートルとして収容定員を基礎として

算出した面積に附属病院建築面積を合計した面積とすること等の改正が行われた。

平成一六年五月の改正は、薬剤師が医療の担い手としての役割を積極的に果たすことができるようにする観点から、大学の薬学を履修する課程のうち臨床にかかる実践的な能力を培うことを主たる目的とするものについては、その修業年限を六年としたものである（法八七条の【注解】八、同条の【通知】平一七・三・二三　一六文科高九八四号参照）。

平成一六年一二月の改正は、高等教育の国境を越えた展開に対応する観点から、いわゆる外国大学日本校について外国大学に準じて取り扱うこととするとともに、我が国の大学の海外校に関する規定を整備したものである（法一〇二条の【注解】四参照）。

平成一七年の改正は、短期大学における教育の発展や学位についての国際的な動向等を踏まえ、短期大学の卒業者に短期大学士の学位が授与されるよう制度の見直しを行うとともに、教育研究の活性化及び国際的な通用性の観点から、大学の教員組織の在り方を見直し、助教授を廃止し、「准教授」を設け、助手のうち主として教育研究を行う者のために「助教」の職を設けたものである（法九二条の【注解】二及び九、法一〇四条の【注解】三参照）。

平成一九年七月の改正では、平成一七年一月の中央教育審議会「我が国の高等教育の将来像（答申）」における提言等を踏まえ、社会の信頼に応える高等教育の実現のため、学部等における教育力向上のための必要な措置を講じるとともに、その教育の質を保証する上で備えるべき基準をより明確にするため、学部等、学科等ごとに、人材の養成に関する目的その他の教育研究上の目的を学則等に定め、公表するとともに、学生に対して、授業の方法及び内容並びに一年間の授業の計画、学修の成果に係る評価及び卒業の認定の基準をあらかじめ明示し、当該基準にしたがって適切に行うことや、授業の内容及び方法の改善を図るための組織的な研修及び研究（いわゆるファカルティ・ディベロップメント（ＦＤ））を実施するものとしたこと、原則、専用の施設を備えた校舎を有すること、基準校舎面積は専用部分の面積とすることを定めた。

平成一九年一二月の改正は、大学の国際化・多様化に関する要請の一層の高まりに応えるため大学の入学時期をさらに弾力化することなどを定めたものである。

平成二〇年七月の施行規則の一部改正は、大学に付置される研究施設のうち、一定の要件のものを文部科学大臣が、全国の関連研究者に利用させるため共同利用・共同研究拠点として認定するものである。国全体の学術研究の発展を図るものである。共同利用・共同研究拠点及び国際共同利用・共同研究拠点の認定等に関する規程（平二〇文部科学省告示一三三）に認定基準が定められている。平成二〇年一一月の大学設置基準等の改正は、複数の大学が共同教育課程を編成する仕組みを創設したものである。

平成二一年八月の施行規則の一部改正では、各大学の有する人的・物的資源の共同利用等を推進することで大学教育全体として多様かつ高度な教育を展開していく大学の取組を支援することを目的とする、教育関係共同利用拠点制度が創設され、教育関係共同利用拠点の認定基準（大学教育の充実に特に資すると認められるものであること、共同利用実施に関する重要事項について審議する運営委員会を置くこと、共同利用に必要な設備・資料等を備えていること等）や、認定の手続き等について定められた。

平成二二年二月の改正では、教育課程の内外を通じて社会的・職業的自立に向けた指導等に取り組むことが定められた。各大学等は、それぞれの教育研究目的、設置する学部・学科の種類、学生数等の規模、学生や教職員の状況により多様なものが考えられ、特定の教育内容・方法が大学等に課されるものではないとされた。教育課程の内容と実施方法に関する方針を定める中で、個別の授業科目のシラバスや、体系的な教育課程の編成を通じて、指導等の在り方を明らかにし、学生に対し、その内容の理解を図ることが求められる。なお、指導等の実施に当たっては、各種の組織の緊密な連携や、そうした組織の活用を通じて体制を整える必要があり、その際、学内に専任の教職員を配置する、または独立した組織を設けるなど、組織の設置を画一的に課すものではないとされた。

平成二二年六月の改正は、大学等が公的な教育機関として、社会に対する説明責任を果たすとともに、その教育の質を向上させる観点から、公表すべき情報を法令上明確にし、教育情報の一層の公表を促進することが趣旨である。具体的には、教育研究上の目的、教育研究上の基本組織、教員数、学生数、授業の内容や学修の成果の評価等がある。また、大学の総合的な状況に係る認証評価の大学評価基準に、教育研究活動等の情報の公表に関するものが含まれるものとされた。

平成二五年三月の改正は、学生の主体的な学びを促進するため、各授業科目の授業期間について、一〇週又は一五週にわたる期間を単位として行うことを原則としつつ、教育上必要があり、かつ、十分な教育効果をあげることができると認められる場合には、各大学及び短期大学における創意工夫により、より多様で弾力的な授業期間の設定を可能にするものである。知識伝達型の授業から、教員と学生が双方向に意思疎通を図る授業への改善を行うなどの創意工夫によって、学生の主体的な学びを促進するためのものであり、従来から一般的である週一回の講義に限らず、同一科目の週複数回講義等の実施や、講義とフィールドワークを組み合わせた授業科目の実施、サービス・ラーニングの導入等、授業の在り方の多様化を推進するものである。

平成二六年一一月の改正は、グローバル化の進展の中、高等教育においても、国境を越えた学生の流動性が年々拡大していることを背景に、各大学等において、留学の促進のための取組や海外の大学等との連携による国際的な教育プログラムの開発等の取組が進められていることに鑑み、こうした大学等のグローバル化のための取組を支援するとともに、日本人学生が海外の大学等で学修したり外国人学生を我が国の大学等が受け入れたりするための機会を拡大するため、我が国の大学等と外国の大学等が大学間協定に基づき連携して編成する教育課程や、当該教育課程を編成する学科等の新設に際しての専任教員数等について特例を設けたものである。

平成二八年三月の施行規則の一部改正は、大学教育の充実に向けたＰＤＣＡサイクルの確立を図るため、大学が、

①卒業までに学生が身に付けるべき資質・能力を示す「卒業の認定に関する方針」、②それを達成するための教育課程の編成・実施の在り方を示す「教育課程の編成及び実施に関する方針」、③これら二つの方針を踏まえて学生を受け入れるための「入学者の受入に関する方針」を定め、これらの方針を公表するものとしたものである（後掲【通知】平二八・三・三一　二七文科高一一八七号参照）。また、同月の大学設置基準の一部改正は、前述のＦＤに加え、当該大学の教育研究活動等の適切かつ効果的な運営を図るため、大学が職員に必要な知識及び技能を習得させ、その能力及び資質を向上させるための研修（スタッフ・ディベロップメント（ＳＤ））の機会を設けることを義務づけたものである。

平成二九年三月の改正は、大学総体としての機能の強化に向けて、教員・事務職員等の垣根を越えた取組を促進するため、いわゆる「教職協働」の必要性について法令上明記したものである。

平成三〇年一月の改正は、平成二九年の学校教育法の一部改正により、専門職大学の制度化が図られたことを踏まえ、専門職大学の趣旨をさらに既存の大学の中にも活かし、既存の大学の一部の組織において実践的かつ創造的な専門職業人養成の取組を推進するよう、新たに専門職学科の制度を創設したものである。大学の学部の学科のうち、専門性が求められる職業を担うための実践的かつ応用的な能力を展開する教育課程を編成するものを専門職学科とするとともに、専門職学科のみで組織する学部は、専門職学部とした。その上で、専門職学科について、①入学者選抜、②教員組織、③教育課程、④卒業の要件等、⑤校舎等の施設などについて、専門職大学設置基準と同様の特例を設けたものである。

平成三〇年五月の施行規則の一部改正は、大学に附置される研究施設のうち、個々の大学の枠を超えて、国際的に質の高い研究資源を有するとともに、優れた国際協力体制を構成する拠点を、文部科学大臣が「国際共同利用・共同研究拠点」として認定し、国際的な研究環境を整備することを目的としたものである。

平成三〇年六月の改正は、産業分野の変化に応じた複数の専攻分野を組み合わせた教育課程の展開を促進するた

め、工学部に課程、工学系の大学院に研究科以外の基本組織を設けた場合の専任教員数の基準を、学部全体、研究科以外の基本組織全体として定めることにより、学部等全体で教員編成が行えるようにしたものである。また、学部と大学院の連続性に配慮した教育課程を編成する大学は、当該学部において工学以外の専攻分野に係る授業科目や企業等との連携による授業科目の開設に努めるものとしたものである。

令和元年八月の施行規則の一部改正は、大学の学生又は科目等履修生として体系的に開設された授業科目の単位を修得した者に対し学修証明書を交付することができるものとする等の内容である。また、大学設置基準の改正は、専攻分野における実務の経験及び高度の実務の能力を有する教員で、一定の条件を満たす場合は、当該教員が教育課程の編成に携われるよう大学が努めるべきことや、履修証明の教育プログラムを履修する者に単位を与えることができるものとすること（法一〇五条の【注解】三参照）を定めた。また、大学は、当該大学に置かれる二以上の学部等との緊密な連係及び協力の下、横断的な分野に係る教育課程を実施する学部以外の基本組織（学部等連係課程実施基本組織）を置くことができるものとした（法八五条の【注解】四参照）ものである。

令和三年二月の改正は、大学が、当該大学の設置者が設置する他の大学、専門職大学若しくは短期大学（他大学）と連携して開設する授業科目又は当該大学の設置者が社員である大学等連携推進法人の社員が設置する他大学と連携して開設する授業科目（連携開設科目）を、当該大学が自ら開設したものとみなすことができるものとするとともに、大学は、連携開設科目について学生が修得した単位を、当該大学における授業科目の履修により修得したものとみなすこととする等の内容である。連携開設科目を開設する目的は、授業科目の質の向上や教育資源の有効活用である。連携開設科目に関わる大学は、継続的かつ安定的な実施を確保するため、授業の方法及び内容並びに一年間の授業の計画に関する事項等について大学間での協議の場を設けるものとされており、例えば、当該科目の計画、授業の方法や場所、授業科目の担当者、開設科目の主幹大学の明確化や各大学の詳細な役割分担、成績評価の手法や単位認定の

手続、履修に係る学生の移動等の負担軽減を図る措置など、連携開設科目の実施について必要な事項を協議した上で、それらについてあらかじめ協定等を定めることが望ましいとされている。また、卒業の要件として修得すべき単位数のうち、連携開設科目により修得したものとみなすものとする単位数は三〇単位を超えないものとされている。ここで、大学等連携推進法人とは、大学間の連携の推進を目的とする一般社団法人であって、当該大学等の間の緊密な連携が確保されていることについて文部科学大臣の認定を受けたものである。大学が、多様化する学修者のニーズや社会からの要請に応えていくために、自らの強みや特色を生かしつつ、一定の地域や特定分野において、幅広く他の大学や地方公共団体、産業界などと連携、協力して教育研究活動等に取り組んでいくことができるよう、文部科学大臣による大学等連携推進法人の認定の制度が設けられた。同認定は、「大学等連携推進法人の認定等に関する規程」（令和三年文部科学省告示一七号）に基づいて行われる。

九　平成一四年には、規制改革の観点から、構造改革特別区域制度が導入された。この制度は、地域の特性に応じた規制の特例措置を設け、地域が自発性を持って構造改革を進めることにより、我が国の経済と地域の活性化を図るために設けられたものであり、平成一四年度より、地方公共団体や民間団体等からアイデアを募集し、それを基に政府全体で検討を行い、特例措置を設けることとされた。

設置基準の緩和に関しては、同年、大学設置基準及び短期大学設置基準の特例として、構造改革特別区域においては、やむを得ない事由により所要の土地の取得を行うことが困難であるため校地の面積の基準を満たすことができないと認められること等の要件を満たし、かつ、教育研究に支障がないと認められる場合に限っては、この校地面積の基準を下回る校地の面積でもよいこととされた（文部科学省関係構造改革特別区域法第三十四条に規定する政令等規制事業に係る省令の特例に関する措置を定める省令一〇条）。

平成一六年には、空地の確保や運動場の設置に関する大学設置基準及び短期大学設置基準の特例として、構造改革

特別区域においては、やむを得ない事由により所要の土地の取得を行うことが困難であるため、運動場又は空地を有することができないと認められる等の要件を満たし、一定の代替措置が講じられる場合に限っては、敷地内に空地を確保しなくても又は自ら運動場を設置しなくともよいこととされた（同省令六条・七条、現在は削除。）。なお、当該措置については平成二四年の改正で全国展開された。

また、平成一六年に、インターネットその他の高度情報通信ネットワークのみを利用して当該大学の教室等以外の場所で授業を行うもの（大学院は、学校教育法一〇三条に規定する大学に限る。いわゆる「インターネット大学院大学」が対象）についての校舎等施設に関する大学設置基準又は大学院設置基準の特例も設けられている（同省令八条・九条、現在は削除。）。

【通　知】

○大学設置基準の一部を改正する省令の施行等について（抄）

（平三・六・二四　文高大一八四号　各国公私立大学長、放送大学長、各国公私立高等専門学校長、大学を設置する地方公共団体の長、高等専門学校を設置する各地方公共団体の教育委員会教育長、大学又は高等専門学校を設置する各学校法人の理事長、放送大学学園理事長あて　文部事務次官通知）

このたび、別添一～三（略）のとおり、「大学設置基準の一部を改正する省令（平成三年文部省令第二四号）」、「大学院設置基準の一部を改正する省令（平成三年文部省令第二五号）」及び「大学通信教育設置基準の一部を改正する省令（平成三年文部省令第二六号）」が平成三年六月三日に公布され、いずれも平成三年七月一日から施行されることとなりました。また、これらの省令に関連し、別添四及び五（略）のとおり平成三年文部省告示第六八号及び第七〇号が平成三年六月五日に告示され、七月一日から施行されることになりました。

今回の改正の趣旨は、個々の大学が、その教育理念・目的に基づき、学術の進展や社会の要請に適切に対応しつつ、特色ある教育研究を展開し得るよう、大学設置基準の大綱化により制度の弾力化を図るとともに、生涯学習の振興の観点から大学における学習機会の多様化を図り、併せて、大学の水準の維持向上のため自己点検・評

価の実施を期待するものであります。

これらの省令等の概要及び留意点等は、下記のとおりですので、それぞれ関係のある事項について十分御留意の上、その運用に当たって遺憾のないようお取り計らい下さい。

記

第一　大学設置基準（昭和三一年文部省令第二八号）の一部改正

1　自己評価等について

(1)　今回の大学設置基準の大綱化による制度の弾力化の趣旨を生かし、大学自らがその教育研究の改善への努力を行っていくために、当該大学における教育研究活動等の状況について自ら点検及び評価を行うことに努めなければならないこととしたこと。（改正後の第二条第一項関係）

(2)　この点検及び評価を行うに当たっては、上記の趣旨に即し適切な点検・評価項目を設定するとともに、適当な実施体制を整えて行うものとしたこと。（改正後の第二条第二項関係）

2　教育研究上の基本組織について（略）

3　教員組織について（略）

4　教員の資格について（略）

5　収容定員について（略）

6　教育課程について

(1)　授業科目区分の廃止及び教育課程の編成方針について

①　各大学において、それぞれの創意工夫により特色ある教育課程が編成できるようにするため、一般教育科目、専門教育科目等の授業科目の区分に関する規定を廃止したこと。（改正前の第一八条から第二四条まで関係）

②　上記①の改正の趣旨が生かされるよう、教育課程の編成に当たっての基本方針を次のように明らかにしたこと。

1）大学は、当該大学、学部及び学科又は課程等の教育上の目的を達成するために必要な授業科目を開設し、体系的に教育課程を編成すること。（改正後の第一九条第一項関係）

2）教育課程の編成に当たっては、大学は、学部等の専攻に係る専門の学芸を教授するとともに、幅広く深い教養及び総合的な判断力を培い、豊かな人間性を涵養するよう適切に配慮しなければならないこと。（改正後の第一九条第二項関係）

(2)　単位の計算方法について

単位の計算方法の合理化を図り、演習等による授業の開設を促進するため、単位の計算方法を次のように改めたこと。

①　大学が単位数を定めるに当たっては、一単位の授業科目を四五時間の学修を必要とする内容をもって構成することを標準とし、授業の方法に応じ、当該授業による教育効果、授業時間外に必要な学修等を考慮して、次の基準により単位数を計算するものとしたこと。（改正後の第二一条第二項関係）

1）講義及び演習については、一五時間から三〇時間までの範囲で大学が定める時間の授業をもって一単位とすること。

2）実験、実習及び実技については、三〇時間から四五時間までの範囲で大学が定める時間の授業をもって一単位とすること。ただし、芸術等の分野における個人指導による実

技の授業については、その教育効果等にかんがみ、大学が定める時間の授業をもって一単位とすることができること。

② 上記①にかかわらず、卒業論文、卒業研究、卒業制作等の授業科目については、これらの学修の成果を評価して単位を授与することが適切と認められる場合には、これらに必要な学修等を考慮して、単位数を定めることができるものとしたこと。(改正後の第二一条第三項関係)

(3) 授業期間について

① 一年間の授業期間については、三五週にわたることを規定することにとどめ、従来のような具体的な授業日数についての定めは設けないこととしたこと。(改正後の第二二条関係)

② 各授業科目の授業期間について、教育上特別の必要があると認められる場合には、外国語の演習、体育実技等に限らず、一〇週又は一五週より短い特定の期間において授業を行うことができることとしたこと。(改正後の第二三条関係)

(4) 授業を行う学生数について

大学が一の授業科目について授業を行う学生数について、従来のような具体的な人数を一律に定めることとせず、授業の方法及び施設、設備その他の教育上の諸条件を考慮して、教育効果を十分にあげられるような適当な人数とすることとしたこと。(改正後の第二四条関係)

(5) 昼夜開講制について

社会人等の受入れを積極的に進めていくため、大学は、教育上必要と認められる場合には、昼夜開講制(同一学部において昼間及び夜間の双方の時間帯において授業を行うことをいう。)により授業を行うことができることを明らかにしたこと。(改正後の第二六条関係)

7 卒業の要件等について

(1) 単位の授与について

卒業論文、卒業研究、卒業制作等の授業科目については、必ずしも試験によることなく、大学の定める適切な方法により学修の成果を評価して単位を与えることができるものとしたこと。(改正後の第二七条ただし書関係)

(2) 大学以外の教育施設等における学修について

① 教育内容の充実に資するため、大学は、教育上有益と認めるときは、学生が行う短期大学又は高等専門学校の専攻科における学修その他文部大臣が別に定める学修を、当該大学における授業科目の履修とみなし、大学の定めるところにより単位を与えることができることとしたこと。(改正後の第二九条第一項関係)

なお、文部大臣が定める学修として、別添四(略)のとおり、高等専門学校における学修、修業年限二年以上の専修学校専門課程における学修等を定めたこと。(平成三年文部省告示第六八号)

② 上記①により与えることができる単位数は、大学・短期大学との単位互換に関する規定により当該大学において修得したものとみなす単位数と合わせて三〇単位を超えないものとしたこと。(改正後の第二九条第二項関係)

(3)　既修得単位等の認定について

学生の入学前の学習成果を適切に評価するため、入学前の既修得単位等の認定について、上記(2)及び下記(4)にも関連し、次のように規定の整備を行ったこと。

①　大学は、教育上有益と認めるときは、学生が当該大学に入学する前に大学又は短期大学において履修した授業科目について修得した単位（下記(4)の科目等履修生として修得した単位を含む。）を、当該大学に入学した後の当該大学における授業科目の履修により修得したものとみなすことができることとした。（改正後の第三〇条第一項関係）

②　大学は、教育上有益と認めるときは、学生が当該大学に入学する前に行った上記(2)の大学以外の教育施設等における学修を、当該大学における授業科目の履修とみなし、大学の定めるところにより単位を与えることができることとしたこと。（改正後の第三〇条第二項関係）

③　上記①及び②により修得したものとみなし、又は与えることのできる単位数は、当該大学において修得した単位以外のものについては、合わせて三〇単位を超えないものとすることとしたこと。ただし、編入学、転学等の場合については、この制限は適用されないものであること。（改正後の第三〇条第三項関係）

④　なお、これに伴い、「新たに大学又は短期大学の第一年次に入学した学生の既修得単位の取扱いについて（昭和五七年四月一日付け文大大第一三三号文部省大学局長通知）」は、廃止することとしたこと。

(4)　科目等履修生について

社会人等に対しパートタイムによる学習機会を拡充し、その学習の成果に適切な評価を与えるため、大学は、大学の定めるところにより、当該大学の学生以外の者で一又は複数の授業科目を履修する者（「科目等履修生」という。）に対し単位を与えることができることとしたこと。（改正後の第三一条関係）

(5)　卒業要件等について

①　上記６の(1)の①と同様の趣旨により、卒業の要件については、大学に四年以上在学し一二四単位以上を修得することのみを規定することとし、授業科目の区分に応じて修得すべき単位数についての規定は廃止したこと。（改正後の第三二条第一項及び改正前の第三二条第一項から第三項まで関係）

②　上記①と同様に、獣医学に関する学科に係る卒業の要件についても、大学に六年以上在学し、一八二単位以上を修得することのみを規定することとしたこと。（改正後の第三二条第三項関係）

なお、改正前の第三二条第四項の規定により定められていた「獣医学に関する学科の卒業の要件のうち専門教育科目の単位数の専門分野別の配分を定める件（昭和五八年文部省告示第八八号）」は、制定の根拠となる規定を失うこととなり、効力を失うものであること。

③　従来専門教育科目について授業時間制をとっていた医学又は歯学に関する学科についても、授業科目の区分の廃止等に

関連し、授業科目全体について単位制を原則とすることとし、これらの学科に係る卒業の要件は、大学に六年以上在学し、一八八単位以上を修得することとしたこと。ただし、医・歯学教育の特性にも配慮し、各大学の判断により教育上必要と認められる場合には、修得すべき単位の一部の修得について、これに相当する授業時間の履修をもって代えることができるものとしたこと。（改正後の第三二条第二項関係）

なお、改正前の第三三条の規定を廃止したことに伴い、「大学設置基準第三三条第一項の規定に基づく医学又は歯学の学部の卒業の要件のうち専門教育科目の履修に係る要件（昭和五〇年文部省告示第一六七号）」は、制定の根拠となる規定を失うこととなり、効力を失うものであること。

④　上記③に関連して、授業時間制をとる場合の当該授業科目に係る修了の認定、単位互換等の規定の適用について定めたこと。（改正後の第三三条関係）

⑤　授業科目の区分に関する規定の廃止（上記6の(1)の①）及び卒業要件に関する上記①から③の改正に伴い、「外国語又は体育に関する学部等の卒業の要件（改正前の第四五条）」、「外国人留学生に関する授業科目等の特例（改正前の第四六条）」及び「外国において教育を受けた学生に関する授業科目等の特例（改正前の第四七条）」の規定を廃止したこと。

なお、改正前の第四六条及び第四七条において定められていた外国人留学生等に対する日本語科目及び日本事情に関する授業科目の開設については、留学生等に対する日本語教育等の充実の観点から、引き続き各大学の判断において行うことが望まれるものであること。

⑥　学士の種類を廃止するとともに、「国立学校設置法及び学校教育法の一部を改正する法律（平成三年法律第二三号）」により学士が学位に位置付けられたことに伴い、学士については規定を削除し、学位規則（昭和二八年文部省令第九号）において規定することとしたこと。（改正前の第三四条及び改正前の別表第四関係）

8　校地、校舎等の施設及び設備について（略）

9　施行期日等（略）

第二　大学院設置基準（昭和四九年文部省令第二八号）の一部改正

（略）

第三　大学通信教育設置基準（昭和五六年文部省令第三三号）の一部改正（略・法八四条の**【通知】**参照）

○学校教育法施行規則等の一部を改正する省令の施行等について（抄）（平一一・三・三一　文高大三二〇号　各国公私立大学長、放送大学長、大学を設置する各地方公共団体の長、大学を設置する各学校法人の理事長、放送大学学園理事長あて　文部事務次官通知）

第一　学校教育法施行規則（昭和二二年文部省令第一一号）の一部改正

我が国の大学と我が国と学年暦が異なる諸外国の学校との間の学生の円滑な移動や、大学入学機会の複数回化等の観点から、秋季入学を各大学においてより柔軟に導入できるよう、学年の途中

における入学及び卒業に関する規定を改正したこと。（改正後の第七二条第二項関係）

第二　大学設置基準（昭和三一年文部省令第二八号）の一部改正

一　単位互換及び大学以外の教育施設等における学修の単位認定の拡大

　学生の選択の幅を広げ、また、大学間のより一層の連携・交流を可能とする観点から、学生が行う他の大学又は短期大学における履修及び大学以外の教育施設等における学修について単位認定できる単位数の上限について、入学前と入学後それぞれについて三〇単位を超えない範囲内とされていた取扱いを改め、入学前、入学後にかかわらず合わせて六〇単位を超えない範囲内としたこと。（改正後の第二八条第一項、第二九条第二項及び第三〇条第三項関係）

　また、学生が外国の大学又は短期大学において履修した授業科目について修得した単位について、大学が、当該大学において修得したものとみなすことができる単位数は、当該学生が当該大学への入学前又は入学後に行う国内の他の大学又は短期大学における履修及び大学以外の教育施設等における学修について単位認定する単位数と合わせて六〇単位を超えない範囲内としたこと。（改正後の第二九条第二項及び第三〇条第三項関係）

二　大学設置基準第二五条第二項の授業（以下「遠隔授業」という。）により修得することができる単位数の上限の拡大

　遠隔授業は、他大学との間で単位互換として行われる場合が少なくないことから、単位互換の単位数の上限の拡大に伴い、遠隔授業により修得することができる単位数の上限について、六〇単位を超えない範囲内としたこと。（改正後の第三二条第四項関係）

　なお、各大学において、一二四単位を超える単位数を卒業の要件としている場合は、大学設置基準第二五条第一項の授業によって六四単位以上の修得がなされていれば、遠隔授業によって修得する単位数については、六〇単位を超えることができるものであること。

第三・第四　（略）

第五　「大学設置基準第二九条第一項の規定により、大学が単位を与えることのできる学修を定める件（平成三年文部省告示第六八号）」及び「短期大学設置基準第一五条第一項の規定により、短期大学が単位を与えることのできる学修を定める件（平成三年文部省告示第六九号）」の一部改正

　学生の学修選択の幅を広げる観点から、別添二及び三（略）のとおり、大学以外の教育施設等における学修について大学が単位認定できる範囲を拡大し、トフル及びトーイックにおける成果に係る学修及び一定の要件を備えた知識及び技能に関する審査でトフル及びトーイックと同等以上の社会的評価を有するものにおける成果に係る学修を対象とすることとしたこと。

○学校教育法等の一部を改正する法律等の施行について（抄）

（平一一・九・一四　大高大二二六号　各国公私立大学長、放送大学長、大学を設置する各地方公共団体の長、大学を設置する各学校法人の理事長、放送大学学園理事長あて　文部事務次官通知）

第一　学校教育法等の一部を改正する法律について（略）

第二　大学設置基準の一部を改正する省令について

1　自己点検・評価

大学は、大学における教育研究活動等の状況についての自己点検及び評価を行い、その結果を公表するものとしたこと。

また、大学は、自己点検及び評価の結果について当該大学の職員以外の者による検証を行うよう努めなければならないこととしたこと。

2　情報の積極的提供

大学は、当該大学における教育研究活動等の状況について刊行物への掲載その他広く周知を図ることができる方法によって、積極的に情報を提供するものとしたこと。

3　教育内容等の改善のための組織的な取組

大学は、当該大学の授業の内容及び方法の改善を図るための組織的な研修及び研究の実施に努めなければならないこととしたこと（第二五条の二）。

4　学生の履修科目登録単位数の上限設定

大学は、学生が各年次にわたって適切に授業科目を履修するよう、卒業の要件として学生が修得すべき単位数について、学生が一年間又は一学期に履修科目として登録することができる単位数の上限を定めるよう努めなければならないこととしたこと（第二七条の二第一項）。また、大学はその定めるところにより所定の単位を優れた成績をもって修得した者については、次年度又は次学期に、履修科目として登録することができる単位数の上限を超えて履修科目の登録を認めることができるものであること（同条第二項）。

この規定は、一単位の授業科目は四五時間の学修を要する教育内容をもって構成することを標準とするという大学設置基準における単位制度の趣旨に沿った十分な学習量を個々の授業において確保することにより、単位制度の実質化を図る趣旨から設けられたものであること。

5　施行期日等（略）

第三・第四（略）

○学校教育法の一部を改正する法律等の施行について（抄）

（平一五・三・三一　一五文科高一六二号　各国公私立大学長、放送大学長、各国公私立高等専門学校長、国立久里浜養護学校長、大学評価・学位授与機構長、独立行政法人大学入試センター理事長、各都道府県知事、各都道府県教育委員会、大学を設置する各地方公共団体の長、大学又は高等専門学校を設置する各学校法人の理事長、放送大学学園理事長あて　文部科学事務次官通知）

第一　学校教育法の一部を改正する法律（平成一四年法律第一一八号）

1　改正の趣旨

今回の改正の趣旨は、大学等の一層主体的・機動的な教育研究活動等を促進するため、学位の大幅な変更等を伴わない学部等の設置については認可を受けることを要しないこととするとともに、教育研究活動等の質の保証を図るため、勧告等の是正措置や

認証評価制度を設けるものである。また、併せて、大学院における高度専門職業人養成を促進するため、専門職大学院制度を設けるものである。

２　学校教育法の一部改正（略）

第二　学校教育法の一部改正に伴う関係政令の整備に関する政令（平成一五年政令第七四号）（略）

第三　学校教育法施行規則等の一部を改正する省令（平成一五年文部科学省令第一五号）

１～４（略）

５　大学設置基準の一部改正

⑴　入学者選抜

入学者の選抜については、公正かつ妥当な方法により、適当な体制を整えて行うものとしたこと。（第二条の三〔現行二条の二〕）

⑵　教員の構成

大学は、教育研究水準の維持向上及び教育研究の活性化を図るため、教員の構成が特定の年齢層に著しく偏ることのないよう配慮することとしたこと。（第七条第四項〔現行七条三項〕）

⑶　専任教員

大学の専任教員は、当該大学以外における教育研究活動その他の活動の状況を考慮し、当該大学において教育研究を担当するに支障がないと認められる者でなければならないものとしたこと。（第一二条）

⑷　学長の資格

学長となることのできる者は、人格が高潔で、学識が優れ、かつ、大学運営に関し識見を有すると認められる者としたこと。（第一三条の二）

⑸　教授等の資格

教授となることのできる者として、専門職学位を有し、当該学位の分野に関する業務上の実績を有する者であって、大学における教育を担当するにふさわしい教育上の能力を有すると認められる者を追加したこと。（第一四条）

また、助教授〔現：准教授〕となることのできる者として、専門職学位を有する者であって、大学における教育を担当するにふさわしい教育上の能力を有すると認められる者を追加したこと。（第一五条）

⑹　収容定員

大学は、教育にふさわしい環境の確保のため、在学する学生の数を収容定員に基づき適正に管理するものとしたこと。（第一八条第三項）

⑺　授業の場所

大学は、文部科学大臣が別に定めるところにより、授業を校舎及び附属施設以外の場所で行うことができることとしたこと。（第二五条）（第九　平成一五年文部科学省告示第四三号（大学が授業の一部を校舎及び附属施設以外の場所で行う場合について定める件）を参照）

⑻　校地の面積

大学における校地の面積（附属病院以外の附属施設用地及び

寄宿舎の面積を除く。）は、収容定員上の学生一人当たり一〇平方メートルとして算定した面積に附属病院建築面積を加えた面積としたこと。（第三七条）

⑼　校舎の面積

校舎の面積の基準を定めたこと。（第三七条の二）

⑽　教育研究環境の整備

大学は、その教育研究上の目的を達成するため、必要な経費の確保等により、教育研究にふさわしい環境の整備に努めることとしたこと。（第四〇条の二〔現行四〇条の三〕）

⑾　大学等の名称

大学等の名称は、大学等として適当であるとともに、当該大学等の教育研究上の目的にふさわしいものとすることとしたこと。（第四〇条の三〔現行四〇条の四〕）

⑿　段階的整備

新たに大学等を設置する場合の教員組織、校舎等の施設及び設備については、別に定めるところにより、段階的に整備することができることとしたこと。（第四五条〔現行六〇条〕）（第一〇　平成一五年文部科学省告示第四四号（大学設置基準第四五条の規定に基づき、新たに大学等を設置する場合の教員組織、校舎等の施設及び設備の段階的な整備について定める件）を参照）

⒀　その他

その他所要の規定の整備を行ったこと。

6　高等専門学校設置基準の一部改正（略）

7　大学院設置基準の一部改正

⑴　大学院設置基準の趣旨及び大学院の水準向上に係る努力義務

大学院設置基準は、大学院を設置するのに必要な最低の基準であり、大学院は、この省令で定める設置基準より低下した状態にならないようにすることはもとより、その水準の向上を図ることに努めなければならないことを明確にしたこと。（第一条第二項及び第三項）

⑵　専門職学位課程

大学院の課程として専門職学位課程を設けたこと。（第二条第一項及び第二項関係）

また、専ら夜間において教育を行う専門職学位課程を置くことができることとしたこと。（第二条の二）

⑶　修士課程の目的

専門職学位課程の創設に伴い、修士課程の目的を整理したこと。

これは、高度専門職業人の養成に特化した教育を行う大学院の課程を専門職学位課程として位置付けることに伴い、修士課程の目的を、精深な学識を授け、専攻分野における研究能力又は研究能力と高度の専門性が求められる職業を担うための卓越した能力の両方の養成を行うものとするものであること。（第三条第一項）

⑷　専　攻

前期二年及び後期三年の課程に区分する博士課程においては、教育研究上適当と認められる場合には、前期の課程と後期

の課程で異なる専攻を置くことができるものとしたこと。（第六条第二項）

(5)　複数の大学が協力して教育研究を行う研究科

大学院には、複数の大学が協力して教育研究を行う研究科を置くことができることとしたとともに、当該研究科における教育研究上支障を生じない場合には、当該研究科の教員は、教育研究を協力して実施する大学の教員が兼ねることができることとしたこと。（第七条の二及び第八条第三項）

これは、複数の大学が協力して教育研究を行う研究科を、基幹となる一の大学において設置することができることとする趣旨であること。

(6)　教員の構成

大学院は、教育研究水準の維持向上及び教育研究の活性化を図るため、教員の構成が特定の年齢層に著しく偏ることのないよう配慮するものとしたこと。（第八条第四項〔現行八条五項〕）

(7)　収容定員

大学院は、教育にふさわしい環境の確保のため、在学する学生の数を収容定員に基づき適正に管理するものとしたこと。（第一〇条第二項〔現行一〇条三項〕）

(8)　専門職学位課程修了者に係る博士課程の修了要件

専門職学位課程の修了者等が博士課程の後期三年の課程に進学した場合の博士課程の修了要件は、大学院に三年以上在学し、必要な研究指導を受けた上、当該大学院の行う博士論文の審査及び試験に合格するものとしたこと。ただし、在学期間に関しては、当該博士課程において優れた研究業績を上げた者については、大学院に一年（標準修業年限が一年以上二年未満の専門職学位課程修了者にあっては、三年から当該一年以上二年未満の期間を減じた期間）以上在学すれば足りることとしたこと。

また、法科大学院の課程を修了した者については、法科大学院において既に三年の課程を修了していることを踏まえ、博士課程における在学期間に関しては、大学院に二年以上在学するものとし、当該博士課程において優れた研究業績を上げた者については、大学院に一年以上在学すれば足りることとしたこと。（第一七条第三項）

なお、上記の取扱いは、後期三年のみの博士課程のみならず、前期二年と後期三年の課程に区分する博士課程の後期の課程に進学する場合についても、適用されるものであること。

(9)　教育研究環境の整備

大学院は、その教育研究上の目的を達成するため、必要な経費の確保等により、教育研究にふさわしい環境の整備に努めるものとしたこと。（第二二条の二〔現行二二条の三〕）

(10)　研究科等の名称

研究科等の名称は、研究科等として適当であるとともに、当該研究科等の教育研究上の目的にふさわしいものとするものとしたこと。（第二二条の三〔現行二二条の四〕）

(11)　独立大学院の校地

独立大学院には、校地を求めないこととしたこと。（第二四条第一項）

⑿　専門大学院に関する規定の削除

専門職大学院制度の整備に伴い、専門大学院に関する規定を削除したこと。

⒀　段階的整備

新たに大学院等を設置する場合の教員組織、校舎等の施設及び設備については、別に定めるところにより、段階的に整備することができることとしたこと。（第三三条〔現行四五条〕）

⒁　その他

その他所要の規定の整備を行ったこと。

8〜14（略）

第四〜第二〇（略）

○大学設置基準等の一部を改正する省令等の施行について（平一九・七・三一　一九文科高二八一号　各国公私立大学長、各国公私立高等専門学校長、独立行政法人大学評価・学位授与機構長、独立行政法人大学入試センター理事長、独立行政法人国立高等専門学校機構理事長、大学を設置する各地方公共団体の長、各公立大学法人の理事長、大学又は高等専門学校を設置する各学校法人の理事長、大学を設置する各学校設置会社の代表取締役、放送大学学園理事長あて　文部科学省高等教育局長通知）

このたび、別添一（略）のとおり「大学設置基準等の一部を改正する省令（平成一九年文部科学省令第二二号）」が、また、別添二（略）のとおり、平成一九年文部科学省告示第一一四号が、それぞれ平成一九年七月三一日に公布され、平成二〇年四月一日から施行されることとなりました。

今回の改正は、平成一七年一月の中央教育審議会「我が国の高等教育の将来像（答申）」における提言等を踏まえ、社会の信頼に応える高等教育の実現のため、学部等における教育力向上のための必要な措置を講じるとともに、その教育の質を保証する上で備えるべき基準をより明確にするものであります。

第一　大学設置基準等の一部を改正する省令（平成一九年文部科学省令第二二号）

(1)　改正の概要

1　大学設置基準（昭和三一年文部省令第二八号）の一部改正

①　教育研究上の目的の明確化

大学は、学部、学科又は課程ごとに、人材の養成に関する目的その他の教育研究上の目的を学則等に定め、公表するものとすること。（第二条の二〔現行二条〕関係）

②　二以上の校地において教育を行う場合における教員並びに施設及び設備

ア　大学は、二以上の校地において教育を行う場合においては、それぞれの校地ごとに必要な教員を置くものとすること。なお、それぞれの校地には、当該校地における教育に支障のないよう、原則として専任の教授又は准教授を少なくとも一人以上置くものとすること。（第七条第四項関係）

イ 大学は、二以上の校地において教育研究を行う場合においては、それぞれの校地ごとに教育研究に支障のないよう必要な施設及び設備を備えるものとすること。（第四〇条の二関係）

③ 授業科目の開設

大学は、教育上の目的を達成するために必要な授業科目を自ら開設するものとすること。（第一九条第一項関係）

④ 二以上の方法の併用により授業を行う場合の単位の計算基準

大学が、一の授業科目について、講義と実習など二以上の方法の併用により行う場合の単位の計算方法を定めること。（第二一条第二項第三号関係）

⑤ 成績評価基準等の明示等

大学は、学生に対して、授業の方法及び内容並びに一年間の授業の計画をあらかじめ明示するものとすること。また、学修の成果に係る評価及び卒業の認定に当たっては、客観性及び厳格性を確保するため、学生に対してその基準をあらかじめ明示するとともに、当該基準にしたがって適切に行うものとすること。（第二五条の二関係）

⑥ 教育内容等の改善のための組織的研修等

大学は、授業の内容及び方法の改善を図るための組織的な研修及び研究を実施するものとすること。（第二五条の三関係）

⑦ 科目等履修生等の受入れ

ア 大学は、科目等履修生等を相当数受け入れる場合においては、教育に支障のないよう、それぞれ相当の専任教員並びに校地及び校舎の面積を増加するものとすること。（第三一条第三項関係）

イ 大学は、科目等履修生等を受け入れる場合においては、これらの者の人数は、一の授業科目について同時に授業を行う学生数等を踏まえ、適当な人数とするものとすること。（第三一条第四項関係）

⑧ 施設の専用等

ア 大学は、専用の施設を備えた校舎を有するものとし、特別の事情があり、かつ、教育研究に支障がないと認められるときは、この限りでないこととすること。（第三六条第一項関係）

イ 基準校舎面積は専用部分の面積とし、当該大学と他の学校等が同一の敷地内又は隣接地に所在する場合であって、それぞれの学校等の校舎の専用部分の面積及び共用部分の面積を合算した面積が、それぞれの学校等が設置の認可を受ける場合において基準となる校舎の面積を合算した面積以上のものであるときは、当該大学の教育研究に支障がない限度において、基準校舎面積に当該学校等との共用部分の面積を含めることができることとすること。（別表第三イの表備考第六号関係）

2 高等専門学校設置基準（昭和三六年文部省令第二三号）の一部改正（略）

3　大学院設置基準（昭和四九年文部省令第二八号）の一部改正（略）

4　短期大学設置基準（昭和五〇年文部省令第二一号）の一部改正（略）

5　専門職大学院設置基準（平成一五年文部科学省令第一六号）の一部改正　授業科目の開設（略）

6　その他所要の省令の規定の整備を行ったこと。

(2)　留意事項

1　教育研究上の目的の明確化に関する事項

大学設置基準第二条の二（現行二条）の規定による目的の策定に当たっては、各大学のそれぞれの人材養成上の目的と学生に修得させるべき能力等の教育目標を明確にし、これらに即して、体系的な教育課程を提供するとともに、責任ある実践のための人的、組織的体制、物的環境を整えることに資するよう留意すること。また、組織として目的を共有するため、学則、学部規則又は学科規則などの適切な形式により定めるとともに、大学のホームページ等を活用し、これを広く社会に公表するよう留意すること。

2　二以上の校地において教育を行う場合における教員並びに施設及び設備に関する事項

大学設置基準第七条第四項は、大学が二以上の校地において教育を行う場合についても、同第七条第一項から第三項までの規定の考え方の下、それぞれの校地において必要な教育体制がとられるべきことを明確化する趣旨であること。また、その場合において、校地が隣接はしていないものの極めて近接しており、学生に対する日常的な学習相談、進路指導、厚生補導等が支障なく行うことができる体制にある場合など例外的な場合以外については、それぞれの校地における教育体制の核となる専任の教授又は准教授を少なくとも一人以上置くことを求めたものであること。

大学設置基準第四〇条の二は、教員と同様に、施設及び設備についても、それぞれの校地において実際に行われる教育研究に支障のないように整備すべきことを明確化する趣旨であること。

3　授業科目の開設に関する事項

大学設置基準第一九条第一項は、大学は当該大学、学部及び学科又は課程等の教育上の目的を達成するために必要な授業科目については、自ら必要な教員組織並びに施設及び設備を備え、当該大学の指導計画の下で開設するべきものであることを明確化する趣旨であること。ここでいう「必要な授業科目」とは、各大学が定める卒業の要件を満たす単位数に算入することのできる授業科目を想定していること。

ただし、これらの全てを当該大学のみで行うことを求めるものではなく、教育内容の豊富化等の観点から、大学が当該大学以外の教育施設等と連携協力して授業を実施することも認められるものであること。なお、このような授業を行う場合には、例えば、

①　授業の内容、方法、実施計画、成績評価基準及び当該教育

施設等との役割分担等の必要な事項を協定書に定めている

② 大学の授業担当教員の各授業時間ごとの指導計画の下に実施されている

③ 大学の授業担当教員が当該授業の実施状況を十分に把握している

④ 大学の授業担当教員による成績評価が行われる

など、当該大学が主体性と責任を持って、当該大学の授業として適切に位置付けて行われることが必要であることに留意すること。

4 二以上の方法の併用により授業を行う場合の単位の計算基準に関する事項

大学設置基準第二一条第二項第三号は、一の授業科目について、講義と実習などの複数の授業の方法を組み合わせた授業科目の導入が容易にできるよう、その取扱いを明確化したものであること。

なお、同項同号の規定により単位数を計算する場合においても、一単位の授業科目を四五時間の学修を必要とする内容をもって構成することを標準とするものであること。また、「前二号に規定する基準を考慮して大学が定める時間」を定めるに当たっては、例えば、講義と実験とを組み合わせて行う授業科目の場合は、講義及び実験の授業時間数をそれぞれx、yとすると、ax＋by（a：一単位の授業科目を構成する内容の学修に必要とされる時間数の標準である四五時間を同項第一号の規定により講義について一五時間から三〇時間の範囲で大学が定める時間数で除して得た数値、b：同じく四五時間を同項第二号の規定により実験について三〇時間から四五時間の範囲で大学が定める時間数で除して得た数値）が四五となるようにx及びyの値を定めること。

5 科目等履修生等の受入れに関する事項

大学設置基準第三一条第三項の「相当数」については、個別具体の事例に則して判断されることになるが、例えば、科目等履修生等の数を履修科目の単位数を勘案して学生数に換算した上で、本来の学生数と合わせて収容定員を大幅に超える場合などが想定されること。

同条第四項の「第二四条の規定を踏まえ」については、一の授業科目について同時に授業を行う学生数並びに授業の方法及び施設、設備その他の教育上の諸条件を踏まえるという趣旨であること。

6 成績評価基準等の明示等に関する事項

大学設置基準第二五条の二第二項に規定する学修の成果に係る評価等の基準については、各大学が作成するいわゆるシラバスに記載するなど、学生に対して明確に提示するよう留意すること。

7 教育内容等の改善のための組織的な研修等に関する事項

大学設置基準第二五条の三の規定によるいわゆるファカルティ・ディベロップメント（FD）については、これまで努力義務であったものを義務化するものであるが、これは大学の各教員に対し義務付けるものではなく、各大学が組織的に実施す

ることを義務付けるものであること。これを踏まえ、各大学においては、授業の内容及び方法の改善につながるような内容の伴った取組を行うことが望まれること。

8 施設の専用等に関する事項

大学設置基準第三六条第一項は、大学の施設は、他の機関との共用ではなく当該大学の専用であることが原則であることを明確にしたものであること。また、「教育研究に支障がないと認められるとき」とは、例えば、大学設置基準に定める基準校舎面積を超えて校舎を有し、その超えている部分を他の機関と共用する場合などが想定されること。

なお、大学が、教育上支障のない場合に、一時的に大学の施設を社会教育その他公共のために利用させることは、学校教育法第八五条〔現行法一三七条〕の規定により認められていること。

大学設置基準別表第三イの表備考第六号については、同一敷地内又は隣接地に大学と短期大学、高等専門学校又は専門学校等を置いている場合に、それぞれの学校等の基準校舎面積を合算した面積を全体として有していれば、教育研究に支障がない限度において共用を認めるという趣旨であること。

9 その他

上記1～8に記載する事項は、大学設置基準だけでなく、高等専門学校設置基準、大学院設置基準、短期大学設置基準及び専門職大学院設置基準における同様の改正事項についても、同様の考え方であること。なお、上記1、4、6及び7については、平成一八年の大学院設置基準の改正により、大学院について既に措置されているものであること。

第二 平成一三年文部科学省告示第五一号（大学設置基準第二五条第二項の規定に基づき、大学が履修させることができる授業等について定める件）等の一部改正（平成一九年文部科学省告示第一一四号）

1 大学設置基準第二五条第二項の規定に基づき、大学が履修させることができるいわゆる「遠隔授業」については、大学教育の質を保証する上で備えるべき基準をより明確にするため、インターネット等を活用した授業の場合、毎回の授業の実施に当たって行うこととされている設問解答等について、指導補助者が教室等以外の場所において学生に対面することにより、又は当該授業を行う教員若しくは指導補助者が当該授業の終了後すみやかにインターネットその他の適切な方法を利用することにより、十分な指導を行うこととしたこと。

ここでいう「指導補助者」は、当該授業を行う教員の補助として、当該教員の指導計画の下で、当該教員と密接な連絡をとりつつ学生等に対して質疑応答等の指導を行う者を指し、当該授業の分野に係る学士以上の学位を有しているなどこれらの指導を十分に行い得る資質能力を有する者であること。なお、学生等の成績評価は当該授業を行う教員の権限と責任において厳正に行うこと。また、「その他の適切な方法」としては、当該授業の終了後すみやかに指導を行うことを前提として、例えば、電話、ファックス、電子メールを活用することも想定され

ること。

2　なお、短期大学及び高等専門学校についても、これらと同様の告示の改正を行うこと（平成一三年文部科学省告示第五二号及び同告示第五三号）。

第三　施行期日（略）

○学校教育法施行規則の一部を改正する省令及び大学院設置基準の一部を改正する省令等の施行について（抄）（平一九・一二・一四　一九文科高五七五号　各国公私立大学長、独立行政法人大学評価・学位授与機構長、独立行政法人大学入試センター理事長、大学を設置する各地方公共団体の長、各公立大学法人の理事長、大学を設置する各学校法人の理事長、大学を設置する各学校設置会社の代表取締役、放送大学学園理事長あて　文部科学省高等教育局長通知）

このたび、別添一（略）のとおり「学校教育法施行規則の一部を改正する省令（平成一九年文部科学省令第三八号）」が、また、別添二（略）のとおり「大学院設置基準の一部を改正する省令（平成一九年文部科学省令第三九号）」及び別添三（略）のとおり「大学院設置基準の一部を改正する省令の施行に伴う関係告示の整理に関する告示（平成一九年文部科学省告示第一四二号）」が、平成一九年一二月一四日に公布され、別添一については平成二〇年四月一日から、別添二及び別添三については公布の日から、それぞれ施行されることとなりました。

今回の改正は、平成一九年六月の閣議決定「経済財政改革の基本方針二〇〇七」等に基づき、大学の国際化・多様化に関する要請の一層の高まりに応えるため大学の入学時期をさらに弾力化するとともに、大学院教育の組織的展開の推進に資するため大学院博士課程の標準修業年限を弾力化するものであります。

第一　学校教育法施行規則の一部を改正する省令（平成一九年文部科学省令第三八号）

(1)　改正の概要

我が国の大学と我が国と学年暦が異なる諸外国の学校との間の交流の円滑化や、大学入学における選択肢の多様化等の観点から、秋季入学を各大学においてより柔軟に導入できるよう、大学の学年の始期及び終期は、学長が定めるものとしたこと。（第七〇条の九〔現行一六三条〕関係）

(2)　留意事項

1　今回の改正により、各大学の判断により、学年の始期を四月以外と定めることが可能となること。なお、学年の終期は、学生の在学関係を継続させる必要があるため、学年が正確に一年間となるよう定めるよう留意すること。

2　今後とも、各大学の判断により、学年の途中においても学期の区分に従い学生を入学させ及び卒業させることができること。したがって、原則として四月に学生を受け入れ、一部を秋季等にも受け入れる場合には、従来どおり、学年の始期は四月と定めることが適当であること。一方、原則として一〇月等に学生を受け入れ、一部を四月等にも受け入れようとする場合には、学年の始期を一〇月等と定めることが適当であること。

3　学年については、学校教育法施行規則（昭和二二年文部省令

第一一号）第四条第一項の規定により、学則に記載することとされていることから、学年の始期を四月以外に変更する場合には、学則の変更が必要となること。この場合、公私立大学にあっては、学校教育法施行令（昭和二八年政令第三四〇号）第二六条第一項第三号又は学校教育法施行規則第二条第一号の規定に基づき、文部科学大臣への届出が必要となること。

4　学年の始期及び終期は、大学の学部、学科又は課程、大学院の研究科、専攻、短期大学の学科、専攻課程その他の組織（以下「学部等」という。）の単位で、それぞれ定めることが可能であること。なお、学生の入学時期は、従来どおり、各大学の判断により、学部等の単位でそれぞれ複数に分けて設定することが可能であること。

第二　大学院設置基準の一部を改正する省令（平成一九年文部科学省令第三九号）（略）

○学校教育法施行規則の一部を改正する省令及び教育関係共同利用拠点の認定等に関する規程の施行について（抄）（平二一・八・二七　二一文科高三八号　各国公私立大学長、大学を設置する各地方公共団体の長、各公立大学法人の理事長、大学を設置する各学校法人の理事長、大学を設置する各学校設置会社の代表取締役、放送大学学園理事長あて　文部科学省高等教育局長通知）

このたび、別添一（略）のとおり、学校教育法施行規則の一部を改正する省令（平成二一年文部科学省令第三〇号）が、また、別添二（略）のとおり、教育関係共同利用拠点の認定等に関する規程（平成二一年文部科学省告示第一五五号）が、それぞれ平成二一年八月二〇日に公布され、平成二一年九月一日から施行されることとなりました。

今回創設される教育関係共同利用拠点制度は、多様化する社会と学生のニーズに応えつつ質の高い教育を提供していくために、各大学の有する人的・物的資源の共同利用等を推進することで大学教育全体として多様かつ高度な教育を展開していく大学の取組を支援するものです。

既に教育課程の共同実施制度や学術研究分野における共同利用・共同研究拠点制度が施行されているところですが、各大学におかれては、下記に示す今回の新たな制度の詳細について十分ご了知いただき、同制度をご活用いただくようお願い致します。

記

第一　学校教育法施行規則の一部を改正する省令（平成二一年文部科学省令第三〇号）の概要

(1)　大学における教育に係る施設は、教育上支障がないと認められるときは、他の大学の利用に供することができること。（第一四三条の二第一項関係）

(2)　(1)の施設を他の大学の利用に供する場合において、当該施設が大学教育の充実に特に資するときは、教育関係共同利用拠点（以下「拠点」という。）として文部科学大臣の認定を受けることができること。（第一四三条の二第二項関係）

第二　教育関係共同利用拠点の認定等に関する規程（平成二一年文部科学省告示第一五五号）の概要

(1)　趣旨（第一条関係）
拠点の認定その他の教育関係共同利用拠点に関する事項については、この規程の定めるところによること。

(2)　認定の基準（第二条関係）
拠点の認定の基準は次の①～⑧の要件に適合するものであること。

①　学生に対する教育、学生の修学等の支援、教育内容及び方法の改善その他大学における教育に係る機能を有する施設であって、大学教育の充実に特に資すると認められるものであること。（第一号）

②　拠点の認定を受けようとする施設（以下「申請施設」という。）が、他の大学の利用に供するものとして大学の学則その他これに準ずる学内規程等に記載されていること。新設の施設の場合にあっては、当該施設が設置された際に学内でどのような位置づけを有するのか明らかにすること。（第二号）

③　開かれた運営体制を確保し、幅広い意見を拠点の運営等に反映させれるため、申請施設の運営について権限を有する者の諮問に応じ、共同利用の実施に関する重要事項について審議する機関として、次に掲げる委員で組織する運営委員会を置いていること。また、その際、イの委員の数が運営委員会の委員の総数の二分の一以下であること。なお、「申請施設の運営について権限を有する者」に具体的に該当する者については、各大学において実態に即して判断することとする。また、ロの委員については、学外者であることが望ましいこととする。（第三号）

イ　当該申請施設の職員
ロ　当該共同利用に係る事項に関し学識経験を有する者
ハ　その他申請施設の運営について権限を有する者が必要と認める者

④　申請施設を利用する大学を広く募集するものであること。なお、近隣の大学のみによる共同利用も許容されることとする。また、当該施設を利用する機関は大学のみに限定されるものではなく、各大学の判断で、大学以外に高等専門学校や専門学校等にも拠点の利用を認めることができるものであることとする。（第四号）

⑤　申請施設の種類等に応じ、共同利用に必要な設備、要件及び資料、データベース等を備えていること。（第五号）

⑥　申請施設を利用する大学に対し、申請施設の利用に関する技術的支援、必要な情報の提供その他の支援を行うための必要な体制を備えていること。（第六号）

⑦　より多くの大学の利用を図り、成果を広く発信するという観点から、申請施設の利用の方法及び条件、利用可能な設備及び資料等の状況、申請施設における教育の成果その他の共同利用に関する情報の提供を広く行うものであること。（第七号）

⑧　申請施設の種類等に応じ相当数の大学の利用が見込まれること。なお、望ましい具体的な利用大学数については、申請施設の種類等に応じて判断することとする。（第八号）

(3)～(9)（略）

○大学設置基準及び短期大学設置基準の一部を改正する省令の施行について（抄）（平二二・三・一二　二一文科高六二八号　各国公私立大学長、独立行政法人大学評価・学位授与機構長、独立行政法人日本学生支援機構理事長、独立行政法人大学入試センター理事長、大学を設置する各地方公共団体の長殿、各公立大学法人の理事長、大学を設置する各学校法人の理事長、大学を設置する各学校設置会社の代表取締役、放送大学学園理事長あて　文部科学省大臣政務官通知）

このたび、別添（略）のとおり、大学設置基準及び短期大学設置基準の一部を改正する省令（平成二二年文部科学省令第三号）が平成二二年二月二五日に公布され、平成二三年四月一日から施行されることとなりました。

学生の資質能力に対する社会からの要請や、学生の多様化に伴う卒業後の職業生活等への移行支援の必要性等が高まっており、教育課程の内外を通じて社会的・職業的自立に関する指導等に取り組むこと、また、そのための体制を整えることが必要となっています。

このようなことを踏まえ、所要の制度化を図ることが、今回の改正の趣旨です。

第一　改正の概要

(1)　大学は、当該大学及び学部等の教育上の目的に応じ、学生が卒業後自らの資質を向上させ、社会的及び職業的自立を図るために必要な能力を、教育課程の実施及び厚生補導を通じて培うことができるよう、大学内の組織間の有機的な連携を図り、適切な体制を整えるものとすること。（大学設置基準第四二条の二関係）

(2)　短期大学は、当該短期大学及び学科又は専攻課程の教育上の目的に応じ、学生が卒業後自らの資質を向上させ、社会的及び職業的自立を図るために必要な能力を、教育課程の実施及び厚生補導を通じて培うことができるよう、短期大学内の組織間の有機的な連携を図り、適切な体制を整えるものとすること。（短期大学設置基準第三五条の二関係）

第二　留意事項

(1)　各大学及び短期大学における社会的・職業的自立に関する指導等の在り方

大学及び短期大学（以下「大学等」という。）は、その自主性・自律性や多様性を前提としつつ、教育課程の内外を通じて、社会的・職業的自立に向けた指導等に取り組む必要があること。その際、各大学等がどのような取組を行うかについては、それぞれの教育研究目的、設置する学部・学科の種類、学生数等の規模、学生や教職員の状況により多様なものが考えられ、特定の教育内容・方法が大学等に課されるものではないこと。

(2)　教育課程の編成における取扱い

各大学等では、教育課程の内容と実施方法に関する方針を定める中で、個別の授業科目のシラバスや、体系的な教育課程の編成を通じて、社会的・職業的自立に関する指導等の在り方を明らかにし、学生に対し、その内容の理解を図ることが求められること。また、教育課程の編成と実施に当たっては、大学等として保証すべき教育の内容・水準に十分留意すること。

(3)　学内における実施体制の確保

各大学等において、社会的・職業的自立に関する指導等の実施に当たり、大学等の判断に基づいて設けられている各種の組織の緊密な連携や、そうした組織の活用を通じて体制を整える必要があること。その際、学内に専任の教職員を配置する、または独立した組織を設けるなど、組織の設置を画一的に課すものではないこと。

(4)　大学等の取組状況の公表

各大学等において、社会的・職業的自立に関する指導等の取組について、広く社会に説明していくことが求められること。

(5)　産業界や各種団体をはじめとする社会との連携と協力

社会的・職業的自立に関する指導等の実施に当たっては、学生の就職活動の早期化の現状等を踏まえつつ、産業界や地域の各種団体、関係行政機関等との連携・協力に努める必要があること。

(6)　大学院における取組

大学院における社会的・職業的自立に関する指導等についても、大学設置基準に基づく実施体制を活用した取組が期待されること。

(7)　施行について（略）

○学校教育法施行規則等の一部を改正する省令の施行について

（平二二・六・一六　二二文科高二三六号　各国公私立大学長、各国公私立高等専門学校長、独立行政法人大学評価・学位授与機構長、独立行政法人日本学生支援機構理事長、独立行政法人大学入試センター理事長、独立行政法人国立高等専門学校機構理事長、大学又は高等専門学校を設置する各地方公共団体の長、各公立大学法人の理事長、大学又は高等専門学校を設置する各学校法人の理事長、大学を設置する各学校設置会社の代表取締役、放送大学学園理事長あて　文部科学大臣政務官通知）

このたび、別添（略）のとおり、学校教育法施行規則等の一部を改正する省令（平成二二年文部科学省令第一五号）が平成二二年六月一五日に公布され、平成二三年四月一日から施行されることとなりました。

大学等が公的な教育機関として、社会に対する説明責任を果たすとともに、その教育の質を向上させる観点から、公表すべき情報を法令上明確にし、教育情報の一層の公表を促進することが、今回の改正の趣旨です。

第一　学校教育法施行規則（昭和二二年文部省令第一一号）の改正の概要と留意点

(1)　大学（短期大学、大学院を含む。）は、次の教育研究活動等の状況についての情報を公表するものとすること。（第一七二条の二第一項関係）

①　大学の教育研究上の目的に関すること。（第一号関係）

これは、大学設置基準（昭和三一年文部省令第二八号）第二条（本省令による改正前の第二条の二）等に規定されているものであること。その際、大学であれば学部、学科又は課程等ごとに、大学院であれば研究科又は専攻ごとに、短期大学であれば学科又は専攻課程ごとに、それぞれ定めた目的を公表することや、平成一九年七月三一日付け文部科学省高等教育局長通知

「大学設置基準等の一部を改正する省令等の施行について」で示した事項に留意すること。

② 教育研究上の基本組織に関すること。（第二号関係）

その際、大学であれば学部、学科又は課程等の、大学院であれば研究科又は専攻等の、短期大学であれば学科又は専攻課程等の名称を明らかにすることに留意すること。

③ 教員組織、教員の数並びに各教員が有する学位及び業績に関すること。（第三号関係）

その際、教員組織に関する情報については、組織内の役割分担や年齢構成等を明らかにし、効果的な教育を行うため組織的な連携を図っていることを積極的に明らかにすることに留意すること。

教員の数については、学校基本調査における大学の回答に準じて公表することが考えられること。また、法令上必要な専任教員数を確保していることや、男女別、職別の人数等の詳細をできるだけ明らかにすることに留意すること。

各教員の業績については、研究業績等にとどまらず、各教員の多様な業績を積極的に明らかにすることにより、教育上の能力に関する事項や職務上の実績に関する事項など、当該教員の専門性と提供できる教育内容に関することを確認できるという点に留意すること。

④ 入学者に関する受入方針及び入学者の数、収容定員及び在学する学生の数、卒業又は修了した者の数並びに進学者数及び就職者数その他進学及び就職等の状況に関すること。（第四号関係）

その際、これらの情報は、学校基本調査における大学の回答に準じて公表することが考えられること。

就職状況については、働き方が多様となっている状況を踏まえた公表を、各大学の判断で行うことも考えられること。編入学を実施している場合には、大学設置基準第一八条第一項の規定を踏まえつつ、編入学定員や実際の編入学者数を明らかにすることに留意すること。

⑤ 授業科目、授業の方法及び内容並びに年間の授業の計画に関すること。（第五号関係）

これらは、大学設置基準第二五条の二第一項等において、学生に明示することとされているものであること。その際、教育課程の体系性を明らかにする観点に留意すること。年間の授業計画については、シラバスや年間授業計画の概要を活用することが考えられること。

⑥ 学修の成果に係る評価及び卒業又は修了の認定に当たっての基準に関すること。（第六号関係）

これらは、大学設置基準第二五条の二第二項等において、学生に明示することとされているものであること。その際、必修科目、選択科目及び自由科目の別の必要単位修得数を明らかにし、取得可能な学位に関する情報を明らかにすることに留意すること。

⑦ 校地、校舎等の施設及び設備その他の学生の教育研究環境に関すること。（第七号関係）

その際、学生生活の中心であるキャンパスの概要のほか、運動施設の概要、課外活動の状況及びそのために用いる施設、休息を行う環境その他の学習環境、主な交通手段等の状況をできるだけ明らかにすることに留意すること。

⑧　授業料、入学料その他の大学が徴収する費用に関すること。（第八号関係）

その際、寄宿舎や学生寮等の宿舎に関する費用、教材購入費、施設利用料等の費用に関することをできるだけ明らかにすることに留意すること。

⑨　大学が行う学生の修学、進路選択及び心身の健康等に係る支援に関すること。（第九号関係）

その際、留学生支援や障害者支援など大学が取り組む様々な学生支援の状況をできるだけ明らかにすることに留意すること。

(2)　大学は、教育上の目的に応じ学生が修得すべき知識及び能力に関する情報を積極的に公表するよう努めるものとすること。その際、大学の教育力の向上の観点から、学生がどのようなカリキュラムに基づき、何を学ぶことができるのかという観点が明確になるよう留意すること。（第一七二条の二第二項関係）

(3)　(1)による教育情報の公表は、そのための適切な体制を整えた上で、刊行物への掲載、インターネットの利用その他広く周知を図ることができる方法によって行うものとすること。（第一七二条の二第三項関係）

(4)　大学の教育情報の公表に関する(1)～(3)について、高等専門学校に準用すること。（第一七九条関係）

第二～第四（略）

○大学設置基準及び短期大学設置基準の一部を改正する省令の施行について（抄）（平二四・五・二四　二三文科高一二四一号　各国公私立大学長、独立行政法人大学評価・学位授与機構長、独立行政法人日本学生支援機構理事長、独立行政法人大学入試センター理事長、大学を設置する各地方公共団体の長、各公立大学法人の理事長、大学を設置する各学校法人の理事長、大学を設置する各学校設置会社の代表取締役、放送大学学園理事長あて　文部科学大臣政務官通知）

このたび、別添一（略）のとおり、大学設置基準及び短期大学設置基準の一部を改正する省令（平成二四年文部科学省令第二三号）が平成二四年五月一〇日に公布され、平成二五年一月一日から施行されることとなりました。

今回の改正は、平成二二年三月に構造改革特別区域推進本部で決定された「構造改革特別区域において講じられた規制の特例措置の評価に係る評価・調査委員会の意見に関する今後の政府の対応方針」の別表一において、構造改革特別区域における運動場及び空地に関する大学設置基準の特例措置に関する事項について、構造改革特別区域における規制の特例措置の内容のとおり全国展開を行うことが盛り込まれたことを踏まえ、関係規定の整備を行うものです。

第一　改正の概要

(1)　大学設置基準（昭和三一年文部省令第二八号）の一部改正

①　空地に係る代替措置

法令の規定による制限その他のやむを得ない事由により所要の土地の取得を行うことが困難であるため空地を校舎の敷地に有することができないと認められる場合において、学生が休息その他に利用するため、適当な空地を有することにより得られる効用と同等以上の効用が得られる措置を当該大学が講じている場合に限り、空地を校舎の敷地に有しないことができることとすること。また、当該措置については、次に掲げる要件を満たす施設を校舎に備えることにより行うものとすること。（第三四条関係）

ア　できる限り開放的であって、多くの学生が余裕をもって休息、交流その他に利用できるものであること。

イ　休息、交流その他に必要な設備が備えられていること。

② 運動場に係る代替措置

法令の規定による制限その他のやむを得ない事由により所要の土地の取得を行うことが困難であるため運動場を設けることができないと認められる場合において、運動場を設けることにより得られる効用と同等以上の効用が得られる措置を当該大学が講じており、かつ、教育に支障がないと認められる場合に限り、運動場を設けないことができることとすること。また、当該措置については、原則として、体育館等のスポーツ施設を校舎と同一の敷地内又はその隣接地に備えることにより行うものとすること。ただし、特別の事情があるときは、次に掲げる要件を満たすものを学生に利用させることにより行うことができるものとすること。（第三五条関係）

ア　様々な運動が可能で、多くの学生が余裕をもって利用できること。

イ　校舎から至近の位置に立地していること。

ウ　学生の利用に際し経済的負担の軽減が十分に図られているものであること。

(2)　短期大学設置基準（昭和五〇年文部省令第二一号）の一部改正（略）

(3)　特定事業の削除

文部科学省関係構造改革特別区域法第二条第三項に規定する省令の特例に関する措置及びその適用を受ける特定事業を定める省令における特定事業から「空地に係る要件の弾力化による大学設置事業」及び「運動場に係る要件の弾力化による大学設置事業」を削除すること。

第二　留意事項

(1)　代替措置の取扱いについて

大学等については、引き続き、空地を校舎の敷地に有し、運動場を設けることとすることを原則とすること。「法令の規定による制限その他のやむを得ない事由」により空地を校舎の敷地に有しない場合、運動場を設けない場合とは、例えば、大学、研究所、民間企業等が集積する拠点として整備され、既に高度に土地が利用されていること等の理由により、空地及び運動場を設けるために必要な面積の土地の取得が、物理的に事実上困難であることや、土地の取得に関して法令の制限があること等といった、客観的に見てやむを得ない特別な理由がある場合に限られること。

特に学士課程や短期大学の課程の教育については、学修の定着や多様な活動を可能とする空間を保持するという観点が一層求められること。

(2)　大学等の教育・研究への配慮について

空地を校舎の敷地に有しない場合と運動場を設けない場合のいずれにおいても、代替措置を適切に講じることにより、当該大学等の教育・研究に支障が生じないものとすること。なお、大学等の教育・研究に支障が生じないとは、当該大学等における各学部・学科の教育研究上の目的を達成することが可能であることを意味し、特に体育の授業を行う場合には、運動場を有する必要性が高いものであり、授業に支障が生じないような特段の措置が必要であること。

(3)　空地の代替措置について

空地の代替措置については、授業の空き時間により一時的に使用されていない教室の提供ではなく、学生が常時使用可能な、休息、交流その他のための専用の施設を備えること。当該施設の採光等の施設環境や利用時間等の利用形態については、当該大学等の状況に応じて、できる限り開放的であること。ラウンジに備えるべき机や椅子、用具類を収納するロッカーなど学生の様々な活動に有用な設備を備えること。例えば、昼休みなど人が集中する特定の時間においても、基本的に全ての学生が昼食をとることに不自由の無いなど、余裕のある空間を確保すること。

(4)　運動場の代替措置について

運動場の代替措置として、やむを得ず公共または民間のスポーツ施設を学生の利用に供する場合においても、学士課程や短期大学の課程など、それぞれの課程で学修を行う学生の特性に応じて、学生が希望する球技等の様々な運動ができるよう配慮するとともに、経済的負担については、自己所有の場合と同等の環境を確保できるよう、利用料等について無料とすることが望ましく、やむを得ない場合には、これに準ずるようできる限り低廉な価格とするなど、十分な軽減を図ること。

(5)　代替措置の状況の公表等

空地の代替措置及び運動場の代替措置の状況については、学校教育法施行規則第一七二条の二第一項第七号に定める「校地、校舎等の施設及び設備その他の学生の教育研究環境に関すること」にあたり、代替措置を適用する場合には、当該代替措置の状況を速やかに公表することが学校教育法上求められること。また、当該情報の重要性に鑑み、代替措置を講じていることを入学を希望する者等が的確に認識できるよう、インターネット等の形式により迅速かつ丁寧に周知を図ることとすること。

また、空地の代替措置及び運動場の代替措置を適用した場合、適切な代替措置であるか学生にアンケートを実施するなど検証を実施し、必要な改善を図ることが望ましいこと。

第三　施行について（略）

○大学設置基準及び短期大学設置基準の一部を改正する省令の施行等について（抄）（平二五・三・二九　二四文科高九六二号　各国公私立大学長、独立行政法人大学評価・学位授与機構長、独立行政法人日本学生支援機構理事長、独立行政法

人大学入試センター理事長、大学を設置する各地方公共団体の長、各公立大学法人の理事長、大学を設置する各学校法人の理事長、大学を設置する各学校設置会社の代表取締役、放送大学学園理事長あて　文部科学省高等教育局長通知）

このたび、別添（略）のとおり、「大学設置基準及び短期大学設置基準の一部を改正する省令（平成二五年文部科学省令第一三号）」が平成二五年三月二九日に公布され、平成二五年四月一日に施行されることとなりました。

今回の改正の趣旨は、平成二四年八月の中央教育審議会答申「新たな未来を築くための大学教育の質的転換に向けて」の考え方を踏まえ、学生の主体的な学びを促進するため、各大学及び短期大学における創意工夫により、より多様な授業期間の設定を可能にするものです。

第一　改正の概要

1　大学及び短期大学における授業期間

各授業科目の授業期間について、一〇週又は一五週にわたる期間を単位として行うことを原則としつつ、教育上必要があり、かつ、十分な教育効果をあげることができると認められる場合には、各大学及び短期大学における創意工夫により、より多様な授業期間の設定を可能にすること。（大学設置基準第二三条及び短期大学設置基準第九条関係）

第二　留意事項

1　今回の改正は、知識伝達型の授業から、教員と学生が双方向に意思疎通を図る授業への改善を行うなど、各大学の創意工夫により、学生の主体的な学びを促進するためのものであり、従来から一般的である週一回の講義に限らず、同一科目の週複数回講義等の実施や、講義とフィールドワークを組み合わせた授業科目の実施、サービス・ラーニングの導入等、授業のあり方の多様化を推進するため、弾力的な学事暦の設定を可能とするものであること。

また、学事暦の弾力化を通じて、諸外国の大学の学生や教員との交流が促進されることも想定されること。

2　一〇週又は一五週と異なる授業期間を設定する場合は、教育上の必要に加え、一〇週又は一五週を期間として授業を行う場合と同等以上の十分な教育効果をあげることができると認められることが必要であること。

3　今回の改正は、授業期間の弾力化であり、単位の修得に必要な授業時間を変更するものではなく、例えば、講義及び演習であれば、十五時間から三十時間の範囲の授業をもって一単位とするという大学設置基準第二一条及び短期大学設置基準第七条に定めた単位の計算方法に基づき、我が国の大学の単位制度の国際的通用性の観点から、基準に適合するよう引き続き十分留意すること。

4　学期、授業を行わない日及び授業日時数については、学校教育法施行規則（昭和二二年文部省令第一一号）第四条第一項の規定により、学則に記載することとされていることから、学事暦を変更する場合には、学則の変更が必要になること。この場合、公私立大学にあっては、学校教育法施行令（昭和二八年政令第三四〇号）第二六条第一項第三号又は学校教育法施行規則第二条第一号

の規定に基づき、文部科学大臣への届出が必要となること。

※サービス・ラーニングとは、教育活動の一環として、一定の期間、地域のニーズ等を踏まえた社会奉仕活動を体験することによって、それまで知識として学んできたことを実際のサービス体験に生かし、また実際のサービス体験から自分の学問的取組や進路について新たな視野を得る教育プログラム。

○大学設置基準等の一部を改正する省令等の施行について（抄）

（平二六・一一・一四　二六文科高六二一号　各国公私立大学長、大学を設置する各地方公共団体の長、各公立大学法人の理事長、大学を設置する各学校法人の理事長、大学を設置する各学校設置会社の代表取締役あて　文部科学省高等教育局長通知）

今回の改正は、グローバル化の進展の中、高等教育においても、国境を越えた学生の流動性が年々拡大していることを背景に、各大学、大学院、短期大学及び専門職大学院（以下「大学等」という。）において、留学の促進のための取組や海外の大学等との連携による国際的な教育プログラムの開発等の取組が進められていることに鑑み、こうした大学等のグローバル化のための取組を支援するとともに、日本人学生が海外の大学等で学修したり外国人学生を我が国の大学等が受け入れたりするための機会を拡大するため、我が国の大学等と外国の大学等が大学間協定に基づき連携して編成する教育課程や、当該教育課程を編成する学科等の新設に際しての専任教員数等について特例を設けるものとするものです。また、これらの特例を設けるに当たって、我が国の大学等が当該学科等を設置するための要件や、当該教育課程の編成・実施に当たって、我が国の大学等と外国の大学等が協議しなければならない事項等を定めるものです。

第一　改正の概要

1　大学設置基準等の一部を改正する省令（平成二六年文部科学省令第三四号）

(1)　大学設置基準（昭和三一年文部省令第二八号）の一部改正

ア　国際連携学科の設置

(ア)　大学は、学部に、文部科学大臣が別に定めるところにより、外国の大学と連携して教育研究を実施するための学科（以下「国際連携学科」という。）を設けることができるものとすること。（第五〇条第一項関係）

(イ)　大学は、学部に国際連携学科のみを設けることはできないこととすること。（第五〇条第二項関係）

(ウ)　国際連携学科の収容定員は、当該学科を設ける学部の収容定員の二割（一の学部に複数の国際連携学科を設けるときは、それらの収容定員の合計が当該学部の収容定員の二割）を超えない範囲で定めるものとすること。（第五〇条第三項関係）

イ　国際連携教育課程の編成

(ア)　国際連携学科を設ける大学は、国際連携学科において連携して教育研究を実施する一以上の外国の大学（以下「連

携外国大学」という。）が開設する授業科目を教育課程の一部とみなして、当該連携外国大学と連携した教育課程（通信教育に係るものを除く。）（以下「国際連携教育課程」という。）を編成することができるものとすること。（第五一条第一項関係）

(イ) 国際連携学科を設ける大学は、国際連携教育課程を編成し、及び実施するため、連携外国大学と文部科学大臣が別に定める事項についての協議の場を設けるものとすること。（第五一条第二項関係）

ウ　共同開設科目

(ア) 国際連携学科を設ける大学は、連携外国大学と共同して授業科目を開設することができるものとすること。（第五二条第一項関係）

(イ) 国際連携学科を設ける大学が(ア)の授業科目（以下「共同開設科目」という。）を開設した場合、当該大学の国際連携学科の学生が当該共同開設科目の履修により修得した単位は、三〇単位を超えない範囲で、当該大学又は連携外国大学のいずれかにおいて修得した単位とすることができるものとすること。ただし、連携外国大学において修得した単位数が、オの連携外国大学において修得することとされている単位数に満たない場合は、共同開設科目の履修により修得した単位を連携外国大学において修得した単位とすることはできないこととすること。（第五二条第二項関係）

エ　国際連携教育課程に係る単位の認定

国際連携学科を設ける大学は、学生が連携外国大学において履修した国際連携教育課程に係る授業科目について修得した単位を、当該国際連携教育課程に係る授業科目の履修により修得したものとみなすものとすること。（第五三条関係）

オ　国際連携学科に係る卒業の要件

(ア) 国際連携学科に係る卒業の要件は、第三二条第一項から第四項までに定めるもののほか、国際連携学科を設ける大学及びそれぞれの連携外国大学において国際連携教育課程に係る授業科目の履修により、次のとおり所定の単位数以上を修得するものとすること。（第五四条第一項及び第二項関係）

・医学又は歯学に関する学科若しくは薬学（臨床に係る実践的な能力を培うことを主たる目的とするものを履修する課程に限る。）又は獣医学を履修する課程以外の国際連携学科の場合

国際連携学科を設ける大学において六二単位以上

それぞれの連携外国大学において三一単位以上

・薬学に関する国際連携学科のうち臨床に係る実践的な能力を培うことを主たる目的とするものを履修する課程の場合

国際連携学科を設ける大学において九三単位以上

それぞれの連携外国大学において三一単位以上

・獣医学を履修する課程に係る国際連携学科の場合

国際連携学科を設ける大学において九一単位以上
それぞれの連携外国大学において三一単位以上

・医学又は歯学に関する国際連携学科の場合
国際連携学科を設ける大学において九四単位以上
それぞれの連携外国大学において三一単位以上

(イ) (ア)により国際連携学科を設ける大学及びそれぞれの連携外国大学において国際連携教育課程に係る授業科目の履修により修得する単位数には、第二八条第一項（同条第二項において準用する場合を含む。）、第二九条第一項、第三〇条第一項若しくは第二項又は第五三条の規定により修得したものとみなし、若しくは与えることができ、又はみなすものとする単位を含まないものとすること。（第五四条第三項関係）

カ　国際連携学科に係る専任教員数（略）

キ　国際連携学科に係る施設及び設備（略）

ク　医学を履修する課程等に関する経過措置（略）

ケ　その他

その他所要の規定の整備を行うこと。（第六条第二項、第一〇条第一項及び第一八条第一項関係）

(2)　大学院設置基準（昭和四九年文部省令第二八号）の一部改正（略）

(3)　短期大学設置基準（昭和五〇年文部省令第二一号）の一部改正（略）

(4)　専門職大学院設置基準（平成一五年文部科学省令第一六号）の一部改正（略）

2～5（略）

第二　留意事項

1　総論

(1)　今般の大学設置基準等の一部改正等は、我が国の大学等が外国の大学等と共同で単一の学位を授与する、いわゆる「ジョイント・ディグリー」（以下「ＪＤ」という。）を実現するに当たって、我が国の大学等と外国の大学等が、大学間協定に基づき連携して国際連携教育課程を編成し、及び実施することや、これらの大学等が連携して教育研究を実施するための国際連携学科等を設けること等を定めることにより、我が国の大学等の教育研究としての質の保証を伴った運用がなされることを求めるものであること。

(2)　各大学等がＪＤを実施するに当たっては、今般の大学設置基準等一部改正等により実施することとされていることを確実に履行することはもとより、「我が国の大学と外国の大学間におけるジョイント・ディグリー及びダブル・ディグリー等国際共同学位プログラム構築に関するガイドライン」（平成二六年一一月一四日中央教育審議会大学分科会大学のグローバル化に関するワーキング・グループ）**【別添12】**（略）を参照の上、同ガイドラインを十分に踏まえた運用がなされることが期待されること。

2　国際連携学科等に関する事項

(1)　国際連携学科等の設置申請等の手続について

各大学等の国際連携学科等の設置等に当たっては、認可申請の手続が必要であること。なお、提出書類の様式等については別途定める予定であること。

また、連携外国大学等に新たな外国の大学等を追加する場合又は連携外国等のうち一部の外国の大学等が離脱する場合には、編成する国際連携教育課程の内容の変更を伴うものであり、それまでの国際連携学科等の組織を一旦廃止の上、改めて新しい国際連携学科等の組織の設置を行うものであることから、認可申請の手続が改めて必要であること。

(2) 国際連携学科等に係る収容定員等について

国際連携学科等に係る収容定員（短期大学にあっては学生定員）については、各大学等に置かれる国際連携学科等ごとに定められるものであり、各大学等の学則においては、当該大学等に置かれる国際連携学科等に係る収容定員等を記載するものであること。

(3) 国際連携学科等の名称の取扱いについて

国際連携学科等の名称については、他の通常の教育課程を実施する学科等と対外的に区別する必要があることから、名称に「国際連携」を付すこととし、「国際連携○○学科」、「国際連携○○専攻」などと称するべきものであること。また、複数の連携外国大学等とそれぞれ国際連携教育課程を編成し、及び実施するなど、一つの学部等に複数の国際連携学科等を設ける場合は、それぞれの違いが明確となるよう、「国際連携△△学科」及び「国際連携□□学科」、「国際連携△△専攻」及び「国際連携□□専攻」などと称するべきものであること。

(4) 国際連携学科等の設置に係る学校法人の寄附行為変更について

国際連携学科等の設置に係る学校法人の寄附行為変更については、通常の学部、学科等の設置に係る学校法人の寄附行為変更の場合と同様に、認可申請又は届出の手続が必要であること。

3 国際連携教育課程に関する事項

(1) 国際連携教育課程の編成について

国際連携教育課程は、我が国の大学等と連携外国大学等が連携して編成する教育課程であるが、我が国の大学が責任をもって体系的な当該教育課程の編成を担うことは必須であり、教育課程の編成の一部又は全部について、連携外国大学等に委ねたままとすることはできず、必ず連携外国大学等と協議をしなければならないこと。

(2) 国際連携教育課程の内容について

連携外国大学等が開設する授業科目の中には、我が国の大学等では開設できないようなものがあると考えられ、また、我が国の大学等の強みを生かした授業科目を連携外国大学等に提供できることも考えられることから、このような授業科目を我が国の大学等と連携外国大学等が双方に提供し合い国際連携教育課程を編成することにより、我が国の大学等単独や国内の大学等の間の連携では実現することが困難な教育研究が行われることが期待されること。

(3)　大学院における研究指導について

国際連携教育課程である修士課程又は博士課程においては、我が国の大学院として責任ある研究指導を確保する必要があることから、それぞれの学生について、我が国の大学院から研究指導教員が配置されるようにすべきものであること。また、連携外国大学院との協議において、研究指導に係る我が国の大学院と連携外国大学院の間の役割分担や責任の範囲をあらかじめ定めておく必要があると考えられること。

4　連携外国大学等との協議に関する事項（略）

5　連携外国大学等に関する事項（略）

6　共同開設科目に関する事項（略）

7　教職員に関する事項（略）

8　施設及び設備等に関する事項（略）

9　学生に関する事項

(1)　学生の在籍関係について

国際連携学科等を卒業又は修了した者には、我が国の大学等が連携外国大学等と共同で単一の学位が授与されることから、国際連携学科等の学生は、我が国の大学等と連携外国大学等にそれぞれ在籍する、いわゆる二重在籍となること。また、このことは、日本人学生に限らず、外国人学生についても同様の取扱いとなること。

(2)　入学者選抜の方法等について

国際連携学科等の学生は、(1)のとおり我が国の大学等と連携外国大学等との二重在籍になることから、その入学資格については、学校教育法（昭和二二年法律第二六号）その他関係法令に規定する我が国の大学等への入学資格を満たすとともに、あわせて、連携外国大学等における入学資格についても満たす必要があること。

また、国際連携学科等の入学者選抜は、「大学入学者選抜実施要項」及び「大学院入学者選抜実施要項」を踏まえるとともに、その方法等については、我が国の大学等と連携外国大学等の協議により定め、適切に実施すること。特に、入学者選抜の実施方法等の公表時期については、入学志願者保護の観点から可能な限り早期の周知に努めること。

(3)　入学金、授業料等の設定について

国際連携学科等の入学金、授業料等については、我が国の大学等と連携外国大学等の協議を踏まえ、適切に設定すること。また、学生が入学金、授業料等をいずれの大学等に対して納付するのか等、入学金、授業料等に係る取扱いについても、我が国の大学等と連携外国大学等の協議において適切に定めること。

入学金、授業料等の算定に当たっては、我が国の大学等と連携外国大学等による資源の有効活用により実施する国際連携教育課程の趣旨に鑑み、これらの大学等の学生間で公平が図られるよう配慮するとともに、これらの大学等の間においてできる限り学生の便益に配慮する方向で検討することが望ましいこと。

(4)　国際連携学科等の実施が困難になった場合の対応等について

天災や騒乱等の事情により、国際連携学科等の実施が困難となった場合には、学生の保護の観点から、国際連携学科等に所属する学生を、当該学科等を置く学部等の他の学科等に転じさせ、当該学生の教育研究活動が継続されるよう配慮するとともに、それまでの連携外国大学等の授業科目の履修により修得した単位について、他大学等の授業科目の履修等に係る単位認定等により転じた先の学科等の単位としてみなすこととする旨の学内規定の整備等が必要であると考えられること。なお、その場合においても、国際連携学科等で修得した単位の全てを自動的に転じた学科等における単位としてみなすことは適当ではなく、当該転じた学科等の教育課程に照らして、適切な授業科目の履修に係るものに限る必要があること等に留意すること。

(5) その他の学生に関する事項について

国際連携学科等の学生の奨学金の申請については、日本人の学生のみならず外国人の学生についても、我が国の大学等の学生として取り扱うことが必要であること。

また、我が国の大学等と連携外国大学等の協議により、国際連携学科等の学生が我が国の大学等と連携外国大学等のいずれの大学等の施設（図書館、自習室等）も利用可能となるように扱うことが望ましいこと。

なお、上記の入学金、授業料等の納付、奨学金その他の国際連携学科等の学生の取扱いについては、あらかじめ学生が了知することができるよう募集要項等において明記する必要があること。

10 学位に関する事項

(1) 学位審査の在り方について

国際連携教育課程を履修する者に係る学位の審査は、我が国の大学等と連携外国大学等が合同で行うことが必要であると考えられること。この場合において、学位審査委員会は、我が国の大学等と連携外国大学等の教員をもって構成することが必要であると考えられること。

ただし、国際連携学科等における学位審査委員会は、制度上は我が国の大学等に置かれる学位審査委員会に、連携外国大学等の教員が参画するものであることから、国際連携教育課程に係る学位審査委員会の構成員となる連携外国大学等の教員については、我が国の大学等の教員として併任させるか、あるいは、学位規則（昭和二八年文部省令第九号）第五条の協力者とすることが必要であること。

また、国際連携教育課程に係る学位審査の円滑な実施のため、我が国の大学等と連携外国大学等は、協議の上、学位審査に係る規程等を共同で策定することが必要であると考えられること。

(2) 学位授与の方式について

国際連携学科等を卒業又は修了した者に対して学位を授与する際には、ＪＤによる学位記が、国際的には関係大学等による連名とされることが一般的であることに鑑み、原則として、我が国の大学等と連携外国大学等が連名で授与するものとすること。この場合において、学位記の様式や学位授与の方法等につ

いては、我が国の大学等と連携外国大学等が協議の上、取り決めることが必要であると考えられること。

11及び12（略）

○学校教育法施行規則の一部を改正する省令の公布について

（抄）（平二八・三・三一　二七文科高一一八七号　各国公私立大学長、各国公私立高等専門学校長、独立行政法人国立高等専門学校機構理事長、大学又は高等専門学校を設置する各地方公共団体の長、各公立大学法人の理事長、大学又は高等専門学校を設置する各学校法人の理事長、大学を設置する各学校設置会社の代表取締役、放送大学学園理事長あて　文部科学省高等教育局長通知）

このたび、別添一及び別添二のとおり、「学校教育法施行規則の一部を改正する省令」（平成二八年文部科学省令第一六号）が平成二八年三月三一日に公布され、平成二九年四月一日から施行されることとなりました。

今回の改正は、大学及び高等専門学校（以下「大学等」という。）が、自らの教育理念に基づき、育成すべき人材像を明確化した上で、それを実現するための適切な教育課程を編成し、体系的・組織的な教育活動を行うとともに、当該大学等の教育を受けるにふさわしい学生を受け入れるための入学者選抜を実施することにより、その使命をよりよく果たすことができるよう、全ての大学等において、その教育上の目的を踏まえて、「卒業の認定に関する方針」、「教育課程の編成及び実施に関する方針」及び「入学者の受入れに関する方針」（以下「三つの方針」という。）を策定し、公表することを求めるものです。

改正の概要及び留意すべき事項等は下記のとおりですので、十分御了知いただき、その運用に当たっては遺漏なきようお取り計らいください。

記

第一　改正の概要

1　卒業の認定に関する方針等の策定

(1)　大学は、当該大学、学部又は学科若しくは課程（大学院にあっては、当該大学院、研究科又は専攻）ごとに、その教育上の目的を踏まえて、次のアからウまでの方針（大学院にあっては、ウの方針に限る。）を定めるものとすること。（第一六五条の二第一項関係）

ア　卒業の認定に関する方針

イ　教育課程の編成及び実施に関する方針

ウ　入学者の受入れに関する方針

(2)　(1)のイの方針を定めるに当たっては、アの方針との一貫性の確保に特に意を用いなければならないものとすること。（同条第二項関係）

2　卒業の認定に関する方針等の公表

大学は、1の(1)により定める方針を公表するものとすること。（第一七二条の二第一項第一号関係）

3　その他（略）

第二　留意事項

1　今回の改正は、各大学等における三つの方針について、その策

定及び公表を法令上位置付けたものであり、本改正省令の施行日である平成二九年四月一日以降、全ての大学等において、三つの方針が策定・公表されている必要があること。なお、高等専門学校については、学校教育法施行規則（昭和二二年文部省令第一一号）第一七九条の規定により大学に係る規定が準用され、大学と同様の扱いとなること。

２　今回の改正に合わせて、中央教育審議会大学分科会大学教育部会において、各大学が三つの方針を策定・公表する際の参考指針として「『卒業認定・学位授与の方針』（ディプロマ・ポリシー）、『教育課程編成・実施の方針』（カリキュラム・ポリシー）及び『入学者受入れの方針』（アドミッション・ポリシー）の策定及び運用に関するガイドライン」（平成二八年三月三一日。以下「ガイドライン」という。）（別添３）が策定されており、各大学等においては、これも参考として取り組むことが期待される。（略）

３　（略）

第三　（略）

○大学設置基準等の一部を改正する省令等の施行等について

（抄）（令三・二・二六　二文科高一〇七〇号　各国公私立大学長、独立行政法人大学入試センター理事長、独立行政法人大学改革支援・学位授与機構長、各国公立高等専門学校長、大学又は高等専門学校を設置する各地方公共団体の長、各公立大学法人の理事長、独立行政法人国立高等専門学校機構理事長、大学又は高等専門学校を設置する各学校法人の理事長、大学を設置する各学校設置会社の代表取締役、放送大学学園理事長、各都道府県知事、各都道府県教育委員会教育長あて文部科学省高等教育局長通知）

このたび、別添一のとおり「大学設置基準等の一部を改正する省令」（令和三年文部科学省令第九号）（以下「改正省令」という。）が、別添二のとおり「大学等連携推進法人の認定等に関する規程」（令和三年文部科学省告示第一七号）（以下「認定規程」という。）が、別添三のとおり「大学設置基準第一九条の二第一項第一号の文部科学大臣が定める基準等を定める件」（令和三年文部科学省告示第一八号）等（以下「文部科学大臣が定める基準等」という。）が、別添四のとおり「大学設置基準第一九条の二第三項の連携開設科目を開設する大学が協議すべき事項について定める件」（令和三年文部科学省告示第一九号）等（以下「連携開設科目を開設する大学が協議すべき事項」という。）が、別添五のとおり「専門職大学に関し必要な事項を定める件及び専門職短期大学に関し必要な事項を定める件の一部を改正する告示」（令和三年文部科学省告示第二〇号）が、それぞれ令和三年二月二六日に公布され、同日から施行されました。

今回の改正は、「二〇四〇年に向けた高等教育のグランドデザイン（答申）」（平成三〇年一一月二六日中央教育審議会）において、複数大学による人的・物的リソースの効果的共有及び教育研究機能の強化を図るため、各大学設置者の枠組みを越えた連携や機能分担を促進する制度の創設が提言されたことを踏まえ、この制度の実現に向け、所要の規定を整備するものです。

これらの規定及び留意事項は下記のとおりですので、御了知の

上、適正な実施をお願いします。

第一　改正省令について

1　大学設置基準（昭和三一年文部省令第二八号）の一部改正

(1)　連携開設科目

①　大学は、次のいずれかに該当する他の大学、専門職大学又は短期大学（以下1(1)内において「他大学」という。）が当該大学と連携して開設する授業科目（以下「連携開設科目」という。）を、当該大学が自ら開設したものとみなすことができるものとすること。（第一九条の二第一項関係）

ア　当該大学の設置者（その設置する他大学と当該大学との緊密な連携が確保されているものとして文部科学大臣が別に定める基準に適合するものに限る。）が設置する他大学

イ　大学等連携推進法人（その社員のうちに大学、専門職大学又は短期大学の設置者が二以上ある一般社団法人のうち、その社員が設置する大学、専門職大学又は短期大学の間の連携の推進を目的とするものであって、当該大学、専門職大学又は短期大学の間の緊密な連携が確保されていることについて文部科学大臣の認定を受けたものをいう。以下同じ。）（当該大学の設置者が社員であるものであり、かつ、連携開設科目に係る業務を行うものに限る。）の社員が設置する他大学

②　①により当該大学が自ら開設したものとみなすことができる連携開設科目は、次に掲げる区分に応じ、当該各号に定める方針に沿って開設されなければならないものとすること。（第一九条の二第二項関係）

ア　①アに該当する他大学が開設するもの　①アに規定する基準の定めるところにより当該大学の設置者が策定する連携開設科目の開設及び実施に係る方針

イ　①イに該当する他大学が開設するもの　①イの大学等連携推進法人が策定する連携推進方針（その社員が設置する大学、専門職大学又は短期大学の間の教育研究活動等に関する連携を推進するための方針をいう。）

③　①により連携開設科目を自ら開設したものとみなす大学及び当該連携開設科目を開設する他大学は、当該連携開設科目を開設し、及び実施するため、文部科学大臣が別に定める事項についての協議の場を設けるものとすること。（第一九条の二第三項関係）

(2)　連携開設科目に係る単位の認定

大学は、学生が他の大学、専門職大学又は短期大学において履修した連携開設科目について修得した単位を、当該大学における授業科目の履修により修得したものとみなすものとすること。（第二七条の三関係）

(3)　卒業の要件に関する事項

卒業の要件として修得すべき単位数のうち、連携開設科目により修得したものとみなすものとする単位数は三〇単位を超えないものとすること。（第三二条第六項関係）

(4)　共同学科に係る卒業の要件に関する事項

全ての構成大学の設置者が同一であり、かつ、(1)①アに規定する基準に適合している場合又は全ての構成大学の設置者が同

一の大学等連携推進法人（共同教育課程に係る業務を行うものに限る。）の社員である場合における共同教育課程に係る授業科目の履修によりそれぞれの大学で修得すべき単位数については、「三一単位」及び「三二単位」とあるのは、「二〇単位」とすること。（第四五条第三項関係）

(5)　その他　（略）

2～7　（略）

第二～第五　（略）

第六　留意事項

1　教学上の特例について

(1)　連携開設科目の開設の目的について

連携開設科目の開設の目的は、授業科目の質の向上や教育資源の有効活用であり、具体的には、類似の授業科目の担当教員が知見や強みを持ち寄り授業内容・方法等の改善を図ることや、一大学ではなし得ない授業科目の充実、生まれた余力で少人数教育やTA補助によるきめ細かな指導、他大学の教員や学生との交流等による、授業科目や教育水準の向上等であること。

(2)　連携開設科目の位置づけについて

連携開設科目の開設に当たっては、各大学の「卒業認定・学位授与の方針（ディプロマ・ポリシー）」を踏まえた「教育課程編成・実施の方針（カリキュラム・ポリシー）」に基づき、学位プログラムとしての体系性やバランスがとれるよう、連携開設科目をどの程度開設するか、当該科目を必修・選択・自由のどの区分とするかや何単位までを卒業要件に算入するかなどを工夫することが期待されること。

(3)　連携開設科目を開設する際の協議の場について

連携開設科目の開設に当たり、継続的かつ安定的な実施を確保するため、大学設置基準第一九条の二第三項等に基づいて、大学間で協議の場（教学管理体制）を構築し、例えば、当該科目の計画、授業の方法や場所、授業科目の担当者、開設科目の主幹大学の明確化や、各大学の詳細な役割の分担、成績評価の手法や単位認定の手続、履修に係る学生の移動等の負担の軽減を図るための措置など、連携開設科目の実施について必要な事項を協議した上で、それらについてあらかじめ協定等を定めておくことが望ましいこと。

その際、当該協議の場は、各大学において権限を有する者あるいは学長、理事長等から必要な権限を委ねられている者により構成されることが必要であること。

各大学が連帯して主体性と責任を持つ観点からは、当該協議の場の役割は、協定等の締結にとどまらず、連携開設科目に関する改善、見直しを行うため、定期的・継続的に開催する必要があると考えられること。

(4)　連携開設科目実施上の工夫について

連携開設科目を開設する際に一の授業科目を履修する学生数が多数となる場合や大学設置基準第二五条第二項等に基づき遠隔授業を行う場合には、授業の実施方法について適切に工夫することが求められること。

授業の実施に当たり、学生に大学間での移動を求める場合には、集中講義や時間割の配慮等、負担過重を防ぐ工夫が求められること。

連携開設科目の実施に当たり、複数の教員が一の授業科目を担当する場合には、教育効果を十分にあげられるような適当な人数とすることに留意すること。また、試験やレポートの採点や成績評価を共同して行う場合には、採点・成績評価・単位認定等の基準の統一を図り、ばらつきの生じないようにする必要があること。これらの基準については、上記(3)の協議の場において大学間で適切に協議を行うこと。

(5)　連携開設科目に係る授業料等について

連携開設科目を開設する場合の授業料等については、授業料の額や納付方法等を上記(3)の協議の場等において定め、あらかじめ学生に周知すること。

(6)　連携開設科目を開設する際の大学数について

連携開設科目の開設に参加する大学数について、多数となると質保証の観点から極めて重要な上記(3)の協議の場において調整が困難となることや、一つの科目の履修学生数が過大なものになる懸念があるため、教学管理を円滑に機能させる観点から、大学数が過大にならないようにする配慮が求められること。

(7)〜(12)（略）

2〜7（略）

〔専門職大学〕

第八十三条の二　前条の大学のうち、深く専門の学芸を教授研究し、専門性が求められる職業を担うための実践的かつ応用的な能力展開させることを目的とするものは、専門職大学とする。

②　専門職大学は、文部科学大臣の定めるところにより、その専門性が求められる職業に就いている者、当該職業に関連する事業を行う者その他の関係者の協力を得て、教育課程を編成し、及び実施し、並びに教員の資質の向上を図るものとする。

③　専門職大学には、第八十七条第二項に規定する課程を置くことができない。

【沿　革】　平二九・五・三一法四一により新設した。

【参照条文】　専門職大学設置基準、大学設置基準。

【注　解】

一　我が国の社会情勢がめまぐるしく変化し、課題も複雑化していく中で、今後職業の在り方や働き方も大きく様変わりすることが想像される。専門職大学制度は、こうした社会経済情勢の変化に即応しつつ、優れた専門技能等をもって新たな価値を創造することができる専門職業人材の養成のため、大学の新たな類型として平成二九年の学校教育法改正により平成三一年から開始された。

二　専門職大学の目的については、「前条の大学のうち」と規定し、専門職大学が大学の一種であり、大学の目的の範囲内で専門職業人養成に特化した教育に取り組むこと、また、教育の達成水準は従来の大学と同等であることを示している。「専門性が求められる職業を担うための実践的かつ応用的な能力の展開」は、法八三条一項において大学の目的とされる「知的、道徳的及び応用的能力の展開」に包含されるものと解されるが、専門職大学の定義として必須であることからこれを規定するとともに、当該目的を達成するために密接不可分な「深く専門の学芸を教授研究し」を規定したものである。

三　本条第二項は、専門職大学においては、産業界・地域のニーズを教育内容に確実に反映させることが既存の大学よりも一層求められることから、教育課程の編成・実施及び教員の資質向上に当たって、民間事業者等と連携して取り組むことを規定したものである。

四　本条三項は、法八七条二項に規定する医学を履修する課程、歯学を履修する課程、薬学を履修する課程のうち臨床に係る実践的な能力を培うことを主な目的とするもの又は獣医学を履修する課程については、その教育内容の性質や実質的に修士レベルであるという教育水準の観点を踏まえ、専門職大学とは制度的前提が異なるものであること

から、その対象から除外しているものである。

五　専門職大学の設備、編制、学部及び学科に関する事項、教員の資格に関する事項その他専門職大学の設置に関する事項は、専門職大学設置基準（平二九文科省令三三）に定められている。専門職大学は大学の一類型であるため、大学設置基準（昭三一文部省令二八）の規定を基本としつつ、専門職大学制度の特徴である、実践力と創造力を育む教育課程、産業界等と連携した教育課程の開発・編成・実施、実習等の強化、実務家教員の任用、前期・後期の区分制等を規定している。前期・後期の区分制については他の関係条文で改めて触れることとし、ここではその他の事項について述べることとしたい。なお、専門職大学設置基準に定めるもののほか、文部科学大臣が別に定めるものとして「専門職大学に関し必要な事項を定める件」（平二九文科告示一〇九号）が定められている。

専門職大学では、高度な実践力と豊かな創造力を併せ持つ専門職業人材の養成が期待されており、その教育課程の編成に当たっては、産業界及び地域社会との連携（専門職大学設置基準十条一項）、専門性が求められる職業を担うための実践的な能力及び当該職業の分野において創造的な役割を担うための応用的な能力の展開等への適切な配慮（同条二項）、産業構造や人材需要の変化に対応した教育課程の構成、授業科目の内容等の不断の見直し（同条三項）、教育課程連携協議会の意見の勘案等（同条四項）が求められる。

教育課程連携協議会は、企業等や産業・職能団体、地域の関係機関との連携により教育課程を編成・実施する体制として設置が求められるものである（同基準十一条一項）。教育課程連携協議会は職業分野毎に置かれることが想定され、総合的な専門職大学では例えば学部ごとに置かれることが想定される。なお、専門職大学は大学制度の中に位置付けられるものであり、必要な事項について教授会が学長に意見を述べることとなるが、教育課程連携協議会では教育課程の編成に関する基本的な事項等について産業界や地域等の関係者と教職員が共に審議し、学長に意見を述べる役割を担うものである（同条三項）。

（教育課程の編成方針）

第十条　専門職大学は、当該専門職大学、学部及び学科又は課程等の教育上の目的を達成するために必要な授業科目を、産業界及び地域社会と連携しつつ、自ら開設し、体系的に教育課程を編成するものとする。

2　教育課程の編成に当たつては、専門職大学は、学部等の専攻に係る専門の学芸を教授し、専門性が求められる職業を担うための実践的な能力及び当該職業の分野において創造的な役割を担うための応用的な能力を展開させるとともに、豊かな人間性及び職業倫理を涵養するよう適切に配慮しなければならない。

3　専門職大学は、専攻に係る職業を取り巻く状況を踏まえて必要な授業科目を開発し、当該職業の動向に即した教育課程の編成を行うとともに、当該状況の変化に対応し、授業科目の内容、教育課程の構成等について、不断の見直しを行うものとする。

4　前項の規定による授業科目の開発、教育課程の編成及びそれらの見直しは、次条に規定する教育課程連携協議会の意見を勘案するとともに、適切な体制を整えて行うものとする。

（教育課程連携協議会）

第十一条　専門職大学は、産業界及び地域社会との連携により、教育課程を編成し、及び円滑かつ効果的に実施するため、教育課程連携協議会を設けるものとする。

2　教育課程連携協議会は、次に掲げる者をもって構成する。

一　学長が指名する教員その他の職員

二　当該専門職大学の課程に係る職業に就いている者又は当該職業に関連する事業を行う者による団体のうち、広範囲の地域で活動するものの関係者であって、当該職業の実務に関し豊富な経験を有するもの

三　地方公共団体の職員、地域の事業者による団体の関係者その他の地域の関係者

四　臨地実務実習（第二十九条第一項第四号に規定する臨地実務実習をいう。）その他の授業科目の開設又は授業の実施において当該専門職大学と協力する事業者

五　当該専門職大学の教員その他の職員以外の者であって学長が必要と認めるもの

3　教育課程連携協議会は、次に掲げる事項について審議し、学長に意見を述べるものとする。

一　産業界及び地域社会との連携による授業科目の開設その他の教育課程の編成に関する基本的な事項

二　産業界及び地域社会との連携による授業の実施その他の教育課程の実施に関する基本的な事項及びその実施状況の評価に関する事項

大学設置基準では平成三年の大綱化に伴い、開設すべき授業科目やその修得すべき単位数に関する規定が廃止されたが、専門職大学は産業界等と緊密に連携した実践的な職業教育により質の高い専門職業人材を育成するため、開設

すべき授業科目と修得すべき単位数を専門職大学設置基準において定めている。具体的には、専攻分野に関する教育を実施するための科目として「職業専門科目」が、専攻分野にとどまらない基礎的・汎用的な能力等の育成に関する教育を実施するための科目として「基礎科目」及び「展開科目」が設定されるとともに、これらの教育を通じて身に付けた知識・技能等を統合し総合的な能力の育成を図る科目として「総合科目」が設定され、それぞれ修得すべき単位数を定めている（基礎科目二〇単位以上、職業専門科目六〇単位以上、展開科目二〇単位以上及び総合科目四単位以上）（同基準十三条、二九条）。卒業に必要な単位数一二四単位との差分については、各専門職大学の教育の目的に応じ、いずれかの単位数を増やす、又はこれら以外の授業科目を開設し修得させることが想定されている。

また、専門職大学においては実験、実習又は実技による授業科目について四〇単位以上を修得することが求められ（同基準二九条一項三号）、このうち二〇単位以上は企業等での「臨地実務実習」により修得する必要がある。臨地実務実習については別の定めとして「専門職大学に関し必要な事項を定める件」があり事業者等と協議して実施計画を策定すべきことや実習指導者の配置、担当教員による実施状況把握の体制整備等が必要となっている。

（専門職大学の授業科目）

第十三条　専門職大学は、次の各号に掲げる授業科目を開設するものとする。

一　基礎科目（生涯にわたり自らの資質を向上させ、社会的及び職業的自立を図るために必要な能力を育成するための授業科目をいう。）

二　職業専門科目（専攻に係る特定の職業において必要とされる理論的かつ実践的な能力及び当該職業の分野全般にわたり必要な能力を育成するための授業科目をいう。）

三　展開科目（専攻に係る特定の職業の分野に関連する分野における応用的な能力であって、当該職業の分野において創造的な役割を果たすために必要なものを育成するための授業科目をいう。）

四　総合科目（修得した知識及び技能等を総合し、専門性が求められる職業を担うための実践的かつ応用的な能力を総合的に向上させるための授業科目をいう。）

（卒業の要件）

第二十九条　専門職大学の卒業の要件は、次の各号のいずれにも該

当することとする。

一　専門職大学に四年以上在学すること。

二　百二十四単位以上（基礎科目及び展開科目に係るそれぞれ二十単位以上、職業専門科目に係る六十単位以上並びに総合科目に係る四単位以上を含む。）を修得すること。

三　実験、実習又は実技による授業科目（やむを得ない事由があり、かつ、教育効果を十分にあげることができると認める場合には、演習、実験、実習又は実技による授業科目）に係る四十単位以上を修得すること。

四　前号の授業科目に係る単位に臨地実務実習（企業その他の事業者の事業所又はこれに類する場所において、当該事業者の実務に従事することにより行う実習による授業科目であって、文部科学大臣が別に定めるところにより開設されるものをいう。以下同じ。）に係る二十単位が含まれること。ただし、やむを得ない事由があり、かつ、教育効果を十分にあげることができると認められる場合には、五単位を超えない範囲で、連携実務演習等（企業その他の事業者と連携して開設する演習、実験、実習又は実技による授業科目のうち、当該事業者の実務に係る課題に取り組むもの（臨地実務実習を除く。）であって、文部科学大臣が別に定めるところにより開設されるものをいう。以下同じ。）をもってこれに代えることができること。

2・3　略

○専門職大学に関し必要な事項を定める件（平二九・九・八文部科学省告示一〇九）（抄）

第七条　専門職大学設置基準第二十九条第一項第四号に規定する臨地実務実習に係る授業科目の開設は、次に掲げるところにより行うものとする。

一　臨地実務実習施設（臨地実務実習の授業（以下この項において「臨地実務実習」という。）を行う事業所等の施設をいう。以下同じ。）の開設者又は管理者である事業者等と協議して臨地実務実習の実施計画を作成し、当該実施計画に基づいて実施すること。

二　実施計画には、臨地実務実習施設における実習の内容、期間、一日当たりの実習時間及び主たる実習場所、受け入れる学生の数、実習指導者（臨地実務実習施設である事業所等に所属し、臨地実務実習の指導を行う者をいう。次号及び第四号において同じ。）の配置、成績評価の基準及び方法、学生に対する報酬及び交通費支給等の取扱い、実習中の災害補償及び損害賠償責任その他の臨地実務実習の実施に必要な事項を記載すること。

三　臨地実務実習施設には、実習内容、受け入れる学生の数等に応じ、必要な数の実習指導者を置くこと。

四　実習指導者は、臨地実務実習に係る職業の分野に関する高い識見及び十分な実務経験を有し、臨地実務実習の指導を行うために必要な能力を有すると認められる者であること。

五　巡回指導等の実施、定期的な報告の受理等により、臨地実務

実習に係る授業科目を担当する教員が臨地実務実習施設における実習の実施状況を十分に把握できる体制を整えていること。

2　専門職大学設置基準第二十九条第一項第四号に規定する連携実務演習等に係る授業科目の開設は、次に掲げるところにより行うものとする。

一　連携実務演習等の授業（以下この項において「連携実務演習等」という。）で取り組む課題は、連携先事業者（連携実務演習等の実施において専門職大学と連携する事業者をいう。以下この項において同じ。）における実務に密接な関連を有するものとして連携先事業者が指定するものであって、学生の探求的な学習活動が促されるものであること。

二　連携先事業者と協議して連携実務演習等の実施計画を作成し、当該実施計画に基づいて実施すること。

三　連携実務演習等の実施計画は、連携実務演習等の内容及び日程、演習等指導者（連携先事業者に所属し、連携実務演習等における学生への指導、担当教員への助言等を行う者をいう。次号及び第五号において同じ。）の指定、成績評価の基準及び方法、学生に対する報酬等の取扱いその他の連携実務演習等の実施に必要な事項を記載すること。

四　連携先事業者において、演習等指導者を指定すること。

五　演習等指導者は、連携実務演習等に係る職業の分野に関する高い識見及び十分な実務経験を有し、連携実務演習等の指導を行うために必要な能力を有すると認められる者であること。

専門職大学は、質の高い実践的な専門職業人養成のための機関であることから、当該専門職大学の専攻分野の実務経験を有する者が専任教員として参画することが義務付けられている（同基準三六条）。理論と実践の架橋を担う教員を配置するため、このいわゆる実務家教員のうち半数以上は研究上の能力を併せ有する者であることが求められる。また、最先端の実務に携わりつつ教育に当たる教員を確保するため、一定の要件を満たす実務家については専任教員としてみなすことができる、いわゆる「みなし専任」の仕組みが導入されている。

（実務の経験等を有する専任教員）

第三十六条　前条の規定による専任教員の数のおおむね四割以上は、専攻分野におけるおおむね五年以上の実務の経験を有し、かつ、高度の実務の能力を有する者（次項において「実務の経験等を有する専任教員」という。）とする。

2　実務の経験等を有する専任教員のうち、前項に規定するおおむね四割の専任教員の数に二分の一を乗じて算出される数（小数点以下の端数があるときは、これを四捨五入する。）以上は、次の

各号のいずれかに該当する者とする。

一　大学において教授、准教授、専任の講師又は助教の経歴（外国におけるこれらに相当する教員としての経歴を含む。）のある者

二　博士の学位、修士の学位又は学位規則（昭和二十八年文部省令第九号）第五条の二に規定する専門職学位（外国において授与されたこれらに相当する学位を含む。）を有する者

三　企業等に在職し、実務に係る研究上の業績を有する者

3　第一項に規定するおおむね四割の専任教員の数に二分の一を乗じて算出される数（小数点以下の端数があるときは、これを四捨五入する。）の範囲内については、専任教員以外の者であっても、一年につき六単位以上の授業科目を担当し、かつ、教育課程の編成その他の学部の運営について責任を担う者で足りるものとする。

【通　知】

○専門職大学及び専門職短期大学の制度化等に係る学校教育法の一部を改正する法律等の公布について（抄）（平二九・九・二一　文科高五四二号　各国公私立大学長、大学を設置する各地方公共団体の長、各公立大学法人の理事長、大学を設置する各学校法人の理事長、大学を設置する各学校設置会社の代表取締役、各都道府県知事、各都道府県教育委員会教育長、各指定都市市長、各指定都市教育委員会教育長、独立行政法人大学改革支援・学位授与機構長あて　文部科学事務次官通知）

（略）

第一　学校教育法の一部を改正する法律（平成二九年法律第四一号）

1　改正の趣旨

我が国の社会情勢がめまぐるしく変化し、課題も複雑化していく中で、今後、職業の在り方や働き方も大きく様変わりすることが想像されている。このような中で、我が国が、成長・発展を持続していくためには、優れた専門技能等をもって、新たな価値を創造することができる専門職業人材の養成が不可欠である。改正法は、こうした状況を踏まえ、専門性が求められる職業を担うための実践的かつ応用的な能力を展開させることを目的とする専門職大学の制度を設ける等の措置を講ずるものである。

2　学校教育法の一部改正

(1)　改正の概要

①　専門職大学の制度化

ア　学校教育法（以下「法」という。）第八三条の大学のうち、深く専門の学芸を教授研究し、専門性が求められる職業を担うための実践的かつ応用的な能力を展開させることを目的とするものは、専門職大学とすることを定めたこ

と。（第八三条の二第一項）

イ　専門職大学は、文部科学大臣の定めるところにより、その専門性が求められる職業に就いている者、当該職業に関連する事業を行う者その他の関係者の協力を得て、教育課程を編成し、及び実施し、並びに教員の資質の向上を図るものとしたこと。（第八三条の二第二項）

ウ　専門職大学には、医学を履修する課程、歯学を履修する課程、薬学を履修する課程のうち臨床に係る実践的な能力を培うことを主な目的とするもの又は獣医学を履修する課程を置くことができないこととしたこと。（第八三条の二第三項）

② 専門職大学の課程の区分

ア　専門職大学の課程は、前期課程及び後期課程に区分できることとしたこと。（第八七条の二第一項）

イ　専門職大学の前期課程における教育は、専門職大学の目的のうち、専門性が求められる職業を担うための実践的かつ応用的な能力を育成することを実現するために行われるものとしたこと。（第八七条の二第二項）

ウ　専門職大学の後期課程における教育は、前期課程における教育の基礎の上に、法第八三条の二第一項に規定する目的を実現するために行われるものとしたこと。（第八七条の二第三項）

③ 専門職短期大学の制度化

ア　法第一〇八条第二項の大学のうち、深く専門の学芸を教授研究し、専門性が求められる職業を担うための実践的かつ応用的な能力を育成することを目的とするものは、専門職短期大学とすることを定めたこと。（第一〇八条第四項）

イ　専門職短期大学は、文部科学大臣の定めるところにより、その専門性が求められる職業に就いている者、当該職業に関連する事業を行う者その他の関係者の協力を得て、教育課程を編成し、及び実施し、並びに教員の資質の向上を図るものとしたこと。（第一〇八条第五項）

④ 学位

ア　専門職大学は、専門職大学を卒業した者又は専門職大学の前期課程を修了した者に対し文部科学大臣の定める学位を授与するものとしたこと。（第一〇四条第二項）

イ　専門職短期大学は、専門職短期大学を卒業した者に対し文部科学大臣の定める学位を授与するものとしたこと。（第一〇四条第五項）

⑤ 実務経験を通じて修得した実践的な能力を勘案した修業年限の通算

専門性が求められる職業に係る実務の経験を通じて当該職業を担うための実践的な能力を修得した者が専門職大学又は専門職短期大学（以下「専門職大学等」という。）に入学する場合において、当該実践的な能力の修得により当該専門職大学等の教育課程の一部を履修したと認められるときは、文部科学大臣の定めるところにより、修得した実践的な能力の

水準その他の事項を勘案して専門職大学等が定める期間を修業年限に通算することができることとしたこと。（第八八条の二）

⑥ 専門職大学等の認証評価

専門職大学等は、専門職大学院を置く大学と同様、その教育課程、教員組織その他教育研究活動の状況について、政令で定める期間ごとに、認証評価（分野別認証評価）を受けるものとしたこと。（第一〇九条第三項）

⑦ 専門職大学院における関連事業者等との協力

専門職大学院は、文部科学大臣の定めるところにより、その専門性が求められる職業に就いている者、当該職業に関連する事業を行う者その他の関係者の協力を得て、教育課程を編成し、及び実施し、並びに教員の資質の向上を図るものとしたこと。（第九九条第三項）

(2) **留意事項**

① 専門職大学及び専門職短期大学は、専門性が求められる職業を担うための実践的かつ応用的な能力を展開させ、又は育成することを、機関全体の目的とする大学及び短期大学の制度として創設されたものであること。大学及び短期大学が、その一部の学部や学科において、専門職大学等のように実践的かつ応用的な職業教育を行う仕組みについては、今後、大学設置基準及び短期大学設置基準を改正して、そのための制度を別途整備する予定であること。

② 改正後の法の規定に基づく文部科学大臣の定めとして、関連事業者等との協力による教育課程の編成・実施等に関する事項については専門職大学設置基準、専門職短期大学設置基準及び専門職大学院設置基準において、学位の種類については学位規則第二条の二において、実務経験を通じて修得した実践的な能力を勘案した修業年限の通算に関する事項については学校教育法施行規則第一四六条の二において、所要の定めを行っていること。

③ 法第一〇九条第三項に規定する分野別認証評価について、同項の政令で定める期間は、専門職大学院におけるこれまでの分野別認証評価の取扱いと同様、学校教育法施行令第四〇条において、五年以内と定めていること。

④ その他修業年限や入学資格、学長、教授その他の職員、教授会に関する規定をはじめ、大学一般及び短期大学一般に係る事項を定める法の規定は、専門職大学及び専門職短期大学にも適用があるものであること。

3 その他関係法律の改正（略）

第二 学校教育法の施行に伴う関係政令の整備に関する政令（平成二九年政令第二三二号）（略）

第三～第六 （略）

第八十四条　大学は、通信による教育を行うことができる。

【沿　革】　平一三・七・一一法一〇五により新設した（それまでは法五四条の二第一項として規定。なお、同項は昭三六・一〇・三一法一六六により新設され、それ以前は高等学校に関する規定を準用していた）。平一九・六・二七法九六により、旧五二条の二から八四条に移動した。

【参照条文】　法四条、八六条、一〇一条。施行令二三条。施行規則一四二条。大学設置基準。大学院設置基準。短期大学設置基準。大学通信教育設置基準。短期大学通信教育設置基準。

【注　解】

一　本条は、大学が通信による教育を行うことのできる旨を明らかにする規定である。学校教育法制定前は、法制上は正規の学校と認められていなかったが、学校教育法の制定に当たり、大学における教育研究の成果を広く国民に開放すること、高等教育の機会をできる限り拡大すること等の観点から、法制上の根拠が設けられたものである。制定当初は法旧七〇条において高等学校の通信に関する規定（法旧四五条）を準用していたが、昭和三六年の本法の改正（昭三六法一六六）において法旧四五条が改正され、高等学校においては、全日制の課程、定時制の課程とならんで、通信制の課程として位置づけられることとされ、それとの関連で独立して規定が設けられた。さらに、本条は法旧五四条の二第一項として学部に関する条文の並びに規定されていたが、学部及び大学院研究科に共通する規定であることを明確化するため、平成一三年の改正により法旧五二条の二として定められることとなった。なお、平成一九年の改正により法八四条となっている。

二　大学における通信教育の開設は、文部科学大臣の認可事項である（施行令二三条五号）。

三　通信教育に関する基準は、長い間学校教育法施行規則旧七一条の二において「別に定める」こととされたまま特段の定めが設けられていなかったが、放送大学の設置計画の進展に伴い、新たに大学通信教育設置基準（昭五六文部

省令三三）が制定されるに至った。なお、あわせて短期大学通信教育設置基準（昭五七文部省令三）が制定されるとともに、大学院についても大学院設置基準の平成一〇年の改正により通信教育に関する規定が設けられた。

大学通信教育設置基準においては、通信による教育の特色や現状に着目し、①通信教育を行い得る分野であるか否かは、個々に具体的な教育内容等を勘案して判断するものとすること、②授業は、印刷教材による授業、放送授業、面接授業又はメディアを利用して行う授業の組み合わせで行われるものとすること、③一年の授業期間は、一般の三五週の原則にとらわれないものとすること、④卒業要件一二四単位のうち三〇単位以上は面接授業又はメディアを利用して行う授業により修得することとし、そのうち一〇単位までは放送授業により修得した単位で代えることができることとしたこと、⑤通信教育の特性等を考慮して文部科学大臣が定める学修（他大学の公開講座等における学修）について単位を認めることができること、などの事項が定められるとともに、教員組織、施設、校地、添削のための組織等についての定めが設けられている。

四　平成一〇年三月の大学設置基準の改正により、大学は、通信衛星、光ファイバ等を用いることにより、多様なメディアを高度に利用して、授業を行う教室以外の場所において当該授業を同時に受講させる授業方法によっても単位を認定することが可能となった（同基準二五条二項）。また、同時に大学通信教育設置基準も改正され、これまでの印刷教材に加え、ＣＤ－ＲＯＭ等の電子出版による教材も教材とし得ることが明確化された。

（授業の方法）

第二十五条　授業は、講義、演習、実験、実習若しくは実技のいずれかにより又はこれらの併用により行うものとする。

２　大学は、文部科学大臣が別に定めるところにより、前項の授業を、多様なメディアを高度に利用して、当該授業を行う教室等以外の場所で履修させることができる。

３　大学は、第一項の授業を、外国において履修させることができる。前項の規定により、多様なメディアを高度に利用して、当該授業を行う教室等以外の場所で履修させる場合についても、同様とする。

４　（略）

この文部科学大臣の定めとして、次の告示がある。これは、情報通信技術の進展に伴い、平成一〇年の告示を廃止して平成一三年に新たに定められたものであり、従来認められていた同時かつ双方向に行われるテレビ会議式の遠隔授業に加え、インターネット等を活用した授業方法など同時かつ双方向のものでなくても、一定の要件の下、面接授業に相当する教育効果を有するものは遠隔授業として認めるものである。

○大学設置基準第二十五条第二項の規定に基づき、大学が履修させることができる授業等について定める件（平一三・三・三〇文部科学省告示五一）

最終改正　平一九・七・三一文部科学省告示一一四

通信衛星、光ファイバ等を用いることにより、多様なメディアを高度に利用して、文字、音声、静止画、動画等の多様な情報を一体的に扱うもので、次に掲げるいずれかの要件を満たし、大学において、大学設置基準第二十五条第一項に規定する面接授業に相当する教育効果を有すると認めたものであること。

一　同時かつ双方向に行われるものであって、かつ、授業を行う教室等以外の教室、研究室又はこれらに準ずる場所（大学設置基準第三十一条第一項の規定により単位を授与する場合においては、企業の会議室等の職場又は住居に近い場所を含む。以下次号において「教室等以外の場所」という。）において履修させるもの

二　毎回の授業の実施に当たって、指導補助者が教室等以外の場所において学生等に対面することにより、又は当該授業を行う教員若しくは指導補助者が当該授業の終了後すみやかにインターネットその他の適切な方法を利用することにより、設問解答、添削指導、質疑応答等による十分な指導を併せ行うものであって、かつ、当該授業に関する学生等の意見の交換の機会が確保されているもの

五　情報通信技術の進展は、国境を越えて大学教育を提供することを可能にしている。平成一三年の大学設置基準の改正により、我が国の大学が海外に大学教育を提供することが可能であることが明確にされる（同基準二五条三項）とともに、外国の大学等が行う通信教育による授業を我が国において履修することにより修得した単位を我が国の大学において修得したものとみなすことができることとされた（同基準二八条二項）。

（他の大学又は短期大学における授業科目の履修等）

第二十八条　大学は、教育上有益と認めるときは、学生が大学の定めるところにより他の大学、専門職大学又は短期大学において履修した授業科目について修得した単位を、六十単位を超えない範囲で当該大学における授業科目の履修により修得したものとみなすことができる。

2　前項の規定は、学生が、外国の大学（専門職大学に担当する外国の大学を含む。以下この項において同じ。）又は短期大学に留学する場合、外国の大学又は短期大学が行う通信教育における授業科目を我が国において履修する場合及び外国の大学又は短期大学の教育課程を有するものとして当該外国の学校教育制度において位置付けられた教育施設であつて、文部科学大臣が別に指定するものの当該教育課程における授業科目を我が国において履修する場合について準用する。

六　平成一六年四月には、通信教育のみを行う大学であって、インターネットその他の高度情報通信ネットワークのみを利用して当該大学の教室等以外の場所で授業を行うもの（大学院は、法一〇三条に規定する大学院大学に限る。いわゆる「インターネット大学院大学」が対象である。）における校舎等施設の取扱いについて、構造改革特別区域においては、大学設置基準や大学院設置基準によることなく、教育に支障のないよう整備すればよいこととされた（文部科学省関係構造改革特別区域法第三十四条に規定する政令等規制事業に係る省令の特例に関する措置を定める省令八条・九条、現在は削除。）（法八三条の**【注解】**九参照）。

七　平成二六年三月には、大学通信教育設置基準が改正され、通信教育学部のみを置く大学であってインターネットその他の高度情報通信ネットワークを利用して教室以外の場所のみにおいて授業を履修させるものについては、インターネット等を利用して行う授業の特性を踏まえた授業の設計その他の措置を当該大学が講じており、かつ、教育研究上支障がないと認められる場合は、通信教育学部を置く大学の校舎等の施設の面積基準を満たさなくてもよいこととされた。

【通　知】

○大学通信教育設置基準の制定等について（抄）（昭五六・一〇・二九　文大大二二五号　各国公私立大学（短期大学を除く。以下同じ。）長、大学を設置する各都道府県知事及び各市長、大学を設置する学校法人の理事長、放送大学学園理事長あて　文部事務次官通達）

このたび大学通信教育設置基準（昭和五六年文部省令第三三号）が、昭和五六年一〇月二九日に公布され、昭和五七年四月一日から施行されることになりました。

大学通信教育は、大学教育の機会を広く提供するものとして重要な役割を果たしてきているところでありますが、さらに、このたび放送大学学園法（昭和五六年法律第八〇号）の成立により、放送等による教育を行う新しい形態の大学が創設される運びとなり、また、あわせて学校教育法の一部改正が行われ、大学には通信による教育を行う学部を置くことができることとなったことにかんがみ、既存の形態の大学通信教育について、その水準の維持、向上を図るとともに、放送等を効果的に活用した新しい形態の大学通信教育及び通信による教育を行う大学の学部の設置に適切に対応していくため、大学通信教育設置基準を制定したものであります。

一　趣　旨

大学が行う通信教育に係る設置基準は、この省令の定めるところによるものとしたこと（第一条第一項）。また、この設置基準は、通信教育を行う大学を設置し、又は大学において通信教育を開設するのに必要な最低の基準であり、したがって、大学は、その行う通信教育について、この設置基準より低下した状態にならないようにすることはもとより、その水準の向上を図ることに努めなければならないものとしたこと（第一条第二項及び第三項）。

二　通信教育を行い得る分野

大学は、通信教育によって十分な教育効果が得られる専攻分野について、通信教育を行うことができるものとしたこと（第二条）。通信教育によって十分な教育効果が得られる分野であるか否かは、個々に具体的な教育内容等を勘案して判断されるものであること。

三　授業の方法等

(1)　授業は、印刷教材を送付若しくは指定し、主としてこれにより学修させる授業（以下「印刷教材による授業」という。）、主として放送その他これに準ずるものの視聴により学修させる授業（以下「放送授業」という。）若しくは大学設置基準（昭和三一年文部省令第二八号）第三〇条〔現行基準二五条一項〕の方法による授業（以下「面接授業」という。）のいずれかにより又はこれらの併用により行うものとすること（第三条第一項）。

印刷教材による授業については、教科書、学習指導書等の印刷教材を当該授業科目の内容が学生に十分理解できるように作成するとともに、学問の進歩に即応できるよう大学において常に改善、改訂に努める必要があること。

面接授業については、その実施に当たって学問的環境の中で学修できるようできる限り当該大学のキャンパス内で行うものとするが、受講の便を考慮してキャンパス外で行うこともでき

ること。また、通信教育においては教員と学生相互の交流の場が少ないことも考慮し、面接授業には、できる限り少人数構成の授業を加味することが望ましいこと。

(2) 印刷教材による授業及び放送授業の実施に当たっては、学生の勉学を促し、学修指導の徹底を図るため、進度に応じて添削等による指導を併せ行うものとしたこと（第三条第二項）。この規定の趣旨は、添削等による指導は、授業科目ごとに少なくとも一回以上行うことを必要とするものであること。

(3) 大学設置基準は、一年間の授業日数について、三五週にわたり二一〇日を原則とすることを定めているが、通信教育による授業は、この原則にとらわれず、定期試験等を含め、年間を通じて適切に行うものとしたこと（第四条）。

四　単位の計算方法

各授業科目の単位数は、一単位の履修時間を四五時間とし、印刷教材による授業については四五時間の学修を必要とする印刷教材の学修をもって一単位とし、放送授業については一時間の放送授業に対して二時間の準備のための学修を必要とするものとして一五時間の放送授業をもって一単位とし、面接授業については大学設置基準第二六条各号〔現行基準二一条二項〕に定める講義、演習、実験、実習、実技等による授業の単位の計算方法によるものとしたこと（第五条）。

なお、四五時間の学修を必要とする印刷教材の分量は、教科書、学習指導書等を合わせおおむねA5判一〇〇ページ程度であるが、授業科目及びその内容により各大学において適切に定めるものとすること。

また、印刷教材による授業、放送授業又は面接授業の方法を併用して行う授業科目に係る単位の計算は、各授業方法の単位の計算の基準に照らして行うものとすること。

五　卒業の要件

(1) 卒業の要件は、大学設置基準第三二条の定めるところによるが、同条の規定により修得すべき単位数一二四単位のうち三〇単位以上は、面接授業により修得するものとしたこと。ただし、当該三〇単位のうち一〇単位までは、放送授業により修得した単位で代えることができるものとしたこと（第六条）。なお、面接授業による単位又は放送授業による単位の数の計算に当たっては、印刷教材による授業、放送授業又は面接授業の方法を併用して行う授業科目については、その面接授業又は放送授業に係る部分を上記四の単位の計算方法により計算し、これに算入するものとすること。

(2) 大学設置基準第三二条第一項〔現行大学設置基準上なし〕において、保健体育科目について卒業の要件として修得すべき単位数は、講義及び実技四単位と規定されており、それぞれ二単位ずつの修得を必要とする取扱いとなっているが、年令、職業、生活状況を異にする多数の学生を対象とする通信教育においては、一律に体育実技二単位の修得を要するものとすることは必ずしも適当でないことから、体育実技で修得すべき単位を一単位としても差し支えないこと。

六　体育実技の履修方法等

大学は、保健体育科目のうち実技について、あらかじめ当該大学が定めた基準に照らして教育上適当であると認めるときは、学生が他の大学等が行う公開講座等において学修することを認め、これを当該大学における履修とみなし、その成果について単位を与えることができるものとしたこと（第七条）。この場合において、他大学等が行う公開講座等は、計画的、継続的なものであることを要し、都道府県市町村教育委員会等が行う体育教室等も含みうるものであること。

なお、このような取扱いを行うに当たっては、大学はあらかじめ公開講座等の内容、実施者、実施期間、運営方法等に係る基準を定め、その実施者と具体的な実施方法等について協議し、学修の状況を的確に把握するとともに、その成果については大学が適正に評価した上で単位を認定する必要があること。また、四五時間の実技をもって一単位とされていることに留意すること。

七　専任教員数

(1)　学校教育法第五四条の二第二項〔現行法八六条〕に規定する学部（以下「通信教育学部」という。）における専任教員数は、別表第一のとおりとしたこと（第八条第一項〔現行基準九条一項〕）。この場合、専任教員とは、教授、助教授〔現：准教授〕又は講師をいうこと（別表第一備考第一号。以下同じ。）。

(2)　昼間又は夜間において授業を行う学部が通信教育を併せ行う場合においては、当該学部が行う通信教育に係る入学定員一、〇〇〇人につき四人の専任教員を増加するものとしたこと。ただし、当該増加する専任教員の数が当該学部の通信教育に係る学科又は課程における大学設置基準第一一条〔現行大学設置基準一三条〕の規定による専任教員の数の二割に満たない場合には、当該専任教員の数の二割の専任教員を増加するものとしたこと（第八条第二項〔現行基準九条二項〕）。この場合、増加する専任教員は、一般教育科目、外国語科目、保健体育科目及び専門教育科目の教員を含むものであり、教育研究に支障のないよう授業科目の区分ごとに適切に配分するものとすること。

(3)　通信教育を行う学部において聴講生（科目等履修生等として授業科目を聴講する者を含む。）を当該学部の収容定員を超えて相当数受け入れる場合においては、教育に支障のないよう相当数の専任教員を増加するものとしたこと（第八条第三項〔現行基準九条三項〕）。

八　校舎等の施設

(1)　通信教育学部を置く大学は、当該学部に係る大学設置基準第三七条〔現行三六条〕第一項に規定する校舎を有するほか、特に添削等による指導並びに印刷教材等の保管及び発送のための施設（以下「通信教育関係施設」という。）について、教育に支障のないようにするものとし、校舎及び通信教育関係施設の面積は、別表第二のとおり定めたこと（第九条第一項及び第二項〔現行基準一〇条一項及び二項〕）。

(2)　昼間又は夜間において授業を行う学部が通信教育を併せ行う場合にあっては、大学は、通信教育関係施設及び面接授業を行う施設について、教育に支障のないようにするものとしたこと（第九条〔現行一〇条〕第三項）。したがって、通学課程と同じ

時間帯で多数の学生の面接授業を行う等の場合においては、所要の校舎の面積を増加する必要があること。

(3) 図書館の閲覧室には、通信教育を受ける学生の利用に支障のないよう相当数の座席を備えるものとしたこと（第九条第四項〔現行基準一〇条四項〕）。なお、各地において面接授業を行うような場合は、それぞれの場所に所要の図書を備えた図書室等を設けることが望ましいこと。

九　校　地

(1) 通信教育学部のみを置く大学は、教育に支障のない場合には、運動場を設けないことができるものとしたこと（第一〇条第一項〔現行基準一一条一項〕）。これは、体育実技については、上記六に述べた履修方法をとる場合や、学生の履修上の便宜を考慮して各地の大学等の施設を利用する等の方法により行われることが適当と認められる場合があるので、このような場合には、運動場を設けないことができるものとしたものであること。

(2) 通信教育学部に係る校地の面積については、当該学部における教育に支障のないようなものとするものとしたこと（第一〇条第二項〔現行基準一一条二項〕）。

一〇　添削等のための組織等

大学は添削等による指導及び教育相談を円滑に処理するため、適当な組織等を設けるものとしたこと（第一一条〔現行基準一二条〕）。各大学の事情により、組織を設けない場合においては、添削等による指導のための適任者を配置する等の措置を講ずる必要があること。

一一　その他の基準

通信教育を行う大学の組織、編制、施設、設備その他通信教育を行う大学の設置又は大学における通信教育の開設に関する事項で、この省令に定めのないものについては、大学設置基準（第一二条〔現行大学設置基準上なし〕及び第二八条の二〔現行大学設置基準二三条〕を除く。）の定めるところによるものとしたこと（第一二条〔現行基準一三条〕）。大学設置基準第一二条〔現行大学設置基準上なし〕の規定を適用しないこととしたのは、通信教育においては、添削指導等ゆきとどいた指導を行うため多くの兼任教員を必要とするので、兼任教員数の制限を設けない趣旨であること。また、大学設置基準第二八条の二〔現行大学設置基準二三条〕の規定を適用しないこととしたのは、通信教育の性格にかんがみ、各授業科目の授業期間について、一〇週又は一五週にわたる期間を単位として行うことを要しないこととしたものであること。

一二～一三　（略）

一四　大学通信教育の聴講生に係る入学資格

(1) 通信教育において聴講生（科目等履修生等として授業科目を聴講する者を含む。）として相当程度の授業科目を履修した者について、当該通信教育を行う大学において、相当の年齢に達し、高等学校を卒業した者と同等以上の学力があると認められる場合には、学校教育法施行規則第六九条第五号〔現行施行規則一五〇条七号〕の規定により、大学の入学資格があるものと

認められること。

この場合において、相当程度の授業科目を履修した者とは、人文、社会、自然の三分野にわたって一六単位相当以上の授業科目を履修した者とするのが適当であること。

(2)　入学資格の認定に当たっては、履修した授業科目の修了試験の成績等を勘案し、個々人について認定すること。

この認定は、大学の入学に関し高等学校を卒業した者と同等以上の学力があるかどうかに係る入学資格の認定であり、入学者選抜とは別個のものとして取り扱うものであること。また、この認定の具体的方法については、大学が定めるものとし、聴講生に対しては、適当な方法により明示しておく必要があること。

なお、学校教育法施行規則第六九条第五号〔現行施行規則一五〇条七号〕の規定による大学入学資格の認定は、各大学の判断により行うものであって、認定を行った大学にのみその効力が及ぶものであること。

また、このような取扱いは、通信教育のみの取扱いであること。

○大学設置基準の一部を改正する省令の施行等について（抄）

（平三・六・二四　文高大一八四号　各国公私立大学長、放送大学長、各国公私立高等専門学校長、大学を設置する地方公共団体の長、高等専門学校を設置する各地方公共団体の教育委員会教育長、大学又は高等専門学校を設置する各学校法人の理事長、放送大学学園理事長あて　文部事務次官通知）

このたび、別添一～三（略）のとおり、「大学設置基準の一部を改正する省令（平成三年文部省令第二四号）」、「大学院設置基準の一部を改正する省令（平成三年文部省令第二五号）」及び「大学通信教育設置基準の一部を改正する省令（平成三年文部省令第二六号）」が平成三年六月三日に公布され、いずれも平成三年七月一日から施行されることとなりました。また、これらの省令に関連し、別添四及び五（略）のとおり平成三年文部省告示第六八号及び第七〇号が平成三年六月五日に告示され、七月一日から施行されることになりました。

今回の改正の趣旨は、個々の大学が、その教育理念・目的に基づき、学術の進展や社会の要請に適切に対応しつつ、特色ある教育研究を展開し得るよう、大学設置基準の大綱化により制度の弾力化を図るとともに、生涯学習の振興の観点から大学における学習機会の多様化を図り、併せて、大学の水準の維持向上のため自己点検・評価の実施を期待するものであります。

第一・第二　（略・法八三条の**【通知】**参照）

第三　大学通信教育設置基準（昭和五六年文部省令第三三号）の一部改正（抄）

1　（略）

2　単位の計算方法について

上記第一の6の(2)に関連し、単位の計算方法について、一単位の授業科目を四五時間の学修を必要とする内容をもって構成することを標準とするとともに、放送授業に係る単位の計算方法等について規定の整備を行ったこと。（第五条関係）

3　大学以外の教育施設等における学修について

上記第一の7の(2)のとおり、大学設置基準において大学以外の教育施設等における学修について単位を与えることができる旨の規定が設けられたことに伴い、通信教育における体育実技の履修方法等に関する規定を定め、大学は、大学設置基準の定めるところにより大学以外の教育施設の学修について単位を与えることができるほか、あらかじめ当該大学が定めた基準に照らして教育上適当であると認めるときは、通信教育の特性等を考慮して文部大臣が定める学修を当該大学における履修とみなし、単位を与えることができることとしたこと。（第七条関係）

なお、文部大臣の定める学修として、別添五（略）のとおり、従来と同様に大学等が行う公開講座等における体育実技の学修を定めたこと。（平成三年文部省告示第七〇号）

4 （略）

5 専任教員数及び校舎面積について

専任教員数及び校舎面積の基準について、大学設置基準の改正と同様に、入学定員に基づき算定する方式から収容定員に基づき算定する方式に改めるとともに、学部の種類の例示の廃止、授業科目ごとの区分の廃止等に対応する規定の整備を行ったこと。

（第九条、別表第一及び別表第二関係）

6 施行期日等（略）

○大学設置基準の一部を改正する省令の施行等について（抄）

（平一〇・三・三一　文高大三〇六号　各国公私立大学（短期大学を除く。）長、放送大学長、大学を設置する各地方公共団体の長、大学を設置する各学校法人の理事長、放送大学学園理事長あて　文部事務次官通知）

第一　大学設置基準（昭和三一年文部省令第二八号）の一部改正

一 「メディアを利用して行う授業」の大学設置基準上の位置付け

(1) 通信情報技術の進展に伴い、大学は、文部大臣が別に定めるところにより、改正後の大学設置基準第二五条第一項の授業（以下「面接授業」という。）を、多様なメディアを高度に利用して、当該授業を行う教室等以外の場所で履修させることができる（以下「メディアを利用して行う授業」という。）こととしたこと。（改正後の第二五条第二項関係）

(2) なお、文部大臣が定める(1)の授業の方法として、別添四（略）のとおり定めたこと。（平成一〇年文部省告示第四六号関係）

「授業を行う教室等」には研究室やスタジオなどが含まれるため、授業を行う場所には教員のみがいて、履修を行う学生がいない場合もメディアを利用して行う授業に含まれること。また、同一校舎内の複数の教室間で多様なメディアを高度に利用して同時に行われる授業もメディアを利用して行う授業に含まれるものであること。

(3) メディアを利用して行う授業を実施するに当たっては、面接授業に近い環境で行うことが必要であり、各大学においては、以下のような事項について配慮することが望ましいこと。

① 授業中、教員と学生が、互いに映像・音声等によるやりとりを行うこと。

② 学生の教員に対する質問の機会を確保すること。

③ 画面では黒板の文字が見づらい等の状況が予想される場合には、あらかじめ学生にプリント教材等を準備するなどの工夫をすること。

④ メディアを利用して行う授業の受信側の教室等に、必要に応じ、システムの管理・運営を行う補助員を配置すること。また、必ずしも受信側の教室等に教員を配置する必要はないが、必要に応じてティーチング・アシスタントを配置することも有効であること。

⑤ メディアを活用することにより、一度に多くの学生を対象にして授業を行うことが可能となるが、受講者数が過度に多くならないようにすること。

(4) メディアを利用して行う授業については、当該授業がまだ実績が少ないことなどを考慮し、卒業の要件として修得すべき一二四単位のうち、メディアを利用して行う授業により修得する単位数は三〇単位〔現六〇単位〕を超えないものとすること。（改正後の第三二条第四項〔現行三二条五項〕関係）

なお、各大学において、一二四単位を超える単位数を卒業の要件としている場合は、面接授業によって九四単位以上の修得がなされていれば、メディアを利用して行う授業によって修得する単位数については、三〇単位を超えることができるものであること。

二 （略）

第二 大学通信教育設置基準（昭和五六年文部省令第三三号）の一部改正

一 CD－ROMなどの電子出版を送付又は指定し、主としてこれにより学修させる授業も通信教育の教育方法に該当することを明確にしたこと。（改正後の第三条及び第五条関係）

二 第一の一の大学設置基準の改正を受け、大学設置基準第二五条第二項の方法による授業（メディアを利用して行う授業）を、通信教育の教育方法に加えたこと（改正後の第三条第一項関係）。また、メディアを利用して行う授業における単位の計算方法は、面接授業と同様、大学設置基準第二一条第二項各号の定めによるとしたこと。（改正後の第五条関係）

三 通信教育においては、卒業の要件として修得すべき単位のうち三〇単位以上は、面接授業により修得されるものとなっているが、当該三〇単位のうち一〇単位までは、放送授業又はメディアを利用して行う授業により修得した単位で代えることができるものであること。（改正後の第六条第二項関係）

なお、大学通信教育設置基準上、通信制の大学（学部）の学生が、当該大学（学部）に入学する前に修得した単位や他大学との単位互換により修得した単位のうち、面接授業により修得した単位については、大学の定めるところにより、当該大学の面接授業により修得した単位として取り扱うことが可能であること。

第三 大学院設置基準（昭和四九年文部省令第二八号）の一部改正

一 趣 旨

大学院には、通信教育を行う修士課程を置くことができることとしたこと（改正後の第二五条関係）。なお、大学院設置基準の規定は、第四条、第一七条及び第二六条の規定を除き、当然、通

信教育を行う修士課程に適用されるものであること。

〔編者注〕 通信教育を行う課程は、博士課程及び専門職学位課程に拡大されている（現行二五条）。

二 通信教育を行い得る専攻分野

大学院は、通信教育によって十分な教育効果が得られる専攻分野について、通信教育を行うことができるものとしたこと。（改正後の第二六条関係）

通信教育によって十分な教育効果を得られる分野であるか否かは、個々に具体的な教育内容等を勘案して判断されるものであること。

三 通信教育を併せ行う場合の教員組織

昼間又は夜間において授業を行う大学院が通信教育を併せ行う場合においては、通信教育を行う専攻ごとに、第九条第一号に規定する修士課程を担当する教員を、教育に支障のないよう相当数増加するものとしたこと。（改正後の第二七条関係）

四 大学通信教育設置基準の準用

通信教育を行う修士課程の授業の方法、単位の計算方法については、大学通信教育設置基準第三条から第五条の規定を準用するものとしたこと。（改正後の第二八条関係）

五 通信教育を行う修士課程を置く大学院の施設

通信教育を行う修士課程を置く大学院は、添削等による指導並びに印刷教材等の保管及び発送のための施設について、教育に支障のないようにするものとしたこと。（改正後の第二九条関係）

なお、昼間又は夜間において授業を行う大学院が通信教育を併せ行う場合には、当該通信教育の学生の教育研究の支障を生じないように必要な施設・設備等を充実するよう努めるものであること。

六 添削のための組織等

通信教育を行う修士課程を置く大学院は、添削等による指導及び教育相談を円滑に処理するため、適当な組織等を設けるものとしたこと（改正後の第三〇条関係）。各大学の事情により、組織を設けない場合においては、添削等による指導のための適任者を配置する等の措置を講ずる必要があること。

また、パソコンやインターネットを利用した授業を始め情報通信技術を活用した授業を行う場合においては、当該システムの管理運営等を行う者が配置されることが望ましいこと。

七 その他の留意事項

(1) 通信教育を行う修士課程の入学者選抜は、社会人の大学院レベルの生涯学習ニーズが高いことを踏まえ、社会人のために入学定員の枠を別に設けたり、これまでの様々な業績等を評価するなどの配慮・工夫を行うことが望ましいこと。

(2) 通信教育を行う修士課程においては、修了の要件である三〇単位以上の修得について、特に面接授業で行うことを義務付けるものではなく、そのすべてについて印刷教材等による授業、放送授業によることが可能であることを踏まえれば、大学院設置基準第一三条に定める研究指導を行うに当たっては、学生に対する丁寧な個別の指導が行われるよう努める必要があり、その際、専攻分野に応じて、各大学院の判断により、研究指導の

中で、直接の対面指導の機会を設けることが望ましいこと。

なお、昼間又は夜間において授業を行う大学院における研究指導は、従来どおり直接の対面指導を行うことが原則であること。

(3) 特に、高度専門職業人の養成を主目的とする通信教育を行う修士課程においては、その教育方法との関連及び修士の水準の維持という観点も考慮しながら、各大学院の判断において、大学院設置基準第一六条第二項〔現行大学院設置基準一六条〕の規定により特定の課題についての研究の成果の審査をもって修士論文の審査に代えることができるとする特例を活用することが考えられること。

また、修士論文の審査及び特定の課題についての研究の成果の審査においては、教員と学生の面接による口頭試問を実施することが必要であること。

(4) 大学院は、通信教育についても、自己点検・評価を積極的に行うことに努めることが必要であり、さらに、教育研究水準の維持向上のために、相互評価の導入など評価活動の工夫が行われることが望ましいこと。

○大学設置基準の一部を改正する省令の施行等について（抄）

（平一三・三・三〇　一二文科高三四六号　各国公私立大学長、放送大学長、各国公私立高等専門学校長あて　文部科学事務次官通知）

今回の改正は、我が国の高等教育機関が世界に開かれた高等教育機関としてその役割を十分に果たしていくため、高等教育制度の国際的な整合性を図り、教育研究のグローバル化を推進するとともに国際競争力を高めることが重要であるとの考えを基本とするものであります。このような考えに基づき、第一に、柔軟かつ機動的な教育研究の展開の観点から、講座等の組織編制の弾力化を図る、第二に、教員の教育能力等を従来以上に重視する観点から、教員資格の見直しを図る、第三に、情報通信技術の活用の観点から、遠隔授業の在り方及び国境を越えて提供される教育の在り方の見直しを図る等の制度改正を行うものであります。各高等教育機関におかれては、今回の改正の趣旨を踏まえた積極的な取組をお願いいたします。

今回の改正の概要及び留意点は下記のとおりですので、制度の運用に当たって遺漏のないようお取り計らい下さい。

記

第一　大学設置基準の一部改正

1・2　（略）

3　大学は、授業を、外国において履修させることができるものとすること。多様なメディアを高度に利用して履修させる場合についても同様とすること（第二五条第三項）。

4　大学は、学生が、外国の大学又は短期大学が行う通信教育による授業を我が国において履修することにより修得した単位を、六〇単位を上限に当該大学において修得したものとみなすことができるものとすること（第二八条第二項）。

第二　大学通信教育設置基準の一部改正

1　通信による教育を行う大学は、授業を、外国において履修させ

ることができるものとすること（第三条第三項）。

2　卒業の要件として修得すべき単位のうち三〇単位以上は、面接授業又はメディアを利用して行う授業により修得するものとすること（当該三〇単位のうち一〇単位までは放送授業により修得した単位で代えることができる）。これにより、卒業に必要な一二四単位のすべてを、メディアを利用して行う授業により修得することが可能となること（第六条第二項）。

第三〜第五　（略）

第六　学校教育法施行規則の一部改正

1　大学の専攻科又は大学院への入学に関し大学を卒業した者と同等以上の学力があると認められる者として、外国の学校が行う通信教育における授業科目を我が国において履修することにより当該外国の学校教育における一六年の課程を修了した者等を新たに加えること（第七〇条〔現行一五五条〕第一項）。

2　短期大学の専攻科への入学に関し短期大学を卒業した者と同等以上の学力があると認められる者として、外国の学校が行う通信教育における授業科目を我が国において履修することにより当該外国の学校教育における一四年の課程（三年制の短期大学の専攻科については一五年の課程）を修了した者を新たに加えること（第七〇条〔現行一五五条〕第二項）。

3　大学院への入学に関し修士の学位を有する者と同等以上の学力があると認められる者として、外国の学校が行う通信教育における授業科目を我が国において履修し、修士の学位に相当する学位を授与された者を新たに加えること（第七〇条の二〔現行一五六条〕）。

4　（略）

第七　平成一三年文部科学省告示第五一号（大学設置基準第二五条第二項の規定に基づき、大学が履修させることができる授業等について定める件）等の制定

1　大学設置基準第二五条第二項の規定に基づき、大学が履修させることができる授業（いわゆる「遠隔授業」）については、平成一〇年文部省告示第四六号により規定されてきたところであるが、インターネット等の情報通信技術の進展にかんがみ、従来のものに加え、毎回の授業の実施に当たって設問解答等による指導を併せ行うものであって、かつ、当該授業に関する学生の意見の交換の機会が確保されているもので、大学において、面接授業に相当する教育効果を有すると認めたものを遠隔授業として位置付けることとしたこと。

したがって、遠隔授業については、「同時かつ双方向に行われるもの」であることが必要とされてきたが、今回の改正によって、同時かつ双方向に行われない場合であっても、一定の条件を満たしていれば、これを遠隔授業として行うことが可能となること。

また、ここで必要とされる指導については、設問解答、添削指導、質疑応答のほか、課題提出及びこれに対する助言を電子メールやファックス、郵送等により行うこと、教員が直接対面で指導を行うことなどが考えられること。

なお、上記の指導は、印刷教材等による授業や放送授業の実施

に当たり併せ行うこととされる添削等による指導（大学通信教育設置基準第三条第二項）とは異なり、毎回の授業の実施に当たって併せ行うものであることに留意されたいこと。

　学生の意見の交換の機会については、大学のホームページに掲示板を設け、学生がこれに書き込めるようにしたり、学生が自主的に集まり学習を行えるような学習施設を設けたりすることが考えられること。

２　この告示の制定に伴い、従来の告示（平成一〇年文部省告示第四六号）は廃止すること。

３　なお、短期大学及び高等専門学校についても、これらと同趣旨の告示の制定等を行うこと（平成一三年文部科学省告示第五二号及び同第五三号）。

第八　（略）

第九　平成元年文部省告示第一一八号（大学院の入学に関し修士の学位を有する者と同等以上の学力があると認められる者を指定する件）の一部改正

　大学院の入学に関し、修士の学位を有する者と同等以上の学力があると認められる者として、外国の学校が行う通信教育における授業科目を我が国において履修することにより当該外国の学校教育における一六年の課程を修了した後、大学や研究所等において二年以上研究に従事した者で、大学院において、当該研究の成果等により、修士の学位を有する者と同等以上の学力があると認めた者を新たに加えること。

〔学部と学部以外の教育研究上の組織〕

第八十五条　大学には、学部を置くことを常例とする。ただし、当該大学の教育研究上の目的を達成するため有益かつ適切である場合においては、学部以外の教育研究上の基本となる組織を置くことができる。

【沿　革】　制定当初の条文は、「大学には、数個の学部を置くことを常例とする。但し、特別の必要がある場合においては、単に一個の学部を置くものを大学とすることができる。」となっていたが、昭三六・一〇・三一法一六六により、「但し」を「ただし」に改め、昭四八・九・二九法一〇三により、全面改正した。

　平一九・六・二七法九六により、旧五三条から八五条に移動した。

【参照条文】　法一四一条。旧国立学校設置法三条、七条の一〇。

【注　解】

一　本条は、大学の基本組織についての規定である。本条は、学校教育法制定当初は「大学には、数個の学部を置くことを常例とする。但し、特別の必要がある場合においては、単に一個の学部を置くものを大学とすることができる。」と規定されていた。これは旧大学令の規定をほぼ踏襲したものとされている。この規定においては、「数個の学部を置く」大学すなわち総合大学が大学の普通のかたちとされており、特別の必要がある場合には単に一個の学部のみの大学すなわち単科大学も認められるという趣旨であった。

学部の在り方は、永年の慣行を通じ歴史的に積み上げられてきたものであり、法令の規定もそれを前提としているため、その内容について法令上明確な規定を設けていないので厳密な定義を行うことが困難であるが、おおむね、①特定の学問領域ごとに大学の目的を達成するのにふさわしい高度の教育機能と研究機能を兼ねそなえ、かつ、その両者を一体的に遂行すること、②教職員及び学生の所属母体となり、教育研究その他あらゆる面にわたり大学の管理運営の基礎単位となること、という機能をそなえた組織であると解されている。

このような組織は、大学としては極めて自然なかたちで、学部が大学の基本組織とされたのは当然であるが、数個の学部を置く大学が普通であり一学部を置く大学が特例であるとする必要は必ずしもなく、単科大学の数が増加して総合大学とほとんど同数となるという実態等も考慮し、昭和四八年の改正で、現行のように改められたのである。

なお、このような学部の機能を果たすため、学部には学科又は課程が設けられることとされている。

また、従前には教員組織として講座又は学科目という組織（講座制とは、教育研究上必要な専攻分野を定め、その教育研究に必要な教員を置く制度であり、学科目制とは、教育上必要な学科目を定め、その教育研究に必要な教員を置く制度）を置くこととされていたが、大学教員の職の在り方の見直し（法九二条の【注解】二参照）に関連して、平成一八年の大学設置基準の改正により、講座制・学科目制に関する大学設置基準の規定を削除し、代わりに、同基準七条及び一〇条において、教員組

織の基本となる一般的な在り方として、各教員の役割分担及び組織的な連携体制の確保による教員組織の編成や主たる授業科目は原則として専任の教授又は准教授が担当すること等に関する規定が設けられた（法九二条の【注解】三参照）。

二　学部は、特定の学問領域において特に教育活動と研究活動を一体的に行う組織であり、適正な運営が行われる場合においては、教育と研究が相互に有機的に関連しあい影響を及ぼしながらそれぞれの発展を期することができるという利点があり、また、特定の学問領域を基礎としているため、当該分野についての教育研究を深く進める上に極めて好都合な組織となっている。さらに、適正な規模に保たれる場合には大学の管理運営上の基礎的な単位として積極的な役割を期待することができる。

しかし、これまでの在り方については、必ずしもその利点を活用できているものばかりでなく、いろいろな問題点が指摘されている。その第一は、学術研究のめざましい進歩と専門分化がみられる一方、大学の大衆化が進行するという状況のなかで、これまで想定されてきた教育と研究の予定調和的な考え方が必ずしも現実的でなくなっているということに基づいている。すなわち、一方では研究活動に重点が置かれ、教育面への配慮が欠ける場合が多いと指摘されるとともに、他方では学生に対する教育義務の負担のため高度に分化しつつある学術研究上の要請に適切に対応でき難くなっていると指摘され、結局、教育面においても研究面においても徹底することができないといわれることがこれに当たる。その第二は、学部の独立性が学部の閉鎖性、独善性に陥りがちなことに基づいている。すなわち学部の独立性を強調するあまり、学部間の協力が困難となり、多くの分野の研究者の協力を必要とするいわゆる境界領域の研究や総合研究の推進に当たって学部の壁がその障害となる場合が見受けられること、大学の管理運営上ともすれば学部の利害が大学全体の意思決定に優先したり、全学共通の問題に対して無関心になったりするため大学全体としての有機的な統一性を欠き、迅速な大学としての意思決定が困難となるなど運営上種々な問題を生じている

場合が見受けられるなどの指摘がこれに当たる。

三 (1) 本条は、昭和四八年の改正によって、現行のように改められたものであり、本則において学部が大学の基本組織であるとしていることは従前と同様であるが、新たにつけ加えられたただし書において、学部に代わる基本組織を設けることも可能とされるに至った。学部のような組織は大学にとって自然なかたちであり、大学の基本組織として学部を位置づけるという建前は維持しつつも、大学の使命を果たして行く上でその基本組織を学部のみに限定することなく各大学の自主的な改革の努力のなかで学部に代わる適切な組織が見出された場合には、それを実現できる道を開いておくことが今後の大学の発展にとって有意義なものであるとの観点に立ち、改正が行われたものである。

(2) 「教育研究上の目的を達成するため有益かつ適切である場合」とは、学部以外の組織形態をとることについて、教育活動あるいは研究活動のいずれかの部分（その両者にまたがる場合も当然含まれる）において積極的な意義が認められ、それぞれの大学が特色ある教育研究活動を進める上で、少なくとも学部の場合と同等あるいはそれ以上の効果を期待し得る場合を指すものと解される。

(3) 学部に代わる基本組織としては、教育と研究を機能的に分離するという観点に立って設けられた筑波大学の学群（教育機能に着目した組織）、学系（研究機能に着目した組織）にその例がみられる（なお、「学系」は平成二四年四月一日をもって廃止され、現在は「系」が設置されている）。

(4) この組織は、種々の実験的な試みを可能にするためのものであるので、基本的に特定の類型を一般化することを避けており、法令上の制約としては大学の水準の保持に必要な基本的要件を定めるにとどめている（大学設置基準六条）。この基本的要件の考え方は、要するに同様の教育研究分野の学部と同等以上の実質を備えていなければならないということであり、今後個々の場合について大学設置・学校法人審議会の判断等の積み重ねに待つことになろう。

(5) 同一の大学において分野によって学部を設けたり、それ以外の基本組織を設けたりすることは可能であろう

か。このことについては制度上特段の制約は設けられておらず、分野によっては、学部というかたちで教育研究をすすめる方が適切であるものとそれ以外の組織というかたちですすめる方がより効果的であるものとがあり得るものと思われ、それぞれの分野について異なる組織形態をとることが可能であると考えられる。ただし、そのような場合、一つの大学としての有機的統一性ないしは統合性が確保されるよう、運営上特に配慮が加えられる必要があろう。

四　令和元年八月の大学設置基準の改正により、大学は、横断的な分野に係る教育課程を実施する上で特に必要があると認められる場合であって、教育研究に支障がないと認められる場合には、当該大学に置かれる二以上の学部又は学部以外の基本組織との緊密な連係及び協力の下、当該二以上の学部等（連係協力学部等）が有する教員組織及び施設設備等の一部を用いて横断的な分野に係る教育課程を実施する学部等連係課程実施基本組織を、学部に代わる基本組織として置くことができることとされた。学部等連係課程実施基本組織に所属する学生の定員は、連係協力学部等の収容定員の数を合計した数の範囲内で学則において定めるものとされている。また、学部等連係課程実施基本組織の専任教員数、校舎の面積及び付属施設の基準は、連係協力学部等の全てがそれらに係る基準をそれぞれ満たすことを持って足りることとされている。

この改正により、各大学が、学生のニーズや社会の変化に柔軟かつ機動的に対応し、学内の資源を活用して、境界領域や学際領域の教育など、学部横断的な教育に積極的に取り組むことが期待されている。

なお、当分の間、医学を履修する課程、歯学を履修する課程、薬学を履修する課程のうち臨床に係る実践的な能力を培うことを主たる目的とするもの及び獣医学を履修する課程を主として実施する学部等連係課程実施基本組織を設置することはできないものとされている。また、同趣旨の特例は、大学院（研究科等連係課程実施基本組織）や短期大学（学科連係課程実施学科）においても設けられているが、専門職大学院については特例の適用の対象から除かれている。

五　本条ただし書の規定に基づく具体例としては、前述のとおり筑波大学の学群・学系制がある。この場合、教育

機能と研究機能を分離することが大学の本来の理念に背くことにならないかという問題がある。

このことについて、筑波大学の創設を定めた旧国立学校設置法の改正に当たっての提案理由説明では次のように述べている。

「この大学の特色の第一の点は、従来の大学にみられる学部、学科制をとらず、学群、学系という新しい教育、研究組織をとりいれていることであります。すなわち、学群は学生の教育指導上の組織として編成され、広い分野にわたって、学生自身の希望に基づく選択のなかで将来の発展の基礎を培うことができるように配慮されているものであり、それぞれ幅の広い教育領域を擁する第一学群、第二学群および第三学群ならびに医学、体育および芸術の各専門学群を置くこととといたしております。同時にこれらの学群の教育にあたる教員の研究上の組織として、学術の専門分野に応じて編成する学系を置き、研究上の要請に充分対処しうる条件を整備することといたしております。」

大学は、「学術の中心として、広く知識を授けるとともに、深く専門の学芸を教授研究」（法八三条）することを目的とするものであるから、専ら教育のみを行ったり、または専ら研究のみを行うものを大学とすることはできない。しかしながら、このことは、大学の内部組織について教育と研究のための組織が常に一体でなければならないということではない。従来、大学では、教育は教員の研究の成果を教授することにほかならないということから、特定分野の教育と研究を一体となって行う学部、学科、講座制が大学の中心的な組織とされてきた。しかし、最近における学術研究の専門分化や大学教育に寄せられる社会の多様な要請に応えるためには、大学の研究機能と教育機能を一応分離して組織の再編成を図る必要が指摘され、筑波大学のような場合も、そのための試みの一つということができるであろう。大学の内部組織において研究と教育との機能を分離したとしても、大学が全体として教育研究を総合的に行う体制が整えられるならば、大学の理念に背くということにはならないものと思われる。

六　学部以外の基本組織の設置廃止についても、学部と同様に文部科学大臣の認可を要することとされている（法

四条・一四一条）。本条ただし書に定める組織は学部ではないが、学部が従来果たしてきた機能を代わって果たすことになる重要な教育研究組織であり、大学として要求される教育研究水準の確保のためにはこれらの組織が実質的に学部と同等以上の内容を備えていることが必要であるため、学部と同様の取扱いとされているものである。

この場合どのような種類、規模の教育研究組織までが認可事項となるかということが問題となるが、学部に代わる基本組織の在り方自体が多様なかたちで構想され得るようにされているため、具体的にこれを特定することは困難である。抽象的には従来学部の設置廃止が認可事項とされていたこととの均衡を図る上からも、当該大学の基本となる教育研究上の組織であり、学部がこれまで果たしてきた教育研究上の機能に相当する機能を行うものでなければならないということであり、具体的には個別の構想に即して判断されるべきものであろう。

なお、学部及び学部以外の基本組織の設置については、授与する学位の種類及び分野の変更を伴わないものについては、認可を受けることを要せず届出による設置が可能である（法四条の【注解】六参照）。

七　事前規制から事後チェックという規制改革の流れから平成一四年一一月の学校教育法の一部改正及び平成一五年三月三一日の大学設置基準の一部改正により、大学に対する国の関与についても、平成一六年度から設置認可制度の大幅な弾力化と認証評価制度の導入等が行われた。それに伴い、大学設置基準等も、大学設置基準等が設置審査における諸基準が最低限であるとされるとともに、諸基準の一覧性を高め、明確化を図る改正が行われた。

その後、新しい制度下における運用実態や平成一七年一月の中央教育審議会答申「我が国の高等教育の将来像」における提言等を踏まえて、平成一九年七月三一日に大学設置基準等の改正が行われた（施行は平成二〇年四月一日）。この改正は、新しい設置認可制度の中で、学部等における教育力向上のための必要な措置として、

①　学部、学科又は課程ごとに、人材の養成に関する目的その他の教育研究上の目的を学則等に定め、公表するものとすること

② 大学は、学生に対して、授業の方法及び内容並びに一年間の授業の計画をあらかじめ明示すること

③ 学修の成果に係る評価及び卒業の認定に当たっては、学生に対してその基準をあらかじめ明示するとともに、当該基準にしたがって適切に行うものとすること

④ 大学は、授業の内容及び方法の改善を図るための組織的な研修及び研究を実施すること

等を規定するとともに、教育の質を保証する上で備えるべきものについて基準上明確化するため、大学は教育上の目的を達成するために必要な授業科目を自ら開設することや、原則、専用の施設を備えた校舎を有すること、基準校舎面積は専有部分の面積とすること等が定められた。

なお、同趣旨の改正は、短期大学設置基準、大学院設置基準等においても行われている。

八 大学は、当該学部等の教育課程を編成、実施するために必要な人的・物的要素（教員組織、施設及び設備）を自ら備えていることが必要である（大学設置基準一九条一項参照）。従来より、単位互換制度等によって、他の大学等において修得した単位を一定単位数を超えない範囲で当該大学の単位とみなすことができることとされているが（大学設置基準二八条・二九条）、これは、大学が自ら必要な人的・物的要素を備え、教育課程を編成、実施できることを前提としているものである。

しかし、一つの大学では対応することが困難な地域における人材養成や地域貢献等への対応が一層進みやすくするため、また、新たな教育研究ニーズに的確に対応して高度な教育研究組織をより柔軟かつ迅速に立ち上げることを可能にするためには、国公私立を通じて、複数の大学が相互に教育研究資源を有効に活用しつつ、教育課程を編成、実施することを認めることが適切であることから、平成二〇年一一月一三日、大学設置基準等が改正され、教育課程の共同実施制度が創設された。

本制度は、大学が、他の大学が開設する授業科目を自らの大学の教育課程の一部とみなして、教育課程を編成する

ことを認めることにより（大学設置基準四三条一項）、複数の大学（構成大学）が、それぞれ学部等を設置し、共同して同一内容の学部等の教育課程（共同教育課程）を編成、実施することを可能とするものである。「共同学部」という一つの組織（学部等）を設けるものではない。

構成大学は、学生が構成大学のうち一の大学において履修した共同教育課程に係る授業科目について修得した単位を当該構成大学のうち他の大学における当該共同教育課程に係る授業科目の履修により修得したものとみなすこととされている（大学設置基準四四条一項）。

また、この共同教育課程を修了した者には構成大学の連名による学位が授与される（学位規則一〇条の二）。共同教育課程を履修する学生は、制度上はすべての構成大学に在籍することとなる。ただし、それぞれの学生について構成大学のうちいずれか本籍を置く大学を決める必要があるとされている。教職員は、原則として構成大学のうちのいずれかの大学に所属することとなる。

この共同教育課程を実施する学部等の名称については、他の通常の教育課程を実施する学科等と対外的に区別する必要があることから、名称の冒頭に「共同」を付し「共同○○学部」などと称することとされ、また、各大学に置かれる共同学部等の名称は同一の共同教育課程を実施するものであることから、同一の名称とされている。

大学設置基準においては、このような教育課程の共同実施制度の趣旨や仕組み等を踏まえ、当該共同教育課程を編成し、及び実施するための協議の場を設けることとともに（四三条三項）、各構成大学が主要授業科目の一部を必修科目として必ず開講することや（四三条一項ただし書）、各構成大学において三一単位以上（医学又は歯学に関する共同学科については三一単位以上）取得することや（四五条一項・二項）、専任教員数、校地・校舎の面積等についての特例が定められている（四六条～四九条）。

この教育課程の共同実施制度は、学部、学科だけでなく、大学院（専門職大学院を含む）や短期大学についても設け

ることが認められている（法九七条の【注解】一五、法一〇八条の【注解】八参照）。

なお、共同教育課程の編成に当たって留意すべき点は、「大学設置基準等の一部を改正する省令等の施行について」（後掲【通知】平二〇・一一・二五　二〇文科六二一号　文部科学省高等教育局長通知）参照。

【通　知】

○国立学校設置法等の一部を改正する法律の施行について

（抄）（昭四八・一〇・五　文大大四三四号　各国公私立大学長、公立大学を設置する関係地方公共団体の長、私立大学を設置する各学校法人の理事長あて　文部事務次官通達）

このたび「国立学校設置法等の一部を改正する法律」（昭和四八年法律第一〇三号、以下「法律」という。）が九月二九日に公布され、国立の医科大学の新設等に関する規定は同日、筑波大学の創設及び大学制度の改善等の措置に関する規定は一〇月一日に、それぞれ施行されました。

この法律は、旭川医科大学の設置等国立学校の整備充実を図るほか、新しい構想に基づく大学として筑波大学を創設するとともに、学校教育法等の一部を改正し、大学制度の弾力化等に関する措置を講じたものであります。

国民の高等教育に対する多様な要請にこたえ、かつ学術・研究の進歩・発展を期するために大学改革の推進を図ることは現下の急務であります。このことは、基本的には各大学の自主的な努力にまつべきものでありますが、大学制度の弾力化を図ることによりこれらの努力による自主的改革の推進に資することが、このたびの改正の重要な目的であり、筑波大学はこのような制度の弾力化を基礎とした新しい大学のひとつとして設置されたものであります。

各大学におかれては、かねてから改革の検討等を進めておられることと存じますが、このような改正の趣旨について十分御理解をいただき、自主的改革の実現に一層の努力を払われるようお願いいたします。

この法律の要旨及び留意点は、下記のとおりですので十分御了知のうえ、それぞれ関係のある事項についてその運用に遺憾のないようお取り計らい下さい。

記

第一　学校教育法等の一部改正について

1　学部以外の教育研究上の基本となる組織の設置（学校教育法第五三条〔現行法八五条〕の改正）

(1)　大学の基本となる組織としては、従来、学部のみが認められてきたが、今回、この点が改められ、学部を常例としつつも、それぞれの大学において教育研究上の目的を達成するため有益

かつ適切である場合においては、学部の設置に代えて、学部以外の教育研究のための組織を置きうることとされた。

(2)　学部以外の教育研究上の基本となる組織の具体的な基準上の取扱いについては、大学設置基準（昭和三一年文部省令第二八号）を改正し、所要の規定を整備したうえ、別途通知する予定である。

(3)　学部以外の教育研究上の基本となる組織を置く場合の当該組織に関する法令上の取扱いについては、別段の定めのない限り、法令に「学部」と規定されている場合（学校教育法、私立学校法、弁護士法等）には、これに含まれるものである。

(4)　学部以外の教育研究上の基本となる組織を設置する場合には、学部の場合と同様、公・私立大学にあっては文部大臣の認可を受け（学校教育法第四条）、国立大学にあっては、国立学校設置法にその組織について所要の規定を設ける必要がある。

(5)　従来、大学には、数個の学部を置くことを常例とし、一個の学部のみを置くいわゆる単科大学は特別の必要がある場合においてのみ認められることとされていたが、大学教育に対する多様な要請と単科大学の実態にかんがみ、学部の数については、特に原則、例外の別を設けないこととされた。

2　医・歯学部における履修方法の弾力化

(1)　医学教育又は歯学教育を行う学部、学科における履修方法については、これまでとられていた四年の専門の課程と二年以上の進学の課程とに区分する方法のほかに、このような区分を設けず六年間を通ずるいわゆる一貫教育の方法もとりうるようにされた。

(2)　医学・歯学教育については、医・歯学の高度の発展に伴う専門教育の一層の改善と一般教育の充実を図り、社会の信頼に応える医師を養成することが強く要請されているところであり、この改正を期に、全体として調和のとれた充実した教育課程を編成するよう十分配慮する必要がある。

3　副学長の設置（学校教育法第五八条〔現行法九二条〕の改正）

（略）

4　教育公務員特例法の一部改正（略）

第二　筑波大学の創設について（略）

第三　国立学校等の新設整備について（略）

○大学設置基準等の一部を改正する省令等の施行について（抄）

（平二〇・一一・二五　二〇文科高六二一号　各国公立大学長などあて　文部科学省高等教育局長通知）

このたび、別添一（略）のとおり、大学設置基準等の一部を改正する省令（平成二〇年文部科学省令第三五号）が、また、別添二（略）のとおり、平成二〇年文部科学省告示第一六五号が、それぞれ平成二〇年一一月一三日に公布され、平成二一年三月一日から施行されることとなりました。

今回の改正は、平成一七年一月の中央教育審議会「我が国の高等教育の将来像（答申）」において、地方における高等教育の支援や地方振興に資するため、高等教育機関相互のコンソーシアム（共同事業体）形成支援や設置形態の枠組みを超えた高等教育機関間の連携協力による教育・研究・社会貢献機能の充実・強化を一層促進す

る必要性について提言がなされていること等を踏まえ、国公私を通じ、複数の大学が相互に教育研究資源を有効に活用しつつ、共同で教育課程を編成する仕組みを創設するものです。

これらの法令改正の概要及び留意すべき事項は下記のとおりですので、十分に御了知の上、その運用に当たっては遺漏なきようにお取り計らいください。

記

第一　改正の概要

1　大学設置基準等の一部を改正する省令（平成二〇年文部科学省令第三五号）

(1)　大学設置基準（昭和三一年文部省令第二八号）の一部改正

ア　共同教育課程の編成

(ア)　二以上の大学は、当該二以上の大学のうち一の大学が開設する授業科目を、当該二以上の大学のうち他の大学の教育課程の一部とみなして、それぞれの大学ごとに同一内容の教育課程（以下「共同教育課程」という。）を編成することができるものとすること。ただし、共同教育課程を編成する大学（以下「構成大学」という。）は、それぞれ主要授業科目の一部を必修科目として自ら開設するものとすること。（第四三条第一項関係）

(イ)　大学は、共同教育課程のみ（大学院の課程に係るものを含む。）を編成することはできないものとすること。（第四三条第二項関係）

(ウ)　構成大学は、当該共同教育課程を編成し、及び実施するための協議の場を設けるものとすること。（第四三条第三項関係）

イ　共同教育課程に係る単位の認定

構成大学は、学生が当該構成大学のうち一の大学において履修した共同教育課程に係る授業科目について修得した単位を、当該構成大学のうち他の大学における当該共同教育課程に係る授業科目の履修により修得したものとそれぞれみなすものとすること。（第四四条関係）

ウ　共同学科に係る卒業要件

共同教育課程を編成する学科（以下「共同学科」という。）に係る卒業要件は、第三二条に定めるもののほか、それぞれの大学において当該共同教育課程の授業科目の履修により所定の単位数以上を修得するものとすること。（第四五条関係）

医学・歯学に関する学科以外の場合　三一単位以上

医学・歯学に関する学科の場合　三二単位以上

エ　共同学科に係る専任教員数

共同学科に係る専任教員数は、それぞれの大学に置く当該共同教育課程を編成する学科を合わせて一の学部とみなして別表第一イの表の中欄又はロの表により算定される教授等の数を各構成大学に置く当該共同教育課程を編成する学科ごとの収容定員の割合に応じて按分した数（以下「大学別専任教員数」という。）以上とすること。ただし、大学別専任教員数が学部の種類ごとに現行の大学設置基準で考えられ得る最

小限度の数（以下「最小大学別専任教員数」という。）に満たない場合は、当該学科に係る専任教員の数は、最小大学別専任教員数とすること。（第四六条関係）

オ　共同学科に係る校地の面積

共同学科に係る校地の面積は、それぞれの大学に置く当該共同教育課程を編成する学科に係る校地の面積を合計した面積が各構成大学に置く当該共同教育課程を編成する学科ごとの収容定員を合計した数に十平方メートルを乗じて得た面積を超え、かつ、教育研究に支障がないと認められる場合には、それぞれの大学ごとに当該学科に係る収容定員上の学生一人当たり十平方メートルとして算定した面積を有することを要しない。（第四七条関係）

カ　共同学科に係る校舎の面積

共同学科に係る校舎の面積は、それぞれの大学に置く当該共同教育課程を編成する学科を合わせて一の学部とみなして別表第三イ又はロの表により算定される面積（以下「全体校舎面積」という。）を各構成大学に置く当該共同教育課程を編成する学科ごとの収容定員の割合に応じて按分した面積（以下「大学別校舎面積」という。）以上とすること。ただし、それぞれの大学に置く当該共同教育課程を編成する学科に係る校舎の面積の合計が全体校舎面積を超え、かつ、教育上の支障がないと認められる場合には、それぞれの大学が大学別校舎面積を有することを要しないものとすること。（第四八条関係）

キ　共同学科に係る施設及び設備

共同学科に係る施設及び設備は、それぞれの大学に置く当該共同教育課程を編成する学科を合わせて一の学部又は学科とみなして、必要な施設及び設備を備え、かつ、教育上の支障がないと認められる場合には、それぞれの大学ごとに施設及び設備を備えることを要しないものとすること。（第四九条関係）

(2)　大学院設置基準（昭和四九年文部省令第二八号）の一部改正（略）

(3)　短期大学設置基準（昭和五〇年文部省令第二一号）の一部改正（略）

(4)　専門職大学院設置基準（平成一五年文部科学省令第一六号）の一部改正（略）

(5)　学位規則（昭和二八年文部省令第九号）の一部改正

共同教育課程を修了した者に対し行う学位の授与は、当該共同教育課程を実施する大学が連名で行うものとすること。（第一〇条の二関係）

2　大学院に専攻ごとに置くものとする教員の数について定める件及び専門職大学院に関し必要な事項について定める件の一部を改正する告示（平成二〇年文部科学省告示第一六五号）（略）

第二　留意事項

1　協定等に関する事項

(1)　大学間協定の締結について

共同教育課程を編成する大学（大学院及び短期大学を含む。

以下同じ。）は、共同教育課程の安定的かつ継続的な実施を確保するため、あらかじめ構成大学間において、学長、理事長等の大学運営に責任を有する者の名義により協定を締結し、各大学ごとの収容定員、教員の配置、教育研究の内容、業務運営、経費の配分、学生に対する責任、授業料等の取扱い、共同実施の終了の際の手続きその他　共同教育課程の編成及び実施のために必要な基本的な方針について取決めを行うことが必要であると考えられること。

(2)　協議の場の設置について

構成大学は、共同教育課程の編成及び実施に当たって、構成大学間の調整を図るため、協議会等を設けるものとすること。

協議の円滑な実施のため、協議会等は、その審議事項について、各大学において権限を有する者あるいは学長、理事長等から必要な権限を委ねられている者により構成されることが必要であること。

なお、協議会等において、審議すべき事項として、以下のような事項が考えられること。

＜審議事項（例）＞

- 各大学において開設する授業科目及びこれに係る教員の配置など共同教育課程の編成及び実施に関する基本的事項
- 大学院における研究指導教員の選定に係る事項
- 入学者選抜の方針及び実施計画に関する事項
- 学生の身分取扱い及び厚生補導に関する事項
- 共同教育課程に係る成績評価の方針に関する事項
- 学位審査委員会の設置に関する事項
- 学位の授与及び課程修了の認定に関する事項
- 共同教育課程に係る教育研究活動等の状況の評価に関する事項
- 予算に関する事項
- その他共同教育課程の編成及び実施のために必要な事項

2　共同教育課程に関する事項

(1)　共同教育課程の編成及び実施の条件について

各大学において、共同学科等を設置する場合には、他に通常の教育課程を編成及び実施する学科等（大学院における研究科・専攻を含む。以下同じ。）の組織が設置されている必要があること。

学部のみを有する大学が新たに共同実施制度により大学院で共同専攻を設けること、また、大学院研究科のみを有する大学院大学が新たに共同実施制度により学部段階で共同学科（学部）を設けることは認められること。

また、通信教育に係るもの及び外国に設ける学科等の組織において単位を修得しなければならないものについては、対象としないこと。

(2)　大学院における研究指導体制について（略）

(3)　遠隔の大学による共同教育課程の実施について

構成大学が遠隔地にある場合には、共同教育課程の実施に当たり、遠隔教育の実施や各校地において一定期間まとめて授業を受けることができるようなカリキュラム編成など学生の授業

科目の履修に過度な負担を生じさせることのないよう適切に配慮することが必要であると考えられること。

(4) 安定的かつ継続的な修学環境の構築について

構成大学は、共同教育課程の安定的かつ継続的な実施を確保するため、構成大学の一部がやむを得ない事由により授業科目を開設できなくなった場合にも、学生に対し、当該授業科目を他の構成大学が開設し提供することができるよう、あらかじめ、その方策を定めておくことが必要であると考えられること。

3 共同学科等の設置に関する事項　（略）

4 学生に関する事項

(1) 学生の在籍関係について

共同教育課程を修了した者には構成大学の連名による学位が授与されることから、共同教育課程を履修する学生は制度上は全ての構成大学に在籍するものであるが、それぞれの学生について、構成大学のうちいずれか一つの大学を定め、当該大学に本籍を置く必要があること。

その際、各大学ごとの収容定員に応じて、各学生について本籍を置く大学を定める必要があること。

学校基本調査等の各種統計、調査等においては、各大学ごとの学生数は上記により本籍を置く学生の数として取り扱う必要があること。

(2) 入学者選抜の方法等について

共同学科等の入学者選抜は、「大学入学者選抜実施要領」及び「大学院入学者選抜実施要領」を踏まえ、適切に実施すること。特に、入学者選抜の実施方法等の公表時期については、入学志願者保護の観点から可能な限り早期の周知に努めること。

なお、入学者選抜の内容・方法等については構成大学で協議の上、共同して実施することが望ましいこと。

この場合において、入学者選抜の際に、各入学志願者から本籍を置く大学についての希望を聴取し、入学者選抜の結果も合わせて勘案の上、それぞれの学生について本籍を置く大学の割り振りを行うことが考えられること。

(3) 入学金、授業料等の設定について

共同学科等の入学金、授業料等については、構成大学間の協議を踏まえ、各大学ごとに定め、学生は本籍を置く大学において入学金、授業料等を納付する必要があること。

入学金、授業料等の算定に当たっては、構成大学間による資源の有効活用により実施する共同教育課程の趣旨に鑑み、構成大学の学生間で公平が図られるよう配慮するとともに、構成大学間においてできる限り、学生の便益に配慮する方向で検討することが望ましいこと。

(4) その他の学生に関する事項について

奨学金の申請については、共同学科等の学生は、それぞれ本籍を置く大学の学生として取り扱うことが必要であること。

また、共同学科等において、国費外国人留学生を受け入れる場合には、それぞれ留学生が本籍を置く大学の学生として取り扱うことが必要であること。

学生証については、構成大学の連名による学生証を発行するなどにより、共同学科等の学生が構成大学のうちいずれの大学の施設（図書館、自習室等）も利用可能となるように扱うのが望ましいこと。

なお、上記の入学金、授業料等の納付、奨学金、国費留学生その他の共同学科等の学生の取扱いについて、あらかじめ学生が了知することができるよう入学者選抜要項や募集要項等において明記する必要があること。

5　教職員に関する事項

(1)　教職員の身分取扱いの基本的な考え方について

共同教育課程を編成する学科・専攻の教職員は、原則として構成大学のうちのいずれかの大学に所属するものであること。

このため、教員の採用、昇任、降任、免職、懲戒等は大学を設置する各法人等においてそれぞれの手続きにしたがって行うものであること。非常勤講師や非常勤職員などについても同様の扱いとするものであること。（なお、構成大学間で、共同学科等に係る各大学の教職員について共通の給与等のルールを整備することは妨げないこと。）

(2)　共同学科等の長の選任等について

各構成大学にはそれぞれ共同学科等の組織が存在し、共同学科等の組織の長もそれぞれの大学に置かれることとなるが、実際の各大学における共同学科等の組織の長の任命の方法は、構成大学間の協議により決めることが望ましいこと。

この場合において、運用上それぞれの大学ごとに別々の者を共同学科等の長に任命するのではなく、一人の者に統一する場合には、その者がそれぞれの大学に置かれる共同学科等の組織の長と兼ねることとなることから、それぞれの構成大学において、各大学の手続きに従って選任される必要があること。

6　学位に関する事項

(1)　学位審査の在り方について

共同教育課程を履修する者に係る学位の審査は構成大学が合同で行うことが必要であると考えられること。この場合において、学位審査委員会は、全ての構成大学の教員をもって構成することが必要であると考えられること。

ただし、共同教育課程に係る学位審査委員会は、制度上は各大学に置かれる学位審査委員会を合同で開催するものであることから、共同教育課程に係る学位審査委員会の構成員となる教員は所属する大学以外の他の大学の教員を併任するか、あるいは、学位規則（昭和二八年文部省令第九号）第五条の協力者となることが必要であること。

また、共同教育課程に係る学位審査の円滑な実施のため、構成大学は協議の上、学位審査に係る規程等を共同で策定することが望ましいこと。

(2)　学位授与の方式について

共同教育課程を修了した者に対して学位を授与する際には、構成大学の連名で授与するものとすること。この場合において、別紙（略）の学位記の様式を参考とすること。

7　教育研究活動の評価に関する事項

共同学科等の教育研究活動に係る評価について、各大学の自己点検・評価、認証評価、国立大学法人評価など大学又は法人単位で実施されるものにおいては、共同教育課程に係る当該大学の教育研究活動の状況に加えて、共同教育課程に係る全体としての教育研究活動の状況を示す報告書を添付する必要があると考えられること。

また、専門職大学院の認証評価においては、課程単位でその教育研究活動の状況を評価するものであることから、共同教育課程を編成する構成大学が共同して認証評価を受ける必要があると考えられること。

8　その他に関する事項

(1)　共同学科等に係る事務の在り方について

共同学科等に係る事務については、効率的な事務処理の観点から、構成大学において協議の上、共同で事務を一括処理する拠点を設けることが望ましいこと。

(2)　連合大学院制度との関係について（略）

○学校教育法施行規則等の一部を改正する省令等の施行等について（抄）（令元・八・一三　元文科高三二八号　各国公私立大学長などあて　文部科学省高等教育局長通知）

この度、別添1のとおり「学校教育法施行規則等の一部を改正する省令」（令和元年文部科学省令第一一号）（以下「改正省令」という。）が、別添2のとおり「大学設置基準第二十九条第一項の規定により、大学が単位を与えることのできる学修を定める件等の一部を改正する告示」（令和元年文部科学省告示第五四号）（以下「改正告示」という。）が、それぞれ令和元年八月一三日に公布され、同日から施行されました。

今回の改正は、「二〇四〇年に向けた高等教育のグランドデザイン（答申）」（平成三〇年一一月二六日中央教育審議会）において、大学が多様な学生を受け入れるためにリカレント教育を推進すること、社会のニーズを踏まえた教育を幅広く展開させるために実務家の大学教育への参画を促進すること及び大学が時代の変化に応じ多様な教育プログラムを迅速かつ柔軟に編成できるようにすることなどが提言されたことを踏まえ、リカレント教育の推進、実務家教員の大学教育への参画促進及び学部、研究科等の組織の枠を越えた学位プログラムの実施等に向け、所要の規定を整備するものです。

これらの法令改正の概要及び留意すべき事項は下記のとおりですので、十分御了知いただき、その運用に当たっては遺漏なきようお取り計らいください。（略）

記

第一　改正の概要

1　改正省令

(1)　（略）

(2)　大学設置基準の一部改正

ア　専攻分野における実務の経験及び高度の実務の能力を有する教員（略）

イ　特別の課程履修生に対する単位授与（略）

ウ　学部等連係課程実施基本組織に関する特例

(ア)　大学は、横断的な分野に係る教育課程を実施する上で特

に必要があると認められる場合であって、教育研究に支障がないと認められる場合には、当該大学に置かれる二以上の学部等（学部又は学部以外の基本組織をいう。以下同じ。）との緊密な連係及び協力の下、当該二以上の学部等が有する教員組織及び施設設備等の一部を用いて横断的な分野に係る教育課程を実施する学部以外の基本組織（以下「学部等連係課程実施基本組織」という。）を置くことができるものとすること。（第四二条の三の二第一項関係）

(イ) 学部等連係課程実施基本組織に係る専任教員は、教育研究に支障がないと認められる場合には、(ア)の二以上の学部等（以下「連係協力学部等」という。）の専任教員がこれを兼ねることができるものとすること。（第四二条の三の二第二項関係）

(ウ) 学部等連係課程実施基本組織に係る専任教員数、校舎の面積及び附属施設の基準は、連係協力学部等の全てがそれらに係る当該基準をそれぞれ満たすことをもって足りるものとすること。（第四二条の三の二第三項関係）

(エ) 学部等連係課程実施基本組織の収容定員は、連係協力学部等の収容定員の内数とし、当該学部等連係課程実施基本組織ごとに学則で定めるものとすること。（第四二条の三の二第四項関係）

(オ) 学部等連係課程実施基本組織における教員数は、当該学部等連係課程実施基本組織を一学科で組織する学部とみなして別表第一イ(1)の表の中欄から算出される教員数とするものとすること。（別表第一イ(1)備考12関係）

(カ) 大学は、この省令による改正後の大学設置基準第四二条の三の二の規定にかかわらず、当分の間、医学を履修する課程、歯学を履修する課程、薬学を履修する課程のうち臨床に係る実践的な能力を培うことを主たる目的とするもの及び獣医学を履修する課程を主として実施する学部等連係課程実施基本組織を設置することができないものとすること。（改正省令附則第二条関係）

エ　（略）

(3)〜(7)　（略）

2　改正告示　（略）

第二　留意事項

1〜3　（略）

4　学部等連係課程実施基本組織等

(1) 総論

学部等連係課程実施基本組織等は、横断的な分野に係る教育課程を実施する上で特に必要があると認められる場合であって、教育研究に支障がないと認められる場合に限り、設置できるものであること。

したがって、例えば、①学部等連係課程実施基本組織等が実施する教育課程が、横断的な分野に係る教育課程とは認められない場合、②既設の学部等を実質的に廃止若しくは改組することを目的に、新たな学部等連係課程実施基本組織を設ける場合又は③多数若しくは大規模な学部等連係課程実施基本組織等を

設置することにより、教育研究に支障が生じる場合などは、学部等連係課程実施基本組織等を設置することができないこと。

同様に、各連係協力学部等についても、横断的な分野に係る教育課程を実施する上で、他の連係協力学部等と緊密に連係及び協力する必要性があると認められること、かつ、連係協力学部等となることにより、当該連係協力学部等における教育研究に支障が生じないことが必要であること。

したがって、例えば、横断的な分野に係る教育課程を実施する上で、その教員組織及び施設設備等を全く若しくはほとんど用いないにかかわらず、又は、教育研究上の必要性が認められないにもかかわらず、連係協力学部等となることは適切ではないこと。

また、大学の専門職学部・学科については、大学設置基準第十章及び別表において、専門職学部・学科以外の学部・学科とは異なる基準を設けていることなどを踏まえ、専門職学部・学科を連係協力学部とする学部等連係課程実施基本組織を設置しようとする場合には、教育研究における支障の有無について、特に慎重な検討が必要であること。短期大学の専門職学科についても同様であること。なお、専門職大学及び専門職短期大学については、学部等連係課程実施基本組織及び学科連係課程実施学科を設置することができないこと。

(2) 横断的な分野に係る教育課程の実施のために必要な基本的な方針について

横断的な分野に係る教育課程の安定的かつ継続的な実施を確保するため、あらかじめ、連係協力学部等ごとの学部等連係課程実施基本組織等の収容定員の内訳、教員の配置、教育研究の内容、業務運営、経費の配分、学生に対する責任その他横断的な分野に係る教育課程の実施のために必要な基本的な方針を明らかにしておくことが望ましいと考えられること。

(3) 共同教育課程を編成する学科及び専攻、工学分野の連続性に配慮した教育課程を編成する学部及び研究科並びに国際連携教育課程を編成する学科及び専攻に関する特例との関係について

共同教育課程を編成する学科及び専攻、工学分野の連続性に配慮した教育課程を編成する工学に関する学部及び研究科並びに国際連携教育課程を編成する学科及び専攻に関する特例は、それぞれ、二以上の大学、大学院若しくは短期大学による共同教育課程、工学に関する学部とそれを基礎とする研究科との工学分野の連続性に配慮した教育課程又は大学、大学院若しくは短期大学と外国大学との国際連携教育課程を実施とするものであるところ、同一の大学、大学院又は短期大学における学部間、研究科間又は学科間における横断的な分野に係る教育課程の実施を目的とする学部等連係課程実施基本組織等の対象としてこれらの特例が適用される学部、研究科又は学科を含めることは、複数の組織間での連係と学部間、学科間又は研究科間の連携とが重複することになり、教育研究の水準の維持や教員の従事比率（エフォート）の管理が困難になると考えられることから、学部等連係課程実施基本組織等の対象から除くこととしたこと。

(4) 大学院の修士課程における横断的な分野に係る教育課程の実施について

修士課程（博士課程（前期及び後期の課程に区分する博士課程における前期の課程に限る。）を含む。）を置き修士の学位を与える研究科等と専門職学位課程を置き専門職学位を与える研究科等との連係及び協力による研究科等連係課程実施基本組織の設置は認められないこと。ただし、修士の学位を与える研究科等が他の修士の学位を与える研究科等と連係及び協力により研究科等連係課程実施基本組織を設置する場合であって、連係協力研究科等となる研究科等における修士課程の一部について他の専門職学位課程との間で教員の兼務等の連携が行われている場合に、当該教員等を横断的な分野に係る教育課程において用いることは差し支えないこと。

(5) 設置申請等の手続について

学部等連係課程実施基本組織等については、学校教育法第八五条ただし書に規定する「学部以外の教育研究上の基本となる組織」（以下「学部以外の基本組織」という。）の一類型であることから、その設置に当たっては、学位の種類及び分野の変更を伴う場合には認可申請が、変更を伴わない場合には届出がそれぞれ必要であること。このため、学部等連係課程実施基本組織等は、大学の設置等の認可の申請及び届出に係る手続等に関する規則第一四条に基づく設置計画履行状況調査の対象となること。当該学部等連係課程実施基本組織等の設置が学位の種類及び分野の変更を伴うか否かについて疑義がある場合には、大学設置・学校法人審議会大学設置分科会運営委員会の事前相談に諮ることが望ましいこと。なお、令和二年度に開設を希望する場合は十月の事前相談の受付期間に提出することが望ましい。

学部等連係課程実施基本組織等の設置の届出を行う場合には、学部等の設置の届出の際に提出が必要となる書類のうち、校地校舎等の図面、教員個人調書及び教員就任承諾書の提出は不要であり、かつ、当該届出については、当該学部等連係課程実施基本組織等を設置しようとする日の一年前の日から二か月前の日までに届出を行えば足りること。

学部等連係課程実施基本組織等の廃止については、学部（大学院の場合には研究科、短期大学の場合には学科。）の例によること。

その他設置申請等の手続の詳細については、文部科学省ホームページ等で追って公表予定であるが当面の間、個別に相談すること。

なお、学部等連係課程実施基本組織等の設置に係る学校法人の寄附行為変更については、通常の学部等の設置に係る学校法人の寄附行為変更の場合と同様に、認可申請又は届出の手続が必要であること。

(6) 名称等について

学部等連係課程実施基本組織等の名称については、社会通用性にも留意しつつ、教育研究上の目的にふさわしいものとなるよう、各大学等において適切に定めること。

なお、「学部等連係課程実施基本組織」等の名称は、あくまで法令上の用語であって、本名称の全部又は一部を、各学部等連係課程実施基本組織等の名称に含めることを求めるものではないこと。

また、学部等連係課程実施基本組織等そのものに対する社会通用性の向上に向けて、各大学等における積極的な周知・広報が期待されること。

(7)　収容定員について

学部等連係課程実施基本組織等の収容定員については、連係協力学部等の収容定員の総数の範囲内とし、学部等連係課程実施基本組織等ごとに学則において定めること。また、各連係協力学部等の収容定員のうち学部等連係課程実施基本組織等の収容定員として活用する内訳についてもあらかじめ定めるものとし、入学希望者や在学生等が混乱することのないよう募集要項や学部則等において明示すること。なお、医師、歯科医師、獣医師及び船舶職員の養成に係る学部等が連係協力学部等となる場合にあっては、当該各分野における人材需要に対応する観点から、当該学部等の収容定員について学部等連係課程実施基本組織等の収容定員に活用することは適切ではないこと。

(8)　学生組織について

学部等連係課程実施基本組織等に所属する学生の学籍管理については、学部等連係課程実施基本組織等において行うことのほか、各連係協力学部等において行うことや学部等連係課程実施基本組織等と連係協力学部等とが共同して行うことなどが想定されるが、各大学等において適切に判断すること。

また、各大学等においては、所属する学部等連係課程実施基本組織等に対する学生の所属意識を醸成するための取組が期待されること。

(9)　専任教員等について

学部等連係課程実施基本組織等の専任教員（大学院における研究指導教員及び研究指導補助教員を含む。以下同じ。）については、連係協力学部等の専任教員が兼ねることができるが、これは教育研究に支障がないと認められる場合に限られること。

大学及び短期大学の専門職学部及び専門職学科については、大学設置基準第四二条の六第三項又は短期大学設置基準第三五条の一一第三項において、それぞれいわゆる「みなし専任教員」の規定が設けていることを踏まえ、これらを連係協力学部等とする学部等連係課程実施基本組織等を設置しようとする場合には、教育研究における支障の有無について、特に慎重な検討が必要であること。

学部等連係課程実施基本組織等と連係協力学部等の両方の専任教員を兼ねる教員については、その業務の複雑性が高まることが想定されることから、各大学、大学院及び短期大学においては一層、個々の教員の勤務状況を適切に把握し、当該教員の勤務環境に十分に配慮するとともに、従事比率（エフォート）の管理等を通じて、当該教員の教育研究に支障が生じることがないよう、適切な措置を講じることが求められること。

また、学部等連係課程実施基本組織等において、当該学部等連係課程実施基本組織等の管理運営や連係協力学部等との調整等を主に担当する教員を置くことが望ましいこと。なお、当該教員として、連係協力学部等の専任教員を兼ねる教員を置くことは妨げられないが、そのことにより当該教員の教育研究に支障が生じることがないよう、十分に配慮することが求められること。

なお、改正省令による改正後の大学設置基準別表第一イ(1)備考第12及び短期大学設置基準別表第一イ備考10並びに改正告示による改正後の大学院に専攻ごとに置くものとする教員の数について定める件第四号において、学部等連係課程実施基本組織等における専任教員数及び専攻ごとに置くものとする教員数の基準を定めていることから、各大学、大学院及び短期大学は本基準に基づき専任教員（連係協力学部の専任教員が兼ねる者を含む。）を適切に配置すること。ただし、改正省令による改正後の大学設置基準第四二条の三の二第三項又は短期大学設置基準第三条の二第三項により、連係協力学部等の全てがそれらに係る当該基準をそれぞれ満たすことをもって学部等連係課程実施基本組織等における専任教員数の基準を満たしているものとすること。

⑽　施設及び設備等について

学部等連係課程実施基本組織等に係る校地、校舎等の施設及び設備（以下「施設及び設備等」という。）については、連係協力学部等の施設及び設備等の一部を共用することを前提に、新たな施設及び設備等を備えることを要しないこととしているが、これは教育研究に支障がないと認められる場合に限られること。

この際、学部等連係課程実施基本組織等の学生が、連係協力学部等の施設及び設備等を十全に利用できるよう、学部等連係課程実施基本組織等と連係協力学部等の協議により、適切な体制を整えることが望ましいこと。

⑾　入学者選抜の方法等について

学部等連係課程実施基本組織等は入学者選抜の募集単位とすることができること。なお、入学者選抜の方法としては、従来から置かれている各連係協力学部等と学部等連係課程実施基本組織等においてそれぞれ入学者選抜を実施する方法に加え、各連係協力学部等及び学部等連係課程実施基本組織等が合同で実施するなど、大くくり化することは差し支え無いこと。

また、学部等連係課程実施基本組織等の入学者選抜は、「大学入学者選抜実施要項」及び「大学院入学者選抜実施要項」を踏まえ、公正かつ妥当な方法により、適切な体制を整えて行うこと。

⑿　三つのポリシーについて

大学及び短期大学は、「「卒業認定・学位授与の方針」（ディプロマ・ポリシー）、「教育課程編成・実施の方針」（カリキュラム・ポリシー）及び「入学者受入れの方針」（アドミッション・ポリシー）の策定及び運用に関するガイドライン」（平成二八年三月三一日中央教育審議会大学分科会大学教育部会）

や、学部等連係課程実施基本組織が横断的な分野に係る教育課程を実施するものであることを踏まえ、学位プログラムごとに、学校教育法施行規則第一六五条の二に規定する卒業の認定に関する方針（以下「ディプロマ・ポリシー」という。）、教育課程の編成及び実施に関する方針（以下「カリキュラム・ポリシー」という。）及び入学者の受入に関する方針（以下「アドミッション・ポリシー」という。）を定め、これら三つの方針（以下「三つのポリシー」という。）に基づき教育活動を行うことが望ましいこと。大学院については、改正省令施行の時点でカリキュラム・ポリシー及びディプロマ・ポリシーの策定が法令上義務付けられていないが、これらの策定を義務付ける省令改正を近日中に予定していることから、これらについても策定することが必要となること。

また、三つのポリシーについては、これらを一貫した理念のもとに定め、それらに基づく体系的で組織的な大学教育を実施するとともに、当該教育課程共通の考え方や尺度を踏まえた適切な点検・評価を通じた不断の改善に取り組むことが期待されること。

なお、必ずしも三つのポリシー全てを同一の単位で策定する必要はなく、例えば、入学者が幅広い分野の知見に触れながら自らの適性や関心等に基づき専攻分野を決めることができるようアドミッション・ポリシーにおいて入学者の募集単位を大くくり化している場合などにおいては、複数のディプロマ・ポリシーに対して一つのアドミッション・ポリシーが対応するなど、ポリシー間で策定単位が異なることとなることも考えられること。ただし、このような場合においても、三つのポリシーが全体として一貫性のあるものとして策定されるように設計を行うことが求められること。

⒀　教学管理体制について

学部等連係課程実施基本組織等が実施する横断的な分野に係る教育課程の質保証の観点から、教育課程の編成・実施、学生の入学及び卒業の判定並びに学位に関する審査、学生への履修指導、成績評価並びに大学設置基準第二五条の三等に規定する授業の内容及び方法の改善を図るための組織的な研修及び研究（いわゆる「ファカルティ・ディベロップメント」のこと。）等を実施する教学管理体制を整備することが極めて重要であること。その際、連係協力学部等が連係及び協力して、学部等連係課程実施基本組織等に各種委員会等の教学管理を担う組織を設けることが想定されること。

なお、大学、大学院及び短期大学が時代の変化に応じ多様な教育プログラムを迅速かつ柔軟に編成できるようにするという本制度の趣旨を踏まえれば、学部等連係課程実施基本組織等ごとの教学管理体制に加えて、学長の下に全学的な教学管理体制を設け、新たな学部等連係課程実施基本組織等の設置や質保証の取組を一元的に進めていくことなども考えられること。

⒁　学位授与について

学部等連係課程実施基本組織等を卒業又は修了した者に対する学位授与については、連係協力学部等の卒業又は修了した者

に対する通常の学位と区別して、当該課程の実施主体や性格が明らかになるよう適切な方式とすること。ただし、連係協力学部等の名称を学位記に付記することを妨げるものではないこと。

⒂ 教育研究活動の評価について
学部等連係課程実施基本組織等の教育研究活動に係る評価について、学部等連係課程実施基本組織等は学部以外の基本組織の一類型であることから、自己点検・評価、認証評価、国立大学法人評価など各大学、大学院若しくは短期大学又は法人単位で実施されるものにおいては、学部等連係課程実施基本組織等の教育研究活動の状況を示す必要があると考えられること。

⒃ 事務の取扱について
学部等連係課程実施基本組織等に係る事務については、効率的な事務処理の観点から、連係協力学部等との緊密な連係及び協力の下、適切な体制を構築することが望ましいこと。

〔夜間学部又は通信教育学部〕

第八十六条　大学には、夜間において授業を行う学部又は通信による教育を行う学部を置くことができる。

【沿　革】　平一三・七・一一法一〇五により、「又は通信による教育を行う学部」を追加した。平一九・六・二七法九六により、旧五四条から八六条に移動した。

【参照条文】　法八四条、八五条、一〇一条、八七条一項ただし書。

【注　解】

一　本条は、大学における夜間学部又は通信教育を行う学部の設置根拠である。平成一三年七月の改正により、通信教育に関する法旧五四条の二第一項の規定が法旧五二条の二（現行八四条）に移されるとともに、法旧五四条の二第二項に規定されていた通信教育を行う学部に係る部分が本条に追加された。

二　学校教育法施行前においても、実態として夜間学部は存在したが、法制上はこれを容認する規定はなく、いわ

ば制度外の存在とされていた。新学制の発足に当たり夜間学部に関する規定が設けられたのは、通信による教育の許容や公開講座の開設等とならんで、教育の機会均等の実現や大学教育の社会への開放等を目指すものであると解される。

三　本条は、昼間制又は全日制を前提とする学部の例外を認め、学部の一形態として夜間に授業を行うものもあり得るという特例を定めたものと理解することが妥当であると考えられる。すなわち、学校制度は、一般的にはいわば全日制の授業形態を前提としており、幼稚園、小学校、中学校等においては、それ以外の形態で授業が行われることを制度上予想しておらず、全日制の課程のほか定時制の課程及び通信制の課程という制度を設けることとした高等学校については、法律措置をもって、全日制以外の教育形態を特に容認している。したがって、大学についても、本条のごとき規定を設け、夜間に授業を行う学部があり得ることを認めることが必要であった。またこのことは、その前提として、昼間制又は全日制による形態以外の教育形態があることをも認めていることにつながるものと考えられる（なお、法旧五四条については、当初「夜間において授業及び研究を行う学部」という文言で政府提案され、国会において、単に「夜間において授業を行う学部」と改められているが、当初案は完結した特別の学部をあらわし、修正後のものは授業形態のみに例外を認めた学部をあらわす意味合いが強いと理解することが可能であろう。）。

本条の趣旨を以上のように理解すれば、夜間において授業が行われるのは、夜間のみに授業を行うことを目的とする学部が主体となる場合も、昼間において授業を行う学部がその授業遂行上の一方法として併せて夜間に授業を行う場合も、ともにあり得るのであって、社会の多様な要請に対し柔軟な対応を可能とするものと考えられる。ただし、公私立大学についての従来の取扱いは、教育研究水準の維持向上という観点から、その校地、校舎や教員組織について昼間における教員組織との大幅な共同関係を認めつつ、夜間の授業のみを行う別個の学部を設置するものとして取り扱われている（大学設置基準別表第一イ備考五等参照）。なお、都市部にある大学が、教育条件の改善充実を図るため郊

外に移転する場合、有職者に対し高等教育の機会を提供する観点から、夜間学部を都市部に残すことが望ましい場合もあるため、昭和五九年四月一日から昼間学部と近接した施設等を使用する夜間学部に係る設置基準の弾力化が図られている（昭五八文部省令二三による大学設置基準の一部改正）。

四　修業年限は、通常の学部では四年であるのに対し、夜間学部の場合は「四年を超えるものとすることができる」と規定されている（法八七条）。しかし法令上何年でなければならないという定めは設けられていない。大学を卒業するための要件については、大学設置基準に具体的な定めが設けられており、所定の単位の修得が必要とされているが、夜間における授業及びこれに対応する予復習を大学設置基準の趣旨どおり行うためには四年間では無理のあることが予想されるため、このような規定が設けられているものと思われる。

五　大学における履修形態の弾力化の一つの方式として、昼間部、夜間部に区分せず、昼夜にわたって授業を開設し、社会人等の学生の履修を可能にしようとする、いわゆる昼夜開講制が行われている。

なお、平成三年の改正により、大学設置基準に、次の条項が加えられた。

（昼夜開講制）

第二十六条　大学は、教育上必要と認められる場合には、昼夜開講制（同一学部において昼間及び夜間の双方の時間帯において授業を行うことをいう。）により授業を行うことができる。

六　さきに述べたように、本条の通信教育を行う学部に係る部分は改正前の法旧五四条の二第二項（当時）に定められていたものである。同項は、放送大学において通信による教育のみを行う学部を設置する構想が進められたため、そのような学部を置くことができることについて、夜間学部の規定との対比上もこれを明確にするため、昭和五六年の改正において追加されたものである。放送大学は、昭和四〇年代以来構想されてきたものであり、昭和五六年にその設置者である特殊法人放送大学学園の根拠を定める放送大学学園法が制定された。放送大学は昭和五八年に設

置され、昭和六〇年度から学生の受入れを行っている。さらに、平成一四年度からは大学院において学生の受入れを行っている。

なお、平成一三年に特殊法人等整理合理化計画が策定され、この計画実施の一環として、放送大学学園法が全面改正され、放送大学学園は特殊法人から特別な学校法人に転換された（放送大学学園法三条）。

この放送大学の基本的な考え方は、広く大学関係者の協力を得て、放送を効果的に利用した大学教育を実施しようとするものである。

(1)　設立のねらいとしては、①生涯教育機関として広く社会人や専業主婦に大学教育の機会を提供すること、②今後の高等学校卒業者に対し柔軟かつ流動的な大学進学の機会を保障すること、③既存の大学との連携協力を深め、単位互換の推進、教員交流の促進、放送教材活用の普及等により我が国大学教育の改善に資すること、である。

(2)　教育の基本的な考え方としては、①正規の大学として設置すること、②国民の多様な要請に応じられるよう幅広い内容の授業科目を開設すること、③授業をテレビ、ラジオで放送するとともに、各都道府県に設けられる学習センターにおいて適切な面接指導を行うこと、となっている。

(3)　学生については、①正規の学部学生は、放送大学に四年以上在学し、所定の科目の単位を修得したときは、大学卒の資格を取得させ、学士（教養）の学位を授与すること、また、大学院にあっては、二年以上在学し、所定の単位を修得するとともに修士論文又は特定課題研究の審査及び口頭試問に合格したときは、修士（学術）の学位を授与すること。②特定の科目等を選択的に履修しようとする学生を積極的に受け入れること、などとされている（法二条の【注解】七参照）。

(4)　大学通信教育については、これが大学教育の機会の拡大に重要な役割を担っていることにかんがみ、通信教育において聴講生として相当程度の授業科目を聴講した者について、当該通信教育を行う大学において、高等学校を卒

業した者と同等以上の学力があると認められる場合には、施行規則一五〇条七号の規定により大学の入学資格があるものとして認められることとされている（昭五六・一〇・二九　文大大二二五号の記の一四、法八四条【通知】参照）。

放送大学が学生を受け入れる等近年において通信教育が進展してきたことにかんがみ、昭和五九年の大学通信教育設置基準の改正により、右記取扱いによって大学の通信教育に入学した学生の入学前の当該大学における聴講生として授業科目を聴講し当該授業科目について聴講の成果の認定を受けている者については、当該大学が教育上有益と認めるときは、聴講生としての聴講を当該入学した大学における履修とみなし、その成果について単位を与え、卒業に必要な単位に含めることができることとされた。さらに、平成三年の大学設置基準の改正により、通信教育のみならず大学一般について正規学生以外の者で一部の授業科目を履修する者に単位が与えられる制度（科目等履修生）が導入され（大学設置基準三一条）、入学する前にこの制度により修得した単位を大学が卒業に必要な単位に含めることができることとされた。これに伴い、大学通信教育設置基準における聴講生としての聴講に関する規定は削除された。

〔大学の修業年限〕

第八十七条　大学の修業年限は、四年とする。ただし、特別の専門事項を教授研究する学部及び前条の夜間において授業を行う学部については、その修業年限は、四年を超えるものとすることができる。

②　医学を履修する課程、歯学を履修する課程、薬学を履修する課程のうち臨床に係る実践的な能力を培うことを主たる目的とするもの又は獣医学を履修する課程については、前項本文の規定にかかわらず、その修業年限は、六年とする。

【沿　革】　昭二九・三・三一法一九により、第二項及び第三項を追加した（医学歯学進学課程制度を創設）。
昭三六・一〇・三一法一六六により、字句の整理を行った。

昭四八・九・二九法一〇三により、第二項を改正した（医学歯学の分野に六年一貫制度が可能となるように改正）。

昭五八・五・二五法五五により、第四項を追加し、獣医学の分野の修業年限を六年とした。

平三・四・二法二五により、第二項及び第三項を削除し、医学・歯学の進学課程を法律上は規定しないこととするとともに、第四項を第二項とし、医学・歯学と獣医学に係る修業年限の規定を一つにまとめた。

平一三・七・一一法一〇五により、「第五十四条の」を「前条の夜間において授業を行う」に、「こえる」を「超える」に改めた。

平一六・五・二一法四九により、薬学を履修する課程のうち臨床に係る実践的な能力を培うことを主たる目的とするものの修業年限を六年とした。

平一九・六・二七法九六により、旧五五条から八七条に移動した。

【参照条文】　法八六条、一〇八条二項。大学設置基準三〇条の二。

【注　解】

一　本条は、大学の修業年限に関する規定である。一項で原則と例外事項を定め、二項で医学等を履修する課程の特例を定めている。

二　大学の修業年限は本条に示すとおり、四年が原則であり、特別の専門事項を教授研究する学部及び夜間学部については四年を超えるものとすることができる。大学の修業年限四年の特例としては短期大学があり、二年又は三年の修業年限とされている（法一〇八条）。

この規定は、個々の学生の履修に着目するよりも、むしろ制度として大学教育を履修させる年限を定めたものであり、各大学は、この規定に従って、教育課程を四年間に割り振って編成することが要請される。

三　「特別の専門事項を教授研究する学部」として修業年限を四年以上としているものは現在はない。商船学部については乗船実習等との関連から四年半の修業年限とされていたが、商船大学卒業者が必ずしも船舶職員となるとは

限らず、海技従事者の免許を必要としない学生が増加する傾向が顕著になるという情勢に対応して、昭和五一年度の入学生からは修業年限は四年と改められた。海技従事者の免許を必要とする学生については、卒業後別途乗船実習のため六か月間の教育を受ける特別の課程に在籍することとされた。

夜間学部について四年を超えることができるとされたのは、単位の修得が四年間では困難な場合があること及び学生の健康上の配慮などからである。国立大学の夜間課程は、ほとんどが五年の修業年限とされていたが、近時いわゆる昼夜開講制の学部の開設に伴い、四年間で履修を可能とするものが増えてきている。なお、通信による教育を行う学部については、このような特例は設けられていない。

四　平成一四年の大学設置基準の改正により、各大学が長期履修学生制度を設けることができることが明定された（大学設置基準三〇条の二）。これは、社会人等が個人の事情に応じて修業年限を超えて履修し学位を取得するためのものである。すなわち、修業年限の変更をするのではなく、修業年限を超えて長期にわたり計画的に教育課程を履修し卒業することを希望する旨を学生が申し出たときに、大学においてその計画的な履修を認めることができることとするものである。

（長期にわたる教育課程の履修）

第三十条の二　大学は、大学の定めるところにより、学生が、職業を有している等の事情により、修業年限を超えて一定の期間にわたり計画的に教育課程を履修し卒業することを希望する旨を申し出たときは、その計画的な履修を認めることができる。

五　二項は、医学、歯学、薬学を履修する課程のうち臨床に係る実践的能力を培うことを目的とするもの又は獣医学を履修する課程についての修業年限の特例規定である。例えば医学部に設けられている保健学科等にはこの規定は適用されない。

六　医学、歯学の課程の修業年限についての特例は、昭和二九年の本法改正（法一九）により追加された。それまでも医学、歯学の課程の履修に要する期間は六年とされていたが、制度上は、医歯学部は専門課程のみの四年のものとされ、その入学資格は、医歯学部以外の学部に二年以上在学し、所定の単位すなわち一般教育を履修することとされていた。しかし、このような制度のもとでは、総合大学の場合には医歯学部以外の学部でこの二年間の教育を行うため、医歯学部への進学のための過当な学内競争や学内浪人の増加などの問題を生じ他の学部の教育にも悪影響を与える傾向が見受けられ、逆に単科の医科大学の場合には、大学自身がこの二年間の教育を行うことができないので、大学が希望するような入学者を確保できないというような事態を生じた。そのため、この二年の課程と四年の課程を結合させ、「その修業年限は、六年以上とし、四年の専門の課程とこれに進学する二年以上の課程とする」と改められた。

しかし、その後、医学、歯学の分野の学問の分化、発展に伴って専門教育の一層の充実を図る必要が強く要請され、特に医学については、昭和四五年の医師法の改正によりインターン制度が廃止され、いわゆる卒業前の臨床教育の比重が従前にまして大きくなった。このような情勢の下において、一般教育についてもこれを専門教育から切り離して形式的に実施するのではなく、全在学期間にわたって専門教育との有機的な連携のもとに充実した内容のものを行う必要が指摘された。このような事情は、他学部の専門教育についてもいえることであるが、他学部の場合には、法律上進学の課程と専門教育の課程という区分が行われていないため、比較的柔軟に、一般教育についていわゆる楔形の教育課程を編成して専門教育との連携に工夫を加えることが可能であった。そこで、医歯学部についても、他学部同様、六年間を通じた弾力的かつ効率的な教育課程を編成しうる方途を開くことが関係者から強く望まれるに至り、昭和四八年の本法改正において、「当該課程を専門の課程及びこれに進学するための課程とに分ける場合においては、これらの課程は、それぞれ四年の課程及び二年以上の課程とする。」と改めることにより、これまでのとおり

進学課程と専門課程を区分する方法のほかに、このような区分をとらないで六年間を通ずる一貫教育も実施し得る途をひらいた。

さらに大学審議会の答申を受け、六年間を通じた有機的な教育課程の編成を促進するため、平成三年の本法改正により、進学課程と専門課程の区分に関する規定を削除し、それに伴って従来「六年以上」とした修業年限を「六年」に改めた。これにより進学課程、専門課程は法令上の制度ではなくなり、弾力的なカリキュラム編成ができることとなったが、各大学の判断によりこのような課程の区分を設けることは可能である。

七 また、獣医学を履修する課程の修業年限の特例は、昭和五八年の改正により追加された。この課程については、従来、このような特例はなく、四年の修業年限とされていたが、畜産の発展、公衆衛生の向上等による社会的な要請にこたえるため、まず獣医師国家試験の受験資格を定める獣医師法の改正が行われ、学部卒業後獣医学の修士課程を修了した者にのみ受験資格を与えることとされたが、すすんで学部段階における教育内容の充実を図り、かつ、効果的に教育を実施し得るよう、学部の修業年限を六年とし、卒業者には直ちに受験資格を与えるよう制度の整備が図られたものである。なお、この改正に伴い、大学設置基準の関連する規定の整備が図られた（昭五八文部省令二三による大学設置基準の一部改正）。

また、平成元年一〇月の大学院設置基準二六条（現行四四条）の改正により、獣医学に関する大学院の課程は、医・歯学と同様に、標準修業年限四年の博士課程のみとされた。

八 平成一六年五月の学校教育法の改正により、薬学を履修する課程のうち臨床に係る実践的な能力を培うこと（薬剤師養成）を主たる目的とするものの修業年限は六年とされ、平成一八年四月一日から施行された。これは、近年の医療技術の高度化、医薬分業の進展等に伴い、医薬品の安全使用や薬害の防止等についての社会的要請が高まりつつある中で、薬剤師が、医療の担い手としての役割を積極的に果たすことができるよう薬剤師養成を目的とする薬学

教育の改善・充実を図るものである。なお、医学、歯学、獣医学とは異なり、薬学に関する研究、製薬企業における研究・開発・医療情報提供など多様な分野に進む人材の育成のために、四年間の学部・学科の存置も認めることとしている。

なお、本条の改正を受け、大学設置基準及び大学院設置基準が改正され、六年制の薬学の課程については、専任教員数の基準が新たに定められるとともに一定割合は薬剤師としての実務経験を有する者を含むこと、卒業するために修得することが必要な単位が一八六単位以上とされ、そのうち二〇単位以上は病院及び薬局における実習により修得することとすること、六年制の薬学の課程を基礎とする博士課程については、医学、歯学又は獣医学を履修する博士課程と同様、その標準修業年限を四年とすること等が定められた。

【通　知】

○大学設置基準の一部を改正する省令の施行等について（抄）

（平一四・四・三〇　一四文科高一一八号　各国公私立大学長、放送大学長、大学評価・学位授与機構長、大学を設置する各地方公共団体の長、大学を設置する各学校法人の理事長、放送大学学園理事長あて　文部科学事務次官通知）

今回の改正の趣旨は、社会人の様々な学習需要に対応し、大学等が多様で柔軟な学習機会を提供し、社会人の受入れを一層促進し得るよう、①大学等が、長期履修学生を認めることができることを明らかにするとともに、②通信教育を行う大学院の課程として博士課程を追加するほか、③専門大学院の標準修業年限を一年以上二年未満とすることができるものとし、制度の弾力化を図るものであります。各大学等におかれては、今回の改正の趣旨を踏まえた積極的な取組をお願いいたします。

今回の改正の概要及び留意点は下記のとおりですので、十分御了知の上、その運用に当たって遺漏のないようお取り計らいください。

記

第一　大学設置基準の一部改正

1　大学は、大学の定めるところにより、学生が、職業を有しているなどの事情により、修業年限を超えて一定の期間にわたり計画的に教育課程を履修し卒業することを希望する旨を申し出たとき

は、その計画的な履修を認めることができることとしたこと（第三〇条の二関係）。

2　なお、上記の計画的な履修を認められた学生（以下「長期履修学生」という。）は、入学定員の枠内で受け入れるものとすること。ただし、長期履修学生は、通常の修業年限在学することが予定される学生よりも一年間又は一学期間の修得単位数が少ないことから、その履修形態を反映させるため、在学者数が収容定員を超えているか又は収容定員を充足しているかを判断するに当たっては、長期履修学生の在学者数は、その実際の人数に、修業年限を当該学生が計画的に教育課程を履修することを認められた期間で除して得た数を乗じて算定することとすること。

また、通常の修業年限在学することが予定される学生と長期履修学生との履修形態の変更については、上記の算定方法によって算定した場合に在学者数が収容定員を超えない範囲内で変更を認めることとすること。長期履修学生への履修形態の変更は、長期履修学生として履修することが適当であるかどうかを十分に検討した上で適切に行うこと。

このほか、長期履修学生は修業年限を超えて在学することから、その授業料については、通常の修業年限在学することが予定される学生との均衡に配慮しつつ、学生の負担軽減を図る観点から、修業年限分の授業料総額を計画的に履修することを認められた期間の年数で分割して納めることができるようにしたり、履修する単位数に応じて授業料を納めることができるようにするなど、設置者の判断により適切な方法で徴収することが望ましいこと。

第二　大学院設置基準等の一部改正（略）

第三　短期大学設置基準の一部改正（略）

○大学における薬学教育の修業年限の延長に係る学校教育法等の一部を改正する法律等の施行について（抄）（平一七・三・二三　一六文科高九八四号　各国公私立大学長、放送大学長、大学評価・学位授与機構長、独立行政法人大学入試センター理事長、各都道府県知事、各都道府県教育委員会、大学を設置する各地方公共団体の長、大学を設置する各学校法人の理事長、放送大学学園理事長あて　文部科学事務次官通知）

第一　学校教育法等の一部を改正する法律（平成一六年法律第四九号）

1　改正の趣旨

今回の改正は、近年の医療技術の高度化や医薬分業の進展等に伴い、医薬品の安全使用や薬害の防止等についての社会的要請が高まりつつある中で、薬剤師が、医療の担い手としての役割を積極的に果たすことができるよう、大学の薬学を履修する課程のうち臨床に係る実践的な能力を培うことを主たる目的とするものについては、その修業年限を六年とし、薬剤師養成を目的とする薬学教育の改善・充実を図るものである。

2　学校教育法の一部改正（第一条関係）

大学の薬学を履修する課程のうち臨床に係る実践的な能力を培うことを主たる目的とするものの修業年限を六年としたこと。（第五五条第二項（現行法八七条二項））

第二　学校教育法施行規則等の一部を改正する省令（平成一六年文部科学省令第四三号）

1　学校教育法施行規則の一部改正

(1)　修業年限四年の薬学を履修する課程の早期卒業に関する事項

従来、薬学を履修する課程は、国家資格との関係などから多くの授業科目が必修となっており、修業年限未満の在学期間ですべての教育課程を修了することは困難との判断から、早期卒業が認められていなかったが、今回の学校教育法の一部改正に伴い、修業年限四年の薬学を履修する課程については、当該課程の卒業によっても薬剤師国家試験受験資格が付与される課程ではなくなったことから、早期卒業を認めることとしたこと。（第六八条の三〔現行一四七条〕）

ただし、施行日前に薬学を履修する課程に在学し、施行日以後に修業年限四年の薬学を履修する課程を卒業する者又は施行日前に薬学を履修する課程以外の課程に在学し、施行日以後に、薬学を履修する課程に転部・転科し、その後当該課程を卒業する者については、従前どおり、早期卒業は認められないこととしたこと。（附則第二条）

(2)　大学院博士課程への入学資格に関する事項（略）

(3)　早期大学院入学に関する事項（略）

2　大学設置基準の一部改正

(1)　卒業の要件に関する事項

薬学に関する学科のうち臨床に係る実践的な能力を培うことを主たる目的とするものに係る卒業の要件は、大学に六年以上在学し、一八六単位以上（将来の薬剤師としての実務に必要な薬学に関する臨床に係る実践的な能力を培うことを目的として大学の附属病院その他の病院及び薬局で行う実習（以下「薬学実務実習」という。）に係る二〇単位以上を含む。）を修得することとするとしたこと。（第三二条第三項）

(2)　薬学実務実習に必要な施設に関する事項

薬学に関する学部又は学科のうち臨床に係る実践的な能力を培うことを主たる目的とするものを置き、又は設ける大学は、薬学実務実習に必要な施設を確保するものとするとしたこと。（第三九条の二）

(3)　段階的整備に関する事項

薬学を履修する課程の修業年限を変更する場合の教員組織、校舎等の施設及び設備については、段階的に整備することができることとしたこと。（第四六条〔現行六〇条〕）（第五　平成一六年文部科学省告示第一七四号（大学設置基準第四五条〔現行五九条〕の規定に基づき、新たに大学等を設置する場合の教員組織、校舎等の施設及び設備の段階的な整備について定める件の一部を改正する件）を参照）

(4)　専任教員数に関する事項

①　学部の種類に応じ定める専任教員数に関し、薬学を履修する学部又は学科のうち臨床に係る実践的な能力を培うことを主たる目的とするものの修業年限が六年になったことに伴い、当該学部の専任教員数について新たに基準を定めたこと。（別表第一イの表及び別表第一イ備考第三号〔現行四号〕）

② 薬学分野に属する二以上の学科で組織される学部に薬学関係（臨床に係る実践的な能力を培うことを主たる目的とするもの）の一学科を置く場合における当該一学科に対する別表第一イの適用に係る特例を定めたこと。（別表第一イ備考第八号〔現行九号〕）

③ 薬学関係（臨床に係る実践的な能力を培うことを主たる目的とするもの）の学部に係る専任教員のうちには、文部科学大臣が別に定めるところにより、薬剤師としての実務の経験を有する者を含むものとするとしたこと。（別表第一イ備考第九号〔現行一〇号〕）（第六　平成一六年文部科学省告示第一七五号（大学設置基準別表第一イ備考第九号の規定に基づき、薬学関係（臨床に係る実践的な能力を培うことを主たる目的とするもの）の学部に係る専任教員について定める件）を参照）

3　大学院設置基準の一部改正

薬学を履修する博士課程（当該課程に係る研究科の基礎となる学部の修業年限が六年であるものに限る。）の標準修業年限は四年としたこと。

また、当該課程の修了の要件は、大学院に四年（優れた研究業績を上げた者にあっては、三年）以上在学し、かつ、必要な研究指導を受けた上、当該大学院の行う博士論文の審査及び試験に合格することとするとしたこと。（第三二条〔現行第四三条〕）

第三～第五（略）

第六　平成一六年文部科学省告示第一七五号（大学設置基準別表第一イ備考第九号の規定に基づき、薬学関係（臨床に係る実践的な能力を培うことを主たる目的とするもの）の学部に係る専任教員について定める件）

大学設置基準別表第一イ備考第九号〔現行一〇号〕に基づき、薬学関係（臨床に係る実践的な能力を培うことを主たる目的とするもの）の学部に係る専任教員について以下のとおり定めたこと。

(1)　大学設置基準別表第一イに規定する薬学関係（臨床に係る実践的な能力を培うことを主たる目的とするもの）の学部に係る専任教員数に六分の一を乗じて算出される数は、おおむね五年以上の薬剤師としての実務の経験を有する者とするとしたこと。

(2)　実務の経験を有する専任教員数に三分の二を乗じて算出される数の範囲内については、専任教員以外の者であっても、一年につき六単位以上の授業科目を担当し、かつ、教育課程の編成その他の薬学関係（臨床に係る実践的な能力を培うことを主たる目的とするもの）の学部の運営について責任を担う者で足りるものとするとしたこと。

第七～第九（略）

第八十七条の二　専門職大学の課程は、これを前期二年の前期課程及び後期二年の後期課程又は前期三年の前期課程及び後期一年の後期課程（前条第一項ただし書の規定により修業年限を四年を超えるものとする学部にあつては、前期二年の前期課程及び後期二年以上の後期課程又は前期三年の前期課程及び後期一年以上の後期課程）に区分することができる。

② 専門職大学の前期課程における教育は、第八十三条の二第一項に規定する目的のうち、専門性が求められる職業を担うための実践的かつ応用的な能力を育成することを実現するために行われるものとする。

③ 専門職大学の後期課程における教育は、前期課程における教育の基礎の上に、第八十三条の二第一項に規定する目的を実現するために行われるものとする。

④ 第一項の規定により前期課程及び後期課程に区分された専門職大学の課程においては、当該前期課程を修了しなければ、当該前期課程から当該後期課程に進学することができないものとする。

【沿　革】　平二九・五・三一法四一により新設した。

【参照条文】　専門職大学設置基準。

【注　解】

一　専門職大学においては、前期及び後期に課程を区分することができることとされ、前期課程を修了した者に対して、専門職短期大学を卒業した者と同一の学位が授与される。

二　専門職大学においては、実践的な職業教育を行うため、その教育課程において臨地実務実習が義務付けられているが、職業の中には特定の資格がなければ業務を行うことができないものがあり、これらの職業人養成を行う専門職大学においては、当該資格を取得・活用して臨地実務実習を実施することで一層の実践的な教育が可能となり、教

育効果が高まることが考えられる。また、前期課程在学中に資格を取得し、後期課程において当該資格を活用して働きながら学ぶことによって、社会人として実務経験を積みながら、同時に専門職大学等において当該職業の最新の知見を学ぶことが可能となり、より効果的に実践的な職業人の育成が可能となるものとして規定されたものである。

三　専門職大学の前期課程については、専門職大学設置基準において、その教育課程等に関して専門職短期大学と同等の規定が設けられており、これによって専門職短期大学と同等の教育内容であることを担保している。

なお、前期課程及び後期課程に区分された課程の変更は、学校教育法施行令において文部科学大臣の認可事項等とされている。

専門職大学設置基準では次のように前期課程の修了要件が定められている。

（前期課程の修了要件）

第三十条　専門職大学の前期課程のうち修業年限が二年のものの修了要件は、次の各号にいずれにも該当することとする。

一　専門職大学の前期課程に二年以上在学すること。

二　六十二単位以上（基礎科目及び展開科目に係るそれぞれ十単位以上、職業専門科目に係る三十単位以上並びに総合科目に係る二単位以上を含む。）を修得すること。

三　実験、実習又は実技による授業科目（やむを得ない事由があり、かつ、教育効果を十分にあげることができると認める場合には、演習、実験、実習又は実技による授業科目）に係る二十単位以上を修得すること。

四　前号の授業科目に係る単位に臨地実務実習に係る十単位が含まれること。ただし、やむを得ない事由があり、かつ、教育効果を十分にあげることができると認められる場合には、二単位を超えない範囲で、連携実務演習等をもってこれに代えることができること。

2　専門職大学の前期課程のうち修業年限が三年のものの修了要件は、次の各号のいずれにも該当することとする。

一　専門職大学の前期課程に三年以上在学すること。

二　九十三単位以上（基礎科目及び展開科目に係るそれぞれ十五単位以上、職業専門科目に係る四十五単位以上並びに総合科目に係る二単位以上を含む。）を修得すること。

三　実験、実習又は実技による授業科目（やむを得ない事由があり、かつ、教育効果を十分にあげることができると認める場合には、演習、実験、実習又は実技による授業科目）に係る三十単位以上を修得すること。

四　前号の授業科目に係る単位に臨地実務実習に係る十五単位が含まれること。ただし、やむを得ない事由があり、かつ、教育効果を十分にあげることができると認められる場合には、三単位を超えない範囲で、連携実務演習等をもってこれに代えることができること。

3　前二項の規定により修了の要件として修得すべき単位数のうち、第十八条第二項の授業の方法により修得する単位数は、修業年限が二年の専門職大学の前期課程にあっては三十単位、修業年限が三年の専門職大学の前期課程にあっては四十六単位（夜間等三年制前期課程にあっては、三十単位）を超えないものとする。

4　第一項又は第二項の規定により修了の要件として修得すべき単位数のうち、第二十三条の二の規定により修得したものとみなすものとする単位数は、修業年限が二年の専門職大学の前期課程にあっては十五単位、修業年限が三年の専門職大学の前期課程にあっては二十三単位（夜間等三年制前期課程にあっては、十五単位）を超えないものとする。

5　夜間において授業を行う学部その他授業を行う時間について教育上特別の配慮を必要とする学部（第七十条第四項において「夜間学部等」という。）に係る修業年限が三年の専門職大学の前期課程の修了要件は、第二項の規定にかかわらず、専門職大学に三年以上在学し、第一項第二号から第四号までに掲げる要件のいずれにも該当することとすることができる。

〔科目等履修生の修業年限の通算〕

第八十八条　大学の学生以外の者として一の大学において一定の単位を修得した者が当該大学に入学する場合において、当該単位の修得により当該大学の教育課程の一部を履修したと認められるときは、文部科学大臣の定めるところにより、修得した単位数その他の事項を勘案して大学が定める期間を修業年限に通算することができる。ただし、その期間は、当該大学の修業年限の二分の一を超えてはならない。

【沿　革】　平一〇・六・一二法一〇一により新設した。
平一一・一二・二二法一六〇により、「文部大臣」を「文部科学大臣」に改めた。
平一九・六・二七法九六により、旧五五条の二から八八条に移動した。

【参照条文】　施行規則一四六条。大学設置基準三一条。短期大学設置基準一七条。

【注　解】

一　本条は、科目等履修生が大学に入学する場合において、それまでの学習成果を勘案して定めた一定の期間を修業年限に通算することができることを定めた規定である。

法八七条は「大学の修業年限は、四年とする」と定めている。修業年限とは、一般に「学校の一定の教育の課程を修了するのに必要な年限」とされている。したがって、大学の修業年限が四年であることから、当然のこととして、大学の教育課程を修業年限の期間在学して履修していなければ卒業できないとの法的効果が生じることとなる。大学に入学する以前の学修の成果を勘案して定める期間を当該大学の修業年限に通算し、当該大学における在学期間を短縮して卒業を認めることは、法令上の卒業要件の例外となるため、法令上の根拠が必要とされている。本条はその根拠規定となるものである。

二　科目等履修生制度は、社会人など多様な学習者の要求に対応するため、大学の学生以外の者が大学の授業科目を履修し、大学の正規の単位を修得することができる制度であり、平成三年度から設けられている（大学設置基準三一条。短期大学設置基準一七条）。

科目等履修生が当該大学に入学した場合、その単位については卒業要件としての単位として上限なく認定することができることとされているが、従前、在学期間については、一般の学生と同様、四年以上在学しなければ卒業できないこととされていた。これについて、平成九年一二月一八日の大学審議会答申において、入学前の当該大学における学修の成果をより適切に評価し、パートタイムによる履修形態をさらに一歩進める観点から、各大学の判断により、認定する単位数に応じて、当該大学の科目等履修生としての学修期間のうち相当年数を在学期間に通算することが適

当であるとされ、それを受けて本条が新設されたものである。

三　科目等履修生に加え、法第一〇五条に規定する特別の課程を履修する者（特別の課程履修生）も、各大学の判断により、認定する単位数に応じて、当該大学の科目等履修生としての学修期間のうち相当年数を在学期間に通算することができる。

四　修業年限の通算は、「大学の学生以外の者として一の大学において一定の単位を修得した者」に対して、行うことができる。大学で単位を修得できる者は、①大学の学生、②単位互換による特別聴講学生、③科目等履修生、④特別の課程履修生であるが、本条の対象となるのは大学の学生以外の者であるから、例えば、ある大学の学生が科目等履修生として単位を修得したとしても本条の対象として修業年限の通算を行うことはできない。結局、本条の対象となるのは、ある大学の科目等履修生や特別の課程履修生として単位を取得した社会人等ということとなる。令和元年八月の大学設置基準の改正により、大学は、当該大学の特別の課程履修生に単位を授与することができることとされたため（法一〇五条の【注解】三参照）、特別の課程履修生も「大学の学生以外の者として一の大学において一定の単位を修得した者」に含まれることになった。

五　修業年限の通算が認められるのは、「一の大学において一定の単位を修得した者」が「当該大学」に入学する場合である。社会人等が、ある大学の科目等履修生や特別の課程履修生として相当数の単位を蓄積した後に、その大学に入学する場合のみが本条の対象となるものであり、その他の大学に入学する場合には対象とはならない。また、入学する大学以外で修得した単位については、修業年限への通算には反映されない。

大学における教育については、学生が在学する四年間にわたって、個々の大学が自らの判断に基づき、専攻分野に応じた内容の教育課程を編成して授業科目を配し、これを組織的・体系的な教育として行うことを基本とするものである。したがって、入学前の学修成果に対する一定の評価に基づいて、大学における在学期間を短縮することができ

るようにすることについても、当該大学の教育課程を履修して修得した単位に対する評価に基づくことが適当であり、そのため、本条の対象は当該大学の科目等履修生や特別の課程履修生が入学した場合に限ることとされたものである。

なお、入学前の既修得単位の認定や単位互換に当たって、他大学等で修得した単位について一定の上限を設けているのも、これと同様の考え方に基づくものである（大学設置基準二八条〜三〇条、短期大学設置基準一四条〜一六条）。

六　修業年限の通算は、「当該単位の修得により当該大学の教育課程の一部を履修したと認められるとき」に行われる。科目等履修生や特別の課程履修生の単位取得は、個々人の興味・関心に基づくものであり、必ずしも体系的な単位取得とはいえない場合も多いことから、それが体系的であると認められるとき、すなわち、「当該大学の教育課程の一部を履修したと認められるとき」との条件が付されているものである。

七　修業年限は、文部科学大臣の定めるところにより通算することができる。文部科学大臣の定めとして、施行規則に次の規定が設けられている。

〔修業年限の通算〕

第百四十六条　学校教育法第八十八条に規定する修業年限の通算は、大学の定めるところにより、大学設置基準第三十一条第一項、専門職大学設置基準第二十八条第一項、短期大学設置基準第十七条第一項若しくは専門職短期大学設置基準第二十五条第一項に規定する科目等履修生（第百六十三条の二において「科目等履修生」という。）又は大学設置基準第三十一条第二項、専門職大学設置基準第二十八条第二項、短期大学設置基準第十七条第二項若しくは専門職短期大学設置基準第二十五条第二項に規定する特別の課程履修生（いずれも大学の学生以外の者に限る。）として一の大学において一定の単位を修得した者に対し、大学設置基準第三十条第一項、専門職大学設置基準第二十六条第一項、短期大学設置基準第十六条第一項又は専門職短期大学設置基準第二十三条第一項の規定により当該大学に入学した後に修得したものとみなすことのできる当該単位数、その修得に要した期間その他大学が必要と認める事項を勘案して行うものとする。

科目等履修生については、広く大学教育を開放する観点から、大学入学資格を履修要件とはしていない。このた

め、例えば、高校生が科目等履修生として大学の単位を修得することはあり得ることである。一方、本条の趣旨は、社会人等が科目等履修生として相当数の単位を修得した後に大学に入学するような場合を想定し、単位数に応じて大学に在学すべき期間を短縮できるようにしようとするものである。このため、大学入学資格取得後に修得した単位のみが対象とされたところである。

八　修業年限に通算できる期間は、当該大学の修業年限の二分の一を超えてはならない。大学における教育については、学生が在学する四年間にわたって、大学が独自の判断に基づいて、専攻分野ごとの教育課程を編成して授業科目を配し、組織的・体系的な教育として行うことを基本とするものである。科目等履修生による単位の修得については、必ずしも体系的なものばかりではないことから、たとえ科目等履修生として卒業に必要なすべての単位を取得していたような場合であっても、大学としてその教育課程を責任を持って体系的に履修させるためには、さらに一定の期間大学に在学させて教育を行うことが必要である。その際、現在の学校教育制度においては、大学に入学して正規の学生として在学して教育課程を履修することが前提とされていること、さらには、大学としての卒業認定を適切に行う観点などを踏まえ、在学させるべき期間として、その大学の修業年限の半分以上は必要であるとされたものである。

【通　知】

○学校教育法等の一部を改正する法律等の公布について（抄）

（平一〇・八・一四　文高専一八五号　各国公私立大学長、各国公私立高等専門学校長、学位授与機構長、放送大学長、各都道府県知事、各都道府県教育委員会、大学を設置する各地方公共団体（都道府県を除く。）の長、大学又は高等専門学校を設置する各学校法人の理事長、放送大学学園理事長あて　文部省高等教育局長・文部省生涯学習局長通知）

記

第一　改正法制定の趣旨

来るべき二一世紀において、一人一人がそれぞれの個性や創造性を伸ばし、我が国が活力ある社会として発展していくためには、学校教育制度について、できる限り一人一人の能力・適性、興味・関心、進路希望等に応じた多様で柔軟なものとなるよう改革を図っていく必要がある。

このような観点から、高等教育の段階においても制度の弾力化を図ることが求められており、専修学校の専門課程で文部大臣の定める基準を満たすものを修了した者が大学に編入学できることとするとともに、大学の学生以外の者で大学の単位を修得した者が当該大学に入学する場合に、相当期間を修業年限に通算できることとするため、学校教育法（昭和二二年法律第二六号）の所要の改正を行ったものである。

第二・第三（略）

第四　大学入学前に一定の単位を修得した者の修業年限の通算について

一　概要

(1)　大学の学生以外の者が、ある大学において一定の単位を修得した後に当該大学に入学する場合で、当該単位の修得により当該大学の教育課程の一部を履修したと認められるときは、その単位数等に応じて、相当期間を当該大学の修業年限の二分の一を超えない範囲で修業年限に通算することができることとなったこと（学校教育法第五五条の二〔現行法八八条〕）。

(2)　本制度の適用は、科目等履修生として大学入学資格を有していた際に一定の単位を修得した者に対し、大学設置基準第三〇条第一項及び短期大学設置基準第一六条第一項の規定により当該大学に入学した後に修得したものとみなすことのできる単位数、単位の修得に要した期間その他大学が必要と認める事項を勘案して行うものであること（学校教育法施行規則第六八条の二〔現行規則一四六条〕）。

(3)　これらの改正については平成一〇年一〇月一日から施行すること（改正法及び改正施行規則附則）。

二　留意事項

(1)　ここでいう「大学」には短期大学を含む。

(2)　本制度の適用は、科目等履修生が当該大学に入学する場合に限られるものであり、他の大学において修得した単位については、修業年限の通算には反映されない。

また、高校生など大学入学資格を有しない者が科目等履修生として修得した単位については、修業年限の通算に反映されない。

(3)　修業年限の通算が認められるのは、「大学の教育課程の一部を履修したと認められる時」、すなわち授業科目の履修が体系的で、正規の学生と同様の教育効果を上げていると認められる場合に限られる。

(4)　修業年限に通算できる期間については、編入学の場合と同様、入学者が十分な学修成果を得られるように留意しつつ、各大学において適切に判断する必要がある。

また、修業年限の通算に当たっては、学校教育法第五五条第

一項〔現行法八七条一項〕に規定された修業年限に配慮することが必要である。

〔専門職大学等における相当期間の修業年限への通算〕

第八十八条の二　専門性が求められる職業に係る実務の経験を通じて当該職業を担うための実践的な能力を修得した者が専門職大学等（専門職大学又は第百八条第四項に規定する目的をその目的とする大学（第百四条第五項及び第六項において「専門職短期大学」という。）をいう。以下この条及び第百九条第三項において同じ。）に入学する場合において、当該実践的な能力の修得により当該専門職大学等の教育課程の一部を履修したと認められるときは、文部科学大臣の定めるところにより、修得した実践的な能力の水準その他の事項を勘案して専門職大学等が定める期間を修業年限に通算することができる。ただし、その期間は、当該専門職大学等の修業年限の二分の一を超えない範囲内で文部科学大臣の定める期間を超えてはならない。

【沿　革】　平二九・五・三一法四一により新設した。

【参照条文】　専門職大学設置基準、専門職短期大学設置基準。

【注　解】

一　専門職大学等においては、専門性が求められる職業に従事するため、当該職業に係る資格や技能等の修得に関する学修を実施することが想定されるが、社会人学生の中には、企業等での実務経験を通じて、当該専門職大学等で修得させることとしている資格等を修得している者や実習することとしている内容と同等の実務経験を有している者も想定される。

二　法八八条において、大学入学前に科目等履修生として単位を修得していた者については、その単位数その他の

事項を勘案して定められた期間を修業年限に通算することができるとされているが、同条にならい、専門性が求められる職業に係る実務の経験を有する者が入学する場合、修得した実践的な能力の水準等を勘案して当該専門職大学等が定める期間を修業年限に通算することができることとし、社会人学生がその経験を通じて修得した能力を活かして専門職大学等における学修を短期間で修了できる仕組みが設けられている。

三　実務の経験を通じて修得した実践的な能力を勘案した修業年限の通算期間については、学校教育法施行規則一四六条の二において、当該専門職大学等の修業年限の四分の一と定められている。

第百四十六条の二　学校教育法第八十八条の二に規定する修業年限の通算は、専門職大学等（専門職大学及び専門職短期大学をいう。以下同じ。）の定めるところにより、専門職大学設置基準第二十六条第三項又は専門職短期大学設置基準第二十三条第三項の規定により当該職業を担うための実践的な能力（当該専門職大学等で修得させることとしているものに限る。）の修得を当該専門職大学等における授業科目の履修とみなして単位を与えられた者に対し、与えられた当該単位数、当該実践的な能力の修得に要した期間その他専門職大学等が必要と認める事項を勘案して行うものとする。

2　学校教育法第八十八条の二ただし書に規定する文部科学大臣が定める期間は、当該専門職大学等の修業年限の四分の一とする。

また、単位認定上限については、専門職大学については三〇単位まで、専門職短期大学については一五単位（修業年限が三年の場合は二三単位）までと、それぞれ設置基準において定められている。

（入学前の既修得単位等の認定）

第二十六条　専門職大学は、教育上有益と認めるときは、学生が当該専門職大学に入学する前に大学又は短期大学において履修した授業科目について修得した単位（第二十八条第一項及び第二項の規定により修得した単位を含む。）を、当該専門職大学に入学した後の当該専門職大学における授業科目の履修により修得したものとみなすことができる。

2　専門職大学は、教育上有益と認めるときは、学生が当該専門職大学に入学する前に行った前条第一項に規定する学修を、当該専門職大学における授業科目の履修とみなし、専門職大学の定める

ところにより単位を与えることができる。

3　専門職大学は、学生が当該専門職大学に入学する前に専門性が求められる職業に係る実務の経験を通じ、当該職業を担うための実践的な能力（当該専門職大学において修得させることとしているものに限る。）を修得している場合において、教育上有益と認めるときは、文部科学大臣が別に定めるところにより、当該実践的な能力の修得を、当該専門職大学における授業科目の履修とみなし、三十単位（修業年限が二年の専門職大学の前期課程にあっては十五単位、修業年限が三年の専門職大学の前期課程にあっては二十三単位（夜間等三年制前期課程にあっては、十五単位））を超えない範囲で専門職大学の定めるところにより、単位を与えることができる。

4　前三項により修得したものとみなし、又は与えることのできる単位数は、編入学、転学等の場合を除き、当該専門職大学において修得した単位（第二十三条の二の規定により修得したものとみなすものとする単位を含む。）以外のものについては、第二十四条第一項（同条第二項において準用する場合を含む。）及び前条第一項により当該専門職大学において修得したものとみなす単位数と合わせて六十単位（修業年限が二年の専門職大学の前期課程にあっては三十単位、修業年限が三年の専門職大学の前期課程にあっては四十六単位（夜間等三年制前期課程にあっては、三十単位））を超えないものとする。この場合において、第二十四条第二項において準用する同条第一項により当該専門職大学において修得したものとみなす単位数と合わせるときは、修業年限が二年の専門職大学の前期課程にあっては四十五単位を、修業年限が三年の専門職大学の前期課程にあっては五十三単位（夜間等三年制前期課程にあっては、四十五単位）を超えないものとする。

〔早期卒業〕

第八十九条　大学は、文部科学大臣の定めるところにより、当該大学の学生（第八十七条第二項に規定する課程に在学するものを除く。）で当該大学に三年（同条第一項ただし書の規定により修業年限を四年を超えるものとする学部の学生にあつては、三年以上で文部科学大臣の定める期間）以上在学したもの（これに準ずるものとして文部科学大臣の定める者を含む。）が、卒業の要件として当該大学の定める単位を優秀な成績で修得したと認める場合には、同項の規定にかかわらず、その卒業を認めることができる。

【沿　革】平一一・五・二八法五五により新設した。
平一一・一二・二二法一六〇により、「文部大臣」を「文部科学大臣」に改めた。
平一九・六・二七法九六により、「第五十五条」を「第八十七条」に改め、旧五五条の三から八九条に移動した。

【参照条文】法八七条。施行規則一四七条～一四九条。

【注　解】

一　本条は、大学の早期卒業に関する規定である。

法八七条により大学の修業年限は原則四年とされている。法八八条の【注解】一で述べたように、大学の修業年限は四年であることから四年以上在学して教育課程を履修しなければ卒業できないとの法的効果が生じるが、他方、学生の能力・適性に応じた教育を行いその優れた才能を一層伸長することができるようにすることも重要である。本条は、平成一〇年の大学審議会答申を受け、大学の修業年限は四年という原則は維持した上で、大学の責任ある授業運営、履修科目登録単位数の上限設定及び厳格な成績評価を前提として、一定の場合には、例外的に三年以上四年未満の在学で卒業を認めることができるようにする規定である。

二　この措置は、①責任ある授業運営、②学生の履修科目登録単位数の上限の設定、③厳格な成績評価を各大学で行うことを前提として導入されたものである。単位制度の趣旨に沿った教育を各大学において実施することで、四年未満での卒業を認めても一定の教育水準が確保されると考えられる。

責任ある授業運営とは、現在の単位制度が、教室等における授業と事前事後の学習を合わせて単位を授与するものとして制度設計がなされていることを踏まえ、学生に対し教室外の準備学習等の指示を与えるなど、教員がその責務を自覚して授業の設計と学習指導を実施することである。一単位は、教員が教室等において授業を行う時間と学生が

授業外で学習を行う時間とを合計して四五時間の学修を要する教育内容をもって構成することを標準とすることとされており（大学設置基準二一条）、これを基本として授業の設計を行う必要がある。

履修科目登録単位数の上限設定とは、単位制度の趣旨を実現し、教室における授業と学生の教室外での学習を合わせた充実した授業展開を実現するために、学生が一年間又は一学期に履修科目として登録することができる単位数について上限を設けるものである。これにより、学生の履修科目の過剰な登録を防ぎ、学生が少数の授業科目を集中的に学習することが期待される。

厳格な成績評価とは、各授業において、教員が学習目標を明確にした上で、成績評価の基準を示し、その基準に基づき授業の学習目標が十分達成されているかを適切に評価するとともに、例えばＧＰＡ制度（授業科目ごとの成績を例えば五段階で評価し、単位当たりの評価の平均（ＧＰＡ＝グレードポイントアベレージ）に基づいて卒業認定や退学勧告などを行うもの）のような、厳格な成績評価に基づく履修システムによる指導などを行うことにより、学生の卒業時における質の確保を図る仕組みのことである。

これらに関しては、文部科学大臣の定めとして、施行規則に次のような規定が定められている。

第百四十七条　学校教育法第八十九条に規定する卒業の認定は、次の各号に掲げる要件のすべてに該当する場合（学生が授業科目の構成等の特別の事情を考慮して文部科学大臣が別に定める課程に在学する場合を除く。）に限り行うことができる。

一　大学が、学修の成果に係る評価の基準その他の学校教育法第八十九条に規定する卒業の認定の基準を定め、それを公表していること。

二　大学が、大学設置基準第二十七条の二又は専門職大学設置基準第二十三条に規定する履修科目として登録することができる単位数の上限を定め、適切に運用していること。

三　学校教育法第八十七条第一項に定める学部の課程を履修する学生が、卒業の要件として修得すべき単位を修得し、かつ、当該単位を優秀な成績をもつて修得したと認められること。

四　学生が、学校教育法第八十九条に規定する卒業を希望していること。

三　大学の早期卒業の仕組みは、修業年限を六年としている医学・歯学・獣医学の課程には導入されない。また、平成一六年五月の本法の改正により、薬学を履修する課程のうち臨床に係る実践的な能力を培うことを主たる目的とするものの修業年限が六年とされたので、当該課程についても、早期卒業の仕組みは導入されていない。なお、この改正に伴い、従来、薬学を履修する課程全般が早期卒業の対象外とされていたが、薬学を履修する課程のうち臨床に係る実践的な能力を培うことを主たる目的とするもの（法八七条二項）以外のものについては、早期卒業が導入されることとなった。

これらの課程については、その教育上の必要性や国家資格との関係などから多くの授業科目が必修となっており、実習の占める割合も高く、修業年限未満の在学期間ですべての教育課程を修了することは困難であるとの判断に基づくものである。なお、施行規則一四七条に規定する「特別の事情を考慮して文部科学大臣が別に定める課程」については、現在のところこれに関する定めは設けられていない。

四　「修業年限を四年を超えるものとする学部の学生にあつては、三年以上で文部科学大臣の定める期間」として、施行規則に次のような規定が定められている。なお、法八七条の【**注解**】三で述べたように、現在、四年を超える修業年限を設けているのはいわゆる夜間学部だけである。

第百四十八条　学校教育法第八十七条第一項ただし書の規定により修業年限を四年を超えるものとする学部に在学する学生にあつては、同法第八十九条の規定により在学すべき期間は、四年とする。

五　「卒業の要件として当該大学の定める単位」とは、当該大学を卒業するのに必要な単位のことであり、これらの単位を「優秀な成績で修得」したかどうかは各大学において判断されるものである。

六　早期卒業は、平成一二年四月一日以降に大学のいわゆる第一年次に入学する者から適用された（平一一法五五附

則二項）。早期卒業は、大学における責任ある授業運営、履修科目登録単位数の上限設定及び厳格な成績評価を前提としており、これらを整備・公表し、入学時点から大学が責任をもって指導した上で早期卒業を認めるかどうかについて判断することが適当であるとの考えによるものである。

また、早期卒業の対象と認められる場合に「これに準ずるものとして文部科学大臣の定める者」については施行規則一四九条に定められていて、同様の厳しい要件を満たす大学からの転学、再入学又は学士入学に限定するものとされている。したがって、短期大学、高等専門学校又は専修学校専門課程から大学に編入学した学生は早期卒業の対象とはならないものである。

第百四十九条　学校教育法第八十九条の規定により、一の大学（短期大学を除く。以下この条において同じ。）に三年以上在学したものに準ずる者を、次の各号のいずれかに該当する者であつて、在学期間が通算して三年以上となつたものと定める。

一　第百四十七条第一号及び第二号の要件を満たす一の大学から他の当該各号の要件を満たす大学へ転学した者

二　第百四十七条第一号及び第二号の要件を満たす大学を退学した者であつて、当該大学における在学期間以下の期間を別の当該各号の要件を満たす大学の修業年限に通算されたもの

三　第百四十七条第一号及び第二号の要件を満たす大学を卒業した者であつて、当該大学における修業年限以下の期間を別の当該各号の要件を満たす大学の修業年限に通算されたもの

なお、同一大学へ再入学した者等であって再入学等の前の在学期間に平成一二年四月一日より前の期間が含まれている学生を早期卒業の対象外としている（学校教育法第八十九条の規定を適用しない者を定める省令）。

○学校教育法第八十九条の規定を適用しない者を定める省令

（平一一・九・一四文部省令三八）

学校教育法等の一部を改正する法律（平成十一年法律第五十五号）附則第二項の規定に基づき、同法の施行日（以下「施行日」という。）前に大学に在学し、施行日以後に再び大学に在学することとなった者のうち、学校教育法第八十九条の規定を適用しない者として文部科学大臣の定める者は、次の各号の一に該当するものとする。

一　大学を退学した後に再び当該大学に入学し、当該退学までの在学期間が修業年限に通算された者であって、当該在学期間に施行日前の期間が含まれるもの

二　大学を卒業した後に再び当該大学に入学し、当該卒業までの在学期間が修業年限に通算された者であって、当該在学期間に施行日前の期間が含まれるもの

三　学校教育法施行規則第百四十九条各号に規定する者であって、転学、退学又は卒業した大学に入学した時期が施行日前であるもの

【通　知】

○学校教育法等の一部を改正する法律等の施行について（抄）

（平一一・九・一四　大高大二二六号　各国公私立大学長、放送大学長、大学を設置する各地方公共団体の長等あて　文部事務次官通知）

第一　学校教育法等の一部を改正する法律について

1　学校教育法の一部改正について

(1)　三年以上の在学で大学の卒業を認める制度の創設（学校教育法第五五条の三関係）

①　大学が多様な学習ニーズに対応できるよう、改正法の施行の日以後に大学に入学し三年以上在学した学生が、卒業の要件として当該大学の定める単位を優秀な成績で修得したと認める場合には、各大学の判断により、大学の卒業を認めることができることとしたこと（学校教育法第五五条の三〔現行法八九条〕）。

なお、学校教育法第五五条第一項ただし書〔現行法八七条一項ただし書〕の規定により修業年限が四年を超える学部に在学する学生にあっては、第五五条の三〔現行法八九条〕の規定に基づく卒業（以下「早期卒業」という。）に要する在学期間は四年とするものであること（学校教育法施行規則第六八条の四〔現行施行規則一四八条〕）。

②　大学が早期卒業の認定を行うに当たっては、次の要件を満たす必要があること（学校教育法施行規則第六八条の三〔現行施行規則一四七条〕）。

(ア)　大学が、学修の成果に係る評価の基準その他の早期卒業の認定の基準を定め、それを公表していること（同条第一号）。

(イ)　大学が、卒業の要件として学生が修得すべき単位数について学生が一年間又は一学期に履修科目として登録することができる単位数の上限を定め、適切に運用していること（同条第二号）。

(ウ)　学生が卒業の要件として修得すべき単位を修得し、かつ、当該単位を優秀な成績をもって修得したと認められること（同条第三号）。

(エ)　学生が早期卒業を希望していること（同条第四号）。

③　この措置は、学生の能力、適性に応じた教育を行いその成果を適切に評価していく観点から設けられた例外的な措置であることに留意すること。また、早期卒業を希望する学生に対する適切な学習指導の実施等の十分な教育的配慮、責任ある授業運営や適切な成績評価の実施、早期卒業の運用の状況の公表などに配意し、安易な運用により大学教育の質の低下を招かないよう早期卒業の適正な運用の確保に努められたいこと。

④　医学、歯学、獣医学及び薬学を履修する課程に在学する学生は早期卒業の認定の対象とならないものであること（学校教育法第五五条の三〔現行法八九条〕及び学校教育法施行規則第六八条の三〔現行施行規則一四七条〕）。

⑤　②で示した要件を満たす大学に三年以上在学した者に準ずるものを、当該要件を満たす大学から当該要件を満たす他の大学へ転学、再入学又は学士入学した者としたこと（学校教育法施行規則第六八条の五〔現行施行規則一四九条〕）。したがって、短期大学、高等専門学校及び専修学校専門課程から大学に編入学した学生は早期卒業の認定の対象とはならないものであること。

⑥　改正法の施行の日前から引き続き大学に在学する学生は早期卒業の認定の対象とならないものであること（改正法附則第二項）。

また、同一大学へ再入学若しくは学士入学した者又は他大学に転学、再入学若しくは学士入学した者であって、当該転学、再入学又は学士入学の前の在学期間に改正法の施行の日前の期間が含まれているものについても、同様に、早期卒業の認定の対象とはならないものとしたこと（学校教育法等の一部を改正する法律附則第二項の規定に基づき同法による改正後の学校教育法第五五条の三の規定を適用しない者を定める省令〔現行の学校教育法第八十九条の規定を適用しない者を定める省令〕）。

（以下略）

○大学における薬学教育の修業年限の延長に係る学校教育法等の一部を改正する法律等の施行について（抄）（平一七・三・二三　一六文科高九八四号　各国公私立大学長、放送大学長、大学評価・学位授与機構長、独立行政法人大学入試センター理事長、各都道府県知事、各都道府県教育委員会、大学を設置する各地方公共団体の長、大学を設置する各学校法人の理事長、放送大学学園理事長あて　文部科学事務次官通知）

第一　学校教育法等の一部を改正する法律（平成一六年法律第四九号）（略）

第二　学校教育法施行規則等の一部を改正する省令（平成一六年文部科学省令第四三号）

1　学校教育法施行規則の一部改正

(1)　修業年限四年の薬学を履修する課程の早期卒業に関する事項

従来、薬学を履修する課程は、国家資格との関係などから多くの授業科目が必修となっており、修業年限未満の在学期間ですべての教育課程を修了することは困難との判断から、早期卒業が認められていなかったが、今回の学校教育法の一部改正に伴い、修業年限四年の薬学を履修する課程については、当該課程の卒業によっても薬剤師国家試験受験資格が付与される課程ではなくなったことから、早期卒業を認めることとしたこと。

（第六八条の三（現行施行規則一四七条））

ただし、施行日前に薬学を履修する課程に在学し、施行日以後に修業年限四年の薬学を履修する課程を卒業する者又は施行日前に薬学を履修する課程以外の課程に在学し、施行日以後に、薬学を履修する課程に転部・転科し、その後当該課程を卒業する者については、従前どおり、早期卒業は認められないこととしたこと。（附則第二条）

（以下略）

〔大学の入学資格〕

第九十条　大学に入学することのできる者は、高等学校若しくは中等教育学校を卒業した者若しくは通常の課程による十二年の学校教育を修了した者（通常の課程以外の課程によりこれに相当する学校教育を修了した者を含む。）又は文部科学大臣の定めるところにより、これと同等以上の学力があると認められた者とする。

②　前項の規定にかかわらず、次の各号に該当する大学は、文部科学大臣の定めるところにより、高等学校に文部科学大臣の定める年数以上在学した者（これに準ずる者として文部科学大臣が定める者を含む。）であつて、当該大学の定める分野において特に優れた資質を有すると認めるものを、当該大学に入学させることができる。

一　当該分野に関する教育研究が行われている大学院が置かれていること。

二　当該分野における特に優れた資質を有する者の育成を図るのにふさわしい教育研究上の実績及び指導体制を有すること。

【沿　革】昭二四・六・一法一七九により、第二項を追加した。
昭二九・三・三一法一九により、第二項を全部改正した。
平三・四・二法二五により、第二項を削除した。
平一〇・六・一二法一〇一により、「若しくは中等教育学校」を追加した。
平一一・七・一六法八七により、「監督庁」を「文部大臣」に改めた。
平一一・一二・二二法一六〇により、「文部大臣」を「文部科学大臣」に改めた。
平一三・七・一一法一〇五により、第二項を追加した。
平一九・六・二七法九六により、旧五六条から九〇条に移動した。

【参照条文】施行規則一五〇条、一五一条、一五二条、一五三条、一五四条。高等学校卒業程度認定試験規則。

【注　解】

一　本条は、大学の入学資格に関する規定である。

本条一項の規定により大学の入学資格を有する者は、次の三種に分けられる。

(1)　高等学校又は中等教育学校を卒業した者

(2)　通常の課程による一二年の学校教育を修了した者（通常の課程以外の課程によりこれに相当する学校教育を修了した者を含む）

(3)　文部科学大臣の定めるところにより、高等学校卒業者と同等以上の学力があると認められた者

二　「通常の課程」とは、昭和二九年の全部改正前の法四四条（当時）の規定（「高等学校には、通常の課程の外、夜間その他特別の時間又は時期において授業を行う課程（以下定時制の課程と称する。）を置くことができる。」）の字句を受けたものであり、「通常必置で且つその授業が昼間に行われる最も基本的な課程を指して」いるとされてきた（昭二七・六・二八　文部省

初等中等教育局長回答）。したがって、高等学校卒業者又は中等教育学校卒業者以外に「通常の課程による十二年の学校教育を修了した者」としては、現行法上は、特別支援学校の高等部を修了した者及び高等専門学校第三年次修了者がこれに当たるものと考えられる。

「通常の課程以外の課程によりこれに相当する学校教育を修了した者」としては、高等学校の定時制の課程又は通信制の課程を修了した者がこれに該当するものと考えられてきたが、法旧四四条（当時）の改正によって、「通常の課程」という概念は存在しなくなったため、高等学校の定時制の課程又は通信制の課程の修了者も全日制の課程修了者と区別すべき理由はなく、いずれも高等学校を卒業した者に含まれるものと解される。したがって、現在通常の課程以外の課程に相当するものは存在しないと解すべきであろう（昭四二・二・二八　文部省大学学術局長回答「大学入学資格について」）。

なお、ここにいう「学校教育」は、前述の初等中等教育局長回答の趣旨並びにこの字句が高等学校卒業者と対比して規定されていること、及び本条一項を受けて定められている施行規則一五〇条等の規定等がいずれも高等学校卒業者の水準をとらえて規定していること等を総合的に考慮すると、小学校、中学校、義務教育学校、高等学校、中等教育学校、高等専門学校及び特別支援学校の小学部・中学部・高等部における教育ならびにこれらに相当する旧学制時代の諸学校における教育に限ると解すべきであり、幼稚園における教育又は各種学校、専修学校における教育は含まれないと解される。

三　「文部科学大臣の定めるところにより、これ（高等学校卒業者）と同等以上の学力があると認められた者」については、施行規則一五〇条の規定がある。

第百五十条　学校教育法第九十条第一項の規定により、大学入学に関し、高等学校を卒業した者と同等以上の学力があると認められる者は、次の各号のいずれかに該当する者とする。

一　外国において学校教育における十二年の課程を修了した者又

はこれに準ずる者で文部科学大臣の指定したもの
二　文部科学大臣が高等学校の課程と同等の課程を有するものとして認定した在外教育施設の当該課程を修了した者
三　専修学校の高等課程（修業年限が三年以上であることその他の文部科学大臣が定める基準を満たすものに限る。）で文部科学大臣が別に指定するものを文部科学大臣が定める日以後に修了した者
四　文部科学大臣の指定した者
五　高等学校卒業程度認定試験規則による高等学校卒業程度認定試験に合格した者（旧規程による大学入学資格検定（以下「旧検定」という。）に合格した者を含む。）
六　学校教育法第九十条第二項の規定により大学に入学した者であつて、当該者をその後に入学させる大学において、大学における教育を受けるにふさわしい学力があると認めたもの
七　大学において、個別の入学資格審査により、高等学校を卒業した者と同等以上の学力があると認めた者で、十八歳に達したもの

四　施行規則一五〇条一号の「又はこれに準ずる者で文部科学大臣の指定したもの」は、昭和五四年八月の改正で追加された。これは、一二年の課程の初等中等教育を行っていない国からの留学生の受け入れが円滑に行われるように、大学入学資格を緩和したものである。この文部科学大臣の指定としては、次の告示がある。

○外国において学校教育における十二年の課程を修了した者に準ずる者を指定する件（昭五六・一〇・三文部省告示一五三）

最終改正　令四・二・一五文部科学省告示一四

学校教育法施行規則（昭和二十二年文部省令第十一号）第百五十条第一号の規定により、外国において学校教育における十二年の課程を修了した者に準ずる者を次のように指定する。

外国において学校教育における十二年の課程を修了した者に準ずる者の指定（昭和五十四年文部省告示第百四十三号）は、廃止する。

一　外国において、学校教育における十二年の課程を修了した者と同等以上の学力があるかどうかに関する認定試験であると認められる当該国の検定（国の検定に準ずるものを含む。次号において同じ。）に合格した者で、十八歳に達したもの
二　外国において、高等学校に対応する学校の課程を修了した者（これと同等以上の学力があるかどうかに関する認定試験であると認められる当該国の検定に合格した者を含む。）で、文部科学大臣が別に定めるところにより指定した我が国の大学に入学するための準備教育を行う課程又は別表第一（略）の上欄及び中欄に

掲げる施設における研修並びに同表の下欄に掲げる施設における我が国の大学に入学するために必要な教科に係る教育をもって編成される当該課程を修了したもの

三　外国において、高等学校に対応する学校の課程（その修了者が当該外国の学校教育における十一年以上の課程を修了したとされるものであることその他の文部科学大臣が定める基準を満たすものに限る。）で文部科学大臣が別に指定するものを修了した者

四　我が国において、高等学校に対応する外国の学校の課程（その修了者が当該外国の学校教育における十二年の課程を修了したとされるものに限る。）と同等の課程を有するものとして当該外国の学校教育制度において位置付けられた別表第二（略）に掲げる教育施設の当該課程を修了した者で、十八歳に達したもの

五　我が国において、高等学校に対応する外国の学校の課程（その修了者が当該外国の学校教育における十二年の課程を修了したとされるものを除く。）と同等の課程を有するものとして当該外国の学校教育制度において位置付けられた別表第三（略）に掲げる教育施設の当該課程を修了した者で、第二号の準備教育を行う課程を修了したもの

平成元年一〇月のこの告示の改正で、帰国した中国残留孤児の子弟に大学入学資格を認める途を開いた（二号及び別表第一）。

また、この告示の二号の規定に基づき、平成一一年九月の告示「大学入学のための準備教育課程の指定等に関する規程」（平一一文部省告示一六五）により、準備教育施設の設置者の申請を受けて、一定の基準を満たすものについて準備教育課程として文部大臣（現文部科学大臣）が指定するものとされた。その指定の基準及び手続並びに準備教育施設の運営の基準について別途定められている。

また、平成一五年九月に告示が改正され（三号及び別表第二を追加）、我が国に所在する外国人学校に関し、我が国の高等学校に対応する外国の学校の課程（一二年の課程）と同等の課程を有するものとして、外国の学校教育制度において位置付けられた外国人学校を卒業した者に大学入学資格が認められることとなった。該当する外国人学校は、同告示の別表第二に掲げられている。

また、平成一六年一月に告示が改正され（旧四号及び旧別表第三を追加）、我が国の高等学校までに対応する外国の学

校の課程が一二年でない場合についても、外国の学校の課程と同等の課程（一二年以外の課程）を有するものとして学校教育制度において位置付けられている外国人学校を卒業した者は、準備教育課程を修了していることを要件として大学入学資格が認められることとなった。

なお、これらの改正は、平成一四年三月に閣議決定された「規制改革推進三カ年計画（改定）」を受けて、後述（施行規則一五〇条四号関係）の国際的な評価団体の認定を受けた外国人学校（一二年の課程）を卒業した者に大学入学資格が認められることに併せて制度化されたものである。

このように累次の改正が行われてきたが、我が国の高等学校までに対応する外国の学校の課程が一二年でない教育制度を有する国からの留学生は、我が国の準備教育課程を修了していること等が必要となるため、日本の大学への留学を見合わせて他国の大学等に留学するケースも生じていた。このため、我が国としても留学生を積極的に受け入れ、国際化を推進していく観点から、平成二八年三月に告示が改正され（三号を追加）、一定の条件を満たす場合は、一二年に満たない教育課程を有する国の学校を修了した者に対し、大学入学資格を認めることとした。この改正に伴い、「高等学校に対応する外国の学校の課程のうち当該課程を修了した者が大学入学に関し高等学校を卒業した者と同等以上の学力があると認められるものに係る基準」（平二八文部科学省告示七五）が制定されている。

○高等学校に対応する外国の学校の課程のうち当該課程を修了した者が大学入学に関し高等学校を卒業した者と同等以上の学力があると認められるものに係る基準（平二八・三・三一文部科学省告示七五）

外国において学校教育における十二年の課程を修了した者に準ずる者を指定する件（昭和五十六年文部省告示第百五十三号）第三号の規定に基づき高等学校に対応する外国の学校の課程のうち当該課程を修了した者が大学入学に関し高等学校を卒業した者と同等以上の学力があると認められるものに係る基準を次のように定める。

一　当該課程の修了者が当該外国の学校教育における十一年以上の課程を修了したとされるものであること。

二　当該課程の修了者が大学に対応する当該外国の学校に入学する

ことができるものであること。

三　高等学校の教科等に相当する教科等により編成される教育課程を有すると認められるものであること。

さらに、外国において学校教育における一二年の課程を早期に修了した者については、我が国の大学入学資格が認められるものと既に解されていたことを踏まえ、平成三一年一月に告示が改正され、外国の学校の課程（一二年の課程）と同等の課程を有するものとして、外国の学校教育制度において位置付けられた外国人学校を卒業した者などについても、一八歳以上という要件が撤廃された。

五　施行規則一五〇条二号に基づく在外教育施設の認定に当たっては、「在外教育施設の認定等に関する規程」（平三文部省告示一一四）の定めるところによる。この規程では、認定の基準、運営の基準、認定の手続等について規定している。令和元年一月現在、高等部を有するものについては、立教英国学院（小学部・中学部・高等部）、帝京ロンドン学園（高等部）、スイス公文学園高等部（高等部）、早稲田大学系属早稲田渋谷シンガポール校（高等部）、上海日本人学校（高等部）、如水館バンコク（高等部）がある。

なお、在外教育施設としての認定又は指定を取り消された場合でも、それらを受けていた期間内に当該施設の課程を修了した者に大学入学資格が認められることは当然である。

六　施行規則一五〇条三号は、平成一七年九月の学校教育法施行規則の一部を改正する省令（平一七文部科学省令四二）により追加されたものである。

専修学校高等課程のうち一定の要件を満たすものの修了者については、昭和六〇年六月二六日の臨時教育審議会の第一次答申における提言を受けて、同年九月に、同条四号の「文部科学大臣の指定した者」に基づく告示「大学入学に関し高等学校を卒業した者と同等以上の学力があると認められる者を指定する件」（昭二三文部省告示四七）が改正さ

れて旧二一号が設けられ、大学入学資格が認められていた。これが、平成一七年一月の中央教育審議会答申「我が国の高等教育の将来像」を受けて、専修学校専門課程のうち一定の要件を満たすものの修了者に大学院入学資格を認めるため施行規則旧七〇条（現行規則一五五条）の改正がなされた際に、規定の整備として告示ではなく省令に規定されることとなったものである。

これに伴い、文部科学大臣が定める基準として、①修業年限が三年以上であること、②課程の修了に必要な総授業時数が二、五九〇時間以上であることが定められるとともに（平一七文部科学省告示一三七）、「大学入学資格に係る専修学校高等課程の指定に関する実施要項」（昭六〇・九・一九高等教育局長通知）も改められた。なお、旧二一号に基づき、大学入学資格が認められる専修学校高等課程を指定していた諸告示は根拠法令が変わることから廃止され、新たに「学校教育法施行規則第百五十条第三号の専修学校の高等課程等を定める告示」（平一七文部科学省告示一六七）が制定された。

【参考】　大学入学資格に係る専修学校高等課程の指定に関する実施要項

1　趣　旨

学校教育法施行規則（昭和二二年文部省令第一一号）第一五〇条第三号の規定に基づく専修学校の高等課程の指定に関しては、この実施要項の定めるところによる。

2　目　的

大学入学資格に係る専修学校高等課程の指定は、大学入学の機会を拡大するとともに、後期中等教育の多様化・活性化に資することを目的とする。

3　指定の基準

専修学校の高等課程のうち、当該課程を修了した者が大学への入学に関し高等学校を卒業した者と同等以上の学力があると認められるものに係る基準は、「専修学校の高等課程のうち、当該課程を修了した者が大学入学に関し高等学校を卒業した者と同等以上の学力があると認められるものに係る基準を定める件」（平成一七年文部科学省告示第一三七号）に掲げるとおりであるが、念のため以下に再掲する。

〈1〉　修業年限が三年以上であること

〈2〉　課程の修了に必要な総授業時数が二、五九〇時間以上であ

ること

なお、各課程においては、以下の点にも十分に留意すること。

① 中学校教育の基礎の上に、心身の発達に応じて、基本的な普通教育に配慮しつつ、職業若しくは実際生活に必要な能力を育成し、又は教養の向上を図ることを目的とした教育を行うものと認められる専修学校高等課程であること。

② 卒業に必要な普通科目についての総授業時数は、四二〇時間以上であること。ただし、一〇五時間までは、教養科目で代替することができること。

③ 普通科目とは、高等学校学習指導要領に示す「国語」、「地理歴史」、「公民」、「数学」、「理科」又は「外国語」の各教科の目標に即した内容を有する科目とすること。

④ 教養科目とは、専門科目又は③に掲げる普通科目以外の科目で一般的な教養の向上又は心身の発達を図ることを目的とした内容を有する科目とし、例えば、芸術（美術、音楽、書道、茶華道など）、保健・体育、家庭、礼儀・作法などがこれに該当すること。

⑤ ③に掲げる普通科目を担当する教員の相当数が、高等学校の普通免許状を所有していることが望ましいこと。

4 手続

① 文部科学大臣は、上記3の基準を満たすと認めた課程を指定し、官報で告示する。課程の名称又は位置に変更があったときも、同様とする。

② 文部科学大臣は、指定を行った専修学校高等課程が廃止されたときは、その旨を官報で告示する。

③ 文部科学大臣は、指定を行った専修学校高等課程が上記3の指定基準に適合しなくなったと認めたときは、その指定を解除し、その旨を官報で告示する。

④ 上記の文部科学大臣の告示は、毎年度、原則として一〇月に行うものとする。

⑤ 上記の文部科学大臣の告示の実施に資するため、高等課程を設置する専修学校は、毎年六月三〇日までに、文部科学大臣に対し、当該高等課程が上記3の基準を満たすと考えられる旨（別記様式1を参照）、当該専修学校の高等課程の「設置の目的」、「設置者」、「学校、課程又は学科の名称」、「位置」、「修業年限」、「卒業に必要な総授業時数」が変更された旨（別記様式2を参照）、当該専修学校の高等課程が廃止された旨（別記様式3）、当該専修学校の高等課程が上記3の基準に適合しなくなったと考えられる旨（別記様式4）の通知を行うものとする。

5 適用時期

文部科学大臣は、指定を受けた課程において3の指定基準を満たす教育を受けた者が指定日以後最初に当該課程を修了することとなる年度の三月一日を、学校教育法第一五〇条第三号に規定する「文部科学大臣が定める日」として定めるものとする。

6 附則

① この実施要項は、平成一八年八月一日から施行する。

② この実施要項の適用について必要な事項は、別に文部科学省

高等教育局長及び生涯学習政策局長が定める。

七　施行規則一五〇条四号の「文部科学大臣の指定した者」については、次の文部省告示がある。

○大学入学に関し高等学校を卒業した者と同等以上の学力があると認められる者の指定（昭二三・五・三一文部省告示四七）

最終改正　令四・二・二五文部科学省告示二〇

学校教育法施行規則第百五十条第四号の規定により、大学入学に関し、高等学校を卒業した者と同等以上の学力があると認められる者を、次のように指定する。

一、従前の規定による高等学校高等科又は大学予科の第一学年を修了した者

二、専門学校本科又は中等学校卒業程度を入学資格とする専門学校予科の第一学年を修了した者

三、高等師範学校、女子高等師範学校、実業教員養成所又は臨時教員養成所の第一学年を修了した者

四、師範学校本科（昭和十八年勅令第百九号施行以前のものを除く。）又は青年師範学校の第一学年を修了した者及び師範学校予科において四年の課程を修了した者

五、昭和十八年勅令第百九号施行以前の師範学校の本科第一部第四学年又は本科第二部第一学年を修了した者並びに青年学校教員養成所の第一学年を修了した者

六、修業年限五年の高等女学校卒業程度を入学資格とする高等女学校の専攻科又は高等科の第一学年を修了した者又は修業年限四年の高等女学校卒業程度を入学資格とする高等女学校の専攻科又は高等科の第二学年を修了した者

七、国民学校初等科修了程度を入学資格とする修業年限五年の実業学校卒業程度を入学資格とする実業学校専攻科の第一学年を修了した者又は国民学校初等科修了程度を入学資格とする修業年限四年の実業学校卒業程度を入学資格とする実業学校専攻科の第二学年を修了した者

八、大正七年文部省令第三号第二条第二号により指定した学校の第一学年を修了した者（昭和三十年三月三十一日までに修了した者に限る。）

九、従前の規定による大学において高等学校高等科又は専門学校本科と同等以上の学校として入学資格を認められた学校の第一学年を修了した者

十、朝鮮教育令、台湾教育令、在関東州及満州国帝国臣民教育令又は在外指定学校規則による学校において前各号の一に該当する者

十一、高等学校高等科学力検定試験又は専門学校卒業程度検定試験に合格した者

十二、教育職員免許法（昭和二十四年法律第百四十七号）による小学校、中学校若しくは高等学校の教諭の普通免許状を有する者又は教育職員免許法施行法（昭和二十四年法律第百四十八号）によりこれらの免許状を有するものとみなされた者（旧教員免許令（明治三十三年勅令第百三十四号）に基く旧実業学校教員検定に関する規程（大正十一年文部省令第四号）による実習科目に関する限りの実業学校教員免許状を有する者を除く。）

十三、専門学校の別科第一学年を修了した者、但し、中等学校（旧中等学校令第十九条の規定によるものを除く。）卒業程度を入学資格とする者に限る。

十四、東京盲学校師範部甲種音楽科第一部第一学年、同鍼按科第一学年を修了した者及び同校師範部普通科乙種を卒業した者、又は東京聾唖学校師範部技芸科第一部第一学年を修了した者及び同校師範部普通科乙種を卒業した者

十五、各都道府県において行う新制大学の入学資格を認定する試験に合格した者（昭和二十六年三月三十一日までの試験に合格した者に限る。）

十六、旧運輸省設置法（昭和二十四年法律第百五十七号）による商船学校の席上課程三年修了者

十七、旧海軍工廠、旧海軍航空廠、旧海軍技術廠、旧海軍火薬廠、旧海軍施設部、旧海軍燃料廠及び旧海軍工作部（旧海軍工廠等という。以下同じ。）に設置した工員養成所において修業年限二年の補修科を修了した者、旧海軍工廠等に設置した工員教習所において修業年限一年の補修科を修了した者又は旧海軍工廠等に設置した職工教習所において修業年限二年の高等科、修業年限一年の専修科若しくは補修科を修了した者

十八、旧運輸省設置法及び旧運輸省組織令（昭和五十九年政令第百七十五号）による海員学校の高等科を卒業し、独立行政法人海技教育機構法（平成十一年法律第二百十四号）による独立行政法人海技教育機構（旧運輸省設置法、旧運輸省組織令及び独立行政法人国立公文書館等の設立に伴う関係政令の整備等に関する政令（平成十二年政令第三百三十三号）による改正前の国土交通省組織令（平成十二年政令第二百五十五号）による海技大学校並びに独立行政法人に係る改革を推進するための国土交通省関係法律の整備に関する法律（平成十八年法律第二十八号）による廃止前の独立行政法人海技大学校法（平成十一年法律第二百十二号）による独立行政法人海技大学校を含む。）の普通科A課程を卒業した者（昭和五十年四月一日以降に当該課程に入学した者に限る。）

十九、独立行政法人海技教育機構法による独立行政法人海技教育機構（旧運輸省組織令及び独立行政法人国立公文書館等の設立に伴う関係政令の整備等に関する政令による改正前の国土交通省組織令による海員学校並びに独立行政法人に係る改革を推進するための国土交通省関係法律の整備に関する法律による改正前の独立行政法人海員学校法による独立行政法人海員学校を含む。）の本科を卒業した者

二十、スイス民法典に基づく財団法人である国際バカロレア事務局が授与する国際バカロレア資格を有する者

二十一、ドイツ連邦共和国の各州において大学入学資格として認め

られているアビトゥア資格を有する者
二十二、フランス共和国において大学入学資格として認められているバカロレア資格を有する者
二十三、グレート・ブリテン及び北部アイルランド連合王国において大学入学資格として認められているジェネラル・サーティフィケート・オブ・エデュケーション・アドバンスト・レベル資格を有する者
二十四、アメリカ合衆国カリフォルニア州に主たる事務所が所在する団体であるウェスタン・アソシエーション・オブ・スクールズ・アンド・カレッジズ、同国コロラド州に主たる事務所が所在する団体であるアソシエーション・オブ・クリスチャン・スクールズ・インターナショナル、同国マサチューセッツ州に主たる事務所が所在する団体であるニューイングランド・アソシエーション・オブ・スクールズ・アンド・カレッジズ又はオランダ王国南ホラント州に主たる事務所が所在する団体であるカウンセル・オブ・インターナショナル・スクールズから教育活動等に係る認定を受けた教育施設に置かれる十二年の課程を修了した者

この告示の大部分は、旧制学校からの接続や他省庁所管の特別の教育施設との接続のためのものである。

この告示の現行二一号は平成七年一〇月に追加されたものである。この措置は、近年の国際交流の進展等に伴い、ドイツのアビトゥア資格という個人の有する試験資格に着目し、これが昭和五四年から既に認められていた国際バカロレア資格と同様に、国際的な通用性があり、その内容や水準が一定の基準により確保されていることが公的に確認できたことから、この資格を得た者に対して大学入学資格を認めることとしたものである。同様に、フランスのバカロレア資格を取得した者に対して大学入学資格を付与することとし、現行二二号が平成八年一〇月に追加された。

現行二三号は、平成二八年三月の告示の改正により、英国及び同国の旧植民地諸国において大学入学資格として扱われているジェネラル・サーティフィケート・オブ・エデュケーション・アドバンスト・レベル資格を有する者についても、大学入学資格を認めることとしたものである。

現行二四号は、平成一四年三月に閣議決定された「規制改革推進三カ年計画（改定）」において、インターナショナル・スクールで一定水準の教育を受けて卒業した生徒に大学入学機会を拡大することが盛り込まれたこと等を受け

て、国際的な評価団体の認定を受けた外国人学校の一二年の課程を修了した者に大学入学資格を認めることとされたものであり、該当する国際的な評価団体が告示に示されている。令和四年二月現在、アメリカ合衆国カリフォルニア州に主たる事務所が所在する団体であるウェスタン・アソシエーション・オブ・スクールズ・アンド・カレッジズ（WASC）、同国コロラド州に主たる事務所が所在する団体であるアソシエーション・オブ・クリスチャン・スクールズ・インターナショナル（ACSI）、グレート・ブリテン、同国マサチューセッツ州に主たる事務所が所在する団体であるニューイングランド・アソシエーション・オブ・スクールズ・アンド・カレッジズ（NEASC）及びオランダ王国南ホラント州に主たる事務所が所在する団体であるカウンセル・オブ・インターナショナル・スクールズ（CIS）の四つの評価団体が該当しており、これらの評価団体の認定を受けた外国人学校を卒業した者に大学入学資格が認められている。なお、制定当初、現行二四号は、我が国に設置された教育施設において一二年の課程を修了した者のみを対象としていたが、平成二八年三月の告示の改正により、国際的な評価団体の認定を受けた外国の教育施設において一二年の課程を修了した者に対しても大学入学資格を認めることとしたものである。

さらに、外国において学校教育における一二年の課程を早期に修了した者については、我が国の大学入学資格が認められるものと既に解されていたことを踏まえ、国際バカロレア資格を有する者や国際的な評価団体の認定を受けた外国人学校を卒業した者などについて、一八歳以上という要件を撤廃する告示の改正が、平成三十一年一月に行われた。

八　施行規則一五〇条五号の「高等学校卒業程度認定試験」は、様々な理由で、高等学校を卒業できなかった者等の学習成果を適切に評価し、高等学校を卒業した者と同等以上の学力があるかどうかを認定するための試験であり、平成一七年一月に、それまで設けられていた大学入学資格検定試験制度が廃止されて、新たに設けられたものである。高等学校を卒業しなければ最終学歴は高等学校卒業とはならないが、高等学校卒業程度認定試験に合格した者は、大学入学資格等が認められるだけでなく、高等学校を卒業した者と同等以上の学力がある者として認定され、就

職、資格試験等に活用することができる。また、試験科目や全日制高等学校在籍者が受験できる点等で大学入学資格検定とは異なっている。なお、廃止される以前の大学入学資格検定に合格した者も、高等学校を卒業した者と同等以上の学力があると認められ、大学入学資格等における扱いは高等学校卒業程度認定試験の合格者と同じである。

高等学校卒業程度認定試験制度は、高等学校卒業程度認定試験規則（平一七文部科学省令一）によって試験の施行、受験資格、試験科目、試験の免除、合格等について定められており、制度の概要は次のとおりである（令和二年度現在）。

(イ)　試験の施行　毎年少なくとも一回、文部科学大臣が行い、施行期日、場所及び出願の期限はインターネットの利用その他の適切な方法により公示する。

(ロ)　受験資格　受験する年度の終わりまでに満一六歳以上になる者であれば受験することができる。なお、既に大学入学資格を持っている者は受験できない。

(ハ)　試験科目　試験科目は「国語」、「世界史Ａ又は世界史Ｂのうちから一科目」、「日本史Ａ、日本史Ｂ、地理Ａ又は地理Ｂのうちから一科目」、「現代社会一科目又は倫理及び政治・経済の二科目」、「数学」、「「科学と人間生活」の一科目と「物理基礎」「化学基礎」「生物基礎」「地学基礎」のうち一科目」又は、「物理基礎」「化学基礎」「生物基礎」「地学基礎」のうち三科目、「英語」。各試験科目について、筆記の方法による。

(ニ)　試験の免除　高等学校等において、各試験科目に相当する科目を修得した者等については、願い出により、当該試験科目についての試験は免除される。

(ホ)　合格　試験科目の全部について合格点を得た者を合格者とする。ただし、その者が一八歳に達していないときは、一八歳に達した日の翌日から合格者となる。

九　施行規則一五〇条六号は、平成一三年七月の法改正後の本条二項（本条の【注解】一四参照）の規定に伴い同年一二月に追加された規定である。一般的な大学入学資格によらずに本条二項の規定に基づき大学に入学した学生が他の

と認めた場合には、当該学生に大学入学資格を付与するものである。

大学に転学等する場合、当該学生を転学等により受け入れる大学において大学教育を受けるにふさわしい学力がある

一〇　施行規則一五〇条七号は、平成一五年九月一九日に全面改正されたものであり（当時は六号）、大学において、個別の入学資格審査により、高等学校を卒業した者と同等以上の学力があると認めた者に大学入学資格が認められることとなった。この改正は、前述した国際的な評価団体の認定を受けた外国人学校を卒業した者や外国本国の正規の学校と同等の課程を有するものとして位置付けられている外国人学校を卒業した者に大学入学資格が認められたことに併せて、制度化されたものである。改正前の規定は、法令上明確に規定することが実際上困難な旧制度の学校に在学した者等を救済するために設けられたものであることから、対象はかかる趣旨に沿った者に限定されていたが、改正後の本号の規定は、意欲と能力を有する者に大学等での学習の機会を拡大するために設けられたものであることから、多様な学修歴や実績を有する者と各大学が判断した者であれば対象となり得ることとなる（なお、改正前の施行規則旧六号の対象とされていた者も、本号の対象になり得る）。

また、この個別の入学資格審査は各大学の判断により導入し実施するものであり、認定の効力は、当該大学にのみ及ぶものである。実際の運用に当たっては、学部・学科等ごとに個別の入学資格審査を行うことも可能である。

一一　外国において学校教育の課程を修了した者で国内の大学に入学を希望する者が増加しつつあり、外国の学校と国内の大学との卒業、入学の時期に相当のずれがある場合が多い実情にかんがみ、外国において学校教育を受けた者の我が国への受け入れを円滑に行うため、昭和五一年五月に学校教育法施行規則の一部改正が行われ、施行規則旧七二条（現行一七三条）に第二項が設けられた。この改正は、また、従来実態として通信教育において行われていた学年途中の入学についても、明文上の根拠を与えたということができる。

(旧)第七十二条　第二十八条〔現行五八条〕及び第四十四条〔現行五九条〕の規定は、大学に、これを準用する。

2　大学は、前項において準用する第四十四条に規定する学年の途中においても、学期の区分に従い、学生を入学させ及び卒業させることができる。

この規定は従来、外国において学校教育を受けた者のための特別な教育課程が編成されているとか、通信教育を行うときなどのように教育上の支障がないと認められる場合など、「特別の必要があり、かつ、教育上支障がないとき」には、学年途中においても学期の区分に従い、学生を入学させ及び卒業させることができることとされていたが、秋季入学を各大学においてより柔軟に導入できるよう、このような限定規定を削除する施行規則の一部改正が平成一一年三月に行われた。さらに、平成一九年一二月には、学年の始期についても各大学の判断で自由に設定できるよう改正が行われた（施行規則一六三条）。

第百六十三条　大学の学年の始期及び終期は、学長が定める。

②　大学は、前項に規定する学年の途中においても、学期の区分に従い、学生を入学させ及び卒業させることができる。

一二　大学を卒業した者や相当期間以上大学に在学した者が、再び大学の第一学年に入学する例もある。医歯学部にその例が多いが、その他の学部においてもかなりの例にのぼってきたため、国立大学協会の要望を受け、新たに大学の第一年次に入学した学生の既修得単位について、昭和五四年に一定の条件のもとにその一部を当該大学における修得とみなすことができることとされた。この取扱いは昭和五七年の大学設置基準の改正に関連して、さらに整備され、通達により運用されていた。

平成三年文部省令第二四号による大学設置基準の改正により、この既修得単位の取扱いについての規定が設置基準に盛り込まれ、既修得単位を大学が三〇単位以内で入学後の当該大学における単位とみなすことができることが規定

上明らかにされた。さらに単位数の上限については、平成一一年三月の同基準の改正により、単位互換で修得した単位等と合わせて六〇単位を超えないものとした（大学設置基準三〇条）。

一三　本条二項は、大学への早期入学（いわゆる「飛び入学」）に関する規定である。早期から大学に入学させることを可能とするため、本条一項による大学入学資格を得ていなくても大学に入学することができるようにするための規定である。

これまでの我が国の教育は、平等性を重視するきらいが強すぎたとの指摘がなされており、今後は、一人一人の能力・適性に応じた教育をより一層進め、その能力の伸長を図ることがますます重要となると考えられる。

大学入学に関しても、大学入学資格を得るためには本条一項により高等学校を卒業すること等が必要であり、原則として一八歳に達していなければ大学に入学することができないこととされていた。このことについて、平成九年六月の中央教育審議会答申「二一世紀を展望した我が国の教育の在り方について」において、学校制度の画一的な取扱いの弾力化を図るため、一八歳未満であっても大学に入学できることとすることが適当と提言されたことを受け、同年の学校教育法施行規則の改正により、高等学校に二年以上在学し、数学又は物理学の分野で特に優れた資質を有すると認められた者は一定の条件の下で大学に入学できることとなった。

さらに、教育改革国民会議報告（平成一二年一二月）及び各大学における取組状況を踏まえ、特定の分野で特に優れた資質を有し大学入学により才能の一層の開花が期待される者については早期から大学教育を受けさせることによってその資質を伸ばすチャンスを与えようという趣旨から、平成一三年に学校教育法が改正され、これまでは対象分野が数学又は物理学の分野に限定されていたが、各大学において対象分野を定めることとされた。

具体的には、高等学校に文部科学大臣の定める年数以上在学した者等であって、大学の定める分野において特に優れた資質を有すると認めるものを、当該大学に入学させることができることとなった。

一四　この措置を実施し得る大学は、①対象分野に関する教育研究が行われている大学院が置かれていること及び②対象分野における特に優れた資質を有する者の育成を図るのにふさわしい教育研究上の実績及び指導体制を有することという要件を満たす大学に限られている。

なお、法律案の段階では、大学についての限定はなされていなかったが、国会において、制度を適正に運用するという趣旨から、実施し得る大学について条件が加えられた。

一五　「特に優れた資質」とは、特定の分野で他に抜きん出て優れた才能を意味する。分野により異なるが、例えば、総合化する思考力、構想力、斬新な発想や独創的な考えを提起する力、理解の早さ又は意欲の強さなどの点において極めて高い能力を有するなど他に抜きん出た才能を有することである。

一六　「大学の定める分野」については、各大学において、その教育研究上の理念、実績及び指導体制などを適切に判断して対象分野を定めることとなると考えられる。

一七　大学においては、学生確保のための単なる手段としてこの制度が利用されることのないよう、また受験競争の過熱化などを引き起こすことがないよう制度の趣旨に沿った適切な運用が必要である。このため、制度の運用の在り方について適宜見直しを行うとともに、大学と高等学校等との連携の促進に努めることが求められる。この制度の対象者は「高等学校に文部科学大臣の定める年数以上在学した者」と規定されており、高等学校に二年以上在学することが要件とされている（施行規則一五三条）とともに、施行規則及び告示が次のように定められている。この制度により大学に入学した学生は、別途、高等学校卒業資格を取得しない限り、高等学校等については中途退学という取扱いになる。したがって、各大学においては、あらかじめこのことについて出願者に十分周知するなど適切な配慮が必要となる。

第百五十一条　学校教育法第九十条第二項の規定により学生を入学させる大学は、特に優れた資質を有すると認めるに当たつては、入学しようとする者の在学する学校の校長の推薦を求める等により、同項の入学に関する制度が適切に運用されるよう工夫を行うものとする。

第百五十二条　学校教育法第九十条第二項の規定により学生を入学させる大学は、同項の入学に関する制度の運用の状況について、同法第百九条第一項に規定する点検及び評価を行い、その結果を公表しなければならない。

第百五十三条　学校教育法第九十条第二項に規定する文部科学大臣の定める年数は、二年とする。

第百五十四条　学校教育法第九十条第二項の規定により、高等学校に文部科学大臣が定める年数以上在学した者に準ずる者を、次の各号のいずれかに該当する者と定める。

一　中等教育学校の後期課程、特別支援学校の高等部又は高等専門学校に二年以上在学した者

二　外国において、学校教育における九年の課程に引き続く学校教育の課程に二年以上在学した者

三　文部科学大臣が高等学校の課程と同等の課程を有するものとして認定した在外教育施設（高等学校の課程に相当する課程を有するものとして指定したものを含む。）の当該課程に二年以上在学した者

四　第百五十条第三号の規定により文部科学大臣が別に指定する専修学校の高等課程に同号に規定する文部科学大臣が定める日以後において二年以上在学した者

五　文部科学大臣が指定した者

六　高等学校卒業程度認定試験規則第四条に定める試験科目の全部（試験の免除を受けた試験科目を除く。）について合格点を得た者（旧規程第四条に規定する受検科目の全部（旧検定の一部免除を受けた者については、その免除を受けた科目を除く。）について合格点を得た者を含む。）で、十七歳に達したもの

○高等学校に文部科学大臣が定める年数以上在学した者に準ずる者を定める件（平一三・一一・二七文部科学省告示一六七）

最終改正　平三一・一・三一文部科学省告示一三

学校教育法施行規則（昭和二十二年文部省令第十一号）第百五十四条第五号の規定により、高等学校に、文部科学大臣が定める年数以上在学した者に準ずる者を、次のように指定する。

一　高等学校及び学校教育法施行規則第百五十四条第一号に掲げる学校並びに同条第三号に掲げる施設並びに同条第二号及び第四号に掲げる課程に通算して二年以上在学した者

二　外国において、学校教育における十二年の課程を修了した者と同等以上の学力があるかどうかに関する認定試験であると認められる当該国の検定（国の検定に準ずるものを含む。）に合格した者で、十七歳に達したもの

【通　知】

○学校教育法の一部改正について（抄）（平一三・七・一一一三文科初四六六号　各国公私立大学長、各国公私立高等専門学校長、国立久里浜養護学校長、放送大学長、各都道府県教育委員会、各都道府県知事あて　文部科学事務次官通知）

三　大学への飛び入学（第五六条関係〔現行法九〇条〕）

大学への入学について、高等学校に文部科学大臣の定める年数以上在学した者であって、数学又は物理学の分野に限らず大学の定める分野において特に優れた資質を有すると認めるものを、当該大学に入学させることができることとしたこと。ただし、この飛び入学を実施し得る大学は、当該分野に関する教育研究が行われている大学院が置かれていること及び当該分野における特に優れた資質を有する者の育成を図るのにふさわしい教育研究上の実績及び指導体制を有することという要件を満たす大学に限られること。

なお、関係省令の改正については追ってこれを行うとともに、大学への飛び入学の実施に当たっての配慮事項等に関しては、別途通知する予定であり、これに留意して適切に対処すること。

○学校教育法施行規則の一部改正等について（抄）（平一三・一二・二七　文科高一三九六号　各国公私立大学長、各国立短期大学部学長、各国公私立高等専門学校長、国立久里浜養護学校長、放送大学長、独立行政法人大学入試センター理事長、各都道府県知事、各都道府県教育委員会あて　文部科学省高等教育局長・生涯学習政策局長通知）

第一　学校教育法施行規則の一部改正について

一　改正の趣旨

今回の改正は、第一五一回国会において学校教育法の一部を改正する法律（平成一三年法律第一〇五号）が成立し、大学及び大学院への飛び入学に係る改正が行われたこと（同法第五六条第二項〔現行法九〇条二項〕及び第六七条第二項〔現行法一〇二条二項〕関係）を受けて行ったものであること。

二　大学への飛び入学関係

(1)　改正の概要及び留意点

ア　飛び入学により入学した学生の転学等について（学校教育法施行規則第六九条第五号〔現行一五〇条六号〕関係）

(ア)　大学へ飛び入学により入学した学生については、飛び入学を実施した大学において責任をもって指導することが基本であるが、やむを得ない事情等により他大学へ転学等する場合には、当該者を転学等により受け入れる大学において、大学における教育を受けるにふさわしい学力があると認めた場合には、大学入学資格を認めること。

(イ)　飛び入学により入学した学生を転学等により受け入れる大学が大学における教育を受けるにふさわしい学力があるか否かを判断するに当たっては、当該学生の大学における学習の実績を評価し、その学力を判断することが基本となると考えられること。なお、当該学力は、飛び入学の際に求められる特定の分野における特に優れた資質ではないこと。

イ　飛び入学制度の適切な運用について（学校教育法施行規則

第六九条の二〔現行一五一条〕関係）

(ア) 飛び入学を実施する大学は、出願者が特に優れた資質を有するか否かを判断するに当たっては、当該出願者が在学する高等学校等の校長、あるいは学校以外の場で活躍している出願者についてはその指導者など出願者の資質を知り得る者からの推薦を求めるなど、特に優れた資質を有するか否かを適切に判断すること。

(イ) 推薦は、出願者本人の同意の下に、大学が定める分野における特に優れた資質に関して行われるものであり、推薦に当たっては、大学関係者と高等学校関係者等との積極的な意見交換又は連携に努めること。その際、高等学校の校長等が外部の専門家等の助言又は協力を得て推薦を行う等、多様な工夫があり得ること。

(ウ) この他、飛び入学を実施する大学は、出願者が特に優れた資質を有するか否かを判断するに当たっては、通常の学力試験によらず、面接、小論文等を組み合わせるなどの適切かつ丁寧な方法によるなど、制度が適切に運用されるように工夫すること。

ウ 飛び入学についての自己点検・評価について（学校教育法施行規則第六九条の三〔現行一五二条〕関係）

大学の教育研究活動等の状況について自己点検・評価及びその結果の公表が義務づけられている（大学設置基準（昭和三一年文部省令第二八号）第二条〔現在は削除〕）が、制度の透明性を高め、その適切な運用を確保する観点から、飛び入学制度の運用状況についても、各大学が自己点検・評価を行い、その結果を公表しなければならないことを明確化したこと。

エ 学校教育法第五六条第二項〔現行法九〇条二項〕に規定する文部科学大臣の定める年数について（学校教育法施行規則第六九条の四〔現行一五三条〕関係）

大学への飛び入学の要件は、高等学校に二年以上在学したこととすること。

オ 高等学校に文部科学大臣が定める年数以上在学した者に準ずる者について（学校教育法施行規則第六九条の五〔現行一五四条〕関係）

(ア) 学校教育法第五六条第二項〔現行法九〇条二項〕の規定により、高等学校に文部科学大臣が定める年数以上在学した者に準ずる者を、次のように定めること。

① 中等教育学校の後期課程、高等専門学校又は盲学校、聾学校若しくは養護学校〔編者注：現在は特別支援学校〕の高等部に二年以上在学した者（第一号関係）

② 外国において、学校教育における九年の課程に引き続く学校教育の課程に二年以上在学した者（第二号関係）

③ 文部科学大臣が高等学校の課程と同等の課程を有するものとして認定した在外教育施設（高等学校の課程に相当する課程を有するものとして指定したものを含む。）の当該課程に二年以上在学した者（第三号関係）

④ 文部科学大臣が指定した者（第四号関係）

⑤ 大学入学資格検定規程（昭和二六年文部省令第一三号）第四条に定める受検科目（資格検定の一部免除を受けた者については、その免除を受けた科目を除く。）のすべてについて合格点を得た者で、一七歳に達したもの（第五号関係）〔編者注：現在は高等学校卒業程度認定試験規則〕

(イ) 配慮事項

① 文部科学大臣が認定した在外教育施設については、文部事務次官通知（平成三年一一月一四日文教海第一五五号）を参照されたいこと。

② 大学入学資格検定に関しては、改正後の学校教育法第五六条第二項〔現行法九〇条二項〕及び同法施行規則第六九条の五第五号〔現行一五四条六号〕により大学に入学が認められる者について、大学入学資格検定規程第八条における取扱いに変更を加えるものではないこと。

カ 飛び入学により入学した学生が専修学校の専門課程に入学することについて（学校教育法施行規則第七七条の五〔現行施行規則一八三条〕関係）

(ア) 大学へ飛び入学により入学した学生について、当該者が専修学校の専門課程に入学する場合に、当該者を受け入れる専修学校において、高等学校を卒業した者に準ずる学力があると認めた場合には、専修学校の専門課程の入学資格を認めること。

(イ) 飛び入学により入学した学生を受け入れる専修学校が高等学校を卒業した者に準ずる学力を有するか否かを判断するに当たっては、当該学生の高等学校等における単位の取得状況や成績、大学における学習の実績等により判断すること。

(2) 留意事項

ア 適切な運用の確保について

飛び入学は、一人一人の能力・適性に応じた教育を進める観点から特定の分野で特に優れた資質を有する者に早期に大学入学の機会を与え、その才能の一層の伸長を図ろうとする制度であること。

したがって、各大学においては、学生の早期確保のための単なる手段として飛び入学制度を利用することのないよう、また受験競争の激化などを引き起こすことがないよう制度の趣旨に沿った適切な運用に努めること。

イ 特に優れた資質について（学校教育法第五六条第二項〔現行法九〇条二項〕関係）

「特に優れた資質」とは、特定の分野で他に抜きん出て優れた才能であること。これは、分野により異なるが、例えば、総合化する思考力、構想力、斬新な発想や独創的な考えを提起する力、理解の早さ又は意欲の強さなどの点において極めて高い能力を有することなどが考えられること。

ウ 大学の定める分野について（学校教育法第五六条第二項〔現行法九〇条二項〕関係）

飛び入学の対象分野については、各大学ごとにその教育研

究上の理念、実績及び指導体制等を考慮して適切に判断すること。

エ　飛び入学の対象分野に関する教育研究が行われている大学院について（学校教育法第五六条第二項〔現行法九〇条二項〕関係）

飛び入学を実施する大学においては、飛び入学の対象分野に関する教育研究が行われている大学院が置かれていることが必要であり、募集を行う学部等と当該対象分野に関する教育研究を行う大学院研究科等とは、教育研究上又は教員組織上の密接な連携関係を有していること。

オ　教育研究上の実績及び指導体制について（学校教育法第五六条第二項〔現行法九〇条二項〕関係）

飛び入学を実施する大学は、教育研究上の実績及び指導体制を有することが必要であり、以下のような実績及び体制を有していること。

①　特定の分野における特に優れた資質を伸長するため、適切なカリキュラムを編成するとともに、必要な教員が確保されており、十分な指導体制が整っていること。

②　飛び入学により入学した学生が、様々な分野での基礎的な内容を必要に応じ学習することが可能であるようなカリキュラム及び指導体制が整っていること。

③　学生に対する助言体制又は相談体制が整備されていること。

④　円滑に学位が授与されているなど充実した教育研究活動が行われていること。

⑤　募集を行う学部等から大学院への進学の実績があること。

カ　受入体制の整備について

飛び入学を実施する大学においては、入学後の履修方法及び他学部等へ転学部等をさせる上で必要と考えられる事項などについての所要の規程整備等を含めた学内の受入体制の整備をあらかじめ図ること。

キ　学生の募集について

毎年度、募集要項等において、対象者、選抜方法、実施時期、募集人員等について公表すること。なお、募集人員については、既存の定員の内数とし、募集区分を明示した上で、具体的な人員を明記せず、若干名などとして募集を行うことが適当であること。その際、制度の趣旨にふさわしい該当者がいない場合には、募集人員を充足することを要しないものであること。

なお、選抜の実施時期については、高等学校等の教育に及ぼす影響に配慮して、入学願書の受付を一一月一日以降とすること。

ク　大学と高等学校等との連携について

飛び入学を実施する大学においては、飛び入学制度の運用の在り方について、大学関係者や高等学校関係者等による意見交換の場を設けるなどして、その在り方の見直しに努めること。

また、一人一人の多様で特色ある能力や個性の伸長を図る観点からも、公開講座の解説や科目等履修生制度の活用な

ど、大学と高等学校等との連携の促進に努めること。

ケ　飛び入学により入学した学生の取扱いの周知について

飛び入学により入学した学生は、高等学校等を中途退学して大学に入学するという取扱いとなるものであり、飛び入学を実施する大学において、あらかじめこのことについて出願者に周知するなど適切に配慮すること。

○学校教育法施行規則の一部改正等について（抄）（平一五・九・一九　一五文科高三九一号　各国公私立大学長、各国立短期大学部学長、国立久里浜養護学校長、放送大学長、独立行政法人大学入試センター理事長、各都道府県知事、各都道府県教育委員会あて　文部科学省高等教育局長・文部科学省生涯学習政策局長通知）

第一　学校教育法施行規則（昭和二二年文部省令第一一号）第六九条第一号〔現行一五〇条一号〕関係

〔昭和五六年文部省告示第一五三号（外国において学校教育における一二年の課程を修了した者に準ずる者を指定する件）の一部を改正する件（平成一五年文部科学省告示第一五一号）について〕

1　大学入学資格に関し、外国において学校教育における一二年の課程を修了した者に準ずるものとして、次の者を加えたこと。（第三号関係）

我が国において、高等学校に対応する外国の学校の課程（その修了者が当該外国の学校教育における一二年の課程を修了したとされるものに限る。）と同等の課程を有するものとして当該外国の学校教育制度において位置付けられた教育施設（別表第二（略））の当該課程を修了した者で、一八歳に達したもの。

2　本告示の適用日前に当該課程を修了した者についても、入学資格が認められること。

3　別表第二の教育施設については、今後追加することがあり得ること。

4　なお、教育施設の課程が一二年未満のものであっても、当該課程が外国の一二年未満の学校の課程と同等として位置付けられているものであれば、当該教育施設の課程を修了後、準備教育課程を修了し、一八歳に達した者については、今後、文部科学省告示の改正を行い、大学入学資格を認める予定であること。

第二　学校教育法施行規則第六九条第三号〔現行一五〇条四号〕関係

〔昭和二三年文部省告示第四七号（大学入学に関し高等学校を卒業した者と同等以上の学力があると認められる者を指定する件）の一部を改正する件（平成一五年文部科学省告示第一五二号）について〕

1　大学入学資格に関し、高等学校を卒業した者と同等以上の学力があると認められる者として、次の者を指定したこと。（第二四号関係）

外国人を対象に教育を行うことを目的として我が国において設置された教育施設であって、その教育活動等について、

①　アメリカ合衆国カリフォルニア州に主たる事務所が所在する団体であるウェスタン・アソシエーション・オブ・スクール

ズ・アンド・カレッジズ（WASC）、
② 同国コロラド州に主たる事務所が所在する団体であるアソシエーション・オブ・クリスチャン・スクールズ・インターナショナル（ACSI）又は
③ グレート・ブリテン及び北部アイルランド連合王国ハンプシャー市に主たる事務所が所在する団体であるヨーロピアン・カウンセル・オブ・インターナショナル・スクールズ（ECIS）
の認定を受けたものに置かれる一二年の課程を修了した者で、一八歳に達したもの。

2　現時点で、上記1の①から③の団体のいずれかにより認定を受けている我が国に設置された教育施設は、参考資料一（略）のとおりであること。

3　各大学においては、入学を希望する者が修了した又は修了見込みである教育施設が、上記1の①から③の団体のいずれかにより認定を受けていることについて、当該教育施設が証明する書類などにより確認することが必要であること。

4　本告示の適用日前に、上記1の①から③の団体のいずれかにより認定を受けた当該教育施設の課程を修了した者についても大学入学資格が認められること。

第三　学校教育法施行規則第六九条第六号〔現行一五〇条七号〕関係

〔学校教育法施行規則（昭和二二年文部省令第一一号）の一部を改正する省令（平成一五年文部科学省令第四一号）について〕

1　大学入学資格を認める者として、学校教育法施行規則第六九条〔現行一五〇条〕第一号から第五号に掲げる者のほか、各大学において、個別の入学資格審査により高等学校を卒業した者と同等以上の学力があると認めた者で、一八歳に達したものについて、当該大学の大学入学資格を認めること。

2　個別の入学資格審査の実施に当たっては以下の点に留意されたいこと。

(1)　個別の入学資格審査に当たっては、
(a)　専修学校や各種学校等における学習歴や、大学の科目等履修生としての単位の取得などの個人の学習歴
(b)　社会における実務経験や取得した資格
などに基づいて、高等学校を卒業した者と同等以上の学力があると認められる者であるかどうかを審査すること。

(2)　個別の入学資格審査にあたっては、適切な審査体制を設けるとともに、個人の学習歴等を明らかにする書類等に基づいて行うなど適切な審査方法によること。
これらの審査体制、審査方法については、適当な方法により公表すること。

(3)　各大学においては、個別の入学資格審査が、社会人や様々な学習歴を有する者の大学への入学機会の拡大という今回の改正の趣旨に沿ったものとなるよう、また、大学の教育水準の低下を招くことのないよう、十分配慮すること。

(4) 個別の入学資格審査による認定は、入学者選抜とは別個のものであること。

3 （略）

4 個別の入学資格審査は各大学の判断により導入し実施するものであり、認定の効力は、当該大学にのみ及ぶものであること。なお、実際の運用に当たっては、学部・学科等ごとに個別の入学資格審査を行うことも差し支えないこと。

5 今回の改正に伴い、改正前の学校教育法施行規則第六九条第六号の対象とされていた者は、改正後の同条第六号〔現行一五〇条七号〕の対象になり得るものであること。なお、大学院入学資格についても、改正前の学校教育法施行規則第七〇条第七号又は第七〇条の二第五号の対象とされていた者は、それぞれ改正後の学校教育法施行規則第七〇条第六号〔現行一五五条一項八号〕又は第七〇条の二第四号〔現行一五六条五号〕の対象になり得るものであること。

第四・第五 （略）

○学校教育法施行規則の一部改正等の施行について（抄）（平一七・九・九　一七文科高四三九号　各国公私立大学長、独立行政法人大学入試センター理事長、各都道府県知事、各都道府県教育委員会あて　文部科学省高等教育局長・文部科学省生涯学習政策局長通知）

第一 学校教育法施行規則の一部を改正する省令（平成一七年文部科学省令第四二号）

1 改正の概要

(1) （略）

(2) 専修学校の高等課程（修業年限が三年以上であることその他の文部科学大臣が定める基準を満たすものに限る。）で文部科学大臣が別に指定するものを文部科学大臣が定める日以後に修了した者に対して、大学入学資格を与える旨の規定を、新たに学校教育法施行規則に盛り込むこととしたこと（第六九条関係）。なお、「文部科学大臣が定める基準」については、「専修学校の高等課程のうち、当該課程を修了した者が大学入学に関し高等学校を卒業した者と同等以上の学力があると認められるものに係る基準を定める件」（「第四」参照）において定めることとし、当該基準を満たす専修学校の高等課程の具体的な課程の名称及び「文部科学大臣が定める日」については、別の告示において指定することとしたこと。

(3) 第六九条第三号〔現行一五〇条三号〕の規定により文部科学大臣が別に指定する専修学校の高等課程に同号に規定する文部科学大臣が定める日以後において二年以上在学した者について、学校教育法第五六条第二項〔現行九〇条二項〕の定める「高等学校に文部科学大臣が定める年数（＝二年）以上在学した者に準ずる者」とし、大学へのいわゆる飛び入学を認めることとしたこと（第六九条の五〔現行一五四条〕関係）。

(4) その他、所要の規定の整備を行うこととしたこと。

2 留意事項

（略）

第二及び第三（略）

第四「専修学校の高等課程のうち、当該課程を修了した者が大学入学に関し高等学校を卒業した者と同等以上の学力があると認められるものに係る基準を定める件」

1 改正の概要

学校教育法施行規則第六九条第三号〔現行一五〇条三号〕の規定において、専修学校の高等課程（修業年限が三年以上であることその他の文部科学大臣が定める基準を満たすものに限る。）で文部科学大臣が別に指定するものを文部科学大臣が別に定める日以後に修了した者に対して、大学入学資格を与えることとされたことに伴い、「修業年限が三年以上であることその他の文部科学大臣が定める基準」を以下のとおり定めることとしたこと。

〈1〉修業年限が三年以上であること

〈2〉課程の修了に必要な総授業時数が二五九〇時間以上であること

2 留意事項

(1) 文部科学大臣が別に指定する具体的な課程の名称を明らかにするための告示については、その根拠となる法令が「大学入学に関し高等学校を卒業した者と同等以上の学力があると認められる者を指定する件」（昭和二三年文部省告示第四七号）第二一号から「学校教育法施行規則」第六九条第三号〔現行一五〇条三号〕に変わることから、これまでの告示を整理し、改めて定めるものであること。このため、その内容については、これまでの告示と変わるものではないこと。

(2) 昭和六〇年九月一九日付高等教育局長通知による「要項」を改め、文部科学大臣が具体的な専修学校の専門課程を指定するための実施要項を別紙1（略）のとおり定めたので、十分に御了知の上、高等課程を有する専修学校への周知を計るとともに、事務処理上遺漏なきようお取り計らい願いたいこと。

(3) 本改正が施行される平成一七年一二月一日までに、現行の「大学入学に関し高等学校を卒業した者と同等以上の学力があると認められる者を指定する件」第二一号に基づいて指定されている専修学校の高等課程については、改めて手続をとることは不要であること。

第五「専修学校の専門課程のうち、当該課程を修了した者が大学（短期大学を除く。）の専攻科又は大学院への入学に関し大学を卒業した者と同等以上の学力があると認められるものに係る基準を定める件」（平成一七年文部科学省告示第一三八号）（略）

（以下略）

〔大学の専攻科及び別科〕

第九十一条 大学には、専攻科及び別科を置くことができる。

② 大学の専攻科は、大学を卒業した者又は文部科学大臣の定めるところにより、これと同等以上の学力があると認められた者に対して、精深な程度において、特別の事項を教授し、その研究を指導することを目的とし、その修業年限は、一年以上とする。

③ 大学の別科は、前条第一項に規定する入学資格を有する者に対して、簡易な程度において、特別の技能教育を施すことを目的とし、その修業年限は、一年以上とする。

【沿　革】 平一一・七・一六法八七により、「監督庁」を「文部大臣」に改めた。
平一一・一二・二二法一六〇により、「文部大臣」を「文部科学大臣」に改めた。
平一三・七・一一法一〇五により、第三項中「前条」を「前条第一項」に改めた。
平一九・六・二七法九六により、旧五七条から九一条に移動した。

【参照条文】 法九〇条一項、一〇二条。施行規則一四四条、一五五条。

【注　解】

一 本条は、大学の専攻科及び別科に関する規定である。従前は、各大学の学則に基づき、専攻生又は研究生の制度及び専科生の制度が認められていたが、法令上の根拠は定められていなかった。本条はこれらの実態を踏まえ、学校教育法に基づく制度として、専攻科と別科について、法令上の明確な根拠を置くこととしたものである。

二 大学の専攻科は、大学を卒業した者又はこれと同等以上の学力があると認められる者に対して「精深な程度において、特別の事項を教授し、その研究を指導することを目的」とする課程である。

法八三条の大学に置かれる専攻科は、学校制度上大学院と類似した面がある。しかし、専攻科は、特定事項についての教授研究を行うにとどまるのに対し、大学院は、専攻分野が特定されるにしてもある程度体系的な教育研究活動が用意されるものであること、専攻科の修業年限は一年以上であるのに対し、大学院の修業年限は二年又は五年（四

年）というまとまりをもったものであること、専攻科の修了者に対しては特別の学位又は称号は与えられないが、大学院の修了者については学位が授与されること等の点で相違している。ただし大学の専攻科又は文部科学大臣の指定するこれに相当する課程に一年以上在学し、三〇単位以上を修得した者には、専修免許状授与の基礎資格が認められる（教育職員免許法別表一備考二）。文部科学大臣の定めとしては、施行規則一五五条一項がある。

本条二項の「大学」には、法八三条の大学及び一〇八条の大学（短期大学）のいずれをも含むものである。専攻科は短期大学にも設けられる。その入学資格については、短期大学を卒業した者と同等以上の学力があると認められる者であることが必要であり、具体的には施行規則一五五条二項に定められている。

三　大学の別科は、「簡易な程度において、特別の技能教育を施すこと」を目的とする一年の課程であり、入学資格は法九〇条一項に規定する大学入学資格者であるから、学校制度上、高等学校の専攻科に類似するわけであるが、付置されている学校の教育（研究）組織の違い及び目的の違いから実際上の意義においておのずから相当な違いを有している。別科の制度は「特別の技能教育」を目的とするため、農業、芸術、家政系の学部で活用されている。

【判決例】

○大学の専攻科の内容は、各大学の学則等で定める（最(三小)判昭五二・三・一五判例時報八四三号二二頁）

大学の専攻科というのは、前述のような教育目的をもつた一つの教育課程であるから、事理の性質上当然に、その修了という観念があるものというべきである。また、学校教育法五七条〔現行法九一条〕は、専攻科の教育目的、入学資格及び修業年限について定めるのみで、専攻科修了の要件、効果等について定めるところはないが、それは、大学は、一般に、その設置目的を達成するために必要な諸事項については、法令に格別の規定がない場合でも、学則等においてこれを規定し、実施することのできる自律的、包括的な機能を有するところから、専攻科修了の要件、効果等同法に定めのない事項はすべて各大学の学則等の定めるところにゆだねる趣旨であると解されるのである。

〔学長、副学長、学部長、教授その他の職員〕

第九十二条　大学には学長、教授、准教授、助教、助手及び事務職員を置かなければならない。ただし、教育研究上の組織編制として適切と認められる場合には、准教授、助教又は助手を置かないことができる。

② 大学には、前項のほか、副学長、学部長、講師、技術職員その他必要な職員を置くことができる。

③ 学長は、校務をつかさどり、所属職員を統督する。

④ 副学長は、学長を助け、命を受けて校務をつかさどる。

⑤ 学部長は、学部に関する校務をつかさどる。

⑥ 教授は、専攻分野について、教育上、研究上又は実務上の特に優れた知識、能力及び実績を有する者であつて、学生を教授し、その研究を指導し、又は研究に従事する。

⑦ 准教授は、専攻分野について、教育上、研究上又は実務上の優れた知識、能力及び実績を有する者であつて、学生を教授し、その研究を指導し、又は研究に従事する。

⑧ 助教は、専攻分野について、教育上、研究上又は実務上の知識及び能力を有する者であつて、学生を教授し、その研究を指導し、又は研究に従事する。

⑨ 助手は、その所属する組織における教育研究の円滑な実施に必要な業務に従事する。

⑩ 講師は、教授又は准教授に準ずる職務に従事する。

【沿　革】　昭二五・四・一九法一〇三により、第二項を一部改正し、第八項を追加した。

昭三六・一〇・三一法一六六により、「の外」を「のほか」に改めた。

昭四八・九・二九法一〇三により、第四項を追加した。

平一一・五・二八法五五により、学部長に関する規定を追加するとともに、「掌り」を「つかさどり」に改めた。

平一七・七・一五法八三により、助教授を廃止し、「准教授」を設けるとともに、助手のうち主として教育研究を行う者のために「助教」の職を設けた。
平一九・六・二七法九六により、旧五八条から九二条に移動した。
平二六・六・二七法八八により、副学長の職務について、「学長を助け、命を受けて校務をつかさどる」に改めた。

【参照条文】 法七条、九三条。教育公務員特例法二条。

【注　解】

一　本条は、大学の学長、教授その他の職員に関する規定である。一般的に、学校には、校長及び相当数の職員を置かなければならないこととされている（法七条）。本条は、大学において必要とされる教職員の種類とその職務について規定したものである。

一項では、学長、教授、准教授、助教、助手及び事務職員を大学に置かなければならない職員として規定し、二項ではこのほかに置くことができる職員として副学長、学部長、講師、技術職員その他必要な職員を規定し、三項から一〇項において、これらの職員の職務について規定している。

二　このような大学教員の職の在り方については、平成一七年七月の法改正（平一七法八三）により見直しがなされている。

これは、平成一七年の本法改正前の教授、助教授、助手という構造的な大学教員の職の在り方については、分野によって実態は異なるものの、特に、研究面において若手の大学教員が柔軟な発想を活かした研究活動を展開する上で必ずしも適切ではない等の指摘がなされてきたことから、若手教員が自らの資質・能力を十分に発揮して活躍できるよう見直しが行われたものである。

具体的には、大学教員に関する基本的な職として、従来、教育研究を主たる職務とする職である教授及び助教授の

二種類の職とともに、教育研究を主たる職務とするか教育研究の補助を主たる職務とするか必ずしも明瞭ではない助手の職が定められていたが、次のとおり改められた。

(1)　助教授の職は、職名が職務の実態にそぐわない等の指摘や国際的な通用性の観点を踏まえて廃止し、自ら教育研究を行うことを主たる職務とし、教授に次ぐ位置付けの職である准教授の職を設けたこと（七号）

(2)　助手の職は、教員組織における位置付けが曖昧で、実際に担っている職務も多様であることから、これとは別に、将来の大学教員等を目指す者にとってキャリア・パスの第一段階となる職として位置付け、自ら教育研究を行うことを主たる職務とする助教の職を新たに設けたこと（八号）。

(3)　教育研究の補助を主たる職務とする職として助手の職を明確化したこと（九号）

この結果、大学教員に関する基本的な職としては、教育研究を主たる職務とする職として、教授、准教授、助教の三種類の職が、教育研究の補助を主たる職務とする職として助手が定められることとなった。

また、改正前は、助教授及び助手は、大学に置かなければならない職として定められていたが（一項）、この改正により、教育研究上の組織編制として適切と認められる場合には、准教授、助教又は助手を置かないことができることとされた。これは、大学教員に関する基本となる職として、准教授、助教及び助手は、基本的に置かなければならない職であると位置付けつつも、①学生への教育に重点を置き、他大学において既に業績を確立しているベテランの教授を中心に採用する場合、②学際分野など、教育研究分野の特性に応じて、教授、准教授、助教等の重層的な教育体制を敷いて、一定の分野をより深く履修させるよりも、教授のみを置いて幅広い関連領域を履修させる方が有効な場合など、各大学の方針や各分野の実情等によっては置かないことができることとするものである。

三　このような大学教員の職の在り方の見直しに関連して、大学設置基準上の教員組織の在り方についても見直しが行われている。

従前は、大学設置基準上、大学は、その教育研究上の目的を達成するため、学科目制、講座制又は大学の定めるところにより、必要な教員を置くものとされており、学科目制は、教育上必要な学科目を定め、その教育研究に必要な教員を置く制度、講座制は、教育研究上必要な専攻分野を定め、その教育研究に必要な教員を置く制度と定められていた（大学設置基準旧七条）。このような講座制は、大学内の教育研究の責任体制を確立し、教授の各専攻分野における責任を明確にして当該分野における教育研究を深く究めることなどを目的として導入されたものであり、一方、学科目制は講座制を採らない学部の内部組織を明確にするために導入されたものである。しかし、特に国立大学において、講座制や学科目制は、国の行財政上の仕組みによる制約と相俟ってさまざまな側面において硬直的・閉鎖的な運用を招き、教育研究の進展に応じた柔軟な組織編制等を阻害してきたとの指摘がなされていた。

平成一三年には、大学設置基準の改正により、講座制や学科目制以外の教員組織を編制することも可能となったが、一部には、依然として講座制・学科目制について同様の運用に陥っているとの指摘もなされていた。

このため、平成一七年の本法改正に合わせて、平成一八年に講座制・学科目制を基本原則とする従来の大学設置基準の規定を削除し、教員組織の基本となる一般的な在り方として、教育研究上の目的を達成するために必要な教員を置き、主たる授業科目は原則として専任の教授又は准教授が担当することや、各教員の役割分担及び連携の組織的な体制が確保され、かつ、責任の所在が明確であるよう教員組織を編制するものとされた（同基準七条）。

四　三項は、学長の職務について定めている。「校務をつかさどり、所属職員を統督する。」ことが学長の職務である。「校務をつかさどり」の意義は、小学校等の校長の職務と同様に、学長が大学の包括的な最終責任者としての職務と権限を有することを明らかにしているものである（法三七条参照）。所属職員との関係について、小学校等においては「監督する」と定められているのに対し、大学の場合には、「統督する」と表現されている。「統督」は「すべおさめ、かつ監督すること。通常の場合、行政機関等の長と職員の服務との関係は「監督」等の用語で表わすが、それ

が包括的に高い大きな立場でなされる場合に「用いられる」（吉国一郎他共編『法令用語辞典』第九次改訂版　五七六頁　学陽書房）と解説され、学長の所属職員に対する関係は、例えば教授会が法令上特定の権限を有することなど、大学における教員の職務の特殊性に基づき、一般行政官庁における関係に較べて、より包括的、大局的な立場が重視されるべきことを意味しているものと解される。

なお、上記のとおり、学長は「大学の包括的な最終責任者としての職務と権限を有する」ものであるが、大学の長年にわたる慣行の中で、特に教授会との関係において学長の職務と権限が不明確になっているとの指摘を踏まえて、平成二六年の本法改正において、特に教授会との関係で、学長の最終的な権限が法律上明確になるよう、法九三条の規定が改正されたところである（九三条解説参照）。

学長の資格については、教授等のように大学設置基準による具体的な定めがなく、公立大学については、教育公務員特例法においては、「人格が高潔で、学識が優れ、かつ、教育行政に関し識見を有する者」について学長の選考が行われるべきことを定めている（同法三条二項）。

五　四項は副学長の職務について定めている。

大学教育の拡大とともに、大学の中にはその規模が著しく拡大し、これに伴い組織編制がきわめて複雑化するものが多く見られるようになった。このような大学を総合体として教育・研究の両面にわたって適切に運営していくことはきわめて負担の大きな仕事であり、学長のみでその処理に当たることは事実上困難となっている場合も見られた。実態としても、多くの国立大学では学部長会議や部局長会議などの組織を学内規則によって設けていたほか、私立大学においては、副学長や学監といった名称の職が既に設けられていた実態を踏まえて、昭和四八年の本法改正において、学長の補佐職として副学長の設置が法律上規定され、必要に応じて適宜これを置くことができるものとされた。

昭和四八年の改正で定められた副学長の職務は、学長の指示の下で特定の業務を行ったり、学長と役割分担しなが

ら業務を遂行することは想定されていたが、あくまでも学長の職務遂行に当たってこれを補佐するものにとどまっていた。即ち、副学長はあくまでも学長そのものの職務を行うものではなく、学長の行う入学許可や卒業の認定等の学長が本来行うべき各種の最終的な意思決定などを行うことはできないものとされていた。

そこで、平成二六年の本法改正により、副学長は、「学長の職務を助ける」ことに加えて、「命を受けて、校務をつかさどる」ものとされた。これにより、学長の指示を受けた範囲の校務について、副学長が自らの権限で処理することが可能になったところであり、大学の規模や実情を踏まえて、副学長職を有効に活用していくことが期待される。

なお、平成二六年の本法改正後においても、従前どおり、学長を補佐する職務のみに携わる副学長を置くことも可能であるし、必置の職ではないことから、副学長を設置しないことも当然可能である。法九三条の【通知】参照。

なお、副学長は必置の職ではなく、大学の運営上の必要性を勘案してそれぞれの大学の判断によって置くことができるものとされている。また、副学長は、学長、教授等とならんで学校教育法上の独立の職として定められているが、大学の事情により教授をもって充てることも可能である。

六　五項は学部長の職務について定めている。この規定は、平成一一年の本法改正により加えられたものである。学部長は、国公私立大学を通じてほぼすべての大学に設置され、また、公立大学については教育公務員特例法により法律上もその設置が予定されているが、学部長の設置や所掌事務についての法律上の規定は定められていなかった。このため、学部の仕事全般にわたる運営責任者としての学部長の役割が明確でないところがあった。

しかし、近年の社会状況の変化に対応し、大学運営の円滑化を図るためにも、学部長がリーダーシップを発揮しつつ、学部運営を行うことが必要となってきている。例えば、学部内での学科間の調整の必要性、他の学部あるいは学外の組織との連携の必要性などの問題が見られる。このような状況にかんがみ、学部長を学部の運営責任者として法律上明確に位置付けることとしたものである。

なお、公立大学については同じく平成一一年の教育公務員特例法の改正により、教員の採用選考の過程で、大学の教員人事の方針を踏まえて個別具体の選考に関する意見を教授会に対して述べることができる旨の規定（同法三条六項）を新たに設け、学部長の果たす機能を明確化している。

「学部に関する校務」とは、学部の仕事全般、例えば、①学部の教育課程の編成に関すること、②学部学生の入退学や卒業に関すること、③学部内規等の制定・改廃等に関することなど、当該学部が教育研究事業を遂行するのに必要なすべての仕事を指すものである。

学部運営上必要な事柄については、学部段階においては学部長の責任と権限に基づいて処理するものである。学部長はそのために必要な学部内の組織運営上の調整を行うものであり、したがって、学部長は学部の校務をつかさどる立場から所属職員に対して必要な協力を求めるとともに、職務上の分担に基づいて所属職員を統督することもできるものと解される。

なお、学長と学部長との関係については、学長が大学全体の校務をつかさどるのに対して、学部長は学部という範囲の中で校務をつかさどるという点で異なる。学部は大学の内部組織であることから、学部の校務の運営という面では学部の責任者としての学部長の立場は、大学の責任者である学長の下にあり、その統督を受けるものである。

七　教授の職務は、学生の教授・研究指導又は研究に従事することとされている。「又は」とされているのは、「大学には、教育研究上必要があるときは、授業を担当しない教員を置くことができる」とされていること（大学設置基準一一条）と関連しているが、附属の研究施設や研究所の教員等を予想しているものと考えられる。

前述の平成一七年七月の本法改正によって、大学教員の職の在り方について見直しが行われ、教授は「専攻分野について、教育上、研究上又は実務上の特に優れた知識、能力及び実績を有する者であつて、学生を教授し、その研究を指導し、又は研究に従事する。」こととされた。

これは、教授の職は、特定の授業科目の担当や研究指導等を行うだけでなく、教育研究方針の策定、教育課程の編成など、大学、学部等における教学面の運営全体について第一次的な責務を担う職であり、特に優れた知識、能力及び実績を有すると評価された者が就く職であることから、このような教員組織における位置付けを明らかにするため、「専攻分野について、教育上、研究上又は実務上の特に優れた知識、能力及び実績を有する者」であることを規定することとしたものである。

なお、「教育上、研究上又は実務上」との規定は、教授は学生への教育と自らの研究の両方を担当するか、又はいずれか一方を担当することから、「教育上」又は「研究上」の少なくともどちらか一方について必要な、知識、能力及び実績を有していることが必要であること、また、専門職大学院において、専攻分野における実務の経験を有し、かつ、高度の実務の能力を有する教員（いわゆる「実務家教員」）を一定数以上、専任教員に含むことが必要とされているように、「教育上」や「研究上」というよりも「実務上」の知識、能力及び実績を有することが適切な場合があること等から定められたものであり、本規定の「又は」は、「教育上、研究上又は実務上」の三つのうち、少なくともどれか一つを有していることを求めるものである。

なお、教授の資格については、大学設置基準に、次の規定が設けられている。

（教授の資格）

第十四条　教授となることのできる者は、次の各号のいずれかに該当し、かつ、大学における教育を担当するにふさわしい教育上の能力を有すると認められる者とする。

一　博士の学位（外国において授与されたこれに相当する学位を含む。）を有し、研究上の業績を有する者

二　研究上の業績が前号の者に準ずると認められる者

三　学位規則（昭和二十八年文部省令第九号）第五条の二に規定する専門職学位（外国において授与されたこれに相当する学位を含む。）を有し、当該専門職学位の専攻分野に関する実務上の業績を有する者

四　大学又は専門職大学において教授、准教授又は専任の講師の経歴（外国におけるこれらに相当する教員としての経歴を含む。）のある者

五　芸術、体育等については、特殊な技能に秀でていると認められる者

六　専攻分野について、特に優れた知識及び経験を有すると認められる者

従来、教授の資格としてはすべての者に教育研究上の能力が求められていたが、教員の教育上の能力を一層重視するため、「大学における教育を担当するにふさわしい教育上の能力を有する」ことを要件として明記する改正が行われた（平一三文部科学省令四四）。また、外国の大学における教員としての経歴を国内の大学における経歴と同様に扱うこととされた。

第六号は、昭和六〇年改正（昭六〇文部省令二）によって追加されたものである。この改正は、大学における教育研究の一層の発展を図るためには、大学や研究所のみならず広く社会に人材を求め、その優れた知識及び経験を大学において活用することが必要であることにかんがみ、大学で担当させようとする専攻分野について優れた知識及び経験を有する者について、学位又は研究上の業績の有無にかかわらず、広く大学の教授又は准教授への途を開くものである。この場合において、知識及び経験については、大学の教授会等学内の機関において個々に審査し判定する。審査及び判定に当たっては、当該専攻分野について優れた知識や経験を有する者を広く教授等に採用しようとする趣旨にかんがみ、単に論文や著書の有無によることなく、①当該専攻分野に関連する職務上の業績、②当該専攻分野に関連する職務経験の期間、③当該専攻分野に関連する資格、などを考慮して審査、判定することとしている。

以上は、職としての教授に関する定めであるが、これとは別に、称号として教授の文字を用いるものとして、法一〇六条に定める名誉教授がある。これは大学に教授等として勤務した者であって、教育上又は学術上特に功績のあった者に対し大学が授与するものであり、現在では、全く栄誉的な称号であるとされている。

八　助教授の職については、前述の平成一七年の本法改正によって廃止され、代わって「准教授」が新設された。従前の助教授は、職名に「助」の字が使われ、また、職務も「教授の職務を助ける。」と定められていたように、教

授との関係を基にして職名や職務が定められていたが、准教授は、自ら教育研究を行うことを主たる職務とし、教授の次に位置付けられる職として設けられたものである（教員間の関係は各大学の判断に委ねられることとなる）。このような位置付けを端的に表すため、①次に位置するという意味の「准」を「教授」に付した「准教授」という名称にするとともに、②「優れた知識、能力及び実績を有する」と評価された者が就く職であり、自ら教育研究を行うこと（「学生を教授し、その研究を指導し、又は研究に従事する」こと）が主たる職務であることを定めた。

なお、准教授の資格については、大学設置基準に次の定めがある。

（准教授の資格）

第十五条　准教授となることのできる者は、次の各号のいずれかに該当し、かつ、大学における教育を担当するにふさわしい教育上の能力を有すると認められる者とする。

一　前条各号のいずれかに該当する者

二　大学又は専門職大学において助教又はこれに準ずる職員としての経歴（外国におけるこれらに相当する職員としての経歴を含む。）のある者

三　修士の学位又は学位規則第五条の二に規定する専門職学位（外国において授与されたこれらに相当する学位を含む。）を有する者

四　研究所、試験所、調査所等に在職し、研究上の業績を有する者

五　専攻分野について、優れた知識及び経験を有すると認められる者

従来、助教授等の資格については、助手等として一定年数の間在職していたことが要件とされていたが、在職年数は問わないことに改正された（平一三文部科学省令四四）。

九　助教の職については、前述の平成一七年の本法改正により新設されたものである。

従前の助手については、その職務の実態及び教育研究組織における実際上の位置付けが極めて多様であり、大別すれば、将来の教授、准教授の候補者として研究に専念する、いわば大学教員としての成長の一段階としての者と、教授及び准教授の職務の手助けをする教育研究補助職員としての性格を有する者との二通りになるが、両方の性格を有

していた者も存在していた。このような状況は若手教員の養成の観点からは極めて不適切であることから、助手について、「自ら教育研究を行うことを主たる職務とし、将来の大学教員や研究者となることが期待される者のための職」と「教育研究の補助を主たる職務とする職」とに明確に分けることとし、前者を助教として新設し、後者は引き続き助手とすることとされた。

助教の職は、将来の大学教員を目指す者が最初に就く若手教員のための職という位置付けであることから、自ら教育研究を行うこと（「学生を教授し、その研究を指導し、又は研究に従事する」こと）が主たる職務であることが定められるとともに、かかる職務を行うために必要な「専攻分野について、教育上、研究上又は実務上の知識及び能力」を有すればよく、「実績を有する」ことまでは求めないこととされている。

なお、助教の資格については、大学設置基準に次の定めがある。

（助教の資格）

第十六条の二　助教となることのできる者は、次の各号のいずれかに該当し、かつ、大学における教育を担当するにふさわしい教育上の能力を有すると認められる者とする。

一　第十四条各号又は第十五条各号のいずれかに該当する者

二　修士の学位（医学を履修する課程、歯学を履修する課程、薬学を履修する課程のうち臨床に係る実践的な能力を培うことを主たる目的とするもの又は獣医学を履修する課程を修了した者については、学士の学位）又は学位規則第五条の二に規定する専門職学位（外国において授与されたこれらに相当する学位を含む。）を有する者

三　専攻分野について、知識及び経験を有すると認められる者

一〇　講師の職務は、教授又は准教授に準ずる職務に従事することとされており、実態としては、二種類の講師がある。その一つは、常勤の職員としての講師であり、職務の内容としては、助教と准教授の中間に位置するものと考えられているものである。もう一つは、非常勤の職員としての講師であり、特定の専門分野についての授業を担当する専門家を指している。学校の教員組織については、一般に常勤の職員であることが前提とされているが、講師につ

いては常時勤務に服さない者があり得ることが予定されている。

なお、講師の資格については、大学設置基準に次の定めがある。

（講師の資格）

第十六条　講師となることのできる者は、次の各号のいずれかに該当する者とする。

一　第十四条又は前条に規定する教授又は准教授となることのできる者

二　その他特殊な専攻分野について、大学における教育を担当するにふさわしい教育上の能力を有すると認められる者

一一　助手の職については、前述の平成一七年の本法改正により、従来の助手のうち自ら教育研究を行うことを主たる職務とする職として助教の職が新設されるとともに、助手は教育研究の補助を主たる職務とする職として明確化された。

その職務については、従前は「教授及び助教授の職務を助ける。」と定められていたが、教授等との関係を基にするのではなく、教育研究の補助を主たる職務とする観点から、「その所属する組織における教育研究の円滑な実施に必要な業務に従事する。」に改められている。

なお、助手の資格については、大学設置基準に次の定めがある。

（助手の資格）

第十七条　助手となることのできる者は、次の各号のいずれかに該当する者とする。

一　学士の学位又は学位規則第二条の二の表に規定する専門職大学を卒業した者に授業する学位（外国において授与されたこれに相当する学位を含む。）を有する者

二　前号の者に準ずる能力を有すると認められる者

一二　二項の「その他必要な職員」としては、同項に副学長、学部長、講師及び技術職員が例示されているほかは、国公私立大学を通じて法令上定められたものとしては、学校医（学校保健安全法二三条）があるが、その他設置者の

判断で適宜置くことができる。

一三　国・公立大学における外国人教員の任用については、従来から公務員法との関係でその取扱いを明確にすることが要請されてきたが、昭和五七年九月に「国立又は公立の大学における外国人教員の任用等に関する特別措置法」が制定され、国・公立大学において、外国人を教授等に任用し得る途が開かれた。国立大学については平成一五年に成立した「国立大学法人法」（平一五法一一二）により、国立大学の教員は非公務員となったことから、同法によることなく外国人教員を採用できることが明確になり、同法は公立大学における外国人教員の任用のみを対象とする「公立の大学における外国人教員の任用等に関する特別措置法」に改正された。

一四　平成九年八月、「大学の教員等の任期に関する法律」（平九法八二）が施行された。この法律は、大学等において多様な知識又は経験を有する教員等の相互の学問的交流が不断に行われる状況を創出することが大学等における教育研究の活性化にとって重要であることにかんがみ、教員の流動性を高める方策の一つとして、各大学の判断により、従来の定年までの継続任用だけではなく、任期を定めた任用もできることとなった。この任期制は、教育研究上の必要性に応じて、その導入の適否、導入の単位、対象教員、任期の期間等について、各大学が判断することとされている。任期制を導入する場合には、各大学で任期に関する規則を定め公表することとされており、各大学の広報誌やホームページ等に公開されている。

なお、同法についても、平成一五年に成立した国立大学法人法により、国立大学の教員が非公務員となったことに伴う規定の整備が行われている。

一五　平成二五年には、研究開発力強化法の改正と併せて、「大学の教員等の任期に関する法律」の一部が改正された。

この改正に至る背景には、平成二四年に行われた労働契約法の一部改正がある。同法の一部改正では、平成二五年

四月一日以後に有期雇用契約、期間の定めのある契約について、同一の使用者との間でこれが繰り返し更新され、通算契約期間が五年を超えるときは、労働者の申し込みによって無期労働契約に転換できることとされた。一方で、大学で教育研究に従事する教員等は、複数の有期雇用契約を繰り返しながら、その過程で多様な教育研究の経験を積み重ねていくことによって能力の向上を図り、安定的な職に就いていく傾向もあることから、大学団体等からの要望を踏まえ、大学の教員等については、無期労働契約への転換申し込みを行うために必要な通算契約期間が通常「五年を超える」こととされているところ、その特例として、これを「一〇年を超える」こととしたものである。

また、大学の教員等のうち、大学に在学している間に国立大学法人、公立大学法人若しくは学校法人又は大学共同利用機関法人等との間で有期労働契約（当該有期労働契約の期間のうちに大学に在学している期間を含むものに限る。）を締結していた者については、当該大学に在学している期間は、通算契約期間に算入しないこととされた。

なお、「教員等」とは、教育研究の分野を問わず、また、常勤・非常勤の別にかかわらず、国立大学法人、公立大学法人及び学校法人の設置する大学（短期大学を含む。）の教員（教授、准教授、助教、講師及び助手）、大学共同利用機関法人、独立行政法人大学改革支援・学位授与機構及び独立行政法人大学入試センターの職員のうち専ら研究又は教育に従事する者である。なお、労働契約法二二条の規定により地方公務員は同法の適用除外となっていることから、地方公務員の身分を有する公立大学法人化されていない公立大学の教員等は、そもそも労働契約法の適用対象となっておらず、本条の適用対象とはならない。

【通　知】

○国立又は公立の大学における外国人教員の任用等に関する特別措置法の施行について（抄）（昭五七・九・一三　文人審一二八号　各国公立大学長、大学を設置する各地方公共団体の長、各国立大学共同利用機関の長、大学入試センター所長

あて　文部事務次官通知）

「国立又は公立の大学における外国人教員の任用等に関する特別措置法」（以下「法」という。）が、先の第九六回国会において成立し、昭和五七年法律第八九号として、九月一日に公布され、同日から施行されました。

また、本法の施行に伴い、「国立又は公立の大学における外国人教員の任用等に関する特別措置法第三条第二項の規定に基づく国立大学共同利用機関において任用される外国人の国立の大学の教員に相当する職員等の任期に関する省令」（以下「国立大学共同利用機関外国人教員任期省令」という。）及び「国立又は公立の大学における外国人教員の任用等に関する特別措置法第三条第二項の規定に基づく大学入試センターにおいて任用される外国人の国立の大学の教員に相当する職員等の任期に関する省令」（以下「大学入試センター外国人教員任期省令」という。）が、それぞれ昭和五七年文部省令第三一号及び昭和五七年文部省令第三四号として、いずれも九月一三日に公布され、同日から施行されました。

本法は、大学等における教育及び研究の進展を図るとともに、学術の国際交流の推進に資するため、新たに、国立又は公立の大学等において、外国人を教授等に任用し得る道を開いたものであります。

従来、我が国では、公権力の行使又は公の意思の形成への参画に携わる公務員となるためには日本国籍を必要とするとの公務員に関する法理により、外国人が国立又は公立の大学の教授等に就任することは認められないところでありました。

しかしながら、大学における研究教育は、真理の探究を旨とし、世界に通ずる普遍的なものであり、したがって、国際的に開かれたものであるべきであることにかんがみれば、すぐれた人材を国籍を問わず広く求め得る道を開くことは、今日、すべての大学に強く要請されているところであります。

本法は、このような観点に立って、前記の公務員に関する法理の特例措置を講ずるものとして制定されたものであります。本法の制定によって、大学等における国際交流が一層促進されるとともに、特に学問研究が国際的な拡がりをもって促進されることにより、その水準の一層の向上が期待されるところであります。

ついては、教授等の任用に当たっては、このような本法制定の趣旨が生かされるよう御配慮願います。また、本法及び省令の内容は下記のとおりでありますので、運用上遺憾のないようお取り計らい下さい。

なお、国立又は公立の小学校、中学校、高等学校の教諭等については、従来どおり外国人を任用することは認められないものであることを念のため申し添えます。

記

第一　国立大学関係

一　国立又は公立の大学においては、外国人を教授、助教授又は講師（以下「教員」という。）に任用することができることとされたこと（法第二条第一項）。なお、外国人を学長、学部長等の管理職に任用することは、従来どおり、認められないものであること。

二　外国人の教員は、外国人であることを理由として、教授会その他大学の運営に関与する合議制の機関の構成員となり、その議決に加わることを妨げられるものではないこと（法第二条第二項）。

三　外国人の教員の任期については、大学管理機関の定めるところによることとされたこと（法第二条第三項）。この場合、「大学管理機関」は、当分の間、「評議会（一個の学部を置く大学又は一個の研究科を置く学校教育法（昭和二二年法律第二六号）第六八条〔現行法一〇三条〕の大学にあつては、教授会）の議に基づき学長」とされたこと（法附則第二項）。

（以下略）

○大学の教員等の任期に関する法律等の施行について（抄）

（平九・八・二二　文高企一四九号　各国公私立大学長、各大学共同利用機関長、大学入試センター所長、学位授与機構長、国立学校財務センター所長、大学を設置する各地方公共団体の長、大学を設置する各学校法人の理事長あて　文部事務次官通達）

大学の教員等の任期に関する法律（以下「法」という。）は、平成八年一〇月の大学審議会答申「大学教員の任期制について」を踏まえ、教員の流動性を高めることによって大学における教育研究の活性化を図るため、教員等の任期について必要な事項を定めるものであります。

法に基づいて任期制を具体的に実施するのは、各大学又は各学校法人となりますが、各大学又は各学校法人においては、法の趣旨を十分に踏まえ、任期制の適切な運用に努めるとともに、教員の流動性を高め、教育研究の活性化が図られるよう特段の御配慮をお願いします。

また、各大学又は各学校法人においては、この機会に、教員の募集方法や採用・昇進基準等を見直すなど教員人事の在り方について、十分検討されるようお願いします。特に、教員の業績評価の在り方については、一層の工夫・充実に努めてください。

法及び省令の概要、留意点等は下記のとおりですので、それぞれ関係のある事項について十分御留意の上、その運用に当たって遺憾のないようお取り計らいください。

記

第一　大学の教員等の任期に関する法律について

一　法律の目的（第一条関係）

この法律は、大学等において多様な知識又は経験を有する教員等相互の学問的交流が不断に行われる状況を創出することが大学等における教育研究の活性化にとって重要であることにかんがみ、教員等の任期について必要な事項を定めることにより、大学等への多様な人材の受入れを図り、もって大学等における教育研究の進展に寄与することを目的とするものであること。

二　定義（第二条関係）

(1)　大　学

この法律において、「大学」とは、学校教育法（昭和二二年法律第二六号）第一条に定める大学をいうこと。

(注)　この場合、「大学」には、短期大学や学校教育法第六八条〔現行法一〇三条〕に定めるいわゆる大学院大学も含ま

れる。

(2)　教　員

この法律において、「教員」とは、大学の教授、助教授〔現：准教授、以下同じ〕、講師及び助手をいうこと。

(3)　教員等

この法律において、「教員等」とは、前記(2)の教員及び国立学校設置法（昭和二四年法律第一五〇号）第三章の三から第三章の六までに規定する機関（以下「大学共同利用機関等」という。）の職員のうち専ら研究又は教育に従事する者（以下「研究教育職員」という。）をいうこと。

〔編者注〕　国立学校設置法の廃止に伴い、各機関の根拠法令は変更になっている。

(4)　任　期

この法律において、「任期」とは国立大学（大学共同利用機関等を含む。）、公立大学及び私立大学それぞれの教員等について、次のとおりとしたこと。

ア　国立大学の教員等の場合、国家公務員としての教員等の任用に際して定められた期間であって、当該教員等が就いていた職若しくは他の国家公務員の職（特別職に属する職及び非常勤の職を除く。）に引き続き任用される場合を除き、当該期間の満了により退職することとなるものをいう。

イ　公立大学の教員の場合、地方公務員としての教員の任用に際して定められた期間であって、当該教員が就いていた職若しくは同一の地方公共団体の他の職（特別職に属する職及び非常勤の職を除く。）に引き続き任用される場合を除き、当該期間の満了により退職することとなるものをいう。

ウ　私立大学の教員の場合、学校法人（私立学校法（昭和二四年法律第二七〇号）第三条に規定する学校法人をいう。）と教員との労働契約において定められた期間であって、同一の学校法人との間で引き続き労働契約が締結される場合を除き、当該期間の満了により退職することとなるものをいう。

(注)　①　国立又は公立の大学の教員について、「当該教員（等）が就いていた職に引き続き任用される場合」とは、いわゆる「再任」される場合に該当する。

②　また、「他の国家公務員の職（又は同一の地方公共団体の他の職）に引き続き任用される場合」には、例えば、同一大学内での任期付き助手から助教授への「昇任」、ある国立大学（又は公立大学）の助教授から別の国立大学（又は設置者を同じくする別の公立大学）の助教授や国立試験研究機関（又は設置者を同じくする公立試験研究機関）の研究職に「転任」する場合等も含まれる。なお、いずれの場合も異動先の職における任期の有無を問わない。

③　私立の大学の教員について、「引き続き労働契約が締結される場合」には、新たな労働契約を締結する場合だけでなく、同じ内容の契約を更新する場合が含まれる。

三　国立又は公立の大学の教員の任期（第三条及び第四条関係）

(1)　趣　旨

国立又は公立の大学の常勤教員について、(3)ア~ウの三つの場合に、任期を定めて任用できることとする規定を創設するものである。なお、国立大学の非常勤講師については、従来どおり「非常勤職員の任用およびその他の取扱いについて」(昭和三六年三月三一日文人任第五四号文部省人事課長通知)により、任用されることとなる。

(2) 教員の任期に関する規則

① 国立又は公立の大学の大学管理機関(教育公務員特例法(昭和二四年法律第一号)第四条第二項に規定する大学管理機関をいい、同法第二五条第一項第二号の規定により読み替えられたものを含む。)は、当該大学の教員(常時勤務の者に限る。)について任期を定めた任用を行う必要があると認めるときは、教員の任期に関する規則を定めなければならないこととしたこと。(第三条第一項関係)

〔編者注〕 国立大学法人法の成立及び教育公務員特例法の改正により、公立大学の教員の任期を定めた任用については、学長が評議会又は教授会の議に基づき教員の任期に関する規則を定めなければならないと改められている。

② 制度の透明性を高め、任期制の適切な運用を期すため、国立又は公立の大学は、大学管理機関が教員の任期に関する規則を定め、又は変更したときは、遅滞なく、公表しなければならないこととしたこと。(第三条第二項関係)

(3) 任期を定めて任用することができる場合

任命権者は、教員の任期に関する規則が定められている大学について、教育公務員特例法第一〇条の規定に基づきその教員を任用する場合において、次のいずれかに該当するときは、任期を定めることができることとしたこと。(第四条第一項関係)

なお、この法律による任期制は、特定の職について、あらかじめ組織上付与されている職務の特性に基づいて、任期を定めることとしているものであり、個々の教員に着目して任期を定めることはできないものであること。

(注) ① この場合の「任命権者」には、法律に基づいて任命権の委任を受けた者も含まれる。

② なお、次のア~ウに該当するか否かの具体的判断は、各大学が教員の任期に関する規則を定める際に行うことになる。

ア 先端的、学際的又は総合的な教育研究であることその他の当該教育研究組織で行われる教育研究の分野又は方法の特性にかんがみ、多様な人材の確保が特に求められる教育研究組織の職に就けるとき

(注) ① 「先端的、学際的又は総合的な」という文言は、当該教育研究組織で行われる教育研究の分野又は方法の特性の例示であって、これらに限定されるわけではないが、いずれにしても多様な人材の確保が特に求められる教育研究組織の職について任期を定めることができることを明確にしたものである。この場合、「教育研究組織」には、学部

や研究科だけでなく、講座や研究部門といったものも含まれる。

② また、当該教育研究組織を構成する全ての職を任期付きとすることも、一部の職のみを任期付きとすることも可能である。

イ 助手の職で自ら研究目標を定めて研究を行うことをその職務の主たる内容とするものに就けるとき

(注) 助手が多様な職務に従事している実態を踏まえ、いわゆる研究助手に限って任期を定めることができることとするものである。

ウ 大学が定め又は参画する特定の計画に基づき期間を定めて教育研究を行う職に就けるとき

(注) ①「大学が定め又は参画する特定の計画」には、例えば、(ア)大学自らが単独で定める計画、(イ)他大学（外国の大学を含む）、民間企業の研究所、国立試験研究機関等と共同して企画・実施する計画、(ウ)国や国際的な機関等が定めた計画、(エ)特別な研究費等による計画などが含まれる。

② また、計画に参加する教員全員を任期付きとすることも、そのうちの一部の教員のみを任期付きとすることも可能である。さらに、任期として定める期間については必ずしも計画の期間と一致させる必要はなく、計画の進捗状況等に応じて途中から任用したり、途中で満了となる任期を設定することも可能である。

(4) 任用される者の同意

任期制の円滑な運用を図るため、前記(3)により任期を定めて任用する場合には、当該任用される者の同意を得なければならないこととしたこと。（第四条第二項関係）

(5) 他の法律との関係

① 任期付き教員にも、教育公務員特例法第八条第二項により大学管理機関が定める定年が適用されること。

② 「国立又は公立の大学における外国人教員の任用等に関する特別措置法」（昭和五七年法律第八九号）の対象となる外国人教員については、この法律は適用されないこと。

四 私立の大学の教員の任期（第五条関係）

(1) 趣　旨

私立の大学の教員については、国立又は公立の大学の教員について任期を定めることができる三(3)ア～ウのいずれかに該当する場合には、労働契約において任期を定めることについて合理性があることを法律上明確にするものであること。

(2) 教員の任期に関する規則

学校法人は、当該学校法人の設置する大学の教員について、前記三(3)ア～ウのいずれかに該当するときは、労働契約において任期を定めることができることとし、この場合においては、あらかじめ、当該大学に係る教員の任期に関する規則を定めておかなければならないこととしたこと。（第五条第一項及び第二項関係）

(注) 私立大学の場合、教員の任期に関する規則に記載すべき事項を法令で定めることとしていないが、手続面での合理

性を担保するため、国公立大学の場合と同様の事項を記載することが望ましい。

(3) 学長の意見聴取

学校法人が教員の任期に関する規則を定め、又は変更する場合には、あらかじめ当該大学の学長の意見を聴くものとしたこと。(第五条第三項関係)

(4) 教員の任期に関する規則の公表

学校法人は、教員の任期に関する規則を定め、又は変更した場合には、公表するものとしたこと。(第五条第四項関係)

(注) 私立大学の場合、公表の方法を法令で定めることとしていないが、自大学の教員はもとより、できるだけ幅広く公表することが望ましい。なお、学術情報センターが今年度から開始した「研究者公募情報提供事業」においては、本事業に情報を提供した各大学の教員の任期に関する規則についても、オンラインによる紹介を行うこととしているので活用願いたい。

(5) 退職の自由

次の(6)で述べる労働基準法(昭和二二年法律第四九号)第一四条との関係において、教員が任期中(当該任期が始まる日から一年以内の期間を除く。)にその意思により退職することを妨げるものであってはならないこと。(第五条第五項関係)

(注) なお、学校法人は、任期中は原則として教員を解雇できないこと。

(6) 労働基準法等との関係について

① 労働基準法第一四条においては、「労働契約は、期間の定めのないものを除き、一定の事業の完了に必要な期間を定めるもののほかは、一年〔現行三年又は五年、以下同じ〕を超える期間について締結してはならない」と定められているが、その趣旨は、労働者が長期にわたって不当に拘束されることを防止することであって、一年を超える期間を定めた労働契約であっても、一年経過後の期間は身分保障期間(使用者は原則として解約できないが、労働者はいつでも解約できる期間)であることが明らかな場合には、同条に違反するものではないと解されていること。

ただし、民法(明治二九年法律第八九号)第六二六条により、五年経過後は使用者側にも解約権が発生するので、任期を定める場合には、五年が上限となること。

② なお、この法律に基づく任期制の運用は、この法律の目的に則って行われなければならず、みだりに教員を解雇する手段として利用することがないようにすること。また、平成一〇年四月以降、高年齢者等の雇用の安定等に関する法律(昭和四六年法律第六八号)第四条により、定年を定める場合には六〇歳を下回ることができないこととなるが、定年制の適用の回避又は定年制を形骸化させる目的で、この制度が運用されることがないようにすること。

五 大学共同利用機関等の職員への準用(第六条関係)(略)

○大学設置基準の一部を改正する省令の施行等について(抄)

(平一三・三・三〇 一二文科高三四六号 各国公私立大学

長、放送大学長、各国公私立高等専門学校長等あて　文部科学事務次官通知）

第一　大学設置基準の一部改正

一　教員の組織編制について、現行の学科目制又は講座制に限らず、大学の定めるところにより適切に教員組織を編制することができるものとすること（第七条第一項）。

二　教授等の教員の資格について、大学における教育を担当するにふさわしい教育上の能力を有することを要件とすることとし、教育上の能力を重視することを明確にしたこと。外国の大学における教員としての経歴を国内の大学における経歴と同様に扱うこと。助教授等の資格に係る助手等としての経歴について、在職年数を問わないこととしたこと（第一四条から第一七条）。

なお、教員の選考は、各大学の判断と見識に基づくものであり、大学設置基準が大学設置に必要な最低限の基準を定めたものであることから、これを上回る要件（例えば研究上の実績や能力）を加味することは、それぞれの大学の判断であること。

○研究開発システムの改革の推進等による研究開発能力の強化及び研究開発等の効率的推進等に関する法律及び大学の教員等の任期に関する法律の一部を改正する法律の公布について

（抄）（平二五・一二・一三　二五文科科三九九号　各国公私立大学長、大学を設置する各地方公共団体の長、各公立大学法人の理事長、大学を設置する各学校法人の理事長、大学を設置する各学校設置会社の代表取締役、放送大学学園理事長、各大学共同利用機関法人機構長、独立行政法人大学評価・学位授与機構長、独立行政法人国立大学財務・経営センター理事長、独立行政法人大学入試センター理事長、文部科学省所管各研究開発法人の長あて　文部科学省科学技術・学術政策局長等通知）

このたび、第一八五回国会（臨時会）において成立した「研究開発システムの改革の推進等による研究開発能力の強化及び研究開発等の効率的推進等に関する法律及び大学の教員等の任期に関する法律の一部を改正する法律」（平成二五年法律第九九号。以下「改正法」という。）が、平成二五年一二月一三日に公布され、労働契約法の特例、労働契約法の特例に関する経過措置及び研究開発法人の出資等の業務に係る規定については平成二六年四月一日から、その他の規定については公布の日から、それぞれ施行されることとなりました。

今回の改正は、研究開発システムの改革を引き続き推進することにより研究開発能力の強化及び研究開発等の効率的推進を図るため、研究開発法人、大学等の研究者等について労働契約法の特例を定めるとともに、我が国及び国民の安全に係る研究開発等に対して必要な資源の配分を行うことの明確化、研究開発法人に対する出資等の業務の追加、研究開発等を行う法人に関する新たな制度の創設に関する規定の整備等を行うものです。

改正の概要及び留意事項等は下記のとおりですので、十分御理解の上、適切な運用に遺漏のないようお取り計らい願います。

なお、改正法に関しては、衆議院文部科学委員会において附帯決議が付されております。

記

第一　改正法の趣旨

改正法は、研究開発システムの改革を引き続き推進することにより研究開発能力の強化及び研究開発等の効率的推進を図るため、研究開発法人、大学等の研究者等について労働契約法の特例を定めるとともに、我が国及び国民の安全に係る研究開発等に対して必要な資源の配分を行うことの明確化、研究開発法人に対する出資等の業務の追加、研究開発等を行う法人に関する新たな制度の創設に関する規定の整備等を行うものであること。

第二　改正の概要

一　研究開発システムの改革の推進等による研究開発能力の強化及び研究開発等の効率的推進等に関する法律（平成二〇年法律第六三号）の一部改正関係（略）

二　大学の教員等の任期に関する法律（平成九年法律第八二号）の一部改正関係

(1)　大学の教員等がその有期労働契約を無期労働契約に転換させるための申込みを行うために通算契約期間が五年を超えることが必要とされていることについて労働契約法の特例を定め、十年を超えることが必要であるとしたこと。（第七条第一項関係）

(2)　大学の教員等のうち、大学に在学している間に国立大学法人、公立大学法人若しくは学校法人又は大学共同利用機関法人等との間で有期労働契約（当該有期労働契約の期間のうちに大学に在学している期間を含むものに限る。）を締結していた者については、当該大学に在学している期間は、通算契約期間に算入しないこととしたこと。（第七条第二項関係）

三　改正法附則関係（略）

第三　留意事項

1　（略）

2　改正任期法第七条の適用対象である「教員等」とは、教育研究の分野を問わず、また、常勤・非常勤の別にかかわらず、国立大学法人、公立大学法人及び学校法人の設置する大学（短期大学を含む。）の教員（教授、准教授、助教、講師及び助手）、大学共同利用機関法人、独立行政法人大学評価・学位授与機構、独立行政法人国立大学財務・経営センター（現独立行政法人大学改革支援・学位授与機構）及び独立行政法人大学入試センターの職員のうち専ら研究又は教育に従事する者であること。

なお、労働契約法第二二条の規定により地方公務員は同法の適用除外となっていることから、地方公務員の身分を有する公立大学法人化されていない公立大学の教員等は、そもそも労働契約法の適用対象となっておらず、本条の適用対象とはならないこと。

3　各大学等において、改正任期法第七条に定める労働契約法第一八条第一項の規定の特例を適用するに当たっては、「大学の教員等の任期に関する法律」（平成九年法律第八二号）（以下「任期法」という。）第五条第一項の規定に基づき、同法第四条第一項各号のいずれかに該当することが必要であるとともに、同法第五条第二項の規定に基づき、あらかじめ当該大学に係る教員の任期に関する規則を定めるなど、適切に運用する必要があること。

4　国立大学法人、公立大学法人若しくは学校法人又は大学共同利用機関法人等は、今回の改正法に係る就業規則及び任期に関する規則等の制定又は改正等を行うに当たっては、労働関係法令及び任期法の規定に従って、適切に実施すること。

5　労働契約法第一八条は、有期労働契約の濫用的な利用を抑制し労働者の雇用の安定を図る趣旨で設けられた規定であり、改正強化法〔改正法による改正後の研究開発システムの改革の推進等による研究開発能力の強化及び研究開発等の効率的推進等に関する法律〕第一五条の二及び改正任期法〔改正後の大学の教員等の任期に関する法律〕第七条は当該規定について研究開発能力の強化及び教育研究の活性化等の観点から通算契約期間の特例を定めたものであること。また、当該特例は、通算契約期間が十年に満たない場合に無期転換ができないこととするものではないこと。なお、労働契約法第一九条において、最高裁判所の判例で確立している「雇止め法理」（一定の場合に雇止めを無効とする判例上のルール）について規定されていることも考慮されたいこと。

6　改正強化法第一五条の二第二項及び改正任期法第七条第二項において、学生として大学に在学している間に、ＴＡ（ティーチング・アシスタント）、ＲＡ（リサーチ・アシスタント）等として大学等を設置する者等との間で有期労働契約を締結していた場合には、当該大学に在学している期間は通算契約期間に算入しないこと。

7及び8　（略）

〔教授会〕

第九十三条　大学に、教授会を置く。

②　教授会は、学長が次に掲げる事項について決定を行うに当たり意見を述べるものとする。

一　学生の入学、卒業及び課程の修了

二　学位の授与

三　前二号に掲げるもののほか、教育研究に関する重要な事項で、教授会の意見を聴くことが必要なものとして学長が定めるもの

③　教授会は、前項に規定するもののほか、学長及び学部長その他の教授会が置かれる組織の長（以下この項におい

て「学長等」という。）がつかさどる教育研究に関する事項について審議し、及び学長等の求めに応じ、意見を述べることができる。

④ 教授会の組織には、准教授その他の職員を加えることができる。

【沿　革】 平一七・七・一五法八三により、「助教授」を「准教授」に改めた。
平一九・六・二七法九六により、旧五九条から九三条に移動した。
平二六・六・二七法八八により、教授会の役割を明確化するために全部改正した。

【参照条文】 施行規則一四三条。

【注　解】

一　本条は、教授会の役割及び権能について規定するものである。本条については、平成二六年の本法改正においてその役割の明確化を図るため大幅に改正されたところである。

二　我が国の近代的高等教育機関としての大学制度は、明治一〇年の「東京大学」の創設をもってその始まりとされている。明治一四年には、同大学の総理・学部長の諮問機関として「大学諮詢会」が設けられ、学科課程に関する事項、教科細目に関する事項等について諮詢すべきこととされた。これが、我が国大学法制上の最初の教授会の形であったと考えられる。その後、明治二六年の改正帝国大学令において、「教授会」が勅令上の機関として位置づけを与えられ、「分科大学ノ学科課程ニ関スル件」、「学生試験ノ件」、「学位授与資格ノ審査」、「其ノ他文部大臣又ハ帝国大学総長ヨリ諮詢ノ件」について審議するものとされた。

その後大正七年には大学令が制定され、帝国大学以外の官・公・私立大学についての制度の整備が行われた。教授会に関しては、帝国大学令及び官立大学官制にその根拠が定められるにとどまり、公・私立大学については、直接教

授会の根拠規定は定められなかった。ただ、旧学位令においては、学位授与の面から学部教員会というものが規定されたが、あくまで学位授与という面での権限を有するにとどまり、教授会について一般的に権限を付与し、あるいはその根拠を与えるものではなかった。

戦後に制定された学校教育法では、従前の帝国大学、官立大学のみに設けられていた教授会の根拠規定を公私立大学にも広げるとともに、同じく戦後に制定された教育公務員特例法では、特に国公立大学について、評議会及び教授会に教員人事に関する権限を認めることにより、大学運営における教授会の重要性はより一層高まることとなった。

即ち、平成二六年の改正前の本法の規定では、教授会の役割については、「重要な事項を審議する」との概括的な規定が設けられているにとどまり、その具体的な内容は各大学に委ねられていたところであったが、教育公務員特例法で認められた教授会の権限とあいまって、広く教育研究に関する事項について、教授会で審議・決定する慣行が普及することとなった。法九二条の解説で述べたとおり、大学運営の最終的な権限と責任は学長に帰属するものであるが、教授会が事実上の決定機関として機能するような実態が見られるようになっていったのである。

教授会は学部等の組織ごとに設置されることが通例であったこともあり、設置者が行うべき経営的な判断や学長が行うべき大学運営全体に関する判断に対して、各学部等の教授会が当該学部等に関する微視的見地から反対することにより、大学改革全体が頓挫する状況が生じているとの指摘も見られるようになってきた。とりわけ、大学数の増加、国際的な大学間競争の激化、一方では国内における一八歳人口の減少が進むにつれて、大学全体の組織や運営のあり方を機動的に見直していくことが求められる中、学部等の教授会を中心とした分権的な大学運営には限界が見られるようになってきた。このため、教授会の役割が、教育研究に関する専門的な審議を行う機関であることを明確化するとともに、大学運営における最終的な権限と責任を有する学長との関係を明らかにするため、平成二六年の本法改正により、現在のように改められた。

三　本条一項は、教授会が必置の組織であることを規定している。この点については、平成二六年の改正前後において変更はなく、本法制定以来、教授会はその設置主体を問わず、すべての大学において必置とされている。

なお、学部が大学における必置の組織とされてきたこともあり、伝統的に、教授会は各学部ごとに置かれるものと考えられてきた。もとより、改正前を含めて、本項においてそのように明記されているものではないが、大学法制は、大学の実態を当然の前提としつつ、これを簡潔な文言で表現しているため、その解釈に当たっては、必ずしも厳密な文言解釈のみで対処すべきではないことには留意が必要である。

もっとも、教授会は学部ごとに置かれることを原則としつつも、大学運営上の実態に照らして、学部以外の組織や複数の学部にまたがって置かれている実態も見られることから、教授会の設置単位については、学内の各組織の役割、規模等の状況に応じ、各設置者の定めるところに委ねられていると考えられる。

例えば、教育公務員特例法においては、従来より各学部と並んで部局という観念が認められており、学部教授会の中心的な存在を前提としつつも、教養部、附置研究所、附属病院、附属図書館、独立研究科等の部局にも教授会が存在することが予定されていた。もっとも、教育公務員特例法上の部局として扱われていても、附属病院や附属図書館には教授会が置かれていないことが通例であり、逆に、同法上の部局として定められていないものであっても、各センター等のように、独立して運用されるべき役割と規模を有するものについては、一つの部局扱いとされ、教授会を設けて運用されている例があったところである。

なお、国立大学については、平成一五年に成立した国立大学法人法により国立大学法人化される以前は、旧国立学校設置法（昭二四法一五〇）七条の四において、学部、大学院大学の研究科、独立研究科、教養部、附置研究所に教授会を置くものとされ、独立研究科以外の研究科及び旧国立学校設置法一三条の規定に基づき置かれる組織で専任の教授を置くものには、各大学の定めるところにより教授会を置くことができることとされていた。しかし、国立大学法

人においては、内部組織については可能な限り国立大学法人の裁量に委ねることを原則としていることなどから、どのような教育研究組織にどのような形で教授会を置くかについては各国立大学法人に委ね法令等に規定していない。また、公立大学法人においても同様に、どのような教育研究組織にどのような形で教授会を置くかは各公立大学法人の裁量に委ね法令等に規定していない。

筑波大学には学部が置かれていないので、学部の教授会は置かれないが、学部に代わる基本的な教育研究組織としての学群には、それぞれ所属する教員で構成する教員会議が学校教育法上の教授会として設けられ、一般の大学の学部の教授会の機能を学群の教員会議が分担している。

四　本条二項は、学生の入学及び卒業及び課程の修了（本項一号）、学位の授与（二号）、前二号に掲げるもののほか、教育研究に関する重要な事項で学長が定めるもの（三号）について、学長が決定を行うに際して、あらかじめ教授会が意見を述べるものと定めている。本項は、平成二六年の改正により新設されたものであるが、その趣旨は、大学における教育研究上の重要事項について、教授会における専門的な審議が行われた上で最終的な決定がなされることを担保するとともに、大学としての最終的な決定が、学長の権限と責任において行われることを明確化したものである。

本条で列挙されている事項のうち、一号に列挙された学生の入学、卒業及び課程の修了については、伝統的に、教授会における重要な審議事項として考えられてきた。平成二六年の法改正に際して、中央教育審議会大学分科会においても、教授会の役割についての再検討が行われたが、同分科会からは、①学位の授与、②学生の身分に関する審査、③教育課程の編成、④教員の教育研究業績等の審査等が、教授会がその専門的知見を踏まえて審議を行うことが期待されている事項として例示的に示されている。実際、これらの事項については伝統的に多くの大学において、教授会の審議事項として扱われてきたところであるが、改正法上は、学位の授与及び学生の身分に関する審査のみが個

別の列挙事項とされている。これは、近年、教育課程の編成や教員の教育研究業績の審査が、教授会以外の組織で行われている等の多様な実態があることを踏まえて、個別列挙とせずに、必要がある場合には、前二号に掲げるもののほか、教育研究に関する重要な事項で、教授会の意見を聴くことが必要なものとして学長が定めるもの（三号）とすることで、各大学の主体性に配慮したものである。

なお、この点に関連して、平成二六年の本法改正に伴い、「学生の入学、退学、転学、留学、休学及び卒業は、教授会の議を経て、学長が定める」としてきた施行規則一四四条は削除された。これは、例えば退学や転学について は、学生本人の希望や家庭の事情等を尊重すべき場合などがあること、また、一部の大学においては、退学や留学等を申請しても、夏休み等で教授会が適時に開かれず希望する時期までに承認されない、学生が留学や転学を申請しても、教員の反対により承認されない、などの問題も指摘されるようになったことを踏まえたものである。なお、施行規則の改正は、これまで退学や留学等について、必ず教授会の審議を経なければならないとされていた義務を廃したものであり、これらの事項について教授会で審議することを妨げる趣旨ではない。もっとも、教授会での審議を行う場合には、上述のような弊害が生じないような教授会運営とすべきことは当然である。

また、退学の中でも懲戒としての退学など、学生に対する不利益処分については、その処分において慎重を期すため、平成二六年の改正前も教授会や懲戒委員会などの組織において多角的な視点から慎重に調査審議が行われてきたが、こうした実態を尊重する観点からも、学長が学生の懲戒に関する適切な手続きを定めるよう、新たな規定が設けられた（施行規則二六条五項）。

本条二項三号の「教育研究に関する重要な事項」とは、教育課程の編成や教員の教育研究業績の審査等が含まれると解されている。また、キャンパスの移転や組織再編等の事項も含まれ得ると考えられるが、これらは各大学の置かれている状況によって異なり得るものである。したがって、法律上の解釈として一律に示すべきものではなく、各大

学の実情等を踏まえて判断されるべきものである。各大学においては、これらの「教育研究に関する重要な事項」の中から、「教授会の意見を聴くことが必要なものとして学長が定めるもの」を定めることになる。即ち、各大学にとっての「教育研究に関する重要な事項」であるしても、学長が最終決定を行うにあたって、必ず教授会という組織で審議を行い、その意見を聴くという手続き的制約を課すことが適切とは限らない。そのため、本項では、具体的にどのような事項について教授会の意見を聴くこととするかは、学長が各大学の実情等を踏まえて判断することとされている。

なお、「教授会の意見を聴くことが必要なものとして学長が定めるもの」については、学長がその権限と責任において定めることができるものではあるが、本改正法の立法経緯に鑑みると、教授会の意見を参酌した上で定めるべきである。即ち、本項については、政府提出案においては、「学長が教授会の意見を聴くことが必要であると認めるもの」とされていたものが、修正提案を採択した結果、「教授会の意見を聴くことが必要なものとして学長が定めるもの」と修正されている。法律案採択時の衆議院文部科学委員会及び参議院文教科学委員会における附帯決議においても「学校教育法第九十三条第二項第三号の規定により、学長が教授会の意見を聴くことが必要な事項を定める際には、教授会の意見を聴いて参酌するよう努めること」とされているのも、こうした国会審議の過程を踏まえたものである。

なお、附帯決議等が示すように、学長が教授会の意見を聴くことが必要な事項を定める際に、教授会の意見を聴くとしても、どの事項について教授会の意見を聴くものとするのかを定めるのは学長であることは当然であり、この点については、修正案の採択を踏まえても変わるものではない。

また、本条二項三号の「学長が定めるもの」をどのように定めるのかという制定形式が問題となる。各大学の学内規則については、様々な態様が見られることから、これを一律の形式で制定すべき必要性はない。ただし、法の趣旨

を踏まえると、学長自身が自ら判断し、定めることが不可欠であることは明らかである。したがって、例えば行政庁等で行われているように、組織の長が、その権限と責任において、組織内のルールを定める場合に行われる「内閣総理大臣決定」や「文部科学大臣裁定」などが一つの参考となる。これらを踏まえると、「学長決定」や「学長裁定」といった制定形式も有力な選択肢となろう。

五　本条三項は、教授会の役割が、教育研究に関する事項を審議することにあることを規定するとともに、これらの審議事項の決定権が学長等にあることを法文上明確にしている。

教授会の審議事項については、平成二六年の改正前の九三条一項では、「重要な事項を審議する」とのみ規定されており、「重要な事項」の具体的な内容は各大学の判断に委ねられていた。そのため、大学における教育研究に直接関係しない事項についても教授会での審議の対象とされ、かつ、大学運営における学長の決定権に対する理解が不十分であったこともあり、教授会で広範な事項について審議され、その審議結果が大学としての最終決定とされるような状況も見られるようになった。しかしながら、そもそも学校教育法が、教授会をすべての大学に必置の機関として位置付けているのは、教授会が教育研究に関する専門性を有する機関であり、そのような教授会に重要な位置付けを与えることが、大学制度において不可欠であるからである。

新たに本項で規定された「教育研究に関する事項」とは、広く教育研究に関する事項を示すものであり、例えば、キャンパスの移転や組織再編等の経営的な側面が強い事項も含まれ得る。ただし、教授会が必置とされている趣旨に鑑みれば、教授会でこれらの事項について審議する際には、あくまでも教育研究に関する専門性を前提とした審議が行われるべきである。仮に経営的な観点から審議が行われる場合は、学校教育法上の教授会の役割から逸脱することになる。

六　本条四項は、教授会の構成について規定している。教授会の構成については、教授が大学の最小組織単位とさ

れてきた講座又は学科目の責任者であること、あるいは本条四項の規定の反対解釈から、また、その名称からも、伝統的に、教授をもって組織することがその本来の姿として考えられてきた。

教授以外の者を加えるかどうか、加える場合どのような範囲とするか等は大学の定めるところに委ねられている。本条四項では「准教授その他の職員」と規定され、その典型として准教授が例示されているが、講座制又は学科目制の採用状況等を含めて、当該教授会における審議事項に照らして、当該審議を行うに適した専門性を有しているかどうかをもって判断されるべきであろう。また、准教授以外の職員である、助教や助手についても、その職のみによって、教授会の構成員に含める可能性が一律に排除されるものとは解されない。事務職員等についても、高度に専門的な知識を有する者については、当該教授会における審議事項の内容によっては、教授会の構成員に加えることも積極的に解されよう。例えば、教授職ではないが専門的な知見を有するアドミッション・オフィサーが、入学判定に関する教授会の審議に加わることなども考えられる。

なお、教授会の構成員に加えるとしても、その構成員の専門性等に応じて、必ずしもすべての案件の審議に携わらせる必要はない。個別の審議案件ごとに、過不足のない適切な構成員が確保されるように、柔軟な教授会運営の工夫が必要であろう。

七　教授会の議事運営方法については、法令上は必ずしも明らかでなかったが、平成七年の施行規則改正により、教授会は、その定めるところにより、代議員会等を設置することができること、また、代議員会等の議決をもって、教授会の議決とすることができることが、制度上明確にされた。なお、代議員会等は、あくまでも教授会が議事運営の一方法として、自らの判断により設置し、審議を委任するものであり、教授会が代議員会等に委任できる審議事項の範囲は、教授会の自立的な決定に委ねられているものと解される。

八　国立大学法人制度においては、学長は、法九二条三項に規定された「校務をつかさどり、所属職員を統督す

る。」という権限に加えて、「国立大学法人を代表し、その業務を総理する。」ことが権限として規定されており（国立大学法人法一一条一項）、学長が、国立大学法人についての最終的な意思決定を行う権限と責任を有することが明らかにされるとともに、学長は、すべての教職員の任命権を有していることも定められている（同法三五条、独立行政法人通則法二六条）。

また、国立大学法人の適正な運営を確保するため、経営については学長等の役員及び学外有識者で構成される経営協議会が、教育研究については教員組織の代表者で構成される教育研究評議会が、意思決定の過程に関与する仕組みとして設けられており、国立大学法人法上、経営協議会及び教育研究評議会の審議事項等が具体的に定められている（国立大学法人法二〇条・二一条）。さらに、学長と学長が任命した理事で「役員会」を構成し、学長は、重要な事項については「役員会」の議を経ることとされている（同法一一条）。

国立大学法人化後も、法九三条の規定に基づいて、各国立大学に教授会が置かれている。平成二六年の本法改正により明確となった教授会の役割を踏まえた運用が期待されている。教員人事については、国立大学法人化前は、教育公務員特例法の規定に基づいて、教授会の議に基づいて行うことなどの規定が定められていたが、国立大学法人化により、任命権者が学長になるとともに、非公務員となり教育公務員特例法の適用外となることから、各国立大学法人内において、適任者を得るための様々な創意工夫を凝らしてルールを定めることとなる。

公立大学法人においても、経営に関する重要事項を審議する経営審議機関と大学の教育研究の重要事項を審議する教育研究審議機関を設置することとされているが、国立大学法人と異なり、具体的な審議事項は設置団体である各地方公共団体のそれぞれの判断に委ねるべきであることから、法律上は具体的に規定されず、各地方公共団体が定める定款において定められる仕組みとなっている（地方独立行政法人法七七条）。

公私立大学については、組織、所掌事務等大学の基本的な運営組織の在り方は、設置者の定めるところに委ねられ

ているが、公立大学法人が設置した公立大学以外の公立大学については、教育公務員特例法で評議会の設置が予定されており（同法二条四項）、各地方公共団体の条例等により、その組織構成が定められることになる。ただし、これは専ら教員人事の面から大学の教育研究の自主性を確保するとの要請に応えるものであり、その他の大学運営上の一般的な重要事項について評議会を設置するかどうか、また、評議会でどの程度審議を行うかなどについては、設置者の判断に委ねられている。

また、私立大学の運営に関する組織としては、教授会のほか、私立学校法及び本法の規定等に基づき、管理運営の責任を負う設置者たる学校法人の理事会と評議員会があるが、理事会が学校法人の最高の意思決定機関であり、私立大学の管理機関である。それぞれの組織がどのような関係にあるかについては、理事会の権限が非常に強いもの、教授会の意見が理事会の意思決定に大きく影響するもの、理事会と教授会の代表者との合同会議を設置し、意思疎通を図っているものなど、各大学の伝統や方針等により異なり、各設置者の判断に委ねられている。

九　学校教育法が教授会を大学の必置機関とし、教育公務員特例法が教員人事に関する教授会の権限を定めているのは、憲法から導かれる大学の自治の制度的保障という意義を有するものであった。この制度的保障が特に人事権について定められているのは、法人化前の国立大学及び法人化していない公立大学については、公務員である研究者の人事について、任命権者による人事権の行使を抑制するために、大臣や地方公共団体の長に代えて、評議会や教授会といった合議制の機関に人事権を委ねたものであると解される。

一方、私立大学については、従来より教育公務員特例法の定める人事上の保証は適用されていなかったが、国公立大学との人事交流等が進む中で、多くの私立大学においても、国公立大学と同様に、教授会等の組織に人事権が認められるような慣行が形成されることとなったと考えられる。

国立大学が法人化され、また、公立大学についてもその多くが法人化される中で、法律上、評議会や教授会に人事

権が認められるのは法人化されていない公立大学のみとなっており、現在では、教授会の権限に関する法律上の適用関係については、国立大学及び法人化された公立大学については、私立大学と同様に、学校教育法のみが適用されることとなっている。

これまでの裁判例では、教員の人事に関する学校法人の業務決定が教授会の審議を経ていない場合及び教授会の意見と異なる場合の効力については、下級審レベルで異なる判断が示されている。

(1) 教授会の審議に優越的効力を認めたもの

【判決例一】 西日本短期大学事件（福岡地決平四・九・九）

教授会規程に「教授（中略）の任用、昇任その他教員人事に関する事項」が審議事項とされており、学校教育法五九条一項〔現行法九三条一項〕は憲法二三条の規定を受け、「重要事項に関する教授会の審議権を認め、大学の自治を実質的に保障」しており、教員人事は「重要な事項に該当し、教授会の審議が必須の手続である」から、教授会の審議なくして行われた解任決議は、無効とした。

本大学においては、教授会規程で、教授会は、教授、助教授、講師、助手及び副手の任用、昇任その他の教員人事に関する事項について審議する旨定められている（同規程八条一項一号）。しかるに、債権者の教授解任に関して、教授会は開催されなかった。

憲法二三条が保障する学問の自由は、学問、研究の場としての大学の自治を密接不可分な制度として包含し、学校教育法五九条一項〔現行法九三条一項〕も、これを受け、「大学には、重要な事項を審議するため、教授会を置かなければならない。」と規定し、重要事項に関する教授会の審議権を認め、大学の自治を実質的に保障している。ところで、同法は私立大学についても適用されるところ、真理探究の場としての大学において、右探究に従事する大学教員は、任命権者の一方的な判断によりその地位を奪われないという身分保障によって、はじめて研究教育活動の自由を保障されるものであることからすると、教員の採用、解任、昇任、降任等の人事は、学校教育法五九条一項〔現行法九三条一項〕の「重要な事項」に該当し、教授会の審議が必須の手続であると言わなければならない。そして、本大学における教授会規程八条も、右審議権を確認、具体化したものと解すべきである。

そうすると、教授の解任は、同規程八条一項一号にいう「その他の教員人事に関する事項」に該当すると解するのが相当である。そして、本件にあっては、前記認定からも明らかなように、債権者の教授解任について、教授会で審議した事実はなかったのであるから、その審議なくして行われた本件教授解任決議は、右規程に違反し、無効であると言わざるを得ない。

(2)　理事会決議に優越的効力を認めたもの

【判決例二】　甲南大学事件（大阪高判平一〇・一一・二六）

「学校法人の設置する大学の人事に関する大学の自治は、根本原則である寄附行為の定めるところにより、その業務決定機関である理事会に委ねられている」とし、「学問研究の自由の故に、当然に、教授会に教授の任命や懲戒解雇に関する権限があるとは認められず、学校教育法五九条〔現行法九三条〕の規定から、当然に、教授会の決議を経なければならないものとは解しがたい」とした。

被控訴人の大学運営機構に関する規程五条は、『学長は、教授の任命に関し必要があるときは、これを部局長会議又は大学会議に諮問することができる。』と規定しており、これと右の大学運営規程二二条（解任は任命の手続に準ずる）、前記就業規則三六条（懲戒委員会に諮り懲戒する）及び教授会規程二条（教授会は人事に関する事項を審議決定する）を併せ考慮すると、教員任免には教授会の決定を要件とする旨の規程がない本件の場合、教員の任免過程における経営学部教授会の審議決定は、学長からの（任意的）諮問に対する部局長会議及び大学会議の答申と同様に意見具申としての意味を有するにすぎず、教員を任免するための要件ではないというべきである。そして、教員を懲戒解雇する要件としては懲戒委員会に諮ることが規定されているにすぎないのである。

しかし、被控訴人大学の人事に関する大学の自治は、寄附行為の定めるところにより業務決定機関である理事会に委ねられているのであって教授会にはその権限がなく、また学問の自由は各教員に保障されているとはいえ、そのことを根拠に、当然に、教員の解雇については教授会の解任決定が必要かつ有効要件であって、この決定が理事長の前記任免権限を羈束すると結論づけることは到底できない。

憲法二三条の学問の自由に由来する大学の自治を論拠とする判例**【判決例一】**もあるが、最高裁判例は、昭和四八年

一二月一二日大法廷判決（三菱樹脂事件）以来、憲法の自由権的基本権の保障規定は、私人間の関係を直接規律するものではないとの立場を明示しており、昭和四九年七月一九日第三小法廷判決（昭和女子大事件）で、学生に対する退学処分の事案についてこの法理を私立大学に適用している。また、大学教員についても、学校法人の業務決定機関である理事会に委ねられているとする【判決例二】。

これらを総合的に勘案すると、私立大学の教員にも、学問研究の自由、研究結果の発表の自由、教授の自由は保障され、また、新たに法九三条二項各号で規定された事項については、教授会における審議に付することが求められるが、私立大学における大学の自治は、私立大学とその設置者である学校法人とを一体としてとらえて、その自主的組織と自主的運営、そこで行われる教育研究について、国がその自由を保障し、干渉しないことをいうものと解される。

この点を敷衍すると、国立大学法人や公立大学法人についても、同様の論理が適用されることが考えられるが、この点についての裁判例は示されておらず、今後の検討課題である。

【通　知】

○学校教育法施行規則の一部を改正する省令の施行について

（平七・一二・二六　文高大三二〇号　各国公私立大学長、各国立短期大学部学長、放送大学長あて　文部事務次官通達）

このたび、別添（略）のとおり、学校教育法施行規則の一部を改正する省令が平成七年一二月二六日文部省令第二一号をもって公布され、同日から施行されました。

今回の改正の趣旨及び留意点は下記のとおりですので、十分御了知の上、その運用に当たっては遺漏のないようお取り計らいください。

記

一　改正の趣旨

幾つかの大学においては、教授会が、その定めるところにより、教授会に属する職員のうちの一部の者をもって構成される代議員会、専門委員会等（以下「代議員会等」という。）を置き、また代議員会等の議決をもって教授会の議決としているものがあ

る。

今回の改正は、各教授会が、その議事運営方法として、代議員会等を活用することは大学運営の円滑化に資するものであることにかんがみ、教授会は、その定めるところにより、代議員会等を置くことができること、及び教授会は、その定めるところにより、代議員会等の議決をもって教授会の議決とすることができることを制度上明らかにするものである。

二　留意点

(1)　代議員会等の設置や議決の取扱い等は、各教授会が各々の事情に応じて自主的に決めるものであること。

(2)　今回の改正は、大学運営の円滑化に資するために行われたものであり、代議員会等の設置運営に当たっては、教授会に代えて代議員会等を設けることとなるようなことなど、学校教育法第五九条〔現行法九三条〕の趣旨を損なうことのなきよう留意するものとすること。

(3)　代議員会等を設置した場合においても、教授会は、適宜、代議員会等の審議結果等の活動状況についての報告を求めることとするなど、代議員会等の審議事項についても教授会が最終的な権限と責任を有していることに十分留意し、代議員会等が教授会の意思を十分に反映したものとなるよう工夫するとともに、学長又は学部長のリーダーシップが十分に発揮できるよう配慮すること。

(4)　教授会は、代議員会等の設置の必要性、代議員会等が審議する事項の範囲、代議員会等を構成する職員の選考方法及び任期、代議員会等の議決の取扱い等を十分に検討し、必要に応じて見直すよう努めること。

(5)　代議員会等に係る事項については、学内規程等において明確にしておくこと。

(6)　代議員会、専門委員会の名称は例示であり、各教授会において各々の実態に即した名称を付すことができること。

○学校教育法及び国立大学法人法の一部を改正する法律及び学校教育法施行規則及び国立大学法人法施行規則の一部を改正する省令について（抄）（平二六・八・二九　二六文科高四四一号　各国公私立大学長、大学を設置する各地方公共団体の長、各公立大学法人の理事長、大学を設置する各学校法人の理事長、大学を設置する各学校設置会社の代表取締役、各大学共同利用機関法人機構長あて　文部科学省高等教育局長・文部科学省研究振興局長通知）

このたび、別添（略）のとおり「学校教育法及び国立大学法人法の一部を改正する法律」（平成二六年法律第八八号。以下「改正法」という。）が平成二六年六月二七日に公布され、平成二七年四月一日から施行されることとなりました。

これを受け、「学校教育法施行規則及び国立大学法人法施行規則の一部を改正する省令」（平成二六年文部科学省令第二五号。以下「改正省令」という。）が平成二六年八月二九日に公布され、平成二七年四月一日から施行されることとなりました。

これらの法令の改正の趣旨、概要及び留意事項等は下記のとおりですので、十分に御了知ください。

記

第一　改正の趣旨

大学（短期大学を含む。以下同じ。）が、人材育成・イノベーションの拠点として、教育研究機能を最大限に発揮していくためには、学長のリーダーシップの下で、戦略的に大学を運営できるガバナンス体制を構築することが重要である。今回の改正は、大学の組織及び運営体制を整備するため、副学長の職務内容を改めるとともに、教授会の役割を明確化するほか、国立大学法人の学長又は大学共同利用機関法人の機構長の選考に係る規定の整備を行う等の所要の改正を行ったものである。

第二　改正の概要

1．学校教育法（昭和二二年法律第二六号）の一部改正

(1)　副学長の職務（第九二条第四項関係）

副学長の職務は、これまでは「学長の職務を助ける」と規定されてきたが、学長の補佐体制を強化するため、学長の指示を受けた範囲において、副学長が自らの権限で校務を処理することを可能にすることで、より円滑かつ柔軟な大学運営を可能にするため、副学長の職務を、「学長を助け、命を受けて校務をつかさどる」に改めたこと。

(2)　教授会の役割の明確化（第九三条関係）

教授会については、これまで「重要な事項を審議する」と規定されてきたが、教授会は、教育研究に関する事項について審議する機関であり、また、決定権者である学長等に対して、意見を述べる関係にあることを明確化するため、以下のとおり改正を行ったこと。

1）　教授会は、学生の入学、卒業及び課程の修了、学位の授与その他教育研究に関する重要な事項で教授会の意見を聴くことが必要であると学長が定めるものについて、学長が決定を行うに当たり意見を述べることとしたこと。（第九三条第二項）

2）　教授会は、学長等がつかさどる教育研究に関する事項について審議し、及び学長等の求めに応じ、意見を述べることができることとしたこと。（第九三条第三項）

2．国立大学法人法（平成一五年法律第一一二号）の一部改正（略）

3．学校教育法施行規則（昭和二二年文部省令第一一号）の一部改正

(1)　学生に対する懲戒の手続の策定（第二六条第五項関係）

学長は、学生に対する退学、停学及び訓告の処分の手続を定めなければならないこととしたこと。

(2)　学生の入学、退学、転学、留学、休学及び卒業（第一四四条関係）

学生の入学、退学、転学、留学、休学及び卒業について、教授会の議を経て、学長が定めることとしている現行規定を削除したこと。

4．国立大学法人法施行規則（平成一五年文部科学省令第五七号）の一部改正（略）

5．施行期日

改正法及び改正省令は、平成二七年四月一日から施行すること。

第三　留意事項

1．学校教育法及び同法施行規則の一部改正

学校教育法及び同法施行規則の改正は、全ての国立大学、公立大学、私立大学及び構造改革特別区域法（平成一四年法律第一八九号）に基づいて学校設置会社が設置する大学に適用されるものである。

(1)　副学長の職務（学校教育法第九二条第四項関係）

①　副学長は、学長を補佐するのみならず、学長から指示を受けた範囲の校務について自らの権限で処理することができるようになること。

②　副学長は、これまでと同様に、大学の規模や実情に応じて置くことができる職であり、必置の職ではないこと。

③　同じ学校教育法にある副校長に関する規定等と平仄を合わせるため、改正前の学校教育法第九二条第四項の「学長の職務を助け」を、改正後は「学長を助け」に改めたが、本質的な変更はないこと。

④　今回の改正により、副学長の法律上の権限の範囲は広がるが、各大学における具体的な所掌範囲については、適切な手続に基づいて、学長が個別に命ずること。なお、改正法の施行後であっても、副学長が、必ず学長から校務をつかさどるよう命令を受けなければならないものではなく、命令を受けない場合には、従前どおり、副学長として、学長を補佐する職務に従事することが可能であること。

⑤　学長から副学長への、副学長がつかさどる校務の命令は、随時行うことが可能であるが、学内外からも権限と責任が明らかになるよう、文書（学長裁定等）で明確にしておくこと。

(2)　教授会の役割の明確化（学校教育法第九三条関係）

①　学校教育法第九三条第一項に規定するとおり、教授会は、これまでと同様に、大学における必置の機関であること。

②　学校教育法第九三条第二項各号に掲げる事項については、教授会に意見を述べる義務が課されていること。学長に対しても、教授会に意見を述べさせる義務を課しているものと解されるが、学長は、教授会の意見に拘束されるものではないこと。

③　学長は、学校教育法第九三条第二項に基づいて教授会が意見を述べるべき事項が学長裁定等適切な方法で明確化されているか再確認すること。なお、学長裁定等は必要に応じて随時定めることで足りるが、学長が定めた事項については、教授会に周知すべきこと。その際、同法第九三条第二項第三号に基づいて学長が定めた事項のほか、同項第一号及び第二号に規定する事項についても、教授会が意見を述べるものとされている事項に含まれていることに留意すること。

④　学校教育法第九三条第二項第一号で規定された以外の、学生の退学、転学、留学、休学については、本人の希望を尊重すべき場合など様々な事情があり得ることから、学校教育法

施行規則第一四四条は削除し、教授会が意見を述べることを義務付けないこととしたこと。

ただし、懲戒としての退学処分等の学生に対する不利益処分については、教授会や専門の懲戒委員会等において多角的な視点から慎重に調査・審議することが重要であることから、同施行規則第二六条第五項において、学長は、学生に対する同施行規則第二六条第二項に規定する退学、停学及び訓告の処分の手続を定めなければならないこととしたこと。

なお、同施行規則の改正を受け、退学、転学、留学、休学、復学、再入学その他学生の身分に関する事項について、各大学において、大学への届出、審査等の新たな手続を定める必要があるか点検し、必要に応じて定めること。

⑤ 学校教育法第九三条第二項第三号の「教育研究に関する重要な事項」には、教育課程の編成、教員の教育研究業績の審査等が含まれており、その他学長が教授会の意見を聴くことが必要である事項を定める際には、教授会の意見を聴いて定めること。その際、教授会の意見を参酌するよう努めること。

なお、参酌とは、様々な事情、条件等を考慮に入れて参照し、判断することであること。

⑥ 学校教育法第九三条第二項第三号の「教育研究に関する重要な事項」には、キャンパスの移転や組織再編等の事項も含まれ得ると考えられるが、具体的にどのような事項について教授会の意見を聴くこととするかは、学長が、各大学の実情等を踏まえて判断すべきこと。

なお、これらの事項の中には、経営に深く関わる事項が含まれる場合も考えられるが、経営に関する事項は、国立大学法人の学長、公立大学法人の理事長、公立大学を設置する地方公共団体の長、学校法人の理事会、学校設置会社の取締役会等において決定されるべきであり、学校教育法に基づいて設置される教授会は、あくまでも教育研究に関する専門的な観点から意見を述べるものであること。

⑦ 学校教育法第九三条第二項各号に掲げる事項以外の事項についても、教授会は、同条第三項に規定する「教育研究に関する事項」として審議することが可能であること。なお、同法第九三条第三項前段の「審議」とは、字義どおり、論議・検討することを意味し、決定権を含意するものではないこと。

⑧ 学校教育法第九三条第二項及び同条第三項後段に基づき、教授会が学長等に意見を述べる前には、教授会として責任を持って、専門的な観点から遅滞なく審議することが求められること。

⑨ 学校教育法第九三条第二項及び同条第三項後段に基づき、教授会が学長等に意見を述べる際に、教授会として何らかの決定を行うことが想定されるが、教授会の決定が直ちに大学としての最終的な意思決定とされる内部規則が定められている場合には法律の趣旨からして適切ではなく、学長が最終決定を行うことが明らかとなるような見直しが必要であるこ

と。

⑩　学校教育法第九三条第二項及び同条第三項後段に基づき教授会が述べた意見は、それぞれ法律に基づき述べられた意見であるが、いずれの意見についても、これを受けた学長等が最終的に判断すべきこと。なお、同法第九三条第二項については、法律が学長が決定を行うに当たり教授会に意見を述べる義務を課していることを踏まえると、当該教授会の意見を慎重に参酌すべきこと。

⑪　学校教育法第九三条第三項前段は、学部長その他研究科、研究所等の組織の長においても、基本的には各組織に関する校務の決定権を有する場合があることから、学長と同様に教授会との関係を明確化したものであること。

⑫　学校教育法第九三条第三項後段の「学長等の求めに応じて、意見を述べることができる」とは、学長等が教授会の意見を求める場合に、これに対して教授会が意見を述べるという関係を確認的に規定したものであること。学長の求めがない場合の取扱いについては、法律では規定していないが、教授会が教育研究に関する事項について審議した結果を、事実行為として学長等に対して伝えることは差し支えないこと。

⑬　①から⑫までの前提の上で、円滑な大学運営を図るという観点から、学長と教授会が適切な役割を果たし、意思疎通を図っていくこと。

⑭　教授会は、必ずしも学部や研究科単位で置かなければならないものではなく、全教員から構成される全学教授会や、学科や専攻ごとに置かれる教授会、教育課程編成委員会や教員人事委員会など機能別に組織される教授会など多様な在り方が考えられることから、教育研究の実態を踏まえながら、各大学において、適切な教授会の設置単位の在り方について再点検を行うこと。

⑮　教授会の役割を明確化する観点から、個人情報等の取扱いには十分に留意した上で、議事次第や議事概要等のホームページでの公表など適切な方法によって透明化を図ること。

2．国立大学法人法及び同法施行規則の一部改正（略）

3．改正の基本的な考え方

(1)　大学が果たすべき社会的責任

公的な存在である大学のステークホルダーは、学生や教職員、大学の設置者等の直接的な関係者にとどまらず、保護者や卒業生、地域社会や各種団体・企業、さらには国民一般に及ぶものである。大学は、社会からの付託に応える教育研究を展開し、こうした様々なステークホルダーに対して、社会的責任（Social Responsibility）を果たしていくことが求められること。

また、そのためには、大学運営に権限と責任を有する学長が、教育研究評議会や経営協議会、理事会・評議員会、監事などの機関を有効に活用しながら、それぞれの大学が果たすべき役割を的確に捉えた上で、自らの説明責任を果たし、透明性の高い大学運営を行っていくことが必要であること。

なお、国立大学法人については、法律上、その設置の目的

が、「大学の教育研究に対する国民の要請にこたえる」こと等とされているとともに、その運営費の多くが、国からの公的支援により支えられていることに鑑み、学長が最終的に責任を負う対象は、国民であることに留意すること。

(2) 権限と責任の一致

① 学長の権限と責任

学校教育法第九二条第三項は、「学長は、校務をつかさどり、所属職員を統督する。」と規定しており、学長は、大学の全ての校務について、包括的な責任者としての権限を有するとともに、特に高い立場から教職員を指揮監督することとされていること。今回の改正では、この規定に変更はなく、学長は引き続き、大学の校務について権限を有しており、その前提の下で大学運営について最終的な責任を負うこと。

また、学長は自らの権限と責任の重大性を十分に認識し、適切な手続に基づいて意思決定を行うこと。

② 学長に対する業績評価

校務に関する決定権を有する学長が、その結果について責任を負うことは当然であり、学長の業務執行の状況（副学長等への指示・監督状況、意思決定の手続を含む。）について、学長選考会議や理事会等の学長選考組織、監事等が恒常的に確認すること。

特に国立大学法人の監事については、独立行政法人通則法の一部を改正する法律の施行に伴う関係法律の整備に関する法律（平成二六年法律第六七号）により国立大学法人法が改正され、監事機能の強化が図られたところであり、適切な予算・人員面の手当をするなど、その機能が適切に発揮されるようにすべきこと。なお、独立行政法人通則法の一部を改正する法律の施行に伴う関係法律の整備に関する法律による国立大学法人法の改正については、別途留意すべき点について、施行通知を発出する予定であること。

このほか、自己点検・評価、認証評価等を活用して、適切な評価を行うこと。

③ 学長と教授会の関係

今回の法改正は、教授会が法律上の審議機関として位置付けられていることを明確化するものであること。仮に、各大学において、大学の校務に最終的な責任を負う学長の決定が、教授会の判断によって拘束されるような仕組みとなっている場合には「権限と責任の不一致」が生じた状態であると考えられるため、責任を負う者が最終決定権を行使する仕組みに見直すべきであること。

なお、学長が教育研究に関する判断を行うに当たって、その判断の一部を教授会に委任することは、学長に最終的な決定権が担保されている限り、法律上禁止されるものではないこと。しかしながら、教授会の判断が直ちに大学の判断となり、学長が異なる判断を行う余地がないような形で権限を委譲することは、学長が最終的な決定権を有すると規定している法律の趣旨に反するものであること。

(3) 内部規則の総点検・見直し（略）

(4)　大学の自治の尊重

「大学の自治」とは、大学が、学術の中心として深く真理を探究することを本質とすることに鑑みて、大学における「学問の自由」（憲法第二三条）を保障するため、教育研究に関する大学の自主的な決定を保障するものと理解されている。

教育基本法（平成一八年法律第一二〇号）第七条第二項においても、大学の自主性・自律性を尊重することが規定されており、今回の法改正は「大学の自治」の考え方を変更するものではないこと。

(5)　学長と理事会との関係

私立大学においては、私立学校法（昭和二四年法律第二七〇号）第三六条により、設置者である学校法人がその運営についての責任を負い、理事会が最終的な意思決定機関として位置付けられていること。

なお、今回の改正は、学校教育法に基づく学長の権限と、私立学校法に基づく理事会の権限との関係に変更を加えるものではないこと。

(6)　公立大学における学長、学部長その他の人事

①　地方公共団体が直接管理している公立大学には、従来どおり、教育公務員特例法が適用され、公立大学法人が設置している公立大学には、地方独立行政法人法（平成一五年法律第一一八号）の公立大学に関する特例が適用されるが、これら公立大学における学長、学部長その他の人事については、今回の改正の対象ではなく、法的な取扱いに変更はないこと。

②　ただし、学長の選考については、公立大学においても、求めるべき学長像を具体化し、候補者のビジョンを確認した上で決定することは重要であり、国立大学法人の学長選考の透明化等が法的に定められたことを参考に、地方公共団体及び公立大学法人並びに公立大学の主体的な判断により、透明性の高い選考が行われるよう見直していくこと。

(7)　私立大学における学長、学部長その他の人事

①　私立大学における学長、学部長その他の人事については、今回の法改正の対象ではなく、理事会が最終決定を行うという法的な取扱いに変更はないこと。

②　ただし、学長の選考については、私立大学においても、建学の精神を踏まえ、求めるべき学長像を具体化し、候補者のビジョンを確認した上で決定することは重要であり、学校法人自らが学長選考方法を再点検し、学校法人の主体的な判断により見直していくこと。

〔大学設置基準の諮問〕

第九十四条　大学について第三条に規定する設置基準を定める場合及び第四条第五項に規定する基準を定める場合に

は、文部科学大臣は、審議会等で政令で定めるものに諮問しなければならない。

【沿　革】　昭六二・九・一〇法八八により新設した（旧六〇条を六〇条及び六〇条の二に分離整理）。

平一一・七・一六法八七により、「監督庁」を「文部大臣」に改めた。

平一一・一二・二二法一六〇により、「文部大臣」を「文部科学大臣」に、「大学審議会」を「審議会等で政令で定めるもの」に改めた。

平一四・一一・二九法一一八により、「場合」の下に「及び第四条第五項に規定する基準を定める場合」を加えた。

平一九・六・二七法九六により、旧六〇条から九四条に移動した。

【参照条文】　法三条、四条五項、一一二条、一一三条。施行令四二条。文部科学省組織令八五条、八六条。中央教育審議会令。

【注　解】

一　本条は、法三条に規定する設置基準を定める場合及び法四条五項に規定する「学位の種類及び分野の変更」等に関する基準を定める場合には、文部科学大臣は「審議会等で政令で定めるもの」、すなわち中央教育審議会（施行令四二条）に諮問しなければならない旨を定めたものである。

平成一三年の中央省庁の改編に伴う審議会再編以前には、法旧六九条の三（当時）において大学審議会に関する規定が設けられていた。なお、国家行政組織法八条では、審議会は法律又は政令に根拠を置くものと規定されているが、臨時行政調査会答申に基づく昭和五八年の同法等の改正の際の考えによれば、委員の任命に関し、国会の同意、内閣の承認等の特例があるものについては、法律設置とされていた。

(旧)第六十九条の三　文部省に、大学審議会を置く。

② 大学審議会は、この法律の規定によりその権限に属させられた事項を調査審議するほか、文部大臣の諮問に応じ、大学（高等専門学校を含む。以下この条及び次条において同じ。）に関する基本的事項を調査審議する。

③ 大学審議会は、前項に規定する事項に関し、必要があると認めるときは、文部大臣に対し勧告することができる。

④ 大学審議会は、大学に関し広くかつ高い識見を有する者のうち

から、文部大臣が内閣の承認を経て任命する二十人以内の委員で組織する。

⑤　前項に定めるもののほか、大学審議会の組織及び運営に関し必要な事項は、政令で定める。

昭和六二年の改正前の法六〇条（現行九四条）においては、「大学の設置の認可に関しては、監督庁は、政令で定める審議会に諮問しなければならない。」とされ、具体的な設置認可及びその前提となる設置基準の両方を、政令で定める審議会（大学設置審議会）への諮問事項と定めていたが、大学審議会の創設により、その両者が分離整理された。

臨時教育審議会の第二次答申において、大学等の高等教育の改革の課題が多岐にわたって指摘される中で、「我が国の高等教育の在り方を基本的に審議し、大学に必要な助言や援助を提供し、文部大臣に対する勧告権をもつ恒常的な機関としてユニバーシティ・カウンシル（大学審議会―仮称）を創設する」と提案され、これらのことを受け、大学関係者のみならず、広く社会の各方面の有識者の英知を結集し、大学を中心とする高等教育の積極的改革を推進しようとすることが、大学審議会を設置した趣旨であったとされている。

大学審議会の設置根拠を学校教育法とした理由としては、次の二点があげられている。第一に、大学を中心とする高等教育の基本的な在り方を調査審議する審議会であり、大学等の制度の基本を規定している学校教育法にその根拠を置くことが適当であること。第二に、学校教育法においては、文部大臣（現・文部科学大臣）が大学等の設置基準並びに学位に関する事項を定める場合には、大学審議会への諮問の必要性を明記しているところであり、これらを含み大学の基本的な在り方を検討する大学審議会は、学校教育法に規定することが適当であること。

しかし、中央省庁等改革のための国の行政組織関係法律の整備等に関する法律（平一一法一〇二）により、設置根拠規定たる学校教育法旧六九条の三は削除され、大学審議会は、中央教育審議会大学分科会に引き継がれた（文部科学省組織令七五条・七六条、中央教育審議会令五条）。

中央教育審議会大学分科会の所掌事務（中央教育審議会令五条一項）の「大学及び高等専門学校における教育の振興に

関する重要事項」とは、大学の教育研究組織、修業年限、入学資格、教職員、設置のシステム、学位、教育課程などのほか高等教育整備計画なども含め我が国の高等教育制度及びその実施に当たっての基本となるような事項であると解される。また、「学校教育法の規定に基づき審議会の権限に属させられた事項」とは、学校教育法の規定により、文部科学大臣が審議会に必ず諮問しなければならないと定められている事項であり、具体的には、①設置基準の制定改廃（法九四条）及び学位に関する事項（法一〇四条五項）がこれに該当する。学位に関しては法一〇四条の【注解】参照。

二　法三条では、学校を設置しようとする者は、学校の種類に応じ、文部科学大臣の定める設備、編制その他に関する基準に従って学校を設置しなければならないこととされている。大学についての「設備、編制その他に関する設置基準」、すなわち校地・校舎等の施設、機械・図書等の設備、学部・学科・教員組織等の基準は、具体的には次の文部省令により規定されている。

大学設置基準（昭三一文部省令二八）
短期大学設置基準（昭五〇文部省令二一）
大学院設置基準（昭四九文部省令二八）
大学通信教育設置基準（昭五六文部省令三三）
短期大学通信教育設置基準（昭五七文部省令三）
専門職大学院設置基準（平一五文部科学省令一六）
専門職大学設置基準（平二九文部科学省令三三）
専門職短期大学設置基準（平二九文部科学省令三四）

三　なお、大学設置基準に規定された事項はすべて法三条を根拠としているわけではない。すなわち、学部・学科

等、教員組織、収容定員、教育課程、校地・校舎等の施設・設備、事務組織等は法三条に基づいているが、教員の資格は法八条をその根拠としている。なお、大学についての設置基準は、大学の設置認可の際の基準であると同時に、設置後も最低限維持すべき基準とされている（大学設置基準一条等）。

四　平成一四年の本法改正により、学部や研究科等の組織改編の前後で授与する「学位の種類及び分野の変更」がない場合は、認可を不要とし事前届出とされたが、その際の「学位の種類及び分野の変更」等に関する基準についても、中央教育審議会に諮問しなければならない旨が定められた。

〔大学設置の認可の諮問〕

第九十五条　大学の設置の認可を行う場合及び大学に対し第四条第三項若しくは第十五条第二項若しくは第三項の規定による命令又は同条第一項の規定による勧告を行う場合には、文部科学大臣は、審議会等で政令で定めるものに諮問しなければならない。

【沿　革】　昭二三・七・一〇法一三三により、「大学設置委員会」を「大学設置審議会」に改めた。

昭五八・一二・二法七八により、「大学設置審議会」を「政令で定める審議会」に改め、第二項を削った。

昭六二・九・一〇法八八により新設した（旧六〇条を分離整理）。

平一一・七・一六法八七により、「監督庁」を「文部大臣」に改めた。

平一一・一二・二二法一六〇により、「文部大臣」を「文部科学大臣」に、「大学設置・学校法人審議会」を「審議会等で政令で定めるもの」に改めた。

平一四・一一・二九法一一八により、「大学に対し第四条第三項若しくは第十五条第二項若しくは第三項の規定による命令又は同条第一項の規定による勧告を行う場合」を追加した。

平一九・六・二七法九六により、旧六〇条の二から九五条に移動した。

【参照条文】　法四条、一五条、九八条、一二三条。施行令四三条。私立学校法四条。文部科学省組織令八五条、八八条。大学設置・

【注　解】

一　本条は、大学の設置認可を行う場合、認可に代わる届出の方法によった場合に必要な措置命令の場合、法令違反の場合の勧告・変更命令・廃止命令を行う場合には、文部科学大臣に「審議会等で政令で定めるもの」すなわち、大学設置・学校法人審議会（施行令四三条）に対する諮問を義務づける規定である。

学校を設置しようとする者は、学校の種類に応じ、文部科学大臣の定める設備、編制その他に関する設置基準に従い、これを設置しなければならないこととされ（法三条）、これを受けて、大学設置基準等が制定されている。また、法四条により、公私立大学の設置・廃止等については文部科学大臣の認可を受けなければならないこととされている。これは、大学としての必要な要件を充たしているかどうかを確認するとともに、国全体の立場から、その数、規模、配置等について妥当な状態を確保するために認められているものである。この場合、本条の規定により、文部科学大臣が大学設置・学校法人審議会に諮問しなければならないこととされているのは、大学の設置認可に当たり慎重、公正を期するためであると解される。

「大学の設置の認可」の「大学」には「短期大学」が含まれる。また本条が設けられた趣旨にかんがみ、「大学の設置」には、学部の設置、大学院及び大学院の研究科の設置等も含まれると解される（法四条）。

二　平成一四年の本法改正により、文部科学大臣が大学設置・学校法人審議会に諮問しなければならない場合として、次の場合が追加された。

①　公私立の大学（短期大学を含む）及び高等専門学校の設置者が、法四条二項の規定に基づき、学部の設置等について認可が不要な場合として届出を行った際に、その届出内容が、学校教育法、大学設置基準等の学校教育関係

法令の規定に適合しないと認められ、必要な措置をとることを命ずる場合（法四条三項）

② 公私立の大学及び高等専門学校が学校教育関係法令の規定に違反していると認めるときに、必要な措置をとるべきことを勧告する場合（法一五条一項）

③ ②の是正勧告を行ったにもかかわらず、なお勧告事項が改善されないときに、当該学校に対してその変更を命ずる場合（法一五条二項）

④ ③の変更命令を行ったにもかかわらず、なお勧告事項が改善されないときに、当該勧告事項に係る組織の廃止を命ずる場合（法一五条三項）

三 平成一四年の本法改正前は、別途、私立学校法において文部科学大臣が私立学校の廃止、設置者の変更及び収容定員に係る学則の変更について認可を行う場合又は私立学校の閉鎖を命ずる場合には、大学設置・学校法人審議会の意見を聴かなければならないこととされていたが（私立学校法旧八条二項）、同改正により私立学校法八条二項の規定が整備され、私立学校法上、学校教育法四条一項又は一三条一項に規定されている事項を行う場合には、文部科学大臣は、学校教育法九五条に規定する審議会等で政令で定めるもの（大学設置・学校法人審議会）の意見を聴かなければならないこととされた。

なお、私立大学に関して、大学の設置の認可を行う場合以外に、大学設置・学校法人審議会の意見を聴かなければならない場合として法律上定められているものとしては、次の事項がある。

(一) 私立学校法関係

① 収益事業の種類の定め（二六条二項）

② 寄附行為の認可（三一条二項）

③ 寄附行為の補充（三二条二項）

④　解散の認可又は認定（五〇条三項）
⑤　収益事業の停止命令（六一条二項）
⑥　学校法人の解散命令（六二条二項）

(二)　私立学校振興助成法関係
①　収容定員超過の是正命令（一二条の二第一項）
②　予算の変更勧告（一三条一項）
③　役員の解職勧告（一三条一項）

以上はいわば必要的諮問事項であるが、これ以外の事項についても、文部科学大臣は大学の設置の認可に関連する事項について、必要に応じ諮問することを妨げるものではないと考えられている。現在でも、例えば文部科学大臣の認可を要しない国立大学の学部の設置や大学院の設置に当たって、教員組織、施設設備の充実状況について、大学設置・学校法人審議会に対する意見伺いを行っている。

〔研究施設の附置〕

第九十六条　大学には、研究所その他の研究施設を附置することができる。

【沿　革】　平一九・六・二七法九六により、旧六一条から九六条に移動した。

【注　解】

一　本条は、大学に研究所その他の研究施設を附置し得る旨の規定である。大学は、教育研究組織であるため（法八三条）、教育上必要な組織を設けるとともに、学術の中心として研究活動を遂行するために必要な研究所その他の施

設を附置し得ることを特に規定しているものである。

二　本条に基づく研究所その他の研究施設の要件については特段の定めはなく、大学の必要に応じ多様な形で設け得るものとされている。

平成二〇年七月三一日の施行規則の一部改正により、施行規則一四三条の三が新設された。大学に附置される研究施設のうち、全国の関連研究者に利用させることにより、我が国の学術研究の発展に資するものを、文部科学大臣が共同利用・共同研究拠点として認定することにより、国全体の学術研究の発展を図ることとしたものである。同条において大学には、研究施設の置かれた大学以外の大学の教員その他の者で、当該研究施設の目的と同一の分野の研究に従事する者に利用させるものを置くことができること（同条一項）、こうした研究施設のうち、特に学術研究の発展に資すると認められたものは、共同利用・共同研究拠点として文部科学大臣の認定を受けることができることが定められた（同条二項）。また、平成三〇年五月一日の施行規則の一部改正により、同条に三項が追加され、一項に定める研究施設のうち、学術研究の発展に特に資するものであって、国際的な研究活動の中核としての機能を備えるものは、国際共同利用・共同研究拠点として認定を受けることができることが定められた。なお、国際共同利用・共同研究拠点としての認定と共同利用・共同研究拠点としての認定を重ねて受けることはできないこととされている（同条四項）。

これらの規定は、研究所等の研究施設について一律に要件を定めたものではなく、研究施設の一形態として、いわゆる全国共同利用型のものを設けることができることを確認的に定めたうえで、学術研究の発展に特に資するとして文部科学大臣が定めた規程（「共同利用・共同研究拠点及び国際共同利用・共同研究拠点の認定等に関する規程」平二〇文部科学省告示一三三）に合致するものとして各大学が自主的に申請してきた研究施設について、同規程に定める基準に合致している場合に文部科学大臣が「共同利用・共同研究拠点」又は「国際共同利用・共同研究拠点」として認定することを

定めたものにすぎない。

したがって、施行規則一四三条の三は、いわゆる全国共同利用型以外の形態の研究施設を設けることを否定するものでないことはもとより、いわゆる全国共同利用研究施設であっても文部科学大臣の定める規程に合致しない形態の研究施設を設けることを否定するものでもなく、また、文部科学大臣の定める規程に合致する研究施設として認定を申請するか否かは各大学の自主的な判断に委ねられている。

第百四十三条の三 大学には、学校教育法第九十六条の規定により大学に附置される研究施設として、大学の教員その他の者で当該研究施設の目的たる研究と同一の分野の研究に従事する者に利用させるものを置くことができる。

2 前項の研究施設のうち学術研究の発展に特に資するものは、共同利用・共同研究拠点として文部科学大臣の認定を受けることができる。

3 第一項の研究施設のうち学術研究の発展に特に資するものであって国際的な研究活動の中核としての機能を備えたものは、国際共同利用・共同研究拠点として文部科学大臣の認定を受けることができる。

4 第二項の認定と前項の認定は、重ねて受けることができない。

三 国立大学法人法が成立するまで国立大学は旧国立学校設置法によって定められており、この旧国立学校設置法九条の二に基づき、旧国立学校設置法施行令六条から九条までにおいて、大学における学術研究の発展等に資するために設置された大学の共同利用の機関（大学共同利用機関）として、国文学研究資料館、国立極地研究所、宇宙科学研究所、国立遺伝学研究所、統計数理研究所、国際日本文化研究センター、国立天文台、核融合科学研究所、国立情報学研究所、総合地球環境学研究所、岡崎国立共同研究機構、高エネルギー加速器研究機構、国立民族学博物館、国立歴史民俗博物館及びメディア教育開発センターの設置が定められていた。これらの大学共同利用機関のうち一三機関は、国立大学法人法により、平成一六年四月一日より、四つの研究機構（大学共同利用機関法人人間文化研究機構、大学共同

利用機関法人自然科学研究機構、大学共同利用機関法人高エネルギー加速器研究機構、大学共同利用機関法人情報・システム研究機構）に再編されて法人化、宇宙科学研究所は、特殊法人改革の一環として、平成一五年一〇月一日に、特殊法人宇宙開発事業団及び独立行政法人航空宇宙技術研究所と統合されて独立行政法人宇宙航空研究開発機構（平成二七年より、国立研究開発法人宇宙航空研究開発機構）に移行、メディア教育開発センターは、平成一六年四月一日より、独立行政法人メディア教育開発センターとして独立行政法人化された後、独立行政法人整理合理化計画により、平成二一年に廃止され、放送大学に移管された（国立大学法人法二条四項・二章二節・別表第二、国立大学法人法施行規則一条・別表第一、国立研究開発法人宇宙航空研究開発機構法、独立行政法人メディア教育開発センター法）。大学共同利用機関は、国立大学と類似の性格を持ち、大学の附置研究所と同様に学術研究を行っているが、本条にいう大学に附置された「研究所その他の研究施設」には該当しない。

〔大学院〕

第九十七条　大学には、大学院を置くことができる。

【沿　革】　平一九・六・二七法九六により、旧六二条から九七条に移動した。

【参照条文】　法九九条～一〇四条、一〇八条八項。大学院設置基準、専門職大学院設置基準。

【注　解】

一　本条は、大学院の設置に関する規定である。

我が国の大学院制度は、明治一〇年に発足した東京大学が、明治一九年に帝国大学令に基づいて帝国大学になった時に始まる。大正七年に大学令が制定されるまで帝国大学以外の大学は存在せず、したがって大学院も各帝国大学の

大学院のみであった。当時の大学院は、各分科大学とともに帝国大学の構成要素として位置づけられ、その目的も分科大学は「学術技芸ノ理論及応用ヲ教授スル」ものとし、大学院は「学術技芸ノ蘊奥ヲ攷究」するところとされた。また、大学院の在学年限（修業年限ではない）は大学の規定において定められ、大正の初めまで数度の改変はあったが、二年から五年の間で定められていた。

大正七年一二月六日に大学令が公布され、それまでの国が設置した帝国大学のほか、公立、私立大学も設置し得るものとされた。大学の構成も分科大学及び大学院によることが改められ、大学は数個の学部より成ることを常例とし、かつ、学部にはすべて研究科（大学院）を置くこととされ、数個の学部を置く大学にあっては、連絡協調のため、総合して大学院を置き得るものとされた。この大学令による制度は、新制度発足後も経過措置によって昭和三七年三月まで存在したものであり、一般に「旧制」といわれ、現行制度と対比されるものである。

この大学令では、研究科（大学院）に関しては以上の事柄を規定したにとどまり、その他の細部については、それぞれの大学の定めるところとなった。在学年限についても特に定められていないが、「学位令」（大九勅令二〇〇）において、学位論文の提出に関し「研究科ニ於テ二年以上研究ニ従事」したことを要すると定めたことから、各大学の学則において二年以上と定められた。

二　昭和二二年四月、いわゆる六・三・三・四制による学校制度が発足したが、この制度による大学として昭和二三年四月から上智大学など一二大学が発足した。このうち同志社大学、立命館大学、関西大学、関西学院大学は旧制大学からの横すべりによって発足したため、その第一回の卒業生を昭和二五年三月に送り出すこととなり、大学院についても、これらの卒業生の進学の必要から、新しい制度に基づいて設置されることが要望された。

大学の設置の認可については大学設置審議会（当初は、大学設置委員会と呼称した）に諮問しなければならないこととされていたため、前記四大学の大学院の設置に関し諮問を受けた同審議会は、その審査に当たり大学基準協会が昭和二

四年四月に決定した「大学院基準」を参酌して運用することとし、かつ大学院の基礎となる学部の充実状況等を考慮のうえ、それぞれの事例に即して対処することとし、昭和二五年三月、四大学に新しい制度に基づく大学院を認可した。このように新制度による初めての大学院が発足したが、昭和二四年度に発足した大学の大学院は、新制大学として最初の卒業生の出た昭和二八年四月（医・歯学部については昭和三〇年四月以降）から設置されるに至ったのである。

三　その後、社会の複雑多様化、学術研究の高度化に応じて、大学院の果たす役割がより重要になるとともに多様な形態が要請されるようになったため、大学設置審議会において検討が重ねられた結果、昭和四九年三月、大学院の制度的基盤の確立及び制度の弾力化を目的とした改善策が答申され、現在の大学院制度の整備を見るに至った。すなわち、昭和四九年六月大学院設置基準が制定され、昭和五一年五月学校教育法の一部改正が行われ、これにより大学院の目的、性格、組織が次のように整備された。

⑴　目的・性格

①　修士課程の目的を広げて、従来どおりの研究者養成の一段階として「専攻分野における研究能力」を養うという目的のほか、「高度の専門性を要する職業等に必要な高度の能力」を養うことを目的とした。

②　博士課程の目的を、「専攻分野について研究者として自立して研究活動を行うに必要な高度の研究能力及びその基礎となる豊かな学識」を養うこととし、課程制博士の趣旨をより明らかにした。

③　博士課程について、修業年限を標準的なものとし（五年標準、最短三年）、学位論文の完成時期についての学生の個人差を考慮できるようにするとともに、単位制度による制約を緩和した（五〇単位を三〇単位とした）。

⑵　組　織

①　特定の学部に依存する従来の研究科組織のほか、広く学内の学部、研究所等と連携し、また、専任教員、専用施設による独立の組織を設ける等研究科の目的に即して組織編制ができることを明らかにした。また、学部

組織を持たず大学院のみを設けるいわゆる独立大学院も設置することができるようにした。

② 博士課程について、二年と三年の課程に区分して置くことも、五年一貫の課程として置くこともできるようにし、さらに、後期三年のみの博士課程を設けることもできるようにした。

(3) 他の大学院等との連携

① 他の大学院等で授業又は研究指導の一部を受けることができるようにした。

② 他の大学院等の教員等に学位論文審査の協力が依頼できるようにした。

以下、大学院に関する制度改正等について概観する。

四 平成元年九月一日付けで、大学院設置基準等の改正が行われた。臨時教育審議会の第二次答申及び第三次答申においては、大学院制度の個性化、多様化及び高度化に関し数多くの提言が行われたが、同答申を受けて設置された大学審議会において、その具体化の検討が行われ、昭和四九年以来の経験も踏まえ、改善が図られたものである。その改正のねらいは、大学院制度の弾力化を図るもので、主な内容は、次のとおりである。

① 専ら夜間において教育を行う修士課程を置くことができることとしたこと。

② 修士課程の修業年限（二年）は標準的なものとしたこと。

③ 修士課程における研究指導委託を可能にしたこと。

④ 博士課程の目的に、研究者養成以外に多様な高度の能力の養成を加えたこと。

⑤ 大学院教員を広く社会に求めることができるようにしたこと。

⑥ 研究者として優れた資質を有する者に対して、大学院入学資格要件及び卒業要件の緩和を図り、早期から大学院教育を実施する途（いわゆる飛び入学）を開いたこと。

五 平成三年六月三日付けで、大学設置基準の改正とともに大学院設置基準の改正が行われた。これは大学審議会

の答申に基づき大学院の自己点検・評価の努力義務を規定するとともに、大学設置基準の改正内容に合わせて収容定員と、図書等の資料に関する若干の規定の改正を行ったものである。

六　平成五年一〇月一日付けで、大学院設置基準の改正が行われた。これは従来修士課程について認められていた夜間大学院や教育方法の特例を博士課程について認めるとともに、大学院についても学部と同様に入学前の既修得単位の認定や科目等履修生の制度を導入したものである。

七　平成一〇年三月三一日付けで、大学院設置基準の改正が行われ、情報通信技術の進展や社会の大学への期待の高まりに適切に対応するため、大学院に通信教育を行う修士課程を置くことができることとなった。

八　平成一一年八月三一日付けで、学校教育法施行規則の改正が行われ、大学院で学ぶ意欲と能力を有する者に広く大学院教育を受ける機会を提供し得るよう、大学院において、個別の入学資格審査により、大学を卒業した者と同等以上の学力があると認めた者で、二二歳に達したものに、大学院への入学資格を認めるなどの大学院への入学資格の弾力化を図った。

九　また、平成一一年五月二八日付けで公布された学校教育法等の一部を改正する法律により、大学院研究科の制度上の位置付けが明確化されるとともに、大学の教育研究上の目的を達成するため有益かつ適切である場合においては、研究科の設置に代えて、研究科以外の基本となる組織を置くことができるとされ、これを受けて、平成一一年九月一四日に大学院設置基準の改正が行われ、所要の規定の整備が行われた（法一〇〇条の**【注解】**二参照）。

一〇　同じく、平成一一年九月一四日の大学院設置基準の改正により、大学院に自己点検・評価が義務づけられるとともに、当該大学の職員以外の者による検証を努力義務とすることが定められた。また、各大学において、二年を超える標準修業年限又は一年以上二年未満の標準修業年限の修士課程を設けることができるようになった。さらに、大学院には、高度の専門性を有する職業等に必要な高度の能力を専ら養うことを目的とする修士課程（専門大学院）を

設けることができるようにした（法九九条の【注解】四参照）。

一一　平成一三年七月一一日付けで公布された学校教育法の一部を改正する法律により、大学院への早期入学（いわゆる「飛び入学」）が法律上明確に位置付けられた（法一〇二条の【注解】五参照）。

一二　平成一四年三月二八日付けで、大学院設置基準の一部改正が行われ、社会人の受入れを一層促進するため、長期履修学生に関する規定が整備され、また、専門大学院の標準修業年限を一年以上二年未満とすることが可能となるとともに、大学院に通信教育を行う博士課程を置くことができるようになった。

一三　平成一四年一一月二九日付けで公布された学校教育法の一部を改正する法律により、専門大学院制度を更に発展させ、一層柔軟な枠組みの中で高度専門職業人養成を様々な分野の特性に応じて充実させることができるよう、高度専門職業人養成のための大学院制度として「専門職大学院」制度が創設された（法九九条の【注解】六参照）。

また、平成一九年三月一日付けで、専門職大学院設置基準の一部改正が行われ、教員養成に特化した専門職大学院である「教職大学院制度」が創設された。

一四　平成一九年一二月一四日付けで、大学院設置基準の一部改正が行われ、博士課程について教育研究上の必要があると認められる場合には、一貫制の課程については五年を、区分制における前期の課程については二年を、後期の課程については三年を、それぞれ超えることができることとされた。

一五　平成二〇年一一月一三日、大学設置基準とともに大学院設置基準及び専門職大学院設置基準が改正され、大学院についても教育課程の共同実施制度が創設された。制度の趣旨及び内容は、学部等の教育課程の共同実施制度と同様である（法八五条の【注解】七参照）。大学院（専門職大学院を含む。以下同じ。）は、他の大学院が開設する授業科目を自らの大学院の教育課程の一部とみなして、それぞれの大学院ごとに同一内容の教育課程を編成することができることとされた（大学院設置基準三一条一項、専門職大学院設置基準三二条一項）。

共同教育課程を実施する大学院（構成大学院）においては、学生が構成大学院のうち一の大学院において履修した共同教育課程に係る授業科目について修得した単位を、他の構成大学院における当該共同教育課程に係る授業科目の履修により修得したものとみなすこととされ（大学院設置基準三一条一項、専門職大学院設置基準三三条）、また、修士課程及び博士課程については、他の大学院において受けた研究指導は自校において受けた研究指導とみなすこととされている（大学院設置基準三二条二項）。

なお、共同教育課程である修士課程及び博士課程においては、学生がすべての構成大学院の教員から研究指導を受けることができるよう、研究指導教員については、それぞれの学生についてすべての構成大学院から教員が主担当又は副担当として配置されるようにするべきであり、主担当の教員のみならず、副担当の教員についても研究指導教員である者を充てるべきであるとされている。

大学院における共同教育課程の実施に関して、大学院設置基準及び専門職大学院設置基準においては、当該共同教育課程を編成し、及び実施するための協議の場を設けることとともに（大学院設置基準三一条二項、専門職大学院設置基準三二条二項）、各構成大学院において、一〇単位以上（法科大学院及び教職大学院については七単位以上）取得することなどが定められている（大学院設置基準三二条一項及び二項、専門職大学院設置基準三四条一項及び三項）。また、大学院に専攻ごとに置くものとする教員の数について定める件（平一一文部科学省告示一七五）の一部改正により、大学院（専門職大学院を除く）の共同専攻に係る研究指導教員数及び研究指導補助教員数の特例が定められ、専門職大学院に関し必要な事項について定める件（平一五文部科学省告示五三）の一部改正により、専門職大学院の共同専攻に係る専任教員数の特例が定められている。

共同教育課程を修了した者には、構成大学の連名による学位が授与される（学位規則一〇条の二）。

一六　平成二四年三月一四日付けで、大学院設置基準等の一部改正が行われ、一貫したプログラムを持った体系的

な博士課程教育を構築し、博士課程教育の質を高める観点から、
① 専攻分野に関する高度の専門的知識及び能力並びに当該専攻分野に関連する分野の基礎的素養についての試験
② 博士論文に係る研究を主体的に遂行するための必要な能力についての審査
からなる博士課程論文基礎力審査に関する規定が整備された。これにより、博士課程を通じて一貫した人材養成上の目的を有する学則に定めるプログラム等において、修士論文又は特定課題の研究成果の審査と試験に代えて博士論文基礎力審査を導入することが可能となった。また、大学院における入学者の選抜について、公正かつ妥当な方法により、適当な体制を整えて行うものとされた。

一七 平成二五年三月一一日に公布された学位規則の一部を改正する省令において、博士学位を授与された者による博士論文の公表、ならびに大学等が行う博士論文要旨の公表について、インターネットを利用して行うこととされた。

一八 平成二六年二月一九日付けで、専門職大学院設置基準の一部改正が行われ、教職大学院の拡充期における優秀な教員の確保の必要性から、平成二五年度までの特例措置としていた専門職大学院設置基準上必ず置くものとされる専任教員について、平成三〇年度までの間は、他の課程の教員がこれを兼ねることができることとされた。

一九 専門職大学制度の創設に伴い、専門職大学院も専門性が求められる職業に関連する事業を行う者等の協力を得て教育課程の編成等を行う旨の規定が法九九条三項として追加された（法九九条の【注解】六参照）ことを受け、平成二九年九月八日に、専門職大学院設置基準の一部改正が行われ、専門職大学院における教育課程の編成方針として、産業界等との連携による授業科目の開設等の事項を追加するとともに、専門職大学院は、産業界等との連携により、教育課程を編成し、及び円滑かつ効果的に実施するため、教育課程連携協議会を設けるものとされた。

二〇 平成三〇年三月三一日に専門職大学設置基準の一部改正が行われ、専門職大学院の専任教員のうち一定の範

囲については、学士課程との間の兼務を認めることとされた。

二一　令和元年八月一三日に大学院設置基準の一部改正が行われ、学部段階と同様、大学は、当該大学に置かれる二以上の研究科等との緊密な連係及び協力の下、横断的な分野に係る教育課程を実施する研究科以外の基本組織（研究科等連係課程実施基本組織）を置くことができるものとされた。

二二　令和元年八月三一日に学校教育法施行規則の一部が改正され、大学院においても、「学位授与の方針」、「教育課程編成・実施の方針」及び「入学者受入れの方針」を定め、公表するものとするとともに、学位論文に係る評価の基準の公表が義務化された。また、同日大学院設置基準の一部改正も行われ、博士後期課程の学生全体を対象とした教育能力を身に付けるための授業科目開設等の取組（プレＦＤ）の実施又は情報提供や、学費や経済的支援等に対する見通しの提示が努力義務とされた。

二三　令和二年六月三〇日に、大学院設置基準の一部改正が行われ、大学院におけるリカレント教育を促進する観点から、大学院間の単位互換及び入学前の既修得単位の認定に関して柔軟化が図られるとともに、入学前の既修得単位、その修得に要した期間等を勘案した修士課程、博士課程（後期課程を除く。）在学期間の短縮を行うことができるものとされた。

二四　令和三年三月二十六日に、大学院設置基準及び専門職大学院設置基準の一部改正が行われ、大学院及び専門職大学院においても、連携開設科目を当該大学院が自ら開設したものとみなすことができること等が定められた（法八三条の**【注解】八**参照）。

二五　本条の「大学」には、短期大学は含まれない（法一〇八条八項）。また、大学院は大学に置かれるものであり、個々の学部等に附設されるものではない。大学院固有の目的に即した組織編制が明確にされてきていることは前述のとおりである。また、本条の大学は、法八三条の大学であり、学部段階の基本組織があることが前提とされてい

るが、大学院の目的に即した組織編制の在り方を強調した場合には、学部段階の組織を持たずに大学院のみを置く高等教育機関を設置し得ることが要請され、昭和五一年の学校教育法の一部改正において、学部を置かない大学院のみの大学が設置され得ることとされた（法一〇三条）。

二六　「置くことができる」と規定されているため、旧制度下のような学部には必ず研究科が置かれていたのとは異なり、学部その他の教育研究組織の整備充実の状況等に応じ、大学院を置く大学と大学院を置かない大学とが存在し得るわけである。

なお、国立大学の大学院は、従来は、学部の教員が、大学院の教員を兼任するものが多かったが、学術研究の動向や社会的要請に対応して、先端的・学際的分野等の教育研究を推進するため、学部とは独立の組織としての大学院を設置し、逆に兼任で学部の授業を担当するパターンのものが一般化しつつある。

【通　知】

○大学院設置基準の一部を改正する省令の施行等について（平元・九・一　文高大二五九号　各国公私立大学（短期大学を除く）長、放送大学長あて　文部事務次官通知）

このたび、別添一～三（略）のとおり、大学院設置基準の一部を改正する省令（平成元年文部省令第三四号）、学位規則の一部を改正する省令（平成元年文部省令第三五号）及び学校教育法施行規則の一部を改正する省令（平成元年文部省令第三六号）が平成元年九月一日に公布され、それぞれ同日から施行されることとなりました。

今回の改正の趣旨は、個々の大学院の創意と工夫を奨励し、その責任と判断において、各学問分野の特質に応じた、また、それぞれの特色を十分に発揮した多様な教育研究を実施し得る途を開くために大学院制度の弾力化を図るものであります。

第一　大学院設置基準（昭和四九年文部省令第二八号）の一部改正

1　専ら夜間において教育を行う修士課程について

(1)　社会人の受入れを積極的に進めていくため、大学院には、専ら夜間において教育を行う修士課程を置くことができることを明らかにしたこと（第二条の二関係）。

2　修士課程の標準修業年限について

(1)　修士課程の修業年限については、これまで二年とされてきたが、これを固定的な修業年限とはせずに標準的な修業年限として定めることとしたこと。ただし、専ら夜間において教育を行う修士課程については、その標準修業年限は、二年を超えるものとすることができることとしたこと（第三条第二項関係）。

(2)　これは、多様な形での大学院の活性化を推進していくため、後記第一の6のとおり、修士課程の修業年限について学生の能力に応じた弾力的な取扱いを行い得るようにすることにより、特に優秀な学生が早期に修士課程を修了して、社会の各方面で活躍し、あるいは博士後期課程に進学し得る途を開く趣旨であり、修士課程そのものの修業年限を二年未満とすることを認める趣旨ではないこと。

3　博士課程の目的について

(1)　博士課程において、大学等の研究者のみならず、社会の多様な方面で活躍し得る高度の能力と豊かな学識を有する人材を養成することも目的とし得ることを明らかにしたこと（第四条第一項関係）。

(2)　これは、社会の多様化、複雑化等に対応し、大学院の多様な発展を推進する趣旨であり、それぞれの博士課程において、このような目的を掲げるかは、各大学院の判断によるものであること。

4　教員の資格について

大学院における教育研究の一層の発展を図るため、専攻分野について特に優れた知識及び経験を有し、教育研究上の高度の指導能力があると認められる人材を広く社会に求め、これらの者にも、大学院を担当する教員の資格を認めることとしたこと（第九条第一号及び第二号関係）。

5　修士課程における研究指導委託について

(1)　教育研究の充実、多様化に資するため、大学院は、教育上有益と認めるときは、博士課程の学生に限らず修士課程の学生についても、他の大学院又は研究所等において必要な研究指導を受けることを認めることができるものとしたこと。ただし、修士課程の学生について認める場合には、当該大学院としての責任ある指導を確保するため、当該研究指導を受ける期間は、一年を超えないものとすることとした（第一三条第二項関係）。

(2)　大学院は、この規定により、学生が他の大学院等において研究指導を受けることを認めようとする場合には、あらかじめ当該他の大学院等との間に、研究指導の範囲、期間その他実施上必要とされる具体的な措置について協議するものとすること。

6　修了要件について

(1)　前記第一の2の改正に対応して、修士課程の修了要件に係る在学期間に関しては、特に優れた業績を上げた者については、大学院に一年以上在学すれば足りるものとしたこと（第一六条第一項ただし書関係）。

(2)　上記(1)による在学期間をもって修士課程を修了した者の博士課程の修了要件に係る在学期間に関しては、大学院に当該修士課程における在学期間に三年を加えた期間以上在学することと

したこと。ただし、特に優れた研究業績を上げた者については、大学院に三年（当該修士課程における在学期間を含む。）以上在学すれば足りるものとしたこと（第一七条第二項関係）。

(3) 学校教育法施行規則（昭和二二年文部省令第一一号）第七〇条の二〔現行施行規則一五六条〕の規定により、大学院への入学資格に関し修士の学位を有する者と同等以上の学力があると認められた者が、博士課程の後期三年の課程に入学した場合の修了要件は、大学院に三年以上在学し、必要な研究指導を受けた上、当該大学院の行う博士論文の審査及び試験に合格することとしたこと。ただし、在学期間に関しては、特に優れた研究業績を上げた者については、大学院に一年以上在学すれば足りるものとしたこと（第一七条第三項関係）。

なお、昭和三〇年三月一一日付け文大大第一六三号大学学術局長通知「大学院の編入学について」は廃止することとしたこと。

7 独立大学院の組織編制及び施設設備に係る基準について

(1) 学校教育法第六八条の二〔現行法一〇三条〕に定める大学に置く大学院（以下「独立大学院」という。）について、教育研究の水準と幅の広さや教育体制を確保するため、組織編制及び施設設備に係る大綱的な基準を次のように明示したこと（第二三条及び第二四条関係）。

① 独立大学院の研究科の種類及び数、教員数その他は、当該大学院の教育研究上の目的に応じ適当な規模内容を有すると認められるものとすること。

② 独立大学院は、当該大学院の教育研究上の必要に応じた十分な規模の校舎等の施設を有するとともに、校地については高度の教育研究にふさわしい環境を有するものとすること。

③ 独立大学院が研究所等との緊密な連係及び協力の下に教育研究を行う場合には、当該研究所等の施設及び設備を共用することができること。ただし、その利用に当たっては、十分な教育上の配慮等を行うものとすること。

(2) なお、学校教育法第六八条の二〔現行法一〇三条〕に定める大学には、大学設置基準（昭和三一年文部省令第二八号）第三五条、第三六条及び第三八条の規定は適用しないこととしたこと。

第二 学位規則（昭和二八年文部省令第九号）の一部改正

前記第一の3の博士課程の目的の改正に関連して、博士の学位は、大学等の研究者のみならず、社会の多様な方面で活躍し得る高度の能力及びその基礎となる豊かな学識を有する者にも授与するものとしたこと（第三条関係）。

第三 学校教育法施行規則（昭和二二年文部省令第一一号）の一部改正

1 大学院（修士課程及び博士前期課程）の入学資格について（略）

2 博士後期課程の入学資格について

(1) 社会人の再教育を積極的に推進するため、学校教育法第六七条〔現行法一〇二条〕ただし書の規定により、大学院への入学資格に関し修士の学位を有する者と同等以上の学力があると認められる者として、文部大臣の指定した者を加えたこと（第七

○条の二〔現行一五六条〕関係）。

(2)　この規定に基づき、別添四（略）の平成元年文部省告示第一一八号により、「大学を卒業した後、大学、研究所等において、二年以上研究に従事した者で、大学院において、当該研究の成果等により、修士の学位を有する者と同等以上の学力があると認めた者」を指定したこと。

第四　その他

今回の大学院制度の弾力化の趣旨にかんがみ、高度専門職業人の養成を主目的とする修士課程における修士論文の扱いについても、その教育方法との関連を考慮しながら、大学院の判断において、大学院設置基準第一六条第二項〔現行なし〕に定める修士論文免除の特例を積極的に活用することが望ましいこと。

○大学院設置基準の一部を改正する省令の施行について（平五・一〇・一　文高大八五号　各国公私立大学（短期大学を除く）長、放送大学長、学位授与機構長あて　文部事務次官通知）

このたび、別添（略）のとおり、大学院設置基準の一部を改正する省令（平成五年文部省令第三二号）が平成五年一〇月一日に公布され、同日から施行されました。

今回の改正の趣旨は、生涯学習社会の進展、技術革新の加速化等を背景として、社会人の再教育など大学院に対する要請の一層の高まりにこたえるために、大学院の教育方法、形態等について弾力化を図るものであります。

この省令の要旨及び留意点等は下記のとおりですので、十分御了知の上、その運用に当たって遺憾のないようお取り計らいください。

1　専ら夜間において教育を行う博士課程について

大学院には、専ら夜間において教育を行う博士課程を置くことができることを明らかにし、その標準修業年限は、五年を超えるものとすることができることとしたこと。また、当該博士課程を前期及び後期の課程に区分する等の場合の取扱いについて定めたこと。（第二条の二及び第四条関係）

2　教育方法の特例について

教育方法の特例がこれまで認められていた修士課程に加えて、博士課程においても、教育上特別の必要があると認められる場合には、夜間その他特定の時間又は時期において授業又は研究指導を行う等の適当な方法により教育を行うことができることとしたこと。なお、この場合、博士課程として維持すべき水準を低下させることのないよう配慮することが必要であること。（第一四条関係）

3　入学前の既修得単位の認定について

(1)　大学院は、教育上有益と認めるときは、学生が当該大学院に入学する前に大学院において履修した授業科目について修得した単位（下記４の科目等履修生として修得した単位を含む。）を、一〇単位を超えない範囲で当該大学院に入学した後の当該大学院における授業科目の履修により修得したものとみなすことができることとしたこと。なお、この場合において、入学前の大学以外の教育施設等における学修の単位認定に係る大学設置基準（昭和三一年文部省令第二八号）第三〇条第二項の規定

は、大学院には準用されていないこと。（第一五条関係）

(2) 上記(1)により修得したものとみなすことのできる単位数は、他の大学院（外国の大学院を含む。）において修得した単位（一〇単位まで）とは別に、一〇単位を超えない範囲で修了要件に算入できるものとすること。

(3) 修業年限の弾力的な取扱いに関する規定（第一六条及び第一七条）の運用に際しては、各大学院の判断により、入学前の既修得単位に係る実績も適切にその評価の対象に含めることが適当であること。

4 科目等履修生について

社会人等に対しパートタイムによる学習機会を拡充し、その学習の成果に適切な評価を与えるため、大学院は、大学院の定めるところにより、当該大学院の学生以外の者で一又は複数の授業科目を履修する者（「科目等履修生」という。）に対し、単位を与えることができることとしたこと。（第一五条関係）

なお、国立学校において科目等履修生について徴収する授業料その他の費用の額については、聴講生等に係る授業料その他の費用の額によるものとすること。

○大学設置基準等の一部を改正する省令の施行等について

（抄）（平一〇・三・三一　文高大三〇六号　各国公私立大学（短期大学を除く）長、放送大学長、大学を設置する各地方公共団体の長、大学を設置する各学校法人の理事長、放送大学学園理事長あて　文部事務次官通知）

今回の改正の趣旨は、個々の大学が、その教育理念・目的に基づき、通信情報技術の進展や社会の大学への高まりに適切に対応しつつ、特色ある教育研究を展開し得るよう、多様なメディアを高度に利用した授業を大学設置基準上授業方法として位置付け、大学院には通信教育を行う修士課程を置くことができることとするとともに、校地面積基準を緩和するなど、制度の弾力化を図るものであります。

第一　大学設置基準（昭和三一年文部省令第二八号）の一部改正

一　「メディアを利用して行う授業」の大学設置基準上の位置付け

(1) 通信情報技術の進展に伴い、大学は、文部大臣が別に定めるところにより、改正後の大学設置基準第二五条第一項の授業（以下「面接授業」という。）を、多様なメディアを高度に利用して、当該授業を行う教室等以外の場所で履修させることができる（以下「メディアを利用して行う授業」という。）こととしたこと。（改正後の第二五条第二項関係）

(2) なお、文部大臣が定める(1)の授業の方法として、別添四（略）のとおり定めたこと。（平成一〇年文部省告示第四六号関係）

「授業を行う教室等」には研究室やスタジオなどが含まれるため、授業を行う場所には教員のみがいて、履修を行う学生がいない場合もメディアを利用して行う授業に含まれること。また、同一校舎内の複数の教室間で多様なメディアを高度に利用して同時に行われる授業もメディアを利用して行う授業に含まれるものであること。

(3) メディアを利用して行う授業を実施するに当たっては、面接授業に近い環境で行うことが必要であり、各大学においては、以下のような事項について配慮することが望ましいこと。

① 授業中、教員と学生が、互いに映像・音声等によるやりとりを行うこと。

② 学生の教員に対する質問の機会を確保すること。

③ 画面では黒板の文字が見づらい等の状況が予想される場合には、あらかじめ学生にプリント教材等を準備するなどの工夫をすること。

④ メディアを利用して行う授業の受信側の教室等に、必要に応じ、システムの管理・運営を行う補助員を配置すること。また、必ずしも受信側の教室等に教員を配置する必要はないが、必要に応じてティーチング・アシスタントを配置することも有効であること。

⑤ メディアを活用することにより、一度に多くの学生を対象にして授業を行うことが可能となるが、受講者数が過度に多くならないようにすること。

(4) メディアを利用して行う授業については、当該授業がまだ実績が少ないことなどを考慮し、卒業の要件として修得すべき一二四単位のうち、メディアを利用して行う授業により修得する単位数は三〇単位〔現行六〇単位〕を超えないものとすること。〔改正後の第三二条第四項〔現行五項〕関係〕

なお、各大学において、一二四単位を超える単位数を卒業の要件としている場合は、面接授業によって九四単位以上の修得がなされていれば、メディアを利用して行う授業によって修得する単位数については、三〇単位を超えることができるものであること。

二 校地面積基準の改正（略）

第二 大学通信教育設置基準（昭和五六年文部省令第三三号）の一部改正（略）

第三 大学院設置基準（昭和四九年文部省令第二八号）の一部改正

一 趣旨

大学院には、通信教育を行う修士課程を置くことができるとしたこと（改正後の第二五条関係）。なお、大学院設置基準の規定は、第四条、第一七条及び第二六条の規定を除き、当然、通信教育を行う修士課程に適用されるものであること。

二 通信教育を行い得る専攻分野

大学院は、通信教育によって十分な教育効果が得られる専攻分野について、通信教育を行うことができるものとしたこと（改正後の第二六条関係）。

通信教育によって十分な教育効果を得られる分野であるか否かは、個々に具体的な教育内容等を勘案して判断されるものであること。

三 通信教育を併せ行う場合の教員組織

昼間又は夜間において授業を行う大学院が通信教育を併せ行う場合においては、通信教育を行う専攻ごとに、第九条第一号に規定する修士課程を担当する教員を、教育に支障のないよう

相当数増加するものとしたこと。(改正後の第二七条関係)

四　大学通信教育設置基準の準用

通信教育を行う修士課程の授業の方法、単位の計算方法については、大学通信教育設置基準第三条から第五条の規定を準用するものとしたこと。(改正後の第二八条関係)

五　通信教育を行う修士課程を置く大学院の施設

通信教育を行う修士課程を置く大学院は、添削等による指導並びに印刷教材等の保管及び発送のための施設について、教育に支障のないようにするものとしたこと。(改正後の第二九条関係)

なお、昼間又は夜間において授業を行う大学院が通信教育を併せ行う場合には、当該通信教育の学生の教育研究の支障を生じないように必要な施設・設備等を充実するよう努めるものであること。

六　添削のための組織等

通信教育を行う修士課程を置く大学院は、添削等による指導及び教育相談を円滑に処理するため、適当な組織等を設けるものとしたこと(改正後の第三〇条関係)。各大学の事情により、組織を設けない場合においては、添削等による指導のための適任者を配置する等の措置を講ずる必要があること。

また、パソコンやインターネットを利用した授業を始め情報通信技術を活用した授業を行う場合においては、当該システムの管理運営等を行う者が配置されることが望ましいこと。

七　その他の留意事項

(1)　通信教育を行う修士課程の入学者選抜は、社会人の大学院レベルの生涯学習ニーズが高いことを踏まえ、社会人のために入学定員の枠を別に設けたり、これまでの様々な業績等を評価するなどの配慮・工夫を行うことが望ましいこと。

(2)　通信教育を行う修士課程においては、修了の要件である三〇単位以上の修得について、特に面接授業で行うことを義務付けるものではなく、そのすべてについて印刷教材等による授業、放送授業によることが可能であることを踏まえれば、大学院設置基準第一三条に定める研究指導を行うに当たっては、学生に対する丁寧な個別の指導が行われるよう努める必要があり、その際、専攻分野に応じて、各大学院の判断により、研究指導の中で、直接の対面指導の機会を設けることが望ましいこと。

なお、昼間又は夜間において授業を行う大学院における研究指導は、従来どおり直接の対面指導を行うことが原則であること。

(3)　特に、高度専門職業人の養成を主目的とする通信教育を行う修士課程においては、その教育方法との関連及び修士の水準の維持という観点も考慮しながら、各大学院の判断において、大学院設置基準第一六条第二項〔現行なし〕の規定により特定の課題についての研究の成果の審査をもって修士論文の審査に代えることができるとする特例を活用することが考えられること。

また、修士論文の審査及び特定の課題についての研究の成

果の審査においては、教員と学生の面接による口頭試問を実施することが必要であること。

(4) 大学院は、通信教育についても、自己点検・評価を積極的に行うことに努めることが必要であり、さらに、教育研究水準の維持向上のために、相互評価の導入など評価活動の工夫が行われることが望ましいこと。

別添 （略）

○学校教育法施行規則等の一部を改正する省令の施行等について（抄）（平一一・三・三一 文高大三二〇号 各国公私立大学長、放送大学長、大学を設置する各地方公共団体の長、大学を設置する各学校法人の理事長、放送大学学園理事長あて 文部事務次官通知）

第一・第二 （略）

第三 大学院設置基準（昭和四九年文部省令第二八号）の一部改正

大学院設置基準においては、大学設置基準における単位互換に関する規定を、単位認定できる単位数の上限を「三〇単位」から「一〇単位」に読み替えて準用していた（改正前の第一五条関係）。このたび、大学設置基準の単位互換に関する規定が改正されたことに伴い、当該規定を読み替えて準用している大学院設置基準の規定について、必要な整理を行ったこと。（改正後の第一五条関係）

なお、大学院における単位互換に関し、単位認定できる単位数の上限については、従前の通り、入学前と入学後それぞれについて一〇単位を超えない範囲内であること。

○学校教育法等の一部を改正する法律等の施行について（抄）（平一一・九・一四 文高大二二六号 各国公私立大学長、放送大学長、大学を設置する各地方公共団体の長、大学を設置する各学校法人の理事長、放送大学学園理事長あて 文部事務次官通知）

第一 学校教育法等の一部改正について

一 学校教育法の一部改正について

(三) 大学院研究科の制度上の位置付けの明確化及び大学院の組織編制の柔軟化

① 研究科を学部と同様に大学に置くこととするとともに、研究科の数については特に原則、例外の別を設けないこととしたこと。

② それぞれの大学において教育研究上の目的を達成するため有益かつ適切である場合においては、研究科の設置に代えて、研究科以外の教育研究上の基本となる組織（以下「研究科以外の基本組織」という。）を置き得ることとしたこと。

③ 研究科以外の基本組織は、次の要件を具備する必要があること（大学院設置基準第七条の二［現行七条の三、以下同じ］第一項）。

(ア) 教育研究上適当な規模内容を有すること（同項第一号）。

(イ) 教育研究上必要な学部に相当する規模の教員組織その他諸条件を備えること（同項第二号）。

(ウ) 教育研究を適切に遂行するためにふさわしい運営の仕組みを有すること(同項第三号)。

④ 研究科以外の基本組織を置く場合の当該組織に関する法令上の取扱いについては、別段の定めのない限り、法令に「研究科」と規定されている場合(学校教育法、私立学校法等)には、これに含まれるものであること。

⑤ 研究科以外の基本組織に係る教員の配置の基準は、研究科の基準に準ずるものとすること(大学院設置基準第七条の二第二項)。

大学院設置基準の適用に当たっては、同基準第二章及び教員の配置の基準を定める第九条を除き、「研究科」には研究科以外の基本組織を、「専攻」には研究科以外の基本組織を置く場合における相当の組織を含むものとしたこと(大学院設置基準第七条の二第三項)。

⑥ 研究科以外の基本組織には、学科目制及び講座制を設けないことができることとするとともに、その場合において、当該研究科以外の基本組織の教育研究上主要と認められる分野については、それぞれの分野を担当する専任の教授又は助教授を置くものとすること。

⑦ 研究科以外の基本組織を設置する場合には、研究科と同様、公私立大学にあっては文部大臣の認可を受け(学校教育法第四条)、国立大学にあっては、国立学校設置法その他の関係法令に当該組織について所要の規定を設ける必要があること。

○大学設置基準の一部を改正する省令の施行等について(抄)

(平一四・四・三〇 一四文科高一一八号 各国公私立大学長、放送大学長、大学評価・学位授与機構長、大学を設置する各地方公共団体の長、大学を設置する各学校法人の理事長、放送大学学園理事長あて文部科学事務次官通知)

今回の改正の趣旨は、社会人の様々な学習需要に対応し、大学等が多様で柔軟な学習機会を提供し、社会人の受入れを一層促進し得るよう、①大学等が、長期履修学生を認めることができることを明らかにするとともに、②通信教育を行う大学院の課程として博士課程を追加するほか、③専門大学院の標準修業年限を一年以上二年未満とすることができるものとし、制度の弾力化を図るものであります。各大学等におかれては、今回の改正の趣旨を踏まえた積極的な取組をお願いいたします。

第一 大学設置基準の一部改正(略)

第二 大学院設置基準等の一部改正

一 長期履修学生について

長期履修学生について、大学設置基準を準用するものとしたこと(第一五条関係)。

なお、大学院における長期履修学生については、上記第一に準じて扱うものとすること。

二 通信教育を行う課程を置く大学院について

1 大学院には、通信教育を行う修士課程及び博士課程を併せ置き、又はそのいずれかを置くことができることとしたこと(第二五条関係)。

２ 大学院は、通信教育によって十分な教育効果が得られる専攻分野について、通信教育を行うことができるものとしたこと（第二六条関係）。

通信教育によって十分な教育効果を得られる分野であるか否かは、具体的な教育内容等を勘案して判断されるものであること。

３ 昼間又は夜間において授業を行う大学院が通信教育を併せ行う場合においては、通信教育を行う専攻ごとに、第九条に規定する教員を、教育に支障のないよう相当数増加するものとしたこと（第二七条関係）。

４ 通信教育を行う課程の授業の方法及び単位の計算方法については、大学通信教育設置基準（昭和五六年文部省令第三三号）第三条から第五条までの規定を準用することとしたこと（第二八条関係）。

５ 通信教育を行う課程を置く大学院は、添削等による指導並びに印刷材料等の保管及び発送のための施設について、教育に支障のないようにするものとしたこと（第二九条関係）。

６ 通信教育を行う課程を置く大学院は、添削等による指導及び教育相談を円滑に処理するため、適当な組織等を設けるものとしたこと（第三〇条関係）。

７ 通信制博士課程においては、情報通信技術の積極的な活用と併せ、必要に応じて、面接指導の機会を適切に設けることにより、教員が学生に対し十分な指導を行える体制を築くことが必要であること。

また、通信制博士課程においては、きめの細かい入学者選抜や教育研究指導方法の工夫などにより、博士課程にふさわしい水準の確保に努めること。

８ 通信教育を行う課程を置く大学院にあっては、不断の自己点検・評価に努め、その結果を広く社会に公表するとともに、第三者による客観的な評価を行うことが重要であり、関係者等による積極的な取組が望まれること。

９ なお、通信教育を行う課程を置く大学院には、専攻ごとに平成一四年文部科学省告示第八二号に定めるところにより教員を置く必要があること（同告示）。

三 専門大学院の標準修業年限について（略）

○大学設置基準等の一部を改正する省令等の施行について（抄）（平二〇・一一・二五 二〇文科高六二一号 各国公私立大学長、独立行政法人大学入試センター理事長、独立行政法人大学評価・学位授与機構長、独立行政法人日本学生支援機構理事長、大学を設置する各地方公共団体の長、各公立大学法人の理事長、大学を設置する各学校法人の理事長、大学を設置する各学校設置会社の代表取締役、放送大学学園理事長あて 文部科学省高等教育局長通知）

第一 改正の概要

１ 大学設置基準等の一部を改正する省令（平成二〇年文部科学省令第三五号）

(1) 大学設置基準（昭和三一年文部省令第二八号）の一部改正（略）

(2) 大学院設置基準（昭和四九年文部省令第二八号）の一部改正
ア 共同教育課程の編成
(ア) 二以上の大学院は、当該二以上の大学院のうち一の大学院が開設する授業科目を、当該二以上の大学院のうち他の大学院の教育課程の一部とみなして、それぞれの大学院ごとに同一内容の教育課程（以下「共同教育課程」という。）を編成することができるものとすること。（第三一条第一項関係）
(イ) 共同教育課程を編成する大学院（以下「構成大学院」という。）は、当該共同教育課程を編成し、及び実施するための協議の場を設けるものとすること。（第三一条第二項関係）
イ 共同教育課程に係る単位の認定等
(ア) 構成大学院は、学生が当該構成大学院のうち一の大学院において履修した共同教育課程に係る授業科目について修得した単位を、当該構成大学院のうち他の大学院における当該共同教育課程に係る授業科目の履修により修得したものとそれぞれみなすものとすること。（第三二条第一項関係）
(イ) 構成大学院は、学生が当該構成大学院のうち一の大学院において受けた共同教育課程に係る研究指導を、当該構成大学院のうち他の大学院において受けた当該共同教育課程に係るものとそれぞれみなすものとすること。（第三二条第二項関係）
ウ 共同教育課程に係る修了要件
共同教育課程である修士課程又は博士課程の修了要件は、第一六条又は第一七条（第三項を除く。）に定めるもののほか、それぞれの大学院において当該共同教育課程の授業科目の履修により一〇単位以上を修得するものとすること。（第三三条関係）
エ 共同教育課程を編成する専攻に係る施設及び設備
共同教育課程を編成する専攻に係る施設及び設備は、それぞれの大学院の置く当該共同教育課程を編成する専攻を合わせて一の研究科又は専攻とみなして、必要な施設及び設備を備え、かつ、教育上の支障がないと認められる場合には、それぞれの大学院ごとに施設及び設備を備えることを要しないものとすること。（第三四条関係）
(3) 短期大学設置基準（昭和五〇年文部省令第二一号）の一部改正（略）
(4) 専門職大学院設置基準（平成一五年文部科学省令第一六号）の一部改正
ア 共同教育課程の編成
(ア) 二以上の専門職大学院は、当該二以上の専門職大学院のうち一の専門職大学院が開設する授業科目を、当該二以上の専門職大学院のうち他の専門職大学院の教育課程の一部とみなして、それぞれの専門職大学院ごとに同一内容の教育課程（以下「共同教育課程」という。）を編成することができるものとすること。（第三二条第一項関係）

(イ) 共同教育課程を編成する専門職大学院（以下「構成専門職大学院」という。）は、当該共同教育課程を編成し、及び実施するための協議の場を設けるものとすること。（第三二条第二項関係）

イ　共同教育課程に係る単位の認定に関する事項

構成専門職大学院は、学生が当該構成専門職大学院のうちの一の専門職大学院において履修した共同教育課程に係る授業科目について修得した単位を、当該構成専門職大学院のうちの他の専門職大学院における当該共同教育課程に係る授業科目の履修により修得したものとそれぞれみなすものとすること。（第三三条関係）

ウ　共同教育課程に係る修了要件に関する事項

共同教育課程である専門職学位課程の修了要件は、第一五条、第二三条又は第二九条に定めるもののほか、それぞれの専門職大学院において当該共同教育課程の授業科目の履修により所定の単位数以上を修得するものとすること。（第三四条関係）

法科大学院・教職大学院以外の場合　一〇単位以上
法科大学院の場合　七単位以上
教職大学院の場合　七単位以上

2　大学院に専攻ごとに置くものとする教員の数について定める件及び専門職大学院に関し必要な事項について定める件の一部を改正する告示（平成二〇年文部科学省告示第一六五号）（略）

第二　留意事項

1　協定等に関する事項　（略）

2　共同教育課程に関する事項

(1) 共同教育課程の編成及び実施の条件について

各大学において、共同学科等を設置する場合には、他に通常の教育課程を編成及び実施する学科等（大学院における研究科・専攻を含む。以下同じ。）の組織が設置されている必要があること。

学部のみを有する大学が新たに共同実施制度により大学院で共同専攻を設けること、また、大学院研究科のみを有する大学院大学が新たに共同実施制度により学部段階で共同学科（学部）を設けることは認められること。

また、通信教育に係るもの及び外国に設ける学科等の組織において単位を修得しなければならないものについては、対象としないこと。

(2) 大学院における研究指導体制について

共同教育課程である修士課程又は博士課程においては、学生が全ての構成大学院の教員から研究指導を受けることができるよう、研究指導教員については、それぞれの学生について全ての構成大学院から教員が主担当又は副担当として配置されるようにするべきものであること。

したがって、主担当の教員のみならず、副担当の教員についても研究指導教員である者を充てるべきものであること。

3～6　（略）

7　教育研究活動の評価に関する事項

(中略)

また、専門職大学院の認証評価においては、課程単位でその教育研究活動の状況を評価するものであることから、共同教育課程を編成する構成大学が共同して認証評価を受ける必要があると考えられること。

8 その他に関する事項

(1) (略)

(2) 連合大学院制度との関係について

今回の大学における教育課程の共同実施制度のほか、他の大学の協力を得て教育研究を実施する仕組みとして大学院設置基準第七条の二及び第八条第四項に規定する連合大学院制度が既に存在しており、各大学においては、各々の実情に応じて、これらの仕組みを選択・活用すべきものであること。

○大学院設置基準等の一部を改正する省令の施行について

(抄)(平二四・三・一四　二三文科高一一一二号　各国公私立大学長、独立行政法人大学評価・学位授与機構長、独立行政法人日本学生支援機構理事長、独立行政法人大学入試センター理事長、大学を設置する各地方公共団体の長、各公立大学法人の理事長、大学を設置する各学校法人の理事長、大学を設置する各学校設置会社の代表取締役、放送大学学園理事長あて文部科学大臣政務官通知)

第一　博士論文研究基礎力審査の導入について

一　改正の概要

(1)　大学院設置基準の改正

前期及び後期の課程に区分する博士課程における前期の課程の修了要件について、当該博士課程の目的を達成するために必要と認められる場合には、一．専攻分野に関する高度の専門的知識及び能力並びに当該専攻分野に関連する分野の基礎的素養についての試験、二．博士論文に係る研究を主体的に遂行するために必要な能力についての審査(以下一．及び二．の試験及び審査を「博士論文研究基礎力審査」という。)の合格を、修士論文又は特定課題の研究成果の審査と試験の合格に代えることができることとすること。(第十六条の二関係)

これにより、博士課程の前期及び後期の課程を通じて一貫した人材養成上の目的を有する学則に定める履修上の区分(コース、プログラム等)においては、学則に定めることにより、授業科目の履修による単位の修得に加え、

一．専攻分野とその関連分野の専門的知識・能力を評価するための筆記等による試験

二．博士論文研究を行う分野に係る研究の背景や意義、展望に関する認識や、課題を設定し研究を推進する能力等を評価するための研究報告の提出及び口頭試問等による審査

による博士論文研究基礎力審査の合格を、修士論文又は特定課題の研究成果の審査と試験の合格に代えて、修了要件とすることができることとなる。

なお、博士論文研究基礎力審査を上記の二つの試験及び審査で構成することとしたのは、博士論文に係る研究を主体的に遂行するために必要な知識及び能力の修得を適切に把握し、修士

の学位に相応しい水準を確保するためであり、厳正かつ客観的な審査を確保するため、各大学により学外や関連分野の教員等も交えた審査体制の確保などに配慮されたい。

(2) 学校教育法施行規則の改正

博士課程の後期の課程の入学資格として、外国の大学において教育課程を履修し、博士論文研究基礎力審査に相当するものに合格し、修士の学位を有する者と同等以上の学力があると認められた者を加えることとすること。（第一五六条関係）

すなわち、別添二（略）の様式を参考に、外国の大学が行う審査が外国の学校教育制度のもとで当該大学の規程に位置付けられたものであり、また、当該大学における当該審査の合格の基準、当該審査の合格と当該大学における修士の学位の授与要件の関係、当該審査に合格した者と当該大学に編入学した他の大学の修士の学位を有する者の当該大学における博士の学位を授与するプログラムにおける取扱いの関係等に照らし、当該審査に合格した者について、修士の学位を有する者と同等以上の学力があることが、当該大学によって確認されたと各大学が認めた者に、博士課程の後期の課程の入学資格を与えることとすること。

(3) 学位規則の改正

前期及び後期の課程の区分を設けない博士課程における修士の学位の授与について、前記「(1)」に掲げる博士論文研究基礎力審査により修了要件を満たした者に対しても行うことができることとすること。（第三条関係）

(4) 独立行政法人日本学生支援機構に関する省令の改正（略）

二　留意事項

(1) 博士論文研究基礎力審査は、博士課程を通じて一貫したプログラムを構築し、広範なコースワークや複数専攻制、研究室のローテーションなどの専攻分野の枠を超えた体系的な教育を経て独創的な研究を計画し遂行させるなど、博士課程教育の質を高めることを目的としていることから、その導入に際しては、明確な人材養成目的に基づく体系的な教育課程、組織的な指導体制など博士課程教育の改善と一体として行うよう留意されたい。

その際、広範なコースワークなど体系的な教育を充実させる観点から、三〇単位（大学院設置基準に定める最低取得単位数）を超える単位数を修了の要件とするなど十分な学習量の確保に留意されたい。

(2) 博士課程の後期の課程の選抜は、各大学の判断において適切に実施するものであるが、選抜の実施に当たっては、前期の課程の修了要件に係る審査の別によらず公平な取扱がなされるよう配慮することが望ましい。また、国内外の学生の流動性の向上及び社会人の選抜機会の確保に留意されたい。

第二　入学者選抜に係る規定の整備について

一　改正の概要

(1) 大学院設置基準の改正

入学者の選抜は、公正かつ妥当な方法により、適当な体制を整えて行うものとするとの規定を整備すること。（第一条の三

関係）

○学位規則の一部を改正する省令の施行等について（抄）（平二五・三・一一　二四文科高九三七号　各国公私立大学長、独立行政法人大学評価・学位授与機構長あて　文部科学省高等教育局長通知）

第一　学位規則の一部改正

一　改正の概要

（1）　論文要旨の公表

大学及び独立行政法人大学評価・学位授与機構〔平成二八年四月一日より独立行政法人大学改革支援・学位授与機構〕（以下「大学等」という。）は、博士の学位を授与したときは、当該博士の学位を授与した日から三月以内に、当該博士の学位の授与に係る論文（以下「博士論文」という。）の内容の要旨及び論文審査の結果の要旨をインターネットの利用により公表するものとすること。（第八条関係）

（2）　博士論文の公表

一　博士の学位を授与された者は、当該博士の学位を授与された日から一年以内に、当該博士論文の全文を公表するものとすること。ただし、当該博士の学位を授与される前に既に公表したときは、この限りでないこと。（第九条第一項関係）

二　博士の学位を授与された者は、やむを得ない事由がある場合には、当該博士の学位を授与した大学等の承認を受けて、当該博士論文の全文に代えてその内容を要約したものを公表することができるものとすること。この場合において、当該大学等は、その論文の全文を求めに応じて閲覧に供するものとすること。（第九条第二項関係）

三　博士の学位を授与された者が行うこれらの公表は、当該博士の学位を授与した大学等の協力を得て、インターネットの利用により行うものとすること。（第九条第三項関係）

二　留意事項

（1）　公表に係る考え方について

博士論文等の公表に係る制度は、大学における教育研究の成果である博士論文等の質を相互に保証し合う仕組みとして整備されているものであり、公表の方法を、従来、印刷公表、すなわち単行の書籍又は学術雑誌等の公刊物に登載するものとしていたところ、情報化が進展する中において当該目的をより効果的に達成するため、また、学位を授与された者の印刷に係る負担軽減の観点から、その方法をインターネットの利用により行うものとすること。

なお、ここにいう公表とは、将来にわたり広く公表された状態を保持することをいい、その方法については第一の二の(2)の通りとすること。

（2）　公表の方法について

改正後の学位規則第八条及び第九条に規定するインターネットの利用による公表の具体的な方法については、当該博士の学位を授与した大学等の機関リポジトリ※（共同リポジトリ及び大学共同利用機関法人情報・システム研究機構国立情報学研究所が提供する共用リポジトリサービスにより構築されたリポジ

トリを含む。以下同じ。）による公表を原則とされたいこと。

機関リポジトリを有していない大学等においては、教育研究成果のオープンアクセス化を含め知的情報の蓄積・発信のための重要な手段として機関リポジトリを位置付け、整備を図るよう努めることとされたいこと。また、機関リポジトリが整備されるまでの間は、当該大学等のホームページにより公表すること、又は国立国会図書館に送付する博士論文を同館がインターネットの利用により提供することをもって、機関リポジトリによる公表に代えるものとすること。

なお、機関リポジトリの構築については、別添二（略）を参照すること。

※　大学及び研究機関等における教育研究活動によって生産された電子的な知的生産物を保存し、原則的に無償で発信するためのインターネット上の保存書庫

(3)　代替措置の取扱いについて

改正後の学位規則第九条第二項に規定する、博士論文の全文に代えてその内容を要約したものとすることができる「やむを得ない事由がある場合」とは、客観的に見てやむを得ない特別な理由があると学位を授与した大学等が承認した場合をいい、例えば、次に掲げる場合が想定されること。この場合において、当該大学等は、当該博士論文の全文を求めに応じて閲覧に供するものとすること。

1　博士論文が、立体形状による表現を含む等の理由により、インターネットの利用により公表することができない内容を含む場合

2　博士論文が、著作権保護、個人情報保護等の理由により、博士の学位を授与された日から一年を超えてインターネットの利用により公表することができない内容を含む場合

3　出版刊行、多重公表を禁止する学術ジャーナルへの掲載、特許の申請等との関係で、インターネットの利用による博士論文の全文の公表により博士の学位を授与された者にとって明らかな不利益が、博士の学位を授与された日から一年を超えて生じる場合

なお、「やむを得ない事由」が無くなった場合には、博士の学位を授与された者は当該博士論文の全文を、大学等の協力を得てインターネットの利用により公表すること。

(4)　学位規程等の整備について

各大学等は、この学位規則の改正に伴い、学位規程等学内諸規程の整備を行った場合においては、速やかに文部科学大臣に報告又は届出をすること。

(5)　改正内容の周知について

各大学等は、博士課程の学生及び博士課程に進学を希望する学生に対し、改正後の学位規則の内容について周知を図ること。

第二　博士の学位授与に関する報告等について

一　博士の学位授与に関する報告等について

平成二五年四月一日以降に授与した博士の学位に係る学位授与報告書の学位規則第十二条の規定による提出、及び同日以降に定

める又は改正する学位規程の学位規則十三条の規定による報告については、電子メールの利用により提出又は報告するものとすること。

なお、電子メールの利用については、別添二（略）を参照すること。

二　博士論文の国立国会図書館への送付等について（略）

○専門職大学院設置基準の一部を改正する省令の施行について

（抄）（平二六・二・一九　二五文科高七七八号　各国公私立大学長、大学を設置する各地方公共団体の長、各公立大学法人の理事長、大学を設置する各学校法人の理事長、大学を設置する各学校設置会社の代表取締役、放送大学学園理事長あて　文部科学省高等教育局長通知）

第一　専門職大学院設置基準の改正について

一　改正の概要

平成三〇年度までの間、教職大学院に必ず置くこととされる専任教員について、教育上支障を生じない場合には、学部の専任教員又は修士課程若しくは博士課程を担当する教員（前期及び後期の課程に区分する博士課程における前期の課程を除く博士課程（以下「博士課程（前期を除く。）」という。）を担当する教員以外は三分の一を超えない数に限る。）がこれを兼ねることができるとしたこと。（附則第二項及び第三項関係）

二　留意事項

(1)　専門職大学院の専任教員については、専門職大学院設置基準附則第二項に定める特例措置は平成二五年度末に終了し、平成二六年度以降は、昨年一一月の同基準第五条第二項の改正により、博士課程（前期を除く。）に限ってこれを兼ねることができることとした。今回の同基準附則第二項及び第三項の改正は、教職大学院に限り、その拡充が見込まれる間、優秀な教員を確保できるよう、期限を設けて、これまでと同様の特例措置を講じたものであることに留意すること。なお、教育上支障が生じるかどうかの具体的な判断についても、これまでと同様、学問分野や個々の大学の状況によって適切に判断されるべきものであること。

(2)　教職大学院に必要な数の専任教員が配置されているなど、教職大学院の独立性が確保され、必要な教育体制が整備されている場合には、更なる教育の充実等を図る観点から、教職大学院の専任教員が他の専攻や学部等において教育研究を行うこと、また、他の専攻や学部等の専任教員が教職大学院において教育を行うことは、教育上支障を生じない限りにおいて、従前どおり差し支えないこと。

(3)　教職大学院に置かなければならない専任教員の数を超えて教員を置く場合、必要数を超える教員は、これまでと同様、特例措置によらず、学部の専任教員等を兼ねることができること。ただし、この場合であっても、これまでと同様、専任教員の必要数に含まれるか否かを問わず、教員の質の確保に努める必要があること。

(4)　特に国立大学におかれては、答申及び昨年十月の教員の資質能力向上に係る当面の改善方策の実施に向けた協力者会議報告

「大学院段階の教員養成の改革と充実等について」やミッションの再定義等を踏まえた教職大学院の発展・拡充に向けて、今回の特例措置の活用による積極的な取組が望まれること。なお、その際、今回の特例措置が平成三〇年度末に終了することに留意すること。

○専門職大学及び専門職短期大学の制度化等に係る学校教育法の一部を改正する法律等の公布について（抄）（平二九・九・二一　二九文科高五四二号　各国公私立大学長、大学を設置する各地方公共団体の長、各公立大学法人の理事長、大学を設置する各学校法人の理事長、大学を設置する各学校設置会社の代表取締役、各都道府県知事、各都道府県教育委員会教育長、各指定都市市長、各指定都市教育委員会教育長、独立行政法人大学改革支援・学位授与機構長あて　文部科学事務次官通知）

（略）

第一～第四（略）

第五

1・2（略）

3　専門職大学院設置基準の一部改正

(1)　改正の概要

①　教育課程の編成方針

専門職大学院における教育課程の編成方針として、産業界等との連携による授業科目の開設や、専攻に係る職業を取り巻く状況を踏まえた授業科目の開発、当該状況の変化に対応した教育課程の構成等の不断の見直し、そのための適切な体制の整備等に関する事項を追加したこと。（第六条）

(2)　教育課程連携協議会

①　専門職大学院は、産業界等との連携により、教育課程を編成し、及び円滑かつ効果的に実施するため、教育課程連携協議会を設けるものとしたこと。（第六条の二第一項）

②　教育課程連携協議会は、次の者をもって構成するものとしたこと。ただし、専攻分野の特性その他の当該専門職大学院における教育の特性により適当でないと認められる場合は、(ウ)の者を置かないことができるものとしたこと。

ア　学長又は当該専門職大学院に置かれる研究科の長が指名する教員その他の職員（第六条の二第二項）

イ　当該専門職大学院の課程に係る職業に就いている者又は当該職業に関連する事業を行う者による団体のうち、広範囲の地域で活動するものの関係者であって、当該職業の実務に関し豊富な経験を有する者（第六条の二第二項第二号）

ウ　地方公共団体の職員、地域の事業者による団体の関係者その他の地域の関係者（第六条の二第二項第三号）

エ　当該専門職大学院を置く大学の教員その他の職員以外の者であって学長等が必要と認める者（第六条の二第二項第四号）

③　教育課程連携協議会は、次に掲げる事項について審議し、学長等に意見を述べるものとしたこと。（第六条の二第三項）

ア　産業界等との連携による授業科目の開発及び開設その他の教育課程の編成に関する基本的な事項
イ　産業界等との連携による授業の実施その他の教育課程の実施に関する基本的な事項及びその実施状況の評価に関する事項

(3)　留意事項

①　教育課程連携協議会の設置形態については、一の専門職大学院に一の教育課程連携協議会を設ける形のほか、分野や専攻等の別により複数の教育連携協議会を設ける形が考えられること。なお、既にいわゆるアドバイザリーボード等の組織を設けている専門職大学院においては、当該既存の組織を活用しつつ、設置基準に定める構成等の条件を整えることにより対応することとして差し支えないこと。また、設置基準上の教育課程連携協議会であることが学内規程等により明らかにされていれば、その名称は必ずしも「教育課程連携協議会」としなくとも差し支えないこと。

②　教育課程連携協議会の構成については、専門職大学院設置基準第六条の二第二項第一号から第三号まで（同項ただし書に規定する場合にあっては第六条の二第二項第一号及び第二号）の構成員をそれぞれ一名以上含むものとし、その構成員の過半数は、当該大学の教職員以外の者とすることを基本とすること。

③　専門職大学院設置基準第六条の二第二項第二号の「当該専門職大学院の課程に係る職業に就いている者又は当該職業に関連する事業を行う者による団体」は、主として職能団体や事業者団体を想定したものであるが、専攻分野の特性により、当該職業に就いている者又は当該職業に関連する事業を行う者による研究団体なども含み得ること。

④　専門職大学院設置基準第六条の二第二項第三号に掲げる者を置かないことができる「当該専門職大学院における教育の特性により適当でないと認められる場合」としては、当該専門職大学院が専ら国際的に通用する高度で専門的な知識・能力を涵養することを目的としている場合が想定されること。

⑤　教育課程連携協議会は、産業界等との連携による教育課程の編成・実施に関する基本的な事項や、その実施状況の評価に関する事項を審議するものであり、教授会その他の審議機関との適切な役割分担により、教育研究機関としての自律性を確保しつつ、産業界等と連携した教育の推進に向け積極的な機能を果たすことが期待されるものであること。

4　（略）

第六　（略）

○専門職大学院設置基準の一部を改正する省令等の公布について（抄）（平三〇・三・三〇　二九文科高一一五四号　各国公私立大学長、大学を設置する各地方公共団体の長、各公立大学法人の理事長、大学を設置する各学校法人の理事長、大学を設置する各学校設置会社の代表取締役、放送大学学園理事長あて　文部科学省高等教育局長通知）

（略）

第一　改正の概要

1　専門職大学院設置基準の一部を改正する省令（平成三〇年文部科学省令第一一号）

(1)　専門職学位課程と他の課程との兼務

1　専門職学位課程に必ず置くこととされる専任教員について、教育上支障を生じない場合には、一個の専攻に限り、学部の専任教員又は、博士課程若しくは他の専門職学位課程を担当する教員がこれを兼ねることができるようにすること。（第五条第二項関係）

2　1のうち修士課程、博士課程（前期及び後期の課程に区分する博士課程における前期の課程に限る。）又は他の専門職学位課程の教員については、当該課程を廃止し、又は当該課程の収容定員を減じてその教員組織を基に専門職学位課程を設置する場合（専門職学位課程を廃止し、又は収容定員を減じる場合にあっては、教育研究上の目的及び教育課程の編成に重要な変更がある場合に限る。）であって、当該設置から五年を経過するまでの間に限ること。（第五条第二項関係）

3　1及び2により兼務できる者のうち、博士課程（前期及び後期の課程に区分する博士課程における前期の課程を除く。）を担当する教員以外のものについては、専門職大学院に関し必要な事項について定める件（平成一五年文部科学省告示第五三号）において定めることとすること。（第五条第三項関係）

4　平成二五年度以前に設置された教職大学院については引き続き平成三〇年度までの間、修士課程及び博士課程（前期及び後期の課程に区分する博士課程における前期の課程に限る。）との兼務を三分の一の範囲内で認めることとすること。（附則第二項及び第三項関係）

以下（略）

第二　留意事項

1　専門職大学院の教員組織に関する改正

(1)　各専門職大学院においては、当該専門職大学院の専任教員が他の課程との兼務を行う場合、教員の教育負担が過度にならないことや、各課程における教育の質の低下を招かないよう、今般の改正が行われることになった経緯を踏まえ、十分留意して適切に対応すること。また、博士後期課程の教員を兼ねることができる者の数は、従前と変わらずすべての専門職大学院の専任教員が兼ねることができること。

(2)　大学院設置基準第九条第一項の規定により修士課程に置くものとする専任教員の数を超えて配置される専任教員については、更なる教育の充実等を図る観点から、専門職学位課程の専任教員が他の研究科や専攻等において教育研究を行うこと、また、他の研究科や専攻等の専任教員が専門職大学院において教育を行うことは、教育上支障を生じない限りにおいて、従前どおり差し支えないこと。

(3)　専門職大学院に置かなければならない専任教員の数を超えて教員を置く場合、必要数を超える教員は、これまでと同様、学部の専任教員等を兼ねることができること。ただし、この場合

であっても、これまでと同様、専任教員の必要数に含まれるか否かを問わず、教育の質の確保に努める必要があること。

(4) 専門職大学院に関し必要な事項について定める件（平成一五年文部科学省告示第五三号）（以下「平成一五年告示」という。）第一条第一項のただし書き以外の部分の改正については、大学院に専攻ごとに置くものとする教員の数について定める件（平成一一年文部省告示第一七五号）に規定する教員数を算出する際の計算方法と専門職大学院も同様で運用されてきたことから、規定の意味するところを明確化するために関連規定との整合等を踏まえ、適切な規定ぶりとしたものであること。

(5) いわゆる研究者教員のほか、平成一五年告示第二条第一項に規定する実務家教員の双方が他の課程を兼ねることができること。

(6) 専門職大学院設置基準第五条第二項カッコ書きの措置に関しては、今後の専門職大学院の整備状況や社会情勢等を踏まえ、将来的に本規定を削除する可能性があること。

(7) 平成一五年告示第一条第一項ただし書きについては、法科大学院の教員基準を緩和するものではないことから、これまでと同様、当該法科大学院における必要専任教員数を確保することに留意し、引き続き質の確保に努める必要があること。

2 （略）

○学校教育法施行規則及び大学院設置基準の一部を改正する省令の施行について（抄）（令元・九・二六　元文科高三六〇号

各国公私立大学長、大学を設置する各地方公共団体の長、各公立大学法人の理事長、大学を設置する各学校法人の理事長、大学を設置する各学校設置会社の代表取締役、放送大学学園理事長、独立行政法人大学改革支援・学位授与機構長あて　文部科学省高等教育局長通知）

第一　改正の概要

1．学校教育法施行規則（昭和二二年文部省令第一一号）の一部改正

(1) 「三つの方針」の策定・公表の義務化

大学院は、当該大学院、研究科、又は専攻ごとに、その教育上の目的を踏まえて、「三つの方針」を定め、公表するものとすること。（第一六五条の二第一項関係）

(2) 学位論文に係る評価に当たっての基準の公表の義務化

大学院（専門職大学院を除く。第2の2(1)において同じ。）を置く大学は、大学院における学位論文に係る評価に当たっての基準を公表するものとすること。（第一七二条の二第三項関係）

2．大学院設置基準（昭和四九年文部省令第二八号）の一部改正

(1) 学識を教授するために必要な能力を培うための機会の設定又は当該機会に関する情報提供の努力義務化

大学院は、博士後期課程の学生は修了後自らが有する学識を教授する見込みがあることから、そのために必要な能力を培うための機会を設けること又は当該機会に関する情報の提供を行うことに努めるものとすること。（第四二条の二関係）

(2) 経済的負担の軽減のための措置等に関する情報の明示の努力

義務化

大学院は、授業料、入学料その他の大学院が徴収する費用及び修学に係る経済的負担の軽減を図るための措置に関する情報を整理し、学生及び入学を志望する者に対して明示するよう努めるものとすること。（第四二条の三関係）

第二　留意事項

1.「三つの方針」の策定・公表の義務化について

(1)　今回の改正は、各大学院における「三つの方針」について、その策定及び公表を法令上義務付けたものであり、改正省令第一条の施行日である令和二年四月一日以後、全ての大学院において、「三つの方針」が策定、公表されている必要があること。なお、「入学者受入れの方針」の策定、公表は平成二三年に義務化されていること。

(2)　各大学院においては、「三つの方針」の策定・公表に当たっては、「未来を牽引する大学院教育改革～社会と協働した「知のプロフェッショナル」の育成～（審議まとめ）」（平成二七年九月一五日中央教育審議会大学分科会）及び「「卒業認定・学位授与の方針」（ディプロマ・ポリシー）、「教育課程編成・実施の方針」（カリキュラム・ポリシー）及び「入学者受入れの方針」（アドミッション・ポリシー）の策定及び運用に関するガイドライン」（平成二八年三月三一日中央教育審議会大学分科会大学教育部会）（以下「ガイドライン」という。）を参考の一つとして取り扱うとともに、形式的ではなく内容の伴う記述であること、「三つの方針」の相互の関連性が意識されていることが期待されること。なお、学校教育法施行規則第一六五条の二に規定される「卒業又は修了の認定に関する方針」、「教育課程の編成及び実施に関する方針」及び「入学者の受入れに関する方針」は、それぞれガイドラインにいう「卒業認定・学位授与の方針」、「教育課程編成・実施の方針」及び「入学者受入れの方針」と同じ意味内容を指すものであること。

(3)　これまで自発的に「三つの方針」を策定してきた大学院においては、上記(2)や運用状況を踏まえて再点検することが強く期待されること。また、策定又は再点検した「三つの方針」を踏まえ、必要に応じて教育研究組織の在り方や定員設定に関する見直しを行うことが期待されること。

2. 学位論文に係る評価に当たっての基準の公表の義務化について

(1)　今回の改正は、各大学院における学位論文に係る評価に当たっての基準について、その公表を法令上義務付けたものであり、改正省令第一条の施行日である令和二年四月一日以後、全ての大学院において、学位論文に係る評価に当たっての基準が公表されている必要があること。

(2)　今回の改正で公表が義務化された学位論文に係る評価に当たっての基準としては、大学院設置基準第一四条の二第二項に定める学位論文に係る評価に当たっての基準が該当すること。具体的には、同省令第一六条に定める修士論文、同省令第一七条に定める博士論文及び学位規則（昭和二八年文部省令第九号）第四条第二項に定める博士論文に係る評価に当たっての基準が該当すること。また、本改正の趣旨から、大学院設置基準

第一六条に定める特定の課題についての研究及び同省令第一六条の二に定める試験及び審査に係る評価に当たっての基準についても公表することが期待されること。

(3) 学位論文に係る評価に当たっての基準について、公表すべき事項としては、学位論文が満たすべき水準に加えて、例えば、審査委員の体制、審査の方法及び項目等も期待されること。

(4) 修了要件として学位論文や特定の課題についての研究を課している専門職大学院においても、評価に当たっての基準を公表することが望ましいこと。

3. 学識を教授するために必要な能力を培うための機会の設定又は当該機会に関する情報提供の努力義務化について

(1) 今回の改正は、各大学院における、博士後期課程の学生を対象とした、学識を教授するために必要な能力を培うための機会(いわゆる「プレFD」。)の設定又は当該機会に関する情報提供に努めることについて法令上位置付けたものであり、改正省令第二条の施行日である令和元年八月三〇日以後、全ての大学院において、プレFDの設定又は情報提供に努める必要があること。

(2) プレFDとしては、例えば、主体的な学びを促すための学生指導法や教材の作成・活用方法等に関するセミナーや授業の開催、また、教育能力向上のため大学として設計し指導を行う等適切に関与したティーチング・アシスタント(TA)制度等による実践的な教育経験の機会の提供等が想定されること。なお、各大学院において策定した「三つの方針」を踏まえた上で、プレFDを授業として単位認定を伴うかたちで開講することは妨げないこと。

(3) プレFDの情報提供とは、大学院の規模等により当該大学院でのプレFDの実施が困難な場合等は、当該大学院の博士後期課程の学生が参加可能な他大学院等で実施されているプレFDに関する情報提供を行うことを意味すること。

(4) 各大学院は、プレFDを自ら実施することだけではなく、教育関係共同利用拠点等の大学間連携の枠組みの活用も見据えて、プレFDに関する取組の充実を図ることが期待されること。

4. 経済的負担の軽減のための措置等に関する情報の明示の努力義務化について

(1) 今回の改正は、各大学院における授業料、入学料その他の大学院が徴収する費用及び修学に係る経済的負担の軽減を図るための措置に関する情報(いわゆる「ファイナンシャル・プラン」。)を整理して、学生や入学を志望する者に対して明示することに努めることについて法令上位置付けたものであり、改正省令第二条の施行日である令和元年八月三〇日以後、全ての大学院において、ファイナンシャル・プランの明示に努める必要があること。

(2) ファイナンシャル・プランについて、明示すべき事項としては、例えば、授業料、入学料及び同窓会等の会費等の大学院が徴収する費用、並びに当該大学院独自の奨学金、他機関の奨学金及び学内業務に補助的に従事させ給料を与える取組等の経済

的支援のメニューやその条件、金額等が想定されること。これらの情報が整理され、一覧的・網羅的に学生や入学を志望する者が確認できる形で、在学生向け書類や入学出願書類、当該大学院のホームページ等から参照できるようにする必要があること。

(3)　ファイナンシャル・プランの明示に当たって、これまでの経済的支援の実施状況や学生の実態を踏まえつつ、学内の経済的支援のメニューの充実を図ることも期待されること。

〔公私立大学の所轄庁〕

第九十八条　公立又は私立の大学は、文部科学大臣の所轄とする。

【沿　革】　昭五六・六・一一法八〇により、「放送大学学園の設置する大学」を追加した。平一一・一二・二二法一六〇により、「文部大臣」を「文部科学大臣」に改めた。平一四・一二・一三法一五六により、「放送大学学園の設置する大学」を削除した。平一九・六・二七法九六により、旧六四条から九八条に移動した。

【参照条文】　私立学校法四条。

【注　解】

学校の直接の管理権は、設置者管理主義（法五条）により、その設置者に属するものであるが、ここにいう「所轄」とは、一種の監督権であると解されている。本条は、公私立大学等に対し文部科学大臣がいかなる権限を有しているかを規定しているものではなく、その所轄権の所在を示しているものであり、具体的な権限は、この法律の他の規定及び他の法令の定めるところによる。

私立学校法においては、私立大学の所轄庁は文部科学大臣とされ（同法四条）、私立学校法上の所轄庁としての文部科学大臣の権限が同法六条等において定められている。なお、同条の「所轄庁」とは、「通例は、一定の事項につい

て管轄権、特に監督権を有する国又は地方公共団体の機関を指すのに用いられる」（吉国一郎他共編『法令用語辞典』第九次改訂版　四二四頁　学陽書房）とされており、学校教育法上の「監督庁」は同義と解される。同じ「所轄庁」を用いている例としては宗教法人法五条がある。

〔大学院の目的〕

第九十九条　大学院は、学術の理論及び応用を教授研究し、その深奥をきわめ、又は高度の専門性が求められる職業を担うための深い学識及び卓越した能力を培い、文化の進展に寄与することを目的とする。

② 大学院のうち、学術の理論及び応用を教授研究し、高度の専門性が求められる職業を担うための深い学識及び卓越した能力を培うことを目的とするものは、専門職大学院とする。

③ 専門職大学院は、文部科学大臣の定めるところにより、その高度の専門性が求められる職業に就いている者、当該職業に関連する事業を行う者その他の関係者の協力を得て、教育課程を編成し、及び実施し、並びに教員の資質の向上を図るものとする。

【沿　革】　昭三六・一〇・三一法一六六により、「究めて」を「きわめて」に改めた。

平一四・一一・二九法一一八により、目的に「高度の専門性が求められる職業を担うための深い学識及び卓越した能力を培」うことを追加し、第二項を追加した。

平一九・六・二七法九六により、旧六五条から九九条に移動した。

平二九・五・三一法四一により、第三項を追加した。

【参照条文】　法四条一項、八三条、九七条。施行令二三条七号、大学院設置基準、専門職大学院設置基準。

【注　解】

一　本条は、大学院の目的を明らかにした規定である。大学の目的を定める法八三条一項の規定は、大学が、その構成要素である学部、大学院、研究所等の諸組織により達成すべき目的を定めているものであり、特に必置の組織としての学部（又はこれに代わる基本組織）のみでも達成し得るものとして定められている。

大学院の目的を定める本条は、法八三条一項に定める大学の目的を前提としつつ、これとの関連において大学院が果たすべき役割として、「学術の理論及び応用を教授研究し、その深奥をきわめ、又は高度の専門性が求められる職業を担うための深い学識及び卓越した能力を培」うこととされているわけである（法八三条の**【注解】**参照）。

本条は、大学院の目的として「学術の理論及び応用を教授研究し」、さらにその成果として、「学術の深奥をきわめ」、「又は」「高度の専門性が求められる職業を担うための深い学識及び卓越した能力を培」い、最終的な目的として「文化の進展に寄与」することを定めたものである。なお、「又は」は、英語の「and／or」の意味を表すものであり、各大学の判断によって、いずれか一方又は双方を目的とすることが可能となっている。また、「文化」は、技術、学問、社会、経済を含めた広い意味で用いられているものと解される。

本条の大学院の目的のうち「高度の専門性が求められる職業を担うための深い学識及び卓越した能力を培」う部分は、平成一四年一一月の本法の一部改正により追加されたものである。これは、大学院は、次第に研究者養成のみならず高度専門職業人養成の役割も持つものとして認められてきたが、本条の目的に、高度専門職業人養成が含まれることが必ずしも明確ではないことから、明確化されたものである。

二　法一〇三条に定めるいわゆる大学院大学の目的を考えるとき、法八三条一項及び本条との関係をどのように考えるべきであろうか。

大学院大学は、大学院を置くものである以上、本条に定める目的を達成するものであり、そのことにより、学術の中心として高度の教育研究を行うという法八三条一項の大学の目的の本質的な部分は達成し得るものと思われる。し

かし、法八三条の目的の中には、「広く知識を授け」るというような、これまで主として学部段階の教育に期待されてきたものが含まれており、その限りにおいては、大学院大学が法八三条一項の目的を直ちにその目的とするということには問題があると思われる。法一〇三条の規定は、このようなことを踏まえたうえで、特に「大学とすることができる」と規定しているものであろう。

三　大学院における課程は、修士課程、博士課程及び専門職学位課程とされているが（大学院設置基準二条）、これらの課程の目的は、本条による大学院の目的を前提としつつ、大学院設置基準三条及び四条、専門職大学院設置基準二条において定められている。同じ研究科でも修士課程、博士課程又は専門職大学院の課程の変更は認可事項である（法四条一項、施行令二三条七号）。

四　修士課程の目的は、従来、研究者養成を目的とする博士課程の目的と同一であり、その一段階であると考えられてきた。しかし、修士課程の役割として高度の専門職業教育という面があることが次第に認められるに至り、大学基準協会の定めた大学院基準においても、修士課程は「理論と応用の研究能力を養う」ものとされ、「単に研究者・教授者たるべき能力の養成を目的とするばかりでなく、実社会において指導的役割を果たすために要する能力の養成をも目的としている」ものと解されてきた。このことは、大学院設置基準において、「高度の専門性を要する職業等に必要な高度の能力を養うこと」と規定され、従来より一層明確にされた（平成一五年三月の改正により「高度の専門性が求められる職業を担うための卓越した能力を培うこと」に改められた）。科学技術の著しい発展と社会の複雑・高度化に伴い、広く各分野において高度の知識、能力を有する人材の必要性が増大しつつあり、またこのような状況の下において、社会人がさらに高度の教育を受ける必要性も高まっている。修士課程は、基本的には特定の専攻分野における研究能力の涵養を目指すものではあるが、各大学院の方針により、高度の専門職業教育、社会人に対する高度の教育等に重点を置く修士課程も設置できることを明確にしたものである。

（修士課程）
第三条　修士課程は、広い視野に立つて精深な学識を授け、専攻分野における研究能力又はこれに加えて高度の専門性が求められる職業を担うための卓越した能力を培うことを目的とする。
2　修士課程の標準修業年限は、二年とする。ただし、教育研究上の必要があると認められる場合には、研究科、専攻又は学生の履修上の区分に応じ、その標準修業年限は、二年を超えるものとすることができる。
3　前項の規定にかかわらず、修士課程においては、主として実務の経験を有する者に対して教育を行う場合であつて、教育研究上の必要があり、かつ、昼間と併せて夜間その他特定の時間又は時期において授業又は研究指導を行う等の適切な方法により教育上支障を生じないときは、研究科、専攻又は学生の履修上の区分に応じ、標準修業年限を一年以上二年未満の期間とすることができる。

　また、修士課程の修業年限は、当初従来どおり二年とされたが、平成元年九月の改正により、標準二年と定められた。この点については、特定の分野における職業人の養成や社会人に対する高度の教育を目的とする課程等において履修の便宜等を考慮すると、修業年限を一年とすることが適当と考えられる場合もあり、昭和四九年の答申に至るまでの大学設置審議会における審議の過程においても特別の場合においては一年の課程を設けることができる旨の定めを置くことも検討されたが、修士課程の水準の確保等の観点から検討すべき問題が残されているため、最終的には従来どおり二年とすべき旨の答申が行われた経緯がある。社会人の修学の便宜等については、大学院設置基準一四条に定める履修方法の弾力化等により、課程の目的に即した適切な教育、研究指導の工夫が行われることが期待され、そのような運用が行われてきた実態を考慮し、弾力化が図られたものである。

　平成一一年九月の改正により、教育研究上必要があると認められる場合には、二年を超える標準修業年限を定めることができるとするとともに、主として実務の経験を有する者に対して教育を行う場合であって、教育研究上の必要があり、かつ昼間と併せて夜間その他週末や夏期休暇中など特定の時間又は時期において授業又は研究指導を行う等の適切な方法により教育上支障を生じない場合には、一年以上二年未満の標準修業年限を定めることができることと

した。これは、職業を持つ社会人の再学習の需要にこたえるため、勤務の都合や通学の便宜など社会人の多様な状況に柔軟に対応し、社会人の大学院修士課程への積極的な受入れを図っていくため、修士課程の標準修業年限の弾力化を図ったものである。なお、特に、一年以上二年未満の標準修業年限の修士課程については、修士課程として相応しい教育研究水準の確保が求められている。

これにより、各大学においては、学則の変更により、研究科、専攻又は履修上のコースを単位として、二年以外の標準修業年限の修士課程を設けることができることとなった。なお、これらの二年以外の標準修業年限を定めた研究科等に在学する学生についても、優れた業績を上げた者については大学院に一年以上在学すれば修了することは可能である。

また、同じく平成一一年九月に大学院設置基準の改正により、高度の専門性を有する職業等に必要な高度の能力を専ら養うことを目的とする修士課程である専門大学院制度が設けられた。これは、国際的にも社会の各分野においても指導的な役割を担う高度専門職業人の養成に対する期待にこたえ、特定の職業等に従事するのに必要な高度の専門的知識・能力の育成に特化した実践的な教育を行う大学院修士課程の設置を促進するため、高度専門職業人の養成に特化した実践的教育を行う修士課程を「専門大学院」と称することができることとし、配置される教員数や教員組織、修了要件について特例を設けたものであった（なお、平成一五年四月に、専門大学院制度を更に発展させた専門職大学院制度が設けられている。本条の【注解】六参照）。

五　博士課程の目的については、従来、大学基準協会の定めた大学院基準において「独創的研究によつて従来の学術水準に新しい知見を加え、文化の進展に寄与するとともに、専攻分野に関し研究を指導する能力を養うこと」とされ、大学設置審議会の大学院設置審査基準要項では、「独創的研究によつて、従来の学術水準に新しい知見を加え、文化の進展に寄与するとともに、専攻分野に関し研究を指導する能力を養うもの」とされていた。大学院設置基準に

おいては、課程制大学院における博士の意義を明らかにし、その到達水準をより明らかにする意味で、自立した研究活動を行い得る高度の研究能力を有する者の養成を主眼としつつ、博士課程修了者が教育の分野をはじめとして、広く社会の各方面において指導的な役割を果たし得るようにする必要性を考慮して、特定の専攻分野についての深い研究能力を涵養するとともに、その基盤となる幅広い豊かな学識を養うことをその目的とすることとされた。

さらに、平成元年九月の改正においては、研究者のみならず、社会の多様な方面で活躍し得る高度の能力と豊かな学識を有する人材を養成することも目的とし得ることとした。

（博士課程）

第四条　博士課程は、専攻分野について、研究者として自立して研究活動を行い、又はその他の高度に専門的な業務に従事するに必要な高度の研究能力及びその基礎となる豊かな学識を養うことを目的とする。

２　博士課程の標準修業年限は、五年とする。ただし、教育研究上の必要があると認められる場合には、研究科、専攻又は学生の履修上の区分に応じ、その標準修業年限は、五年を超えるものとすることができる。

３　博士課程は、これを前期二年及び後期三年の課程に区分し、又はこの区分を設けないものとする。ただし、博士課程を前期及び後期の課程に区分する場合において、教育研究上の必要があると認められるときは、研究科、専攻又は学生の履修上の区分に応じ、前期の課程については二年を、後期の課程については三年を超えるものとすることができる。

４　前期二年及び後期三年の課程に区分する博士課程においては、その前期二年の課程は、これを修士課程として取り扱うものとする。前項ただし書の規定により二年を超えるものとした前期の課程についても、同様とする。

５　第二項及び第三項の規定にかかわらず、教育研究上必要がある場合においては、第三項に規定する後期三年の課程のみの博士課程を置くことができる。この場合において、当該課程の標準修業年限は、三年とする。ただし、教育研究上の必要があると認められる場合には、研究科、専攻又は学生の履修上の区分に応じ、その標準修業年限は、三年を超えるものとすることができる。

なお、博士課程の修業年限は、従来五年とされてきたが、大学院設置基準四条二項本文では、これを固定的な修業年限とはせずに標準的な修業年限として定めている。博士課程の目的、性格にかんがみ、例えば極めて優秀な学生が

所定の水準に五年以内に到達したような場合には、必ずしも五年にこだわることなく課程を修了することができるようにする等、修業年限について学生の能力等に応じた弾力的な取扱いができるようにすることを狙いとしているものである。この場合に大学院において用意する教育課程は、あくまで五年で履修する内容のものでなくてはならず、研究科又は専攻ごとに五年未満の年限を修業年限として定めることを認める趣旨ではないとされている。また、個々の学生について五年未満で課程修了を認める場合であっても、三年を下ることは認められず（大学院設置基準一七条）、その運用に当たっては、博士の学位の水準の低下をきたすことのないよう十分配慮する必要があるものとされている。

また、大学院設置基準四条三項及び四項の規定によれば、博士課程は、これを前期二年及び後期三年の課程に区分するか、又はこの区分を設けないものとし、前期二年及び後期三年の課程に区分する場合には、前期二年の課程は、これを修士課程として取扱うこととされている。博士課程は、従来、制度的には大学を卒業した者に対し、五年の教育、研究指導を行う課程とされていたが、実際には、これを前期二年と後期三年とに分けるいわゆる「積み上げ式」の運用が行われてきた。このような積み上げ式については、前期課程を終えた段階で改めて後期課程への進学について選抜を行うことにより、学生の能力、適性等に応じた進路指導がより適切に行い得るとともに、修士課程修了者に広く博士課程への進学の機会を与えることになる等の利点があるが、反面、教育、研究指導の一貫性ないし連続性に欠ける面があり、研究科の目的、性格によっては、五年一貫の教育、研究指導を行うことが適切である場合も考えられる。このようなことから、大学院の判断により、いわゆる積み上げ式の編制も五年一貫の編制もともに取り得ることとされたものである。

いわゆる積み上げ式の編制をとった場合においては、前期二年の課程は、課程の修了要件、課程の修了者に対する学位の授与その他関係規定の適用等について、修士課程として取扱われる。したがって、修士の学位授与の要件を定める学位規則三条一項の適用については、前期二年の課程の修了者は、「修士課程を修了した者」として取扱われ

る。また、博士課程をこのように区分することを学則上明らかにした上で、前期二年の課程を従来通り学則等において修士課程と称することは差し支えない。

なお、五年一貫の教育、研究指導を行う場合においても、本人の希望等により修士の学位を授与することが適切な場合が考えられるため、学位規則三条二項により、「前期及び後期の課程の区分を設けない博士課程に入学し、大学院設置基準第十六条及び第十六条の二に規定する修士課程の修了要件を満たした者」にも修士の学位を授与することができる。

また、大学院設置基準四条二項ただし書、三項ただし書及び五項ただし書においては、夜間大学院の場合等教育研究上の必要があると認められる場合には、通常の標準修業年限（一貫制の課程については五年、区分制における前期の課程については二年、後期の課程については三年）を超えることも認めている。

六　専門大学院制度は、従来の大学院制度の枠内で制度設計がなされていたことから、課程の修了のためには研究指導を受け、研究成果の審査に合格することが必須であり、授業科目の体系的な履修を中心とした単位の修得（コースワーク）のみによる課程修了を認めることができないなど、制度上、高度専門職業人養成に徹しきれないとの指摘がなされていた。このため、平成一四年一一月の学校教育法の一部を改正する法律（専門職大学院に関する部分は平成一五年四月一日施行）及び平成一五年三月の専門職大学院設置基準の制定により、専門大学院制度を更に発展させ、様々な職業分野の特性に応じた柔軟で実践的な教育を可能にする新たな大学院の仕組みとして、専門職大学院制度が設けられた（専門大学院は平成一五年度に専門職大学院へ移行）。この専門職大学院の課程は、専門職学位課程とされている（専門職大学院設置基準二条一項）。

（専門職学位課程）

第二条　専門職学位課程は、高度の専門性が求められる職業を担うための深い学識及び卓越した能力を培うことを目的とする。

2　専門職学位課程の標準修業年限は、二年又は一年以上二年未満

の期間（一年以上二年未満の期間は、専攻分野の特性により特に ― 必要があると認められる場合に限る。）とする。

専門職大学院制度の概要は、次のとおりである。

① 標準修業年限は二年を基本とすること（ただし、専門分野の特性に応じ特に必要と認められる場合は、一年以上二年未満）

② 修了要件として、一定期間以上の在学と各専攻分野ごとに必要となる単位の修得（コースワーク）のみを必須とし、論文や特定課題の研究成果を要しないこととすること

③ 事例研究、討論、現地調査など多様な実践的な教育を提供すること

④ 各職業分野で豊富な経験を有する実務家を教員として相当数配置すること

専門職学位課程を修了した者については、文部科学大臣が定める学位として「専門職学位」が授与されることとなっている（法一〇四条、学位規則五条の二参照）。

平成二九年五月の学校教育法の一部を改正する法律により、本条に三項が追加され、専門職大学と同様、専門職大学院も専門性が求められる職業に就いている者、当該職業に関連する事業を行う者その他の関係者の協力を得て教育課程を編成・実施し、教員の資質の向上を図る旨の規定が設けられた。なお、この改正に伴い、平成二九年九月八日に、専門職大学院設置基準の一部改正が行われている（内容については法九七条の【注解】一九参照）。

また、この専門職大学院の一形態として、専ら法曹養成のための教育を行うことを目的とする法科大学院が設けられている（専門職大学院設置基準一八条～二五条）。法科大学院は、法学教育、司法試験、司法修習が密接に連携した「プロセス」としての法曹養成制度を構築する観点から設けられたものであり、標準修業年限は三年、課程の修了要件は三年以上九三単位以上の修得など幾つかの特例規定が定められている。この法科大学院については、平成一四年一一月の学校教育法の改正と同時に「法科大学院の教育と司法試験等との連携等に関する法律」（平一四法一三九）が制定さ

れ、法曹養成の基本理念、法科大学院における教育の充実、法科大学院の教育と司法試験等との有機的連携の確保、新司法試験の方法、試験科目などが定められている。さらに、法科大学院において、法曹としての実務に関する教育の実効性の確保を図る観点から、平成一五年四月に成立した「法科大学院への裁判官及び検察官その他の一般職の国家公務員の派遣に関する法律」（平一五法四〇）によって、裁判官や検察官などを法科大学院の教員として派遣する制度も整備されている。

法科大学院制度については、司法試験の合格率低迷や受験資格取得までの時間的・経済的負担による法科大学院志願者の大幅な減少、法学未修者コース修了者の司法試験合格率の低迷等の状況を踏まえ、法科大学院教育の充実を図りつつ、学生の資質・能力に応じてより短い期間で法曹となる途を拡充するとともに、法曹を目指す社会人や地方学生を支援し、制度の信頼性・安定性を確保するため、法科大学院の教育と司法試験等との連携等に関する法律等の一部改正が行われ、令和元年六月に公布された。この中で、①法科大学院における教育は法曹となろうとする者に必要とされる学識等を涵養するための教育を段階的かつ体系的に実施すべきこと等を大学の責務として新たに規定するとともに、②法科大学院を設置する大学が、当該法科大学院における教育との円滑な接続を図るための課程（連携法曹基礎課程）を置こうとする大学と当該課程における教育の実施等に関する「法曹養成連携協定」を締結し、文部科学大臣が認定する制度の創設、③法科大学院の課程における所定の単位の修得及び当該課程の修了の見込みについて当該法科大学院を設置する大学の学長が認定した者に対する司法試験の受験資格の付与等の措置等が行われた。

平成一九年の専門職大学院設置基準等の改正により、教職大学院制度が設けられた（専門職大学院設置基準二六条～三一条）。教職大学院の標準修業年限は二年、課程の修了要件は四五単位以上の修得を原則としている。

法科大学院を置く専門職大学院に教職大学院を置くこととする場合、専門職学位としては同一でも、施行令二三条の二第一項一号にいう、「学位の種類及び分野の変更を伴わないもの」ではないから、認可事項である。

なお、専門職大学院制度が導入されるまで、修士課程の目的は、①研究能力の育成、②研究能力及び高度専門職業能力の育成、③高度専門職業能力の育成の三つのいずれかであったが、③の高度専門職業能力が専門職学位課程の目的とされたことに伴い、修士課程の目的は、①の研究能力の育成又は②の研究能力及び高度専門職業能力の育成のいずれかになるため、平成一五年三月に大学院設置基準三条の修士課程の目的も改正された。この際、従来、高度専門職業能力について、「高度の専門性を要する職業等に必要な高度の能力」と定められていたが、専門職学位課程の目的（専門職大学院設置基準二条一項）と平仄を合わせて「高度の専門性が求められる職業を担うための卓越した能力」に改められた。なお、学校教育法九九条一項における「高度の専門性が求められる職業を担うための深い学識及び卓越した能力」のうち「深い学識」については、修士課程の目的中に既に「精深な学識を授け」と規定されていることから、大学院設置基準三条には特に規定されていない。

七　また、平成元年九月の改正においては、社会人の受入れを積極的に進めていくため、大学院には、専ら夜間において教育を行う修士課程を置くことができることが明らかにされた。さらに、平成五年一〇月の改正により、専ら夜間において教育を行う博士課程を置くことができることが明らかにされた（大学院設置基準二条の二）。

八　医学、歯学の大学院に関しては昭和五三年に、獣医学の大学院については平成元年に、大学院設置基準の整備が行われた。

この規定の整備により明確にされたことの第一は、医学、歯学又は獣医学の大学院の博士課程は修業年限が四年であることを設置基準上明定するとともに、修了要件としての修得単位数を、他の大学院と同様に三〇単位に引き下げたことである。第二は、医学、歯学の大学院についても、修士課程を置くことができることとしたことである。すなわち、医学、歯学については、近年関連する学問分野が多様化し、その急速な進歩発展によって広く他の学問分野と融合し、学際的な発展をとげつつある。このような発展をとげている医学、歯学の分野に他の学問分野の知識・技術

を身につけた者を広く結集し、医学又は歯学を中心としつつも関連領域を統合し得る教育及び研究指導の体制を充実しようとするものである。なお、獣医学については、博士課程のみが認められている。

また、平成一六年五月に成立した学校教育法の一部を改正する法律により、薬学を履修する課程のうち臨床に係る実践的な能力を培うことを主たる目的とするものの修業年限が六年とされたことに伴い、大学院設置基準の整備が行われ、薬学を履修する博士課程（当該課程に係る研究科の基礎となる学部の修業年限が六年であるものに限る）についても、医学、歯学又は獣医学を履修する博士課程と同じ扱いとされることとなった。

【通　知】

○学校教育法等の一部を改正する法律等の施行について（抄）

（平一一・九・一四　文高大二二六号　各国公私立大学長、放送大学長、大学を設置する各地方公共団体の長、大学を設置する各学校法人の理事長、放送大学学園理事長あて　文部事務次官通知）

二一世紀に向けての大きな転換期にある今日、大学が、学問の進展や社会の要請に適切に対応しつつ不断に改革を進めて教育研究の活性化を図り、知的活動の分野において社会に貢献していくことは、我が国の未来を築く上で極めて重要な課題であります。各大学におかれては、かねてから大学改革を進めていただいているところでありますが、法改正をはじめとする今回の制度改正を踏まえ、一層積極的な取組をお願いするものであります。

改正法等の概要及び留意点は下記のとおりですので、それぞれ関係のある事項について十分御留意の上、その運用に当たって遺憾のないようお取り計らいください。

第一～第三（略）

第四　大学院設置基準の一部を改正する省令について

一　自己点検・評価

大学院は、大学院における教育研究活動等の状況についての自己点検及び評価を行い、その結果を公表するものとすることとしたこと（第一条の二第一項〔現行なし〕）。

また、大学院は、自己点検及び評価の結果について、当該大学の職員以外の者による検証を行うよう努めなければならないこととしたこと（同条第三項〔現行なし〕）。

二　修士課程の標準修業年限

(一)　教育研究上必要があると認められる場合には、二年を超える

標準修業年限を定めることができるものとしたこと（第三条第二項）。

(二) 主として実務の経験を有する者に対して教育を行う場合であって、教育研究上の必要があり、かつ昼間と併せて夜間その他特定の時間又は時期において授業又は研究指導を行う等の適切な方法により教育上支障を生じないときは、一年以上二年未満の標準修業年限を定めることができるものとしたこと（第三条第三項）。

(三) これにより、各大学においては学則の変更により、研究科、専攻又は履修上のコースを単位として、二年を超える標準修業年限又は一年以上二年未満の標準修業年限の修士課程を設けることが可能となるが、特に、一年以上二年未満の標準修業年限の修士課程については、修士の学位に相応しい水準の確保に留意されたいこと。

(四) これらの二年以外の標準修業年限を定めた研究科、専攻又は履修上のコースに在学する学生についても、優れた業績を上げた者については大学院に一年以上在学すれば修士課程を修了することが可能であること（第一六条）。また、修業年限を一年以上二年未満とした修士課程を修了した者の博士課程の修了の要件は、修士課程における在学期間に三年を加えた期間以上在学することとすること（第一七条第二項）。

三 教員組織

(一) これまで大学院設置基準第九条により専攻ごとに置くべき研究指導を行う教員の数は「大学院設置審査基準要項」（昭和四九年九月二七日大学設置審議会大学設置分科会決定）により定められてきたところであるが、今回、文部大臣が別に定めることとされ（第九条）、これを受けて平成一一年文部省告示第一七五号が告示されたものであること。なお、今回の改正により研究指導を行う教員数の配置の基準に実質的な変更はないものであること。

(二) 研究科の基礎となる学部の学科の数を専攻の数とみなして算出される一個の専攻当たりの学生の入学定員が、専門分野ごとに平成一一年文部省告示第一七六号により定められた数以上の場合には、一定規模数を超える部分について当該一定規模数ごとに一人の大学院専任の教員（大学設置基準第一三条に定める専任教員の数に算入できない第九条に規定する教員）を置くものとしたこと（第九条の二）。

これは、研究科が、その基礎となる学部との関係において、専攻ごとに大学設置基準別表第一に定める標準的な規模の学部・学科が担うことができる研究科・専攻の規模を超えるような場合には、一定数の大学院専任の教員の配置を求め、大学院における教育研究の充実を図ることとしたものであること。

なお、今回の規定により措置される教員は、大学設置基準第一三条に定める専任教員の数には算入できないが、学部の授業を担当することは可能であること。

（以下略）

○学校教育法の一部を改正する法律等の施行について（抄）

（平一五・三・三一　一五文科高一六二号　各国公私立大学

長、放送大学長、各国公私立高等専門学校長、国立久里浜養護学校長、大学評価・学位授与機構長、独立行政法人大学入試センター理事長、各都道府県知事、各都道府県教育委員会、大学を設置する各地方公共団体の長、大学又は高等専門学校を設置する各学校法人の理事長、放送大学学園理事長あて　文部科学事務次官通知）

第一　学校教育法の一部を改正する法律（平成一四年法律第一一八号）

1　改正の趣旨

今回の改正の趣旨は、大学等の一層主体的・機動的な教育研究活動等を促進するため、学位の大幅な変更等を伴わない学部等の設置については認可を受けることを要しないこととするとともに、教育研究活動等の質の保証を図るため、勧告等の是正措置や認証評価制度を設けるものである。また、併せて、大学院における高度専門職業人養成を促進するため、専門職大学院制度を設けるものである。

2　学校教育法の一部改正

(1)〜(3)　（略）

(4)　専門職大学院制度の整備等

①　大学院の目的の整備等

現行の大学院の目的規定では、大学院の目的として高度専門職業人養成が含まれることが必ずしも明らかでないことから、高度専門職業人養成に対する実社会からの要請が高まっていること等を踏まえ、高度の専門性が求められる職業を担うための深い学識及び卓越した能力を培うことが大学院の目的に含まれることを明らかにしたこと。

併せて、大学院のうち高度専門職業人養成の目的に特化した大学院を専門職大学院とすることとしたこと。（第六五条〔現行法九九条〕第一項及び第二項）

なお、専門職大学院は、様々な職業分野の特性に応じた柔軟で実践的な教育の展開を可能とする大学院であり、これを設置するのに最低の基準として、専門職大学院設置基準を新たに定めた。（第四　専門職大学院設置基準を参照）

②　専門職学位の授与

大学は、専門職大学院の課程を修了した者に対し、学位規則（昭和二八年文部省令第九号）に規定する専門職学位を授与するものとしたこと。（第六八条の二第一項〔現行法一〇四条一項〕）（第三の3　学位規則の一部改正を参照）

③　後期三年のみの博士課程に係る入学資格

後期三年のみの博士課程を置く研究科に係る入学資格を修士の学位又は専門職学位を有する者等としたこと。（第六七条第一項〔現行法一〇二条一項〕）（第三の1　学校教育法施行規則の一部改正(2)を参照）

3・4　（略）

第二　（略）

第三　学校教育法施行規則等の一部を改正する省令（平成一五年文部科学省令第一五号）

1　学校教育法施行規則の一部改正

(1)（略）

(2) 専門職大学院の制度化に伴う設置基準の制定

大学の設置に関する事項を定めるものとして、専門職大学院設置基準を加えたこと。（第六六条〔現行施行規則一四二条〕）

また、後期三年のみの博士課程を置く研究科に係る入学資格に関し、専門職学位を有する者と同等以上の学力があると認められるものとして、外国において専門職学位に相当する学位を授与された者等を定めたこと。（第七〇条の二〔現行施行規則一五六条〕）

2 私立学校法施行規則の一部改正（略）

3 学位規則の一部改正

専門職大学院の課程を修了した者に対して授与する学位（専門職学位）として「修士（専門職）」及び「法務博士（専門職）」を新たに定めたこと。（第五条の二及び第五条の三）

なお、「修士（専門職）」については、各大学において学位を授与する際には、例えば「経営管理修士（専門職）」などのように適切な専攻分野の名称を「修士（専門職）」の前に付記するものとすること。（第一〇条参照）

4～6（略）

7 大学院設置基準の一部改正

(1)（略）

(2) 専門職学位課程（再掲）

大学院の課程として専門職学位課程を設けたこと。（第二条第一項及び第二項関係）

また、専ら夜間において教育を行う専門職学位課程を置くことができることとしたこと。（第二条の二）

(3)～(14)（略）

8～14（略）

第四 専門職大学院設置基準（平成一五年文部科学省令第一六号）

(1) 趣旨

専門職大学院設置基準は、専門職大学院を設置するのに必要な最低の基準とするとともに、専門職大学院は、この省令で定める設置基準より低下した状態にならないようにすることはもとより、その水準の向上を図ることに努めなければならないものとしたこと。（第一条）

(2) 専門職学位課程

① 専門職学位課程は、高度の専門性が求められる職業を担うための深い学識及び卓越した能力を培うことを目的とすることとしたこと。（第二条第一項）

② 専門職学位課程の標準修業年限は、二年又は一年以上二年未満の期間とすることとしたこと。ただし、一年以上二年未満の期間は、専攻分野の特性により特に必要があると認められる場合に限るものとしたこと。（第二条第二項）

③ 専門職学位課程の標準修業年限の特例として、社会人を対象にする場合など教育上の必要があると認められるときは、研究科、専攻又は学生の履修上のコースに応じ、標準修業年限が二年の課程にあってはその標準修業年限を一年以上二年未満の期間又は二年を超える期間とし、標準修業年限が一年

以上二年未満の期間の課程にあってはその標準修業年限を当該期間を超える期間とすることができることとしたこと。（第三条第一項）

ただし、一年以上二年未満の期間とすることができるのは、主として実務の経験を有する者に対して教育を行う場合であって、かつ、昼間と併せて夜間その他特定の時間又は時期において授業を行う等の適切な方法により教育上支障を生じない場合に限るものとしたこと。（第三条第二項）

なお、上記の標準修業年限の特例による場合であっても、専門職学位課程の修了に必要な学習量を適切に確保することが必要であり、特に一年以上二年未満の期間に短縮した専門職学位課程については、専門職学位に相応しい水準の確保に十分留意されたいこと。

(3)　教員組織

①　専門職大学院には、高度の教育上の指導能力があると認められ、かつ、ア．専攻分野について教育上又は研究上の業績を有する者、イ．専攻分野について高度の技術・技能を有する者、ウ．専攻分野について特に優れた知識及び経験を有する者のいずれかに該当する専任教員を、専攻ごとに、必要な数置くものとしたこと。（第四条及び第五条第一項）

②　①の専門職大学院に必要とされる数の専任教員は、大学設置基準第一三条及び大学院設置基準第九条に規定する教員の数（以下「他の学部等の必要教員数」という。）に算入できないものとしたこと。（第五条第二項）

ただし、これにかかわらず、平成二五年度（現行平成三〇年度）までの間は、専門職大学院に必要とされる専任教員の数の三分の一までは、他の学部等の必要教員数に算入することができ、また、専門職大学院に必要とされる専任教員の数のすべてを、他の学部等の必要教員数のうち博士課程の後期の課程を担当する教員の数に算入することができるものとしたこと。（附則第二項）

③　専門職大学院は、高度専門職業人養成に特化した実践的な教育を行うものであることから、専任教員のうちには、専攻分野における実務の経験を有し、かつ、高度の実務の能力を有する者を置くものとしたこと。（第五条第三項）

(4)　教育方法等

①　専門職大学院は、専攻分野に応じ必要な授業科目を開設し、体系的に教育課程を編成するものとすること。（第六条）

なお、専門職大学院においては、授業科目の履修による単位の修得が必須とされているが、このことは、専攻分野の特性及び教育上の必要に応じ、各大学の判断によって、研究指導など授業科目の履修によらない教育を行うことも排除されるものではないこと。

②　一の授業科目について同時に授業を行う学生数は、授業の方法及び施設、設備等を考慮して、教育効果を十分にあげられるような適当な人数とするものとすること。（第七条）

③　専門職大学院においては、実践的な教育を行うよう専攻分野に応じ事例研究、現地調査、又は双方向若しくは多方向に

行われる討論若しくは質疑応答等により授業を行うなど適切に配慮しなければならないものとしたこと。（第八条第一項）

また、多様なメディアを高度に利用して授業を行う教室等以外の場所で授業を履修させることは、十分な教育効果が得られる専攻分野に関して、当該効果が認められる授業について、行うことができるものとしたこと。（第八条第二項）例えば、現地調査やインターンシップ等の実習等が主体となるような授業について、メディアによる授業を行うことは通常想定されないこと。

④ 通信制の専門職大学院は、十分な教育効果が得られる専攻分野に関して、当該効果が認められる授業等について、多様なメディアを高度に利用する方法により認めるものとすること。この場合、授業の方法及び単位の計算方法等については、大学通信教育設置基準のうち面接授業及びメディア授業に関する部分を準用するものとしたこと。（第九条）（大学院設置基準第二五条参照）

⑤ 専門職大学院は、責任ある授業運営や厳格な成績評価を行う観点から、学生に対して、授業の方法及び内容、一年間の授業の計画をあらかじめ明示するものとするとともに、学修の成果に係る評価及び修了の認定に当たっては、学生に対してその基準をあらかじめ明示するとともに、当該基準にしたがって適切に行うものとしたこと。（第一〇条）

⑥ 専門職大学院は、授業の内容及び方法の改善を図るための組織的な研修及び研究（ファカルティ・ディベロップメント）を実施するものとしたこと。（第一一条）

⑦ 専門職大学院は、学生が各年次にわたって適切に授業科目を履修するよう、学生が一年間又は一学期に履修科目として登録することができる単位数の上限を定めるものとしたこと。（第一二条）

この規定は、一単位の授業科目は四五時間の学修を必要とする内容をもって構成することを標準とするという単位制度の実質化を図る趣旨から設けられたものであること。（大学院設置基準第一五条（大学設置基準第二一条を準用）参照）

⑧ 専門職大学院は、教育上有益と認めるときは、専門職大学院の定めるところにより、当該専門職大学院が修了要件として定める三〇単位以上の単位数の二分の一を超えない範囲で他の大学院との単位互換を行うことができることとすること。また、このことは、学生が外国の大学院に留学する場合及び外国の大学院が行う通信教育における授業科目を我が国において履修する場合について準用することとしたこと。（第一三条）

⑨ 専門職大学院は、教育上有益と認めるときは、専門職大学院の定めるところにより、⑧の単位互換による単位数と合わせて当該専門職大学院が修了要件として定める三〇単位以上の単位数の二分の一を超えない範囲で、入学前の既修得単位の認定を行うことができることとしたこと。（第一四条）

(5) 課程の修了要件

① 専門職学位課程の修了の要件は、専門職大学院に二年（二

年以外の標準修業年限を定める研究科、専攻又は学生の履修上の区分にあっては、当該標準修業年限）以上在学し、当該専門職大学院が定める三〇単位以上の単位の修得その他の教育課程の履修により課程を修了することとしたこと。（第一五条）

② 修了に必要な単位数の修得その他の教育課程の履修については、専攻分野に応じ必要な学習量を確保することを前提として、各専門職大学院が定めるものとすること。その際、現地調査やインターンシップなどで単位としては認定されないが各専門職大学院が修了要件として定める教育内容も含めつつ、例えば、大学の卒業要件は、大学に四年以上在学し、一二四単位以上を修得することとされていることも勘案するなどにより、標準修業年限と学習量との均衡を失しないよう十分配慮すること。

なお、この場合における必要な学習量については、例えば、二年の標準修業年限を第三条に定める標準修業年限の特例の適用により一年以上二年未満の期間とした場合にあっても必要な学習量は二年分であり、修了要件としての単位数等は二年分相当のものが必要とされることに留意されたいこと。

③ 専門職大学院は、入学前の既修得単位（大学院入学資格を有した後に修得したものに限る。）を認定する場合であって当該単位の修得により当該専門職大学院の教育課程の一部を履修したと認めるときは、当該単位数、その修得に要した期間等を勘案して標準修業年限の二分の一を超えない範囲で当該専門職大学院が定める期間在学したものとみなすことができることとしたこと。ただし、この場合においても、当該専門職大学院に少なくとも一年以上在学するものとしたこと。（第一六条）

(6) 施設及び設備等

専門職大学院の施設及び設備その他諸条件は、専門職大学院の目的に照らし十分な教育効果をあげることができると認められるものとしたこと。（第一七条）

(7) 法科大学院

① 専ら法曹養成のための教育を行うことを目的とする専門職学位課程を置く専門職大学院は、当該課程に関し、法科大学院とすることとしたこと。（第一八条第一項）

② 法科大学院の標準修業年限は三年とし、また、社会人を対象にする場合など教育上の必要があると認められる場合は、研究科、専攻又は学生の履修上のコースに応じ、標準修業年限を三年を超えるものとすることができることとしたこと。（第一八条第二項及び第三項）

③ 法科大学院は、多様性の確保等、入学者の選抜に当たっては、多様な知識又は経験を有する者を入学させるよう努めるものとするとともに、入学者の適性を適確かつ客観的に評価するものとしたこと。（第一九条及び第二〇条

なお、この規定は、新たな法曹養成制度の理念の実現に向けてのものであることを踏まえ、各大学においては、その重要性を十分認識し、実効性ある措置を講じるなど不断の努力

を図る必要があることに留意されたいこと。

④　法科大学院は、教育上有益と認めるときは、三〇単位を超えない範囲で、他の大学院と単位互換を行うことができることとしたこと。この場合において、九三単位を超える単位の修得を修了要件とする法科大学院にあっては、その九三単位を超える分の単位数については、三〇単位を超えて単位互換することができることとしたこと。（第二一条）

⑤　法科大学院は、教育上有益と認めるときは、④の単位互換による単位数と合わせて三〇単位を超えない範囲で、入学前の既修得単位の認定を行うことができることとしたこと。（第二二条）

⑥　法科大学院の修了要件は、三年（標準修業年限が三年を超える場合は、当該標準修業年限）以上在学し、かつ、九三単位以上を修得することとしたこと。（第二三条）

⑦　法科大学院は、入学前の既修得単位（大学院入学資格を有した後に修得したものに限る。）を認定する場合であって当該単位の修得により当該法科大学院の教育課程の一部を履修したと認めるときは、当該単位数、その修得に要した期間等を勘案して一年を超えない範囲で、当該法科大学院が定める期間在学したものとみなすことができることとしたこと。（第二四条）

⑧　法科大学院は、法学既修者（法学の基礎的な学識を有すると当該法科大学院が認める者）に関して、在学期間については、⑦の入学前の既修得単位の認定に応じて在学したものとみなす期間と合わせて一年を超えない範囲で、当該法科大学院が認める期間在学したものとみなし、また、単位数については、④の単位互換による単位数及び⑤の入学前の既修得単位の認定による単位数と合わせて三〇単位を超えない範囲で、当該法科大学院が認める単位を修得したものとみなすことができることとしたこと。（第二五条）

(8)　雑則

①　専門職大学院の組織、編制、施設、設備等で、専門職大学院設置基準に定めのないものについては、大学院設置基準の定めるところによるものとするとともに、その他専門職大学院に関し必要な事項については、文部科学大臣が別に定めるものとすること。（第二六条〔現行四二条〕）（第一九　平成一五年文部科学省告示第五三号（専門職大学院に関し必要な事項を定める件）を参照）

②　この場合において、専門職大学院においても適用される大学院設置基準の規定は、第一条（趣旨）、第一条の二（自己評価等〔現行基準上なし〕）、第二条（大学院の課程）、第二条の二（専ら夜間において教育を行う大学院の課程）、第二章の教育研究上の基本組織及び第三章の教員組織に係る各規定（第五条から第七条の二まで並びに第八条第三項及び第四項〔現行八条四項及び五項〕）、第一〇条（収容定員）、第一四条（教育方法の特例）、第一五条（大学設置基準の準用）のうち専門職大学院設置基準において特に定めのない事項、第七章の施設及び設備等に係る各規定（第一九条から第二二

条まで及び第二二条の三〔現行二二条の四〕）、第八章の独立大学院に係る各規定（第二三条、第二四条）、第九章の通信教育を行う大学院に係る各規定（第二五条、第二七条、第二九条及び第三〇条）、第三一条〔現行四二条〕（事務組織）であること。

(9)　その他

教員数等について必要な経過措置を置くこと。（附則第二項及び第三項）

第五～第一八　（略）

第一九　平成一五年文部科学省告示第五三号（専門職大学院に関し必要な事項について定める件）

1　専任教員の数及び実務の経験を有する教員

(1)　専門職大学院には、修士課程に置くものとされる研究指導教員の数の一・五倍の数に、修士課程に置くものとされる研究指導補助教員の数を加えた数と同数の専任教員を置くこととするとともに、修士課程における教員一人当たりの学生数に四分の三を乗じて算出した数を、専門職大学院における教員一人当たりの学生数とすることとしたこと。（第一条第一項）

この規定に定める教員数は設置するのに必要な最低の基準であって、専門職大学院における教育の充実を図る観点から、この基準を超える専任教員を置くことも有効であることに十分留意すること。

なお、専門職大学院における授業の一部を校舎等以外の場所で行う場合もあり得ると考えられるが、この場合であっても、専門職大学院に必要とされる専任教員数が変わるものではないこと。すなわち、校舎等以外の場所において当該専門職大学院の授業を行う教員数のみで、専門職大学院に必要とされる教員数を確保することが必要であるという趣旨ではなく、教育上支障のないように配慮しつつ、校舎等で授業を行う教員数と合わせて必要な専任教員数を確保すれば足りるものであること。また、専門職大学院の教育を学部の教育等とは別の場所で行う場合においても、同様に、専門職大学院に必要とされる専任教員数が変わるものではないこと。

(2)　専門職大学院に置くものとされる教員は、専門職学位課程について一専攻に限り専任教員として取り扱うものとしたこと。（第一条第二項〔現行五項〕）

(3)　専門職大学院に置くものとされる教員の半数以上は、原則として教授とするものとしたこと。（第一条第三項〔現行七項〕）

2　実務の経験を有し、高度の実務能力を有する教員

(1)　専門職大学院に専攻ごとに置くものとされる教員の数のおおむね三割（法科大学院はおおむね二割）以上は、専攻分野におけるおおむね五年以上の実務の経験を有し、かつ、高度の実務の能力を有する者としたこと。（第二条第一項及び第三項）

なお、実務の経験を有する教員については、多様な実務の経験を有する者を非常勤の講師等として活用するなど、各大学の教育目的に応じてその教育の充実のために適切な工夫を行うことが望ましいこと。

(2)　実務の経験を有し、かつ、高度の実務の能力を有する教員の

うち(1)において最低限必要とされる教員の数の三分の二を超えない範囲までは、専任教員以外の者であっても、年間六単位以上の授業を担当し、かつ、教育課程の編成など当該専門職大学院の運営に責任を担う者で足りるものとしたこと。(第二条第二項)

(3) 法科大学院においては、実務の経験を有し、かつ、高度の実務の能力を有する専任教員は、法曹としての実務の経験を有する者を中心として構成するものとしたこと。(第二条第四項)

3 法科大学院の入学者選抜

(1) 法科大学院は、多様な知識又は経験を有する者を受け入れるため、入学者のうちに法学を履修する課程以外の課程を履修した者又は実務等の経験を有する者の占める割合が三割以上となるよう努めることとし、当該割合が二割に満たない場合は、入学者選抜の実施状況を公表するものとしたこと。(第三条)

4 法科大学院の収容定員

(1) 法科大学院においては、法学既修者に対して在学期間の短縮を認めるかどうかにかかわらず、その収容定員は当該法科大学院の入学定員の数に三を乗じて算出した数とすることとしたこと。(第四条)

5 法科大学院の教育課程

(1) 法科大学院は、次の①から④に掲げる授業科目を開設するものとしたこと。(第五条第一項)

① 法律基本科目(憲法、行政法、民法、商法、民事訴訟法、刑法、刑事訴訟法に関する分野の科目)

② 法律実務基礎科目(法曹としての技能・責任その他の法律実務に関する基礎的な分野の科目)

③ 基礎法学・隣接科目(基礎法学に関する分野又は法学と関連を有する分野の科目)

④ 展開・先端科目(先端的な法領域など実定法に関する多様な分野の科目で、法律基本科目以外のもの)

(2) 法科大学院は、(1)の①から④のすべてにわたって授業科目を開設するとともに、学生の授業科目の履修が①から④のいずれかに過度に偏ることのないよう配慮することとしたこと。(第五条第二項)

例えば法律基本科目など特定の分野の科目に過度に偏ることがないよう配慮することが求められるものであり、各法科大学院においては、必修科目又は選択必修科目の設定や授業科目の履修についての学生に対する指導等を通じて、適切な教育課程の履修が行われるよう十分留意されたいこと。

6 法科大学院において同時に授業を行う学生数

法科大学院においては、同時に授業を行う学生数を少人数とすることを基本とし、特に法律基本科目の授業については、五〇人を標準として行うこととしたこと。(第六条)

7 法科大学院の履修科目の登録の上限

(1) 法科大学院においては、履修科目の登録の上限を、一年につき三六単位を標準として定めることとしたこと。(第七条)

8 その他

平成一一年文部省告示第一七七号(高度の専門性を要する職業

等に必要な高度の能力を専ら養うことを目的とする修士課程に専攻ごとに置くものとする教員の数について定める件）は、廃止したこと。

第二〇（略）

〇専門職大学院設置基準及び学位規則の一部を改正する省令の公布等について（平一九・三・一　一八文科高六八〇号　各国公私立大学長、独立行政法人大学評価・学位授与機構長、大学を設置する各地方公共団体の長、大学を設置する各学校法人の理事長、大学を設置する各学校設置会社の代表取締役、放送大学学園理事長、各都道府県・指定都市教育委員会、各都道府県知事あて　文部科学省初等中等教育局長・文部科学省高等教育局長通知）

このたび、別添一（略）から別添三（略）のとおり、「専門職大学院設置基準及び学位規則の一部を改正する省令（平成一九年文部科学省令第二号）」が平成一九年三月一日に公布され、これに関連し、「専門職大学院に関し必要な事項について定める件（平成一五年文部科学省告示第五三号）の一部を改正する件（平成一九年文部科学省告示第三一号）」及び「学位の種類及び分野の変更等に関する基準（平成一五年文部科学省告示第三九号）の一部を改正する件（平成一九年文部科学省告示第三二号）」が同日公布され、これらについて、平成一九年四月一日から施行されることになりました。

この改正は、中央教育審議会答申「今後の教員養成・免許制度の在り方について」（平成一八年七月一一日）（以下「答申」という。）において制度の創設が提言された「教職大学院」制度の創設等に係るものです。

今回の改正の概要及び留意点は下記のとおりですので、十分御了知の上、その運用に当たって遺漏のないようお取り計らいください。

なお、各都道府県知事及び各都道府県教育委員会におかれては、域内の各市町村に対し周知いただくようお願いいたします。

記

第一　専門職大学院設置基準及び学位規則の一部を改正する省令（平成一九年文部科学省令第二号）

一　教職大学院関係

(1)　教職大学院の課程

専門職学位課程のうち、専ら小学校、中学校、高等学校、中等教育学校、特別支援学校及び幼稚園（以下「小学校等」という。）の高度の専門的な能力及び優れた資質を有する教員の養成のための教育を行うことを目的とし、本基準に定められた一定の要件に基づくものを置く専門職大学院は、教職大学院とすること。教職大学院の標準修業年限は二年とすること。教育上の必要があると認められる場合には、学生の履修区分等に応じ、標準修業年限を一年以上二年未満又は二年を超える期間とすることができることとすること。標準修業年限を一年以上二年未満の期間とすることができるのは、主として実務の経験を有する者に対して教育を行う場合であって、かつ、昼間と併せて夜間その他特定の時間又は時期において授業を行う等の適切な方法により教育上支障を生じない

場合に限ることとすること。（第二六条関係）

(2) 他の大学院における授業科目の履修等

単位互換による他の大学院における修得単位、外国の大学院等における修得単位、入学前における既修得単位について、小学校等の教員としての実務の経験を有する者について免除する実習の単位数とあわせて、修了要件として定める四五単位以上の単位数の二分の一を超えない範囲で、当該教職大学院における単位とみなすことができることとすること。（第二七条及び第二八条関係）

(3) 教職大学院の課程の修了要件

教職大学院の課程の修了要件は、二年（二年以外の標準修業年限を定める研究科等にあっては、当該標準修業年限）以上在学し、四五単位以上を修得することとすること。四五単位のうち一〇単位以上は、高度の専門的な能力及び優れた資質を有する教員に係る実践的な能力を培うことを目的として小学校等その他関係機関で行う実習の履修により修得することとすること。また、小学校等の教員としての実務の経験を有する者については、一〇単位を超えない範囲で実習により修得する単位の全部又は一部を免除することができることとすること。（第二九条関係）

(4) 連携協力校

教職大学院は、実習その他教職大学院の教育上の目的を達成するために必要な連携協力を行う小学校等を適切に確保するものとすること。（第三一条関係）

二 法科大学院に係る他の大学院における授業科目の履修等

法科大学院が、他の大学院における授業科目の履修等と合わせて三〇単位を超えない範囲で授業科目の履修により修得したものとみなすことができることについて、いわゆる外国大学日本校（大学院の課程）において履修した授業科目について準用すること。（第二一条第二項関係）

三 その他

所要の規定の整備を行ったこと。

第二 学位規則の改正（専門職大学院設置基準及び学位規則の一部を改正する省令（平成一九年文部科学省令第二号））

教職大学院の課程を修了した者に授与する学位は、教職修士（専門職）とすること。

第三 専門職大学院に関し必要な事項について定める件の改正（専門職大学院に関し必要な事項について定める件（平成一五年文部科学省告示第五三号）の一部を改正する件（平成一九年文部科学省告示第三一号））

一 教職大学院の実務家教員

必要専任教員のうち概ね四割以上は、専攻分野における実務の経験を有し、かつ、高度の実務の能力を有する者とすること。この実務家教員は、小学校等の教員としての実務経験を有する者を中心として構成されるものとすること。（第二条第五項及び第六項関係）

二 教職大学院の教育課程

教職大学院は、実習のほか、教職課程の編成及び実施に関す

る領域、教科等の実践的な指導方法に関する領域、生徒指導及び教育相談に関する領域、学級経営及び学校経営に関する領域、学校教育と教員の在り方に関する領域について、授業科目を開設するものとすること。教職大学院は、この全ての領域において科目を開設するほか、実習による科目及びその他の開設科目を含め体系的に教育課程を編成するものとすること。学生の授業科目の履修が、いずれかに過度に偏らないよう配慮するものとすること。（第八条関係）

第四　学位の種類及び分野の変更等に関する基準の改正（学位の種類及び分野の変更等に関する基準（平成一五年文部科学省告示第三九号）の一部を改正する件（平成一九年文部科学省告示第三二号））

　大学の大学院の研究科等の設置等に際し、学位の種類及び分野の変更を伴わないものとして文部科学大臣への事前の届出で足る学位の種類及び範囲に関し、教職大学院とそれ以外の教員養成を行う専門職学位課程を区分すること。（第一条第一項別表第一関係）

第五　留意事項

一　実習により修得する単位の免除に当たっては、学生の教職経験を適切に評価した上で、実習により修得させようとする内容との相関性等を踏まえ、免除の可否及び免除する単位数を適切に判断する必要があること。

二　連携協力校は、実習や現地調査等学校現場を重視した実践的な教育の場として重要であり、開設科目及びその教育内容等に対応して適切な学校種及び数等である必要があること。

　連携協力校の確保に当たっては、教育委員会等学校設置者及び各学校等と十分調整を行った上で行う必要があること。なお、大学と学校設置者等との調整に当たっては、学生の進路選択を制約することのないよう留意すること。

　また、いわゆる教員養成目的大学・学部に置かれる教職大学院については、附属学校についても適切に活用する必要があること。

三　専任教員の配置基準の算定に当たっては、「大学院に専攻ごとに置くものとする教員の数について定める件（平成一一年文部科学省告示第一七五号）」における「学校教育専攻」の例を基礎として算定するものとすること。

四　実務家教員について、その具体の割合に関しては、学校教育法施行規則等の一部を改正する省令（平成一八年（平成一九年四月一日施行）文部科学省令第一一号）による改正後の大学院設置基準（昭和四九年文部省令第二八号）第八条第一項及び第二項から、開設科目等に対応し適正なものである必要があること。具体的には、理論と実務を架橋する専門職大学院においてもその教育の展開上学術研究は重要であることから、極端に実務家教員に偏した教員組織となることのないよう一定程度以上のいわゆる研究者教員も配置させるなど、教員組織全体としてのバランスを確保すること。

　また、実務家教員の具体の範囲等については、専門職大学院設置基準等に規定しているが、その判断の観点について別添四

（略）「教職大学院における『実務家教員』の在り方について」（中央教育審議会「今後の教員養成・免許制度の在り方について」（平成一八年七月一一日）参考資料）のとおり取りまとめられており、これを参考にすること。

五　教職大学院の教育課程について、全体として体系的に編成されるものとされていることから、五つの領域において共通的に開設される授業科目の単位数の合計は、一定程度（最低必要修得単位数全体から実習の最低必要修得単位数を引いたもののうちの半数）以上となることが目安となること。

六　教職大学院における授業は、講義のほか、グループ討議、実技指導・模擬授業、ワークショップ、フィールドワークなど、従来とは異なる新しい教育方法を中心に展開される必要があること。このため、専門職大学院設置基準（以下「令」という。）第八条及び第九条により多様なメディアを高度に利用する方法による授業を実施する場合は、教育課程の編成について、この趣旨を踏まえる必要があること。特に、全ての授業科目の全ての授業が通信により行われる課程は想定されないこと。

七　施設設備については、令第一七条の規定により、その目的に照らし十分な教育効果をあげることができると認められるものであること。このため、例えば教科等の実践的な指導に関する教育を行う場合には、当該教科内容に照らし必要な施設・設備（例えば実験室や実験教材、楽器等）が確保・充実される必要があること。

また、新しい教育方法により展開される授業の実践に当たっては、収容定員に見合った十分な数の講義室・演習室等を確保するとともに、教育活動に支障のない十分なスペースを確保すること。

更に、教育課程や教員の研究内容に対応した図書・学術雑誌等を系統的に備えるとともに、教育活動に支障のない十分な冊数を整備すること。

八　教職大学院を修了した者に対する処遇（職務、給与、採用等）については、都道府県教育委員会等において、修了者の実績等を踏まえ、採用の公平性等に留意しつつ対応するものであること。

なお、教職大学院修了者の採用・処遇における公平性の確保に関して、「規制改革・民間開放推進三か年計画（再改定）」（平成一八年三月三一日閣議決定）において、別添五（略）のとおりとしていることを了知いただきたいこと。

○学校教育法施行規則の一部を改正する省令及び大学院設置基準の一部を改正する省令等の施行について（抄）（平一九・一二・一四　一九文科高五七五号　各国公私立大学長、独立行政法人大学評価・学位授与機構長、独立行政法人大学入試センター理事長、大学を設置する各地方公共団体の長、各公立大学法人の理事長、大学を設置する各学校法人の理事長、大学を設置する各学校設置会社の代表取締役、放送大学学園理事長あて　文部科学省高等教育局長通知）

このたび、別添一（略）のとおり「学校教育法施行規則の一部を

改正する省令（平成一九年文部科学省令第三八号）」が、また、別添二（略）のとおり「大学院設置基準の一部を改正する省令（平成一九年文部科学省令第三九号）」及び別添三（略）のとおり「大学院設置基準の一部を改正する省令の施行に伴う関係告示の整理に関する告示（平成一九年文部科学省告示第一四二号）」が、平成一九年一二月一四日に公布され、別添一については平成二〇年四月一日から、別添二及び別添三については公布の日から、それぞれ施行されることとなりました。

今回の改正は、平成一九年六月の閣議決定「経済財政改革の基本方針二〇〇七」等に基づき、大学の国際化・多様化に関する要請の一層の高まりに応えるため大学の入学時期をさらに弾力化するとともに、大学院教育の組織的展開の推進に資するため大学院博士課程の標準修業年限を弾力化するものであります。

これらの法令改正の概要及び留意すべき事項は下記のとおりですので、十分に御了知の上、その運用に当たっては遺漏なきようにお取り計らいください。

記

第一　学校教育法施行規則の一部を改正する省令（平成一九年文部科学省令第三八号）（略）

第二　大学院設置基準の一部を改正する省令（平成一九年文部科学省令第三九号）

(1)　改正の概要

各大学院における多様な履修形態を提供する取組が、それぞれの大学の主体的な判断により推進されるよう、博士課程の標準修業年限は、教育研究上の必要があると認められる場合には、研究科、専攻又は学生の履修上の区分に応じ、一貫制の課程については五年を、区分制における前期の課程については二年を、後期の課程については三年を、それぞれ超えるものとすることができることとしたこと。（第四条第二項、第三項及び第五項関係）

その他博士課程の修了要件等について、所要の規定の整備を行ったこと。

(2)　留意事項

1　今回の改正は、各大学院がそれぞれの個性・特色の明確化を図り、研究科等の人材養成目的に応じた多様な履修形態を提供したり、柔軟なカリキュラムの編成に取り組むことを、より一層促進する観点から行うものであり、各大学院の主体的な判断により、今回の制度の弾力化を活用して、博士課程におけるコースワークや研究指導の充実を図ることが期待されること。

2　今回の改正により、例えば、標準修業年限が三年の博士前期の課程を修了した者が博士後期の課程に進学した場合についても、優れた研究業績をあげた者については、現行の博士課程の早期修了制度を活用して、博士後期の課程を三年未満で修了することが可能であること。

3　博士課程の標準修業年限を五年（区分制における前期の課程は二年、後期の課程は三年）を超えるものと設定した場合における博士課程の修了要件としての在学期間は、それぞれ

設定した標準修業年限となること。なお、優れた研究業績をあげた者については、博士課程として最短三年、かつ、博士後期の課程に最短一年在学すれば足りること。
第三　（略）

〔大学院の研究科と研究科以外の教育研究上の組織〕

第百条　大学院を置く大学には、研究科を置くことを常例とする。ただし、当該大学の教育研究上の目的を達成するため有益かつ適切である場合においては、文部科学大臣の定めるところにより、研究科以外の教育研究上の基本となる組織を置くことができる。

【沿　革】　平一一・五・二八法五五により、全面改正した。
平一一・一二・二二法一六〇により、「文部大臣」を「文部科学大臣」に改めた。
平一九・六・二七法九六により、旧六六条から一〇〇条に移動した。

【参照条文】　法八五条、九七条。

【注　解】

一　本条は、大学院の課程の段階での基本組織に関する規定である。本条は、平成一一年の法改正前は「大学院には、数個の研究科を置くことを常例とする。ただし、特別の必要がある場合においては、単に一個の研究科を置くものを大学院とすることができる。」と規定されていた。
大学院における研究科については、従来、研究科の組織原理として整備充実された学部を基礎とするものとされ、原則として学部の組織と対応するように運用されてきた。それは、旧大学令三条において、「学部ニハ研究科ヲ置クヘシ。数個ノ学部ヲ置キタル大学ニ於テハ研究科間ノ連絡協調ヲ期スル為之ヲ綜合シテ大学院ヲ設クルコトヲ得」と

定められていた旧制大学院制度の強い影響の下に、運用されてきたという事情が加わって、新制の大学院が取り扱われてきたためであろう。

しかし、大学院には大学院固有の目的があり、その目的に即した組織編制が求められるべきことはいうまでもなく、また、高度の専門職業教育又は社会人に対する高度の教育等の要請があることを考慮するならば、大学院に固有の組織が要請されることもまた当然である。このような事情を背景として、大学院設置基準七条においては、「研究科を組織するに当たつては、学部、大学附置の研究所等と適切な連携を図る等の措置により、当該研究科の組織が、その目的にふさわしいものとなるよう配慮するものとする。」と定められた。この規定は、研究科の組織が学部の組織に対応しなければならないという関連づけを断ち切り、大学院の研究科の組織に当たっては、これまでのように学部を基礎とするほか、研究科の目的に応じて適切な組織編制を行うべきことを定めているものである。なお、連携のできる学内組織としては、大学附置の研究所のほか、附属病院その他の学部附属の教育研究組織、他学部又は教養部等の組織等が考えられる。また、大学の外部の研究機関等との連携も考えられる。

さらに、近年、独立研究科をはじめとして、研究科が学部と並ぶ教育研究組織としての実態を備えつつある。このような現状にかんがみ、学校教育法上も、学部のみを大学の基本組織として概念し教職員の所属、学生の所属、意思決定の基本単位とするのではなく、大学院の研究科を学部と並ぶ組織として位置付ける必要が生じてきた。このため、平成一一年の法改正により、研究科が学部と同等の教育研究上の基本となる組織として位置付けられ、研究科は学部と同様に大学に置かれることとされた。なお、これにより、「大学院」とは、組織そのものを表わすものではなく、大学院の課程段階（レベル）という教育研究の段階（レベル）を表わすものであることが明確化された。すなわち、「大学院を置く」とは、大学において法九九条に規定する内容をその目的として学部レベルより高いレベルでの教育研究を実施・展開することを表わしていると解されるものである。

また、平成一一年の法改正においては、それまで「数個の研究科を置くことを常例とする」とされていたところ、研究科の数については、特に原則、例外の別を設けないこととした。従来、大学院の教育研究は、学部段階のものよりも高度な内容を必要とすることから、それを支える教員組織がある程度幅広いものであることが望ましいと考えられていた。しかし、近年の大学院の量的拡大に伴い、大学院の教育研究の在り方が見直されており、今後の大学院の整備に当たっては、必ずしも幅広い領域での教員組織を基礎とすることを要せず、分野の広狭にとらわれずに多様な社会的要請に柔軟かつ積極的に対応して整備を進めることが求められている。このため、他の研究科との連携、協力があることが望ましいことではあるが、それを大学院の研究科の教育研究実施上の必要条件として積極的に規定するには及ばないこととされたものである。なお、現実的にも、大学院を置く大学のうち、一個の研究科のみを設置する大学が約半数に及ぶという実態もあった。

二　さらに、平成一一年の法改正においては、各大学が特色ある教育研究活動の在り方を工夫する場合の一つの方法として、大学院段階で柔軟な組織設計が可能となるよう、研究科以外の組織形態をとり得る途を開いた。近年の急速な学術研究の推進や、大学院教育の質的向上の必要性等を踏まえ、研究面では学術研究の進展への即応や学問としての体系性を重視した組織編制を、教育面では学生の教育ニーズへの適切な対応を重視した組織編制をとることが必要であるとの指摘もなされている。従来から、大学院においては教育と研究とは一体的に実施されるべきものであって両者が相互に関連しあって発展するものとされてきており、研究科は、このような考え方に立ち、特定分野の教育活動と研究活動とを一体的に行う組織とされている。この改正により、例えば、研究組織は伝統的基礎的な学問分野の進展、先端的な学問分野の開拓に応じた編制を行いつつ、教育組織においては多様な高度職業人養成のニーズに対応した編制を図るような取組が可能となった（法八五条の**【注解】五**参照）。

なお、研究科以外の教育研究上の基本となる組織について、大学院設置基準七条の三は、当該大学院の教育研究上

の目的を達成するため有益かつ適切であると認められるものであって、①教育研究上適当な規模内容を有すること、②教育研究上必要な相当規模の教員組織その他諸条件を備えること、③教育研究を適切に遂行するためにふさわしい運営の仕組みを有すること、という要件を備えるものとしている（法九七条の【通知】平一一・九・一四　文高大二二六号参照）。

国立大学については、平成一二年の旧国立学校設置法の改正により、研究科以外の教育研究上の基本となる組織として、政令で定める大学に「教育上の目的に応じて組織」する「教育部」（旧国立学校設置法三条の四第二項）と「研究上の目的に応じ、かつ、教育上の必要性を考慮して組織」する「研究部」（旧国立学校設置法三条の四第三項）を置くこととされていた。それを継承して、例えば東北大学の教育情報学教育部、東京大学の学際情報学教育部・情報学研究部、東京医科歯科大学の生命情報科学教育部・疾患生命科学研究部、横浜国立大学の工学教育部・工学研究部等が編制されている。

〔夜間において授業を行う研究科又は通信による教育を行う研究科〕

第百一条　大学院を置く大学には、夜間において授業を行う研究科又は通信による教育を行う研究科を置くことができる。

【沿　革】　平一三・七・一一法一〇五により新設した。
平一九・六・二七法九六により、旧六六条の二から一〇一条に移動した。

【参照条文】　法八四条、八六条、一〇八条六項。

【注　解】

一　本条は、夜間において授業を行う研究科又は通信による教育を行う研究科の設置根拠である。

二　夜間大学院は、昭和六三年一二月の大学審議会答申を受け平成元年九月に大学院設置基準が改正され、その設置が可能とされ、また、通信制大学院は、平成九年一二月の大学審議会答申を受け平成一〇年三月に大学院設置基準が改正され、その設置が可能とされた。ただし、夜間学部又は通信教育学部の設置根拠については学校教育法上規定されていた（平成一三年の法改正前の五四条及び五四条の二第二項）にもかかわらず、大学院研究科についての設置根拠は設けられていなかった。

大学には生涯学習機関としての機能が一層期待されていることにかんがみ、大学院において社会人の受入れをより積極的に進める観点から、平成一三年七月の学校教育法の改正により、本条が新設された。これにより、夜間において授業を行う研究科又は通信による教育を行う研究科を置くことができることが明確化され、その設置促進の条件整備が図られたものである。

三　夜間大学院については、社会人の受入れを積極的に進めていくため、平成元年九月の大学院設置基準の改正により、専ら夜間において教育を行う修士課程を置くことができることが明らかにされるとともに、その標準修業年限は二年を超えるものとすることができることとされた。さらに、平成五年九月の大学審議会答申を受け、平成五年一〇月の大学院設置基準の改正により、専ら夜間において教育を行う博士課程を置くことができることが明らかにされるとともに、その標準修業年限は五年を超えるものとすることができることとされた。なお、大学院設置基準一四条においては、「教育上特別の必要があると認められる場合には、夜間その他特定の時間又は時期において授業又は研究指導を行う等の適当な方法により教育を行うことができる。」とされており、社会人等の学生の便宜などに配慮して、昼間の課程の一部において夜間に授業を行うことが認められている（いわゆる昼夜開講制）。この同基準一四条による教育方法の特例は、当初修士課程について認められていたが、平成五年一〇月の大学院設置基準の改正により、博

士課程についても認められることとなった。

なお、夜間大学院における修業年限に関しては、社会人学生等の多様な需要にこたえる観点から、平成一一年の大学院設置基準の改正により、夜間の課程に限らず教育研究上の必要がある場合には、二年を超える標準修業年限を設定できることとなった（長期在学コース）。博士課程についても、平成一九年の大学院設置基準の改正により、教育研究上の必要がある場合には、五年を超える標準修業年限を設定できることとなった。

四　通信制大学院は、大学院レベルの学習を希望しながらも、地理的・時間的制約等から、通学に困難を伴う社会人の学習ニーズに応えるため、平成一〇年三月の大学院設置基準の改正により、通信教育を行う修士課程を置くことが可能となった。さらに、社会人の多様な学習需要に積極的に対応するため、修士課程における学習の成果に基づいてさらに継続してより高度な研究を行う機会を拡大し、社会の各方面で活躍し得る高度の能力と豊かな学識を有する人材を養成する観点から、平成一四年三月の大学院設置基準の改正により、通信教育を行う博士課程を置くことが可能となった。

〔大学院の入学資格〕

第百二条　大学院に入学することのできる者は、第八十三条の大学を卒業した者又は文部科学大臣の定めるところにより、これと同等以上の学力があると認められた者とする。ただし、研究科の教育研究上必要がある場合においては、当該研究科に係る入学資格を、修士の学位若しくは第百四条第三項に規定する文部科学大臣の定める学位を有する者又は文部科学大臣の定めるところにより、これと同等以上の学力があると認められた者とすることができる。

②　前項本文の規定にかかわらず、大学院を置く大学は、文部科学大臣の定めるところにより、第八十三条の大学に文部科学大臣の定める年数以上在学した者（これに準ずる者として文部科学大臣が定める者を含む。）であつて、当

該大学院を置く大学の定める単位を優秀な成績で修得したと認めるものを、当該大学院に入学させることができる。

【沿　革】　昭三九・六・一九法一一〇により、「第五十七条第二項に規定する者」を「第五十二条の大学を卒業した者又は監督庁の定めるところにより、これと同等以上の学力があると認められた者」に改めた。

昭五一・五・二五法二五により、ただし書を追加した。

平一一・七・一六法八七により、「監督庁」を「文部大臣」に改めた

平一一・一二・二二法一六〇により、「文部大臣」を「文部科学大臣」に改めた。

平一三・七・一一法一〇五により、第二項を追加した。

平一四・一一・二九法一一八により、「修士の学位」を「修士の学位若しくは第六十八条の二第一項に規定する文部科学大臣の定める学位」に改めた。

平一九・六・二七法九六により、旧六七条から一〇二条に移動した。

【参照条文】　施行規則一五五条〜一六〇条。

【注　解】

一　本条は、大学院の入学資格に関する規定である。本条一項の規定により大学院の入学資格を有する者は、法八三条の大学を卒業した者又はこれと同等以上の学力があると認められた者とされる。なお、平成元年の施行規則改正により、大学を卒業していなくても、一定の成績をあげた者を大学院に受け入れる途（いわゆる「飛び入学」）を認めてきたところであるが、平成一三年の法改正で、本条二項として位置付けられた。

大学を卒業した者と同等以上の学力があると認められる者については、文部科学大臣の定めるところとして施行規則一五五条一項に、次の定めが設けられている。

第百五十五条　学校教育法第九十一条第二項又は第百二条第一項本文の規定により、大学（短期大学を除く。以下この項において同じ。）の専攻科又は大学院への入学に関し大学を卒業した者と同等以上の学力があると認められる者は、次の各号のいずれかに該当する者とする。ただし、第七号及び第八号については、大学院への入学に係るものに限る。

一　学校教育法第百四条第四項の規定により学士の学位を授与された者

二　外国において、学校教育における十六年（医学を履修する博士課程、歯学を履修する博士課程、薬学を履修する博士課程（当該課程に係る研究科の基礎となる学部の修業年限が六年であるものに限る。以下同じ。）又は獣医学を履修する博士課程への入学については、十八年）の課程を修了した者

三　外国の学校が行う通信教育における授業科目を我が国において履修することにより当該外国の学校教育における十六年（医学を履修する博士課程、歯学を履修する博士課程、薬学を履修する博士課程又は獣医学を履修する博士課程への入学については、十八年）の課程を修了した者

四　我が国において、外国の大学の課程（その修了者が当該外国の学校教育における十六年（医学を履修する博士課程、歯学を履修する博士課程、薬学を履修する博士課程又は獣医学を履修する博士課程への入学については、十八年）の課程を修了したとされるものに限る。）を有するものとして当該外国の学校教育制度において位置付けられた教育施設であつて、文部科学大臣が別に指定するものの当該課程を修了した者

四の二　外国の大学その他の外国の学校（その教育研究活動等の総合的な状況について、当該外国の政府又は関係機関の認証を受けた者による評価を受けたもの又はこれに準ずるものとして文部科学大臣が別に指定するものに限る。）において、修業年限が三年（医学を履修する博士課程、歯学を履修する博士課程、薬学を履修する博士課程又は獣医学を履修する博士課程への入学については、五年）以上である課程を修了すること（当該外国の学校が行う通信教育における授業科目を我が国において履修することにより当該課程を修了すること及び当該外国の学校教育制度において位置付けられた教育施設であつて前号の指定を受けたものにおいて課程を修了することを含む。）により、学士の学位に相当する学位を授与された者

五　専修学校の専門課程（修業年限が四年以上であることその他の文部科学大臣が定める基準を満たすものに限る。）で文部科学大臣が別に指定するものを文部科学大臣が定める日以後に修了した者

六　文部科学大臣の指定した者

七　学校教育法第百二条第二項の規定により大学院に入学した者であつて、当該者をその後に入学させる大学院において、大学院における教育を受けるにふさわしい学力があると認めたもの

八　大学院において、個別の入学資格審査により、大学を卒業した者と同等以上の学力があると認めた者で、二十二歳（医学を履修する博士課程、歯学を履修する博士課程、薬学を履修する

博士課程又は獣医学を履修する博士課程への入学については、――二十四歳）に達したもの

平成三年の施行規則の改正により第一号の規定が設けられ、独立行政法人大学評価・学位授与機構（平成二八年四月より、「独立行政法人大学改革支援・学位授与機構」）により学士の学位を授与された者についても大学院入学資格が認められた。

平成一五年一二月の施行規則の改正により、四号が追加され、「我が国において、外国の大学の課程（その修了者が当該外国の学校教育における十六年（医学を履修する博士課程、歯学を履修する博士課程、薬学を履修する博士課程又は獣医学を履修する博士課程への入学については、十八年）の課程を修了したとされるものに限る。）を有するものとして当該外国の学校教育制度において位置付けられた教育施設であって、文部科学大臣が別に指定するものの当該課程を修了した者」に大学院入学資格が認められることとなった。これは、高等教育の国境を越えた展開に対応し得るよう学習機会の国際化を図るため、外国の大学と同じ課程であると、当該外国の学校教育制度上位置付けられていることが確認できた外国の大学の日本校（文部科学大臣が指定したものに限る）の卒業者に大学院入学資格を認めることとしたものである。

平成一七年九月の施行規則の改正により、五号が追加され、「専修学校の専門課程（修業年限が四年以上であることとその他の文部科学大臣が定める基準を満たすものに限る。）で文部科学大臣が別に指定するもの」を修了した者に大学院入学資格が認められることとなった。この改正は、平成一七年一月の中央教育審議会答申「我が国の高等教育の将来像」の提言に基づき、誰もがアクセスしやすい柔軟な高等教育システムを構築し、学習者の立場に立って相互の接続の円滑化を図る一環として行われたものである。

また、六号の「文部科学大臣の指定した者」としては、次の文部省告示がある。

○大学院及び大学の専攻科の入学に関し大学を卒業した者と同等以上の学力があると認められる者の指定（昭二八・二・七文部省告示五）

最終改正　平一九・一二・二五文部科学省告示一四六

学校教育法施行規則（昭和二十二年文部省令第十一号）第百五十五条第一項第六号の規定により、大学院及び大学の専攻科（医学を履修する博士課程及び専攻科、歯学を履修する博士課程及び専攻科、薬学を履修する博士課程及び専攻科（当該課程に係る研究科及び当該専攻科の基礎となる学部の修業年限が六年であるものに限る。）並びに獣医学を履修する博士課程及び専攻科を除く。）の入学に関し、大学を卒業した者と同等以上の学力があると認められる者を、次のように指定する。

一　旧大学令（大正七年勅令第三百八十八号）による大学を卒業した者

二　旧高等師範学校規程（明治二十七年文部省令第十一号）による高等師範学校専攻科を卒業した者

三　旧師範教育令（昭和十八年勅令第百九号）による高等師範学校又は女子高等師範学校の修業年限一年以上の研究科を修了した者

四　旧中等学校令（昭和十八年勅令第三十六号）による中学校若しくは高等女学校を卒業した者又は旧専門学校入学者検定規程（大正十三年文部省令第二十二号）により、これと同等以上の学力を有するものと検定された者を入学資格とする旧専門学校令（明治三十六年勅令第六十一号）による専門学校（以下「専門学校」という。）で修業年限（予科の修業年限を含む。以下同じ。）五年以上の専門学校を卒業した者又は修業年限四年以上の専門学校を卒業し修業年限四年以上の専門学校に置かれる修業年限一年以上の研究科を修了した者

五　防衛省設置法（昭和二十九年法律第百六十四号）による防衛大学校又は防衛医科大学校を卒業した者

六　独立行政法人水産大学校法（平成十一年法律第百九十一号）による水産大学校（旧農林水産省設置法（昭和二十四年法律第百五十三号）、旧農林水産省組織令（昭和二十七年政令第三百八十九号）及び独立行政法人国立公文書館等の設立に伴う関係政令の整備等に関する政令（平成十二年政令第三百三十三号）による改正前の農林水産省組織令（平成十二年政令第二百五十三号）による水産大学校を含む。）を卒業した者（旧水産庁設置法（昭和二十三年法律第七十八号）による水産講習所を卒業した者を含む。）

七　国土交通省組織令（平成十二年政令第二百五十五号）による海上保安大学校（国家行政組織法の一部を改正する法律の施行に伴う関係法律の整理等に関する法律（昭和五十八年法律第七十八号）による改正前の海上保安庁法（昭和二十三年法律第二十八号）及び旧運輸省組織令（昭和五十九年政令第百七十五号）による海上保安大学校を含む。）を卒業した者

八　職業能力開発促進法（昭和四十四年法律第六十四号）による職業能力開発総合大学校の長期課程を修了した者（旧職業訓練法（昭和三十三年法律第百三十三号）による中央職業訓練所又は職業訓練大学校の長期指導員訓練課程を修了した者、職業訓練法の一部を改正する法律（昭和六十年法律第五十六号）による改正前の

職業訓練法（昭和四十四年法律第六十四号）による職業訓練大学校の長期指導員訓練課程を修了した者、職業能力開発促進法の一部を改正する法律（平成四年法律第六十七号）による改正前の職業能力開発促進法による職業訓練大学校の長期課程を修了した者及び職業能力開発促進法及び雇用促進事業団法の一部を改正する法律（平成九年法律第四十五号）による改正前の職業能力開発促進法による職業能力開発大学校の長期課程を修了した者を含む。）

九　国土交通省組織令による気象大学校（旧運輸省設置法（昭和二十四年法律第百五十七号）及び旧運輸省組織令による気象大学校を含む。）の大学部を卒業した者

十　教育職員免許法（昭和二十四年法律第百四十七号）による小学校、中学校、高等学校若しくは幼稚園の教諭若しくは養護教諭の専修免許状又は一種免許状を有する者で二十二歳に達したもの

十一　旧国立養護教諭養成所設置法（昭和四十年法律第十六号）による国立養護教諭養成所を卒業した者で、教育職員免許法による中学校教諭若しくは養護教諭の専修免許状又は一種免許状を有するもの

十二　旧国立工業教員養成所の設置等に関する臨時措置法（昭和三十六年法律第八十七号）による国立工業教員養成所を卒業した者で、教育職員免許法による高等学校教諭免許状及び三年以上教員として良好な成績で勤務した旨の実務証明責任者の証明を有するもの

この告示においては、旧制学校からの接続関係を明らかにするとともに、各省庁所管の各種の教育訓練施設のうち大学の学部に相当する教育課程を履修させているもの（防衛大学校、防衛医科大学校、水産大学校、海上保安大学校、職業訓練大学校長期指導員訓練課程、気象大学校大学部）を指定している。

なお、医学、歯学、獣医学を履修する博士課程については、別途「医学、歯学又は獣医学を履修する博士課程又は専攻科の入学に関し大学を卒業した者と同等以上の学力があると認められる者の指定」が定められている。また、平成一六年一二月の告示改正により、薬学を履修する博士課程（当該課程に係る研究科の基礎となる学部の修業年限が六年であるものに限る）についても、医学、歯学又は獣医学を履修する博士課程と同じ扱いとされることとなった。

○医学、歯学又は獣医学を履修する博士課程又は専攻科の入学に関し大学を卒業した者と同等以上の学力があると認められる者の指定（昭三〇・四・八文部省告示三九）

最終改正　平一九・一二・二五文部科学省告示一四六

学校教育法施行規則（昭和二十二年文部省令第十一号）第百五十五条第一項第六号の規定により、医学を履修する博士課程若しくは

専攻科、歯学を履修する博士課程若しくは専攻科、薬学を履修する博士課程若しくは専攻科（当該課程に係る研究科又は当該専攻科の基礎となる学部の修業年限が六年であるものに限る。）又は獣医学を履修する博士課程若しくは専攻科の入学に関し、大学を卒業した者と同等以上の学力があると認められる者を次のように指定する。

一　旧大学令（大正七年勅令第三百八十八号）による大学の医学又は歯学の学部において医学又は歯学を履修し、これらの学部を卒業した者

二　防衛省設置法（昭和二十九年法律第百六十四号）による防衛医科大学校を卒業した者

三　修士課程又は学校教育法（昭和二十二年法律第二十六号）第九十九条第二項の専門職大学院の課程を修了した者及び修士の学位の授与を受けることのできる者並びに前期及び後期の課程の区分を設けない博士課程に二年以上在学し、三十単位以上を修得し、かつ、必要な研究指導を受けた者（学位規則の一部を改正する省令（昭和四十九年文部省令第二十九号）による改正前の学位規則（昭和二十八年文部省令第九号）第六条第一号に該当する者を含む。）で大学院又は専攻科において、大学の医学を履修する課程、歯学を履修する課程、薬学を履修する課程のうち臨床に係る実践的な能力を培うことを主たる目的とするもの又は獣医学を履修する課程を卒業した者と同等以上の学力があると認めた者

四　大学（医学を履修する課程、歯学を履修する課程、薬学を履修する課程のうち臨床に係る実践的な能力を培うことを主たる目的とするもの及び獣医学を履修する課程を除く。）を卒業し、又は外国において学校教育における十六年の課程を修了した後、大学、研究所等において二年以上研究に従事した者で、大学院又は専攻科において、当該研究の成果等により、大学の医学を履修する課程、歯学を履修する課程、薬学を履修する課程のうち臨床に係る実践的な能力を培うことを主たる目的とするもの又は獣医学を履修する課程を卒業した者と同等以上の学力があると認めた者

また、平成一一年の施行規則の改正により八号が追加され、大学院において、個別の入学資格審査により、大学を卒業した者と同等以上の学力があると認めた者で二二歳に達したものに、大学院への入学資格が認められることとなった。これは、大学院で学ぶ意欲と能力を有する者に広く大学院教育を受ける機会を提供し得るよう大学院入学資格の弾力化を図ったものである。

さらに、平成二八年の施行規則の改正により四号の二が追加され、①教育研究活動等の総合的な状況について、当該外国の政府又は関係機関の認証を受けた者による評価を受けたもの又はこれに準ずるものとして文部科学大臣が別

に指定するものを受けた外国の大学その他の外国の学校において、②修業年限が三年（医学等に係る大学院の博士課程への入学については、五年）以上である課程を修了することにより授与される学士の学位に相当する学位を授与された者に大学院への入学資格が認められた。

二　本条一項の「ただし書」は、大学院制度の整備の一環として、昭和五一年の学校教育法の一部改正により加えられたものである。

改正前の本条の規定によれば、大学院の入学資格は学部卒業者とされ、修士課程修了者とすることは認められていなかったため、大学院の課程は、修士課程、博士課程のいずれについても学部卒業段階に接続する二年又は五年（四年）の課程とされていた。

昭和四九年三月の大学設置審議会の答申においては、大学院制度の弾力化の一つとして、修士課程修了者を入学させる博士課程の後期三年のみの課程を置く研究科を設けることができるようにすることが述べられた。これは、学術研究の必要性あるいは研究者養成の観点から、特定の専門分野については既存の大学院においてもそのような研究科を設置する必要性が予想され、また、大学の研究所等を実質的な母体とする大学院を設置する構想や、修士課程のみを置くいくつかの大学間での密接な連携の下に博士課程の後期三年のみの課程を置く大学院を設置する構想（いわゆる「連合大学院構想」）が各方面で検討され、これらの構想が有意義なものとして具体化した場合のために制度上の整備を図っておく必要があったためである。

ところで、このような課程は、従来の法六七条（現行一〇二条）の規定のままでは、これを認めることができないことと解されている。それは、本条を含め、各学校への入学資格の定めについては、全体として統一的な学校制度を構成するように定められているものであり、所定の入学資格以上の資格を個々の学校が要求することは許されないと考えられるからである。そのため、後期三年のみの博士課程の設置を認めることができるように、その前提として、本

条ただし書を追加し、研究科の教育研究上必要があるときは、当該研究科に係る入学資格を修士課程修了者とすることができる旨を法律上明らかにしたものである。

なお、平成一四年一一月の本法改正により設けられた専門職大学院の課程（専門職学位課程）の修了者も、博士課程の後期課程に進学し、研究者を目指すこともあり得ることから、本条一項ただし書の規定により専門職学位を有する者についても博士課程の後期課程への入学資格が認められることとされた。

三　「研究科の教育研究上必要がある場合」とは、例えば高度の学際領域や横断領域に関する教育研究を行う場合や修士課程のみを置くいくつかの大学間の密接な連携のもとに大学院を設置する場合のように、修士課程修了者を入学させ専ら博士課程の後期課程の研究指導を行うことが、当該研究科における教育研究にとって、その発展に資するものである場合や、学生、教官の交流の促進や特定分野の研究者の養成に資するというような場合のように、積極的な意義を有するときに限るべきであろう。単に施設・設備や教員組織の整備状況又は財政的な理由などから安易に本条一項ただし書の規定による入学資格を必要とする後期のみの博士課程の設置を認めるべきものではない。

四　本条一項ただし書の規定を受けて、大学院の修士課程又は専門職学位課程の修了者と同等以上の学力があると認められる者については、文部科学大臣の定めとして、施行規則に次のような規定がある。

第百五十六条　学校教育法第百二条第一項ただし書の規定により、大学院への入学に関し修士の学位又は同法第百四条第三項に規定する文部科学大臣の定める学位を有する者と同等以上の学力があると認められる者は、次の各号のいずれかに該当する者とする。

一　外国において修士の学位又は専門職学位（学校教育法第百四条第三項の規定に基づき学位規則第五条の二に規定する専門職学位をいう。以下この条において同じ。）に相当する学位を授与された者

二　外国の学校が行う通信教育における授業科目を我が国において履修し、修士の学位又は専門職学位に相当する学位を授与された者

三　我が国において、外国の大学院の課程を有するものとして当該外国の学校教育制度において位置付けられた教育施設であって、文部科学大臣が別に指定するものの当該課程を修了し、修

士の学位又は専門職学位に相当する学位を授与された者
四　国際連合大学本部に関する国際連合と日本国との間の協定の実施に伴う特別措置法（昭和五十一年法律第七十二号）第一条第二項に規定する千九百七十二年十二月十一日の国際連合総会決議に基づき設立された国際連合大学（次号及び第百六十二条において「国際連合大学」という。）の課程を修了し、修士の学位に相当する学位を授与された者
五　外国の学校、第三号の指定を受けた教育施設又は国際連合大学の教育課程を履修し、大学院設置基準第十六条の二に規定する試験及び審査に相当するものに合格し、修士の学位を有する者と同等以上の学力があると認められた者
六　文部科学大臣の指定した者
七　大学院において、個別の入学資格審査により、修士の学位又は専門職学位を有する者と同等以上の学力があると認めた者で、二十四歳に達したもの

また、平成一六年一二月の施行規則の改正により、三号が追加され、我が国において、外国の大学院の課程を有するものとして当該外国の学校教育制度において位置付けられた教育施設であって、文部科学大臣が別に指定するものの当該課程を修了し、修士の学位又は専門職学位に相当する学位を授与された者にも、博士課程の後期三年の課程への入学資格が認められることとなった。

施行規則一五六条の現行六号は、平成元年の改正により設けられたものであり、大学院への社会人の受入れを積極的に図る観点から、修士の学位を得ていない者であっても入学資格を認めるため、この規定に基づき、「一　大学を卒業し、大学、研究所等において、二年以上研究に従事した者で、大学院において、当該研究の成果等により、修士の学位を有する者と同等以上の学力があると認めた者　二　外国において学校教育における十六年の課程を修了した後、又は外国の学校が行う通信教育における授業科目を我が国において履修することにより当該外国の学校教育における十六年の課程を修了した後、大学、研究所等において、二年以上研究に従事した者で、大学院において、当該研究の成果等により、修士の学位を有する者と同等以上の学力があると認めた者」を指定している（平元文部省告示一一八）。

なお、平成一一年の改正により、現行の七号が追加され、博士課程の後期三年の課程についても、大学院の個別入学資格審査により入学資格を認めることができるようになった。

五 本条二項は、大学院への早期入学（いわゆる「飛び入学」）に関する規定である。大学院への早期入学については、昭和六三年の大学審議会において、創造性豊かな高度の能力を有する研究者の養成という観点から、優れた資質を有する者に早期から大学院教育を実施することが効果的であることが提言された。これを受け、平成元年の施行規則改正により、早期入学が認められることとなった。さらに、平成一一年の施行規則の改正により、医学・歯学・獣医学の分野における学部からの大学院への早期入学も認められることとなった。

この早期入学の実績等を踏まえ、平成一三年の本法改正により、本条一項による大学院入学資格を得ていなくても大学院に早期から入学することができるようにするための本条二項が法律上定められた。

六 「当該大学院を置く大学の定める単位」とは、大学院教育を受けるにふさわしい能力があるかを判断するために求める科目と単位数のことであり、各大学が専攻分野に応じて定めることとするものである。

七 早期入学の対象者は、学部に三年以上（医学・歯学又は獣医学の博士課程への入学については四年以上。平成一六年一二月の施行規則の改正により、薬学を履修する博士課程（当該博士課程に係る研究科の基礎となる学部の修業年限が六年であるものに限る）を追加）在学した者とされており、そのほか、文部科学大臣の定めるところとして、施行規則に次のように規定が設けられている（後掲**【通知】**平一一・八・三一 文高大三二〇号、平一七・三・二三 一六文科高九八四号参照）。

第百五十七条 学校教育法第百二条第二項の規定により学生を入学させる大学は、同項に規定する大学の定める単位その他必要な事項をあらかじめ公表するなど、同項の入学に関する制度が適切に運用されるよう配慮するものとする。

第百五十八条 学校教育法第百二条第二項の規定により学生を入学させる大学は、同項の入学に関する制度の運用の状況について、同法第百九条第一項に規定する点検及び評価を行い、その結果を公表しなければならない。

第百五十九条　学校教育法第百二条第二項に規定する文部科学大臣の定める年数は、三年（医学を履修する博士課程、歯学を履修する博士課程、薬学を履修する博士課程又は獣医学を履修する博士課程への入学については、医学を履修する課程、歯学を履修する課程、薬学を履修する課程のうち臨床に係る実践的な能力を培うことを主たる目的とするもの又は獣医学を履修する課程に四年）とする。

第百六十条　学校教育法第百二条第二項の規定により、大学に文部科学大臣の定める年数以上在学した者に準ずる者を、次の各号のいずれかに該当するものと定める。

一　外国において学校教育における十五年（医学を履修する博士課程、歯学を履修する博士課程、薬学を履修する博士課程又は獣医学を履修する博士課程への入学については、十六年）の課程を修了した者

二　外国の学校が行う通信教育における授業科目を我が国において履修することにより当該外国の学校教育における十五年（医学を履修する博士課程、歯学を履修する博士課程、薬学を履修する博士課程又は獣医学を履修する博士課程への入学については、十六年）の課程を修了した者

三　我が国において、外国の大学の課程（その修了者が当該外国の学校教育における十五年（医学を履修する博士課程、歯学を履修する博士課程、薬学を履修する博士課程又は獣医学を履修する博士課程への入学については、十六年）の課程を修了したとされるものに限る。）を有するものとして当該外国の学校教育制度において位置付けられた教育施設であつて、文部科学大臣が別に指定するものの当該課程を修了した者

【通　知】

○学校教育法施行規則の一部を改正する省令の施行等について

（抄）（平一一・八・三一　文高大三二〇号　各国公私立大学長、放送大学長、大学入試センター所長、学位授与機構長あて　文部省高等教育局長通知）

今回の改正の趣旨は、学術研究の推進と、研究者や高度な専門的知識・能力を有する人材の養成を担う大学院に対する社会の多様な要請にこたえ、大学院の教育研究の質の更なる向上を図るため、学校教育制度における制度的な接続を基本としつつ、大学院で学ぶ意欲と能力を有する者に広く大学院教育を受ける機会を提供しうるよう大学院への入学資格の弾力化を図るものです。

第一　学校教育法施行規則（昭和二二年文部省令第一一号）の一部改正

一　（略）

二　大学院において、個別の入学資格審査により、大学を卒業し

た者と同等以上の学力があると認めた者で、二二歳に達したものに、大学院への入学資格を認めること。（第七〇条第一項第六号〔現行一五五条一項八号〕関係）

（一）短期大学、高等専門学校、専修学校、各種学校の卒業者やその他の教育施設の修了者等であっても、各大学院における個人の能力の個別審査により大学を卒業した者と同等以上の学力があると認めた者で二二歳に達したものについては、当該大学院の入学資格を認めることができることとするものであること。

（二）「個別の入学資格審査」は、個々人について行うものとし、その具体的な方法、評価基準、実施時期、手続等については各大学院において適切に定め、適当な方法により公表する必要があること。

この認定は入学者選抜とは別個のものであるから、入学者選抜は別途適切に行うこと。

また、この認定は各大学院の判断により行うものであって、認定を行った大学院にのみその効力が及ぶものであること。

（三）大学院入学者の多様化による大学院の教育研究水準の低下を招くことのないよう、各大学院における認定が、本来の趣旨に沿って適切に運用されるよう配慮すること。

（四）今回の措置は、大学学部段階における教育内容等の多様化や大学院の教育研究の特性などを踏まえ、入学資格について各大学院において個別的な取扱いが可能となるよう講ずるものであること。これに対し、大学入学資格については、学部段階の教育が初等中等教育段階における学習指導要領を踏まえた体系的なカリキュラムに基づく基礎的な学力の修得を基礎に展開されるものであることなどから、その修得がなされているか否かの判断について高等学校の卒業又は公的な試験の合格など統一的な取扱いをすることが求められることを考慮すると、大学院入学資格と同様に各大学において個人の能力の個別審査により入学資格を認めることは適当ではないことから、今回の改正と同様の措置は講じないものであること。

（五）（略）

三　大学院において、個別の入学資格審査により、修士の学位を有する者と同等以上の学力があると認めた者で、二四歳に達したものに、博士課程の後期三年の課程への入学資格を認めること。（第七〇条の二〔現行一五六条〕関係）

（一）「個別の入学資格審査」については、上記二に準じて扱うものとすること。

（二）（略）

四　この省令は、公布の日（八月三一日）から施行すること。

第二　大学院及び大学の専攻科の入学に関し大学を卒業した者と同等以上の学力があると認められる者の指定（昭和二八年文部省告示第五号）の一部改正

一　教育職員免許法（昭和二四年法律第一四七号）による養護教諭の専修免許状又は一種免許状を有する者で二二歳に達したも

のに、大学院への入学資格を認めること。
㈠　専修学校、各種学校、旧国立養護教諭養成所等の卒業者で、その後の実務経験と大学における所定の単位修得等により、教職員免許法による養護教諭の専修免許状又は一種免許状を有する者で二二歳に達したものについても、大学院への入学資格を認めるものであること。
㈡　このことに伴い、従来から規定されていた教育職員免許法による小学校、中学校、高等学校若しくは幼稚園の教諭の専修免許状又は一種免許状を有する者の大学院入学資格についても、「大学（短期大学を含む。）に二年以上在学し、六二単位以上修得」することを要しないこととなること。
二　本告示は、八月三一日から適用すること。

○学校教育法施行規則の一部改正等について（抄）（平一三・一二・二七　一三文科高一三九六号　各国公私立大学長、各国立短期大学部学長、各国公私立高等専門学校長、国立久里浜養護学校長、放送大学長、独立行政法人大学入試センター理事長、各都道府県知事、各都道府県教育委員会あて　文部科学省高等教育局長・文部科学省生涯学習政策局長通知）

第一　学校教育法施行規則の一部改正について
一　改正の趣旨
今回の改正は、第一五一回国会において学校教育法の一部を改正する法律（平成一三年法律第一〇五号）が成立し、大学及び大学院への飛び入学に係る改正が行われたこと（同法第五六条〔現行九〇条〕第二項及び第六七条〔現行一〇二条〕第二項関係）を受けて行ったものであること。
二　大学への飛び入学関係（略）
三　大学院への飛び入学関係
㈠　改正の概要及び留意点
ア　飛び入学により入学した学生の転学等について（学校教育法施行規則第七〇条第五号〔現行一五五条一項七号〕関係）
大学院へ飛び入学により入学した学生について、当該者が他の大学院へ転学等をする場合には、当該者を転学等により受け入れる大学院において、大学院における教育を受けるにふさわしい学力があると認めた場合には、大学院入学資格を認めること。
イ　飛び入学制度の適切な運用について（学校教育法施行規則第七〇条の三〔現行一五七条〕関係）
飛び入学を実施する大学は、出願者が修得しなければならない単位その他必要な事項をあらかじめ公表するなど、制度が適切に運用されるように配慮すること。特に、他大学出身者等についても広く出願の機会が与えられるように配慮すること。
ウ　飛び入学についての自己点検・評価について（学校教育法施行規則第七〇条の四〔現行一五八条〕関係）
大学院の教育研究活動等の状況について自己点検・評価及びその結果の公表が義務づけられている（大学院設置基準（昭和四九年文部省令第二八号）第一条の二〔現行大学院設置基準上は規定なし〕）が、制度の透明性を高め、その適切な運用を確保する観点から、飛び入学制度の運用状況についても、各大学

が自己点検・評価を行い、その結果を公表しなければならないことを明確化したこと。

エ　学校教育法第六七条〔現行法一〇二条〕第二項に規定する文部科学大臣の定める年数について（学校教育法施行規則第七〇条の五〔現行一五九条〕関係）

　大学院への飛び入学の要件は、大学に三年（医学、歯学又は獣医学を履修する博士課程への入学については、医学、歯学又は獣医学を履修する課程に四年）以上在学したこととすること。

オ　大学に文部科学大臣が定める年数以上在学した者に準ずる者について（学校教育法施行規則第七〇条の六〔現行一六〇条〕関係）

　学校教育法第六七条〔現行法一〇二条〕第二項の規定により、大学に文部科学大臣が定める年数以上在学した者に準ずる者を、次のように定めること。

①　外国において学校教育における一五年（医学、歯学又は獣医学を履修する博士課程への入学については、一六年）の課程を修了した者

②　外国の学校が行う通信教育における授業科目を我が国において履修することにより当該外国の学校教育における一五年（医学、歯学又は獣医学を履修する博士課程への入学については、一六年）の課程を修了した者

(二)　留意事項

　飛び入学により入学した学生は、大学を中途退学して大学院に入学するという取扱いとなるものであり、飛び入学を実施する大学院において、あらかじめこのことについて出願者に周知するなど適切に配慮すること。

四　改正規則附則関係

(一)　施行期日（改正規則附則第一条関係）

　改正規則は、平成一四年四月一日から施行するものであること。

(二)　経過措置（改正規則附則第二条及び第三条関係）

ア　改正前の学校教育法施行規則第六九条第五号〔現行一五〇条六号〕の規定により大学へ飛び入学により入学した学生の大学入学資格に関する取扱いについては、なお従前の例によること。

イ　改正前の学校教育法施行規則第七〇条第五号及び同条第六号〔現行一五五条一項七号〕の規定により大学院へ飛び入学により入学した学生の大学院入学資格に関する取扱いについては、なお従前の例によること。

(三)　その他

　その他所要の規定の整備を行うこと。

○大学における薬学教育の修業年限の延長に係る学校教育法等の一部を改正する法律等の施行について（抄）（平一七・三・二三　一六文科高九八四号　各国公私立大学長、放送大学長、大学評価・学位授与機構長、独立行政法人大学入試センター理事長、各都道府県知事、各都道府県教育委員会、大学を設置する各地方公共団体の長、大学を設置する各学校法

人の理事長、放送大学学園理事長あて　文部科学事務次官通知）

第一　（略）

第二　学校教育法施行規則等の一部を改正する省令（平成一六年文部科学省令第四三号）

1　学校教育法施行規則の一部改正

(1)　（略）

(2)　大学院博士課程への入学資格に関する事項

薬学を履修する博士課程（当該課程に係る研究科の基礎となる学部の修業年限が六年であるものに限る。）への入学に関し、大学を卒業した者と同等以上の学力があると認められる者として、以下のとおり定めたこと。

①　外国において、学校教育における一八年の課程を修了した者（第七〇条〔現行一五五条〕第一項第二号）

②　外国の学校が行う通信教育における授業科目を我が国において履修することにより当該外国の学校教育における一八年の課程を修了した者（第七〇条〔現行一五五条〕第一項第三号）

③　我が国において、外国の大学の課程（その修了者が当該外国の学校教育における一八年の課程を修了したとされるものに限る。）を有するものとして当該外国の学校教育制度において位置付けられた教育施設であって、文部科学大臣が別に指定するものの当該課程を修了した者（第七〇条〔現行一五五条〕第一項第四号）

④　大学院において、個別の入学資格審査により、大学を卒業した者と同等以上の学力があると認めた者で、二四歳に達したもの（第七〇条第一項第七号〔現行一五五条一項八号〕）

(3)　早期大学院入学に関する事項

薬学を履修する博士課程（当該課程に係る研究科の基礎となる学部の修業年限が六年であるものに限る。）への学校教育法第六七条〔現行法一〇二条〕第二項に定める早期入学が認められる者として、以下のとおり定めたこと。

①　薬学を履修する課程のうち臨床に係る実践的な能力を培うことを主たる目的とするものに四年以上在学した者（第七〇条の五〔現行一五九条〕）

②　外国において学校教育における一六年の課程を修了した者（第七〇条の六〔現行一六〇条〕第一号）

③　外国の学校が行う通信教育における授業科目を我が国において履修することにより当該外国の学校教育における一六年の課程を修了した者（第七〇条の六〔現行一六〇条〕第二号）

④　我が国において、外国の大学の課程（その修了者が当該外国の学校教育における一六年の課程を修了したとされるものに限る。）を有するものとして当該外国の学校教育制度において位置付けられた教育施設であって、文部科学大臣が別に指定するものの当該課程を修了した者（第七〇条の六〔現行一六〇条〕第三号）

第三　平成一六年文部科学省告示第一七二号（大学院及び大学の専

攻科の入学に関し大学を卒業した者と同等以上の学力があると認められる者を指定する件の一部を改正する件）

「大学院及び大学の専攻科の入学に関し大学を卒業した者と同等以上の学力があると認められる者の指定」（昭和二八年文部省告示第五号）の一部を改正し、薬学を履修する博士課程及び専攻科（当該課程に係る研究科及び当該専攻科の基礎となる学部の修業年限が六年であるものに限る。）については、本告示を適用しないこととしたこと。（第四　平成一六年文部科学省告示第一七三号（医学、歯学又は獣医学を履修する博士課程又は専攻科の入学に関し大学を卒業した者と同等以上の学力があると認められる者を指定する件の一部を改正する件）を参照）

第四　平成一六年文部科学省告示第一七三号（医学、歯学又は獣医学を履修する博士課程又は専攻科の入学に関し大学を卒業した者と同等以上の学力があると認められる者を指定する件の一部を改正する件）

「医学、歯学又は獣医学を履修する博士課程又は専攻科の入学に関し大学を卒業した者と同等以上の学力があると認められる者の指定」（昭和三〇年文部省告示第三九号）の一部を改正し、薬学を履修する博士課程若しくは専攻科（当該課程に係る研究科又は当該専攻科の基礎となる学部の修業年限が六年であるものに限る。）の入学に関し、大学を卒業した者と同等以上の学力があると認められる者を、医学、歯学又は獣医学を履修する博士課程又は専攻科の入学に関し大学を卒業した者と同等以上の学力があると認められる者と同様に定めたこと。

○学校教育法施行規則等の一部改正について（抄）（平一七・三・三〇　一六文科高一〇三五号　各国公私立大学長、各国公私立高等専門学校長、各都道府県知事、各都道府県教育委員会あて　文部科学省高等教育局長通知）

昨年一二月一三日に、別添１（略）のとおり「学校教育法施行規則等の一部を改正する省令（平成一六年文部科学省令第四二号）」が公布され、外国大学日本校に関する規定については同日に施行され、我が国の大学の海外校に関する規定については平成一七年四月一日から施行されることとなりました。

今回の改正の趣旨は、高等教育の国境を越えた展開に対応し得るよう、学習機会の国際化及び我が国の大学の国際展開の観点から、いわゆる外国大学日本校のうち当該外国の学校教育制度において当該外国大学の一部と位置付けられているものについて当該外国大学に準じて取扱うこととするとともに、我が国の大学が外国において教育活動を行う場合、大学設置基準等を満たしたものについては我が国の大学の一部と位置付けることを可能とするため制度を整備するものです。

第一　外国大学日本校関係

一　大学院等入学資格について

１　概　要

(1)　大学の専攻科又は大学院への入学に関し、大学を卒業した者と同等以上の学力があると認められる者として、我が国において、外国の大学の課程（その修了者が当該外国の学校教育における一六年（医学、歯学又は獣医学を履修す

る博士課程への入学については、一八年）の課程を修了したとされるものに限る。）を有するものとして当該外国の学校教育制度において位置付けられた教育施設であつて、文部科学大臣が別に指定するものの当該課程を修了した者を加えたこと。（学校教育法施行規則第七〇条〔現行一五五条〕第一項第四号関係）

(2) 短期大学の専攻科への入学に関し、短期大学を卒業した者と同等以上の学力があると認められる者として、我が国において、外国の短期大学の課程（その修了者が当該外国の学校教育における一四年（修業年限を三年とする短期大学の専攻科への入学については、一五年）の課程を修了したとされるものに限る。）を有するものとして当該外国の学校教育制度において位置付けられた教育施設であつて、文部科学大臣が別に指定するものの当該課程を修了した者を加えたこと。（学校教育法施行規則第七〇条〔現行一五五条〕第二項第五号関係）

(3) 大学院への入学に関し、修士の学位又は学校教育法第六八条の二〔現行法一〇四条〕第一項に規定する文部科学大臣の定める学位を有する者と同等以上の学力があると認められる者として、我が国において、外国の大学院の課程を有するものとして当該外国の学校教育制度において位置付けられた教育施設であつて、文部科学大臣が別に指定するものの当該課程を修了し、修士の学位又は専門職学位に相当する学位を授与された者を加えたこと。（学校教育法施行規則第七〇条の二〔現行一五六条〕第三号関係）

(4) 学校教育法第六七条〔現行法一〇二条〕第二項の規定により、大学に文部科学大臣の定める年数以上在学した者に準ずる者として、我が国において、外国の大学の課程（その修了者が当該外国の学校教育における一五年（医学、歯学又は獣医学を履修する博士課程への入学については、一六年）の課程を修了したとされるものに限る。）を有するものとして当該外国の学校教育制度において位置付けられた教育施設であつて、文部科学大臣が別に指定するものの当該課程を修了した者を加えたこと。（学校教育法施行規則第七〇条の六〔現行一六〇条〕第三号関係）

(5) 高等専門学校の専攻科への入学に関し、高等専門学校を卒業した者と同等以上の学力があると認められる者として、我が国において、外国の短期大学の課程（その修了者が当該外国の学校教育における一四年の課程を修了したとされるものに限る。）を有するものとして当該外国の学校教育制度において位置付けられた教育施設であつて、文部科学大臣が別に指定するものの当該課程を修了した者を加えたこと。（学校教育法施行規則第七二条の五〔現行一七七条〕第五号関係）

2 留意事項

(1) 対象となる外国大学日本校は、文部科学大臣が指定した教育施設に限られること。追って該当する各教育施設の名称、位置等を告示にて指定することとしており、指定した

場合にはその旨通知することとしていること。

なお、文部科学大臣が指定する教育施設に関する手続等は、別添２（略）のとおり、平成一六年一二月二〇日に施行された「外国の大学、大学院又は短期大学の課程を有するものとして当該外国の学校教育制度において位置付けられた教育施設の指定等に関する規程」（平成一六年文部科学省告示第一七六号）において定めていること。（以下、二～四において同じ。）

(2)　外国の大学、大学院又は外国の短期大学とは、当該外国の学校教育制度上の大学、大学院又は短期大学（我が国の大学、大学院又は短期大学に相当する教育機関）であって、基本的に、当該外国の学校教育制度上の学位又は称号を卒業者に授与する権限を有していることが必要であること。また、当該外国において、制度上及び社会的に大学、大学院又は短期大学と認められるためには適格認定評価制度（アクレディテーション）による適格認定が必要とされている場合には、当該適格認定を受けていることが必要であること。

なお、かかる解釈は、学校教育法施行規則、大学設置基準等の他の規定における外国の大学、大学院及び外国の短期大学にも同様に当てはまること。

(3)　本省令の施行日以前に当該課程を修了した者についても、入学資格が認められること。

（以下略）

○学校教育法施行規則の一部改正等の施行について（抄）（平一七・九・九　文科高四三九号　各国公私立大学長、独立行政法人大学入試センター理事長、各都道府県知事、各都道府県教育委員会あて　文部科学省高等教育局長・文部科学省生涯学習政策局長通知）

これらの法令改正は、本年一月の中央教育審議会答申「我が国の高等教育の将来像」の提言に基づき、誰もがアクセスしやすい柔軟な高等教育システムを構築し、学習者の立場に立って相互の接続の円滑化を図る一環として、専修学校の専門課程（専門学校）のうち一定の基準を満たすと認められたものを修了した者に対して大学院入学資格を与えるとともに、この制度改正に伴う規定の整理を行うものであり、その概要及び留意すべき事項は下記のとおりですので、十分に御了知の上、その運用に当たっては遺漏なきようにお取り計らいください。

第一　学校教育法施行規則の一部を改正する省令（平成一七年文部科学省令第四二号）

１　改正の概要

(1)　専修学校の専門課程（修業年限が四年以上であることその他の文部科学大臣が定める基準を満たすものに限る。）で文部科学大臣が別に指定するものを文部科学大臣が定める日以後に修了した者に対して、大学院入学資格を与えることとしたこと（第七〇条〔現行一五五条〕第一項関係）。なお、「文部科学大臣が定める基準」については、「専修学校の専門課程のうち、当該課程を修了した者が大学（短期大学を除

く。）の専攻科又は大学院への入学に関し大学を卒業した者と同等以上の学力があると認められるものに係る基準を定める件」（「第五」参照）において定めることとし、当該基準を満たす専修学校の専門課程の具体的な課程の名称及び「文部科学大臣が定める日」については、別の告示において指定することとしたこと。

(2)、(3)（略）

(4) その他、所要の規定の整備を行うこととしたこと。

2 留意事項

「修業年限が四年以上であることその他の文部科学大臣が定める基準」を満たす専修学校の専門課程を文部科学大臣が指定する日以前に修了した者については、学校教育法施行規則第七〇条〔現行施行規則一五五条〕第一項第五号の対象となるものではないが、各大学においては、誰もがアクセスしやすい柔軟な高等教育システムを構築し、学習者の立場に立って相互の接続の円滑化を図るという同号の趣旨に配慮し、同項第八号に規定する「個別の入学資格審査」の実施に当たり、これらの者について十分配慮すること。

第二 「大学入学に関し高等学校を卒業した者と同等以上の学力があると認められる者を指定する件の一部を改正する件」（平成一七年文部科学省告示第一三五号）（略）

第三 「高等学校に文部科学大臣が定める年数以上在学した者に準ずる者を定める件の一部を改正する件」（平成一七年文部科学省告示第一三六号）（略）

第四 「専修学校の高等課程のうち、当該課程を修了した者が大学入学に関し高等学校を卒業した者と同等以上の学力があると認められるものに係る基準を定める件」（平成一七年文部科学省告示第一三七号）（略）

第五 「専修学校の専門課程のうち、当該課程を修了した者が大学（短期大学を除く。）の専攻科又は大学院への入学に関し大学を卒業した者と同等以上の学力があると認められるものに係る基準を定める件」（平成一七年文部科学省告示第一三八号）

学校教育法施行規則第七〇条〔現行一五五条〕第一項第五号の規定において、専修学校の専門課程（修業年限が四年以上であることその他の文部科学大臣が定める基準を満たすものに限る。）で文部科学大臣が別に指定するものを文部科学大臣が別に定める日以後に修了した者に対して、大学院入学資格を与えることとされたことに伴い、「修業年限が四年以上であることその他の文部科学大臣が定める基準」を以下のとおり定めることとしたこと。

〈1〉 修業年限が四年以上であること

〈2〉 課程の修了に必要な総授業時数が三、四〇〇時間以上であること

〈3〉 体系的に教育課程が編成されていること

〈4〉 試験等により成績評価を行い、その評価に基づいて課程の修了の認定を行っていること。

なお、文部科学大臣が具体的な専修学校の専門課程を指定するための実施要項を別紙2（略）のとおり定めたので、十分に御了知の上、専門課程を有する各専修学校への周知を計るとともに、

事務処理上遺漏なきようお取り計らい願いたい。

—　（以下略）

〔大学院のみを置く大学〕

第百三条　教育研究上特別の必要がある場合においては、第八十五条の規定にかかわらず、学部を置くことなく大学院を置くものを大学とすることができる。

【沿　革】　昭五一・五・二五法二五により新設した。
平三・四・二法二三により、旧六八条の二から六八条に移動した。
平一九・六・二七法九六により、旧六八条から一〇三条に移動した。

【参照条文】　法八五条、九七条、九九条。

【注　解】

一　本条は、学部のない大学院、いわゆる独立大学院あるいは大学院大学の設置を認める規定である。昭和四九年三月、大学設置審議会の答申が行われ、その趣旨に即した制度の整備改善が行われた。これらは、それまでの大学院制度の画一的な運営を改め、学術研究の進歩、社会の発展等に柔軟に対応し得る制度を確立し、各大学が大学院を設置運営するに当たって創意工夫が十分発揮できるようにするということを基本的な考え方としているものであり、昭和四五年以来数次にわたって行われてきた大学制度の弾力化に関する諸施策の延長線上に位置づけられるものであった。

この大学院制度の整備改善のうちでも、特に、その組織のあり方については、昭和四九年六月に制定された大学院設置基準においても、特定の学部に依存する従来の教育研究組織のあり方のほか、学部、学科の組織編制にこだわらず、広く学内の学部、研究所等と連携し、また、専任教員、専用施設による独立の組織を設ける等研究科の目的に即

して組織編制ができることが明らかにされている。このことによって、学科段階での対応組織を持たない、いわゆる独立専攻や学部段階での対応組織を持たない、いわゆる独立研究科の設置が可能となった。しかし、大学院段階の組織のみを有する大学を設けることについては、学部設置を常例とする法八五条の制約があった。

このような大学院制度の弾力化の方向をさらに推し進め、教育研究上特別の必要がある場合には、学部段階の組織を全く置かず専ら大学院のみを置くいわゆる独立大学院を設置することのできる方途を講ずることの必要については、大学設置審議会の答申でも指摘され、昭和五一年の学校教育法の一部改正により本条が新設されたものである。

なお、大学院の組織のみを有する大学としては、昭和五七年に学校法人国際大学の設置する国際大学が設置され、その後昭和六三年、国立の総合研究大学院大学が設置された。同大学は、先導的分野の開拓や共同研究推進の中心的役割を果たしている大学共同利用機関の優れた研究機能を活用して大学院教育を行おうとするものであり、母体となる機関の研究者を教官に充てて研究科を組織し、博士後期三年の課程の教育を行うこととされている。さらに、国立では平成二年に北陸先端科学技術大学院大学、平成三年に奈良先端科学技術大学院大学、平成九年に政策研究大学院大学が設置されている。この三大学は区分制の博士課程を置いている。

二　このような独立大学院は、昭和五一年の本法改正では、大学の一種として位置づけられている。立法論としては、独立大学院は大学とは別種の高等教育機関とすべきであるという意見もあり得るし、およそ大学院そのものを学部段階の教育研究機関に接続する別種の機関と位置づけるとする考えもあり得るであろう。

昭和五一年の制度整備に先立って、これらについて検討した大学設置審議会では、昭和四九年三月の答申において、一般に大学は学術の中心として歴史的にも国際的にも学部と大学院を包括した機関とされてきており、学部と大学院とを切り離し、別の種類の学校とすることは、我が国の大学の実情からみても、諸外国の大学の実情からみても問題があると考え、独立大学院は、学部段階の組織を置かず、大学院を置く大学として制度上位置づけ、大学の一つ

の形態として取扱うことが適当であるとしている。

三　「教育研究上特別の必要がある場合」とは、教官及び学生の交流に資するとか、あるいは教育研究の目的・内容の上から学部段階の教育研究にこだわらず大学院独自の教育研究を展開することが有益である等、独立大学院とする教育研究上の意義が明らかなものをいい、便宜的な理由で安易にその設置を認める趣旨ではない。なお、その基準については、平成元年九月の大学院設置基準の改正に際し、特に独立大学院の章を設け、整備を図っている。

四　独立大学院は、法九九条に定める大学院の目的をその目的とするのは当然であるが、法八三条一項に定める大学の目的についてのは、そのすべてを目的としているとは必ずしも言い難いと思われる。

すなわち、法八三条一項に定める大学の目的に関する規定は、大学がその構成要素である学部、大学院、研究所等の諸組織により達成すべき目的を定めているが、特に必置の組織である学部のみでも達成し得るものとして定められている。これに対し、大学院は、法八三条一項に定める目的を前提とし、これと有機的な関連において法九九条に掲げるものをその目的とするものである。したがって、独立大学院は、主として大学院の目的を達成することにより、学術の中心として高度の教育研究を行うという法八三条一項の大学の目的の本質的な部分は達成し得るものと考えられる。ただし、法八三条一項の目的には「広く知識を授ける」というようなこれまで主として学部に期待されていたものが含まれており、その限りにおいては、独立大学院が法八三条一項の目的を直ちにその目的としているとすることには問題がある。本条の規定は、このようなことを踏まえた上で、「大学とすることができる。」と規定しているものと解される。

【通　知】

○学校教育法の一部を改正する法律等の施行について（抄）

（昭五一・六・一四　文大大二一〇号　各国公私立大学長、大学（短期大学を除く）を設置する各地方公共団体の長、大学（短期大学を除く）を設置する各学校法人の理事長あて文部事務次官通達）

改正法は、大学院の制度について、学術研究の進歩、社会の発展等に柔軟に対応しうるよう、いわゆる独立大学院の創設に道を開くなどの一層の整備を図ったものであり、改正省令は、改正法の施行に伴い、関係省令の規定の整備を図ったほか、外国において学校教育を受けた者の我が国の大学への受入れを円滑に行うなどのため、大学の入学の時期の特例について規定を整備したものであります。

改正法及び改正省令の要旨及び留意点は左記のとおりですので、御承知の上、その運用に遺憾のないようお取り計らい願います。

記

1　研究科の設置廃止を認可事項としたことについて（略）

2　後期三年のみの博士課程の制度を設けたことについて（略）

3　独立大学院の制度を設けたことについて

教育研究上特別の必要がある場合においては、学部を置くことなく大学院を置くものを大学とすることができるものとし、いわゆる独立大学院の制度を設けたこと（学校教育法第六八条の二〔現行法一〇三条〕関係）。

この独立大学院の設置は、教育研究の目的・内容の上から大学院独自の教育研究を展開することが特に有益である場合や教員、学生の大学間交流に大きく寄与する場合など独立大学院とすることについての教育研究上の意義が明らかなものに限り認められるものであること。

なお、国立又は公立の独立大学院で一個の研究科のみを置くものについては、教育公務員特例法上の評議会の権限は教授会が行うこととしたこと（教育公務員特例法第二五条〔現行教育公務員特例法は規定なし〕関係）。

4　修士の学位を規定したことについて

大学院制度の整備の一環として、修士の学位についても博士の学位と同様に法律上明記したこと（学校教育法第六八条〔現行法一〇四条〕関係）。

5　大学院の名称の保護について

大学院制度の整備の一環として、大学院以外の教育施設は、大学院の名称を用いてはならないものとし、あわせてその経過措置を定めたこと（学校教育法第八三条の二〔現行法一三五条〕関係及び改正法附則第二項）。

6　学年途中の入学に関する制度の整備について（略）

第百四条　大学（専門職大学及び第百八条第二項の大学（以下この条において「短期大学」という。）を除く。以下この項及び第七項において同じ。）は、文部科学大臣の定めるところにより、大学を卒業した者に対し学士の学位を授与するものとする。

②　専門職大学は、文部科学大臣の定めるところにより、専門職大学を卒業した者（第八十七条の二第一項の規定によりその課程を前期課程及び後期課程に区分している専門職大学にあつては、前期課程を修了した者を含む。）に対し、文部科学大臣の定める学位を授与するものとする。

③　大学院を置く大学は、文部科学大臣の定めるところにより、大学院（専門職大学院を除く。）の課程を修了した者に対し修士又は博士の学位を、専門職大学院の課程を修了した者に対し文部科学大臣の定める学位を授与するものとする。

④　大学院を置く大学は、文部科学大臣の定めるところにより、前項の規定により博士の学位を授与された者と同等以上の学力があると認める者に対し、博士の学位を授与することができる。

⑤　短期大学（専門職短期大学を除く。以下この項において同じ。）は、文部科学大臣の定めるところにより、短期大学を卒業した者に対し、短期大学士の学位を授与するものとする。

⑥　専門職短期大学は、文部科学大臣の定めるところにより、専門職短期大学を卒業した者に対し、文部科学大臣の定める学位を授与するものとする。

⑦　独立行政法人大学改革支援・学位授与機構は、文部科学大臣の定めるところにより、次の各号に掲げる者に対し、当該各号の定めるところにより、次の各号に掲げる者に対し、当該各号に定める学位を授与するものとする。

一　短期大学（専門職大学の前期課程を含む。）若しくは高等専門学校を卒業した者（専門職大学の前期課程にあつては、修了した者）又はこれに準ずる者で、大学における一定の単位の修得又はこれに相当するものとして文

部科学大臣の定める学習を行い、大学を卒業した者と同等以上の学力を有すると認める者　学士

二　学校以外の教育施設で学校教育に類する教育を行うもののうち当該教育を行うにつき他の法律に特別の規定があるものに置かれる課程で、大学又は大学院に相当する教育を行うと認めるものを修了した者　学士、修士又は博士

⑧　学位に関する事項を定めるについては、文部科学大臣は、第九十四条の政令で定める審議会等に諮問しなければならない。

【沿　革】昭二三・七・一〇法一三三により、現行第五項中の「大学設置委員会」を「大学設置審議会」に改めた。

昭五一・五・二五法二五により、「修士」の学位を追加した。

昭五八・一二・二法七八により、現行第五項中の「大学設置審議会」を「第六十条の政令で定める審議会」に改めた。

昭六二・九・一〇法八八により、現行第四項中の「第六十条の政令で定める審議会」を「大学審議会」に改めた。

平三・四・二法二三により、「学士」を学位として追加するとともに、「監督庁の定めるところにより」を「文部大臣の定めるところにより」に改め、第二項及び第三項の規定を追加し、旧六八条から六八条の二に移動した。

平一一・一二・二二法一六〇により、「文部大臣」を「文部科学大臣」に、四項中の「大学審議会」を「第六十条の政令で定める審議会等」に改めた。

平一二・三・三一法一〇により、現行第四項中の「学位授与機構」を「大学評価・学位授与機構」に改めた。

平一四・一一・二九法一一八により、第一項中の「大学院」の下に「（専門職大学院を除く。）」を、「博士の学位を」の下に「、専門職大学院の課程を修了した者に対し文部科学大臣の定める学位」を追加した。

平一五・七・一六法一一七により、第四項中の「国立学校設置法（昭和二十四年法律第百五十号）第三章の五に規定する大学評価・学位授与機構」を「独立行政法人大学評価・学位授与機構」に改めた。

平一七・七・一五法八三により、第三項として、短期大学卒業者に授与される短期大学士の学位に関する規定を追加した。

平一九・六・二七法九六により、旧六八条の二から一〇四条に移動した。

平二七・五・二七法二七により、第四項中の「大学評価・学位授与機構」を「大学改革支援・学位授与機構」に改めた。

平成二九・五・三一法四一により、専門職大学及び専門職短期大学が文部科学大臣の定める学位を授与するものとするとともに、大学・機関の種類毎に規定を整理した。

【参照条文】 施行令二三条七号、四二条。施行規則一四五条。学位規則。

【注　解】

一　本条は、学位制度に関する規定である。学位の意義及び我が国学位制度の変遷、平成三年の法改正の経緯は、次のとおりである。

学位は、大学の学部又は大学院教育修了相当の知識・能力の証明として、大学又は大学に準じた性格の機関（我が国の場合は、独立行政法人大学改革支援・学位授与機構）が授与するものである。もともと、中世ヨーロッパにおける大学制度の発足当時から、大学がその教育の修了者に対し授与する大学の教授資格として発足し、国際的通用性のある大学教育修了相当の能力証明として発展してきた。この歴史的経緯の中で、学位は学術の中心として自律的に高度の教育研究を行う大学が授与するという原則が国際的にも定着しており、逆に学位授与権は大学の本質的な権能と考えられてきたのである。学位の種類についても、修士のような中間段階の学位については国により多少差異があるものの、学部教育の修了者に対し与えられる学士を第一学位、大学院博士課程修了者に与えられる博士を最高学位とするのが通例となっている。

ところが、明治二〇年の学位令による我が国の旧制の学位制度は、学位授与権の所在や学位の種類について諸外国とは異なる枠組みから始まった。学位の種類は、学位令時代は博士のみであり（制度的には大博士が設けられた時期があったが、一件も授与されず廃止されている）、学士は称号とされていた。学位の授与権者は、大正九年の学位令改正以前は文部大臣で、同改正後も文部大臣の認可を経て大学が授与することとされていた。戦後、学校教育法により、学位は

「博士その他の学位」とされ、学位規則（昭二八文部省令九）の規定により、「その他の学位」として修士の学位が定められた。授与権者も「大学院を置く大学」とされ、学位授与に当たっての文部大臣の関与もなくなった。しかし、学士については、学位令の規定をほぼそのまま受けついで「大学に四年以上在学し、一定の試験を受け、これに合格した者は、学士と称することができる。」（法旧六三条）とされ、学士は学位でなく称号であるという位置づけは変更されなかった。このような学士の位置づけの結果、大学院を持たない大学は、大学であっても学位授与権を持たないというのが、平成三年の本法改正前の制度であった。

大学審議会（法九四条の【注解】一参照）は、平成三年二月、学位に関連して、三つの答申を行った。学士の位置づけについては、教育研究の国際化に対応し、諸外国と同様に学士を学位と位置づけるべきことを提言した（答申「大学教育の改善について」参照）。また、学位は大学が授与するという国際的な原則に則りつつ、生涯学習体系への移行や高等教育機関の多様な発展をめざし、高等教育段階の多様な学習成果を評価して学位を授与するため、大学と同様の自律性が保障される大学の延長線上の機関として学位授与機関を設置すべきことを提言している（答申「学位授与機関の創設について」参照）。さらに、従来、学位規則における文学博士、医学博士のように細かく定められていた博士等の種類については、学位授与の円滑化及び学問の進展に対応するため、廃止すべきことを提言している（答申「学位制度の見直し及び大学院の評価について」参照）。

これらの大学審議会の答申を踏まえ、平成三年の本法改正（平三法二三）により、学士が学位と位置づけられるとともに、旧国立学校設置法により大学に準じた国立の機関として設置された学位授与機構（平成二八年四月より、大学改革支援・学位授与機構）に学位授与権が与えられた。また、学位規則等の改正により、博士、修士、学士の専攻分野に応じ細分化されていた種類が廃止された。

平成一四年一一月の学校教育法の一部を改正する法律及び平成一五年三月の専門職大学院設置基準の制定により、

専門職大学院制度が設けられ、専門職大学院の課程（専門職学位課程）を修了した者には、従来の博士や修士とは異なり、「文部科学大臣の定める学位」として「専門職学位」が授与されることとされた。これは、専門職大学院の課程を修了した者に授与される学位は、高度専門職業人養成に特化した実践的な教育を行う課程を修了した能力・知識を証明するものであり、従来の修士や博士の学位のように各専攻分野の知識・能力を証明するものとは異なることや、米国の「ＪＤ（Juris Doctor）（法律実務）」、「ＭＤ（Medical Doctor）（医療分野）」などの「Professional Degree（専門職学位）」に対応するものであることから、修士や博士とは異なる新しい学位として「専門職学位」が設けられたものである（学位規則五条の二）。

また、平成一七年七月一五日の本法改正により、新たに短期大学を卒業した者に対し、文部科学大臣の定めるところにより短期大学士の学位が授与されることとされた。

さらに、平成二九年五月三一日の本法改正により、専門職大学及び専門職短期大学制度が創設され、文部科学大臣の定める学位が授与されることとされた（学位規則二条の二）。

二　一項は、大学が授与する学位について定めている。

まず、学士の学位は、大学の学部を卒業した者に対し、文部科学大臣の定めるところにより授与することとされている。この文部科学大臣の定めとして、学位規則により、大学が「当該」大学の学部の卒業者に対して学士の学位を授与することが規定されている（学位規則二条）。なお、平成三年の改正法施行前に既に大学を卒業している者については、改めて大学から学位が授与されるものではないが、改正法附則の定める経過措置において従前の学士の称号は、学士の学位とみなされている（平三法二三附則四項）。したがって、資格制度等について定める他の法令の適用等においても、従前の学士を称することのできる者は、改正法施行後の学士の学位を有する者と同じ取扱いを受けることとなる。

三項は、大学院の授与する学位について定めている。

修士及び博士の学位は、大学院の課程を修了した者に対し、文部科学大臣の定めるところにより授与することとされている。この文部科学大臣の定めとして、修士については、学位規則三条の規定により、大学院を置く大学が当該大学院の修士課程を修了した者に対し行うこととするとともに、五年一貫の博士課程を置く場合には大学院設置基準一六条及び一六条の二に定める修士課程の修了要件を満たした者にも授与することができることとしている。したがって修士は、広い視野に立って精深な学識を授け、専攻分野における研究能力又はこれに加えて高度の専門性が求められる職業を担うための卓越した能力を培うという修士課程の目的（大学院設置基準三条）からみて、このような能力を有することを証明するものということができる。

また、博士については、大学院を置く大学が当該大学院の博士課程を修了した者に対し行うこととしている（学位規則四条一項）。したがって博士は、専攻分野について、研究者として自立して研究活動を行い、又はその他の高度に専門的な業務に従事するに必要な高度の研究能力及びその基礎となる豊かな学識を養うという博士課程の目的（大学院設置基準四条）からみて、このような能力及び学識を有することを証明するものということができる。

さらに、博士については、本条四項により、大学は、文部科学大臣の定めるところにより、博士課程修了者と同等以上の学力があると認める者に対して授与できることが規定されている。これは、いわゆる論文博士を認める規定であり、この文部科学大臣の定めとして、学位規則四条二項の規定により、大学院を置く大学が、その定めるところにより、大学院の行う博士論文の審査に合格し、かつ、その大学院の博士課程の修了者と同等以上の学力を有することが確認された者に対し博士の学位を授与することができることとされている。

専門職学位は、専門職大学院を置く大学が、当該専門職大学院の課程を修了した者に対し、文部科学大臣の定めるところにより授与することとされている。この文部科学大臣の定めとして、専門職学位については、学位規則五条の

三の規定が設けられており、専門職大学院を置く大学が当該専門職大学院の課程を修了した者に対し行うこととされている。また、学位規則五条の二において、専門職大学院設置基準一八条一項に規定する法科大学院の課程を修了した者に授与される専門職学位は法務博士（専門職）、同基準二六条一項に規定する教職大学院の課程を修了した者に授与される専門職学位は教職修士（専門職）、その他の専門職大学院の課程を修了した者に授与される専門職学位は修士（専門職）とされている。

なお、共同教育課程を修了した者に対して学位を授与する際には、構成大学の連名で授与される（学位規則一〇条の二）。

三　平成一七年七月の本法改正により、本条に三項（現五項）が追加され、新たに短期大学を卒業した者に対し、文部科学大臣の定めるところにより短期大学士の学位が授与されることとなった。

平成三年まで、短期大学を卒業した者には、何らの称号も学位も認められていなかったが、同年の学校教育法の一部改正（平三法二五）により、「準学士」の称号が認められることとされた（法旧六九条の二第七項）。しかし、近年、諸外国において、短期の大学教育の課程を修了した者には学位（degree）が認められる傾向が進んでおり、我が国の短期大学の卒業についても、称号ではなく学位に結びつけることが、国際的通用性を確保するための条件整備として求められていた。このため、平成一七年一月の中央教育審議会答申「我が国の高等教育の将来像」において、短期大学の制度的な位置付けを明確化する観点から短期大学を卒業した者に短期大学士の学位を授与するよう提言がなされ、同年一〇月一日より、短期大学は卒業者に短期大学士の学位を授与することとなった。

なお、学位は、**【注解】**一で述べたように、大学制度自体が国際的に一定の共通性を持っていることを背景として、大学又は大学院の教育課程を修了した知識・能力の証明として大学が授与するものであるという原則が国際的にも定着している。一方、称号は、法令上、特定の学校を卒業したことについて一定の価値・栄誉があるものとして本

人が称することができるものにとどまるものである。

平成一七年の学校教育法の一部を改正する法律が施行される前（平成一七年一〇月一日前）に、短期大学を卒業した者については、改めて短期大学から短期大学士の学位が授与されるものではないが、改正法附則の定める経過措置において、従前の準学士の称号は短期大学士の学位とみなすこととされている（平一七法八三附則三条）。また、平成三年に準学士の称号の制度ができる以前に、短期大学を卒業した者も、平成三年の改正法附則（平三法二五附則二項）により、同法の施行日（平成三年七月一日）前に、短期大学を卒業した者も、準学士と称することができることとされていることから、平成一七年の改正法附則三条が適用され、短期大学士の学位を有するとみなされることとなる。これらの規定により、資格制度等について定める他の法令の適用等においても、従前に短期大学を卒業した準学士の称号を有する者は、平成一七年の改正法施行後の短期大学士の学位を有する者と同じ取扱いを受けることとなる。

平成一七年九月九日には、短期大学士の学位の制度化に関連して、学位規則等の関連法令の整備が行われ、「短期大学士」の学位は、短期大学が自大学を卒業した者に授与することや、他の学位と同様に、専攻分野の名称や授与した大学の名称を付記すること等が定められた。

なお、短期大学の共同教育課程を修了した者に対して学位を授与する際には、構成短期大学の連名による学位が授与される（学位規則一〇条の二）。

四　平成二九年五月の本法改正により、本条に二項及び六項が追加され、専門職大学及び専門職短期大学の授与する学位について定められた。

専門職大学及び専門職短期大学は、文部科学大臣の定めるところにより、文部科学大臣の定める学位を授与することとされている。具体的には、学位規則二条の二において、専門職大学を卒業した者には「学士（専門職）」、専門職大学の前期課程を修了した者又は専門職短期大学を卒業した者には「短期大学士（専門職）が授与されることとされ

ている。

なお、専門職大学又は専門職短期大学の共同教育課程を修了した者に対して学位を授与する際には、構成大学の連名で授与される（学位規則一〇条の二）。

五　七項は、独立行政法人大学改革支援・学位授与機構の行う学位授与について定めている。

独立行政法人大学改革支援・学位授与機構は、生涯学習体系への移行及び高等教育機関の多様な発展を図るため高等教育段階の多様な学習成果を評価して大学卒業者、大学院修了者以外の者に対し学位を授与する「大学に準じた機関」として旧国立学校設置法により平成三年七月に学位授与機構として設置され、平成一二年四月に大学評価・学位授与機構へと改組され、平成一六年四月に、国立大学の国立大学法人化に併せて、独立行政法人大学評価・学位授与機構法（平一五法一一四）により、独立行政法人大学評価・学位授与機構として改めて設立されたものである。

前述のように、学位は大学が授与するという原則が国際的に定着していることから、我が国の学位の国際的通用性を考えると、大学が学位を授与するという原則は基本的に維持する必要がある。一方、生涯学習の推進等の観点から多様な学習成果を適切に評価して大学・大学院の修了者と同等の水準にあると認められる者に対して学位を授与するという社会的要請があり、これに応えるには、個々の大学による学位授与には限界がある。これらの点を考慮し、広く国公私立の大学関係者の参画を得て、自律的に運営し学位を授与する学位授与機構が創設されたものである。その後、国立学校設置法の一部を改正する法律（平一二法一〇）により、大学等の教育研究活動等の状況についての評価及びその結果の提供等の業務が追加され、大学評価・学位授与機構に改組された。なお、この平成一二年の国立学校設置法の改正は、平成一〇年の大学審議会答申において、「自己点検・評価の充実を図るとともに、第三者評価システムの導入などを通じて多元的な評価を行い、大学の個性を伸ばし、教育研究の内容・方法の改善につなげるシステムを確立する必要」があり、このため、「透明性の高い第三者評価を行うとともに、大学評価情報の収集提供、評価の

有効性等の調査研究を推進するための第三者機関を設置する必要がある」と提言されたことを受けたものである。

平成二八年四月からは、独立行政法人大学評価・学位授与機構と独立行政法人国立大学財務・経営センターを統合し、大学等の教育研究活動面と経営面の改革の支援を一体的に実施する法人として、「大学改革支援・学位授与機構」が設立された。

六　独立行政法人大学改革支援・学位授与機構は、本条四項により、①短期大学・高等専門学校の卒業者等が大学等においてさらに一定の学修を行った場合の学士の学位の授与、及び②大学以外の各省庁所管の教育施設に置かれる課程の修了者に対する学士、修士及び博士の学位の授与を行うこととなっている。短期大学士、専門職学位、専門職大学及び専門職短期大学の授与する学位についての授与は行うこととされていない。

まず学位授与の第一の柱として、文部科学大臣の定めるところにより、短期大学若しくは高等専門学校の卒業者又はこれに準ずる者で、大学における一定の単位の修得又はこれに相当するものとして文部科学大臣の定める学習を行い、大学を卒業した者と同等以上の学力を有すると認める者に対して、学士の学位を授与する（本条四項一号）。

「短期大学等の卒業者に準ずる者」として、学位規則六条一項に、①大学に二年以上在学し六二単位以上修得した者、②専修学校の専門課程を修了した者のうち法一三二条の規定により大学に編入学することができるもの、③外国において学校教育における一四年の課程を修了した者、④これらの者と同等以上の学力がある者として文部科学大臣が別に定める者、が規定されている。この「文部科学大臣が別に定める者」としては、旧国立工業教員養成所卒業者及び旧国立養護教諭養成所卒業者が定められている（平三文部省告示七二）。これらは、いずれも短期大学や高等専門学校の卒業者と同様、大学の途中年次に編入学することが従来から制度上認められている者である。

また、「大学における一定の単位の修得」としては、平成三年七月一日から施行された大学設置基準の改正により新たに認められた科目等履修生の制度（大学の正規学生以外で一又は複数の授業科目を履修する者にも単位を与える制度――大学設

置基準三一条）による単位の修得などが該当し、さらに「これに相当するものとして文部科学大臣の定める学習」としては、短期大学又は高等専門学校に置かれる専攻科のうち独立行政法人大学改革支援・学位授与機構が定める要件を満たすもの（平七・三・三一学位授与機構公示には、認定された専攻科が列挙されている）における一定の学修及び大学の専攻科における学修（平三文部省告示七三）が該当する（学位規則六条一項）。なお、高等専門学校の専攻科は、平成三年七月一日から施行された「学校教育法等の一部を改正する法律」（平三法二五）により、新たに制度が設けられたものである。

さらに、「大学を卒業した者と同等以上の学力を有する」と認められるためには、独立行政法人大学改革支援・学位授与機構が行う審査に合格しなければならない。この審査としては、独立行政法人大学改革支援・学位授与機構は、単位の修得状況及び学修成果を審査するほか原則として試験による学力確認の方法をとっている。詳細については、同機構が定めた「学位規則第六条第一項の規定に基づく学士の学位の授与に関する規則」（平一六・四・一規則二八号・独立行政法人大学評価・学位授与機構公示）を参照されたい。

なお、生涯学習体系への移行の観点からは、さらに多様な学習成果の積上げにより、学士の学位を授与することも考えられるところである。しかし、これについては、高等教育における実態の進展・定着や高等教育機関の連携にかかわる様々な制度の整備にもまたなければならない点が多いことから、将来の単位累積加算制度の導入を目指しつつ、「学位授与機構」のスタートとしては、以上のような範囲としたものである。

また、学位授与のもう一つの柱として、独立行政法人大学改革支援・学位授与機構は、文部科学大臣の定めるところにより、学校以外の教育施設で学校教育に類する教育を行うもののうち当該教育を行うにつき他の法律に特別の規定があるものに置かれる課程で、大学又は大学院に相当する教育を行うと認めるものを修了した者について、その課程の水準に応じ、学士、修士又は博士の学位を授与する（本条四項二号）。

「学校以外の教育施設で学校教育に類する教育を行うもののうち当該教育を行うにつき他の法律に特別の規定があ

るもの」とは、当該教育施設が学校教育法体系以外の法体系による教育施設であり、その設置自体及び教育の目的・内容等について法律に根拠を持っているものをいう。その代表的なものとしては、各省庁の設置する大学校がある。

「大学又は大学院に相当する教育を行う」と認められるかどうかについては、独立行政法人大学改革支援・学位授与機構が、各省庁の大学校等の教育施設からの申出に基づき、その教育課程、修了要件、教員組織、施設設備等を審査して判断することとなる。その認定の申出の手続、認定の審査方法については、同機構の「学位規則第六条第二項に規定する大学又は大学院に相当する教育を行う課程の認定に関する規則」（平一六・四・一規則三一号・独立行政法人大学評価・学位授与機構公示）で定められている。

さらに、これらの教育施設の修了者については、独立行政法人大学改革支援・学位授与機構が行う審査に合格することが必要となる（学位規則六条二項）。この審査としては、修士及び博士の学位に関する場合は、履修科目や修得単位の状況を審査するだけでなく、課程修了の前提として作成された論文の審査が行われている。詳細については、同機構が定めた「学位規則第六条第二項の規定に基づく学位の授与に関する規則」（平一六・四・一規則三〇号・独立行政法人大学評価・学位授与機構公示）を参照されたい。

なお、本条八項では、学位に関する事項については、大学に関する基本的事項を調査審議する役割をもつ中央教育審議会（法九四条の政令で定める審議会等として、施行令四二条で規定）に諮問すべきものと規定している。

【通　知】

○国立大学設置法及び学校教育法の一部を改正する法律及び学位規則の一部を改正する省令の施行について（抄）（平三・六・二四　文高大二〇七号　各国公私立大学長、放送大学長、各国公私立高等専門学校長、各都道府県知事、各都道府

県教育委員会教育長、大学を設置する地方公共団体（都道府県を除く。）の長、大学又は高等専門学校を設置する各学校法人の理事長、放送大学学園理事長あて　文部事務次官通知）

改正法及び改正省令の趣旨は、従来称号として位置付けられていた学士を学位として位置付けるとともに、生涯学習体系への移行及び高等教育機関の多様な発展の観点から、学位授与機構を新設し、同機構が高等教育段階の様々な学習の成果を評価して学位の授与を行うこととしたほか、修士及び博士の種類を廃止するなど学位制度の見直しを行い、併せて、国立の大学及び短期大学部の設置・廃止を行うこととしたものであります。

これらの改正のうち、学位に関する事項の概要及び留意点等は下記のとおりですので、十分御了知の上、それぞれ関係のある事項についてその運用に遺憾のないようお取り計らい下さい。

記

第一　学士を学位に位置付けたこと等について

(1)　従来学士は、学校教育法（昭和二二年法律第二六号）の規定（改正前の第六三条〔現行法上規定なし〕）により、大学を卒業した者が称することができる称号として位置付けられていたが、諸外国と同様にこれを大学が授与する学位として位置付け、大学は、当該大学を卒業した者に対し学士の学位を授与するものとしたこと。（改正後の学校教育法第六八条の二〔現行法一〇四条〕第一項、改正後の学位規則（昭和二八年文部省令第九号）第二条関係）

(2)　改正法の施行前に既に大学を卒業している者の学士の称号については、他の法令の適用等において学士の学位と同様の取扱いをする必要があることから、これを学士の学位とみなすこととしたこと。（改正法附則第四項関係）

(3)　上記に関連して、教育職員免許法（昭和二四年法律第一四七号）等の法律の規定の整備を行ったこと。（改正法附則第五項、第七項及び第八項関係）

(4)　上記の改正のほか、大学が行う修士及び博士の学位授与については、学士を学位に位置付けたこと及び下記第二のとおり学位授与機構が学位を授与することとしたこととの関連で、次のように学校教育法の規定の整備を行ったこと。

①　大学は、文部大臣の定めるところにより、大学院の課程を修了した者に対し修士又は博士の学位を授与することを法律上明らかにしたこと。（改正後の学校教育法第六八条の二〔現行法一〇四条〕第一項関係。改正後の学位規則第三条及び第四条第一項参照。）

②　大学は、文部大臣の定めるところにより、上記①により博士の学位を授与された者と同等以上の学力があると認める者に対し、博士の学位を授与することができること（いわゆる論文博士制度）を法律上明らかにしたこと。（改正後の学校教育法第六八条の二〔現行法一〇四条〕第二項関係。改正後の学位規則第四条第二項参照。）

第二　学位授与機構が行う学位授与について

(1)　学位の授与に関し、次の業務を行う機関として、学位授与機

構〔編者注：現在の独立行政法人大学改革支援・学位授与機構。以下同じ。〕を新設することとしたこと。（略）

(2) 学位授与機構は、次のとおり学位の授与を行うこととしたこと。（改正後の学校教育法第六八条の二第三項〔現行法一〇四条四項〕及び改正後の学位規則第六条関係）

1）短期大学・高等専門学校卒業者等が大学等においてさらに一定の学修を行った場合の学士の学位の授与

学位授与機構は、同機構の定めるところにより、短期大学若しくは高等専門学校を卒業した者又はこれに準ずる者として次のイ～ハのいずれかに該当する者で、大学において科目等履修生等により一定の単位を修得し、又は短期大学若しくは高等専門学校の専攻科のうち同機構が定める要件を満たすものにおける学修その他文部大臣が別に定める学修を行い、かつ、同機構が行う審査に合格した者に対して、学士の学位を授与することとしたこと。（科目等履修生については、「大学設置基準の一部を改正する省令の施行等について（平成三年六月二四日付け文高大第一八四号文部事務次官通知）」を参照のこと。）

イ　大学に二年以上在学し六二単位以上修得した者

ロ　外国において学校教育における一四年の課程を修了した者

ハ　これらの者と同等以上の学力がある者として文部大臣が別に定める者

なお、上記ハの文部大臣が別に定める者として、別添三（略）のとおり旧国立工業教員養成所の卒業者及び旧国立養護教論養成所の卒業者を定めたこと。（平成三年文部省告示第七二号）

また、上記の文部大臣が定める学修として、別添四（略）のとおり大学に置かれる専攻科における学修を定めたこと。（平成三年文部省告示第七三号）

2）大学以外の教育施設に置かれる課程の修了者に対する学士、修士又は博士の学位の授与

学位授与機構は、同機構が定めるところにより、学校以外の教育施設で学校教育に類する教育を行うもののうち、その教育を行うにつき学校教育法以外の法律において特別の規定があるものに置かれる課程で、同機構が大学の学部、大学院の修士課程又は大学院の博士課程に相当する教育を行うと認めるものを修了し、かつ、同機構の行う審査に合格した者に対し、それぞれ学士、修士又は博士の学位を授与することとしたこと。

(3) その他、高度の学識を有する大学教員等の学位授与の審査への参画、論文要旨等の公表、学位の名称、博士の学位授与の報告、学位規程の文部大臣への報告及び官報への公示等について規定の整備を行ったこと。（改正後の学位規則第七条、第八条、第九条第二項、第一一条、第一二条、第一三条第二項及び別記様式第二関係）

(4)（略）

第三　修士及び博士の種類の廃止等について

(1) 課程制大学院制度の趣旨に沿って、すべての分野において学位授与の円滑化を図るとともに、学術研究の高度化、学際領域への展開等の状況に柔軟に対処するため、修士及び博士の種類に関する規定を廃止したこと。（改正前の学位規則第二条、別表第一及び別表第二関係）

また、教育研究の多様化、学際領域への展開等に対応し、各大学の教育研究の柔軟な設計を可能にするため、学士についても同様にその種類を定めないこととしたこと。

(2) なお、どの専攻分野で学位が授与されたかを表記することは社会的に有用であるので、各大学において学位を授与する際には、その定めるところにより、専攻分野を付記するものとしたこと。（改正後の学位規則第一〇条関係）

この場合、付記する専攻分野の名称は、その社会的通用性に配慮し、過度に細分化しないようにする必要があること。

(3) 大学が博士の学位を授与した場合に文部大臣に提出する報告書の様式を簡素化したこと。（改正後の学位規則別記様式第一関係）

第四 その他

(1) 上記第一から第三までの改正内容の施行期日は、平成三年七月一日であること。

(2) 各大学においては、上記第一及び第三の趣旨に沿って学内規程等の整備を行う必要があること。

〔履修証明〕

第百五条 大学は、文部科学大臣の定めるところにより、当該大学の学生以外の者を対象とした特別の課程を編成し、これを修了した者に対し、修了の事実を証する証明書を交付することができる。

【沿　革】 平一九・六・二七法九六により新設した。

【参照条文】 法一〇七条、一二三条、一三三条。

【注　解】

一 本条は大学の履修証明制度に関する規定である。

学校はそれぞれの学校種ごとに定められている目的を遂行するため、それぞれの学校種が対象とする被教育者の資

格（入学資格）を定めた上で、当該学校に一定の修業年限以上在学させ、所定の教育課程を修了させることとしている。しかしながら、このことは、学校が当該学校に入学し在学している者に対する教育以外の教育活動を行うことを禁ずるものではなく、それぞれの学校種ごとの目的や基本的役割に反しない範囲であれば、当該学校の在学者以外の者に対して教育を施すことも可能であると考えられる。

このような当該学校の在学者以外の者に対する教育活動については、実態として広く行われてきており、とりわけ大学においては、九割以上の四年制大学が公開講座を実施するなど確実に定着しているところである。

しかしながら、大学が行っている在学生以外の者に対する教育活動については、正規の教育課程に比して簡易かつごく短期なものか、当該大学の在学生向けに提供しているカリキュラムの一部について、在学生以外の者にも受講を認めるという性格のものであり、在学生以外の者が、大学において高度かつ専門的な内容を一定のまとまりをもって体系的に学修できる機会については少ないのが現状である。

このため、平成一八年の教育基本法の改正により新設された教育基本法七条において、大学の基本的な役割として「教育研究成果の社会への提供」が位置づけられたことも踏まえ、平成一九年の本法改正により、当該大学の在学生以外の者が大学において一定の学修を行った場合に、その履修の成果を証明する制度を設けたものである。

これにより、①各大学における生涯学習機能を強化し、学生以外の者の受入れが一層促進されるようになり、②社会人等の再チャレンジに資する、実践的・体系的な知識・技術の習得を目指した比較的短期（おおむね半年〜一年程度を想定）の教育プログラムの開発・提供が促進されるとともに、③当該学修成果に対する国際的な通用性が付与されることが期待される。

二　履修証明制度について一定の枠組みを設けることにより、最低限の質の保証を行うため、本条の文部科学大臣の定めとして、施行規則一六四条が定められている。

第百六十四条　大学（大学院及び短期大学を含む。以下この条において同じ。）は、学校教育法第百五条に規定する特別の課程（以下この条において「特別の課程」という。）の編成に当たつては、当該大学の開設する講習若しくは授業科目又はこれらの一部により体系的に編成するものとする。

2　特別の課程の総時間数は、六十時間以上とする。

3　特別の課程の履修資格は、大学において定めるものとする。ただし、当該資格を有する者は、学校教育法第九十条第一項の規定により大学に入学することができる者でなければならない。

4　特別の課程における講習又は授業の方法は、大学設置基準、大学通信教育設置基準、専門職大学設置基準、大学院設置基準、専門職大学院設置基準、短期大学設置基準、短期大学通信教育設置基準及び専門職短期大学設置基準の定めるところによる。

5　大学は、特別の課程の編成に当たつては、当該特別の課程の名称、目的、総時間数、履修資格、定員、内容、講習又は授業の方法、修了要件、大学設置基準第三十一条第二項（大学院設置基準第十五条において準用する場合を含む。）、専門職大学院設置基準第十三条の二、第二十一条の二及び第二十七条の二、専門職大学設置基準第二十八条第二項、短期大学設置基準第十七条第二項並びに専門職短期大学設置基準第二十五条第二項の規定による単位の授与の有無、実施体制その他当該大学が必要と認める事項をあらかじめ公表するものとする。

6　大学は、学校教育法第百五条に規定する証明書（次項において「履修証明書」という。）に、特別の課程の名称、内容の概要、総時間数その他当該大学が必要と認める事項を記載するものとする。

7　大学は、特別の課程の編成及び当該特別の課程の実施状況の評価並びに履修証明書の交付を行うために必要な体制を整備しなければならない。

制度創設当初、履修証明の総時間数の下限については一二〇時間とされていたが、平成三一年の施行規則の改正により、六〇時間とされている。

三　履修証明の教育プログラムは、学生以外の者を対象として特別に編成されるものであり、学生の学位取得のために編成される正規の教育課程とは基本的に異なるものである。このため、履修証明の教育プログラムの内容がそのまま正規の教育課程の一部を構成することは通常は想定されない。ただし、履修証明の教育プログラムの中に正規の教育課程の授業科目を含めて編成することは可能であり、履修者が当該授業科目の部分について科目等履修生として

の登録を行い単位認定を受けた場合には、当該単位を学位取得の際に活用することが可能である。

また、令和元年の大学設置基準の改正により、履修証明の教育プログラムを履修する者にも単位を与えることができるものとされた（大学設置基準三一条二項）。この場合、履修証明の教育プログラムの中で、科目等履修生としての登録を行い、単位認定を受けた部分については、重複して単位を与えることができないことには留意する必要がある。

履修証明の教育プログラムを構成する講習又は授業科目については、当該プログラムを開設する大学において開設されることが必要である。このため、当該講習又は授業科目を担当する教員は、大学設置基準等に定める教員資格を満たし当該大学の教員として位置付けられた者であることが必要である。ただし、例えば当該プログラムの一部を担当教員の指導計画の下で教授するなど補助的な立場で参画する者についてまで、当該大学の教員として位置付けることを求めるものではない。なお、施行規則一六四条一項の「講習」とは、大学が学生向けに開設している授業科目以外の教育活動を指し、講習や公開講座等の名称で実施されているさまざまな教育活動が含まれる。

履修証明の教育プログラムの目的、分野、内容、修了要件については、規則一六四条に定める要件を踏まえ、各大学において適切に設定されるべきものであり、その開設にあたって文部科学大臣の認可や届出の手続きは必須ではない（その実施に伴い学則の変更など認可又は届出事項が生じた場合にはその件に関して手続きを経ることが必要）。ただし、そのレベルについては高等教育レベルである必要があると考えられることから、同条三項において基本的な履修資格として高等学校卒業程度を求めている。なお、修士レベルの内容については学士程度を、学部専門教育レベルであれば短期大学士程度の履修資格を各大学において設定することも考えられる。

【通　知】

○学校教育法等の一部を改正する法律の施行に伴う関係政令等の整備について（抄）（平二〇・一・二三　一九文科初一〇七四号　各都道府県教育委員会、各指定都市教育委員会、各都道府県知事、各指定都市市長、各国公私立大学長、各国公私立高等専門学校長、大学を設置する各地方公共団体の長、各公立大学法人の理事長、独立行政法人国立高等専門学校機構理事長、大学又は高等専門学校を設置する各学校法人の理事長、大学を設置する各学校設置会社の代表取締役、放送大学学園理事長、国立教育政策研究所長、独立行政法人国立特別支援教育総合研究所理事長、独立行政法人教員研修センター理事長、独立行政法人大学評価・学位授与機構長あて文部科学事務次官通知）

第二　省令改正の概要

改正法により、学校教育法に規定する学校種の順序を見直し、幼稚園から規定することとしたこと等に伴い、大幅な条項移動が生じたことから、「学校教育法施行規則」をはじめとする文部科学省関係省令及び「歯科衛生士学校養成所指定規則」等の文部科学省・厚生労働省令についても、このことを踏まえた整理を行ったほか、大要以下のような改正を行ったこと。

1　学校教育法施行規則の一部改正の概要

(4)　大学における履修証明に関する事項

①　大学（大学院及び短期大学を含む。以下同じ。）は、学校教育法第一〇五条に規定する特別の課程の編成に当たっては、当該大学の開設する講習若しくは授業科目又はこれらの一部により体系的に編成するものとすること。（第一六四条第一項）

②　特別の課程の総時間数は、一二〇時間以上とすること。（第一六四条第二項）

③　特別の課程の履修資格は、大学において定めるものとすること。ただし、当該資格を有する者は、学校教育法第九〇条第一項の規定により大学に入学することができる者でなければならないものとすること。（第一六四条第三項）

④　特別の課程における講習又は授業の方法は、大学設置基準、大学通信教育設置基準、大学院設置基準、専門職大学院設置基準、短期大学設置基準及び短期大学通信教育設置基準の定めるところによるものとすること。（第一六四条第四項）

⑤　大学は、特別の課程の編成に当たっては、当該特別の課程の名称、目的、総時間数、履修資格、定員、内容、講習又は授業の方法、修了要件その他当該大学が必要と認める事項をあらかじめ公表するものとすること。（第一六四条第五項）

⑥　大学は、学校教育法第一〇五条に規定する証明書に、特別の課程の名称、内容の概要、総時間数その他当該大学が必要と認める事項を記載するものとすること。（第一六四条第六項）

⑦　大学は、特別の課程の編成及び当該特別の課程の実施状況の評価並びに履修証明書の交付を行うために必要な体制を整備しなければならないものとすること。（第一六四条第七

項）

2 学校教育法施行規則の一部改正に関する留意事項

(2) 大学等における履修証明に関する事項

大学、高等専門学校及び専修学校の専門課程における履修証明制度の実施に当たっては、別添２「大学等における履修証明制度に関する留意事項について」を参照すること。

〈別添２〉 大学等における履修証明制度に関する留意事項について

1 大学が履修証明を行うプログラム（以下「履修証明プログラム」という。）は、社会人等の学生以外の者を対象として開設するものであり、大学に学生として在籍し、所要の単位を修得して学位を取得するための学位課程とは異なるものであることから、履修証明プログラムの修了そのものに対して単位を授与するものではないことに留意すること。なお、履修証明プログラムの中に大学が学生を対象として開設する授業科目が含まれている場合には、大学設置基準第三一条第一項の規定により、当該授業科目について科目等履修生として位置付けることにより、単位を与えることが可能であること。

2 今回の改正は、大学における社会人等を対象とした様々な学習機会の提供を一層促進するため制度上の位置付けをしたものであり、今後とも、これまで各大学が実施してきた類似の取組を制約するものではないこと。一方、改正法施行後に学校教育法第一〇五条及び学校教育法施行規則第一六四条に基づき編成された特別の課程については、これを修了した者に交付される履修証明書を学校教育法に基づくものとして位置付け、証明書にその旨を記載することが可能であること。

3 大学における履修証明は、大学の自主性・自律性に基づき、多様な分野において多様な取組が行われることを期待しており、履修証明プログラムの目的、分野、内容、修了要件については各大学において適切に設定されるべきものであること。

4 大学が履修証明を行うに当たって、文部科学大臣の認可や届出の手続は原則として不要であること。なお、履修証明を行うことについて学則への記載は必須でないこと。

一方、上記通知第二の１(4)⑤にあるとおり、履修証明に関し必要な事項をあらかじめ公表することが必要であること。なお、公表の方法としては、大学が作成するホームページや募集要項等への掲載が想定されること。

5 上記通知第二の１(4)①にあるとおり、特別の課程は体系的に編成することとされており、単に講習又は授業科目の総時間数が一定の時間数に達しているだけではなく、一つの課程としてまとまりのある内容とすることが必要であること。

6 特別の課程の総時間数については、当該課程を構成する講習若しくは授業科目又はこれらの一部の実時間数を合計したものであること。このため、履修証明プログラムの講習又は授業の方法としては、大学設置基準に規定する面接授業、メディアを利用して行う授業の他、大学通信教育設置基準に規

定する放送授業によることを想定しており、通信教育における印刷教材等による授業は想定していないこと。

7　特別の課程の履修資格は、大学入学資格を有する者のうちから各大学が定めることとしており、高等学校を卒業していなくても、高等学校卒業程度認定試験の合格や各大学による個別の入学資格審査の合格等の方法により、履修資格を得ることが可能であること。また、大学院が開設する特別の課程の履修資格は、大学院入学資格を有する者のうちから各大学院が定めることを想定していること。

8～13　（略）

○学校教育法施行規則等の一部を改正する省令等の施行等について（抄）（令元・八・一三　元文科高第三二八号　各国公私立大学長などあて　文部科学省高等教育局長通知）

（略）

第一　改正の概要

1　改正省令

(1)　学校教育法施行規則（昭和二二年文部省令第一一号）の一部改正

ア　一定の単位を修得した者の修業年限の通算

科目等履修生として一の大学（専門職大学、大学院（専門職大学院を含む。第一の1(3)及び第二の4を除き、以下同じ。）及び短期大学（専門職短期大学を含む。第一の1(4)及び第二の4を除き、以下同じ。）を含む。）において一定の単位を修得した者に対し、当該大学入学後に修得したものとみなすことができる当該単位数やその修得に要した期間等を勘案して修業年限の通算ができるとされているところ、今般、大学設置基準（昭和三一年文部省令第二八号）第三一条第二項等の規定により、大学（専門職大学及び短期大学を含む。第一の1(1)ウ及び第二の2①及び③において「単位授与大学」という。）は、当該大学の学生以外の者で学校教育法（昭和二二年法律第二六号）第一〇五条に規定する特別の課程（以下「特別の課程」という。いわゆる「履修証明プログラム」のこと。）を履修する者（以下「特別の課程履修生」という。）に対し、単位を与えることができることとすることを踏まえて、修業年限の通算の対象に特別の課程履修生として一定の単位を修得した者を加えることとすること。（第一四六条関係）

イ　（略）

ウ　特別の課程の編成に当たってあらかじめ公表するべき事項

大学が特別の課程の編成に当たってあらかじめ公表するべき事項として、単位の授与の有無（単位授与大学が編成する場合に限る。）及び実施体制を新たに加えることとすること。（第一六四条第五項関係）

エ　（略）

(2)　大学設置基準の一部改正

ア　（略）

イ　特別の課程履修生に対する単位授与

大学は、大学の定めるところにより、当該大学の特別の課

程履修生に対し、単位を与えることができるものとすること。（第三二条関係）

ウ・エ　（略）

(3)～(7)　（略）

2　（略）

第二　留意事項

1　（略）

2　特別の課程履修生への単位授与等

①　第一の1(1)ア及びウにあるとおり、今般、大学設置基準第三一条第二項等の規定により、単位授与大学は、特別の課程履修生に対し、単位を与えることができることとすることを踏まえて、大学入学後に修得したものとみなすことができる単位数やその修得に要した期間等を勘案して修業年限の通算ができる、当該単位授与大学の入学前に当該単位授与大学において一定の単位を修得した者に科目等履修生のほか、特別の課程履修生を加えることとし、大学が特別の課程の編成に当たってあらかじめ公表するべき事項として、単位の授与の有無（単位授与大学が編成する場合に限る。）及び実施体制を新たに加えることとしたところ。

また、本年四月には、学校教育法施行規則の一部を改正する省令（平成三一年文部科学省令第二号）が施行され、履修証明制度の総時間数の下限について「百二十時間以上」と規定されていたところ、これを「六十時間」に改められたところ。

②　これらを踏まえ、大学、高等専門学校及び専修学校における履修証明制度の適切な実施に資するため、別添4「大学等における履修証明制度の運用及びその履修者に対する単位授与等に関する留意事項について」を整理したこと。なお、「学校教育法等の一部を改正する法律の施行に伴う関係政令等の整備について（通知）」（平成二〇年一月二三日付け文部科学事務次官通知（一九文科初第一〇七四号））の別添4「大学等における履修証明制度に関する留意事項について」は廃止し、今後は本通知による取扱とすること。

③　第一の2(1)及び(2)にあるとおり、単位授与大学が特別の課程履修生に対して単位を与える場合には、当該単位授与大学は、当該特別の課程が、大学教育に相当する水準を有するものであることを確認する必要があり、その際、特別の課程の編成に当たってあらかじめ公表するべき事項とされているものについて、当該特別の課程を編成する大学等に確認することが考えられること。

3・4　（略）

第百六条　大学は、当該大学に学長、副学長、学部長、教授、准教授又は講師として勤務した者であつて、教育上又は学術上特に功績のあつた者に対し、当該大学の定めるところにより、名誉教授の称号を授与することができる。

【沿　革】　昭二五・四・一九法一〇三により新設した。

昭四八・九・二九法一〇三により、「副学長」を追加した。

昭五一・五・二五法二五で一条繰り下げた。

平一一・五・二八法五五により、「学部長」を追加した。

平一三・七・一一法一〇五により、「大学に」を「当該大学に」に改めるとともに、「多年勤務」を「勤務」に改めた。

平一七・七・一五法八三により、「助教授」を「准教授」に改めた。

平一九・六・二七法九六により、旧六八条の三から一〇六条に移動した。

【参照条文】　法一二三条。法附則一〇条。

【注　解】

一　本条は、大学の名誉教授に関する規定である。名誉教授の制度は、明治三六年の改正帝国大学令で定められ、「帝国大学ニ功労アリ又ハ学術上功績アル者ニ対シ勅旨ニ由リ又ハ文部大臣ノ奏宣ニ由リ」与えられるものとされていた。

従前の規定により認められていた名誉教授の制度は、国立及び公立の学校だけに設けられた制度であり（公立学校の場合は、法的な根拠はなかった）、また、一級官の待遇を受ける非常勤の国家公務員といういわば身分的な制度と考えられていたものである。しかし、「名誉教授は大学に教授、助教授等の教員として多年勤務し、教育上学術上の功績をあげた者に対して、本人の退職後その功労を顕彰する意味で当該大学が贈る栄誉的称号であると考えられるので、これを身分と考えることは適当でなく、又国立私立を区別する必要も認められない。そこでかかる当該大学の授与する

栄誉的性質の称号として学校教育法にあらたに規定し従前の規定を廃したのである。」とされている（昭二五・四・一九 文大大三六一号 文部省大学学術局長通知「大学の名誉教授制度の実施について」）。

なお、平成一七年七月の本法改正（平一七法八三）により、助教授が廃止され、新たに准教授が設けられたことに伴い、本条の助教授も准教授に改められた。なお、この平成一七年の改正法の施行前に、助教授の職にあって教育上又は学術上功績のあった者も、引き続き本条の対象となるように、改正法附則の定める経過措置によって、同改正法が施行される前における助教授としての在職は、准教授の在職とみなすこととされている（平一七法八三附則二条一号）。

二 名誉教授の称号の授与の要件は、法律に定めるもののほか、当該大学の定めるところによるものであり、各大学において名誉教授規程が制定されているのが通例である。

従前の取扱いは、大学の場合は教官として二〇年（うち一級官として一〇年）以上、高等専門学校の場合は校長、教授として二五年（うち一級官として校長は四年、教授は八年）以上在勤するか又は専任教授として三〇年以上在勤することがその要件とされていた。また、法附則一〇条の規定により、当分の間、旧制の学校での勤務年数を通算することができるとされている。しかし、大学教員の流動性が高まってきているので、多年勤務したことをもって判断するよりは、教育上又は研究上の功績により判断することを可能とするよう、平成一三年の法改正により、「多年」という要件をはずし、法律上は、勤務年数を問わずに名誉教授の称号を授与できることとなった（平一三・七・一一 文科初四六六号 文部科学事務次官通知「学校教育法の一部改正について」）。

なお、前記局長通知の中で、「名誉教授となるためには退職時には学長又は教授として退職した者であることが必要ではないかと考えられるが、外国人その他特別の場合には助教授、講師として退職した者又は勤務年数の多少不足する者に対しても授与できる例外規定を設けることを禁ずるものではない。」とされている。

〔公開講座〕

第百七条　大学においては、公開講座の施設を設けることができる。

②　公開講座に関し必要な事項は、文部科学大臣が、これを定める。

【沿　革】　平一一・七・一六法八七により、「監督庁」を「文部大臣」に改めた。

平一一・一二・二二法一六〇により、「文部大臣」を「文部科学大臣」に改めた。

平一九・六・二七法九六により、旧六九条から一〇七条に移動した。

【参照条文】　法一〇五条、一一三条、一三七条。社会教育法四八条。

【注　解】

一　本条は、大学の公開講座に関する規定である。大学が、大学において行われている教育研究の成果を広く社会に開放することは、極めて意義のあることである。学校教育法の制定によって、夜間学部や通信教育による学部に法律上の根拠が与えられ、制度上の明確な位置づけがなされ、広く勤労学生等に対し教育の機会が拡大されるに至っているが、さらにこのような考え方を延長し、社会人に対して大学教育を開放することを企図してこのような条文が設けられたものと思われる。その意味では、法一三七条に定める学校における社会教育施設の附置、学校施設の目的外使用の規定と同様の考え方を基盤にする規定であるといえるであろう。

なお、平成一八年の教育基本法の改正及び平成一九年の本法改正により、大学が教育研究の成果を広く社会に提供して社会の発展に寄与すべきことが重要な役割として規定された（法八三条の【注解】一参照）。

二　本条二項の文部科学大臣の定めとしては、施行規則一六五条が「公開講座に関する事項は、別にこれを定める。」と規定しているのみであり、別の定めはまだ定められていない。したがって、どのような内容のものが本条にいう「公開講座」に該当するかは今のところ明らかにされていない。学校教育法中に規定されている本条の位置づけ

からみて、学校教育として行われる公開講座を予想したとも考えられるが、今日各大学が公開講座として開設しているものの大部分は、社会教育の一形態として行われているというべきものであろう。すなわち、今日、各大学が公開講座と銘打って行っているものは、大学における正規の教育課程そのものではなく、別途大学のサービス活動として、地域等から要望のある特定の事項について一定時間の講義等を行うのが、その主たる形態となっているからである。

三　しかし、大学が当該大学の学生以外を対象として教育を行う形態は、「公開講座」と銘打って行うものばかりとは限らない。このようなものとして大学において行われているものとしては、従来から研究生、専攻生、選科生、聴講生、特別研究学生、特別聴講学生等の名称で呼ばれているものがある。これらのものは、各大学の学則において認められているものであり、その設置について法令上の根拠を有するものではないが、国立大学における実態に即して類型化してみると次のようになる。特定事項についての研究を目的として在学し研究指導を受けるものは研究生又は専攻生と呼ばれ、授業料は月額を単位として徴収されている。また、特定の授業を受けることを目的として在学するものは聴講生又は選科生と呼ばれ、授業料は一単位を単位として徴収されることとなっている。これらの学修は、正規の大学教育の履修と評価されるものではないが、平成三年の大学設置基準の改正により、正規学生以外の者で従来の聴講生のように特定の授業科目を履修する者（科目等履修生）に対し、大学は単位を与えることができることとなった（大学設置基準三一条）。同規定により修得した単位は、大学に正規学生として入学した後に大学が当該大学の卒業に必要な単位に含めることができる。また、短期大学等の卒業者がこの制度により又は専攻科の履修と合わせて所定の単位を修得した場合に、独立行政法人大学改革支援・学位授与機構により学士の学位の授与を受ける途が開かれた（法一〇四条の【注解】五参照）。

特別聴講学生又は特別研究学生は、大学設置基準二八条又は大学院設置基準一三条二項及び一五条の規定に基づく

いわゆる単位互換制度等により、特定大学又は大学院に在学する者が他大学等において講義を聴講し又は研究指導を受ける場合を指すために用いられていたものである。

以上のものは、個々の学生にとっての意義はそれぞれ異なっているが、当該大学としては、いずれも正規の学校教育活動として実施しているものを、当該大学の学生以外の者に履修の機会を与えているものであって、【注解】二に述べたものが社会教育活動と評価されるものであることと相違しているところである。

また、平成一九年の本法改正により創設された履修証明制度がある。公開講座については特段の基準が設けられておらず、多様な内容、期間、形態で開催されているが、履修証明制度は、施行規則一六四条に詳細な定めが設けられており、六〇時間以上の体系的なプログラムであること等が必要となっている（法一〇五条の【注解】参照）。

四　大学の公開講座については、法の予定する内容も明らかでなく、またその履修に対する効果についても、教育職員免許法における公開講座等の評価（同法別表三備考六号、同法施行規則三四条～四三条の六参照）等において、その実態に即して個々に定められているにすぎない現状であり、その整理は、今後の課題の一つであろう。

〔短期大学〕

第百八条　大学は、第八十三条第一項に規定する目的に代えて、深く専門の学芸を教授研究し、職業又は実際生活に必要な能力を育成することを主な目的とすることができる。

② 前項に規定する目的をその目的とする大学は、第八十七条第一項の規定にかかわらず、その修業年限を二年又は三年とする。

③ 前項の大学は、短期大学と称する。

④ 第二項の大学のうち、深く専門の学芸を教授研究し、専門性が求められる職業を担うための実践的かつ応用的な

能力を育成することを目的とするものは、専門職短期大学とする。
⑤　第八十三条の二第二項の規定は、前項の大学に準用する。
⑥　第二項の大学には、第八十五条及び第八十六条の規定にかかわらず、学部を置かないものとする。
⑦　第二項の大学には、学科を置く。
⑧　第二項の大学には、夜間において授業を行う学科又は通信による教育を行う学科を置くことができる。
⑨　第二項の大学を卒業した者は、文部科学大臣の定めるところにより、第八十三条の大学に編入学することができる。
⑩　第九十七条の規定は、第二項の大学については適用しない。

【沿　革】　昭二四・六・一法一七九により、当分の間の措置として、一〇九条及び一一〇条に短期大学に関する規定が設けられていたが、昭三九・六・一九法一一〇により、本条を追加し、一〇九条及び一一〇条を削除した。

昭五六・六・一一法八〇により、第四項に「第五十四条の二第二項」を、第六項に「通信による教育を行う学科」を、それぞれ加えた。

平三・四・二法二三により、現第八項中の「及び第六十三条」を削った。

平三・四・二法二五により、旧第七項を追加し、現第七項の「監督庁」を「文部大臣」に改めた。

平一一・一二・二二法一六〇により、第七項中「文部大臣」を「文部科学大臣」に改めた。

平一三・七・一一法一〇五により、第四項中「、第五十四条及び第五十四条の二第二項」を「及び第五十四条」に改めた。

平一七・七・一五法八三により、短期大学卒業者に短期大学士の学位が授与されることとしたことに伴い、旧第七項を削った。

平一九・六・二七法九六により、第一項中「おもな」を「主な」に、第二項中「掲げる」を「規定する」に改め、旧六九条の二から一〇八条に移動した。

平二九・五・三一法四一により、第四項及び第五項に専門職短期大学に関する規定を追加し、旧第四項以下を二項ずつ繰り下げた。

【参照条文】 法八三条～一〇七条、一〇九条、一一三条、一一四条。施行規則一五五条二項、一六一条。短期大学設置基準。短期大学通信教育設置基準。

【注　解】

一 本条は、従前、当分の間の措置として設けられていた短期大学を恒久的な制度として定めた規定である。

（1）昭和二二年に学校教育法が制定施行され、新学制による大学が昭和二三年度から開設されたが、その後昭和二四年六月同法の一部改正（昭二四法一七九）により、法旧一〇九条（当時）が追加されて暫定的な制度として短期大学制度が設置され、昭和二五年度から発足した。

（旧）**第百九条**　大学の修業年限は、当分の間、第五十五条の規定にかかわらず、文部大臣の認可を受けて、二年又は三年とすることができる。

②　前項の大学は、短期大学と称する。

③　第一項の大学には、第六十二条の規定は、これを適用しない。

短期大学制度が暫定的な制度として発足するに至ったのは、旧制の高等学校、専門学校のなかで、教員組織、施設設備等が不十分なため大学に転換することが困難なものを救済し、早急に新学制の円滑な実施を図るとともに保護者及び学生の経済的負担の軽減や、短期間における実務者の養成あるいは女子教育の要望にこたえ、暫定的に修業年限を二年又は三年とする大学を認めたものであるとされている。この間の事情を伝えるものとして、次のような資料が残されている。

○二年制大学について（昭二三・一二　教育刷新委員会長あて　大学設置委員会委員長）

本委員会においてはさきに文部大臣より諮問された二一九校の新制大学につきその設置認可の可否について鋭意審査に当っています

がその審査の経過に徴すれば直に四年制の大学とすることは困難と思われるものもありますし、また未申請の高等専門学校にも同様のものが相当あることが予想されます。他方新制高等学校は已にその三年まで充実し明年第一回の卒業生を出すことになっていますがこれらの卒業生の進学の門戸が狭められる場合はいわゆる白線浪人をおびただしく出現せしめることになり国家的にも社会的にも重大なる問題をかもすことと思われます。

また新学制の可及的速かなる実施は、我が国に課せられた重大なる使命であることは言うまでもないことであります。

依って本委員会は別紙の通り日本の現状においては二年制大学を設け高等教育の門戸を拡げ速かに新学制を実施することを希望する次第でありまして貴教育刷新委員会において速かにこの問題を取り上げられその実施方をお取り計らい下さい。

二年制大学実施理由

一、現在の大学、高等専門学校をなるべく早くかつ円滑に新制の学校に切替え学校教育法の完全実施を図るため二年制大学を設ける必要がある。

二、現在の大学、高等専門学校を凡て四年制大学とすることは現状から見て不可能のことで従って従来に比し高等教育への入学の途が狭められる結果となる。その門戸を拡張するためにも二年制大学を設ける必要がある。

三、現在の高等専門学校の中には四年制大学としては不適当ではあるが、二年制大学ならば成立つものもあるのでこの種専門学校救済のためにも二年制大学は必要である。

尚二年制大学の構成については次の点が考慮されることを希望する。

二年の完成教育を原則として四年制大学の三年以上の課程に編入する途も考慮される。

但し、二年制大学に対し後期二年のみの大学を認めまた旧制高等学校の温存となるようなことは厳に禁止されるべきである。

〇二年又は三年制の大学について（昭二四・一・一四　教育刷新委員会第八七回総会採択）

大学設置委員会における新制大学申請校の審査の状況に鑑み、暫定措置として次の条件のもとに二年又は三年制大学を設けることができる。

㈠　二年又は三年制大学には、四年制大学とは異った名称（例えば短期大学）を附すること。

㈡　前記の大学は、完成教育として、その基準を定めること。

㈢　特別の場合には、四年制大学は前記大学の卒業生を、その履修課程を考慮し、又は試験の上、適当な学年にこれを編入することができる。

㈣　二年制大学に対し、後期二年のみの大学を設けまた二年制大学が旧制高等学校の温存となるようなことは認められないこと。

〇衆議院文部委員会議事録（昭和二四年五月一一日）

〇森戸委員　学校教育法一部改正の重要な点は、いわゆる短期大学の問題でございまして、百九条の、「大学の修業年限は、当分の間、第五十五条〔現行法八七条〕の規定にかかわらず、文部大臣の認可を受けて、二年又は三年とすることができる。」この点で

あります。大学が教養と研究の水準を高めるために四年制であることを正常とするのは当然でありますが、同時に諸種の事情から考えて、二年または三年の短期大学が必要であるということも、後に述べますように方々から強い要請もあり、現状からもそれが妥当と考えられるのでありまして、まことに適正な改正であると存じております。ただ私が承りたいのは、ここに「当分の間」といたしまして、提案理由によりましても、新制大学の基準に沿わないものの処置として、短期大学が当分の間できるのである。「当分の間」がそういうような関係であるように読めるのであります。そうしますと、この短期大学は、新制大学を落伍したものの大学である、こういうような印象を与えるのでありまして、これはなはだよろしくない。短期大学といえども十分よい大学ができなければならぬと思うのでありますが、この点提案理由並びに「当分」という文字はどう解釈したらよろしいのでありましょうか。

○日高政府委員　今お話の通り「当分の間」ということは多少誤解がつきまとうと思うのでありますが、この改正の理由の一つには六・三・三・四だけでは現状に沿わない、また現在各方面で短期の大学がほしいという要望が積極的にございますし、特に女子の教育の場合においては、日本は実情において短期の大学を設けることが女子教育を高めるのに非常に必要にして有効な処置であるというような点もありまして、そういう積極的な面が一つあるわけであります。もう一つは御指摘にもありましたように、大学設置委員会において四年の大学として十分でないものであっても、なお短期大学としては規模の点において、また教師の数等において妥当であるものでありながら、しかもこれが専門学校としては長く存続できないことは遺憾であるという状況もありまして、短期大学を設立いたしたいというふうに考えるようになったのであります。「当分の間」としますと、その「当分」というのは何年のことかということは、関係方面でも質問もございましたし、また民間の人たちからも、かりであってやがては消えるのかというような質問もあったのでありますけれども、文部省といたしましては、この制度については教育刷新委員会の意見をよく聞き、また大学設置委員会の意見も聞きまして、その結果永久の処置とするのにはまだ成果がわからない。せっかく六・三・三・四というような基本的な線をたてましたものを十分に実験もしないうちに枝をつけるようなことは考慮を要するというような注意もありましたので、実験的な意味もかねて「当分の間」といたしたわけでもあります。つくった大学がいい成果をあげますならば、やがては永続的なものになる見込みもあるかという希望と期待を持って「当分の間」といたしてあるわけでございます。

(2)　その後、短期大学制度に関し、中央教育審議会は前後四回にわたり答申を行い、この制度の恒久化について提案した。その関係部分の概要は、次のとおりである。

1　昭和二九年一一月一五日「大学入学者選考およびこれに関連する事項について」

(イ)　短期大学制度を改めて恒久的な教育機関とし、高等学校教育の基礎の上に職業教育その他について充実した専門教育を授けるものとすること。かかる改正によって短期大学志願者の増加となり、四年制大学の入学者の緩和になると考えられること。

(ロ)　名称は短期大学又は専科大学とし、深く専門の学芸に関する教育を行い、主として職業に必要な能力を育成することを目的とすること。

(ハ)　現行の短期大学の修業年限二年又は三年のほかに、現行の高等学校及び短期大学を合わせてその修業年限五年又は六年とするものを設けること。

2　昭和三一年一二月二〇日「短期大学制度の改善について」

(イ)　短期大学の制度を恒久的なものとし、高等学校教育の基礎の上に主として職業又は実際生活について、専門の学芸を教授研究する機関とすること。なお、土地の状況、男女の別、専門の分野等により、それぞれ特色を持たせるようにすること。

(ロ)　一貫した専門教育を授けるために、必要のある場合は、高等学校の課程を包含する五年又は六年の短期大学を認めることとすること。

(ハ)　短期大学はそれ自体一個の完成教育機関であって、四年制大学とは別個のものであり、従って目的、性格は異なるものであって、これに関する規定を設ける場合、両者は明確に区別する必要があること。

(ニ)　短期大学は、深く専門の学芸を教授研究し、主として職業又は実際生活に必要な能力を育成することを目的とするものとすること。

(ホ)　教育内容については、専門教育を充実し、応用的能力を育成するため、実験、実習、演習及び実技を重視

し、単位制をとるか学年制をとるかは各短期大学の選ぶところに任せるものとすること。

3　昭和三二年一一月一一日「科学技術教育の振興方策について」

(イ)　先に答申した通り、短期大学の目的、性格を明確にし、その制度及び内容の改善を図ること。

(ロ)　短期大学と高等学校とを合わせた修業年限五年又は六年の技術専門の学校を設けること。

(注)　この答申を受けて、高等専門学校制度が創設された。

4　昭和三八年一月二八日「大学教育の改善について」

(イ)　先に答申した「短期大学制度の改善について」の趣旨のように、短期大学の目的、性格を明らかにするとともに、恒久的な制度とすること。

(ロ)　短期大学は、専門職業教育を行うもの又は実際生活に必要な知識、技術を与えもしくは教養教育を行うものとすること。

(ハ)　修業年限は、二年又は三年とすること。

(3)　このような中央教育審議会の答申等を受けて、昭和三九年六月の学校教育法の一部改正（昭三九法一一〇）により、現在の短期大学制度が確立されるに至った。

この短期大学の制度を恒久化するに当たって、最も注目すべきことは、短期大学を大学の枠内に置き、大学とは別種の学校とはしなかったことであろう。短期大学は、高等学校卒業者に対して高等教育を施すものであり、それまで大学の修業年限の特例として存置されてきた実態を尊重したものである。また、短期大学の教育水準をできる限り高く保持することを考慮し、従来通り大学の枠内において恒久制度化することとされた。高等専門学校制度が、目的、性格、修業年限、入学資格等の違いから、大学とは別種の教育機関と位置づけられたことと対照的である。

(4)　その後昭和五〇年四月、文部省令として短期大学設置基準が制定された。この設置基準は、従来の大学設置審

議会によって決定された「短期大学設置基準」を実質的に引継ぐものではあるが、その主旨とするところは、短期大学制度の基盤の整備のほか、高等教育の拡大に伴う学生や社会の多様な要請に柔軟に対応しつつ、独自の創意と工夫とにより特色ある高等教育機関として整備充実して行くことができるよう、各大学の方針により柔軟な教育内容を取り得るようにする制度上の弾力化を図ることにある。これにより、短期大学は、当該短期大学の方針によって一般教養機関としても、あるいは専門教育機関としても、従来に較べてより徹底した内容のものとすることができることとなり、社会の要請にも適切、柔軟に対応することが可能となった。

なお、大学制度の弾力化に対応し、短期大学設置基準においても、他の短期大学又は大学との単位の互換制度の導入等が図られており（昭和五七年改正）、また、通信教育に関し、短期大学通信教育設置基準が制定されている（昭和五七年）。さらに、平成三年に、大学設置基準の改正とあわせて短期大学設置基準も改正され、一般教育科目、専門教育科目等の授業科目区分の廃止、短期大学以外の学校や教育施設等での学修を短期大学の単位として認定できるようにすること等を内容とする大幅な制度の弾力化が図られた。また、平成一一年に、単位互換や短期大学以外の教育施設等における学修の単位認定を「一五単位」から「三〇単位」に拡大するなど制度の弾力化が進められた。さらに、平成一三年に、授業を外国において履修させることができるものとしたほか、外国の短期大学又は大学が行う通信による授業を我が国で履修することにより修得した単位についての単位互換を認めるなどの一層の弾力化が図られている（短期大学設置基準一四条）（後掲**【通知】**平一三・三・三〇　一二文科高三四六号参照）。平成一四年には、社会人の受入れの一層の促進のため各短期大学の定めるところにより長期履修学生の制度を設けることができると明定された（同設置基準一六条の二。法八七条の**【通知】**平一四・四・三〇　一四文科高一一八号参照）。

○短期大学設置基準第十五条第一項の規定により短期大学が単位を与えることのできる学修を定める件（平三・六・五文部省告示六九）

最終改正　令元・八・一三文部科学省告示五四

短期大学設置基準（昭和五十年文部省令第二十一号）第十五条第一項の規定により、短期大学が単位を与えることのできる学修を次のように定め、平成三年七月一日から施行する。

一　大学の専攻科又は学校教育法（昭和二十二年法律第二十六号）第百五条の規定により大学が編成する特別の課程における学修

二　高等学校（中等教育学校の後期課程及び特別支援学校の高等部を含む。）の専攻科の課程（学校教育法第五十八条の二（同法第七十条第一項及び第八十二条において準用する場合を含む。）に規定するものに限る。）における学修で、短期大学において短期大学教育に相当する水準を有すると認めたもの

三　高等専門学校の課程（学校教育法第百二十三条において準用する同法第百五条に規定する特別の課程を含む。）における学修で、短期大学において短期大学教育に相当する水準を有すると認めたもの

四　専修学校の専門課程のうち修業年限が二年以上のもの又は学校教育法第百三十三条において準用する同法第百五条に規定する専門課程を置く専修学校が編成する特別の課程における学修で、短期大学において短期大学教育に相当する水準を有すると認めたもの

五　次に掲げる学校以外の教育施設で学校教育に類する教育を行うものにおける学修で、短期大学において短期大学教育に相当する水準を有すると認めたもの

イ　防衛省設置法（昭和二十九年法律第百六十四号）による防衛大学校

ロ　職業能力開発促進法（昭和四十四年法律第六十四号）による職業能力開発短期大学校、職業能力開発大学校及び職業能力開発総合大学校（旧職業訓練法（昭和三十三年法律第百三十三号）による中央職業訓練所及び職業訓練大学校、職業訓練法の一部を改正する法律（昭和六十年法律第五十六号）による改正前の職業訓練法（昭和四十四年法律第六十四号）による職業訓練大学校及び職業訓練短期大学校並びに職業能力開発促進法及び雇用促進事業団法の一部を改正する法律（平成九年法律第四十五号）による改正前の職業能力開発促進法による職業能力開発大学校を含む。）

ハ　独立行政法人水産大学校法（平成十一年法律第百九十一号）による独立行政法人水産大学校（旧水産庁設置法（昭和二十三年法律第七十八号）による水産講習所並びに旧農林水産省設置法（昭和二十四年法律第百五十三号）、旧農林水産省組織令（昭和二十七年政令第三百八十九号）及び独立行政法人国立公文書館等の設立に伴う関係政令の整備等に関する政令（平成十二年政令第三百三十三号）による改正前の農林水産省組織令（平成十二年政令第二百五十三号）による水産大学校を含む。）

ニ　高度専門医療に関する研究等を行う独立行政法人に関する法律（平成二十年法律第九十三号）による国立高度専門医療研究センターの職員の養成及び研修を目的として看護に関する学理及び技術の教授及び研究並びに研修を行う施設（厚生労働省組織規則の一部を改正する省令（平成二十二年厚生労働省令第五十八号）による改正前の厚生労働省組織規則（平成十三年厚生

労働省令第一号）による国立看護大学校を含む。）

ホ　国土交通省組織令（平成十二年政令第二百五十五号）による気象大学校（旧運輸省設置法（昭和二十四年法律第百五十七号）及び旧運輸省組織令（昭和五十九年政令第百七十五号）による気象大学校を含む。）及び海上保安大学校（旧運輸省組織令による海上保安大学校を含む。）

六　教育職員免許法（昭和二十四年法律第百四十七号）別表第三備考第六号の規定により文部科学大臣の認定を受けて短期大学、大学等が行う講習又は公開講座における学修で、短期大学において短期大学教育に相当する水準を有すると認めたもの

七　社会教育法（昭和二十四年法律第二百七号）第九条の五の規定により文部科学大臣の委嘱を受けて短期大学、大学その他の教育機関が行う社会教育主事の講習における学修で、短期大学において短期大学教育に相当する水準を有すると認めたもの

八　図書館法（昭和二十五年法律第百十八号）第六条の規定により文部科学大臣の委嘱を受けて短期大学又は大学が行う司書及び司書補の講習における学修で、短期大学において短期大学教育に相当する水準を有すると認めたもの

九　学校図書館法（昭和二十八年法律第百八十五号）第五条第三項の規定により文部科学大臣の委嘱を受けて短期大学又は大学が行う司書教諭の講習における学修で、短期大学において短期大学教育に相当する水準を有すると認めたもの

十　青少年及び成人の学習活動に係る知識・技能審査事業の認定に関する規則（平成十二年文部省令第二十五号）又は技能審査の認定に関する規則（昭和四十二年文部省告示第二百三十七号）による文部科学大臣の認定を受けた技能審査の合格に係る学修で、短期大学において短期大学教育に相当する水準を有すると認めたもの

十一　アメリカ合衆国の営利を目的としない法人であるエデュケーショナル・テスティング・サービスが英語の能力を判定するために実施するトフル及びトーイック又は次に掲げる要件を備えた知識及び技能に関する審査であってこれらと同等以上の社会的評価を有するものにおける成果に係る学修で、短期大学において短期大学教育に相当する水準を有すると認めたもの

イ　審査を行うものが国又は一般社団法人若しくは一般財団法人その他の団体であること。

ロ　審査の内容が、学校教育法第百八条第一項に規定する短期大学の目的に照らし適切なものであること。

ハ　審査が全国的な規模において、毎年一回以上行われるものであること。

ニ　審査の実施の方法が、適切かつ公正であること。

○短期大学設置基準第十一条第二項の規定に基づき、短期大学が履修させることができる授業等について定める件（平一三・三・三〇文部科学省告示五二）

最終改正　平一九・七・三一文部科学省告示一一四

通信衛星、光ファイバ等を用いることにより、多様なメディアを高度に利用して、文字、音声、静止画、動画等の多様な情報を一体的に扱うもので、次に掲げるいずれかの要件を満たし、短期大学に

おいて、短期大学設置基準第十一条第一項に規定する面接授業に相当する教育効果を有すると認めたものであること。

一　同時かつ双方向に行われるものであって、かつ、授業を行う教室等以外の教室、研究室又はこれらに準ずる場所（短期大学設置基準第十七条第一項の規定により単位を授与する場合においては、企業の会議室等の職場又は住居に近い場所を含む。以下次号において「教室等以外の場所」という。）において履修させるもの

二　毎回の授業の実施に当たって、指導補助者が教室等以外の場所において学生等に対面することにより、又は当該授業を行う教員若しくは指導補助者が当該授業の終了後すみやかにインターネットその他の適切な方法を利用することにより、設問解答、添削指導、質疑応答等による十分な指導を併せ行うものであって、かつ、当該授業に関する学生等の意見の交換の機会が確保されているもの

二　本条一項は、短期大学の目的を定めている。「第八十三条第一項に規定する目的に代えて、」と表現しているのは、短期大学の制度を恒久化するに当たって、短期大学を大学の枠内の制度として位置づけるという基本的な考え方によるものであろう。大学の目的とは別に短期大学の目的を規定したのは、修業年限二年又は三年の短期大学が四年制の大学と同じ目的を達成しようとしているものとみることは、短期大学制度実施後の経過とその実態に即応したものであるとは言えず、おのずからその目的の到達度に相違があると考えたことによる。短期大学の目的は、深く専門の学芸を教授研究し、職業又は実際生活に必要な能力を育成することである。

なお、平成一九年の本法改正により、法八三条二項が追加されたことを受け、大学の基本的役割を定めた同項は短期大学にも適用されることを明らかにする必要があることから、「第八十三条第一項に規定する目的に代えて」と改正した。

旧短期大学設置基準（昭二八・八・三〇大学設置審議会決定）をみると、「短期大学は、高等学校の教育の基礎のうえに二年（又は三年）の実際的な専門職業教育に重きを置く大学教育を施し、良き社会人を育成することを目的とする」としており、また、この基準の解説において「短期大学は、制度上は広い意味の大学の範ちゅうに入るけれども、修業年限が二年又は三年であって、主として実際的な専門職業教育に重点を置くものであるから、修業年限が四年もし

くは四年以上の大学とはおのずからその性格が異なる高等教育機関である。」としている。

短期大学の目的と四年制大学の目的との相違点は、①四年制大学は、「学術の中心として」の性格を有するが、短期大学は職業又は実際生活に関する専門教育機関としての性格が主であるので、その目的規定から「学術の中心として」の字句を省いていること、②四年制大学が直接社会の要求に役立つことよりも、できる限り人間の基本的な知能を発展させることに重点を置いているのに対し、短期大学はより具体的に職業又は実際生活に役立つ専門教育を施すことに重点を置いていることから、四年制大学は「知的、道徳的及び応用的能力を展開させる」のに対し、短期大学は「職業又は実際生活に必要な能力を育成する」と表現されていること、③四年制大学が一般教養を授けることを特に重視し「広く知識を授ける」ことを目的としているのに対し、短期大学はむしろ専門教育に重点を置いているため、短期大学の目的からこの字句が省かれている（もちろん短期大学における一般教養の教授が不必要であるとする趣旨ではない。短期大学設置基準において、教育課程の編成方針として幅広く深い教養等を培うよう適切に配慮すべきことが規定されている）こと、の三点である。

三　本条二項は、短期大学の修業年限を従来どおり、二年又は三年と規定している。この場合そのいずれかを原則とし、いずれかを例外とするものではない。卒業の要件を定める短期大学設置基準においても、修業年限二年の場合は六二単位以上の修得を、修業年限三年の場合は九三単位以上の修得（ただし、夜間学科等の場合は六二単位以上の修得）を、それぞれ卒業に必要な要件として定め、修業年限に応じた教育内容を用意すべきことを定めている（同基準一八条・一九条）。

昭和三九年の本法改正に際し、短期大学の修業年限は二年を原則とし、特別の事情がある場合には三年とすることができる旨を定めた方がよいとする意見もあった。しかし、二年又は三年のいずれを原則とすべきかということについては必ずしも明確な理論的根拠がなく、仮に二年を原則とした場合には、三年制をとる短期大学は、必要以上の修

業年限を課しているとの誤解を招く恐れがある等から、従前の取扱いどおり、二年又は三年とすることとされたものである。

なお、実態としては修業年限を二年とする短期大学が多数を占め、修業年限を三年とする短期大学は医療技術関係の学科又は夜間学科の場合に多い（ただし、夜間学科の場合にあっても、修業年限を三年とすることを要するものではなく、勤労学生に対する教育の機会の拡大等の配慮から、卒業に必要な単位の修得が可能であれば、修業年限を二年と定めても差し支えないこととされ、設置者の選ぶところに委ねられている）。

四　短期大学は大学の範疇に属するものであり、法令上も特に短期大学を除く旨の定めがない限り、「大学」には短期大学も含まれるものとして取扱われている。しかし、その目的、性格、修業年限等が異なっており、四年制大学とは異なった名称を使用することが適当な場合が多い。このため、昭和三九年の改正前の法旧一〇九条二項（当時）においても「短期大学と称する。」旨が定められていたが、本条においてもこの規定を引き継ぎ、短期大学という公の呼称を定めている（本条三項）。

五　本条三項は、専門職短期大学の目的を定めている。専門職大学と同様に、専門職短期大学が短期大学の一種であり、短期大学の目的の範囲内で専門職業人養成に特化した教育に取り組むこととしていること、教育の達成水準は従来の短期大学と同様であることを示している。また、本条第四項についても専門職大学と同様に、専門職短期大学においては、産業界・地域のニーズを教育内容に確実に反映させることが既存の短期大学よりも一層求められることから、教育課程の編成・実施及び教員の資質向上に当たって、民間事業者等と連携して取り組むことを規定したものである。

専門職短期大学の設備、編制、学科、教員の資格その他専門職短期大学の設置に関する事項は、専門職短期大学設置基準（平二九文科省令三四）に定められている。専門職大学制度の特徴である、実践力と創造力を育む教育課程、産

規定が置かれている（法八八条の二【注解】参照）。

業界等と連携した教育課程の開発・編成・実施、実習等の強化、実務家教員の任用等については専門職大学と同様の

六　短期大学には、その実態に即し、学部を置かず、四年制大学の場合の学部に相当する基本組織としては学科を置くこととされている（本条四項・五項）。また短期大学には夜間において授業を行う学科を置くことができる（本条六項）。

短期大学は、その発足以来学部を置かず学科を置いてきたが、このことは、短期大学の規模が比較的小さく、学部組織により運営する必要がなかったためであるとされている。昭和三九年の制度の恒久化に当たっても、従来の実態を確認するとともに、短期間における教育の性格上一般に専攻分野が広い領域にわたることがない等の点も考慮し、引き続き学科組織により教育目的の有効な達成を期することとされている。

学科は、教育研究上の必要に応じ組織されるものであって、教員組織その他が学科として適当な規模内容を持つと認められるものとされ、必要があるときは、専攻課程を置くことができることとされている（短期大学設置基準三条）。

学科の種類は、短期大学が多様な教育研究をその対象としていることから特に法定されていないが、短期大学設置基準における必要教員数の定め等において、おおよその分野の区分が規定されている。すなわち、同基準においては、文学関係、教育学・保育学関係、法学関係、経済学関係、社会学・社会福祉学関係、理学関係、工学関係、農学関係、家政関係、美術関係、音楽関係、体育関係、保健衛生学関係のグループが掲げられている。学科の設置廃止については、文部科学大臣の認可を要することとされている。

また、令和元年八月の短期大学設置基準の改正により、短期大学は、横断的な分野に係る教育課程を実施する上で特に必要があると認められる場合であって、教育研究に支障がないと認められる場合には、当該短期大学に置かれる二以上の学科との緊密な連係及び協力の下、当該二以上の学科（連係協力学科）が有する教員組織及び施設設備等の一

部を用いて横断的な分野に係る教育課程を実施する学科連係課程実施学科を置くことができることとされた。同趣旨の特例は、大学においても設けられている（学部等連係課程実施基本組織）（法八五条の【注解】四参照）。

七　短期大学を卒業した者は、文部科学大臣の定めるところにより、四年制大学に編入学することができる（本条七項）。文部科学大臣の定めとして、施行規則に次の規定が設けられている。

第百六十一条　短期大学を卒業した者は、編入学しようとする大学（短期大学を除く。）の定めるところにより、当該大学の修業年限から、卒業した短期大学における修業年限に相当する年数以下の期間を控除した期間を在学すべき期間として、当該大学に編入学することができる。

2　前項の規定は、外国の短期大学を卒業した者及び外国の短期大学の課程を有するものとして当該外国の学校教育制度において位置付けられた教育施設であつて、文部科学大臣が別に指定するものの当該課程を我が国において修了した者（学校教育法第九十条第一項に規定する者に限る。）について準用する。

なお、従前より、本条九項の短期大学には外国の短期大学も含まれ、外国の短期大学を卒業した者も我が国の大学に編入学することができることとされていたが、外国大学日本校の位置付けを明確化するため、平成一五年九月に施行規則が改正された際に、施行規則旧七〇条の七（現行一六一条）に二項が追加され、「短期大学を卒業した者」には、「外国の短期大学を卒業した者」が含まれることが明確化されるとともに、「外国の短期大学の課程を有するものとして当該外国の学校教育制度において位置付けられた教育施設であつて、文部科学大臣が別に指定するものの当該課程を我が国において修了した者」については「外国の短期大学を卒業した者」と同じ取扱いがなされることが定められた。

八　短期大学には、大学院に関する規定を適用しない（本条一〇項）。

法九七条は、大学院に関する規定であるが、従来どおりこの規定の適用を除外し、短期大学には大学院を置けないこととしている。

大学に関する規定のうち、法八八条、九〇条から九六条まで、九八条、一〇五条から一〇七条までの規定、一〇九条、一一三条、一一四条の規定は、短期大学にも適用される。法八九条の規定（早期卒業）は、短期大学には、適用されない。なお、短期大学の教員資格については、短期大学設置基準二三条から二六条までに、四年制大学とは異なる定めが設けられている。

九　平成二〇年一一月一三日、大学設置基準とともに短期大学設置基準が改正され、短期大学についても教育課程の共同実施制度が創設された。制度の趣旨及び内容は、学部等の教育課程の共同実施制度と同様である（法八五条の**【注解】**七参照）。短期大学は、他の短期大学が開設する授業科目を自らの短期大学の教育課程の一部とみなして、それぞれの短期大学ごとに同一内容の教育課程を編成することができることとされた（短期大学設置基準三六条）。

共同教育課程を実施する短期大学（構成短期大学）は、学生が当該構成短期大学のうち一の短期大学において履修した共同教育課程に係る授業科目について修得した単位を、当該構成短期大学のうち他の短期大学における当該共同教育課程に係る授業科目の履修により修得したものとそれぞれみなすこととされている（同三七条）。共同教育課程を修了した者に対して学位を授与する場合は、構成短期大学の連名で授与する（学位規則一〇条の二）。

また、短期大学設置基準においては、当該共同教育課程を編成し、及び実施するための協議の場を設けることとともに（三六条三項）、各構成短期大学において、修業年限が二年の場合は一〇単位以上、修業年限が三年の場合は二〇単位以上（夜間学科等の場合は一〇単位以上）取得することや（三八条一項〜三項）、専任教員数、校地・校舎の面積等についての特例が定められている（三九条〜四二条）。

【通　知】

○学校教育法の一部を改正する法律等の施行について（昭三九・七・一五　文大技三六六号　各都道府県知事、各都道府県教育委員会教育長、各国公私立大学長、各国公私立短期大学長、各国公私立高等専門学校長、文部大臣所轄学校法人理事長あて　文部事務次官通達）

改正法は、昭和二五年度から学校教育法（昭和二二年法律第二六号）附則第一〇九条に基づき、大学の修業年限の特例として暫定的に設置を認められてきた短期大学を、その後の充実発展の実態とこれに対する社会的要請に応じて恒久的な制度とし、その目的、性格を明らかにするとともに、学科組織を明確にして、今後一層充実した教育の展開を図ろうとするものであり、改正省令はその実施に必要な細目を定めたものである。

恒久化された短期大学制度の今後の運用にあたっては、下記事項をご了知の上、関係法令の施行に遺憾のないよう措置されるとともに、短期大学がその本来の趣旨に沿って今後さらに発展するようご尽力願いたい。

1　短期大学の目的、性格、修業年限および名称

(1)　このたびの法改正は、従来暫定措置としておかれていた短期大学の制度を恒久化するとともに実態に即して目的を明確にすることとしたが、短期大学の基本的性格に変更を及ぼすものではないこと。従って、短期大学は、学校の種別としては従来どおり大学に含まれるものであること。

(2)　短期大学は、学校教育法第五二条〔現行法八三条一項〕に規定されている大学の目的に代えて独自の目的をもつこととし、職業または実際生活に必要な能力を育成することを主たる目的とする高等教育機関とされたこと。なお、短期大学は、研究を行なう機関としての性格をあわせ有するものであること（改正後の学校教育法（以下「新法」という。）第六九条の二第一項〔現行法一〇八条一項〕）。

(3)　短期大学の修業年限は、従来どおり二年または三年とされたこと。

(4)　短期大学は、学校の種別としては大学に含まれるものであるが、その目的、性格、修業年限等に差異がある点に着目して、従来どおり短期大学という独自の名称を公に用いるものとしたこと（新法第六九条の二第三項〔現行法一〇八条三項〕）。なお、各種学校、その他学校以外の教育施設が短期大学という名称を用いることは、学校教育法第八三条第二項〔現行法一三五条一項〕の規定に抵触し、禁止されているものであること。

2　短期大学の設備、編制等

(1)　短期大学の設備、編制、管理運営等については、学校教育法、学校教育法施行規則（昭和二二年文部省令第一一号）その他の法令の定めるところによるが、これらの法令においては、短期大学についての特別の定めのない限り、一般に大学に関する規定が適用されるものであること。

(2)　短期大学の設備、編制等についての特別の定めは、概ね次のとおりであること。

ア　短期大学には、学部を置かず、第一次的な教育研究組織として学科を置くものとしたこと（新法第六九条の二第四項お

よび第五項〔現行法一〇八条四項及び五項〕)。

イ　短期大学には、大学院を置かないこととしたこと(新法第六九条の二第八項〔現行法一〇八条八項〕)。

ウ　短期大学を卒業した者については、学士と称することが認められないこと(新法第六九条の二第八項〔現行法上規定なし〕)。

〔編者注〕　平一七法八三により短期大学卒業者には短期大学士の学位を授与されることになった。

(3)　学校教育法第三条の規定による短期大学の設備、編制その他に関する設置基準については、目下検討中であるが、これが制定されるまでの間は、なお、従前の例によるものとすること。

3　短期大学の学科の設置廃止

(1)　短期大学の学科の設置廃止は、従来、届出をもって足りることとされていたが、このたびの改正により新たに文部大臣の認可を要するものとされたこと(新法第四条および改正後の私立学校法(昭和二四年法律第二七〇号)第五条)。この場合における認可申請手続については、改正後の学校教育法施行規則(以下「新規則」という。)第七条の三〔現行一一条〕および第七条の七〔現行一五条〕に定めるところによるが、学科を設置する場合の認可申請書の提出期限、様式および提出部数については、大学の設置認可申請等の手続に関する細則(昭和三七年文部省告示第一三二号)に定める大学の学部の設置の場合に準じて取扱うものとすること。

(2)　私立短期大学の学科の名称または種類は、当該短期大学を設置する学校法人の寄附行為の必要的記載事項とされたこと(改正後の私立学校法第三〇条第一項)。従って、私立短期大学の学科の設置廃止および名称または種類の変更は、寄附行為の変更として文部大臣の認可を要するものとなったこと。この場合における認可申請手続については、改正後の私立学校法施行規則(昭和二五年文部省令第一二号)第四条に定めるところによること。

4　短期大学の専攻科への入学資格

短期大学の専攻科への入学資格について新たに改正前の学校教育法施行規則第七〇条〔現行一五五条〕に第二項を設け、外国において一四年(三年制の短期大学の専攻科への入学については一五年)の学校教育を受けた者および当該短期大学の専攻科において短期大学を卒業した者と同等以上の学力があると認めた者を専攻科への入学資格があるものとして規定したこと(新規則第七〇条〔現行一五五条〕第二項)。

5　短期大学卒業者の大学への編入学

短期大学を卒業した者は、従来と同様に学校教育法第五二条〔現行法八三条〕の大学に編入学することができることとしたこと(新法第六九条の二第七項〔現行法一〇八条七項〕および新規則第七〇条の二〔現行一六一条〕)。

6　経過措置

(1)　改正法施行の際、現に設置されている短期大学は、新法による短期大学として設置されたものとみなし、また短期大学に現に設置されている学科については新法第四条の規定による設置

の認可を受ける必要がないこと（改正法附則第二項および第三項）。

(2)　改正法により、私立短期大学の学科の名称または種類は、寄附行為の必要的記載事項とされたので、改正法施行の際、現に短期大学を設置する学校法人は、できる限りすみやかに、当該短期大学に現に置かれている学科の名称または種類を寄附行為に規定しなければならないこと。この場合においては、寄附行為の変更について認可を受けることを要しないこと（改正法附則第六項）。

○短期大学設置基準の一部を改正する省令の施行等について

（抄）（平三・七・一　文高専一八〇号　各国公私立大学長、放送大学長、各国公私立高等専門学校長、大学を設置する地方公共団体の長、高等専門学校を設置する各地方公共団体の教育委員会教育長、大学又は高等専門学校を設置する各学校法人の理事長、放送大学学園理事長あて　文部事務次官通知）

今回の改正の趣旨は、個々の短期大学が、その教育理念・目的に基づき、学術の進展や社会の要請に適切に対応しつつ、特色ある教育研究を展開し得るよう、短期大学設置基準の大綱化により制度の弾力化を図るとともに、生涯学習の振興の観点から短期大学における学習機会の多様化を図り、併せて、短期大学の水準の維持向上のため自己点検・評価の実施を期待するものであります。

第一　短期大学設置基準（昭和五〇年文部省令第二一号）の一部改正

一　自己評価等について

㈠　今回の短期大学設置基準の大綱化による制度の弾力化の趣旨を生かし、短期大学自らがその教育研究の改善への努力を行っていくために、当該短期大学における教育研究活動等の状況について自ら点検及び評価を行うことに努めなければならないこととしたこと。（改正後の第二条第一項関係〔現行設置基準上規定なし〕）

㈡　この点検及び評価を行うに当たっては、前記の趣旨に即し適切な点検・評価項目を設定するとともに、適当な実施体制を整えて行うものとしたこと。（改正後の第二条第二項関係〔現行設置基準上規定なし〕）

二　学生定員について

学生定員は、学科ごとに学則で定めるが、昼夜開講制を実施するときは、これに係る学生定員を明示するものとしたこと。（改正後の第四条第二項関係）

三　教育課程について

㈠　授業科目区分の廃止及び教育課程の編成方針について

①　各短期大学において、それぞれの創意工夫により特色ある教育課程が編成できるようにするため、一般教育科目、専門教育科目等の授業科目の区分に関する規定を廃止したこと。（改正前の第四条から第六条まで関係）

②　前記①の改正の趣旨が生かされるよう、教育課程の編成に当たっての基本方針を次のように明らかにしたこと。

1）　短期大学は、当該短期大学及び学科の教育上の目的を達

成するために必要な授業科目を開設し、体系的に教育課程を編成すること。（改正後の第五条第一項関係）

2）　教育課程の編成に当たっては、短期大学は、学科に係る専門の学芸を教授し、職業又は実際生活に必要な能力を育成するとともに、幅広く深い教養及び総合的な判断力を培い、豊かな人間性を涵養するよう適切に配慮しなければならないこと。（改正後の第五条第二項関係）

㈡　単位の計算方法について

単位の計算方法の合理化を図り、演習等による授業の開設を促進するため、単位の計算方法を次のように改めたこと。

①　短期大学が単位数を定めるに当たっては、一単位の授業科目を四五時間の学修を必要とする内容をもって構成することを標準とし、授業の方法に応じ、当該授業による教育効果、授業時間外に必要な学修等を考慮して、次の基準により単位数を計算するものとしたこと。（改正後の第七条第二項関係）

1）　講義及び演習については、一五時間から三〇時間までの範囲で短期大学が定める時間の授業をもって一単位とすること。

2）　実験、実習及び実技については、三〇時間から四五時間までの範囲で短期大学が定める時間の授業をもって一単位とすること。ただし、芸術等の分野における個人指導による実技の授業については、その教育効果等にかんがみ、短期大学が定める時間の授業をもって一単位とすることができること。

②　前記①にかかわらず、卒業研究、卒業制作等の授業科目については、これらの学修の成果を評価して単位を授与することが適切と認められる場合には、これらに必要な学修等を考慮して、単位数を定めることができるものとしたこと。（改正後の第七条第三項関係）

㈢　授業期間について

①　一年間の授業期間については、三五週にわたることを規定することにとどめ、従来のような具体的な授業日数についての定めは設けないこととしたこと。（改正後の第八条関係）

②　各授業科目の授業期間について、教育上特別の必要があると認められる場合には、外国語の演習、体育実技等に限らず、一〇週又は一五週より短い特定の期間において授業を行うことができることとしたこと。（改正後の第九条関係）

㈣　昼夜開講制について

社会人等の受入れを積極的に進めていくため、短期大学は、教育上必要と認められる場合には、昼夜開講制（同一学科において昼間及び夜間の双方の時間帯において授業を行うことをいう。）により授業を行うことができることを明らかにしたこと。（改正後の第一二条関係）

四　卒業の要件等について

㈠　単位の授与について

卒業研究、卒業制作等の授業科目については、必ずしも試験によることなく、短期大学の定める適切な方法により学修の成果を評価して単位を与えることができるものとしたこと。（改

正後の第一三条ただし書関係）

㈡　外国の短期大学又は大学への留学について

学生が外国の短期大学又は大学に留学する場合に短期大学が当該短期大学において修得したものとみなすことのできる単位数を、修業年限が二年の短期大学にあっては一五単位、修業年限が三年の短期大学にあっては二三単位としている現行規定を改め、短期大学・大学との単位互換に関する規定により当該短期大学において修得したものとみなす単位数及び左記㈢の短期大学又は大学以外の教育施設等における学修に関する規定により与える単位数と合わせて三〇単位を超えないものとしたこと。（改正後の第一四条関係）

㈢　短期大学又は大学以外の教育施設等における学修について

①　教育内容の充実に資するため、短期大学は、教育上有益と認めるときは、学生が行う短期大学又は高等専門学校の専攻科における学修その他文部大臣が別に定める学修を、当該短期大学における授業科目の履修とみなし、短期大学の定めるところにより単位を与えることができることとしたこと。（改正後の第一五条第一項関係）

なお、文部大臣が定める学修として、別添三（略）のとおり、高等専門学校における学修、修業年限二年以上の専修学校専門課程における学修等を定めたこと。（平成三年文部省告示第六九号）

②　前記①により与えることができる単位数は、修業年限が二年の短期大学にあっては短期大学・大学との単位互換に関する規定により当該短期大学において修得したものとみなす単位数と合わせて一五単位〔現行三〇単位〕、修業年限が三年の短期大学にあっては短期大学・大学との単位互換に関する規定により当該短期大学において修得したものとみなす単位数と合わせて二三単位〔現行四六単位〕を超えないものとしたこと。（改正後の第一五条第二項関係）

㈣　既修得単位等の認定について

学生の入学前の学習成果を適切に評価するため、入学前の既修得単位等の認定について、前記㈢及び左記㈤にも関連し、次のように規定の整備を行ったこと。

①　短期大学は、教育上有益と認めるときは、学生が当該短期大学に入学する前に短期大学又は大学において履修した授業科目について修得した単位（左記㈤の科目等履修生として修得した単位を含む。）を、当該短期大学に入学した後の当該短期大学における授業科目の履修により修得したものとみなすことができることとしたこと。（改正後の第一六条第一項関係）

②　短期大学は、教育上有益と認めるときは、学生が当該短期大学に入学する前に行った前記㈢の短期大学又は大学以外の教育施設等における学修を、当該短期大学における授業科目の履修とみなし、短期大学の定めるところにより単位を与えることができることとしたこと。（改正後の第一六条第二項関係）

③　前記①及び②により修得したものとみなし、又は与えるこ

とのできる単位数は、当該短期大学において修得した単位以外のものについては、修業年限が二年の短期大学にあっては合わせて一五単位〔現行三〇単位〕、修業年限が三年の短期大学にあっては合わせて二三単位〔現行四六単位〕を超えないものとすることとしたこと。ただし、転学等の場合については、この制限は適用されないものであること。（改正後の第一六条第三項関係）

④ なお、これに伴い、「新たに大学又は短期大学の第一年次に入学した学生の既修得単位の取扱いについて（昭和五七年四月一日付け文大大第一三三号大学局長通知）」は、廃止することとしたこと。

㈤ 科目等履修生について

社会人等に対しパートタイムによる学習機会を拡充し、その学習の成果に適切な評価を与えるため、短期大学は、短期大学の定めるところにより、当該短期大学の学生以外の者で一又は複数の授業科目を履修する者（「科目等履修生」という。）に対し単位を与えることができることとしたこと。（改正後の第一七条関係）

㈥ 卒業要件等について

前記三の㈠の①と同様の趣旨により、卒業の要件については、修業年限が二年の短期大学にあっては短期大学に二年以上在学し六二単位以上、修業年限が三年の短期大学にあっては短期大学に三年以上在学し九三単位以上を修得することのみを規定することとし、授業科目の区分に応じて修得すべき単位数についての規定は廃止したこと。（改正後の第一八条及び改正前の第一五条関係）

五 教員組織について

専任教員数の基準について、従来の授業科目の区分に応じ教員数を定める方式を改め、当該短期大学に置く学科の種類に応じ定める数と短期大学全体の入学定員に応じ定める数を合計した数以上とすることとしたこと。（改正後の第二二条関係）

六 教員の資格について

㈠ 教授の資格について（改正後の第二三条関係）

① 教授の資格として、教育研究上の能力を有することが必要であることを明らかにしたこと。

② 博士の学位の趣旨を踏まえ、博士の学位を有する者についても、それに加え、研究上の業績を有することを必要としたこと。

㈡ 助教授〔現：准教授〕の資格について（改正後の第二四条関係）

① 助教授の資格として、教育研究上の能力を有することが必要であることを明らかにしたこと。

② 旧制の大学の大学院の在学歴に関する規定について、適用の可能性が稀少となっており、必要な場合には他の規定の適用により対応し得ることから、これを廃止したこと。

七 校地、校舎等の施設及び設備について（略）

八 施行期日等

㈠ この改正は、平成三年七月一日から施行することとしたこ

と。（改正省令附則第一項関係）

(二)（略）

○学校教育法施行規則等の一部を改正する省令の施行等について（抄）（平一一・三・三一　文高大三二〇号　各国公私立大学長、放送大学長、大学を設置する各地方公共団体の長、大学を設置する各学校法人の理事長、放送大学学園理事長あて　文部事務次官通知）

第一～第三（略）

第四　短期大学設置基準（昭和五〇年文部省令第二一号）の一部改正

一　単位互換及び短期大学又は大学以外の教育施設等における学修の単位認定の拡大

学生の選択の幅を広げ、また、大学間のより一層の連携・交流を可能とする観点から、学生が行う他の短期大学又は大学における履修及び短期大学又は大学以外の教育施設等における学修について単位認定できる単位数の上限について、入学前と入学後それぞれについて一五単位（修業年限が三年の短期大学にあっては、二三単位）を超えない範囲内とされていた取扱いを改め、入学前、入学後にかかわらず合わせて三〇単位（修業年限が三年の短期大学にあっては、四六単位）を超えない範囲内としたこと。（改正後の第一四条第一項、第一五条第二項及び第一六条第三項関係）

また、学生が外国の短期大学又は大学において履修した授業科目について修得した単位について、短期大学が、当該短期大学において修得したものとみなすことができる単位数は、当該学生が当該短期大学への入学前又は入学後に行う国内の他の短期大学又は大学における履修及び短期大学又は大学以外の教育施設等における学修について単位認定する単位数と合わせて四五単位（修業年限が三年の短期大学にあっては、五三単位）を超えない範囲内としたこと。（改正後の第一四条第一項、第一五条第二項、第一六条第三項及び改正前の第一四条第二項関係）

二　短期大学設置基準第一一条第二項の授業（以下「遠隔授業」という。）により修得することができる単位数の上限の拡大

遠隔授業は、他の短期大学又は大学との間で単位互換として行われる場合が少なくないことから、単位互換の単位数の上限の拡大に伴い、遠隔授業により修得することができる単位数の上限について、三〇単位（修業年限が三年の短期大学にあっては、四六単位）を超えない範囲内としたこと。（改正後の第一八条第三項関係）

なお、各短期大学において、六二単位（修業年限が三年の短期大学にあっては、九三単位）を超える単位数を卒業の要件としている場合は、短期大学設置基準第一一条第二項の授業によって三二単位（修業年限が三年の短期大学にあっては、四七単位）以上の修得がなされていれば、遠隔授業によって修得する単位数については、三〇単位（修業年限が三年の短期大学にあっては、四六単位）を超えることができるものであること。

第五　「大学設置基準第二九条第一項の規定により、大学が単位を与えることのできる学修を定める件（平成三年文部省告示第六八

号)」及び「短期大学設置基準第一五条第一項の規定により、短期大学が単位を与えることのできる学修を定める件(平成三年文部省告示第六九号)」の一部改正

学生の学修選択の幅を広げる観点から、別添二及び三(略)のとおり、大学以外の教育施設等における学修について大学が単位認定できる範囲を拡大し、トフル及びトーイックにおける成果に係る学修及び一定の要件を備えた知識及び技能に関する審査でトフル及びトーイックと同等以上の社会的評価を有するものにおける成果に係る学修を対象とすることとしたこと。

○大学設置基準の一部を改正する省令の施行等について(抄)

(平一三・三・三〇　一二文科高三四六号　各国公私立大学長などあて　文部科学事務次官通知)

第三　短期大学設置基準の一部改正

一　短期大学は、授業を、外国において履修させることができるものとすること。多様なメディアを高度に利用して履修させる場合についても同様とすること(第一一条第三項)。

二　短期大学は、学生が、外国の短期大学又は大学が行う通信教育による授業を我が国において履修することにより修得した単位を、二年制の短期大学にあっては三〇単位、三年制の短期大学にあっては四六単位を上限に当該短期大学において修得したものとみなすことができるものとすること(第一四条第二項)。

三　教授等の教員の資格について、短期大学における教育を担当するにふさわしい教育上の能力を有することを要件とすることとし、教育上の能力を重視することを明確にしたこと。外国の短期大学又は大学における教員としての経歴を国内の短期大学又は大学における経歴と同様に扱うこと。助教授〔現：准教授〕等の資格に係る助手等の経歴について、在職年数を問わないこととしたこと(第二三条から第二六条)。

なお、教員の選考は各短期大学の判断と見識に基づくものであり、短期大学設置基準が短期大学設置に必要な最低限の基準を定めたものであることから、これを上回る要件(例えば研究上の実績や能力)を加味することは、それぞれの短期大学の判断であること。

第四　短期大学通信教育設置基準の一部改正

一　通信による教育を行う短期大学は、授業を、外国において履修させることができるものとすること(第三条第三項)。

二　卒業の要件として修得すべき単位のうち、二年制の短期大学にあっては一五単位以上、三年制の短期大学にあっては二三単位以上は、面接授業又はメディアを利用して行う授業により修得するものとすること(当該一五単位又は二三単位のうちそれぞれ五単位又は八単位までは放送授業により修得した単位で代えることができる)。これにより、卒業に必要な六二単位(二年制の場合)又は九三単位(三年制の場合)のすべてを、メディアを利用して行う授業により修得することが可能となること(第六条第二項)。

第五　(略)

第六　学校教育法施行規則の一部改正

一　（略）

二　短期大学の専攻科への入学に関し短期大学を卒業した者と同等以上の学力があると認められる者として、外国の学校が行う通信教育における授業科目を我が国において履修することにより当該外国の学校教育における一四年の課程（三年制の短期大学の専攻科については一五年の課程）を修了した者を新たに加えること（第七〇条〔現行施行規則一五五条〕第二項）。

三・四（略）

第七　平成一三年文部科学省告示第五一号（大学設置基準第二五条第二項の規定に基づき、大学が履修させることができる授業等について定める件）等の制定

一　大学設置基準第二五条第二項の規定に基づき、大学が履修させることができる授業（いわゆる「遠隔授業」）については、平成一〇年文部省告示第四六号により規定されてきたところであるが、インターネット等の情報通信技術の進展にかんがみ、従来のものに加え、毎回の授業の実施に当たって設問解答等による指導を併せ行うものであって、かつ、当該授業に関する学生の意見の交換の機会が確保されているもので、大学において、面接授業に相当する教育効果を有すると認めたものを遠隔授業として位置付けることとしたこと。

したがって、遠隔授業については、「同時かつ双方向に行われるもの」であることが必要とされてきたが、今回の改正によって、同時かつ双方向に行われない場合であっても、一定の条件を満たしていれば、これを遠隔授業として行うことが可能となること。

また、ここで必要とされる指導については、設問解答、添削指導、質疑応答のほか、課題提出及びこれに対する助言を電子メールやファックス、郵送等により行うこと、教員が直接対面で指導を行うことなどが考えられること。

なお、上記の指導は、印刷教材等による授業や放送授業の実施に当たり併せ行うこととされる添削等による指導（大学通信教育設置基準第三条第二項）とは異なり、毎回の授業の実施に当たって併せ行うものであることに留意されたいこと。

学生の意見の交換の機会については、大学のホームページに掲示板を設け、学生がこれに書き込めるようにしたり、学生が自主的に集まり学習を行えるような学習施設を設けたりすることが考えられること。

二　（略）

三　なお、短期大学及び高等専門学校についても、これらと同趣旨の告示の制定等を行うこと（平成一三年文部科学省告示第五二号及び同第五三号）。

○学校教育法の一部を改正する法律等の施行について（抄）

（平一五・三・三一　一五文科高一六二号　各国公私立大学長、放送大学長、各国公私立高等専門学校長、国立久里浜養護学校長、大学評価・学位授与機構長、独立行政法人大学入試センター理事長、各都道府県知事、各都道府県教育委員会、大学を設置する各地方公共団体の長、大学又は高等専門学校を設置する各学校法人の理事長、放送大学学園理事長あ

て　文部科学事務次官通知)

第一・第二（略）

第三　学校教育法施行規則等の一部を改正する省令（平成一五年文部科学省令第一五号）

1～7（略）

8　短期大学設置基準の一部改正

(1)　入学者の選抜

入学者の選抜については、公正かつ妥当な方法により、適当な体制を整えて行うものとしたこと。（第二条の三）

(2)　学生定員

短期大学は、教育にふさわしい環境の確保のため、在学する学生の数を学生定員に基づき適正に管理するものとしたこと。（第四条第四項）

(3)　授業の場所

短期大学は、文部科学大臣が別に定めるところにより、授業を校舎及び附属施設以外の場所で行うことができることとしたこと。（第一一条第四項）（第一七　平成一五年文部科学省告示第五一号（短期大学が授業の一部を校舎及び附属施設以外の場所で行う場合について定める件）を参照）

(4)　教員の構成

短期大学は、教育研究水準の維持向上及び教育研究の活性化を図るため、教員の構成が特定の年齢層に著しく偏ることのないよう配慮するものとしたこと。（第二〇条第三項）

(5)　学長の資格

学長となることのできる者は、人格が高潔で、学識が優れ、かつ、大学運営に関し識見を有すると認められる者としたこと。（第二二条の二）

(6)　教授等の資格

教授となることのできる者として、専門職学位を有し、当該学位の分野に関する業務上の実績を有する者であって、大学における教育を担当するにふさわしい教育上の能力を有すると認められる者を追加したこと。（第二三条）

また、助教授〔現：准教授〕となることのできる者として、専門職学位を有する者であって、大学における教育を担当するにふさわしい教育上の能力を有すると認められる者を追加したこと。（第二四条）

(7)　校地の面積

短期大学における校地の面積（附属施設用地及び寄宿舎の面積を除く。）は、学生定員上の学生一人当たり一〇平方メートルとして算定した面積としたこと。（第三〇条）

(8)　教育研究環境の整備

短期大学は、その教育研究上の目的を達成するため、必要な経費の確保等により、教育研究にふさわしい環境の整備に努めるものとしたこと。（第三三条の二〔現行三三条の三〕）

(9)　短期大学等の名称

短期大学等の名称は、短期大学等として適当であるとともに、当該短期大学等の教育研究上の目的にふさわしいものとするものとしたこと。（第三三条の三〔現行三三条の四〕）

⑽　段階的整備

新たに短期大学等を設置する場合の教員組織、校舎等の施設及び設備については、別に定めるところにより、段階的に整備することができること。（第三七条〔現行五二条〕）

⑾　その他

その他所要の規定の整備を行ったこと。

9～14（略）

第四～第一六（略）

第一七　平成一五年文部科学省告示第五一号（短期大学が授業の一部を校舎及び附属施設以外の場所で行う場合について定める件）

短期大学設置基準第一一条第四項の規定に基づき、短期大学が授業の一部を校舎及び附属施設以外の場所で行うことができる場合の要件として、実務の経験を有する者等を対象とした授業を行うものであること、校舎及び附属施設において十分な教育研究を行うものであること等を定めたこと。

この場合において、授業の対象としては、実務の経験を有する者のほか、単位互換による授業を受ける者であって当該授業を実施する短期大学の校舎等に継続的に通学することが困難なものなども想定されること。

第一八　平成一五年文部科学省告示第五二号（短期大学設置基準第三七条〔現行五二条〕の規定に基づき、新たに短期大学等を設置する場合の教員組織、校舎等の施設及び設備の段階的な整備について定める件）

新たに短期大学等を設置する場合の教員組織、校舎等の施設及び設備の段階的な整備について、短期大学全体の整備計画が確立しており、かつ、教育研究に支障のない限度において各年次にわたって行うものであること等の条件を満たしている場合に行うことができることとしたこと。

また、認可後の年次計画の履行状況の報告等について定めたこと。

第一九・第二〇（略）

〔自己点検評価及び認証評価〕

第百九条　大学は、その教育研究水準の向上に資するため、文部科学大臣の定めるところにより、当該大学の教育及び研究、組織及び運営並びに施設及び設備（次項及び第五項において「教育研究等」という。）の状況について自ら点検及び評価を行い、その結果を公表するものとする。

②　大学は、前項の措置に加え、当該大学の教育研究等の総合的な状況について、政令で定める期間ごとに、文部科

学大臣の認証を受けた者（以下「認証評価機関」という。）による評価（以下「認証評価」という。）を受けるものとする。ただし、認証評価機関が存在しない場合その他特別の事由がある場合であつて、文部科学大臣の定める措置を講じているときは、この限りでない。

③　専門職大学等又は専門職大学院を置く大学にあつては、前項に規定するもののほか、当該専門職大学等又は専門職大学院の設置の目的に照らし、当該専門職大学等又は専門職大学院の教育課程、教員組織その他教育研究活動の状況について、政令で定める期間ごとに、認証評価を受けるものとする。ただし、当該専門職大学等又は専門職大学院の課程に係る分野について認証評価を行う認証評価機関が存在しない場合その他特別の事由がある場合であつて、文部科学大臣の定める措置を講じているときは、この限りでない。

④　前二項の認証評価は、大学からの求めにより、大学評価基準（前二項の認証評価を行うために認証評価機関が定める基準をいう。以下この条及び次条において同じ。）に従つて行うものとする。

⑤　第二項及び第三項の認証評価においては、それぞれの認証評価の対象たる教育研究等状況（第二項に規定する大学の教育研究等の総合的な状況及び第三項に規定する専門職大学等又は専門職大学院の教育課程、教員組織その他教育研究活動の状況をいう。次項及び第七項において同じ。）が大学評価基準に適合しているか否かの認定を行うものとする。

⑥　大学は、教育研究等状況について大学評価基準に適合している旨の認証評価機関の認定（次項において「適合認定」という。）を受けるよう、その教育研究水準の向上に努めなければならない。

⑦　文部科学大臣は、大学が教育研究等状況について適合認定を受けられなかつたときは、当該大学に対し、当該大学の教育研究等状況について、報告又は資料の提出を求めるものとする。

【沿　革】　平一四・一一・二九法一一八により新設した。

平一九・六・二七法九六により、旧六九条の三から一〇九条に移動した。
平二九・五・三一法四一により、第三項中「専門職大学院」を「専門職大学等又は専門職大学院」に改めた。
令元・五・二四法一一により、第五項から第七項までを追加した。

【参照条文】　法一二三条。施行令四〇条。施行規則一六六条、一六七条。

【注　解】

一　大学が「知の創造と継承」という重要な役割を一層果たしていくためには、大学が学問の進展や社会の変化・ニーズに応じて、自ら積極的に改革していくことが必要である。また、事前規制から事後チェックへという規制改革の流れから、大学に対する国の関与についても、その在り方の見直しが求められている。こうした状況の下、平成一四年八月の中央教育審議会答申「大学の質の保証に係る新たなシステムの構築について」においては、学問の進展や社会の急速な変化、諸外国における大学評価に向けた取組状況などを踏まえた今後の大学における質の保証の方策として、次の提言が行われた。

①　大学が自ら積極的に組織改編などを進められるよう、国による事前規制である設置認可制度を大幅に弾力化する。

②　大学設置後の教育研究活動の状況について、第三者が客観的な立場から継続的に評価を行う体制を整備し、設置後も含めたシステム全体として大学の質を保証していく。

③　法令違反の状態にある大学に対し、段階的な是正措置を導入する。

これを受けて、平成一四年一一月の本法改正により、設置認可の見直しや段階的な是正措置の整備とともに、認証評価制度が創設された。

認証評価制度は、先進主要国において、大学評価が改革のための重要な取組として位置付けられていることを踏ま

えて導入された。平成一六年度から、国公私立すべての大学が、その教育研究活動の状況などについて、定期的に、文部科学大臣の認証を受けた第三者評価機関（認証評価機関）による評価（認証評価）を受けるものとされた。認証評価機関が行った認証評価の結果が公表されることにより、大学が社会による評価を受けるとともに、認証評価の結果を踏まえて大学が自ら改善することを促すものであり、大学の教育研究活動の質の向上を図ることを目的としている。

大学の理念や特色は多様であることを踏まえ、各々の認証評価機関が、個性輝く大学づくりを推進することにつながるような認証評価の在り方に配慮することが必要であるとともに、様々な認証評価機関がそれぞれの特質を活かして認証評価を実施することにより、大学がその活動に応じて自ら選ぶ認証評価機関から認証評価を受けられるようにすることが重要である。

二　本条一項は自己点検評価及びその結果の公表について定めたものである。「大学」には、短期大学も含まれる。

大学の教育研究水準の向上は、大学が不断の自己点検・評価を行うことにより、自らの責任において教育研究の改善への努力を行っていくことが基本である。このため、大学設置基準、大学院設置基準、短期大学設置基準、大学通信教育設置基準、短期大学通信教育設置基準の各設置基準を改正して、大学の自己点検・評価を、平成三年には努力義務として、平成一一年からは義務として定めており、平成一五年当時、大学全体の約九割が自己点検・評価を実施し、結果の公表も大学全体の約八割が実施している状況にあった。

こうした各大学における自己点検・評価の定着状況を踏まえ、認証評価制度の導入を機に、教育研究水準の向上を図る上での基本的取組である自己点検・評価の実施を法律に規定し、大学評価全体の仕組みを明らかにしようとしたものである。

なお、本条一項が設けられたことにより、従前、大学設置基準等において、自己点検・評価に関して定めていた同

様の規定は削除された。また、自己点検・評価を行うに当たっての項目の設定及び体制も大学設置基準等において定められていたが、本条一項が設けられたことにより、これらは、本条一項の「文部科学大臣の定め」として、学校教育法施行規則において規定することとされた（同一六六条）。

第百六十六条　大学は、学校教育法第百九条第一項に規定する点検及び評価を行うに当たつては、同項の趣旨に即し適切な項目を設定するとともに、適当な体制を整えて行うものとする。

本条一項の「教育及び研究、組織及び運営並びに施設及び設備」とは、具体的には、学部、研究科等の教育研究活動、附属図書館の活動、社会貢献活動、教授会の審議状況、財務状況、自己点検・評価の実施状況、施設設備の整備状況等を指している。

三　認証評価には、次の二種類がある。

①　本条二項の大学等の総合的な状況の評価（大学等の教育研究、組織運営及び施設設備の総合的な状況についての評価）

②　本条三項の専門職大学、専門職短期大学又は専門職大学院の評価（専門職大学、専門職短期大学又は専門職大学院の教育課程、教員組織その他教育研究活動の状況についての評価）

平成一六年度以降、すべての国公私立大学は、二項の認証評価を受けることが必要となるとともに、専門職大学、専門職短期大学又は専門職大学院を設ける大学は、二項の認証評価のほかに三項の認証評価を受けることが必要とされている。

この評価の実施主体である第三者評価機関（文部科学大臣から認証を受けた認証評価機関）は、自ら定める評価の基準（大学評価基準。後述**五**参照）に従って評価を実施する機関であり、大学は、認証評価機関の中から評価を受ける認証評価機関を選択することが可能な仕組みとなっている。これによって、各大学の自主性・自律性に配慮しつつ、それぞれの

個性を活かした評価が行われる制度となっている。

認証評価を受けなければならない周期期限については、「政令で定める期間」とされている。これは、大学の質の向上を図るためには、可能な限り短いサイクルで評価を行うことが望ましいが、他方で、あまりに短期間の周期で評価を実施すれば、大学側が認証評価の対応に忙殺され、却って教育研究活動が疎かになるおそれがあることから、評価の実施状況に応じて柔軟に周期を設定できるよう政令で規定することとしたものである。具体的には、施行令四〇条において、二項の認証評価については「七年以内」、三項の認証評価については「五年以内」と定められている。

二項の認証評価を受ける対象となる「大学の教育研究等の総合的な状況」とは、具体的には、次のような事項が考えられる。

① 大学全体の理念・目的に即した将来計画など全体的な方針の実施状況

② 全学的な視点に立って行う活動の状況

(例)・教養教育の全学的な実施状況

・公開講座、オープンキャンパスなど生涯学習の推進状況

・留学生の受入れなどの国際交流の状況

・社会人の受入れなど多様な学生の受入れ

・学生の収容定員比率と在籍率

・学生の就職指導、奨学金、相談体制の整備状況

・情報公開の対応状況

③ 当該大学に設置されているすべての学部・研究科等における教育研究等の状況に係る事項

④　学部・研究科の枠組みを越えて複数の学部間で行われる大規模プロジェクトの実施状況
⑤　特定の観点から複数の部局間の教育研究等の状況を横断的・相対的に評価すべき事項
（例）情報化、知的財産創出など特定の観点からみた教育研究の実施状況
⑥　組織の管理運営、財務の状況
（例）・評議会、運営諮問会議、各部局教授会等の運営状況
・競争的資金の受入れ等も含めた予算・会計制度の運用状況
・各部門ごとに教育研究実績に応じた資源配分の実施、事務職員の配置状況
・教員の評価、組織的な研修、教員の流動化の状況
・自己点検・評価の実施体制、実施状況
・財政基盤の充実度
・特許、技術移転に係る体制整備の状況

四　本条二項及び三項ともに、ただし書が定められているが、二項のただし書については、現在既に複数の評価機関が認証されており、実際に具体的なケースが生じることは想定されないが、法制的な観点から念のために規定されたものである。三項のただし書は、専門職大学、専門職短期大学又は専門職大学院が、今後、多様な専門分野で設置されることが考えられるものの、我が国ではこうした専門分野別の評価機関が必ずしも十分育成されているとはいえない状況にあり、また、専門分野の専門性については国際通用性を踏まえると国際標準で評価を行うことが必要となるケースがあることから、こうしたケースにも対応できるよう、認証評価に代えて一定の措置が講じられている場合には、認証評価を受けることを要しないこととしたものである。
「特別の事由がある場合」としては、例えば、次のような場合が該当する。

① 専門分野の認証評価機関が国内に一つしかなく、その機関が認証評価業務を休廃止した場合や天災によって認証評価業務を行えない場合

② 専門分野の認証評価機関が国内に一つしかなく、その機関に同時期に当該機関の処理能力を超える数の大学から認証評価申請があった場合

③ 専門分野においては第一級との評価が国際的に確立している評価機関が海外に存在する場合

また、「文部科学大臣の定める措置を講じているとき」とは、具体的には、施行規則一六七条に定められている。

第百六十七条 学校教育法第百九条第三項ただし書に規定する文部科学大臣の定める措置は、次の各号に掲げるいずれかの措置とする。

一 専門職大学等又は専門職大学院を置く大学が、外国に主たる事務所を有する法人その他の団体であつて、当該専門職大学等又は専門職大学院の課程に係る分野について評価を行うもののうち、適正な評価を行うと国際的に認められたものとして文部科学大臣が指定した団体から、当該専門職大学等又は専門職大学院の教育課程、教員組織その他教育研究活動の状況について定期的に評価を受け、その結果を公表するとともに、文部科学大臣に報告すること。

二 専門職大学等が、学校教育法第百九条第一項に規定する点検及び評価の結果のうち、当該専門職大学等の教育課程、教員組織その他の教育研究活動の状況について、当該専門職大学等の課程に係る分野に識見を有する者（当該専門職大学等の職員を除く。）による検証を定期的に行い、その結果を公表するとともに、文部科学大臣に報告すること。

五 本条四項は認証評価の実施方法について定めたものである。

認証評価は、認証評価機関が主体的に実施するものであることから、国が定めた基準ではなく、認証評価機関が自ら定めた基準（大学評価基準）に従って行うものであることを明確にしている。また、「大学からの求めにより」と定めているのは、認証評価は認証評価機関が一方的に評価を行うものではなく、認証評価機関は大学からの申請があってはじめて認証評価を行うものであることを明確にしたものである。

六　本条五項から七項までは、令和元年の学校教育法の一部改正により追加された規定である。本条五項は、大学教育の質の保証と向上を図る観点から、認証評価機関が定める大学評価基準に適合しているか否かの認定を行うことを認証評価機関に義務付ける規定である。大学評価基準に適合することは、それぞれの大学評価基準で求められる大学としての適格性を有することを意味する。この規定は、認証評価の結果において、「大学評価基準に適合している」又は「大学評価基準に適合していない」と明示することを求めているものであり、例えば、一定の期間内に大学評価基準を満たすことが期待できるとして「大学評価基準に適合しているか否かの認定を保留する」というように、当該認定を明らかにしないことは想定されていない。

七　本条六項は、大学評価基準に適合しているか否かの認定を行うことを認証評価機関に義務付ける本条五項の規定を踏まえ、大学に対して大学評価基準に適合している旨の認定（適合認定）を受けることができるよう努力義務を課す旨の規定である。大学評価基準に適合することは、「大学設置基準の水準を下回らない趣旨」（平成一五年一二月一八日中央教育審議会第三〇回大学分科会）と整理されているが、認証評価の目的の一つに、評価結果を踏まえて大学が自ら教育研究活動の改善を図ることが掲げられており、大学の教育研究活動の質の保証のみならず向上を図るための認証評価においては、大学評価基準は法令以上の水準で定められており、大学評価基準に従って行われる認証評価を受審する大学は、教育研究の質の保証のみならず向上が図られる仕組みとなっている。

八　本条七項は、適合認定を受けることができなかった大学の実情を把握するために、文部科学大臣が、当該大学に対し、報告又は資料の提出を求めるものとする規定である。認証評価の結果、適合認定を受けることができなかった大学は、法令に違反している可能性もありうる。大学における教育研究活動の質の保証は、一義的には各大学自らの責任において行われるべきものであることは当然であるが、合理的な理由もなく、法令違反状態が大学自らの責任によって解消されない事態が生じた場合などに、それを改善させる制度的な手段の一環として本項は規定されてい

る。適合認定を受けることができなかった大学からの報告等の結果、当該大学が法令に違反していると文部科学大臣が認めるときは、法一五条等の規定により、改善勧告や変更命令等の措置を講ずることも想定される。

【通　知】

○学校教育法の一部を改正する法律等の施行について（抄）

（平一五・三・三一　一五文科高一六二号　各国公私立大学長、放送大学長、各国公私立高等専門学校長、国立久里浜養護学校長、大学評価・学位授与機構長、独立行政法人大学入試センター理事長、各都道府県知事、各都道府県教育委員会、大学を設置する各地方公共団体の長、大学又は高等専門学校を設置する各学校法人の理事長、放送大学学園理事長あて　文部科学事務次官通知）

第一　学校教育法の一部を改正する法律（平成一四年法律第一一八号）

1　改正の趣旨

今回の改正の趣旨は、大学等の一層主体的・機動的な教育研究活動等を促進するため、学位の大幅な変更等を伴わない学部等の設置については認可を受けることを要しないこととするとともに、教育研究活動等の質の保証を図るため、勧告等の是正措置や認証評価制度を設けるものである。また、併せて、大学院における高度専門職業人養成を促進するため、専門職大学院制度を設けるものである。

2　学校教育法の一部改正

(3)　認証評価制度の導入

①　自己点検・評価の実施

大学の自己点検及び評価の実施並びにその結果の公表については、従来、大学設置基準等に規定していたが、今回の認証評価制度の導入を機に、大学の教育研究水準の向上を図る上での基本的取組として法律に規定したこと。（第六九条の三〔現行法一〇九条〕第一項）

②　定期的な認証評価の実施

ア　各大学は、その教育研究水準の向上を図るため、大学の教育研究、組織運営及び施設設備の総合的な状況について、政令で定める期間ごとに、文部科学大臣の認証を受けた者（以下「認証評価機関」という。）による評価（以下「認証評価」という。）を受けるものとしたこと。（第六九条の三〔現行法一〇九条〕第二項）（第二の1　学校教育法施行令の一部改正(2)を参照）

なお、認証評価機関が存在しない場合その他特別の事由がある場合であって、文部科学大臣の定める措置を講じて

いるときはこの限りでないとしているが、既に複数の認証評価機関が参入することが見込まれるため、現時点では文部科学大臣の定めについて規定することは予定していないものであること。

イ　専門職大学院を置く大学にあっては、上記アの認証評価のほか、当該専門職大学院の設置の目的に照らし、当該専門職大学院の教育課程、教員組織その他教育研究活動の状況について、政令で定める期間ごとに、認証評価機関による評価を受けるものとしたこと。（第六九条の三〔現行法一〇九条〕第三項）（第二の１　学校教育法施行令の一部改正(2)を参照）

なお、「その他特別の事由がある場合」とは、例えば、当該専門職大学院の課程に係る分野の評価に関し、国際的に高度の水準にある海外の評価機関が存在する場合、当該専門分野の認証評価機関に同時期に当該機関の対応能力を超える数の大学から評価申請がなされている場合等が該当するものであること。

ウ　認証評価は、大学からの求めにより、認証評価機関自らが定める大学評価基準に従って行うものであること。（第六九条の三〔現行法一〇九条〕第二項、第三項及び第四項）

なお、大学は、複数の認証評価機関から評価を受けることも可能であること。

エ　認証評価機関は、認証評価を行ったときは、その結果を大学に通知するとともに、社会に対して広く公表し、かつ、文部科学大臣に報告するものとしたこと。（第六九条の四〔現行法一一〇条〕第四項）

③　認証評価機関の認証

認証評価機関の認証は、認証評価機関になろうとする者からの申請により行われるものとし、文部科学大臣は、評価の基準、方法、体制等が公正かつ適確に認証評価を行うための一定の基準（以下「認証基準」という。）に適合すると認めるときは、その認証をするものとしたこと。（第六九条の四〔現行法一一〇条〕第一項及び第二項）

この場合、文部科学大臣は、中央教育審議会に諮問しなければならないこととしたこと。（第六九条の六〔現行法一一二条〕第一号）

また、認証基準を適用するに際して必要な細目については、中央教育審議会への諮問を経て、文部科学大臣が定めることとしたこと。（第六九条の四〔現行法一一〇条〕第三項、第六九条の六〔現行法一一二条〕第二号）

④　認証評価機関に対する指導監督

認証評価の公正かつ適確な実施が確保されないおそれがあると認めるときは、文部科学大臣は、認証評価機関に対し、報告・資料提出を求めることができることとしたこと。（第六九条の五〔現行法一一一条〕第一項）

また、文部科学大臣は、認証評価機関が、上記の報告・資料提出の求めに応じず、若しくは虚偽の報告・資料提出をし

たとき、又は認証基準に適合しなくなったと認めるときその他認証評価の公正かつ適確な実施に著しく支障を及ぼす事由があると認めるときは、認証評価機関に対し、その改善を求めることができることとし、さらに、その求めによってもなお改善されないときは、中央教育審議会への諮問を経て、認証を取り消すことができることとしたこと。（第六九条の五〔現行法一一一条〕第二項）

3・4 （略）

第二 学校教育法の一部改正に伴う関係政令の整備に関する政令（平成一五年政令第七四号）

1 学校教育法施行令の一部改正

(2) 認証評価の周期

学校教育法の改正に伴い大学等が定期的に受けることとされた認証評価の期間を、大学及び高等専門学校の教育研究等の総合的な状況については七年以内ごと、専門職大学院の教育研究活動の状況については五年以内ごととしたこと。（第四〇条）

○学校教育法等の一部を改正する法律等の施行について（抄）

（令元・七・一二　元文科高二二八号　各都道府県知事、各国公私立大学長、各国公私立高等専門学校長、大学を設置する各地方公共団体の長、各公立大学法人の理事長、文部科学大臣所轄学校法人理事長、大学を設置する各学校設置会社の代表取締役、放送大学学園理事長、独立行政法人国立高等専門学校機構理事長、各都道府県教育委員会教育長、高等専門学校を設置する各地方公共団体の教育委員会教育長、各大学共同利用機関法人機構長、独立行政法人大学改革支援・学位授与機構長、各認証評価機関の長、厚生労働省社会・援護局長及び医政局長あて　文部科学省高等教育局長・文部科学省研究振興局長通知）

（略）

第一 学校教育法（昭和二二年法律第二六号）の一部改正

1．改正の概要

① 大学の教育研究等の状況を評価する認証評価において、認証評価機関は、当該教育研究等の状況が大学評価基準に適合しているか否かの認定を行うこととすること。（学校教育法第一〇九条第五項関係）

② 大学は、教育研究等の状況について大学評価基準に適合している旨の認証評価機関の認定を受けるよう、その教育研究水準の向上に努めなければならないこととすること。（学校教育法第一〇九条第六項関係）

③ 文部科学大臣は、大学が教育研究等の状況について大学評価基準に適合している旨の認定を受けられなかったときは、当該大学に対し、当該大学の教育研究等の状況について、報告又は資料の提出を求めるものとすること。（学校教育法第一〇九条第七項関係）

④ ①～③については、高等専門学校に準用することとすること。（学校教育法第一二三条関係）

2．留意事項

① 第一〇九条第五項「大学評価基準に適合しているか否かの

認定を行うものとする」とは、認証評価の結果において、「大学評価基準に適合している」又は「大学評価基準に適合していない」と明示することであり、例えば、一定の期間内に大学評価基準を満たすことが期待できるとして「大学評価基準に適合しているか否かの認定を保留する」というように、当該認定を明らかにしないことは想定されないこと。認証評価機関においては、教育研究等の状況に関する事実関係の確認に時間を要する等の理由により、一定の期間内に当該認定を行えない場合においても、可能な限り速やかに当該認定を行うよう努めること。

② 今般の改正は、大学等における教育研究活動の改善及び向上を促す制度的な担保を設けることにより、大学等におけるこれまで同様の自主的・自律的な改善の実効性を一層確保し、教育研究水準の保証及び向上を確実に図ることとするものであること。

そのため、認証評価機関においては、大学等の認証評価を行う際に、当該大学等がこれまでに受審した認証評価の結果において「大学評価基準に適合していない」ことの事由となった事項及び改善が必要と指摘された事項等について、改善の内容及び現状等について確認するとともに、確認した結果を認証評価の結果として明らかにするよう努めること。

③ 今般の改正において、大学等の教育研究等の状況が大学評価基準に適合しているか否かの認定を認証評価機関に対して義務付けることなどを措置することに伴い、認証評価の公正かつ適確な実施を確保するために必要な体制が整備されることがより求められるものであること。

その際、認証評価機関においては、認証評価を行う委員等の選定や当該委員等を辞した後の状況について、大学等との間の利益相反の疑念を招き、認証評価の信頼性を損なうことがないよう十分留意し、適切な運用を行うこと。

第二～第七　（略）

〔認証評価機関〕

第百十条　認証評価機関になろうとする者は、文部科学大臣の定めるところにより、申請により、文部科学大臣の認証を受けることができる。

② 文部科学大臣は、前項の規定による認証の申請が次の各号のいずれにも適合すると認めるときは、その認証をするものとする。

一　大学評価基準及び評価方法が認証評価を適確に行うに足りるものであること。
二　認証評価の公正かつ適確な実施を確保するために必要な体制が整備されていること。
三　第四項に規定する措置（同項に規定する通知を除く。）の前に認証評価の結果に係る大学からの意見の申立ての機会を付与していること。
四　認証評価を適確かつ円滑に行うに必要な経理的基礎を有する法人（人格のない社団又は財団で代表者又は管理人の定めのあるものを含む。次号において同じ。）であること。
五　次条第二項の規定により認証を取り消され、その取消しの日から二年を経過しない法人でないこと。
六　その他認証評価の公正かつ適確な実施に支障を及ぼすおそれがないこと。
③　前項に規定する基準を適用するに際して必要な細目は、文部科学大臣が、これを定める。
④　認証評価機関は、認証評価を行つたときは、遅滞なく、その結果を大学に通知するとともに、文部科学大臣の定めるところにより、これを公表し、かつ、文部科学大臣に報告しなければならない。
⑤　認証評価機関は、大学評価基準、評価方法その他文部科学大臣の定める事項を変更しようとするとき、又は認証評価の業務の全部若しくは一部を休止若しくは廃止しようとするときは、あらかじめ、文部科学大臣に届け出なければならない。
⑥　文部科学大臣は、認証評価機関の認証をしたとき、又は前項の規定による届出があつたときは、その旨を官報で公示しなければならない。

【沿　革】　平一四・一一・二九法一一八により新設した。
平一九・六・二七法九六により、旧六九条の四から一一〇条に移動した。

【参照条文】　施行規則一六八条～一七二条。

【注　解】

一　本条一項は、認証評価機関になろうとする者が、前条二項の認証評価、同条三項の認証評価ごとに、認証評価機関の申請によって文部科学大臣の認証を受けることができることを定めている。認証評価機関の認証の申請は、前条二項の認証評価は大学、短期大学、高等専門学校の区分ごと、前条三項の認証評価はその専攻分野ごとに行うこととなっている。なお、同一の機関が両方の認証評価を行う場合であっても、それぞれの認証評価ごとに申請を行うことが必要である。「認証評価機関になろうとする者」については、大学評価は本来誰もが自由に行い得るものであることや多様な認証評価機関が存在することが望ましいことから、広く認証評価機関への参入を図るために特に範囲を限定していない。

また、認証評価がその種類ごとに公正かつ適確に行われるためには、認証評価の種類に応じて評価の基準、方法、体制等を審査し認証する必要があることから、認証の申請は、認証評価の種類ごとに行うことや申請書の記載事項及び様式を、「文部科学大臣の定め」として施行規則一六八条及び一六九条において定めている。

第百六十八条　学校教育法第百九条第二項の認証評価に係る同法第百十条第一項の申請は、大学又は短期大学の学校の種類に応じ、それぞれ行うものとする。

2　学校教育法第百九条第三項の認証評価に係る同法第百十条第一項の申請は、専門職大学等又は専門職大学院の課程に係る分野ごとに行うものとする。

第百六十九条　学校教育法第百十条第一項の申請は、次に掲げる事項を記載した申請書を文部科学大臣に提出して行うものとする。

一　名称及び事務所の所在地

二　役員（申請者が人格のない社団又は財団で代表者又は管理人の定めのあるものである場合においては、当該代表者又は管理人）の氏名

三　評価の対象

四　大学評価基準及び評価方法

五　評価の実施体制

六　評価の結果の公表の方法

七　評価の周期
八　評価に係る手数料の額
九　その他評価の実施に関し参考となる事項
2　前項の申請書には、次に掲げる書類を添付するものとする。
一　定款若しくは寄附行為及び登記事項証明書又はこれらに準ずるもの
二　申請の日の属する事業年度の前事業年度における財産目録及び貸借対照表（申請の日の属する事業年度に設立された法人（申請者が人格のない社団又は財団で代表者又は管理人の定めのあるものを含む。）にあつては、その設立時における財産目録）
三　申請の日の属する事業年度の前事業年度における大学の教育研究活動等の状況についての評価の業務の実施状況（当該評価の業務を実施していない場合にあつては、申請の日の属する事業年度及びその翌事業年度における認証評価の業務に係る実施計画）を記載した書面
四　認証評価の業務以外の業務を行つている場合には、その業務の種類及び概要を記載した書面

二　本条二項は、文部科学大臣が認証評価機関の認証を行う際の基準（「認証基準」）を定めたものである。また、本条三項では、二項に列挙している認証評価機関の認証基準に関し、大学評価基準、評価方法等その内容をさらに具体化する必要があるものについては細目を規定することができることとされており、後掲の「学校教育法第百十条第二項に規定する基準を適用するに際して必要な細目を定める省令」（平一六文部科学省令七）において、具体的な内容が定められている（施行規則一七〇条参照）。

(1)　評価結果については、認証評価を受けた大学のみならず社会に公表されるため、その実施に当たっては、公正さとともに「適確さ」が不可欠である。このため、本条二項一号において、大学評価基準及び評価方法が「認証評価を適確に行うに足りる」ことが求められている。その細目として、同省令（平一六文部科学省令七）一条に定めがある。

(2)　大学評価は、一般的にピュア・レビューの観点から行うことが原則となっているが、単なる仲間内の評価となっては、その公正性や適確性に疑義が生じかねない。このため、本条二項二号において、「必要な体制が整備されている」ことが求められており、その細目として、同省令二条に定めがある。

(3)　認証評価の実施過程において、認証評価機関側に事実誤認のある場合や大学の考え方が認証評価機関側に正確に伝わっていない場合、これらに基づいて認証評価が行われ、認証評価の結果が公表されれば、公正さや適確さが確保できないほか、大学側が受ける影響は極めて大きい。また、認証評価機関の見解と大学の見解が異なる場合、大学に反論の機会がなければ、大学による今後の改善につながり得ない。このため、本条二項三号において、認証評価機関は、認証評価の結果を公表する前に、大学側が意見申立てを行えるよう措置を講じていることが要件として定められている。

(4)　認証評価機関は、認証評価を実施するという重要な機能を有するものであり、その会計や運営についての法的な仕組みを必要最低限担保することが必要である。このため、本条二項四号において、認証評価機関になるためには、原則として法人格が必要であるとされている。ただし、法人格を有していなくても、会計や組織運営に関する規定を設け、実態上、権利義務の主体として有効に機能し得る、いわゆる人格なき社団又は財団については、認証評価機関になり得ることとされている。また、認証評価の業務を適確かつ円滑に実施するためには財政的安定性を有することを確認する必要があることから「経理的基礎を有すること」が求められている。

(5)　認証の取消しを受けたことのある者については、社会的信頼性の観点から、取消しの日から少なくとも一定の期間の経過を経ることを必要とすべきであることから、本条二項五号において、二年間の期間の経過が要件とされている。

(6)　本条二項一号から五号の要件を満たす場合であっても、公正かつ適確な認証評価が行われるために必要な事項があり得ることから、六号が定められている。その細目は、次の省令三条に定められている。

○学校教育法第百十条第二項に規定する基準を適用するに際して必要な細目を定める省令（平一六・三・一二文部科学省令七）

最終改正　令元・一二・一六文部科学省令二八

（法第百十条第二項各号を適用するに際して必要な細目）

第一条　学校教育法（以下「法」という。）第百十条第三項に規定する細目のうち、同条第二項第一号に関するものは、次に掲げるものとする。

一　大学評価基準が、法及び学校教育法施行規則（昭和二十二年文部省令第十一号）並びに大学（専門職大学及び短期大学並びに大学院を除く。）に係るものにあっては大学設置基準（昭和三十一年文部省令第二十八号）及び大学通信教育設置基準（昭和五十六年文部省令第三十三号）に、専門職大学（大学院を除く。）に係るものにあっては専門職大学設置基準（平成二十九年文部科学省令第三十三号）に、大学院に係るものにあっては大学院設置基準（昭和四十九年文部省令第二十八号）及び専門職大学院設置基準（平成十五年文部科学省令第十六号）に、短期大学（専門職短期大学を除く。）に係るものにあっては短期大学設置基準（昭和五十年文部省令第二十一号）及び短期大学通信教育設置基準（昭和五十七年文部省令第三号）に、専門職短期大学に係るものにあっては専門職短期大学設置基準（平成二十九年文部科学省令第三十四号）に、それぞれ適合していること。

二　大学評価基準において、評価の対象となる大学における特色ある教育研究の進展に資する観点からする評価に係る項目が定められていること。

三　大学評価基準を定め、又は変更するに当たっては、その過程の公正性及び透明性を確保するため、その案の公表その他の必要な措置を講じていること。

四　評価方法に、大学が自ら行う点検及び評価の結果の分析、大学の教育研究活動等の状況についての実地調査が含まれていること。

五　法第百九条第六項に規定する適合認定を受けられなかった大学その他の認証評価の結果において改善が必要とされる事項を指摘された大学の教育研究活動等の状況（改善が必要とされた事項に限る。）について、当該大学の求めに応じ、再度評価を行うよう努めることとしていること。

2　前項に定めるもののほか、法第百九条第二項の認証評価に係る認証評価機関になろうとする者の認証の基準に係る法第百十条第三項に規定する細目のうち、同条第二項第一号に関するものは、次に掲げるものとする。

一　大学評価基準が、次に掲げる事項について認証評価を行うものとして定められていること。

イ　教育研究上の基本となる組織に関すること。

ロ　教員組織に関すること。

ハ　教育課程に関すること。

ニ　施設及び設備に関すること。

ホ　事務組織に関すること。

ヘ　卒業の認定に関する方針、教育課程の編成及び実施に関する方針並びに入学者の受入れに関する方針に関すること。

ト　教育研究活動等の状況に係る情報の公表に関すること。

チ　教育研究活動等の改善を継続的に行う仕組みに関するこ

と。
リ　財務に関すること。
ヌ　イからリまでに掲げるもののほか、教育研究活動等に関すること。
二　前号チに掲げる事項については、重点的に認証評価を行うこととしていること。
三　設置計画履行状況等調査（大学の設置等の認可の申請及び届出に係る手続等に関する規則（平成十八年文部科学省令第十二号）第十四条に規定する調査をいう。）の結果を踏まえた大学の教育研究活動等の是正又は改善に関する文部科学大臣の意見に対して講じた措置を把握することとしていること。
四　評価方法に、高等学校、地方公共団体、民間企業その他の関係者からの意見聴取が含まれていること。
3　第一項に定めるもののほか、法第百九条第三項の認証評価に係る認証評価機関になろうとする者の認証の基準に係る法第百十条第三項に規定する細目のうち、同条第二項第一号に関するものは、次に掲げるものとする。
一　大学評価基準が、次に掲げる事項について認証評価を行うものとして定められていること。
イ　教員組織に関すること。
ロ　教育課程に関すること（教育課程連携協議会（専門職大学設置基準第十一条若しくは専門職短期大学設置基準第八条又は専門職大学院設置基準第六条の二に規定する教育課程連携協議会をいう。）に関することを含む。）。
ハ　施設及び設備に関すること。
ニ　学修の成果に関すること（進路に関することを含む。）。
ホ　イからニまでに掲げるもののほか、教育研究活動に関すること。
二　評価方法に、当該専門職大学等若しくは専門職大学院の課程に係る職業に就いている者又は当該職業に関連する事業を行う者による団体のうち、広範囲の地域で活動するものの関係者であって、当該職業の実務に関し豊富な経験を有するもの（次号において「関連職業団体関係者等」という。）及び高等学校、地方公共団体その他の関係者からの意見聴取が含まれていること。
三　大学評価基準を定め、又は変更するに当たっては、関連職業団体関係者等の意見聴取を行うこと。

第二条　法第百十条第三項に規定する細目のうち、同条第二項第二号に関するものは、次に掲げるものとする。
一　大学の教員及びそれ以外の者であって大学の教育研究活動等に関し識見を有するものが認証評価の業務に従事していること。ただし、法第百九条第三項の認証評価にあっては、これらの者のほか、当該専門職大学等又は専門職大学院の課程に係る分野に関し実務の経験を有する者が認証評価の業務に従事していること。
二　大学の教員が、その所属する大学を対象とする認証評価の業務に従事しないよう必要な措置を講じていること。
三　認証評価の業務に従事する者に対し、研修の実施その他の必

要な措置を講じていること。
四　大学評価基準、評価方法、認証評価の実施状況並びに組織及び運営の状況について自ら点検及び評価を行い、その結果を公表するものとしていること。
五　法第百九条第二項の認証評価の業務及び同条第三項の認証評価の業務を併せて行う場合においては、それぞれの認証評価の業務の実施体制を整備していること。
六　認証評価の業務に係る経理については、認証評価の業務以外の業務を行う場合にあっては、その業務に係る経理と区分して整理し、法第百九条第二項の認証評価の業務及び同条第三項の認証評価の業務を併せて行う場合にあっては、それぞれの認証評価の業務に係る経理を区分して整理していること。

第三条　法第百十条第三項に規定する細目のうち、同条第二項第六号に関するものは、次に掲げるものとする。
一　学校教育法施行規則第百六十九条第一項第一号から第八号までに規定する事項を公表することとしていること。
二　大学から認証評価を行うことを求められたときは、正当な理由がある場合を除き、遅滞なく、当該認証評価を行うこととしていること。
三　大学の教育研究活動等の評価の実績があることその他により認証評価を公正かつ適確に実施することが見込まれること。
2　前項に定めるもののほか、法第百九条第三項の認証評価に係る認証評価機関になろうとする者の認証の基準に係る法第百十条第三項に規定する細目のうち、同条第二項第六号に関するものは、認証評価を行った後、当該認証評価の対象となった専門職大学等又は専門職大学院を置く大学が次の認証評価を受ける前に、当該専門職大学等又は専門職大学院の教育課程又は教員組織に重要な変更があったときは、変更に係る事項について把握し、当該大学の意見を聴いた上で、必要に応じ、公表した評価の結果に当該事項を付記する等の措置を講ずるよう努めることとしていることとする。

（法科大学院に係る法第百十条第二項各号を適用するに際して必要な細目）

第四条　第一条第一項及び第三項に定めるもののほか、専門職大学院設置基準第十八条第一項に規定する法科大学院（以下この項及び次項において単に「法科大学院」という。）の認証評価に係る認証評価機関になろうとする者の認証の基準に係る法第百十条第三項に規定する細目のうち、同条第二項第一号に関するものは、次に掲げるものとする。
一　大学評価基準が、第一条第三項の規定にかかわらず、次に掲げる事項について認証評価を行うものとして定められていること。
イ　入学者の選抜における入学者の多様性の確保並びに適性及び能力の適確かつ客観的な評価及び判定に関すること。
ロ　専任教員の適切な配置その他の教員組織に関すること。
ハ　入学定員の適切な設定及び在学する学生の数の収容定員に基づく適正な管理に関すること。
ニ　教育上の目的を達成するために必要な授業科目の開設その

他の段階的かつ体系的な教育課程の編成に関すること。
ホ　一の授業科目について同時に授業を行う学生の数の設定に関すること。
ヘ　法科大学院の教育と司法試験等との連携等に関する法律（平成十四年法律第百三十九号。以下この号及び次号において「連携法」という。）第四条各号に掲げる学識及び能力並びに素養を涵養するための授業の方法に関すること。
ト　学修の成果に係る厳格かつ客観的な評価及び修了の認定に関すること。
チ　授業の内容及び方法の改善を図るための組織的な研修及び研究の実施に関すること。
リ　教育活動等の状況に係る情報の公表に関すること。
ヌ　学生が一年間に履修科目として登録することができる単位数の上限の設定に関すること。
ル　専門職大学院設置基準第二十二条第一項の規定による単位の認定及び同令第二十五条第一項に規定する法学既修者の認定に関すること。
ヲ　課程の修了要件に関すること。
ワ　教育上必要な施設及び設備（カに掲げるものを除く。）に関すること。
カ　図書その他の教育上必要な資料の整備に関すること。
ヨ　法科大学院の課程を修了した者の進路等の教育活動の成果（司法試験の合格状況を含む。）及び当該成果に係る教育活動の実施状況に関すること。
タ　連携法第六条第二項第一号に規定する連携法科大学院における同法第十二条第二項に規定する実施状況に関すること。
二　評価方法が、前号に掲げる事項のうち認証評価機関になろうとする者が連携法第二条に規定する法曹養成の基本理念及び同法第四条に規定する大学の責務を踏まえ、特に重要と認める事項の評価結果を勘案しつつ総合的に評価するものであること。
2　第二条に定めるもののほか、法科大学院の認証評価に係る認証評価機関になろうとする者の認証の基準に係る法第百十条第三項に規定する細目のうち、同条第二項第二号に関するものは、法曹としての実務の経験を有する者が認証評価の業務に従事していることとする。
3　第三条に定めるもののほか、法科大学院の認証評価に係る認証評価機関になろうとする者の認証の基準に係る法第百十条第三項に規定する細目のうち、同条第二項第六号に関するものは、第三条第二項の規定にかかわらず、認証評価を行った後、当該認証評価の対象となった法科大学院を置く大学が次の認証評価を受ける前に、当該法科大学院の第一項第一号に掲げる事項について重要な変更があったときは、変更に係る事項について把握し、当該大学の意見を聴いた上で、必要に応じ、公表した評価の結果に当該事項を付記する等の措置を講ずるよう努めることとしていることとする。

（高等専門学校への準用）
第五条　（略）

三　本条四項は、認証評価機関に対し、認証評価の結果について、遅滞なく、認証評価を受けた大学への通知、社会への公表及び文部科学大臣への報告を義務付けることにより、その透明性を確保しつつ、大学の質の向上を図ろうとするものである。「文部科学大臣の定め」としては、施行規則一七一条において、刊行物への掲載、インターネットの利用その他広く周知を図ることができる方法によって行うことが公表の方法として定められている。

四　本条五項は、認証評価機関が認証を受けた後に事情の変化等により、申請時の内容を変更する必要性が生じることがあり得ることから、認証を受けるために申請した事項のうち、本項に規定されている大学評価基準、評価方法のほか、評価の実施体制や評価手数料など、認証評価の実施に影響を及ぼす一定事項を変更しようとする場合は文部科学大臣に届け出ることとさせ、その変更内容を大学等に周知することとしている。「その他文部科学大臣の定める事項」については、施行規則一七二条により、「第百六十九条第一項第一号から第三号まで及び第五号から第八号までに掲げる事項」とされている。

五　本条六項は、認証評価機関の認証をしたことや、認証評価機関からの一定の届出のあった事項について、文部科学大臣に対し官報に公示する義務を課し、広く一般に周知せしめることとしている。

令和三年五月現在、認証評価機関として認証されている機関は次のとおりである。

認証評価機関一覧

○機関別認証評価（計５機関（実数））

機関名	評価の対象
公益財団法人 大学基準協会	大学
独立行政法人 大学改革支援・学位授与機構	
公益財団法人 日本高等教育評価機構	

一般財団法人 大学教育質保証・評価センター	
一般財団法人 大学・短期大学基準協会	
一般財団法人 大学・短期大学基準協会	短期大学
公益財団法人 大学基準協会	
公益財団法人 日本高等教育評価機構	
独立行政法人 大学改革支援・学位授与機構	高等専門学校

○分野別認証評価（計13機関（実数））

機関名	評価の対象分野
公益財団法人 日弁連法務研究財団	法科大学院
独立行政法人 大学改革支援・学位授与機構	
公益財団法人 大学基準協会	
一般社団法人 ABEST21	経営（経営管理、技術経営、ファイナンス、経営情報）
公益財団法人 大学基準協会	経営（経営学、経営管理、国際経営、会計、ファイナンス、技術経営）
特定非営利活動法人 国際会計教育協会	会計
一般財団法人 日本助産評価機構	助産
公益財団法人 日本臨床心理士資格認定協会	臨床心理
公益財団法人 大学基準協会	公共政策
公益財団法人 日本高等教育評価機構	ファッション・ビジネス
一般財団法人 教員養成評価機構	教職大学院、学校教育
一般社団法人 日本技術者教育認定機構	情報、創造技術、組込み技術、原子力

公益財団法人 大学基準協会	公衆衛生
一般社団法人 ＡＢＥＳＴ21	知的財産
公益財団法人 大学基準協会	
一般社団法人 専門職高等教育質保証機構	ビューティビジネス
公益社団法人 日本造園学会	環境・造園
公益財団法人 大学基準協会	グローバル・コミュニケーション
一般社団法人 日本ソーシャルワーク教育学校連盟	社会福祉
公益財団法人 大学基準協会	デジタル・コンテンツ系
公益財団法人 大学基準協会	グローバル法務
公益財団法人 大学基準協会	広報・情報
一般社団法人 専門職高等教育質保証機構	教育実践

〔改善命令及び認証取消〕

第百十一条 文部科学大臣は、認証評価の公正かつ適確な実施が確保されないおそれがあると認めるときは、認証評価機関に対し、必要な報告又は資料の提出を求めることができる。

② 文部科学大臣は、認証評価機関が前項の求めに応じず、若しくは虚偽の報告若しくは資料の提出をしたとき、又は前条第二項及び第三項の規定に適合しなくなつたと認めるときその他認証評価の公正かつ適確な実施に著しく支障を及ぼす事由があると認めるときは、当該認証評価機関に対してこれを改善すべきことを求め、及びその求めによつてもなお改善されないときは、その認証を取り消すことができる。

③　文部科学大臣は、前項の規定により認証評価機関の認証を取り消したときは、その旨を官報で公示しなければならない。

【沿　革】平一四・一一・二九法一一八により新設した。
平一九・六・二七法九六により、旧六九条の五から一一一条に移動した。

【注　解】

一　認証評価は、各認証評価機関が、自ら定める大学評価基準に従って主体的に行うものであるが、大学の教育研究の質を保証するためには、認証評価が適正に実施されていることが必要である。このため、認証評価機関による適正な認証評価の実施が期待できない場合には、文部科学大臣が、当該認証評価機関に対して、まず、その改善措置を講ずることを求め、それでも改善されない場合には認証を取り消すことができることとすることにより、認証評価の適正さや認証評価制度に対する社会の信頼を維持しようとするものである。

二　文部科学大臣が認証評価機関に対し、改善命令及び認証取消の措置を行使するためには、その前提として、認証評価機関における認証評価の実施状況を正確に把握し得ることが必要である。また、大学の質を保証する上で適正な認証評価の実施が不可欠であり、さらに、認証評価の結果は大学のみならず社会の大きな関心事となっている。このため、一項は、文部科学大臣は、認証評価の公正さ・適確さに疑いのあるような場合には、認証評価機関に対して報告又は資料の提出を求めることができることとしている。

三　二項は改善命令及び認証取消について定めている。一項の報告又は資料の提出を行わなかったり、虚偽の報告や資料の提出をしたときには、認証基準への不適合等に関する事実関係の把握ができないため、改善を求めることができることとしている。

なお、報告又は資料の提出に係る規定に違反する場合、罰則を科することによって制度的担保を図る立法例もあるが、本制度については、改善命令・認証取消につなげることによって実効性を確保することとし、罰則は科さないこととしている。

「その他認証評価の公正かつ適確な実施に著しく支障を及ぼす事由があると認めるとき」として、具体的には、次の場合が想定される。

① 認証評価の業務に関し著しく不適当な行為をした場合——不適当な行為としては、認証評価の実施体制が整備されているにもかかわらず、実質的な認証評価をすることなく結果を出したり、大学からの不正な働きにより認証評価の結果をゆがめたりすることなど

② 不正な手段によって認証評価機関としての認証を受けた場合——認証時に虚偽の申請書類を提出した場合など

四 三項は、文部科学大臣に認証評価機関の認証取消についての官報公示義務を課すことにより、その事実について関係者、社会一般への周知を図ることとしている。

〔審議会への諮問〕

第百十二条 文部科学大臣は、次に掲げる場合には、第九十四条の政令で定める審議会等に諮問しなければならない。

一 認証評価機関の認証をするとき。

二 第百十条第三項の細目を定めるとき。

三 認証評価機関の認証を取り消すとき。

【沿　革】 平一四・一一・二九法一一八により新設した。
平一九・六・二七法九六により、旧六九条の六から一一二条に移動した。

【参照条文】　法九四条。施行令四二条。

【注　解】

本条は、認証評価機関の認証及びその取消、又は認証基準を適用するについての必要な細目を定めるに当たり、文部科学大臣に対し、政令で定める審議会（中央教育審議会）への諮問を義務付けるものである（施行令四二条）。

これは、認証評価機関の果たす役割の重要性に鑑み、認証評価機関に係る処分のうち重い処分である取消処分や、認証基準の細則の策定といった特に重要な事項について、慎重、公正を期するために設けられたものである。

〔情報公開〕

第百十三条　大学は、教育研究の成果の普及及び活用の促進に資するため、その教育研究活動の状況を公表するものとする。

【沿　革】　平一九・六・二七法九六により新設した。

【参照条文】　法四三条、一一三条。大学設置基準二条。

【注　解】

本条は、大学の情報公開に関する規定である。

大学は公共的な機関であり、大学の教育研究活動の状況を社会に対して提供することは、大学（短期大学を含む。）の重要な責務である。

このため、平成一一年の大学設置基準等の改正により、大学の教育研究活動等の状況の公表を義務付けていたとこ

ろであるが、平成一八年の改正により新設された教育基本法七条の規定及びこれを受けた学校教育法八三条二項の改正により、大学の基本的な役割として「教育研究成果の社会への提供」が位置付けられたことも踏まえ、情報公開義務について法律上に明確にしたものである。

「教育研究活動」の状況の公表に当たっては、次のような諸点と調和を図る必要がある。

(1) 特許法（昭三四法一二一）、著作権法（昭四五法四八）などによる権利保護との関係

(2) 憲法二三条の学問の自由の保障との関係

(3) 独立行政法人等の保有する情報の公開に関する法律（平一三法一四〇）（国立大学、国立高等専門学校関係）、情報公開条例（公立大学関係）の規定による諸手続との関係

(4) 個人情報の保護に関する法律（平一五法五七）、学校における生徒等に関する個人情報の適正な取扱いを確保するために事業者が講ずべき措置に関する指針（平一六文部科学省告示一六一）（学校法人関係）、個人情報保護条例（公立大学関係）の規定による諸手続との関係

したがって、本条の具体的な運用に当たっては、慎重な配慮を必要とする。

なお、施行規則一七二条の二において、教育研究活動等の状況について公表が義務づけられる項目やその方法が規定されている。

第百七十二条の二　大学は、次に掲げる教育研究活動等の状況についての情報を公表するものとする。

一　大学の教育研究上の目的及び第百六十五条の二第一項の規定により定める方針に関すること

二　教育研究上の基本組織に関すること

三　教員組織、教員の数並びに各教員が有する学位及び業績に関すること

四　入学者の数、収容定員及び在学する学生の数、卒業又は修了した者の数並びに進学者数及び就職者数その他進学及び就職等の状況に関すること

五　授業科目、授業の方法及び内容並びに年間の授業の計画（大学設置基準第十九条の二第一項（大学院設置基準第十五条において読み替えて準用する場合を含む。）、専門職大学設置基準第十一条の二第一項、専門職大学院設置基準第六条の三第一項、短期大学設置基準第五条の二第一項及び専門職短期大学設置基準第八条の二第一項の規定により当該大学が自ら開設したものとみなす授業科目（次号において「連携開設科目」という。）に係るものを含む。）に関すること

六　学修の成果に係る評価（連携開設科目に係るものを含む。）及び卒業又は修了の認定に当たつての基準に関すること

七　校地、校舎等の施設及び設備その他の学生の教育研究環境に関すること

八　授業料、入学料その他の大学が徴収する費用に関すること

九　大学が行う学生の修学、進路選択及び心身の健康等に係る支援に関すること

2　専門職大学等及び専門職大学院を置く大学は、前項各号に掲げる事項のほか、学校教育法第八十三条の二第二項、第九十九条第三項及び第百八条第五項の規定による専門性が求められる職業に就いている者、当該職業に関連する事業を行う者その他の関係者との協力の状況についての情報を公表するものとする。

3　大学院（専門職大学院を除く。）を置く大学は、第一項各号に掲げる事項のほか、大学院設置基準第十四条の二第二項に規定する学位論文に係る評価に当たつての基準についての情報を公表するものとする。

4　大学は、前各項に規定する事項のほか、教育上の目的に応じ学生が修得すべき知識及び能力に関する情報を積極的に公表するよう努めるものとする。

5　前各項の規定による情報の公表は、適切な体制を整えた上で、刊行物への掲載、インターネットの利用その他広く周知を図ることができる方法によつて行うものとする。

〔準用規定〕

第百十四条　第三十七条第十四項及び第六十条第六項の規定は、大学に準用する。

【沿　革】昭二五・四・一九法一〇三により、「第五十条第三項」を追加した。

昭三六・一〇・三一法一六六により、「第四十五条」を削った。

昭四九・六・一法七〇、昭五一・五・二五法二五及び平一六・五・二一法四九により、引用の条文名を改めた。

平一九・六・二七法九六により、旧七〇条から一一四条に移動した。

【参照条文】 法九二条。

【注　解】

本条は、職員の職務に関する規定の大学への準用規定である。

法九二条でその職務を規定していない大学の事務職員及び技術職員について、小学校の事務職員及び高等学校の技術職員の規定をそれぞれ準用している。

第十章　高等専門学校

〔高等専門学校の目的〕

第百十五条　高等専門学校は、深く専門の学芸を教授し、職業に必要な能力を育成することを目的とする。

②　高等専門学校は、その目的を実現するための教育を行い、その成果を広く社会に提供することにより、社会の発展に寄与するものとする。

【沿　革】　昭三六・六・一七法一四四により新設した。
平一九・六・二七法九六により、旧七〇条の二から一一五条に移動し、第二項を追加した。

【参照条文】　法八三条、一〇八条。高等専門学校設置基準三条、一六条。

【注　解】

一　本条は、高等専門学校の目的等を規定したものである。

高等専門学校は、昭和三六年、学校教育法の一部を改正する法律（昭三六法一四四）で創設された学校制度であり、昭和三七年度から設置された。新しい型の技術者養成の要望に応え、学理のみならず、とくに応用技術の修得を重視する実践的技術者の養成を目的としたものである。創設にいたるまでの経緯は、次のとおりである。

我が国の学校制度は、戦後、六・三・三・四の学校体系の下に発足したが、昭和二六年一一月の政令改正諮問委員会（総理大臣の諮問機関）から、この学校制度を見直し、その改善を企図した「教育制度の改革に関する答申」が出され、その中で「専修大学」の構想が提示された。これによると、高等学校の段階と大学の二年又は三年の段階とを合わせた五年制又は六年制の農業、工業又は商業教育等の職業教育に重点を置く学校制度を創設すべきであるとされた。中央教育審議会においても、数次にわたり、慎重な審議が行われ、また、昭和二五年以来、暫定的制度として認められていた短期大学の恒久化の問題の解決とも関連し、さらに、科学技術振興方策の一環としても、高等専門学校のような学校制度の実現が要望された。

㈠　高等専門学校制度創設に関連する審議会の答申等

(1)　中央教育審議会は、新しい学校制度構想実現方について、次の三つの答申を行った。

ア　「大学入学者選考及びこれに関連する事項について」（昭二九・一一・一五）

イ　「短期大学制度の改善について」（昭三一・一二・一〇）

ウ　「科学技術教育の振興方策について」（昭三二・一一・一一）

（注）　各答申の概要については法一〇八条の【注解】一(2)参照。

(2)　産業界からは、日本経営者団体連盟、東京商工会議所、大阪商工会議所等から旧制の専門学校が果たしていた中級技術者の供給源としての役割を果たすべき専門職業教育機関（高等学校の課程を合わせて修業年限を五年とする専門大学）の創設が強く要望された。

(3)　科学技術会議は、「一〇年後を目標とする科学技術振興の総合的基本方策について」に対する答申（昭三五・一〇・四）の中で、中級技術者の養成機関として、大学とは別個に高等学校と短期大学とを合わせた五年制又は六年制の教育機関を新たに設けるべきことを勧告した。

㈡　専科大学法案の国会提出・審議

文部省は、中央教育審議会の答申等を尊重し、昭和三三年三月「学校教育法の一部を改正する法律案」（いわゆる専科大学法案）を国会に提出し、短期大学の恒久化を図るとともに、中級技術者養成のための専門職業教育機関を創設することの二つの課題の同時解決を図ろうとした。

この法案における専科大学は、四年制大学とは別個の二年制又は三年制の高等教育機関とし、必要があれば、三年の前期の課程を付け加えた五年制又は六年制のものとすることができるとした。

専科大学の目的は、「深く専門の学芸を教授研究し、必要があるときは、併せて高等学校に準ずる教育を施し、職業又は実際生活に必要な能力を育成すること」とされ、四年制大学と別個の目的を有する高等教育機関であるとした。この法案は第二八回国会（通常会）、第三〇回国会（臨時会）、第三一回国会（通常会）の三回にわたって審議未了となった。

㈢　高等専門学校制度の実現

この専科大学法案が成立しなかった一つの原因は、短期大学恒久化の問題と中級技術者養成機関の創設という問題と二つの課題を同時に解決しようとするところにあった。

そこで、当時の我が国の経済成長に伴い、技術者の不足が深刻となり、各界からの中級技術者養成機関の早急な設置という強い要請を背景とし、工業に関する高等専門学校の創設が独自に検討され、このための学校教育法の一部を改正する法律案が昭和三六年四月、第三八回国会に提出され、同年六月成立した。

高等専門学校構想と専科大学構想との相違点は、次のとおりである。

(1)　高等専門学校は、中堅技術者の養成の目的を端的に達し得る学校制度とし、大学とは別個の高等教育機関であることを明確にしたこと。

(2) 高等専門学校の目的を、「深く専門の学芸を教授し」とし、「研究」を学校の本来の目的としない点、大学との相違を明確にするとともに、専科大学法案にあった「実際生活」に必要な能力ということを除いて、専門職業教育機関であることを明確にしたこと。

二 高等専門学校の目的は、「深く専門の学芸を教授」することと、「職業に必要な能力を育成」することである。「学芸」とは、学術と技芸の意であると解されるが、大学及び短期大学でも同じ文言が使われている。高等専門学校の教授内容に即していえば、学芸の理論及び実験実習を重視した実践的技術を指すものと解される。高等専門学校は「深く専門の学芸を教授し」と規定され、学生を教授することをその使命としているのに対し、大学は、「深く専門の学芸を教授研究し」（法八三条一項）と規定され、大学の機能として学生を教授することと、研究することとに、同じように重点が置かれている。

高等専門学校の目的規定に「研究」が明記されていないとはいえ、技術革新の今日において、優秀な技術者を養成する高等専門学校において教育内容を学術の進展に即応させるべく必要な研究を行うことは当然のことである。そのための施設・設備の充実、研究費等の確保等について適切な措置が講じられなければならない。「高等専門学校設置基準」（昭三六文部省令二三）二条二項には、この趣旨が次のように規定されている。

（教育水準の維持向上）
第二条
2 前項の場合において、高等専門学校は、その教育内容を学術の進展に即応させるため、必要な研究が行なわれるように努めるものとする。

「職業に必要な能力」には、単に特定分野の職業に関する専門的技術的能力のみならず、職業に必要な各種の能力、さらに職業人として、また、社会人として必要な知的、道徳的能力も含むものであると解される。したがって、

高等専門学校においては、技術者としての専門教育のみでなく、社会人として必要な教養としての一般教育をも行うこととされている（同基準一六条）。

また、高等専門学校は、技術者養成のための実際的な専門教育を主眼とする教育機関であるので、この点、「知的、道徳的及び応用的能力を展開させること」（法八三条一項）を目的とする大学とは、教育の目標あるいはその重点の置き方を異にしている。また、短期大学は、「職業」に必要な能力だけでなく、「実際生活に必要な能力」（法一〇八条一項）を育成することを目的としており、各種の目的に合った教育機関となり得るものであるといえるが、高等専門学校は、専門的職業教育機関として、いわば単一の性格をもつ高等教育機関である。

三　第二項においては、高等専門学校の役割として、教育及びその成果の社会への提供を通じて社会の発展に寄与することを規定している。平成一八年の教育基本法の改正により、その第七条に大学の基本的な役割として、教育、研究及びこれらの成果の社会への提供を通じて社会の発展に寄与することが規定された。これを受けて、平成一九年の学校教育法改正により、大学（法八三条二項）と合わせて、高等専門学校の役割として新たに規定された。これは大学と同じ高等教育機関である高等専門学校についても、教育基本法七条の趣旨を敷衍して新たに規定されたものである。

四　なお、平成一五年七月、独立行政法人国立高等専門学校機構法（平一五法一一三）が成立・公布され、平成一六年四月一日、国立高等専門学校（令和三年度現在五七校）を設置すること等により、職業に必要な実践的かつ専門的な知識及び技術を有する創造的な人材を育成するとともに、我が国の高等教育の水準の向上と均衡ある発展を図ることを目的として、独立行政法人国立高等専門学校機構が発足した。これに伴い、国立高等専門学校の教職員は、非公務員となった。

【通　知】

○学校教育法の一部を改正する法律および同法の施行に伴う関係法律の整理に関する法律等の施行について（抄）（昭三六・九・一二　文大技四八一号　各都道府県知事、教育委員会教育長、各国公私立大学長、短期大学長、学校法人あて　文部事務次官通達）

学校教育法の一部を改正する法律（昭和三六年法律第一四四号。以下「改正法」という。）および同法の施行に伴う関係法律の整理に関する法律（昭和三六年法律第一四五号。以下「整理法」という。）は、さきの第三八国会において成立し、さる六月一七日別紙（略）のとおり公布施行された。

これらの法律の制定により、わが国の学制に、新たに高等専門学校の制度が創設され、義務教育を修了後、上級の学校へ進学しようとする者に対し、従来の高等学校および大学への進学の途のほかに、新たな進路が開かれることとなった。

この高等専門学校は、深く専門の学芸を教授し、職業に必要な能力を育成することを目的とし、中学校卒業程度を入学資格とする五年制の高等専門教育の機関であり、その創設の趣旨は、工業に関する中堅技術者を養成して、わが国の産業発展に寄与することにある。

高等専門学校の制度の内容の詳細については、その後制定公布された学校教育法施行令の一部を改正する政令（昭和三六年八月一七日政令第二九一号）、学校教育法施行規則の一部を改正する省令（昭和三六年八月三〇日文部省令第二二号）および高等専門学校設置基準（昭和三六年八月三〇日文部省令第二三号）（別紙（略））によられたいが、下記の事項をご了知のうえ、これらの法令の施行に遺憾のないように措置されるとともに、高等専門学校制度がその趣旨にそって発展していくように協力されたい。

1　高等専門学校の目的に関する事項

(1)　高等専門学校は、専門の学芸を教授することを主眼とし研究機関としての機能は有していないが、その教育内容を学術の進展に即応させるため、必要な研究活動が活発に行なわれなければならないことはいうまでもなく、このための施設・設備の充実、経費の確保等について適切な措置を講ずる必要があること（改正後の学校教育法（以下「法」という。）第七〇条の二〔現行法一一五条〕および高等専門学校設置基準（以下「設置基準」という。）第二条第二項）。

(2)　高等専門学校の教育は、専門教育に重きを置くものであるが、専門教育の基礎となり、また職業人、社会人として必要な基礎的な人格・能力の育成も軽視してはならないこと（設置基準第一四条〔現行設置基準一六条〕）。

2　高等専門学校の学科に関する事項（略）

3　高等専門学校の修業年限に関する事項

(1)　高等専門学校の修業年限は、五年であり、その修業年限には前期、後期というような区分はないこと（法第七〇条の四〔現行法一一七条〕）。

このことは、五年間を通ずる一貫した教育課程により、一般教育および基礎教育の効率化をはかり、充実した専門教育を行ない、その教育目的をじゅうぶん達成するようにしたものであること。

(2)　高等専門学校には、夜間において授業を行なう制度はとられておらず、また別科、専攻科の制度も設けられていないこと。

4　高等専門学校の入学資格等に関する事項

(1)　高等専門学校の入学資格は、高等学校の入学資格と同様に中学校卒業又はこれと同程度以上であること（法第七〇条の五〔現行法一一八条〕および第四七条〔現行法五七条〕ならびに改正後の学校教育法施行規則（以下「施行規則」という。）第七二条の五〔現行施行規則一七九条〕で準用する同第六三条〔現行施行規則九五条〕）。

(2)　高等専門学校は、工業に関する中堅技術者を養成することを目的としているものであるから、中学校においては、高等専門学校への入学を志望する生徒に対して、その能力適性に応じて進路を決定することができるよう、進路指導等をじゅうぶん行なわれたいこと。

(3)　高等専門学校の入学は、学力検査の成績と内申書等を資料として行なう選抜に基づいて、校長が許可するものであること（施行規則第七二条の四〔現行施行規則では一七九条で準用する九〇条一項〕）。

5　教職員組織等に関する事項

(1)　高等専門学校には、校長、教授、助教授、助手および事務職員を置かなければならないこととし、そのほか、講師、技術職員その他必要な職員を置くことができるが、高等学校等と異なり教諭、助教諭等は置かれないこと（法第七〇条の六〔現行法一二〇条〕）。

(2)　国立および公立の高等専門学校の教員の身分の取り扱いについては、教育公務員特例法（昭和二四年法律第一号）の適用があるが、大学の教育公務員について定められている大学管理機関による選考、事前審査等の制度は適用されていないこと。したがって国立または公立の高等専門学校の教員の採用および昇任は、選考によるものとし、その選考は、文部大臣または任命権者たる教育委員会の教育長が行なうものであること（教育公務員特例法第一三条〔現行教育公務員特例法一一条〕）。

(3)　教員の資格については、大学の教員と同様に、教育職員免許法（昭和二四年法律第一四七号）の適用を受けず、高等専門学校設置基準でその資格が定められていること。同基準によれば、所定の教育上の経歴を有し、教授上の能力のある者は高等専門学校の教員の資格を有するものとされているが、そのほかに一般の研究所、試験所、調査所等において教育もしくは研究に従事し、または工場その他の事業所において技術に関する業務に従事した者等についても、文部大臣の認定するところにより、高等専門学校の教員の資格を与え、広く有能な適材を求めることができる途を開いたこと（設置基準第九条第七号〔現行設置基準一一条四号〕および第一〇条第七号〔現行設置基準では削除〕）。

(4) 高等専門学校においては、同一学科、同一学年の学生をもって学級を編成するものとし、一学級の学生の数は、四〇人を標準とすること（設置基準第四条〔現行設置基準五条〕）。

(5) 高等専門学校には、学科の種類および学級数に応じ、設置基準で定める最低数の専任教員を確保するのみならず、非常勤の教員も含めて各授業科目を教授するために必要な相当数の教員を置かなければならないこと（設置基準第五条から第七条まで〔現行設置基準六条、八条、九条〕）。

(6) 高等専門学校には、教務主事および学生主事を置くものとし、校長の直接の補佐者として、教務または学生の厚生補導に関することを掌理せしめるものとしたこと（施行規則第七二条の三〔現行施行規則一七五条〕）。

6 高等専門学校の施設および設備に関する事項

(1) 校地（寄宿舎その他附属施設用地の面積を除き、運動場を含む。）の所要面積は、校舎の面積の五倍であるが、学校の規模その他の事情によっては、これ以下の面積であっても教育に支障のない場合もあり得るので、ただし書に規定されているとおり、そのような場合にはその一部を減ずることができるものであること（設置基準第一八条第一項〔現行設置基準二四条一項〕）。

なお、このただし書の具体的な運用方針は、別に定める予定であること。

(2) 高等専門学校の必要とする校舎面積については、設置基準において、学級数ならびに学科の数および種類に応じ、標準坪数が規定されているが、これは、一学級の学生の数を四〇人とした場合に対しての標準坪数であるので、一学級の学生数が四〇人をこえる場合には、この坪数を下まわらないようにすること（設置基準第四条第二項、第一八条第二項および第三項〔現行設置基準五条二項、二四条二項から五項〕）。

(3) 高等専門学校において必要とする機械、器具等ならびに図書および学術雑誌については、設置基準には必要な種類および数を備えるべきものとのみ規定されているが、その具体的な標準については、別に定める予定であること（設置基準第一九条〔現行設置基準二七条〕および第二〇条〔現行設置基準では削除〕）。

7 高等専門学校の授業等に関する事項

(1) 高等専門学校の授業については、設置基準の定める授業日数の原則、授業科目および授業総時数によらなければならないこと。この場合において、一般科目の授業総時数および専門科目の授業総時数はそれぞれ同基準に定めるところを下ってはならないが、個々の科目および科目ごとの授業時数は同基準の別表第一に定めるところを標準とするものであり、正当な理由により妥当な範囲内で学校ごとにこれを多少変更することは差し支えないこと（設置基準第一三条および第一四条〔現行一五条〜一七条〕）。

(2) 高等専門学校における教育は、いわゆる単位制によらず学年制によるものであること。したがってその教育課程は、上記の授業科目および授業総時数を学年に配当して編成し、学生は各

学年の課程の修了の認定をまって、上級学年へ進級できるものであること〔設置基準第一五条〔現行設置基準一七条〕および施行規則第七二条の五で準用する同第二七条〔現行施行規則一七九条で準用する五七条〕〕。

なお、授業科目および授業総時数の学年別配当の方法については別段の規定がなされていないが、文部省において専門家の意見をきいたうえ、模範例を示す予定であること。

(3)　その他高等専門学校の卒業の認定、学年、授業終始の時刻、休業日、編入学、休学または退学の許可等については、施行規則における他の学校に関する相当規定が準用されること〔施行規則第七二条の五で準用する同規則第二八条、第四四条、第四六条、第四七条、第六〇条、第六二条および第七一条〔現行施行規則一七九条で準用する五八条、五九条、六〇条、六一条、九一条、九四条〕〕。

8

高等専門学校の設置に関する事項

(1)　公立および私立の高等専門学校の設置廃止は、文部大臣の認可を受けなければならないが、高等専門学校の学科についても同様の取り扱いであること〔法第四条および改正後の学校教育法施行令（以下「施行令」という。）第二三条第四号〔現行施行令二三条九号〕〕。

(2)　文部大臣は、高等専門学校の設置の認可および高等専門学校を設置する学校法人（大学を設置するものを除く。）の寄附行為の認可、収益事業の種類の決定等を行なうにあたって、いずれも、新たに設けられる高等専門学校審議会に諮問することになっていること〔法第七〇条の七〔現行法一二三条で準用する九五条〕、整理法第一三条および第一七条による文部省設置法等の一部改正〕。

(3)　高等専門学校は、昭和三七年四月一日前には設置することはできないが、同日前にその設置のため必要な手続その他の行為をすることは妨げないものであること〔改正法附則第二条ただし書〕。

(4)　高等専門学校および高等専門学校の学科の設置認可の申請手続その他の細則は、施行規則第三条、第四条および第七条の三に規定するもののほか、別に定める予定であること〔施行規則第七条の八〔現行施行規則一九条〕〕。

9

高等専門学校の卒業者の資格等に関する事項

(1)　工業関係技術者等の資格に関し、高等専門学校の卒業者は、原則として、大学または短期大学の卒業者と同等に取り扱われるが、教育職員免許法（昭和二四年法律第一四七号）で定める教員の普通免許状を取得するための資格は有しないこと。ただし、高等学校助教諭免許状を含む臨時免許状を取得することができる資格は有すること〔整理法第一条、第三条、第五条、第六条、第九条、第一一条、第一二条、第一四条、第一五条、第一六条、第一八条、第一九条、第二二条、第二三条および第三一条による装蹄師法等の一部改正。教育職員免許法第五条第三項〔現行教育職員免許法五条六項〕〕。

(2)　高等専門学校の卒業者は、編入学しようとする大学の定めるところにより、当該大学の修業年限から二年以下の期間を控除

した期間を在学すべき年数として、当該大学に編入学することができるが（法第七〇条の八〔現行法一二二条〕および施行規則第七〇条の二〔現行施行規則一七八条〕）、編入学した者に対する法第六三条〔現行法では削除〕の学士に関する規定および大学設置基準（昭和三六年文部省令第二三号）第三二条の大学の卒業要件に関する規定の適用にあたっては、施行規則第七〇条の二〔現行施行規則一七八条〕に規定する控除した期間は、大学における在学年数とみなし、かつ、高等専門学校において履習した授業科目の一部を、大学の定めるところにより、大学の単位とみなすことができること。

10 高等専門学校の名称の禁止に関する事項

(1) 各種学校その他法第一条に掲げるもの以外の教育施設は、高等専門学校の名称を用いてはならないこととなる（法第八三条第二項〔現行法一三五条一項〕および第九二条〔現行法一四六条〕）が、この法律施行の際、現にその名称中に高等専門学校という文字を用いているものは、昭和三七年三月三一日までの間は、なお従前の名称を用いることができることとされること（改正法附則第三条）。

(2) したがって、都道府県の教育委員会および知事におかれては、管下の各種学校等で、高等専門学校の名称を用いているものがある場合には、昭和三七年三月三一日までに名称を変更するよう指導されたいこと。

(3) 「高等専門学校」という名称は、「高等」と「専門学校」とに切り離すことはできない単一の名称であるから、高等技芸専門学校、技芸専門学校というような名称を使用することは、法第八三条第二項〔現行法一三五条一項〕の規定に抵触するものではないが、各種学校等が法第一条に掲げる学校にまぎらわしい名称を用いることは、学校教育の公共性からいって、のぞましくないので、この点についても適切な指導をされたいこと。

11 その他

(1) 公立の高等専門学校は、その設置する都道府県または市町村の教育委員会の所管に属するが（地方教育行政の組織及び運営に関する法律第三二条）、当該教育委員会は、高等専門学校が大学と同様に文部大臣の所轄に属する（法第七〇条の九で準用する第六四条〔現行法一二三条で準用する九八条〕）ことにかんがみ、その所管する高等専門学校に関する事務を管理し、および執行するに当っては、じゅうぶんに文部省〔現文部科学省〕と連絡をとられたいこと。

(2) 公立の高等専門学校の学則の変更および校地校舎等の取得処分等は監督庁（文部大臣〔現文部科学大臣〕）に届け出るべきこととされたこと（施行令第二六条）。

(3) 私立高等専門学校の目的、名称、位置、学則の変更等は文部大臣〔現文部科学大臣〕に届け出るべきこととされたこと（施行規則第二条）。

(4) 高等専門学校の校長の行なう無料職業紹介、高等専門学校へ就学する者に対する母子福祉年金の取り扱いその他について、高等専門学校の職員、学生等の取り扱いが大学等の職員、学生等の取り扱いに準じたものとされること（整理法第四条、第七

条、第八条、第一〇条、第二二条、第二六条、第三〇条、第三二条および第三三条による職業安定法等の一部改正）。

(5)（略）

〔高等専門学校の学科〕

第百十六条　高等専門学校には、学科を置く。

② 前項の学科に関し必要な事項は、文部科学大臣が、これを定める。

【沿　革】　昭三六・六・一七法一四四により新設した。

昭四二・五・三一法一八により、「商船に関する学科」を追加した。

平三・四・二法二五により、「工業に関する学科又は商船に関する学科」としていたのを、単に「学科」とし、「監督庁」を「文部大臣」に改めた。

平一一・一二・二二法一六〇により、「文部大臣」を「文部科学大臣」に改めた。

平一九・六・二七法九六により、旧七〇条の三から一一六条に移動した。

【参照条文】　施行規則一七四条、一七六条、一七九条で準用する五七条。高等専門学校設置基準三条、二一条。

【注　解】

一　本条は、高等専門学校の基本的な教育組織として学科を置く旨を規定したものである。

「学科」とは、専攻分野を教育するために教科群を中心に適当な規模内容をもって組織されたものをいう。

当初は、創設の経緯から工業に関する学科のみを置くこととされたが、昭和四二年の本法改正により商船に関する学科が追加された。それ以前には、外航船舶職員の養成は、商船大学及び商船高等学校において行われており、特に商船高等学校にあっては、本科三年プラス専攻科二年の計五年間の教育として実施されていたが、高度な知識と技術

を身につけた優秀な外航船舶職員の養成を図るため海運界からの要望や運輸省海技審議会からの建議を踏まえ、従来の商船高等学校を充実発展させて商船高等専門学校が創設されたものである。

さらに、平成三年四月の改正により、工業・商船以外の分野の学科も設置できるようにするため、現行の規定のように、単に「学科を置く」に改められた。これは、高等専門学校教育の特徴である「深く専門の学芸を教授し、職業に必要な能力を育成すること」を目的とした早い段階からの五年一貫した実践的教育は、工業又は商船以外の分野における専門的職業人の養成にも有効であると考えられるに至ったためである。

また、高等専門学校の分野の拡大は、中学校卒業者に多様な進路選択の機会を提供するとともに、高度な専門的職業教育を受ける機会を拡大する上でも意義があるとも考えられた。学科に関し必要な事項は文部科学大臣の定めに委ねられ、高等専門学校設置基準四条において、「学科は、専攻分野を教育するために組織されるものであつて、その規模内容が学科として適当と認められるものとする」とされている。従来、学科の種類として、同条二項において、工業に関する学科としては、機械工学科、電気工学科、工業化学科、土木工学科、建築学科、金属工学科、電波通信学科、その他工業に関する学科と、また、商船に関する学科として、航海学科、機関学科とが規定されていたが、平成三年六月の同設置基準の一部改正において、科学技術の進展等社会の変化に的確に対応して、個性的で特色ある教育を実施しやすくするため、また分野制限の撤廃ということもあり、これらの学科の種類についての規定を削除した。

現在、学科として設置されているものには、工学系にあっては前記の学科のほかに、情報工学科、物質工学科、電子制御工学科、情報電子工学科、物質化学工学科、環境都市工学科等の学科が、商船系にあっては商船学科（従来の航海学科と機関学科は、船舶職員に係る人材需要の減少から昭和六三年に商船学科に改組統合）がある。また、新しい分野として、ビジネスコミュニケーション学科や国際ビジネス学科などが設置されてきている。

二　高等専門学校の組織編制、教員の資格、教育課程並びに施設設備等に関する事項は、高等専門学校設置基準の定めるところによる（施行規則一七四条）。

ここでは、教育課程及び課程修了の認定に関する事項について説明する。

(1)　「教育課程」に関する事項については、高等専門学校設置基準の一五条から一七条の四に、一年間の授業期間、授業科目、教育課程の編成等が規定されている。

「一年間の授業期間」については、定期試験等の期間を含め、三五週にわたることを原則とする（同設置基準一五条）。

「授業科目」については、授業科目をその内容により、各学科共通の一般科目と学科ごとの専門科目に分け実施することとされる。従来、一般科目に関する授業科目として履修させるべきもの、各学科の専門科目に関する授業科目の標準とすべきものが高等専門学校設置基準にそれぞれ限定的に規定されてきたが、平成三年の改正で、これらの規定が削除された（同一六条）。

「教育課程の編成」については、教育課程を編成するに当たっては、当該高等専門学校及び学科の教育上の目的を達成するために必要な授業科目を開設し、体系的に教育課程を編成するものとする（同一七条）。

また、教育課程は、各授業科目を各学年に配当して編成するものとするが、これは、高等専門学校が学年制を採用していること（施行規則一七九条で準用する施行規則五七条）を前提としたものである（同一七条二項）。

各授業科目の単位数は、一単位時間を標準五〇分として、三〇単位時間の履修で一単位と計算するものとする（同一七条三項）。この例外として、高等専門学校が定める授業科目については、一単位の授業科目を四五時間の学修を必要とする内容をもって構成することを標準とし、授業の方法に応じ、当該授業による教育効果、授業時間外に必要な学修等を考慮して、①講義及び演習については、一五時間から三〇時間までの範囲、②実験、実習及び実技については、三〇時間から四五時間までの範囲で単位数を計算することができる。これにより計算することのできる授業科目

の単位数の合計数は、六〇単位を超えないものとする（同一七条四項・五項）。このほか、卒業研究・卒業制作のような授業科目で、これらの学修の成果を評価して単位の修得を認定することが適当と認められる場合には、これらの学修等を考慮して単位数を定めることができる（一七条六項）。また、授業科目のほか、特別活動を九〇単位時間以上実施するものとしている（同一七条七項）。

(2)　「課程修了の認定」に関する事項については、高等専門学校設置基準一八条に規定され、全課程修了の認定に必要な単位数は一六七単位以上（そのうち一般科目七五単位以上、専門科目八二単位以上）とされている。ただし、商船に関する学科については、練習船実習を除いて一四七単位以上（そのうち一般科目七五単位以上、専門科目六二単位以上）とされている。従来、全課程修了の認定に必要な単位数のほかに、高等専門学校として当該学生に履修させるべき単位数（修了認定単位数より一〇単位多い。工業系一七七単位、商船系一五七単位以上）も規定されていたが、ゆとりある教育課程編成をめざして、平成三年の改正で削除されている。

なお、大学におけるような純粋な単位制を前提とした卒業の要件を定めた制度と異なり、授業に係る所定の単位数を修得したことだけで、全課程修了すなわち卒業を認定することにはならない。日頃の成績だけでなく、特別活動の履修状況を総合的に判定し、全課程修了の認定を行わなくてはならないと解されている。

(3)　また、これに関連して、授業科目の履修についても、その弾力化を図る観点から、次のような制度が設けられている。

①　教育上有益と認めるときは、他の高等専門学校において履修した授業科目についての修得単位を、所属する高等専門学校の授業科目の履修による修得単位として認めることができることとしている。認定できる単位数の上限は、令和二年の改正により、「三〇単位」から「六〇単位」に拡大された（同設置基準一九条）。

②　平成三年の改正により、教育上有益と認めるときは、学生が行う大学における学修その他文部科学大臣が別

に定める学修を、当該高等専門学校での授業科目の履修とみなし、単位の修得を認定することができることとなった。認定できる単位数の上限は、令和二年の改正により、①と合わせて「三〇単位」から①と合わせて「六〇単位」に拡大された（同二〇条一項・二項）。

文部科学大臣が別に定める学修としては、次のものが定められている。

○高等専門学校設置基準第二十条第一項の規定により、高等専門学校が単位の修得を認定することのできる学修を定める件

（平三・六・二八文部省告示八五）

最終改正　令二・二・一〇文部科学省告示七

高等専門学校設置基準（昭和三十六年文部省令第二十三号）第二十条第一項の規定により、高等専門学校が単位の修得を認定することのできる学修を次のように定め、平成三年七月一日から施行する。

一　大学の専攻科又は学校教育法（昭和二十二年法律第二十六号）第百五条の規定により大学が編成する特別の課程における学修

二　高等専門学校の専攻科又は学校教育法第百二十三条において準用する同法第百五条に規定する高等専門学校が編成する特別の課程における学修

三　高等学校（中等教育学校の後期課程及び特別支援学校の高等部を含む。）の専攻科の課程（学校教育法第五十八条の二（同法第七十条第一項及び第八十二条において準用する場合を含む。）に規定するものに限る。）における学修で、高等専門学校において高等専門学校教育に相当する水準を有すると認めたもの

四　専修学校の専門課程のうち修業年限が二年以上のもの又は学校教育法第百三十三条において準用する同法第百五条に規定する専門課程を置く専修学校が編成する特別の課程における学修で、高等専門学校において高等専門学校教育に相当する水準を有すると認めたもの

五　青少年及び成人の学習活動に係る知識・技能審査事業の認定に関する規則（平成十二年文部省令第二十五号）又は技能審査の認定に関する規則（昭和四十二年文部省告示第二百三十七号）による文部科学大臣の認定を受けた技能審査の合格に係る学修で、高等専門学校において高等専門学校教育に相当する水準を有するものと認めたもの

六　次に掲げる要件を備えた知識及び技能に関する審査における成果に係る学修で、高等専門学校において、高等専門学校教育に相当する水準を有すると認めたもの

イ　審査を行うものが国又は一般社団法人若しくは一般財団法人その他の団体であること。

ロ　審査の内容が、学校教育法第百十五条に規定する高等専門学校の目的に照らし適切なものであること。

ハ　審査が全国的な規模において、毎年一回以上行われるものであること。

ニ　審査の実施の方法が、適切かつ公正であること。

③　高等専門学校の学生が、外国の大学又は高等学校に留学する場合も、外国の大学又は高等学校での学修を当該高等専門学校での学修と認め、単位の修得を認定できるとしている。これは、高等専門学校の学生が在学する高等専門学校を休学又は退学することなく、外国の大学又は高等学校において教育を受け、当該高等専門学校の単位として修得できるようにすることにより、外国の大学又は高等学校と我が国の高等専門学校との円滑な交流を促進し、高等専門学校教育の充実に資するものである。また、平成一三年の改正により、教育上有益と認めるときは、外国の大学が行う通信教育における授業科目を我が国において履修する場合も、当該高等専門学校での学修と認め、単位の修得を認定することができることとなった。認定できる単位数の上限は、令和二年の改正により、「三〇単位」から①及び②と合わせて「六〇単位」に拡大された（同二〇条三項、施行規則一七六条）。

④　平成三年の改正により、当該高等専門学校の学生以外の者で授業科目を履修する者に対し、科目等履修生として単位の修得を認定することができることになった（同設置基準二一条）。

⑤　平成一〇年三月の改正により、高等専門学校は、文部科学大臣の定めるところにより、多様なメディアを高度に利用して、授業を行う教室以外の場所において当該授業を同時に受講させる授業方法によっても単位を認定することが可能となった（同一七条の二）。

この多様なメディアを高度に利用した授業については、平成一〇年三月の文部省告示においては、当該授業が同時かつ双方向に行われることを要件としていたが、インターネット等の情報通信技術の進展にかんがみ、平成一三年三月の文部科学省告示において、従来の同時かつ双方向に行われるものに加え、毎回の授業の実施

に当たって、設問解答、添削指導、質疑応答等による指導を併せ行うものであって、かつ、当該授業に関する学生の意見の交換の機会が確保されているもので、高等専門学校において、面接授業に相当する教育効果を有すると認めたものであれば、同時かつ双方向に行われることを要しないこととされた。多様なメディアを高度に利用した授業により修得する単位数の上限は、令和二年の改正により、「三〇単位」から「六〇単位」に拡大された（同設置基準一八条二項）。

三　平成三年の高等専門学校設置基準の一部改正により、設置基準の大綱化による制度の弾力化の趣旨を生かしていくためには、高等専門学校自らが、その教育研究活動等の状況について点検及び評価を行うことに努めなければならないとする規定（同設置基準旧三条）が新設されたが、平成一四年の学校教育法の一部改正により法六九条の三（現行法一〇九条）に自己評価・認証評価の規定が新設されたことに伴い（法一二三条で法一〇九条の規定を準用している）、設置基準の規定は削られた。

四　平成一五年の高等専門学校設置基準の一部改正により、入学者の選抜については、公正かつ妥当な方法により、適切な体制を整えて行うものとする（三条の二）及び学生定員は、教員組織、校地、校舎その他の教育上の諸条件を総合的に考慮して定め、これを学科ごとに学則で定め、在学する学生の数を学生定員に基づき適正に管理するものとする（四条の二）規定が設けられた。

【通　知】

○高等専門学校設置基準の一部を改正する省令の施行について

（抄）（平三・七・一八　文高専二〇五号　各国公私立大学長、放送大学長、各国公私立高等専門学校長、大学を設置する地方公共団体の長、高等専門学校を設置する各地方公共団体の教育委員会教育長、大学又は高等専門学校を設置する各学校法人の理事長、放送大学学園理事長あて　文部事務次官通知）

このたび、別添一（略）のとおり、「高等専門学校設置基準の一部を改正する省令（平成三年文部省令第三六号）」が平成三年六月二五日に公布され、同年七月一日から施行されました。

また、この省令に関連し、別添二（略）のとおり平成三年文部省告示第八五号が平成三年六月二八日に告示され、同年七月一日から施行されました。

今回の改正の趣旨は、個々の高等専門学校が、その教育理念・目的に基づき、社会の要請に適切に対応しつつ、特色ある教育を展開し得るよう、高等専門学校設置基準の大綱化により制度の弾力化を図るとともに、生涯学習の振興の観点から高等専門学校における学習機会の多様化を図り、併せて、高等専門学校の水準の維持向上のため自己点検・評価の実施を期待するものであります。

一　自己評価等について（略）

二　組織編制について

㈠　学科の設置について

高等専門学校の学科は、工業又は商船に関する専攻分野を教育するために組織されるものとしていた規定を改め、学科は専攻分野を教育するために組織されるものとしたこと及び学科の種類の例示の規定を削除したこと。（改正後の第四条及び改正前の第三条関係）

㈡　学級編制について

教育上有益と認めるときには、異なる学科の学生をもって学級を編制することができることとしたこと。（改正後の第五条関係）

㈢　教員組織について

高等専門学校の工業又は商船に関する学科以外の学科において、専門科目を担当する専任者の数を、別に定めることとしたこと。（改正後の第六条関係）

三　教員の資格について（略）

四　教育課程について

㈠　授業期間について

一年間の授業期間については、三五週にわたることを規定することにとどめ、従来のような具体的な授業日数についての定めは設けないこととしたこと。（改正後の第一五条関係）

㈡　授業科目について

授業科目は、その内容により、各学科に共通する一般科目及び学科ごとの専門科目に分けることについては従前どおりであるが、一般科目に関する授業科目及び専門科目に関する標準となる基本的な授業科目に関する規定を削除したこと。（改正後の第一六条及び改正前の第一四条関係）

㈢　教育課程の編成について

①　各学科の教育課程は、工業に関する学科にあっては一七七単位以上、商船に関する学科にあっては一五七単位以上を履修させるように各学年に配当して編成することとしている規定を廃止したこと。（改正前の第一五条第一項関係）

②　高等専門学校は、当該高等専門学校及び学科の教育上の目的を達成するために必要な授業科目を開設し、体系的に教育課程を編成するものとしたこと。（改正後の第一七条第一項関係）

関係）

㈣　単位の計算方法について

①　各授業科目の単位数は、一個学年三〇単位時間（一単位時間は、五〇分とする。）の履修を一単位として計算することとする規定を改め、三〇単位時間（一単位時間は、標準五〇分とする。）の履修を一単位として計算するものとしたこと。（改正後の第一七条第三項関係）

②　上記①にかかわらず、卒業研究、卒業制作等の授業科目については、これらの学修の成果を評価して単位の修得を認定することが適切と認められる場合には、これらに必要な学修等を考慮して、単位数を定めることができるものとしたこと。（改正後の第一七条第四項〔現行設置基準一七条六項〕関係）

五　課程修了の認定等について

㈠　課程修了の認定について

全課程の修了の認定に必要な単位数は、一六七単位以上（そのうち、一般科目については七五単位以上、専門科目については八二単位以上とする。）とすることとしたこと。ただし、商船に関する学科にあっては練習船実習を除き一四七単位以上（そのうち、一般科目については七五単位以上、専門科目については六二単位以上とする。）としたこと。（改正後の第一八条関係）

㈡　他の高等専門学校における授業科目の履修について

高等専門学校は、教育上有益と認めるときは、学生が高等専門学校の定めるところにより他の高等専門学校において履修した授業科目について修得した単位を、三〇単位を超えない範囲で当該高等専門学校における授業科目の履修により修得したものとみなすことができることとしたこと。（改正後の第一九条関係）

㈢　高等専門学校以外の教育施設等における学修等について

①　高等専門学校は、教育上有益と認めるときは、学生が行う大学における学修その他文部大臣が別に定める学修を、当該高等専門学校における授業科目の履修とみなし、高等専門学校の定めるところにより単位の修得を認定することができることとしたこと。（改正後の第二〇条第一項関係）

なお、文部大臣が定める学修として、別添二（略）のとおり、修業年限二年以上の専修学校専門課程における学修等を定めたこと。（平成三年文部省告示第八五号）

②　前記①により認定することができる単位数は、他の高等専門学校における授業科目の履修に関する規定により当該高等専門学校において修得したものとみなす単位数と合わせて三〇単位を超えないものとしたこと。（改正後の第二〇条第二項関係）

③　前記①の規定は、学生が外国の大学又は高等学校に留学する場合に準用することとしたこと。また、この場合において認定することができる単位数は三〇単位を超えないものとしたこと。（改正後の第二〇条第三項関係）

㈣　科目等履修生について

高等専門学校は、高等専門学校の定めるところにより、当該高等専門学校の学生以外の者で一又は複数の授業科目を履修する者に対し、単位の修得を認定することができることとしたこと。(改正後の第二一条関係)

なお、国立学校において科目等履修生について徴収する授業料その他の費用の額については、聴講生等に係る授業料その他の費用の額によるものとすること。

六　施設及び設備について

(一)　校舎等について

①　教室のうち、学科の種類に応じ専門科目の教育に必要な演習室、実験・実習室等の施設に関する規定を廃止したこと。(改正前の第一七条第二項関係)

②　学生の情報処理能力及び外国語能力の育成を図るため、校舎には、なるべく情報処理及び語学の学習のための施設を備えるものとしたこと。(改正後の第二三条第二項関係)

③　高等専門学校は、校舎のほか、なるべく体育館及び講堂並びに寄宿舎、課外活動施設その他の厚生補導に関する施設を備えるものとしたこと。(改正後の第二三条第三項関係)

(二)　校舎の面積について

高等専門学校の工業又は商船に関する学科以外の学科に関する校舎の面積については、別に定めることとしたこと。(改正後の第二四条関係)

(三)　図書等の資料及び図書館について

①　学科の種類、教員数及び学生数に応じ、図書、学術雑誌、視聴覚資料その他の教育研究上必要な資料を、図書館を中心に系統的に備えるものとしたこと。(改正後の第二五条第一項関係)

②　図書館には、その機能を十分に発揮させるために必要な専門的職員その他の専任の職員を置くとともに、適当な規模の閲覧室、レファレンス・ルーム、整理室、書庫等を備えるものとしたこと。(改正後の第二五条第二項関係)

(四)　附属施設について

高等専門学校には、教育上必要な場合は、学科の種類に応じ、実験・実習工場、練習船その他の適当な規模内容を備えた附属施設を置くものとしたこと。(改正後の第二六条関係)

七　専攻科について

専攻科に関する基準は、別に定めることとしたこと。(改正後の第二八条関係)

八　その他

なお、二(三)及び六(二)において別に定めることとしている、工業又は商船に関する学科以外の学科に係る専門科目を担当する専任者の数、校舎の面積等について、文部省高等教育局専門教育課試案(別添三(略))を添付するものであること。

○高等専門学校設置基準の一部を改正する省令の施行について

(抄)(平一一・九・二四　文高専三六三号　各国公私立高等専門学校長、高等専門学校を設置する各地方公共団体の教育委員会教育長、高等専門学校を設置する各学校法人の理事長あて　文部事務次官通知)

このたび、別添（略）のとおり、「高等専門学校設置基準の一部を改正する省令（平成一一年文部省令第四五号）」が平成一一年九月二四日に公布され、同日から施行されました。

二一世紀に向けての大きな転換期にある今日、高等教育機関が、学問の進展や社会の要請に適切に対応しつつ不断に改革を進めて教育研究の活性化を図り、知的活動の分野において社会に貢献していくことは、我が国の未来を築く上で極めて重要な課題であります。

各高等専門学校におかれては、かねてから改革を進めていただいているところでありますが、今回の省令改正を踏まえ、一層積極的な取組をお願いするものであります。

第一　高等専門学校設置基準の一部を改正する省令について

1　自己点検・評価（略）

2　情報の積極的提供（略）

3　教育内容等の改善のための組織的な取組

高等専門学校は、当該高等専門学校の授業の内容及び方法の改善を図るための組織的な研修及び研究の実施に努めなければならないこととしたこと（第一七条の三〔現行設置基準第一七条の四〕）。

4　施行期日等（略）

○大学設置基準の一部を改正する省令の施行等について（抄）

（平一三・三・三〇　一三文科高三四六号　各国公私立大学長、放送大学長、各国公私立高等専門学校長などあて　文部科学事務次官通知）

このたび、別添1から別添6（略）のとおり、（中略）「高等専門学校設置基準の一部を改正する省令」（平成一三年文部科学省令第四八号）（中略）が平成一三年三月三〇日に公布され、同日から施行されました。さらに、これらの改正に関連し、別添7から別添11（略）のとおり、平成一三年文部科学省告示第五三号が平成一三年三月三〇日に告示され、同日から施行されました。

今回の改正は、我が国の高等教育機関が世界に開かれた高等教育機関としてその役割を十分に果たしていくため、高等教育制度の国際的な整合性を図り、教育研究のグローバル化を推進するとともに国際競争力を高めることが重要であるとの考えを基本とするものであります。このような考えに基づき、第一に、柔軟かつ機動的な教育研究の展開の観点から、講座等の組織編制の弾力化を図る、第二に、教員の教育能力等を従来以上に重視する観点から、教員資格の見直しを図る、第三に、情報通信技術の活用の観点から、遠隔授業の在り方及び国境を越えて提供される教育の在り方の見直しを図る等の制度改正を行うものであります。各高等教育機関におかれては、今回の改正の趣旨を踏まえた積極的な取組をお願いいたします。

第一～第四（略）

第五　高等専門学校設置基準の一部改正

1　教授等の教員の資格について、高等専門学校における教育を担当するにふさわしい教育上の能力を有することを要件とすることとし、教育上の能力を重視することを明確にしたこと。外国の大学又は短期大学における教員としての経歴を国内の大学又は短期大学における経歴と同様に扱うこと。教授等の資格に係る助教授等の経歴について、在職年数を問わないこととしたこと（第一一

条（現行設置基準第十条の二）から第一四条）。

なお、教員の選考は各高等専門学校の判断と見識に基づくものであり、高等専門学校設置基準が高等専門学校設置に必要な最低限の基準を定めたものであることから、これを上回る要件（例えば業務上の実績や能力）を加味することは、それぞれの高等専門学校の判断であること。

2　高等専門学校は、授業を、外国において履修させることができるものとすること。多様なメディアを高度に利用して履修させる場合についても同様とすること（第一七条の二第二項）。

3　高等専門学校は、学生が、外国の大学又は短期大学が行う通信教育による授業を我が国において履修することにより修得した単位を、三〇単位を上限に当該高等専門学校において修得したものとみなすことができるものとすること（第二〇条第三項）。

第六　（略）

第七　平成一三年文部科学省告示第五一号（大学設置基準第二五条第二項の規定に基づき、大学が履修させることができる授業等について定める件）等の制定

1　大学設置基準第二五条第二項の規定に基づき、大学が履修させることができる授業（いわゆる「遠隔授業」）については、平成一〇年文部省告示第四六号により規定されてきたところであるが、インターネット等の情報通信技術の進展にかんがみ、従来のものに加え、毎回の授業の実施に当たって設問解答等による指導を併せ行うものであって、かつ、当該授業に関する学生の意見の交換の機会が確保されているもので、大学において、面接授業に相当する教育効果を有すると認めたものを遠隔授業として位置付けることとしたこと。

したがって、遠隔授業については、「同時かつ双方向に行われるもの」であることが必要とされてきたが、今回の改正によって、同時かつ双方向に行われない場合であっても、一定の条件を満たしていれば、これを遠隔授業として行うことが可能となること。

また、ここで必要とされる指導については、設問解答、添削指導、質疑応答のほか、課題提出及びこれに対する助言を電子メールやファックス、郵送等により行うこと、教員が直接対面で指導を行うことなどが考えられること。

なお、上記の指導は、印刷教材等による授業や放送授業の実施に当たり併せ行うこととされる添削等による指導（大学通信教育設置基準第三条第二項）とは異なり、毎回の授業の実施に当たって併せ行うものであることに留意されたいこと。

学生の意見の交換の機会については、大学のホームページに掲示板を設け、学生がこれに書き込めるようにしたり、学生が自主的に集まり学習を行えるような学習施設を設けたりすることが考えられること。

2　この告示の制定に伴い、従来の告示（平成一〇年文部省告示第四六号）は廃止すること。

3　なお、短期大学及び高等専門学校についても、これらと同趣旨の告示の制定等を行うこと（平成一三年文部科学省告示第五二号及び同第五三号）。

○高等専門学校設置基準及び学校教育法施行規則の一部を改正する省令等の施行について（抄）（令二・二・一〇　元文科高一〇二〇号　各国公私立高等専門学校長、高等専門学校を設置する地方公共団体の長、高等専門学校を設置する各公立大学法人の理事長、独立行政法人国立高等専門学校機構理事長、高等専門学校を設置する各学校法人の理事長あて　文部科学省高等教育局長通知）

この度、別添1のとおり、「高等専門学校設置基準及び学校教育法施行規則の一部を改正する省令」（令和二年文部科学省令第二号）（以下「改正省令」という。）が、また、別添2のとおり、「高等専門学校設置基準第二十条第一項の規定により高等専門学校が単位の修得を認定することのできる学修を定める件の一部を改正する告示」（令和二年文部科学省告示第七号）（以下「改正告示」という。）が、それぞれ令和二年二月一〇日に公布・施行されました。

今回の改正は、「二〇四〇年に向けた高等教育のグランドデザイン（答申）」（平成三〇年一一月二六日中央教育審議会）において、大学との連携など高専教育の高度化、我が国の高専教育の国際化を進めていくこと等により、高等専門学校の教育の質を高めていくことが重要と提言されたことを踏まえ、高等専門学校における大学等との連携強化や留学を含む学生の多様な学修の促進等を図るため、所要の規定を整備するものです。

これらの省令・告示改正の概要及び留意すべき事項は下記のとおりですので、十分に御了知いただき、その運用に当たっては遺漏なきようにお取り計らいください。

記

第一　改正の概要

1　改正省令

(1)　高等専門学校設置基準（昭和三六年文部省令第二三号）の一部改正

ア　学生が他の高等専門学校において履修した授業科目について修得した単位について、高等専門学校が当該高等専門学校において修得したものとみなすことができる単位数の上限について三〇単位を超えない範囲内とされていた取扱いを改め、六〇単位を超えない範囲内とすること。（第一九条関係）

イ　学生が行う高等専門学校以外の教育施設等における学修について単位認定できる単位数の上限について、第一九条により当該高等専門学校において修得したものとみなす単位数と合わせて六〇単位を超えない範囲内とすること。（第二〇条第二項関係）

ウ　学生が外国の大学又は高等学校に留学する場合及び外国の大学が行う通信教育における授業科目を我が国において履修する場合の学修について単位認定できる単位数の上限について、第一九条及び第二〇条第一項により当該高等専門学校において修得したものとみなし、又は認定する単位数と合わせて六〇単位を超えない範囲内とすること。（第二〇条第三項関係）

エ　高等専門学校は、高等専門学校の定めるところにより、当該高等専門学校の学生以外の者で学校教育法（昭和二二年法

律第二六号）第一二三条において準用する同法第一〇五条に規定する特別の課程（以下「特別の課程」という。いわゆる「履修証明プログラム」のこと。）を履修する者（以下「特別の課程履修生」という。）に対し、単位の修得を認定することができるものとすること。（第二一条第二項関係）

(2) 学校教育法施行規則（昭和二二年文部省令第一一号）の一部改正

高等専門学校が特別の課程の編成に当たってあらかじめ公表すべき事項として、単位の修得の認定の有無を新たに加えることとすること。（第一七九条関係）

2 改正告示

高等専門学校設置基準第二〇条第一項の規定により、高等専門学校が単位の修得を認定することのできる学修として、大学（専門職大学、大学院及び短期大学を含む。）が編成する特別の課程における学修、高等専門学校が編成する特別の課程における学修及び専門課程を置く専修学校が編成する特別の課程における学修で、高等専門学校において高等専門学校教育に相当する水準を有すると認めたものを新たに加えること。（第一号、第二号及び第四号関係）

第二　留意事項

1 自校以外の教育施設等における学修の単位認定の拡大

(1) 第一の一(1)アイウの改正は、高等専門学校設置基準第一七条第一項の「高等専門学校は、当該高等専門学校及び学科の教育上の目的を達成するために必要な授業科目を自ら開設し、体系的に教育課程を編成するものとする。」との規定を原則としつつ、高等専門学校における大学等との連携や留学を含む学生の多様な学修の促進を図ることを目的としたものであることに留意すること。

(2) 当該制度の活用に当たっては、当該高等専門学校の教育課程全体からみて、単位認定の対象とする自校以外の教育施設等における学修が教育上有益と認められるか、自校以外の教育施設等における学修が高等専門学校教育に相当する水準を有するものであるか、当該単位を認定することが適切であるか等について、各高等専門学校において適切に判断すべきこと。

2 特別の課程履修生への単位の修得の認定

(1) 特別の課程履修生への単位の修得の認定については、「学校教育法施行規則等の一部を改正する省令等の施行等について（通知）」（令和元年八月一三日付け高等教育局長通知（元文科高第三二八号））の別添4「大学等における履修証明制度の運用及びその履修者に対する単位授与等に関する留意事項について」に準じて適切に実施すべきこと。

(2) 第一の2にある高等専門学校が、学生が行った他の教育施設が編成する特別の課程における学修に対して単位の修得を認定する場合であって、当該特別の課程が高等専門学校教育に相当する水準を有するものであることを確認する際には、特別の課程の編成に当たってあらかじめ公表するべき事項とされているものについて、当該特別の課程を編成する教育施設に確認することが考えられること。

〔高等専門学校の修業年限〕

第百十七条　高等専門学校の修業年限は、五年とする。ただし、商船に関する学科については、五年六月とする。

【沿　革】　昭三六・六・一七法一四四により新設した。

昭四二・五・三一法一八により、商船に関する学科についての修業年限を追加した。

平三・四・二法二五により、「工業に関する学科については、五年とし、」とあるのを、「工業に関する学科については」を削除し、商船に関する学科については、ただし書に改めた。

平一九・六・二七法九六により、旧七〇条の四から一一七条に移動した。

【参照条文】　法五六条、八七条、一〇八条二項。

【注　解】

一　本条は、高等専門学校の修業年限についての規定であり、学科の分野にかかわりなく、原則として五年とし、ただし書で、例外として商船に関する学科について五年六月と定めている。

本条は当初、学科が工業に関するもののみに限定されていたことを前提に、単に「修業年限は五年とする。」と規定されていたが、昭和四二年五月の改正で、商船にも分野が拡大されたことに伴い、「工業に関する学科については、五年とし、商船に関する学科については、五年六月とする。」とされた。さらに、平成三年四月の改正で、分野の制限が撤廃されたことに伴い、現行の規定になっている。

修業年限の「五年」は、高等学校の修業年限三年（法五六条）に、大学の修業年限四年（法八七条）のうちの二年又は短期大学の修業年限二年（法一〇八条二項）を合わせたものに相当する。しかし、高等専門学校にあっては、その修業年限を前期三年、後期二年と分けるものではなく、五年間の一貫教育により、一般教育及び基礎教育の効率化を図

り、専門教育の充実を目指すものである。

一般教育及び基礎教育の効率化を図るといっても、これらの教育を決して軽視する趣旨ではなく、少なくとも、後期中等教育として最小限要求される教育内容は十分配慮し、さらに、将来優れた技術者となるための大学レベルの一般教育を行うこととしている。ただ、教育の方法として、五年一貫教育で重複を避け学問の発展に適合した教育を行うものと解されている。

また、専門教育については、従来の高等教育機関に比較し、実験・実習を重んずるとともに、教育内容については大学レベルまでを教授することをねらいつつ、五年間一貫した効果的な教育課程の編成を行い、実践的技術者の養成という目的に応えようとしている。

二　商船に関する学科の修業年限の「五年六月」は、次のような経緯によって定められた。

外航船舶職員を養成するため、従来、商船高等学校では、本科三年、専攻科二年の計五年で次のような教育課程によって教育を行っていた。

本科三年　席上課程　三年

専攻科二年
- 練習船実習　一年（機関科では、工場実習五・五か月を含む）
- 商船実習　六月
- 席上課程　六月

高等専門学校の修業年限については、運輸省海技審議会の建議では席上課程四年、練習船実習一年六月（商船実習六月を含む）計五年六月が望ましいとされたが、文部省に設けられた「商船高等専門学校の調査研究に関する会議」の報告においては、席上課程四年六月練習船実習一年の計五年六月が適当であり、商船実習六月は廃止することとされた。

これらの審議結果に基づいて、次のように、商船高等専門学校の修業年限は五年六月と定められた。

① 修業年限は五年六月とし、商船教育の特殊性に基づき練習船実習を本来の教育課程に含めること。
② 商船教育の特殊性を勘案し、高等専門学校としての教育水準を維持するため、席上課程は、一般科目及び専門科目を合わせて四年六月実施すること。

〔高等専門学校の入学資格〕

第百十八条　高等専門学校に入学することのできる者は、第五十七条に規定する者とする。

【沿　革】　昭三六・六・一七法一四四により新設した。
平一九・六・二七法九六により、旧七〇条の五から一一八条に移動した。

【参照条文】　法五七条。施行規則一七九条で準用する九〇条一項及び二項、九五条。

【注　解】

本条は、高等専門学校の入学資格について、高等学校の入学資格と同様とすることを規定したものである。

法五七条に規定する者（すなわち高等学校に入学することのできる者）を高等専門学校の入学資格者としたのは、高等専門学校が、中学校教育の上に、高等学校、大学と並行して、五年（商船に関する学科にあっては五年六月）の教育を施す教育機関であるので、高等学校への入学資格者と高等専門学校への入学資格者を同様に取扱うこととしたものである。具体的な入学資格の要件については、法五七条の【注解】参照。

なお、高等専門学校への入学は、学力検査の成績と内申書等を資料として行う選抜に基づいて、校長が許可することを原則とするが、特別の事情のあるときは、学力検査を行わないことができることとされている（施行規則一七九条で準用する九〇条一項及び二項）。

〔高等専門学校の専攻科〕

第百十九条　高等専門学校には、専攻科を置くことができる。

②　高等専門学校の専攻科は、高等専門学校を卒業した者又は文部科学大臣の定めるところにより、これと同等以上の学力があると認められた者に対して、精深な程度において、特別の事項を教授し、その研究を指導することを目的とし、その修業年限は、一年以上とする。

【沿　革】　平三・四・二法二五により新設した。

平一一・一二・二二法一六〇により、「文部大臣」を「文部科学大臣」に改めた。

平一九・六・二七法九六により、旧七〇条の六から一一九条に移動した。

【参照条文】　法九一条、一〇四条。施行規則一七七条。学位規則六条。

【注　解】

一　本条は、高等専門学校の専攻科に関する規定である。高等専門学校は、制度発足当初、五年一貫の専門職業人養成を目的とする完成教育を行う教育機関として強く意識されたことから、卒業生を対象に継続教育を行う専攻科制度は設けられなかった。しかし、近年の科学技術の高度化等を背景に、高等専門学校に留まって、より高度の教育、研究指導を受けることを希望する学生が増大するようになったことから、平成三年四月の改正により、大学・短期大学と同様に、専攻科制度を設けることとされた。

二　高等専門学校の専攻科については、本条において、目的、修業年限、入学資格が規定されている。

「目的」は、高等専門学校卒業者等を対象に、「精深な程度において、特別の事項を教授し、その研究を指導すること」とされ、「修業年限」は一年以上とされている。

「入学資格」については、「高等専門学校を卒業した者又は文部科学大臣の定めるところにより、これと同等以上の学力があると認められた者」とされている。文部科学大臣の定めとしては、施行規則一七七条において、次のように規定されている。

〔専攻科への入学に関し高等専門学校卒業者と同等以上と認められる者〕

第百七十七条　学校教育法第百十九条第二項の規定により、高等専門学校の専攻科への入学に関し高等専門学校を卒業した者と同等以上の学力があると認められる者は、次の各号のいずれかに該当する者とする。

一　高等学校（中等教育学校の後期課程及び特別支援学校の高等部を含む。）の専攻科の課程を修了した者のうち学校教育法第五十八条の二（同法第七十条第一項及び第八十二条において準用する場合を含む。）の規定により大学に編入学することができるもの

二　専門職大学の前期課程を修了した者

三　短期大学を卒業した者

四　専修学校の専門課程を修了した者のうち学校教育法第百三十二条の規定により大学に編入学することができるもの

五　外国において、学校教育における十四年の課程を修了した者

六　外国の学校が行う通信教育における授業科目を我が国において履修することにより当該外国の学校教育における十四年の課程を修了した者

七　我が国において、外国の短期大学の課程（その修了者が当該外国の学校教育における十四年の課程を修了したとされるものに限る。）を有するものとして当該外国の学校教育制度において位置付けられた教育施設であつて、文部科学大臣が別に指定するものの当該課程を修了した者

八　その他高等専門学校の専攻科において、高等専門学校を卒業した者と同等以上の学力があると認めた者

専攻科については、本条において目的、修業年限、入学資格が規定されるのみで、これ以外のことについては規定がなく（高等専門学校設置基準二八条において「専攻科に関する基準は、別に定める。」とされているが、現在までのところ未だ定められていない。）、教育課程編成、修了要件等専攻科に係る具体的な内容については、各高等専門学校の学則等により、その設置目的に従って定められることとなる。

三　高等専門学校の専攻科での学修については、大学・短期大学・高等専門学校の定めるところにより、当該大

学・短期大学・高等専門学校（本科）での学修とみなし、単位として認定することができるとされている（大学設置基準二九条、短期大学設置基準一五条、高等専門学校設置基準二〇条）。

また、教職員免許状の取得にかかわって、高等専門学校第四学年・第五学年の課程及び高等専門学校の専攻科で修得した単位についても、課程認定を受けている大学が適当と認めた場合には、免許状取得のために必要な教科に関する科目の単位の一部として認められることとされている（教育職員免許法別表第一備考五ロ、教育職員免許法施行規則二六条・六六条の七）。

四　平成三年四月の国立学校設置法及び学校教育法の一部改正により、学位授与機構（平成二八年四月から独立行政法人大学改革支援・学位授与機構）が創設されて、大学の課程修了によらない学位取得が可能となったが、高等専門学校の専攻科における学修についても、同機構で定める要件を満たすものについては同機構の学位授与に必要な学修として認められることとなった。従来、高等専門学校の卒業生は、大学に編入学する以外には学位を取得する方法がなかったが、これにより、学位取得のための新たな方途が開かれた（法一〇四条四項、学位規則六条一項）。

具体的には、大学改革支援・学位授与機構において、教育課程、教員組織、施設設備等が充実しており、大学教育に相当する水準の教育を実施している高等専門学校の専攻科を審査のうえ認定し、同機構が認定した高等専門学校の専攻科（現在、すべての専攻科が認定されている）において、所要の単位を修得した者は、学修成果を作成のうえ、大学改革支援・学位授与機構に対し学位授与申請を行い、同機構が行う修得単位の審査及び学修成果・試験の審査に合格した場合には、同機構から学士の学位が授与されている。

五　公私立の高等専門学校の専攻科の設置については、大学・短期大学の専攻科と同様に、文部科学大臣の認可によらず、学則変更の届出によることとされる（施行令二六条一項、施行規則二条一号）。

〔校長、教授その他の職員〕

第百二十条　高等専門学校には、校長、教授、准教授、助教、助手及び事務職員を置かなければならない。ただし、教育上の組織編制として適切と認められる場合には、准教授、助教又は助手を置かないことができる。

② 高等専門学校には、前項のほか、講師、技術職員その他必要な職員を置くことができる。

③ 校長は、校務を掌り、所属職員を監督する。

④ 教授は、専攻分野について、教育上又は実務上の特に優れた知識、能力及び実績を有する者であつて、学生を教授する。

⑤ 准教授は、専攻分野について、教育上又は実務上の優れた知識、能力及び実績を有する者であつて、学生を教授する。

⑥ 助教は、専攻分野について、教育上又は実務上の知識及び能力を有する者であつて、学生を教授する。

⑦ 助手は、その所属する組織における教育の円滑な実施に必要な業務に従事する。

⑧ 講師は、教授又は准教授に準ずる職務に従事する。

【沿　革】　昭三六・六・一七法一四四により新設した。

平三・四・二法二五により、二条繰り下げた。

平一七・七・一五法八三により、助教授に関する規定を准教授に関する規定に改め、助教に関する規定を新設するとともに、教授、講師及び助手に関する規定について整備を行った。

平一九・六・二七法九六により、旧七〇条の七から一二〇条に移動した。

【参照条文】　法一二三条で準用する法三七条一四項及び六〇条六項。施行規則一七四条、一七五条。高等専門学校設置基準六条～一四条。学校保健安全法二三条。

【注解】

一　本条は、高等専門学校に置かれる教職員の種類と職務について規定したものである。

高等専門学校には、校長、教授、准教授、助教、助手、事務職員は必ず置かなければならないが、このうち教育上の組織編制として適切と認められる場合には准教授、助教又は助手は置かないことができる（法九二条の【注解】二参照）。このほかに講師、技術職員その他必要な職員を置くことができる。

(1)　「校長」については、法令上、特段の資格要件は定められていなかったが、平成一五年三月の高等専門学校設置基準の改正により、校長となることができる者は、人格が高潔で、学識が優れ、かつ、高等専門学校の運営に関し識見を有すると認められる者と規定された（高等専門学校設置基準一〇条の三）。

(2)　「教授、准教授、助教、助手」を置くこととして、教諭、助教諭を置かないこととしたのは、高等専門学校が五年間一貫した効果的な教育課程により教育を行うもので、第一学年から第三学年までの教育を担当する教員だけを、第四、五学年の教育を担当する教員と区別し、高等学校の教員免許制度を適用し、かつ、教諭、助教諭として位置づけることは適当でないと考えられたからである。

高等専門学校の教員について、「教育職員免許法」（昭二四法一四七）に規定する免許制度の適用はない（同法二条一項）。しかし、教育職員の資質を保持するため、高等専門学校設置基準一一条から一四条までにおいて、教授、准教授、講師、助教、助手に分けて、教員の資格要件を定めている。

従来、教授は博士の学位を有する者、准教授は修士の学位を有する者を基本として、これらの学位を有しない者については、博士課程の在学期間五年、修士課程の在学期間二年にそれぞれ一年を加算した年数の教職歴等の経歴を最低必要とするという考え方に立った教員資格を定めていた。しかし、教員の教育能力を従来以上に重視するという観点から、平成一三年三月の高等専門学校設置基準の改正により、教授等の教員資格について、高等専門学校における

教育を担当するにふさわしい教育上の能力を有することが要件として追加されるとともに、一定の在職年数という要件が削除された（平一三・三・三〇　一二文科高三四六号　文部科学事務次官通知。法一一六条の【通知】参照）。

(3)　「教授」、「准教授」及び「助教」の職務は、「学生を教授する。」ことである。大学の教授、准教授及び助教の職務について「学生を教授し、その研究を指導し、又は研究に従事する。」（法九二条六項～八項）と規定されているのと異なっているが、これは、高等専門学校が大学と異なり、学術の研究を学校の本来的な機能としていない点にある（法一一五条一項）。ただ、高等専門学校においても、教育内容を学術の進展に即応させるため、必要な研究が行われる（高等専門学校設置基準二条二項）ことは当然のことである。教授、准教授及び助教の主たる職務は学生を教授することであるが、同時に必要な研究を行うことも教授、准教授及び助教の職務であると解すべきである。

(4)　助手の職務は、「所属する組織における教育の円滑な実施に必要な業務に従事する。」ことであり、大学の「助手」の職務と類似の規程となっている。

(5)　平成一七年の本法の一部改正の前は、「教授及び助教授は、学生を教授する。」とされていた。しかし、大学とともに高等専門学校についても、若手教員が自らの資質能力を十分に発揮できるようにする等の観点から、職の在り方について次のとおり見直しが行われた（法九二条の【注解】二参照）。

①　助教授の職を廃止し、教育を主たる職務とし、教授に次ぐ位置付けの職である准教授の職を設けること（本条五項）。

②　従来の助手の職について、自ら教育を行うことを主たる職務とする助教の職を新たに設けるとともに（同条六項）、助手の職は、教育の補助を主たる職務とする職として明確化すること（同条七項）。

また、従来、助教授及び助手は高等専門学校に置かなければならない職として定められていたが、この平成一七年の本法の改正により、教育上の組織編制として適切と認められる場合には、例外として、准教授、助教又は助手は置

かないことができることとされた。

二　「置かなければならない」教職員の種類は、校長、教授、准教授、助教、助手及び事務職員であるが、これらの職員のほかに、学校保健安全法二三条では学校医、学校歯科医及び学校薬剤師を置くものとされている。また、施行規則一七五条には、高等専門学校に必置の教職員の種類として、教務主事及び学生主事を規定している。

教務主事又は学生主事は、校長の命を受け、それぞれ教育計画の立案その他教務に関すること又は学生の厚生補導に関することを掌理するもので、学校経営上、校長を補佐する重要な職務を遂行する職である。特に、教務主事は、校長不在等の場合、校長に代って職務を行うべき地位に立つべきものとして運用されている。

このほか、必ず置かなくてはならない職種ではないが、高等専門学校には寄宿舎における学生の厚生補導に関することを掌理する寮務主事を置くことができることとされている（施行規則一七五条二項・五項）。

高等専門学校を設置し、運営していくために必要な教職員の種類は前述のとおりであるが、それらの教職員の最小限必要な人数については、教職員の種類ごとに高等専門学校設置基準に規定されている。

⑴　同設置基準六条において、同条一項には、学科の種類及び学級数に応じ、各授業科目を教授するために「必要な相当数」の「教員」（助手については七条に規定）を置かなければならないとし、本項に規定する「必要な相当数」については、二項以下において、高等専門学校に置くべき最小限の教員数を定めている。すなわち、二項において一般科目の教員について、学級数に対応し、最小限の必要数を定めている。また、三項において、工学に関する学科の専門科目の教員について、学科と学級数に対応し、最小限の必要数を定めている。なお、工学以外の学科における専門科目の教員については、別に定めるとされている。

学校規模別の所要教員数（助手を除く）は、次表のとおりである。

（専門科目担当教員数については、工学に関する学科に係るもの）

学校規模	教員数（助手を除く） 一般科目担当	専門科目担当	計
一学科　一学級	一〇人	八人	一八人
一〃　二〃	一二	一三	二五
一〃　三〃	一四	一八	三二
二〃　二〃	一二	一五	二七
二〃　三〃	一四	二〇	三四
二〃　四〃	一八	二五	四三
三〃　三〃	一四	二二	三六
三〃　四〃	一八	二七	四五
三〃　五〃	二二	三二	五四
三〃　六〃	二六	三七	六三
四〃　四〃	一八	二九	四七
四〃　五〃	二二	三四	五六
四〃　六〃	二六	三九	六五

一般科目担当の専任教員の必要数は、学科の数にかかわりなく学級数に対応している。また、専門科目担当の専任教員の必要数は、学級数だけでなく、学科の数に応じて増減し、学級数が同じ場合であっても学科の数が多ければ、それに従って多くなっている。

高等専門学校設置基準八条では、専門科目を担当する専任の教授及び准教授の数は、一般科目を担当する専任教員数と専門科目を担当する専任教員数との合計数の二分の一を下ってはならないと規定している。すなわち高等専門学校が専門の学芸を教授する実践的技術者養成の専門教育機関であることにかんがみ、教育水準の維持向上のために、専門科目担当の専任の教授及び准教授が一定数以上配置される必要があるということを規定したものである。

同設置基準八条の二では、高等専門学校に置かなければならない必要専任教員数の二割の範囲内については、専任教員以外の者であっても、専攻分野におけるおおむね五年以上の実務の経験を有し、かつ、高度の実務の能力を有する者であって、一年につき六単位以上の授業科目を担当し、かつ、教育課程の編成について責任を担うもので足りる

ものとすることを規定している。同条は、高等専門学校教育に実務の経験及び高度の実務の能力を有する者の参画を促すため、令和二年の改正により追加された。

同設置基準九条では、一の高等専門学校に限り、専任教員となるものとすると規定している。すなわち、二校以上にわたって専任教員となることができないという自明のことを規定したものである。ただし、専任教員が、本務に差し支えない範囲で、所属長の承認を得て、他の学校の兼務教員となることは許されている。

(2)「講師」は、教員のうち、校長、教授、准教授、助教及び助手のように、高等専門学校に必ず置くことを要する職員ではなく、学校運営上、置くことのできるものの一つとして位置づけられている。講師を配置できることとしたのは、高等専門学校の教員組織のバランスを確保し、又は教員となる者の経歴と処遇の関連とを考慮したものである。教授、准教授及び助教の三段階では必ずしも適当でない教員構成の場合とか、経歴上、准教授に至らない者で、授業科目を担当できるものを講師として処遇することが合理的である場合に配置できる。

(3) 同設置基準七条においては、高等専門学校は、演習、実験、実習又は実技を伴う授業科目については、なるべく助手に補助させるものとしている。実践的技術者の養成を目指す高等専門学校において、実験、実習を通した教育がとくに要求されるので、これらの教育を効果的に行うために規定されたものである。

三 「その他必要な職員」とは、学校が学校運営上必要とする職員であり、司書、寄宿舎指導員、守衛、看護師、カウンセラー、用務員、海事職員(商船高等専門学校のみ)が考えられる。

〔準学士の称号〕

第百二十一条 高等専門学校を卒業した者は、準学士と称することができる。

【沿　革】 平三・四・二法二五により新設した。

平一九・六・二七法九六により、旧七〇条の八から一二一条に移動した。

【参照条文】 法一〇四条。

【注　解】

一　本条は、高等専門学校卒業者に対する称号についての規定である。平成三年四月の改正により、短期大学卒業者及び高等専門学校卒業者に対して称号を付与することとし、本条が新設された（法一〇四条の**【注解】**三参照）。

従来、大学の卒業者に対しては学士の称号（平成三年四月の改正により、学士は称号から学位に位置づけが変更された。）が与えられていたが、高等専門学校卒業者については学位あるいは称号の付与は行われなかった。しかしながら、高等専門学校教育の国際化の進展の中で、外国人留学生等から称号の付与について要請が高まったことなどから、大学審議会において短期大学卒業者の場合と同様、高等専門学校卒業者に称号を付与することが適当とされ、本条の新設となった。

その後、平成一七年七月の本法の一部改正により、短期大学卒業者には、短期大学士の学位が授与されることとなった（法一〇四条の**【注解】**三参照）。

二　学位ではなく称号を付与することとした理由及び称号の名称を「準学士」とした理由については、次のとおりである。平成三年の法改正以前は、大学の学部卒業者に対しては学士の称号が認められていたが、短期大学や高等専門学校の卒業者に対しては何らの称号も認められていなかった。しかし、諸外国において短期高等教育機関の卒業者に対し称号が付与されている例も多い（米国のアソシエイト等）ことを踏まえ、我が国の短期大学や高等専門学校に留学した外国人学生の帰国後の就職や卒業者が外国の大学への留学の際に、学歴が適切に評価され、学生の国際交流に資することを期待し、学士を称号から学位に位置付ける等学位制度を改正した際に、短期大学や高等専門学校の卒業者

に新たに準学士の称号を認めることとしたものである。

また、本条新設に係る改正法（平三法二五）の附則二項において、経過措置として、改正法施行日以前の既卒業者についても準学士の称号が認められることを明らかにしている。

三　準学士については、専門分野等により、種類を設けることはせず、「準学士」のみとされているが、卒業証書等において表記する場合には、専攻分野名を付記することも可能とされている（平三・七・一八　文高専九五号　文部事務次官通知。後掲【通知】参照）。

【通　知】

○学校教育法等の一部を改正する法律の施行について（抄）

（平三・七・一八　文高専九五号　各国公私立大学長、放送大学長、各国公私立高等専門学校長などあて　文部事務次官通知）

このたび、別添（略）のとおり、「学校教育法等の一部を改正する法律」（以下「改正法」という。）が、平成三年四月二日法律第二五号をもって公布され、平成三年七月一日から施行されました。

第一　改正の趣旨

今回の学校教育法の一部改正の趣旨は、医学又は歯学の学部において医学又は歯学を履修する課程における専門の課程及びこれに進学するための課程との区分に関する規定を廃止するとともに、短期大学及び高等専門学校の卒業者に対する準学士の称号を創設するほか、高等専門学校について、工業又は商船以外の学科をも設置できることとし、併せて、専攻科制度を創設することとしたものであること。

また、教育職員免許法の一部改正の趣旨は、上記学校教育法の一部改正による準学士の称号の創設等に伴い、小学校教諭等の二種免許状授与の基礎資格を短期大学卒業者に係る準学士の称号を有することとする等、所要の規定の整備を図るものであること。

第二　改正の要旨

1　学校教育法関係

(1)（略）

(2)　短期大学及び高等専門学校の卒業者について、新たに、準学士と称することができることとしたこと。（改正後の学校教育法第六九条の二第七項〔現行は削除〕及び第七〇条の八〔現行法一二一条〕関係）

(3) 現在、高等専門学校については、工業又は商船に関する学科のみを設置できることとされていることを改め、工業又は商船以外の学科をも設置できることとしたこと。（改正後の学校教育法第七〇条の三〔現行法一一六条〕関係）

(4) 高等専門学校に、専攻科を置くことができることとしたこと。（改正後の学校教育法第七〇条の六〔現行法一一九条〕関係）

2　教育職員免許法関係　（略）

第三　留意点

1　学校教育法関係

(1)（略）

(2) 改正法の施行日前に短期大学又は高等専門学校を卒業した者も、準学士と称することができるものであること。

(3) 準学士については、卒業証書等の表記において、専攻分野を付記することも可能であること。

(4) 今回の改正により設置できることとなる工業又は商船に関する学科以外の学科は、「深く専門の学芸を教授し、職業に必要な能力を育成する」という高等専門学校の学校教育法上の目的に沿ったものであることが必要であること。

2　教育職員免許法関係　（略）

〔大学への編入学〕

第百二十二条　高等専門学校を卒業した者は、文部科学大臣の定めるところにより、大学に編入学することができる。

【沿　革】　昭三六・六・一七法一四四により新設した。
昭五三・五・二三法五五により、一条繰り上げた。
平三・四・二法二五により、「監督庁」を「文部大臣」に改め、二条繰り下げた。
平一一・一二・二二法一六〇により、「文部大臣」を「文部科学大臣」に改めた。
平一九・六・二七法九六により、旧七〇条の九から一二二条に移動した。

【参照条文】　施行規則一七八条、一七九条で準用する九一条。

【注　解】

一　本条は、高等専門学校卒業者が文部科学大臣の定めるところにより大学に編入学することのできる旨の規定である。

「編入学」とは、学校を中退又は卒業した者が、教育課程の一部を省いて途中から履修すべく他の種類の異なる学校に入学することで、途中年次への入学と解されている。この場合、法令上の卒業のための要件の例外となるので、法令上の根拠が必要とされている。本条は、これに該当し、高等専門学校の修業年限の一部を、入学する大学の修業年限に通算することにより、高等専門学校を卒業した者が、大学に途中から入学することができるようにする規定である。

なお、施行規則一七九条で準用する施行規則九一条によると、相当年齢に達し、当該学年に在学する者と同等以上の学力がある場合に、高等専門学校の第一学年の途中又は第二学年以上に入学させることを認めているが、これも編入学の一形態である。

「文部科学大臣の定め」とは、施行規則一七八条の規定であり、高等専門学校を卒業した者は、編入学しようとする大学の定めるところにより、当該大学の修業年限から二年以下の期間を控除した期間を在学すべき期間として、当該大学に編入学することができることとされており、原則として大学の三年（場合によっては二年）に編入学が認められる。

高等専門学校から大学への編入学については、近年、特別の定員枠を確保し、高等専門学校卒業生等の進学への希望に応える大学が増加している。また、高等専門学校卒業生の第三年次編入学（進学）を主たる対象とする技術科学大学（長岡技術科学大学及び豊橋技術科学大学）が昭和五一年一〇月一日に開校し、昭和五三年度から学生を受け入れた。

「技術科学大学」とは、実践的、創造的な能力を備えた指導的技術者の養成という社会的要請に応え、実践的な技術の修得、開発を主眼とした大学院に重点を置く工学系の新構想の大学である。技術科学大学の創設の趣旨に合致する

高等専門学校卒業生を主として受け入れるため、第一年次入学定員よりも第三年次編入学定員を大幅に増やしている。

このように卒業後に大学等への進学の道が開かれており、令和元年三月の高等専門学校卒業者のうち約三八パーセントに当たる三、八一九人が、専攻科や長岡、豊橋の技術科学大学をはじめとする国公私立大学等に進学している。

二　高等専門学校から高等学校への編入学については、高等専門学校に在学する者で、施行規則九一条の規定に該当する場合には、認めることができるものと解される。

三　高等学校を卒業した者の高等専門学校への編入学については、施行規則一七九条で準用する施行規則九一条の規定により、高等専門学校の第三学年の課程を修了した者と同等以上の学力があると認められた場合には、高等専門学校の第四学年に編入学を許可することができるものと解される。

四　高等専門学校第三年次修了者は、法九〇条に規定する「通常の課程による十二年の学校教育を修了した者」に該当し、大学入学資格が認められる。

五　高等専門学校に入学したが高等専門学校の第三学年までの課程を修了することができなかった者は、高等学校卒業程度認定試験を受験できるが、その場合には、高等専門学校において修得した一般科目について、受験科目が免除されることとなっている（高等学校卒業程度認定試験規則五条二項・別表第二欄）。

【行政実例】

○大学入学資格について（昭四二・二・二八　学大六七号　各国公私立大学長、各国公私立高等専門学校長、各都道府県知事、各都道府県教育委員会あて　文部省大学学術局長通知）

【照会】　国立工業高等専門学校三年次を修了した者は、大学入学資格があるか。

あるとすれば、その根拠となる法令等について承りたい。

【回答】　高等専門学校第三年次修了者は、学校教育法第五六条第一項〔現行法九〇条一項〕に規定する「通常の課程による一二年の学

校教育を修了した者」に該当し、大学入学資格を有する。

〔準用規定〕

第百二十三条　第三十七条第十四項、第五十九条、第六十条第六項、第九十四条（設置基準に係る部分に限る。）、第九十五条、第九十八条、第百五条から第百七条まで、第百九条（第三項を除く。）及び第百十条から第百十三条までの規定は、高等専門学校に準用する。

【沿　革】昭三六・六・一七法一四四により新設した。

昭四九・六・一法七〇により、「第二十八条第六項」を「第二十八条第八項」に改めた。

昭五一・五・二五法二五により、「第六十八条の二」を「第六十八条の三」に改めた。

昭五三・五・二三法五五により、「第六十条第一項」を加え、一条繰り上げた。

昭五八・一二・二法七八により、「第六十条第一項」を「第六十条」に改めた。

昭六二・九・一〇法八八により、「第六十条の二」を加えた。

平三・四・二法二五により、二条繰り下げた。

平一四・一一・二九法一一八により、「第六十条」を「第六十条（設置基準に係る部分に限る。）」に改め、「第六十九条の三（第三項を除く。）及び第六十九条の四から第六十九条の六まで」を加えた。

平一六・五・二一法四九により、「第二十八条第八項」を「第二十八条第九項」に改めた。

平一九・六・二七法九六により、準用される規定の条文名の変更に伴う改正を行い、新設の法一〇五条、法一一三条を準用される規定に加え、旧七〇条の一〇から一二三条に移動した。

【参照条文】　施行規則一七九条。

【注　解】

本条は、小学校、高等学校、大学に関する規定のうち必要なものの高等専門学校への準用について定めている。準用されている規定の内容の概要は、次のとおりである。

(1) 高等専門学校の事務職員は、事務に従事する（法三七条一四項の準用）。

(2) 高等専門学校に関する入学、退学、転学その他必要な事項は、文部科学大臣が定める（法五九条の準用）。この定めとしては、施行規則一七九条で準用する施行規則九〇条一項及び二項並びに九四条がある。

(3) 高等専門学校の技術職員は、技術に従事する（法六〇条六項の準用）。

(4) 高等専門学校の設置基準を定める場合には、文部科学大臣は、中央教育審議会に諮問することが義務づけられ（法九四条の準用、施行令四二条）、また、高等専門学校の設置の認可を行う場合には、文部科学大臣は、大学設置・学校法人審議会に諮問しなければならない（法九五条の準用、施行令四三条）。

(5) 公立又は私立の高等専門学校は、文部科学大臣の所轄とする（法九八条の準用）。

(6) 特別課程の編成と履修証明制度を導入することができる（法一〇五条の準用）。

(7) 高等専門学校は、当該高等専門学校に校長、教授、准教授又は講師として勤務した者であって、教育上又は学術上特に功績のあった者に対し、当該高等専門学校の定めるところにより、名誉教授の称号を与えることができる（法一〇六条の準用）。

(8) 高等専門学校においては、公開講座の施設を設けることができる。公開講座に関し必要な事項は、文部科学大臣が定める（法一〇七条の準用）。

この定めとしては、施行規則一六五条があるが、「公開講座に関する事項は、別にこれを定める。」と規定しているのみである。

(9) 平成一四年の学校教育法の一部改正により、高等専門学校の設置認可後においても、教育水準の維持・向上を

図るため、大学と同様に教育活動について自ら点検・評価を行い、その結果を公表することが義務付けられるとともに（法一〇九条の準用）、平成一六年度から、高等教育機関の設置認可が弾力化され、質の確保について認証評価制度が導入されたが、高等専門学校についても大学と同様にこの認証評価の対象となった（法一〇九条・一一〇条・一一一条・一一二条の準用）。

⑽　教育活動の状況を公表する（法一一三条の準用）。

⑴～⑽の準用に関連して、細目については、施行規則一七九条で、関連する施行規則の諸規定を高等専門学校に準用している。

なお、高等専門学校の学生の外国の高等学校又は大学への留学については、高等学校生徒の留学について定めた施行規則九三条の規定を準用しないで、施行規則一七六条の規定で別に定めている（後掲【通知】参照）。

【通　知】

○学校教育法施行規則の一部改正について（抄）（昭六三・二・三　文高技八一号　各国公私立高等専門学校長あて　文部事務次官通達）

このたび、別添（略）のとおり、「学校教育法施行規則の一部を改正する省令」（昭和六三年文部省令第四号）が二月三日に公布され、昭和六三年四月一日から施行されることとなりました。

この省令改正の概要及び留意すべき事項は下記のとおりですので、事務処理上遺漏のないようお願いします。

記

一　改正の趣旨

今回の改正は、高等専門学校の学生が在学する高等専門学校を休学又は退学することなく外国の高等学校又は大学において教育を受け、国内の高等専門学校の単位として修得できるようにすることにより、外国の高等学校又は大学と我が国の高等専門学校との円滑な交流を促進し、高等専門学校教育の充実に資するよう所要の措置を講じたものであること。

二　改正の要旨及び留意点

(1)　高等専門学校の校長は、教育上有益と認めるときは、学生が

外国の高等学校又は大学に留学することを許可することができること。（第七二条の五第一項〔現行一七六条一項〕）

今回の措置は、学生が外国の高等学校又は大学において教育を受けることが教育上有益であると校長が判断した場合に実施するものであり、留学を許可するに当たっては、当該留学が学生の教育上適切であるかどうか等を考慮する必要があること。

また、外国の高等学校とは、外国における正規の後期中等教育機関をいい、外国の大学とは、外国における正規の高等教育機関で我が国における大学（短期大学を含む。）に相当するものをいうものであること。

(2)　校長は、学生の外国の高等学校又は大学における履修を国内の高等専門学校における履修とみなし、三〇単位以内の範囲で単位の修得を認定することができること。（第七二条の五第二項〔現行は削除〕）

この場合、外国の高等学校又は大学においては、履修及び評価の形態が我が国の高等専門学校の場合と異なることが少なくないので、その実態に応じて適切な方法により、我が国の単位として換算して認定すること。

(3)　校長は、(2)により単位の修得を認定された学生については、留学が終了した時点において、学年の途中においても、各学年の課程の修了又は卒業を認めることができること。（第七二条の五第三項〔現行一七六条二項〕）

これは、学年をまたがって留学した学生についての取扱いを規定したものであり、学年をまたがらないで留学した学生については、従来どおり学年の終期において各学年の課程の修了又は卒業の認定を行うものであること。

(4)　校長は、留学を許可するに当たっては、あらかじめ外国の高等学校又は大学との間で、履修できる授業科目の範囲、単位の認定方法、その他実施上必要とされる具体的な措置について協議するものとすること。

ただし、やむを得ない事情により事前の協議を行うことが困難な場合には、学校間での事前の協議を欠くことも差し支えないこと。

(5)　今回の措置による留学の実施に当たっては、あらかじめ、学則等において具体的な実施方法等について規定することが必要であること。

(6)　(1)によらないで、学生が在学中に休学を認められ、外国の高等学校又は大学で学習することは従来どおり差し支えないこと。

ただし、この場合における外国の高等学校又は大学での学習については、高等専門学校における単位とみなし、また、当該休学期間を在学期間に算入するものではないこと。

三　施行期日等

(1)　今回の規則の改正は、昭和六三年四月一日から施行されること。

(2)　昭和六三年三月三一日以前に休学の許可を得て外国の高等学校又は大学で学習している学生についても、昭和六三年四月一日以降相当と認められる場合は留学として取扱うことができる

こと。

一

第十一章　専修学校

〔専修学校の目的と教育〕

第百二十四条　第一条に掲げるもの以外の教育施設で、職業若しくは実際生活に必要な能力を育成し、又は教養の向上を図ることを目的として次の各号に該当する組織的な教育を行うもの（当該教育を行うにつき他の法律に特別の規定があるもの及び我が国に居住する外国人を専ら対象とするものを除く。）は、専修学校とする。

一　修業年限が一年以上であること。

二　授業時数が文部科学大臣の定める授業時数以上であること。

三　教育を受ける者が常時四十人以上であること。

【沿　革】　昭五〇・七・一一法五九により新設した。

平一一・一二・二二法一六〇により、「文部大臣」を「文部科学大臣」に改めた。

平一九・六・二七法九六により、旧八二条の二から一二四条に移動した。

【参照条文】　教育基本法三条。法一条。施行規則一八一条、一八三条の二～一八四条、一八七条。専修学校設置基準五条、一六条、一七条、二〇条、二三条、二七条、二九条、三七条。

【注　解】

一　本条は、専修学校の定義規定である。専修学校制度創設前には法旧八三条（当時）において、「学校教育に類する教育（当該教育を行うにつき他の法律に特別の規定があるものを除く。）を行うもの」として各種学校が規定されていた。この規定の下に各種学校には、さまざまな規模や教育形態のものが並存し、大規模で組織的な学校や、小規模でゆるやかな形態で教育を行う学校など、質的、量的に異なった学校が各種学校として同一に取り扱われてきた。

昭和五〇年七月の本法改正によって、専修学校の制度が創設された。これは従来の各種学校のうち、一定の規模、水準を有する、組織的な教育を行うものを新たに専修学校とする制度を設け、従来のまま残る各種学校の制度とともに、その学校の形態にふさわしい制度を整備しようとするものである。これによって、制度の対象となる教育施設に対する各種の振興策、生徒や卒業生の処遇などについて適切な措置を講ずるための条件が整ったこととなる。

二　専修学校は、「職業若しくは実際生活に必要な能力を育成し、又は教養の向上を図ること」を目的とし、第一条の学校とは異なる教育施設である。例えば、まず短期大学と比較すれば、法一〇八条の規定からも明らかなように、短期大学は職業又は実際生活に必要な能力を育成することを目的としているが、同時に「深く専門の学芸を教授研究」するとあるように研究機関でもあることを要求されているのであって、専修学校についてはこのような限定はなく、むしろ直接に職業又は実際生活に必要な知識、技術を教えるものである。同様に、大学は学術の中心としての教育研究機関としての性格を強く持っており、高等学校は、高度な普通教育と専門教育のいずれをも実施し、中学校に続く教育機関としての性格を持っている。

すなわち専修学校は、入学資格、修業年限、教育内容などが異なる非常に広い範囲の分野の教育を、自由かつ弾力的に行うものであり、実際的な知識、技術を修得するための実用的、専門的な教育機関としての性格を持つものである。

三　専修学校の範囲については、「当該教育を行うにつき他の法律に特別の規定があるもの」は除かれる。「他の法律に特別の規定があるもの」とは、当該教育施設について、その設置、目的、教科等について本法以外の法律に特別の規定があるものをいう。具体的には、法一三四条の【**注解**】二参照。

また、「我が国に居住する外国人を専ら対象とするもの」、すなわち、いわゆる外国人学校も専修学校から除かれる。

四　修業年限については、青少年に対し、職業・技術教育を行い相当の効果を挙げるためには少なくとも一年以上でないと十分な教育成果を挙げ得ないことから、一年を最低修業年限と定めた。各種学校についても原則として一年以上としているが、簡易に修得することができる技術、技芸等の課程については、三月以上一年未満とすることができるとされている（各種学校規程三条）。これに対し、専修学校は組織的な教育機関とするため、各種学校のような例外は認めないこととしている。

五　授業時数についての文部科学大臣の定めとしては、専修学校設置基準に規定があり（専修学校設置基準一六条）、その具体的な内容については、「学校教育法の一部を改正する法律等の施行について」（昭五一・一・二三　文管振八五号文部事務次官通達）で次のように示されている。

第五　設置基準の概要

2　組織編制に関する事項

(4)　授業時数

専修学校の授業時数は、学科ごとに一年間にわたり八〇〇時間以上としたこと（第五条第一項〔現行一六条一項〕）。この場合の一単位時間は五〇分を原則とし、教育上支障のない場合には四五分でも差し支えないものであること。また、授業時数は、学科ごとにそれぞれの生徒が学ぶべき教育課程として八〇〇時間以上となるものでなければならない。

夜間学科等にあっては、一年間の授業時数を八〇〇時間以上要求することは勤労している生徒の健康その他の面から困難な場合もあるので、年間授業時数を四五〇時間を下らない範囲で、修業年限に応じて減ずるものとしたこと（同条第二項〔現行一六条二項〕）。この夜間学科等であって一年間の授

業時数が八〇〇時間未満のものについては、修業年限を一年以上、例えば一年半又は二年として、合計授業時数が八〇〇時間以上となるものでなければならないものであること。

この授業時数は、個々の生徒が学ぶべき教育課程として八〇〇単位時間以上なければならないという意味である。また、一単位時間は五〇分を標準とすることは、専修学校設置基準九条において規定されている。一年間の授業時数を八〇〇単位時間以上と定めたのは、各種学校の授業時数が六八〇時間以上であることから（各種学校規程四条）、これよりも組織的な教育機関としての専修学校の要件を高めたものであり、その内容は、おおむね一日四単位時間、週五日とし、週当たり二〇単位時間程度で年間四〇週程度の期間、授業を行うことを想定している。

夜間等学科については、一年間の授業時数を四五〇単位時間以上と定めているが、全課程の修了の要件としては八〇〇単位時間以上が必要であることから（専修学校設置基準一七条二項）、一年間の授業時数が八〇〇単位時間未満のもの、例えば一年間に四五〇単位時間しか授業を行わないものについては、修業年限を例えば一年半又は二年として、二年目に一定時間以上授業を行って、これらの合計授業時数が八〇〇単位時間以上となるような教育課程が編成されなければならない。

なお、夜間等学科とは、夜間において授業を行う学科のほか、特別な時間において授業を行ういわゆる三部制の形態のような学科を指すものである。したがって、通常の時間に授業を行うものであるにもかかわらず、年間八〇〇単位時間未満であるため、これを「夜間等学科」とすることは制度の趣旨からいって認められない。例えば、年間を通じて午前中又は午後のみに授業を行うものは、ここでいう「特別な時間において授業を行うもの」とはならない。

六　専修学校は、学年による教育課程の区分を設ける「学年制」を原則としているが、社会人等の多様な学習者のライフスタイルに即した教育環境の整備や自立に困難を抱える生徒等への対応に向け、平成二四年三月の施行規則改正により、「単位制」による学科を設置することも認められた（施行規則一八三条の二）。単位制においては、単位数に

より学修量を定めることとなるため、単位制による学科における授業時数としては、上述の年間授業時数の総量（昼間学科八〇〇単位時間以上、夜間等学科四五〇単位時間以上）とあわせて、課程の区分（高等課程、専門課程、一般課程。法一二五条の【注解】参照）に応じた年間修得単位数を修得させるために必要な授業時数が定められている。ここで、年間修得単位数としては、①昼間学科については、高等課程又は一般課程は二三単位以上、専門課程は三〇単位以上、②夜間等学科については、高等課程又は一般課程は一三単位以上、専門課程は一七単位以上とされている（専修学校設置基準二〇条）。

なお、専修学校において、単位制による学科における各授業科目の単位数を定めるに当たっては、高等課程又は一般課程については三五単位時間の授業をもって一単位とし、専門課程については、一単位の授業科目を四五時間の学修を必要とする内容をもって構成することを標準としている。専門課程における一単位当たりの授業時間数の基準は、大学等における基準と同様であり、講義及び演習については一五時間から三〇時間までの範囲で、実験、実習及び実技については三〇時間から四五時間までの範囲で、専修学校が定める時間の授業をもって一単位とすることとされている（同設置基準二三条）。

七 さらに、平成二四年三月の改正では、「単位制」のほか、「通信制」についても制度化され、通信制の学科を置く専修学校については、通信教育を行う区域に関する事項及び面接による指導の実施体制に関する事項について、学則中に記載しなければならないこととされた（施行規則一八七条）。なお、実習等の通学・対面による実践的な教育が重要な要素となる専修学校の特性から、通信制の学科については、専攻分野を同じくする通学制の学科（昼間学科又は夜間等学科）を置く専修学校のみが設置でき、通信制の学科のみを置くもの（いわゆる独立通信制）や、通信による教育によって十分な教育効果が得られない専攻分野については認められない（専修学校設置基準五条）。また、同様の趣旨から、対面授業（実習、実技、実験、演習又は講義による授業）の授業時数は、一年間にわたり一二〇単位時間以上

が求められている（同設置基準二九条）。通信制の学科における全課程の修了に必要な総単位数は、通学制における夜間等学科のものと同様であり（同二七条二項、三七条）、夜間等学科において求められる年間総授業時数が四五〇単位時間以上であることを踏まえると、必要な学修量のおおよそ四分の一以上は、対面授業が求められているといえる。

以上のような専修学校における単位制及び通信制の制度化は、「地域主権戦略大綱（平成二二年六月二二日閣議決定）」を踏まえ、地方公共団体からの要望に基づき実施された（「学校教育法施行規則及び専修学校設置基準の一部を改正する省令等の施行等について」平二四・四・九　二四文科生四〇号　文部科学省生涯学習政策局長通知）。

八　教育を受ける者の数については、それが組織的な教育活動である以上は、ある程度まとまった人数で行うことが、教育的にも施設の面でも効果的である。従来から学校の一学級の編制は、平均的には大体四〇人程度で行うのが通例とされている。さらに従来の各種学校の実態も勘案して、最低人数を四〇人と定めたものである。また、専修学校として学校教育法上整備された教育制度の対象とするという観点からしても、四〇人未満の小規模な施設は、その在り方いかんが社会に及ぼす影響も少なく、専修学校として取り扱う必要性が乏しいものである。

「常時」という語は学校教育法上、本条においてのみ用いられている。ここには、専修学校とするものは、設置認可後継続して一定規模を維持し得る学校に限るという制度創設の趣旨が込められているものである。

九　専修学校の生徒の入学、退学、休学等並びに学年の始期及び終期については、校長が定めるものとされている（施行規則一八一条・一八四条）。

【通　知】

○学校教育法の一部を改正する法律等の施行について（抄）

（昭五一・一・二三　文管振八五号　各都道府県知事、各都道府県教育委員会、各種学校を置く国立大学長あて　文部事務次官通達）

このたび、さきの第七五回国会で制定され、昭和五〇年七月一一日法律第五九号として公布された「学校教育法の一部を改正する法律」（以下「改正法」という。）が昭和五一年一月一一日から施行されました。

また、改正法の制定に伴い、「学校教育法施行令等の一部を改正する政令」（以下「改正令」という。）、「学校教育法施行規則等の一部を改正する省令」（以下「改正規則」という。）及び「専修学校設置基準」（以下「設置基準」という。）がそれぞれ昭和五〇年一二月二七日政令第三八一号、昭和五一年一月一〇日文部省令第一号及び昭和五一年一月一〇日文部省令第二号をもって公布され、いずれも昭和五一年一月一一日から施行されました。

第一　改正法制定の趣旨

各種学校は、職業又は実際生活に必要な知識、技術を習得させる教育機関として重要な役割を果たしてきた。しかし、この従来の各種学校の制度は、規模、水準等において極めて多様な内容をもつものを学校教育に類する教育を行うものとして一括して取り扱っており、その教育の適切な振興を図る上で困難な点があった。今回の改正は、学校教育法上新たに専修学校の制度を創設し、従来の各種学校のうち一定の規模、水準を有する、組織的な教育を行うものを専修学校として位置づけ、その教育の振興を図ろうとするものである。

第二　改正法の概要

1　学校教育法の一部改正関係

(1)　学校教育法（昭和二十二年法律第二十六号）第一条に掲げる学校以外のもので、職業若しくは実際生活に必要な能力を育成し、又は教養の向上を図ることを目的として修業年限が一年以上、授業時数が文部大臣の定める授業時数以上及び教育を受ける者が常時四十人以上の組織的な教育を行う施設は、専修学校とすることとしたこと。

ただし、当該教育を行うにつき、他の法律に特別の規定があるもの（例えば、職業訓練法に基づく職業訓練施設、防衛庁設置法に基づく防衛大学校等）及び外国人学校は専修学校から除くこととしたこと。

(2)　専修学校には、中学校を卒業した程度の学力を有する者を対象として教育を行う高等課程、高等学校を卒業した程度の学力を有する者等を対象として教育を行う専門課程又は特に入学資格を問わない一般課程を置くこととじたこと。

(3)　高等課程又は専門課程を置く専修学校は、それぞれ高等専修学校又は専門学校と称することができることとし、これら以外のものは、これらの名称を用いてはならないこととしたこと。

(4)　専修学校は、国及び地方公共団体のほか、専修学校を経営するために必要な経済的基礎を有すること等所定の要件を備えた者でなければ、設置することができないこととしたこと。

(5)　専修学校は、教員の数、校地及び校舎の面積並びにその位置及び環境、設備並びに教科及び編制の大綱について文部大臣の定める基準に適合していなければならないこととしたこと。

(6)　専修学校には、校長及び相当数の教員を置かなければならないこととし、校長の資格を定めるとともに教員の資格に関して

は文部大臣が定めることとしたこと。

(7) 専修学校の設置廃止（高等課程、専門課程又は一般課程の設置廃止を含む。）、設置者の変更及び目的の変更は、監督庁の認可を受けなければならないこととし、監督庁の認可事務に関する規定を設けたこと。

(8) 専修学校の名称、位置又は学則の変更並びに政令で定める事項を監督庁に対する届出事項とすることとしたこと。

(9) 学校教育法第一条の学校に関する学校の経費の負担、授業料の徴収、校長又は教員の欠格事由、校長の届出、児童等に対する懲戒、保健、監督庁の閉鎖命令及び変更命令並びに私立学校の所管庁の規定を専修学校に準用することとし、監督庁が閉鎖命令を出そうとする場合の手続き規定を設けたこと。

(10) 専修学校以外のものが専修学校の教育を行っている場合、都道府県教育委員会（私人の経営するものにあっては都道府県知事）は、関係者に対して専修学校設置の認可を申請すべき旨の勧告等を行うことができることとしたこと。

(11) 公立の専修学校の監督庁は、当分の間、都道府県教育委員会とすることとしたこと。

(12) その他学校教育法上必要な規定の整備を行ったこと。

(13) 改正法の施行の際、現に存する各種学校で専修学校の教育を行おうとするものは、高等課程、専門課程又は一般課程の設置の認可を受けることにより、専修学校となることができることとし、当該各種学校が専修学校となるまでの間は、各種学校に係る学校教育法第八十三条〔現行法一三六条〕第一項の規定の適用については、なお従前の例によることとしたこと。

(14) 改正法の施行の際現に高等専修学校、専門学校又は専修学校の名称を用いている教育施設は、学校教育法第八三条の二〔現行法一三五条〕第二項の規定にかかわらず、昭和五三年三月三一日までの間は、なお従前の名称を用いることができることとしたこと。

2〜5 （略）

第三 改正令の概要 （略）

第四 改正規則の概要

1 学校教育法施行規則の一部改正関係

(1) 専修学校の設置に関する事項は、専修学校設置基準（昭和五十一年文部省令第二号）の定めるところによることとしたこと。

(2) 専修学校の生徒の入学、退学、休学等については、校長が定めることとしたこと。

(3) 専修学校の高等課程の入学に関し中学校を卒業した者と同等以上の学力があると認められる者は、学校教育法施行規則第六十三条〔現行九五条〕各号の一に該当する者とすることとしたこと。

(4) 専修学校の専門課程の入学に関し高等学校を卒業した者に準ずる学力があると認められる者は、通常の課程による十二年の学校教育を修了した者（通常の課程以外の課程によりこれに相当する学校教育を修了した者を含む。）若しくは学校教育法施行規則第六十九条〔現行一五〇条〕第一号から第三号までの各

号の一に該当する者又は修業年限が三年の専修学校の高等課程を修了した者若しくはその他専修学校において、高等学校を卒業した者に準ずる学力があると認めた者とすることとしたこと。

(5) 専修学校の学年の始期及び終期は校長が定めることとしたこと。なお、この場合、校長は学年の始期を年二回を超えて定めないようにすること。

(6) 専修学校には、校長及び教員のほか、助手、事務職員その他の必要な職員を置くことができることとしたこと。

なお、助手は教員の指導の下に、教員の職務を助けるものであること。

(7) 学校の設置等についての認可の申請又は届出の手続き及び学則記載事項に関する規定を専修学校に準用することとしたこと。

(8) 出席簿の作成、児童に対する懲戒、校長の監督庁への届出の手続き、学校において備えなければならない表簿、各学年の課程の修了又は卒業の認定、卒業証書の授与及び授業終始の時刻に関する規定を専修学校に準用することとしたこと。

なお、この場合、卒業証書については、当該卒業生の修了した課程の名称及び修業年限を明記すること。

2 その他の関係省令の一部改正（略）

第五 設置基準の概要

1 総則に関する事項

専修学校は、学校教育法その他の法令の規定によるほか、この省令の定めるところにより設置するものとしたこと。

また、この省令で定める設置基準は、専修学校を設置するのに必要な最低の基準であり、したがって専修学校は、この基準より低下した状態にならないようにすることはもとより、その社会的使命にかんがみ、常にその教育水準の維持向上に努めなければならないものとしたこと。

2 組織編制に関する事項（略）

3 教科に関する事項

(1) 授業科目

高等課程においては、中学校の教育の基礎の上に、心身の発達に応じて専修学校の教育を施すにふさわしい授業科目を開設しなければならないこととし、中学校教育との関連を明確にしたこと。また、専門課程においては、高等学校教育の基礎の上に、深く専門的な程度において専修学校の教育を施すにふさわしい授業科目を開設しなければならないこととし、高等学校教育との関連を明確にしたこと。一般課程についても、専修学校の教育を施すにふさわしい授業科目を開設しなければならないこととしたこと。

(2) 専門課程の授業科目

専門課程においては、生徒が学ぶべき課程として総授業時数のおおむね十分の八程度を当該学科に係る専門教育科目又はこれに関連する授業科目の授業にあてるものとし、専門教育機関にふさわしい授業科目を開設しなければならないこととしたこと（第九条）。なお、関連する授業科目とは、専門教育の基礎

となる科目や当該学科の専門以外の専門教育科目や一般教育科目で当該学科の専門教育に関連する科目などを意味するものであること。

4　教員に関する事項　（略）

5　施設及び設備等に関する事項

(1)　校地、校舎の位置及び環境は、教育上及び保健衛生上適切なものでなければならないこととしたこと。

(2)　校地

校地は、第十六条に定める校舎等を保有するに必要な面積の校地を備えなければならないこととしたこと。なお、校地については、原則として自己所有であることが望ましいことは言うまでもないが、特別の事由があるときは、長期間の賃借権又は地上権が設定されていれば足りるものとする。

また、専修学校は、目的に応じ、運動場、農場、薬草園その他教育上必要な施設の用地を備えなければならないこととしたこと。

(3)～(6)　（略）

(7)　認可に当たって留意すべき事項

ア　専修学校の分校は、①設置される場所がへき地等であって通学上の便宜のため地域の要望が強いこと、②独立した専修学校となる程度の規模を有していないこと、③教育機能も当該分校のみでは完結せず、教員、実習施設等について本校と一体となって教育を行うような形態であること等の要件を充たす場合に認められるものであり、実体が独立した専修学校としての要件を備えているものは、独立の専修学校として設置認可を行うべきものであること。

イ　専修学校が附帯事業として当該専修学校の教員、施設、設備等により専修学校以外の教育を行うことは、専修学校の教育に支障のない限り差し支えないものであるが、当該教育を恒常的に行うものであるときは、その旨を学則に明確に記載して行うべきものであること。なお、この場合、入学案内、修了証書等においても当該教育が正規の専修学校の教育以外の附帯事業としての教育である旨を明示すべきであること。

また、これらの附帯事業が各種学校の要件に該当するものであるときは、別途各種学校の認可を受けて行うべきものであり、この場合には独立した別の各種学校として取り扱うべきであること。

ウ　専修学校は、学校教育法に基づく教育機関であり、職業訓練法に基づく職業訓練施設とはその目的及び性格を異にするものであるが、その実体面では類似している面もあるので、専修学校制度の運用に当たっては、その点に十分留意すること。

エ　高等課程、専門課程又は一般課程の認可に当たっては、設置基準第二条第一項の目的に応じた分野ごとに、同時に授業を受ける生徒の総定員が四十人以上となるものに限ることを原則とすること。

〔高等課程、専門課程、一般課程〕

第百二十五条　専修学校には、高等課程、専門課程又は一般課程を置く。

② 専修学校の高等課程においては、中学校若しくはこれに準ずる学校若しくは義務教育学校を卒業した者若しくは中等教育学校の前期課程を修了した者又は文部科学大臣の定めるところによりこれと同等以上の学力があると認められた者に対して、中学校における教育の基礎の上に、心身の発達に応じて前条の教育を行うものとする。

③ 専修学校の専門課程においては、高等学校若しくはこれに準ずる学校若しくは中等教育学校を卒業した者又は文部科学大臣の定めるところによりこれに準ずる学力があると認められた者に対して、高等学校における教育の基礎の上に、前条の教育を行うものとする。

④ 専修学校の一般課程においては、高等課程又は専門課程の教育以外の前条の教育を行うものとする。

【沿　革】　昭五〇・七・一一法五九により新設した。

平一〇・六・一二法一〇一により、第二項中に「若しくは中等教育学校の前期課程を修了した者」を加え、第三項中に「若しくは中等教育学校」を加えた。

平一一・一二・二二法一六〇により、第二項及び第三項中「文部大臣」を「文部科学大臣」に改めた。

平一九・六・二七法九六により、旧八二条の三から一二五条に移動した。

平二七・六・二四法四六により、第二項中に「若しくは義務教育学校」を加えた。

【参照条文】　施行規則一八二条、一八三条。

【注　解】

一　専修学校には、高等課程、専門課程又は一般課程の三つの課程のうち、一以上の課程が置かれる。専修学校の

中には、教育の対象、内容等において異なる種類のさまざまなものが含まれている。一方、専修学校教育の水準の向上を図るためには、教員資格、設置要件などの基準を整備する必要があるが、専修学校のすべてについて一律の基準を定めることは適当でなく、その教育の対象、内容等の差異を考慮し、これらをいくつかの型に類型化した上で、それぞれの類型ごとに基準を定めるなどの措置を講ずることが適当である。そのため、まず後期中等教育段階の青少年を対象とするものについては、この年齢層が陶冶性に富み、十分な教育的配慮を必要としていることにかんがみ、「中学校における教育の基礎の上に、心身の発達に応じて」教育を行うものを高等課程とした。また、高等学校又は専修学校（高等課程）卒業後の継続教育の重要性から、高等教育段階の者を対象として、「高等学校における教育の基礎の上に」教育を行うものを専門課程とした。さらに特定の学校教育を前提としない教育を行うものについては、入学資格、教育の対象を限定する必要はなく、高等課程又は専門課程以外のものを一般課程として位置づけている。

二　本条二項の「中学校若しくはこれに準ずる学校を卒業した者」とは、中学校卒業者のほか、特別支援学校の中学部を修了した者を含む。平成一〇年に制度化された中等教育学校の前期課程の修了者、平成二七年に創設された義務教育学校の卒業者も同様に取り扱われる。また本条三項の「高等学校若しくはこれに準ずる学校若しくは中等教育学校を卒業した者」とは、高等学校及び中等教育学校の卒業者のほか、特別支援学校の高等部を修了した者を含む。

三　本条二項及び三項の「文部科学大臣の定め」としては、施行規則一八二条及び一八三条の規定があり、その内容を整理して示すと次のようになる。

⑴　高等課程の入学資格

①　外国において、学校教育における九年の課程を修了した者（施行規則九五条一号）

②　文部科学大臣が中学校の課程と同等の課程を有するものとして認定した在外教育施設の当該課程を修了した者（同条二号）

③　文部科学大臣の指定した者（旧制の国民学校特修科を修了した者などの旧制学校修了者について告示されている。昭二三文部省告示五八参照、同条三号）

④　就学義務猶予免除者等の中学校卒業程度認定規則（昭四一文部省令三六）により、中学校を卒業した者と同等以上の学力があると認定された者（同条四号）

⑤　その他専修学校において、中学校を卒業した者と同等以上の学力があると認めた者（同条五号）

(2)　専門課程の入学資格

①　通常の課程による一二年の学校教育を修了した者（通常の課程以外の課程によりこれに相当する学校教育を修了した者を含む。施行規則一八三条、法九〇条一項）

②　外国において、学校教育における一二年の課程を修了した者（これに準ずる者を含む。昭五六文部省告示一五三参照。施行規則一八三条、一五〇条一号）

③　文部科学大臣が高等学校の課程と同等の課程を有するものとして認定した在外教育施設の当該課程を修了した者（施行規則一八三条、一五〇条二号）

④　文部科学大臣の指定した者（旧制の高等学校高等科一年を修了した者などの旧制学校修了者、国際バカロレア資格を有する者及び専修学校の高等課程で文部科学大臣が指定したものを修了した者等について告示されている。昭二三文部省告示四七参照、施行規則一八三条、一五〇条四号）

⑤　高等学校卒業程度認定試験規則（平一七文部科学省令一）による高等学校卒業程度認定試験に合格した者（旧大学入学資格検定に合格した者を含む。施行規則一八三条、一五〇条五号）

⑥　修業年限が三年以上の専修学校の高等課程を修了した者（施行規則一八三条一号）

⑦　大学に「飛び入学」した者で、当該者を入学させる専修学校において、高等学校を卒業した者に準ずる学力

があると認めたもの（同条二号）

⑧　専修学校において、個別の入学資格審査により、高等学校を卒業した者に準ずる学力があると認めた者で十八歳に達したもの（同条三号）

なお、平成一五年九月の施行規則改正により、大学及び専門課程の入学資格が弾力化され、個別の入学審査が導入された。これは、教育の国際化等の観点や、社会人や様々な学習歴を有する者への大学及び専門課程への入学機会の拡大等を図る観点から行われたものである（平一五・九・一九　文科高三九一号。法九〇条の【通知】参照）。

四　このように類型化された三つの課程、すなわち高等課程、専門課程及び一般課程は、同一の専修学校の範疇の中にありながら、それぞれに異なった性格を有し、異なった機能を果たすものである。専門課程は我が国の高等教育に相当する教育の一翼を担うものとして、高等課程は後期中等教育に相当する教育の一環として、それぞれ我が国の学校教育の中でその役割を果たしている。また、これらの課程は一般課程とともに、社会の要請に即応した実践的な職業教育、専門的な技術教育等を行う教育機関として、職業人の育成等に重要な役割を果たしているほか、生涯学習のための重要な教育機関として大きな地位を占めている。

なお、高等課程のうち修業年限三年以上等の一定の要件を満たすとして文部科学大臣の指定したものを修了した者には大学入学資格が付与される（法九〇条の【注解】六参照）。また、専門課程のうち修業年限四年以上等の一定の要件を満たすとして文部科学大臣の指定したものを修了した者には大学院入学資格が付与される（法一〇二条の【注解】一参照）。

五　専門課程における学習の成果を適切に評価し、その修了者の社会的評価の向上を図ることを目的として、修業年限二年以上等の一定の要件を満たす専門課程を修了した者に対し、「専門士」の称号を付与することができる制度が、平成七年一月から発足した（平六文部省告示八四）。また、その後の専門課程の教育内容の高度化及び修業年限の長期化を踏まえ、修業年限四年以上等の一定の要件を満たす専門課程を修了した者に対し、「高度専門士」の称号を付

与することができる制度が、平成一七年九月九日から発足した。

○専修学校の専門課程の修了者に対する専門士及び高度専門士の称号の付与に関する規程（平六・六・二一文部省告示八四）

最終改正　令二・二・二八文部科学省告示一二

（目的）

第一条　この規程は、専修学校の専門課程における学習の成果を適切に評価し、一定の専修学校の専門課程の修了者に対し専門士又は高度専門士の称号を付与することにより、その修了者の社会的評価の向上を図り、もって生涯学習の振興に資することを目的とする。

（専門士の称号）

第二条　学校教育法（昭和二十二年法律第二十六号）第百二十四条に規定する専修学校の同法第百二十五条第一項に規定する専門課程（次条において「専修学校専門課程」という。）の課程で、次に掲げる要件を満たすと文部科学大臣が認めるものを修了した者は、専門士と称することができる。

一　修業年限が二年以上であること。

二　全課程の修了の要件が、次の表上欄に掲げる学科の区分に応じ、同表下欄に掲げるものであること。

<table>
<tr><th colspan="2">学科の区分</th><th>要件</th></tr>
<tr><td rowspan="2">専修学校設置基準（昭和五十一年文部省令第二号）第四条に規定する昼間学科又は夜間等学科（次条第二号の表において単に「昼間学科又は夜間等学科」という。）</td><td>学校教育法施行規則（昭和二十二年文部省令第十一号）第百八十三条の二第二項の規定により学年による教育課程の区分を設けない学科（以下この表及び次条第二号の表において「単位制による学科」という。）であるもの以外のもの</td><td>総授業時数が千七百単位時間以上であること。</td></tr>
<tr><td>単位制による学科であるもの</td><td rowspan="2">全課程の修了に必要な総単位数が六十二単位以上であること。</td></tr>
<tr><td colspan="2">専修学校設置基準第五条第一項に規定する通信制の学科（次条第二号の表において単に「通信制の学科」という。）</td></tr>
</table>

三　試験等により成績評価を行い、その評価に基づいて課程修了の認定を行っていること。

四　次条の規定により認められた課程でないこと。

（高度専門士の称号）

第三条　専修学校専門課程の課程で、次に掲げる要件を満たすと文部科学大臣が認めるものを修了した者は、高度専門士と称することができる。

一　修業年限が四年以上であること。

二　全課程の修了の要件が、次の表上欄に掲げる学科の区分に応じ、同表下欄に掲げるものであること。

学科の区分		要件
昼間学科又は夜間等学科	単位制による学科であるもの以外のもの	全課程の修了に必要な総授業時数が三千四百単位時間以上であること。
	単位制による学科であるもの	全課程の修了に必要な総単位数が百二十四単位以上であること。
通信制の学科		

三　体系的に教育課程が編成されていること。

四　試験等により成績評価を行い、その評価に基づいて課程修了の認定を行っていること。

（公示）

第四条　文部科学大臣は、前二条の規定により認めた課程をインターネットの利用その他の適切な方法により公示する。課程の名称に変更のあったときも、同様とする。

2　文部科学大臣は、前項の規定により公示した課程について、廃止されたとき又は第二条各号若しくは前条各号に掲げる要件に適合しなくなったと認めたときは、その旨をインターネットの利用その他の適切な方法により公示する。

〔**編者注**〕　平成一七年九月九日付文部科学省告示第一三九号により、告示の題名が、「専修学校の専門課程の修了者に対する専門士及び高度専門士の称号の付与に関する規程」に改められた。

一定の要件を満たすと文部科学大臣が認めた専門課程は官報で告示される。基本的に毎年一回要件を満たす専門課程の告示が行われている。この告示によって指定された日以後に当該専門課程を修了した者に専門士又は高度専門士の称号が付与されることとなる。

六　なお、平成一〇年の法改正により、修業年限が二年以上で総授業時数が一七〇〇時間以上の専修学校専門課程を修了した者については、専門士の称号の有無に関係なく大学への編入学資格が認められたところであり、また、そのような編入学資格を有する者については、短期大学や高等専門学校の卒業者と同様に、独立行政法人大学改革支援・学位授与機構による学士の学位授与の基礎資格、短期大学や高等専門学校の専攻科への入学資格が認められてい

る（法一三二条の【注解】五及び六参照）。

〔高等専修学校、専門学校〕

第百二十六条　高等課程を置く専修学校は、高等専修学校と称することができる。

② 専門課程を置く専修学校は、専門学校と称することができる。

【沿　革】　昭五〇・七・一一法五九により新設した。
平一九・六・二七法九六により、旧八二条の四から一二六条に移動した。

【参照条文】　法一三五条。専修学校設置基準五二条。

【注　解】

一　本条は、高等課程又は専門課程を置く専修学校が称することができる名称についての規定である。

二　法一三五条二項の規定では、高等課程を置く専修学校以外の教育施設は高等専修学校の名称を、専門課程を置く専修学校以外の教育施設は専門学校の名称を用いてはならないし、また専修学校以外の教育施設は専修学校の名称を用いることができないとされている。これに違反した場合には、法一四六条の罰則（十万円以下の罰金）が適用される。本条と法一三五条二項並びに法一四六条によって、専修学校、高等専修学校及び専門学校という名称の専用が保障されているのである。

なお、専門課程とその他の課程を置く専修学校は、専門学校の名称を用いることができるが、この場合には、専門課程以外の課程については一般課程又は高等課程であることが明確になるよう学則等に明記する必要がある。また、高等課程と一般課程を置く専修学校も、高等専修学校の名称を用いることができるが、この場合も同様である。

三　専修学校の名称は、専修学校として適当であるとともに、当該専修学校の目的にふさわしいものでなければならないとされている（専修学校設置基準五二条）。これは、法一条の学校と紛らわしい名称はもちろん研究機関若しくは単なる私塾を意味するような名称を用いることは不適当であり、また、専修学校の目的に応じた分野及び課程に相応しい名称を用いるべきであることを明らかにする趣旨である。

〔専修学校の設置者〕

第百二十七条　専修学校は、国及び地方公共団体のほか、次に該当する者でなければ、設置することができない。

一　専修学校を経営するために必要な経済的基礎を有すること。

二　設置者（設置者が法人である場合にあつては、その経営を担当する当該法人の役員とする。次号において同じ。）が専修学校を経営するために必要な知識又は経験を有すること。

三　設置者が社会的信望を有すること。

【沿　革】　昭五〇・七・一一法五九により新設した。
平一九・六・二七法九六により、旧八二条の五から一二七条に移動し、「次の各号に」を「次に」に改めた。

【参照条文】　法二条、附則六条。私立学校法三条、六四条。一般社団法人及び一般財団法人に関する法律。公益社団法人及び公益財団法人の認定等に関する法律。

【注　解】

一　専修学校は、国及び地方公共団体のほか、一定の要件に該当する者でなければ設置することができないものとし、これにより設置主体の面から、専修学校の健全な発達と専修学校教育の水準の維持向上を図ろうとする趣旨の規

定である。

二　専修学校は大学、高等学校などのいわゆる一条校（法一条に規定する学校）と異なり、学校法人、準学校法人（私立学校法六四条四項の法人）のほか、社団法人、財団法人、社会福祉法人、医療法人、宗教法人、国立大学法人その他の法人や個人も設置者となりうる。しかし、専修学校の経営はあくまでも教育事業であり、営利事業ではないので、株式会社等が営利を目的として専修学校の設置運営を行うことは好ましくないとされている。

三　専修学校の設置者は、それが学校法人、準学校法人その他の法人であると個人であるとを問わず、次の三つの要件を備えなければならない。

(1)　「専修学校を経営するために必要な経済的基礎」を有しなければならない。その内容は、設置しようとする専修学校に必要な校地、校舎、校具その他の施設設備を備えているか、あるいはそれに要する資金、さらに相当期間にわたって教職員の人件費その他の経常的経費を支弁することのできる資金などその設置する専修学校の安定した経営のために必要な財産を有しなければならないものである。

(2)　「専修学校を経営するために必要な知識又は経験」を有しなければならない。この場合必要な知識とは、専修学校教育一般に対する識見、その専修学校の教育内容に関する学識などを指すものであり、経験とは、いわゆる一条校、専修学校及び各種学校の設置者又はその役員、校長、教員などの経歴などの経営又は教育の経験を指すものである。なお、専修学校の設置者とは、実際に専修学校を設置運営する責任者であり、個人が設置者である場合には、通常経営者たる当該個人が、また、学校法人、準学校法人、社団法人、財団法人などの法人が設置者である場合には、その理事などの役員が、このような要件を具備する必要がある。

(3)　教育施設である専修学校を設置するにふさわしい「社会的信望」を有するものでなければならない。教育事業の性格からいって、いうまでもないことであろう。

〔専修学校の設置基準〕

第百二十八条　専修学校は、次に掲げる事項について文部科学大臣の定める基準に適合していなければならない。

一　目的、生徒の数又は課程の種類に応じて置かなければならない教員の数

二　目的、生徒の数又は課程の種類に応じて有しなければならない校地及び校舎の面積並びにその位置及び環境

三　目的、生徒の数又は課程の種類に応じて有しなければならない設備

四　目的又は課程の種類に応じた教育課程及び編制の大綱

【沿　革】　昭五〇・七・一一法五九により新設した。

平一一・一二・二二法一六〇により、「文部大臣」を「文部科学大臣」に改めた。

平一九・六・二七法九六により、旧八二条の六から一二八条に移動し、「次の各号に」を「次に」に、「教科」を「教育課程」に改めた。

【参照条文】　施行規則一八〇条、一八九条。専修学校設置基準一条〜一九条、三〇条〜三三条、三九条、四〇条、四四条〜五一条。

【注　解】

一　本条は、専修学校が適合していなければならない教員数、校地、校舎の面積、位置及び環境、設備並びに教育課程・編制の大綱の基準に関する規定であり、その具体的な内容は「専修学校設置基準」（昭五一文部省令二）で定められている。この設置基準は専修学校を設置するのに必要な最低の基準であり、この省令で定める設置基準より低下した状態にならないようにすることはもとより、広く社会の要請に応じ、専修学校の目的を達成するため多様な分野にわたり組織的な教育を行うことをその使命とすることにかんがみ、常にその教育水準の維持向上に努めなければならないとされている（専修学校設置基準一条三項）。

二　本条各号の「目的」とは、それぞれの専修学校が、どのような建学の精神の下に、具体的にどのような内容の教育（例えば建築に関する教育、英語教育など）を行おうとするものかを指し、また「課程」とは、専修学校の教育の対象、内容等により類型化された高等課程、専門課程及び一般課程の三つの課程（法一二五条）を指すものである。このような専修学校の目的及び課程の別に応じて、専修学校の「教育上の基本組織」が設けられることとなっており（専修学校設置基準第二条）、これについて、「学校教育法の一部を改正する法律等の施行について」（昭五一・一・二三　文管振八五号　文部事務次官通達）では、次のように説明されている。

第五　設置基準の概要

２　組織編制に関する事項

(1)　教育上の基本組織

　専修学校は、課程ごとに、専修学校の目的に応じた分野の区分ごとに教育上の基本となる組織を置くものとしたこと。ここで、「目的に応じた分野」とは、別表第一又は別表第二〔現行は別表第一～別表第四〕に示す工業関係、農業関係、医療関係、衛生関係、教育・社会福祉関係、商業実務関係、家政関係〔現行は服飾・家政関係〕及び文化・教養関係のそれぞれを指すものであり、専修学校はこれらの区分ごとに教育上の基本となる組織を置くものであること（第二条第一項）。

　また、教育上の基本となる組織には、教育上必要な教員組織、施設、設備その他を備えなければならないものであること〔同条第二項〕。なお、法第八二条の八〔現行法一三〇条〕第一項の規定により目的の変更として監督庁の認可を受けなければならない場合には、認可申請書の添付書類に記載された目的の文言の変更のほか、ここでいう目的に応じた分野の区分の変更又は新設、廃止も含まれるものであること。ただし、これらの区分をまたがるものであっても、例えば、衛生関係として調理に関するものと家政関係として料理に関するものを併せて置く場合等密接な関連を持つ学科を置く場合には、これらを合わせて一つの教育上の基本となる組織とすることができるものであるが、この場合には教員数、校舎等に関する基準の適用については、いずれか高い方の分野の基準によるものであること。

三　「文部科学大臣の定める基準」の具体的な内容は、次のとおりである。

(1)　「目的、生徒の数又は課程の種類に応じて置かなければならない教員の数」については、専修学校設置基準に

次のような規定がある。

（昼間学科又は夜間等学科のみを置く専修学校の教員数）

第三十九条　昼間学科又は夜間等学科のみを置く専修学校における教員の数は、別表第一に定める数以上とする。

２　前項の教員の数の半数以上は、専任の教員（専ら当該専修学校における教育に従事する校長が教員を兼ねる場合にあつては、当該校長を含む。以下この項及び次条第二項において同じ。）でなければならない。ただし、当該専任の教員の数は、三人を下ることができない。

（通信制の学科を置く専修学校の教員数）

第四十条　通信制の学科を置く専修学校における教員の数は、別表第一に定める数と別表第三に定める数とを合計した数以上とする。

２　前項の教員の数の半数以上は専任の教員でなければならない。ただし、当該専任の教員の数は三人を下ることができない。

別表第一　昼間学科又は夜間等学科に係る教員数（第三十九条関係）

課程の区分	学科の属する分野の区分	学科の属する分野ごとの生徒総定員の区分	教員数
高等課程又は専門課程	工業関係、農業関係、医療関係、衛生関係又は教育・社会福祉関係	八十人まで	3
		八十一人から二百人まで	$3+\frac{\text{生徒総定員}-80}{40}$
		二百一人から六百人まで	$6+\frac{\text{生徒総定員}-200}{50}$
		六百一人以上	$14+\frac{\text{生徒総定員}-600}{60}$
	商業実務関係、服飾・家政関係又は文化・教養関係	八十人まで	3
		八十一人から二百人まで	$3+\frac{\text{生徒総定員}-80}{40}$
		二百一人から四百人まで	$6+\frac{\text{生徒総定員}-200}{50}$
		四百一人以上	$10+\frac{\text{生徒総定員}-400}{60}$
一般課程	工業関係、農業関係、医療関係、衛生関係、教育・社会福祉関係、商業実務関係、服飾・家政関係又は文化・教養関係	八十人まで	3
		八十一人から二百人まで	$3+\frac{\text{生徒総定員}-80}{40}$
		二百一人以上	$6+\frac{\text{生徒総定員}-200}{60}$

備考

一　この表の算式中生徒総定員とあるのは、学科の属する分野ごとの生徒総定員をいう。

二　次に掲げる場合のいずれかに該当する場合においては、教育に支障のないよう、相当数の教員を増員するものとする。

イ　昼間学科と夜間等学科とを併せ置く場合

ロ　第十五条の規定により当該専修学校の生徒以外の者で当

該専修学校の一又は複数の授業科目を履修する者（以下「科目等履修生」という。）その他の生徒以外の者を学科の属する分野ごとの生徒総定員を超えて相当数受け入れる場合

このほか、平成二四年の「通信制」の制度化に伴い、通学制である昼間学科及び夜間等学科とは別に、通信制の学科に置くべき教員数についても別途基準が設けられ、昼間学科及び夜間等学科の教員数（別表第一）と、通信制の学科の教員数（別表第三（略））とを合計した数以上とすることが求められている（専修学校設置基準四〇条）。

各別表において、教員の数は、生徒定員八〇人までは最低三人以上として、生徒定員がこれを上まわる場合には、課程及び教育内容に即した分野の区分に応じてこれを増加することとしている。また、その半数以上は専任の教員でなければならず、その数は最低三人である。

(2)「目的、生徒の数又は課程の種類に応じて有しなければならない校地及び校舎の面積並びにその位置及び環境」及び「目的、生徒の数又は課程の種類に応じて有しなければならない設備」については、専修学校設置基準に次のような規定がある。

（位置及び環境）

第四十四条　専修学校の校地及び校舎の位置及び環境は、教育上及び保健衛生上適切なものでなければならない。

（校地等）

第四十五条　専修学校は、次条に定める校舎等を保有するに必要な面積の校地を備えなければならない。

2　専修学校は、前項の校地のほか、目的に応じ、運動場その他必要な施設の用地を備えなければならない。

（校舎等）

第四十六条　専修学校の校舎には、目的、生徒数又は課程に応じ、教室（講義室、演習室、実習室等とする。）、教員室、事務室その他必要な附帯施設を備えなければならない。

2　専修学校の校舎には、前項の施設のほか、なるべく図書室、保健室、教員研究室等を備えるものとする。

3　専修学校は、目的に応じ、実習場その他の必要な施設を確保しなければならない。

（昼間学科又は夜間等学科のみを置く専修学校の校舎の面積）

第四十七条　昼間学科又は夜間等学科のみを置く専修学校の校舎の面積は、次の各号に定める区分に応じ、当該各号に定める面積以上とする。ただし、地域の実態その他により特別の事情があり、

かつ、教育上支障がない場合は、この限りでない。

一　一の課程のみを置く専修学校で当該課程に一の分野についてのみ学科を置くもの　別表第二イの表により算定した面積

二　一の課程のみを置く専修学校で当該課程に二以上の分野について学科を置くもの又は二若しくは三の課程を置く専修学校で、当該課程にそれぞれ一若しくは二以上の分野について学科を置くもの　次のイ及びロに掲げる面積を合計した面積

イ　これらの課程ごとの分野のうち別表第二イの表第四欄の生徒総定員四十人までの面積が最大となるいずれか一の分野について同表により算定した面積

ロ　これらの課程ごとの分野のうち前イの分野以外の分野についてそれぞれ別表第二ロの表により算定した面積を合計した面積

（通信制の学科を置く専修学校の校舎等）

第四十八条　通信制の学科を置く専修学校は、目的、生徒数又は課程に応じ、当該通信制の学科に係る第四十六条各項に規定する施設を備えるほか、特に添削等による指導並びに印刷教材等の保管及び発送のための施設について、教育に支障のないようにするものとする。

２　通信制の学科を置く専修学校の校舎の面積は、当該専修学校の昼間学科又は夜間等学科の校舎について前条の規定に準じて算定した面積と、当該専修学校の通信制の学科の校舎について次の各号に掲げる区分に応じ、当該各号に定める面積とを合計した面積以上とする。ただし、地域の実態その他により特別の事情があり、かつ、教育上支障がない場合は、この限りでない。

一　一の課程に一の分野についてのみ通信制の学科を置くもの　別表第四イの表により算定した面積

二　一の課程に二以上の分野について通信制の学科を置くもの又は二若しくは三の課程にそれぞれ一若しくは二以上の分野について通信制の学科を置くもの　次のイ及びロに掲げる面積を合計した面積

イ　これらの課程ごとの分野のうち別表第四イの表第四欄の生徒総定員八十人までの面積が最大となるいずれか一の分野について同表により算定した面積

ロ　これらの課程ごとの分野のうち前イの分野以外の分野についてそれぞれ別表第四ロの表により算定した面積を合計した面積

（設備）

第四十九条　専修学校は、目的、生徒数又は課程に応じ、必要な種類及び数の機械、器具、標本、図書その他の設備を備えなければならない。

第五十条　夜間において授業を行う専修学校は、適当な照明設備を備えなければならない。

（他の学校等の施設及び設備の使用）

第五十一条　専修学校は、特別の事情があり、かつ、教育上及び安全上支障がない場合は、他の学校等の施設及び設備を使用することができる。

別表第二　昼間学科又は夜間等学科に係る校舎面積（第四十七条関係）

イ　基準校舎面積の表

課程の区分	学科の属する分野の区分	学科の属する分野ごとの生徒総定員の区分	面積（平方メートル）
高等課程又は専門課程	工業関係、農業関係、医療関係、衛生関係又は教育・社会福祉関係	四十人まで	260
		四十一人以上	260＋3.0×（生徒総定員－40）
	商業実務関係、服飾・家政関係又は文化・教養関係	四十人まで	200
		四十一人以上	200＋2.5×（生徒総定員－40）
一般課程	工業関係、農業関係、医療関係、衛生関係又は教育・社会福祉関係	四十人まで	130
		四十一人以上	130＋2.5×（生徒総定員－40）
	商業実務関係、服飾・家政関係又は文化・教養関係	四十人まで	130
		四十一人以上	130＋2.3×（生徒総定員－40）

備考

一　この表の算式中生徒総定員とあるのは、学科の属する分野ごとの生徒総定員をいう。（ロの表において同じ。）

二　科目等履修生その他の生徒以外の者を学科の属する分野ごとの生徒総定員を超えて相当数受け入れる場合においては、教育に支障のないよう、相当の面積を増加するものとする。（ロの表において同じ。）

ロ　加算校舎面積の表

課程の区分	学科の属する分野の区分	学科の属する分野ごとの生徒総定員の区分	面積（平方メートル）
高等課程又は専門課程	工業関係、農業関係、医療関係、衛生関係又は教育・社会福祉関係	四十人まで	180
		四十一人以上	180＋3.0×（生徒総定員－40）
	商業実務関係、服飾・家政関係又は文化・教養関係	四十人まで	140
		四十一人以上	140＋2.5×（生徒総定員－40）
一般課程	工業関係、農業関係、医療関係、衛生関係又は教育・社会福祉関係	四十人まで	110
		四十一人以上	110＋2.5×（生徒総定員－40）
	商業実務関係、服飾・家政関係又は文化・教養関係	四十人まで	100
		四十一人以上	100＋2.3×（生徒総定員－40）

ここにおいても、通信制の学科を置く専修学校の校舎等の基準が別途設けられている。すなわち、添削等による指導や印刷教材等の保管・発送のための施設については必ず新たに備えなければならないものではないが、教育に支障のないようにしなければならないこと、及び、必要な校舎面積としては、昼間学科及び夜間等学科の校舎面積（別表第二）と通信制の学科の校舎面積（別表第四（略））とを合計した面積以上とすることを原則とすることが定められている（専修学校設置基準四八条）。

校地、校舎及び設備等に関しては、規制改革の動向を踏まえ、平成一六年六月二一日に専修学校設置基準の一部が改正された。その内容は次のとおりである。

① 専修学校の校舎面積について、地域の実態その他により特別の事情があり、かつ、教育上支障がない場合は、校舎面積基準によらないことができるものとした。

② 履修の形態や地域の実態等により特別の事情が認められ、かつ、教育上及び安全上支障がない場合は、他の学校等の施設及び設備を使用することができるとした。

なお、専修学校の校地、校舎及び設備等について、原則として自己所有とすることが望ましい（「学校教育法の一部を改正する法律等の施行について」昭五一・一・二三　文管振八五号　文部事務次官通達。法一二四条の【通知】参照。）とされているが、これは、校地及び校舎等の自己所有につき、例外的な取扱いを認めないという趣旨ではなく、自己所有を満たすことが困難な場合で、借地権又は賃借権の設定登記や借用契約などにより長期間にわたり使用できる保障がある場合など、認可権者において学校経営の安定性、継続性が担保できると認めたときは、自己所有を求める必要がないことも内容に含まれている（「専修学校設置基準の一部を改正する省令及び各種学校規程の一部を改正する省令の施行について」平一六・六・二一　一六文科生一九七号　文部科学省生涯学習政策局長通知）。さらに、借用は、国、地方公共団体等からに限らず、民間からでも差し支えないこと、教育内容を実現するために、校地及び校舎を短期借用しなければならないやむを得な

い理由がある場合には、長期にわたる使用保証が得られなくても差し支えないこと等弾力的な取り扱いが可能となっている（「校地・校舎の自己所有を要しない専修学校等設置事業の全国展開について」平一九・一二・二五　文科生四六〇号　文部科学省生涯学習政策局長通知）。

(3)　「目的又は課程の種類に応じた教育課程及び編制の大綱」については、専修学校設置基準に次のような規定がある。

（学科）
第三条　基本組織には、専攻により一又は二以上の学科を置くものとする。
2　前項の学科は、専修学校の教育を行うため適当な規模及び内容があると認められるものでなければならない。

第四条　基本組織には、昼間において授業を行う学科（以下「昼間学科」という。）又は夜間その他特別な時間において授業を行う学科（以下「夜間等学科」という。）を置くことができる。

（通信制の学科の設置）
第五条　昼間学科又は夜間等学科を置く基本組織には、通信による教育を行う学科（当該基本組織に置かれる昼間学科又は夜間等学科と専攻分野を同じくするものに限る。以下「通信制の学科」という。）を置くことができる。
2　通信制の学科は、通信による教育によつて十分な教育効果が得られる専攻分野について置くことができる。

（同時に授業を行う生徒）
第六条　専修学校において、一の授業科目について同時に授業を行う生徒数は、四十人以下とする。ただし、特別の事由があり、かつ、教育上支障のない場合は、この限りでない。

第七条　専修学校において、教育上必要があるときは、学年又は学科を異にする生徒を合わせて授業を行うことができる。

（授業科目）
第八条　専修学校の高等課程においては、中学校における教育の基礎の上に、心身の発達に応じて専修学校の教育を施すにふさわしい授業科目を開設しなければならない。
2　専修学校の専門課程においては、高等学校における教育の基礎の上に、深く専門的な程度において専修学校の教育を施すにふさわしい授業科目を開設しなければならない。
3　前項の専門課程の授業科目の開設に当たつては、豊かな人間性を涵養するよう適切に配慮しなければならない。
4　専修学校の一般課程においては、その目的に応じて専修学校の教育を施すにふさわしい授業科目を開設しなければならない。

教育課程については、専修学校の教育が社会の要請に応えるべく、きわめて多様性に富んだ内容のものであるので、目的、課程別の詳細な定めはなされていないが、専修学校設置基準では、各課程の教育を施すにふさわしい授業科目を開設するよう規定されている。

編制については、課程ごとに専修学校の目的に応じた分野の区分ごとに教育上の基本となる組織を置くものとされており、この組織に一又は二以上の学科を置くものとされている。さらに、同時に授業を行う生徒の数は原則として四〇人以下と定められているが、教育上の必要があるなど特別の事由があり、かつ教育上支障のない場合には、例えば五〇人程度でも差し支えないとされている。

四 履修方法等に関しては、多様な学習ニーズに対応し、個々の専修学校がその特性を生かして教育内容の一層の充実を図ることができるようにするとともに、生涯学習振興の観点から、平成六年に専修学校設置基準に規定が一部追加された。すなわち、高等課程においては、生徒が行う他の専修学校の高等課程又は専門課程における授業科目の履修を、専門課程においては、他の専修学校の専門課程における授業科目の履修を、当該課程の修了に必要な総授業時数の二分の一を超えない範囲で、当該課程における授業科目の履修とみなすことができることや、昼夜開講制による授業や科目等履修生の受け入れができること等が位置付けられた（専修学校設置基準一〇条、一四条、一五条、一八条、一九条）。

また、平成一一年には、専修学校以外の教育施設等における学修や入学前の授業科目の履修等についても、同様の趣旨に基づく規定の追加が行われるとともに（同設置基準一一条、一二条）、従来、選択科目に限り授業科目の履修とみなすことができるとされていた制限が廃止された。なお、専修学校以外の教育施設等における学修（同設置基準一一条）については、別途、専修学校が授業科目の履修とみなすことができる学修の範囲を示した告示が定められている（「専修学校が授業科目の履修とみなすことができる学修」（平一一文部省告示一八四））。

これらの履修等の実施に当たっては、学則等学内規程において規定することが必要であるとともに、他の専修学校での履修や専修学校以外の教育施設等における学修を認める場合であっても、自校において卒業に必要な授業時数を割り当てた授業科目を開設することが必要であることに留意が必要である。

五　さらに、平成一一年の専修学校設置基準の改正では、授業の方法として、多様なメディアを高度に利用して、当該授業を行う教室等以外の場所で履修させる授業（いわゆる遠隔授業）ができることとされた（同設置基準一三条）。なお、このような授業は、課程修了に必要な総授業時数の四分の三を超えない範囲とされている（平一八文部科学省令一により、従前の二分の一を改正）。

ここにいう「授業を行う教室等」には、研究室やスタジオなどが含まれるため、授業を行う場所には教員のみがいて、履修を行う学生がいない場合も遠隔授業に含まれる。また、同一校舎内の複数の教室間で多様なメディアを高度に利用して同時に行われる授業も遠隔授業に含まれる。このような遠隔授業を実施するに当たっては、一度に多くの学生を対象にして授業を行うことが可能となるが、受講者数が過度に多くならないようにすることが必要である。

遠隔授業については、近年の情報通信技術の発展等を踏まえ、「専修学校が履修させることができる授業」（平一八文部科学省告示二四）が定められた。遠隔授業としては、従来から規定されていたテレビ会議式に加え、一定の要件を満たすもの（インターネット等を活用した授業のうち、毎回の授業実施に当たって添削指導等による指導を併せ行うものであって、かつ、当該授業に関する生徒の意見交換の機会が確保されているもの）が追加されている。

六　また、平成二四年に「通信制」の制度化が行われたことは前述のとおりである（法一二四条の【**注解**】七参照）。通信制の学科における授業は、「印刷教材等による授業」（印刷教材その他これに準ずる教材を送付又は指定し、主としてこれらにより学修させる授業）と「対面授業」との併用により行うものとされており、「印刷教材等による授業」の実施に当たっては、添削等による指導を併せ行うことが求められている。通信制の学科においては、このほ

か、遠隔授業を併用することもできる（同設置基準三〇条）。

通信制の学科における授業は、定期試験等を含め、年間を通じて適切に行うことのほか、添削等による指導及び教育相談を円滑に処理するための組織等を設けることが求められている（同設置基準三一条、三二条）。なお、通信制の学科を置く専修学校は、教育上必要があるときには、指導体制を整えた上で、本校から遠く隔たった場所に面接による指導を行うための施設（サテライト施設）を置くことができるが、当該施設については、本校が所在する都道府県の区域内に限定されている（同設置基準三三条）。

七 以上のほか、文部科学大臣による認定制度として、平成二五年八月に、「専修学校の専門課程における職業実践専門課程の認定に関する規程」（平二五文部科学省告示一三三）が定められた。これは、専修学校の専門課程について、企業、団体等（以下「企業等」という。）との密接な連携の下で、専攻分野における実務に関する知識、技術及び技能について組織的な教育を行うものを文部科学大臣が認定して奨励することにより、職業教育の水準の維持向上を図ることを目的として導入されたものである（「専修学校の専門課程における職業実践専門課程の認定に関する規程の施行について」平二五・八・三〇　文科生三二八号　文部科学省生涯学習政策局長通知）。

文部科学大臣は、都道府県知事等の推薦に基づき、次に掲げる要件に該当すると認められるものについて、職業実践専門課程として認定し、官報で告示している（同規程二条、四条）。この告示によって認定された専門課程は、告示の日の次年度の始期以後、職業実践専門課程と称することができることになる。

(1) 修業年限が二年以上であること。

(2) 専攻分野に関する企業等との連携体制を確保して、授業科目の開設その他の教育課程の編成を行っていること。

(3) 企業等と連携して、実習、実技、実験又は演習の授業を行っていること。

(4)　全課程の修了に必要な総授業時数が一七〇〇単位時間以上又は総単位数が六二単位以上であること。
(5)　企業等と連携して、教員に対し、専攻分野における実務に関する研修を組織的に行っていること。
(6)　学校教育法施行規則一八九条において準用する同規則六七条に定める評価（学校関係者評価）を行い、その結果を公表していること。
(7)　前号の評価を行うに当たっては、当該専修学校の関係者として企業等の役員又は職員を参画させていること。
(8)　企業等との連携及び協力の推進に資するため、企業等に対し、当該専修学校の教育活動その他の学校運営の状況に関する情報を提供していること。

なお、文部科学大臣は、職業実践専門課程として認定をした課程が廃止された場合、又は認定要件のいずれかに該当しなくなった場合には、当該認定を取り消すことができ、この場合も官報で告示する（同告示三条、四条）。平成二七年二月時点における認定学校・学科数は、全専修学校専門課程の約二五パーセントである。

〔専修学校の校長及び教員〕

第百二十九条　専修学校には、校長及び相当数の教員を置かなければならない。

②　専修学校の校長は、教育に関する識見を有し、かつ、教育、学術又は文化に関する業務に従事した者でなければならない。

③　専修学校の教員は、その担当する教育に関する専門的な知識又は技能に関し、文部科学大臣の定める資格を有する者でなければならない。

【沿　革】　昭五〇・七・一一法五九により新設した。
平一一・一二・二二法一六〇により、「文部大臣」を「文部科学大臣」に改めた。

平一九・六・二七法九六により、旧八二条の七から一二九条に移動した。

【参照条文】 専修学校設置基準四一条～四三条。

【注　解】

本条は、専修学校に校長及び教員を置くことを定めた規定である。法七条及び法八条の校長及び教員についての規定は、いわゆる一条校についてのものである。専修学校の校長については本条二項の規定が、専修学校の教員については三項の規定が適用される。専修学校の教員については、本条三項の規定に基づく「文部科学大臣の定め」として、専修学校設置基準四一条から四三条までに各課程ごとに次のような資格に関する規定がある。専修学校の教員については高等学校等の教員のような教員免許状の所有は義務づけられていないが、その担当する教育に関し、専門的な知識、技術、技能等を有するものでなければならない。

なお、専修学校の教員については、広く社会に人材を求め、学歴にかかわらず、特定の分野について、特に優れた技術等を有する者を登用することは、専修学校教育の充実を図る上で有益であることから、平成六年七月から専修学校設置基準の一部が改正され、専門課程の教員の資格についての規定である四一条〔改正時は一八条〕に新たに第五号が付け加えられたところである。

（教員の資格）

第四十一条　専修学校の専門課程の教員は、次の各号の一に該当する者でその担当する教育に関し、専門的な知識、技術、技能等を有するものでなければならない。

一　専修学校の専門課程を修了した後、学校、専修学校、各種学校、研究所、病院、工場等（以下「学校、研究所等」という。）においてその担当する教育に関する教育、研究又は技術に関する業務に従事した者であつて、当該専門課程の修業年限と当該業務に従事した期間とを通算して六年以上となる者

二　学士の学位（学位規則（昭和二十八年文部省令第九号）第二条の二の表に規定する専門職大学を卒業した者に授与する学位を含む。次条第四号において同じ。）を有する者にあつては二

年以上、短期大学士の学位（学位規則第五条の五に規定する短期大学士（専門職）の学位を含む。）又は準学士の称号を有する者にあつては四年以上、学校、研究所等においてその担当する教育に関する教育、研究又は技術に関する業務に従事した者

三　高等学校（中等教育学校の後期課程を含む。）において二年以上主幹教諭、指導教諭又は教諭の経験のある者

四　修士の学位又は学位規則第五条の二に規定する専門職学位を有する者

五　特定の分野について、特に優れた知識、技術、技能及び経験を有する者

六　その他前各号に掲げる者と同等以上の能力があると認められる者

第四十二条　専修学校の高等課程の教員は、次の各号の一に該当する者でその担当する教育に関し、専門的な知識、技術、技能等を有するものでなければならない。

一　前条各号の一に該当する者

二　専修学校の専門課程を修了した後、学校、研究所等においてその担当する教育に関する教育、研究又は技術に関する業務に従事した者であつて、当該専門課程の修業年限と当該業務に従事した期間とを通算して四年以上となる者

三　短期大学士の学位又は準学士の称号を有する者で、二年以上、学校、研究所等においてその担当する教育に関する教育、研究又は技術に関する業務に従事した者

四　学士の学位を有する者

五　その他前各号に掲げる者と同等以上の能力があると認められる者

第四十三条　専修学校の一般課程の教員は、次の各号の一に該当する者でその担当する教育に関し、専門的な知識、技術、技能等を有するものでなければならない。

一　前二条各号の一に該当する者

二　高等学校又は中等教育学校卒業後、四年以上、学校、研究所等においてその担当する教育に関する教育、研究又は技術に関する業務に従事した者

三　その他前各号に掲げる者と同等以上の能力があると認められる者

また、法九条の校長又は教員の欠格事由についての規定は、法一三三条の規定により専修学校に準用される。

【通　知】

○学校教育法の一部を改正する法律等の施行について（抄）―（昭五一・一・二三　文管振八五号　各都道府県知事、各都

道府県教育委員会、各種学校を置く国立大学長あて　文部事務次官通達）

第五　設置基準の概要

4　教員に関する事項

(1)　教員数（略）

(2)　教員の資格

専修学校の教員については、小学校、中学校、高等学校等の教員の場合と異なり教員免許状制度はとらないものであり、それぞれの課程に応じて必要な教員資格を定めたものであること。

ア　専門課程の教員の資格

専修学校の専門課程の教員は、専門課程を修了後、学校、研究所等でその担当する教育に関する教育、研究又は技術に関する業務（以下「関連業務」という。）に従事した者で当該課程の修業年限と関連業務従事期間とを通算して六年以上となる者等を第一一条〔現行四一条〕第一号から第四号までに規定したほか、これらと同等以上の能力があると認められる者を第五号〔現行六号〕に規定したこと。この第五号〔現行六号〕の同等以上の能力があると認められる者は、次のような者であること。

(ア)　従来の各種学校で高等学校卒業程度以上を入学資格とするものを卒業した後、関連業務に従事した者で、当該各種学校の修業年限と関連業務従事期間とを通算して六年以上となる者

(イ)　その担当する教育に関し、法令に基づく高等学校卒業程度以上の免許又は資格等（当該免許又は資格等に関し、上級の免許又は資格等がある場合には、上級のものに限る。）を取得した者で当該免許又は資格等の取得後、大学卒業程度の免許又は資格等を取得した者にあっては二年以上、短期大学卒業程度の免許又は資格等を取得した者にあっては四年以上、高等学校卒業程度の免許又は資格を取得した者にあっては六年以上関連業務に従事した者

(ウ)　理容、美容の実技その他実際的な技術又は技能の修得を主とする分野の教員については、次に掲げる者であって、当該技術又は技能に秀でた者

(i)　上記(イ)の高等学校卒業程度以上の免許又は資格等以外の法令に基づく免許又は資格等（当該免許又は資格等に関し、上級のものがある場合には、上級のものに限る。）を取得した者であって、当該免許又は資格等を取得後、九年以上関連業務に従事した者

(ii)　専修学校又は各種学校を卒業した後、当該修業年限と関連業務従事期間とを通算して九年以上となる者

(エ)　外国の学校、旧制の学校又は他の法律に基づく学校、専修学校若しくは各種学校に準ずる教育施設等を卒業した者であって、第一一条〔現行四一条〕第一号から第四号までの規定の各号に相当する修業年限、関連業務従事期間又は資格を有する者

(オ)　医師、歯科医師、弁護士又は公認会計士

(カ)　大学、短期大学及び高等専門学校の教授、助教授及び講

師の資格を有する者

イ　高等課程の教員の資格

高等課程の教員は、専門課程修了後、学校、研究所等において関連業務に従事した者で当該課程の修業年限と関連業務従事期間とを通算して四年以上となる者等を第一二条〔現行四二条〕第一号から第四号までに規定したほか、これらと同等以上の能力があると認められる者を第五号に規定したこと。この第五号の同等以上の能力があると認められる者は次のような者であること。

(ア)　上記アの(ア)に相当する者で、当該期間が四年以上となる者

(イ)　その担当する教育に関し、法令に基づく大学卒業程度の免許若しくは資格等を取得した者又は短期大学卒業程度の免許若しくは資格等を取得した者で取得後二年以上関連業務に従事した者若しくは高等学校卒業程度の免許若しくは資格等を取得した者で取得後四年以上関連業務に従事した者

(ウ)　上記アの(ウ)に相当する者で、当該期間が七年以上となる者

(エ)　外国の学校、旧制の学校又は他の法律に基づく学校、専修学校若しくは各種学校に準ずる教育施設等を卒業した者であって、第一二条〔現行四二条〕第二号から第四号までの規定の各号に相当する修業年限、関連業務従事期間又は資格を有する者

(オ)　大学、短期大学又は高等専門学校の助手の資格のある者

ウ　一般課程の教員の資格

一般課程の教員は、高等学校卒業後四年以上関連業務に従事した者等を第一三条〔現行四三条〕第一号及び第二号に規定したほか、これらと同等以上の能力があると認められる者を第三号に規定したこと。この第三号の同等以上の能力があると認められる者は、次のような者であること。

(ア)　外国の学校、旧制の学校又は他の法律に基づく学校、専修学校若しくは各種学校に準ずる教育施設等を卒業した者であって、第一三条〔現行四三条〕第二号の規定に相当する修業年限又は関連業務従事期間を有する者

〔設置廃止等の認可〕

第百三十条　国又は都道府県が設置する専修学校を除くほか、専修学校の設置廃止（高等課程、専門課程又は一般課程の設置廃止を含む。）、設置者の変更及び目的の変更は、市町村の設置する専修学校にあつては都道府県の教育委

員会、私立の専修学校にあつては都道府県知事の認可を受けなければならない。

② 都道府県の教育委員会又は都道府県知事は、専修学校の設置（高等課程、専門課程又は一般課程の設置を含む。）の認可の申請があつたときは、申請の内容が第百二十四条、第百二十五条及び前三条の基準に適合するかどうかを審査した上で、認可に関する処分をしなければならない。

③ 前項の規定は、専修学校の設置者の変更及び目的の変更の認可の申請があつた場合について準用する。

④ 都道府県の教育委員会又は都道府県知事は、第一項の認可をしない処分をするときは、理由を付した書面をもつて申請者にその旨を通知しなければならない。

【沿　革】 昭五〇・七・一一法五九により新設した。

平一一・七・一六法八七により、第一項中「国」の下に「又は都道府県」を加え、「監督庁」を「市町村の設置する専修学校にあつては都道府県の教育委員会、私立の専修学校にあつては都道府県知事」に、第二項及び第四項中「監督庁」を「都道府県の教育委員会又は都道府県知事」に改めた。

平一九・六・二七法九六により、旧八二条の八から一三〇条に移動した。

【参照条文】 法四条、一二四条、一二五条、一二七条～一二九条、一三三条。施行規則一八〇条、一八七条～一八九条。

【注　解】

一　本条は、専修学校の設置廃止等の認可に係る事項等を定める規定であり、一項は、認可を受けなければならない事項は設置廃止（課程の設置廃止を含む。）、設置者の変更及び目的の変更の三つであることを法律で定めたものである。法一条に規定する学校については、法四条で学校の設置廃止、設置者の変更その他政令で定める事項が認可事項とされており、施行令二三条に認可事項が列挙されているが、専修学校には適用されない。専修学校に関してどのよ

うな事項について認可を要するものであるかということは、国民の権利義務に影響するところが大きいので、本条で明らかに示すこととしたものである。

また、認可事項についても、法一条の学校の場合と異なり、限定的であり、名称、位置の変更、分校の設置廃止、学則の変更等については届出事項としている（法一三一条、施行令二四条の三）。

二　認可を行うのは、市町村立の専修学校については、都道府県教育委員会であり、私立の専修学校については、都道府県知事である。従来の学校教育法上の規定の仕方では、個別の条項を見ただけでは各種の基準の設定や許認可等の主体が分からないことから「地方分権の推進を図るための関係法律の整備等に関する法律」（平一一法八七）により、本条が改正され、国・都道府県の役割と責任が明確化されたものである。

三　設置の意義については、法四条の**【注解】**五参照。

専修学校の設置には、高等課程、専門課程又は一般課程の設置を含むものである。すなわち、既設の専修学校に新たに課程を設置する場合、例えば高等課程のみを置く専修学校が、新たに専門課程を設置する場合がこれに当たる。

四　設置認可のための基準として法及び施行規則に定めるもののほか、専修学校設置基準が定められている。専修学校設置基準は、専修学校を設置するのに必要な最低の基準を定めたもので、組織編制、教育課程、教員、施設及び設備等について、所要の規定を設けている（法一二八条の**【注解】**参照）。

五　専修学校の設置（高等課程、専門課程又は一般課程の設置を含む）についての認可申請は、認可申請書に次の事項を記載した書類及び校地校舎等の図面を添えてしなければならないこととされている（施行規則一八七条で三条・四条を準用している）。

(1)　目的

(2)　名称

(3) 位置
(4) 学則
(5) 経費の見積り及び維持方法
(6) 開設の時期

この場合、学則中には、少なくとも、次の事項を記載しなければならない。

(1) 修業年限、学年、学期及び授業を行わない日（休業日）に関する事項
(2) 部科及び課程の組織に関する事項
(3) 教育課程及び授業日時数に関する事項
(4) 学習の評価及び課程修了の認定に関する事項
(5) 収容定員及び職員組織に関する事項
(6) 入学、退学、転学、休学及び卒業に関する事項
(7) 授業料、入学料その他の費用徴収に関する事項
(8) 賞罰に関する事項
(9) 寄宿舎に関する事項

なお、通信制の学科を置く専修学校については、これらの事項のほか、次の事項も学則中に記載しなければならない（施行規則一八七条二項）。

(10) 通信教育を行う区域に関する事項
(11) 面接による指導の実施に係る体制に関する事項

六 「廃止」の意義については、法四条の**【注解】五**参照。

専修学校の廃止（高等課程、専門課程又は一般課程の廃止を含む）についての認可申請は、認可申請書に廃止の事由及び時期並びに生徒の処置方法を記載した書類を添えてしなければならない（施行規則一八八条で一五条を準用している）。

七　「設置者の変更」の意義については、法四条の**【注解】五**参照。

専修学校の設置者については、法一二七条に定める要件を備えるならば、必ずしも、国・地方公共団体及び学校法人に限定されない。したがって、個人立の専修学校を学校法人立の専修学校としたり、財団法人立の専修学校を社団法人立の専修学校とすることも設置者の変更として可能である。

専修学校の設置者の変更についての認可の申請は、認可申請書に、当該設置者の変更に関係する地方公共団体、学校法人等の法人又は私人が連署して、変更前及び変更後の①目的、②名称、③位置、④学則、⑤経費の見積り及び維持方法の事項並びに変更の事由及び時期を記載した書類を添えてしなければならない（施行規則一八九条で関連規定を準用している）。

八　「目的」の意義については、法一二八条の**【注解】二**参照。

専修学校については、目的に応じた分野が区分されており、専修学校設置基準の別表一から別表四に示される工業関係、農業関係、医療関係、衛生関係、教育・社会福祉関係、商業実務関係、服飾・家政関係及び文化・教養関係の八つの区分が設けられている。目的の変更とは、具体的な認可申請書の添付書類に記載された目的の文言の変更のほか、目的に応じた分野の変更又は新設を含むものである。したがって、例えば工業関係の専修学校が、新たに商業実務関係の学科を設置しようとする場合、学則の変更として届出を要する（法一三一条参照）ほか、目的の変更として認可を受けなければならない。

目的の変更を認可にかからしめたのは、以下のような理由による。従来、各種学校の目的の変更は、旧施行令において認可事項と定められていた（旧施行令二三条二号）が、私立の各種学校については、私立学校法（旧四条一項）におい

て所轄庁の権限として認可を行える事項が限定されていることから、反対解釈として、届出事項にとどまると解されていた。これに対し、専修学校については、例えば、外国語学校である専修学校がその目的を変更して経理学校になるような場合、教員の資格、必要な設備、入学者などが全く異なるものであり、専修学校としての同一性が保たれているかどうか問題であった。このような場合には、むしろ同一性がないとして、設置廃止の手続によることが望ましいものであり、これらの点を目的の変更として認可事項にし、適正な判断に係らしめることとしたものである。

専修学校の目的の変更についての認可の申請は、認可申請書に、次の事項を記載した書類及び目的の変更に伴い設置又は廃止されることとなった基本組織の使用に係る部分の校地校舎等の図面を添えてしなければならない（施行規則一八九条で関連規定を準用している）。

(1) 事由
(2) 名称
(3) 位置
(4) 学則の変更事項
(5) 経費の見積り及び維持方法
(6) 開設の時期

なお、これら【注解】五から八までに述べた手続については、私立については都道府県知事、市町村立については都道府県教育委員会において様式等を定めているので、その定める様式によらなければならないものである。

九 二項及び三項は、専修学校の設置認可申請について、審査する場合の基準を明らかにしたものである。専修学校の設置の認可の申請があったときは、次の基準に従って認可するかどうかを判断することとなる。

(1) 職業若しくは実際生活に必要な能力を育成し、又は教養の向上を図ることを目的として次の各号に該当する組

織的な教育を行う施設であるかどうか（法一二四条）。
① 修業年限が一年以上であること。
② 授業時数が専修学校設置基準で定める授業時数（昼間学科は年間八〇〇単位時間、夜間等学科は年間四五〇単位時間）以上であること。
③ 教育を受ける者が常時四〇人以上であること。
(2) その設置しようとする課程が高等課程の場合は、入学資格の定め等に照らし、中学校を卒業した者や義務教育学校の卒業者、中等教育学校の前期課程を修了した者等に対し中学校における教育の基礎の上に心身の発達に応じて教育を行うこと、あるいは専門課程の場合は、高等学校（中等教育学校）を卒業した者等に対し高等学校（中等教育学校）における教育の基礎の上に教育を行うことを目的とするものであるかどうか（法一二五条）。
(3) その設置者が次の要件に該当するものであるかどうか（法一二七条）。
① 専修学校を経営するために必要な経済的基礎を有すること。
② 設置者が専修学校を経営するために必要な知識又は経験を有すること。
③ 設置者が社会的信望を有すること。
(4) 設置基準に適合するかどうか（法一二八条）。
① 教員の数、校地及び校舎の面積、位置及び環境並びに施設及び設備が目的、生徒数又は課程の種類に応じて専修学校設置基準に適合するものであるかどうか。
② 教育課程及び編制の大綱が、目的又は課程の種類に応じて文部科学大臣が定めた大綱に適合するものであるかどうか。
(5) 校長となるべき者が、教育に関する識見を有し、かつ、教育、学術又は文化に関する業務に従事した者である

かどうか、また、教員となるべき者が、その担当する教育に関する専門的な知識又は技能に関し専修学校設置基準で定める資格を有する者であるかどうか（法一二九条）。さらに、これらの者が、法九条に規定する欠格事由に該当する者でないかどうか（法一三三条一項）。

これらの基準は、設置者の変更及び目的の変更の認可の申請についても準用される。

一〇　認可に関する処分とは、認可又は不認可の処分をいう。

認可申請のための手続については、施行令二八条により文部科学省令に委任されている。施行規則一八七条から一八九条までにおいて、それぞれ同規則三条、四条、一一条、一四条、一五条の規定が準用されているほか、一九条の規定が準用されているので、認可申請の手続その他の細則については市町村の設置する専修学校にあっては都道府県教育委員会、私立の専修学校にあっては都道府県知事が定めることとなるわけである。

一一　四項は、都道府県教育委員会又は都道府県知事は、認可をしない処分をするときは、理由を付した書面をもって申請者にその旨通知しなければならないと定めている。これは、申請者の利益を保護するとともに、処分の適正の確保に資するためである。

不認可の処分を受けた場合には、申請者は、行政不服審査法に基づいて行政庁に不服申立てをし、又は行政事件訴訟法の定めるところにより裁判所に訴訟を提起してこれを争い、あるいは瑕疵を補正してあらためて申請するということも予想されるところであるが、それらをするに当たっては、申請者にとってどのような理由で不認可になったかを了知しておくことが極めて重要なことである。すなわち、不認可処分を受けた申請者がその利益を守る方途を講じるに当たっての手がかりを提供しようとするものである。

また、申請者に対する通知を通じて不認可の理由を外部に明らかにすべきことを法律上要請されることは、実際上、都道府県教育委員会又は都道府県知事の処分をより慎重ならしめ、処分の適正の確保に資するところがあるとい

える。

なお、行政手続法が平成六年一〇月一日から施行され、同法八条には、申請により求められた許認可等を拒否する処分をする場合の理由の提示を義務づける規定が設けられたが、その際、本条四項の規定の改正は行われていないので、専修学校の設置廃止等の認可をしない処分については、本条四項の規定が、行政手続法に対する「特別の定め」（行政手続法一条二項）として優先することとなる。

〔専修学校の届出事項〕

第百三十一条　国又は都道府県が設置する専修学校を除くほか、専修学校の設置者は、その設置する専修学校の名称、位置又は学則を変更しようとするときその他政令で定める場合に該当するときは、市町村の設置する専修学校にあつては都道府県の教育委員会に、私立の専修学校にあつては都道府県知事に届け出なければならない。

【沿　革】　昭五〇・七・一一法五九により新設した。

平一一・七・一六法八七により、「国又は都道府県が設置する専修学校を除くほか、」を追加し、「監督庁」を「市町村の設置する専修学校にあつては都道府県の教育委員会に、私立の専修学校にあつては都道府県知事」に改めた。

平一九・六・二七法九六により、旧八二条の九から一三一条に移動した。

【参照条文】　法一三三条。施行令二四条の三。施行規則一八八条、一八九条。

【注　解】

一　専修学校に関して認可事項と届出事項とを区分し、認可事項については前条に規定し、届出事項については、本条に規定する。専修学校に関して都道府県教育委員会又は都道府県知事に届け出なければならない事項は次のとお

りである（(4)及び(5)については、施行令二四条の三で定められている。ただし、市町村立専修学校にあっては(4)の場合のみ）。

(1) 名称の変更
(2) 位置の変更
(3) 学則の変更
(4) 分校の設置又は廃止
(5) 校地・校舎その他直接教育の用に供する土地建物に関する権利の取得、処分又は用途の変更、改築等による現状の重要な変更

なお、(4)の分校の設置については、①設置される場所が、へき地等であって通学上の便宜のため地域の要望が強いこと、②独立した専修学校となる程度の規模を有していないこと、③教育機能も当該分校のみでは完結せず、教員、実習施設等について本校と一体となって教育を行うような形態であること等の要件を満たす場合に認められるものであり、実体が独立した専修学校としての要件を備えているものは、独立の専修学校としての設置認可を受けなければならないものである。

また、私立の各種学校の収容定員に係る学則の変更は認可事項の一とされている（施行令二三条一一号）のに対し、専修学校の場合は、学則を変更する場合には都道府県知事等に届け出なければならない（法一三一条）と定められているのみで、収用定員に係る学則変更を特に認可にかからしめるという根拠規定はない。

これは、専修学校は柔軟な制度の下で、社会の多様な要請に即応して、自由に発展していくところにその特色があることから、定員変更についても届出で足りることとしたものである。

以上のほか、私立専修学校の校長については、法一三三条において準用する法一〇条の規定により、都道府県知事に届け出なければならない（法一〇条の【注解】二参照）。

二　専修学校に関する設置者の届出の手続の細則については、施行令二八条で施行規則に委任されている。その概要は、次のとおりである。

(1)　専修学校の名称の変更、位置の変更又は学則の変更（学科の設置廃止に係るものを除く）についての届出は、届出書に、変更の事由及び時期を記載した書類を添えてしなければならない（施行規則一八九条で五条を準用している）。

(2)　専修学校の目的の変更に係らない学科の設置に係る学則の変更についての届出は、届出書に、当該学科に関する次の事項を記載した書類及び当該学科の使用に係る部分の校地校舎等の図面を添えてしなければならない（施行規則一八九条で一一条・七条を準用している）。

①　事由
②　名称
③　位置
④　学則の変更事項
⑤　経費の見積り及び維持方法
⑥　開設の時期

(3)　専修学校の分校の設置についての届出は、届出書に、前記(2)の①から⑥までの事項を記載した書類及び校地校舎等の図面を添えてしなければならない（施行規則一八九条で七条を準用している）。

(4)　専修学校の目的の変更に係らない学科の廃止に係る学則の変更及び分校の廃止についての届出は、届出書に、廃止の事由及び時期並びに生徒の処置方法を記載した書類を添えてしなければならない（施行規則一八八条で一五条を準用している）。

(5)　専修学校の校地、校舎その他直接教育の用に供する土地建物の取得、処分及び重要な現状変更に係る届出は、

届出書に、その事由及び時期を記載した書類並びに当該校地校舎等の図面を添えてしなければならない（施行規則一八九条で六条を準用している）。

(6) 私立専修学校が、校長を定め、都道府県知事に届け出るに当たっては、その履歴書を添えなければならない（施行規則一八九条で二七条を準用している）。

〔大学への編入学〕

第百三十二条 専修学校の専門課程（修業年限が二年以上であることその他の文部科学大臣の定める基準を満たすものに限る。）を修了した者（第九十条第一項に規定する者に限る。）は、文部科学大臣の定めるところにより、大学に編入学することができる。

【沿　革】 平一〇・六・一二法一〇一により新設した。
平一一・一二・二二法一六〇により、「文部大臣」を「文部科学大臣」に改めた。
平一三・七・一一法一〇五により、「第五十六条」の下に「第一項」を加えた。
平一九・六・二七法九六により、旧八二条の一〇から一三二条へ移動し、「第五十六条」を「第九十条」に改めた。

【参照条文】 施行規則一八六条。

【注　解】

一　本条は、専修学校の専門課程（専門学校）の修了者が文部科学大臣の定めるところにより大学に編入学することができる旨の規定である。

「編入学」とは、教育課程の一部を省いて途中から履修すべく他の種類の異なる学校に入学することで、法令上の

修業年限や卒業要件の例外となるため、法令上の根拠が必要とされている。本条はその根拠規定となるものである。

専門学校卒業者の中には、大学において、さらに学習を行うことを希望する者がいる。大学がこうした学生を受け入れることは、学習ニーズの多様化に適切に応えるものであるとともに、学生の選択の幅を拡げ高等教育における学生の流動性を高める観点からも有意義である。また、学校教育制度におけるいわゆる袋小路をできるだけ解消することが望ましいことから、一定の要件を満たす専門学校卒業者に対して大学への編入学の途を開いていくことが適当である。本条は、このような趣旨に基づき、大学審議会（当時）の答申（平成九年一二月一八日）を踏まえて設けられたものである。

本条の大学には短期大学も含まれるものであり、専門学校卒業者は、本条に基づき、短期大学にも編入学することができる。

二　編入学が認められる専門学校は、修業年限が二年以上であることその他の文部科学大臣の定める基準を満たすものに限られる。専門学校の制度の特色として、多様な形態の学校が認められているが、現行の学校教育体系の中においてはすべての専門学校の卒業者について大学への編入学を認めることは適当ではない。そのため、編入学を認める専門学校については、大学入学資格を付与している専修学校高等課程の認定の際の考え方、大学への編入学が認められている短期大学や高等専門学校の修業年限や総授業時数の現状などを踏まえながら総合的に判断して、文部科学大臣が定める基準が定められたものである。文部科学大臣の定める基準として、施行規則一八六条において、次のように規定されている。

(1)　修業年限が二年以上であること。

(2)　課程の修了に必要な総授業時数が別に定める授業時数以上であること。ただし、一八三条の二第二項の規定により学年による教育課程の区分を設けない学科及び専修学校設置基準五条一項に規定する通信制の学科にあって

は、課程の修了に必要な総単位数が別に定める単位数以上であること。

この総授業時数に関する文部科学大臣の定めとして、「専修学校の専門課程を修了した者が大学へ編入学できる専修学校の専門課程の総授業時数を定める件」（平一〇文部省告示一二五）において、学年制による学科については、全課程の修了に必要な総授業時数が千七百単位時間以上、単位制による学科及び通信制の学科については、全課程の修了に必要な総単位数が六二単位以上とすることが定められている。

三　大学への編入学が認められるのは、専門学校を卒業した者であり、専門学校を中途退学した者などは含まれない。短期大学や高等専門学校についても同様の規定が設けられており、これらの学校から大学への編入学についても、それぞれの学校を卒業した者に限られている（短期大学については法一〇八条七項、高等専門学校については法一二二条）。これは、初等中等教育段階とは異なり、高等教育段階においては、専門学校等が大学とは異なる目的・修業年限をもつ、それぞれ完結した教育機関であり、基本的に大学への接続を予定したものではないことを前提としつつ、さらに高度な内容を学びたいという者の向学心に応えるとともに、学校制度としての袋小路を解消するなどの観点から、卒業者に限って大学への編入学の途を開いていることによるものである。

一方、専門学校を卒業した者であれば、本条の新設以前に専門学校を卒業した者も本条の対象となる。これは、学習者の学習意欲にできる限り広く応えていくことが適当であることや社会人の再教育の推進の観点などから、文部科学大臣の定める基準を満たす専門学校の卒業者であれば、過去に修了した者についても編入学の対象とすることが適当であると考えたためである。

また、大学への編入学が認められるのは、「第九十条第一項に規定する者」、すなわち「大学入学資格を有する者」に限られる。編入学とは、異なる学校間の途中入学を示す概念であり、入学の一形態である。したがって、大学への編入学のためには、大学入学資格を有していることが前提となるものであるが、専門学校の卒業者の中には大学入学

資格を有しない者が含まれるため、専門学校の編入学を定める本条において、確認的に規定したものである。この場合の専門学校の卒業者の中で大学入学資格を有しない者としては、大学入学資格を付与されていない専修学校の高等課程（三年以上のもの）を修了した後に専修学校専門課程へ進んだ者等が挙げられる。

なお、法九〇条二項の規定により大学に飛び入学した者には専門課程への入学資格を認めることができるが（施行規則一八三条二号）、その場合も大学入学資格そのものは与えられていないため、この専門課程が大学編入学の要件を満たしており、かつ、飛び入学者がこの課程を卒業したとしても、別途、高等学校卒業資格を取得しない限り、大学への編入学資格は認められないこととなる。

四 専門学校を卒業した者は、文部科学大臣の定めるところにより、大学に編入学することができる。この文部科学大臣の定めとして、施行規則一八六条二項に規定が設けられている（同様の規定が短期大学及び高等専門学校においても定められている。短期大学については同一六一条、高等専門学校については同一七八条）。

（大学編入学の基準）

第百八十六条

2 前項の基準を満たす専修学校の専門課程を修了した者は、編入学しようとする大学の定めるところにより、当該大学の修業年限から、修了した専修学校の専門課程における修業年限に相当する年数以下の期間を控除した期間を在学すべき期間として、当該大学に編入学することができる。ただし、在学すべき期間は、一年を下ってはならない。

五 本条により大学への編入学が認められる専門学校の卒業者には、短期大学や高等専門学校の卒業者と同様に独立行政法人大学改革支援・学位授与機構による学士の学位授与の基礎資格が認められている（学位規則六条一項二号）。

六 本条により大学への編入学が認められる専門学校の卒業者には、施行規則一五五条二項二号により、短期大学の専攻科への入学資格が、施行規則一七七条二号により、高等専門学校の専攻科への入学資格が認められている。

【通　知】

○学校教育法等の一部を改正する法律等の公布について（抄）

（平一〇・八・一四　文高専一八五号　各国公私立大学長、各国公私立高等専門学校長、学位授与機構長、放送大学長、各都道府県知事、各都道府県教育委員会、大学を設置する地方公共団体（都道府県を除く。）の長、大学又は高等専門学校を設置する各学校法人の理事長、放送大学学園理事長あて　文部省高等教育局長・文部省生涯学習局長通知）

第一四二回国会で制定された「学校教育法等の一部を改正する法律」（以下「改正法」という。）が平成一〇年六月一二日法律第一〇一号として公布されました。

これを受け、「学校教育法施行規則の一部を改正する省令」及び「大学への編入学に係る専修学校の専門課程の総授業時数を定める件」（以下それぞれ「改正施行規則」、「告示」という。）がそれぞれ平成一〇年八月一四日文部省令第三三号、平成一〇年八月一四日文部省告示第一二五号をもって公布されました。

また、本改正とともに、「学位規則を改正する省令」（以下、「改正学位規則」という。）が平成一〇年八月一四日文部省令第三四号をもって公布されました。

この改正法等の概要および留意点は下記のとおりですので、それぞれ関係のある事項について十分御了知の上、改正法施行の際には、その運用にあたって遺漏のないようお取り計らいください。

第一　改正法制定の趣旨

来るべき二一世紀において、一人一人がそれぞれの個性や創造性を伸ばし、我が国が活力ある社会として発展していくためには、学校教育制度について、できる限り一人一人の能力・適性、興味・関心、進路希望等に応じた多様で柔軟なものとなるよう改革を図っていく必要がある。

このような観点から、高等教育の段階においても制度の弾力化を図ることが求められており、専修学校の専門課程で文部大臣の定める基準を満たすものを修了した者が大学に編入学できることとするとともに、大学の学生以外の者で大学の単位を修得した者が当該大学に入学する場合に、相当期間を修業年限に通算できることとするため、学校教育法（昭和二二年法律第二六号）の所要の改正を行ったものである。

第二　専修学校の専門課程修了者の大学編入学について

1　概要

(1)　専修学校の専門課程のうち、文部大臣の定める基準を満たすものを修了した者（ただし、学校教育法第五六条に規定する大学入学資格を有する者に限る。）は、大学に編入学することができることとしたこと（学校教育法第八二条の一〇〔現行法一三二条〕）。

文部大臣の定める基準は、修業年限が二年以上で、かつ、課程の修了に必要な総授業時数が一七〇〇時間以上であることとしたこと（学校教育法施行規則第七七条の八〔現行一八六条〕

第一項、告示）。

(2)　同基準を満たす専修学校の専門課程を修了した者は、大学の定めるところにより、当該大学の修業年限から、修了した専門課程における修業年限に相当する年数以下の期間を控除した期間で一年を下らない期間を在学すべき期間として、当該大学に編入学することができることとしたこと（学校教育法施行規則第七七条の八〔現行一八六条〕第二項）。

(3)　併せて、高等専門学校から大学及び短期大学への編入学に関する規定と短期大学から大学への編入学に関する規定をそれぞれ独立した規定としたこと（学校教育法施行規則第七〇条の三〔現行一六一条〕、第七二条の六〔現行一七八条〕）。

(4)　これらの改正については、平成一一年四月一日から施行すること（改正法及び改正施行規則附則）。

2　留意事項

(1)　ここでいう「大学」には短期大学を含む。

(2)　基準を満たす専門課程の修了者であれば、改正法の施行以前に修了した者についても編入学の対象となる。

(3)　各大学においては、編入学を希望する者が修了した専修学校の専門課程が基準を満たしていることについて、確認をした上で編入学の許可をすることとなるが、その確認に当たっては以下の方法が考えられる。

ア　各専修学校が発行する修業年限二年以上で、かつ、修了に必要な総授業時数が一七〇〇時間以上の専門課程を修了したことを証明する証明書を、編入学を希望する者から提出させる。

イ　平成六年六月二一日文部省告示第八四号の規定により専門士の称号の付与が認められた課程であれば、修業年限二年以上で、かつ、修了に必要な総授業時数が一七〇〇時間以上の専門課程であることを確認できる。ただし、平成六年以前に当該課程を修了した者については別途確認が必要である。

ウ　保健婦助産婦看護婦学校養成所指定規則（昭和二六年文部・厚生省令第一号）、診療放射線技師学校養成所指定規則（昭和二六年文部・厚生省令第四号）等に修業年限及び総授業時数が定められており、これにより、修業年限二年以上で、かつ、修了に必要な総授業時数が一七〇〇時間以上の専門課程であることを確認することも可能である。ただし、当該指定を受ける以前に当該課程を修了した者については別途確認が必要である。

エ　ア〜ウにより難い場合には、当該専修学校を所管する都道府県または都道府県教育委員会（以下「所轄庁」という。）に照会することにより、当該課程が本件に係る基準を満たしていることを確認する。なお、関係書類の滅失等により所轄庁に照会しても確認が困難な場合があり得るが、この場合においても、編入学を希望する者からの修了証明書や成績証明書等によって判断するなどの方法により確認に努められたい。

(4)　編入学を希望する者が修了した専修学校の専門課程が基準を満たしていることを確認した上で、編入学の許可に当たって

は、志願者が修了した専門課程の学科の分野や履修内容について考慮することが必要である。

(5) 編入学した大学における修業年限から控除する期間を定める場合には、編入学者が十分な学修成果を得られるよう、専修学校における授業科目の履修状況などを考慮しながら、当該大学における教育を組織的・体系的に受けられるよう相当な期間を確保することが必要である。

第三 短期大学及び高等専門学校の専攻科の入学資格について

1 概要

(1) 高等専門学校の卒業者及び大学への編入学が認められた専修学校の専門課程の修了者が短期大学の専攻科に入学できることとなったこと（学校教育法施行規則第七〇条〔現行一五五条〕第二項）。

(2) 短期大学の卒業者及び大学への編入学が認められた専修学校の専門課程の修了者が高等専門学校の専攻科に入学できることとなったこと（学校教育法施行規則第七二条の五〔現行一七七条〕）。

(3) これらの改正については、平成一一年四月一日から施行すること（改正施行規則附則）。

2 留意事項

(1) 大学に編入学することができる基準を満たす専門課程の修了者であれば、改正規則の施行以前に修了した者についても専攻科の入学資格の対象となる。

(2) 短期大学又は高等専門学校の専攻科に入学を希望する者が、修了した専修学校の専門課程が大学に編入学することができる基準を満たしていることを確認する手続等については、第二に記述された大学への編入学に関する手続を参照すること。

第四 （略）

第五 学位規則の一部を改正する省令関係

1 概要

(1) 学校教育法第六八条の二第三項〔現行法一〇四条四項〕第一号による学士の学位の授与に関し、短期大学若しくは高等専門学校を卒業した者に準ずる者として、専修学校の専門課程を修了した者のうち大学に編入学することができるものを追加したこと（学位規則第六条第一項関係）。

(2) この改正については、平成一一年四月一日から施行すること（改正学位規則附則）。

2 留意事項

大学に編入学することができる基準を満たす専門課程を修了した者であれば、改正規則の施行以前に修了した者についても、学位授与機構の学士の学位授与の基礎資格を有すること。

七 誰もがアクセスしやすい柔軟な高等教育システムを構築し、学習者の立場に立って相互の接続の円滑化を図る一環として、専修学校の専門課程のうち、一定の要件を満たすと認められたものを修了した者に対して、平成一七年

九月より大学院入学資格が認められている（法一〇二条の【注解】一、法一二五条の【注解】四参照）。

これに関する文部科学大臣の定めとして、「専修学校の専門課程のうち、当該課程を修了した者が大学（短期大学を除く。）の専攻科又は大学院への入学に関し大学を卒業した者と同等以上の学力があると認められるものに係る基準を定める件」（平一七文部科学省告示一三八号）がある。ここにおいて、修了者に大学院への入学資格が認められる専門学校の基準としては、修業年限が四年以上であり、かつ、学年制による学科については、全課程の修了に必要な総授業時数が三四〇〇単位時間以上、単位制による学科及び通信制の学科については、全課程の修了に必要な総単位数が一二四単位以上であること等が定められている。

〔準用規定〕

第百三十三条　第五条、第六条、第九条から第十二条まで、第十三条第一項、第十四条及び第四十二条から第四十四条までの規定は専修学校に、第百五条の規定は専門課程を置く専修学校に準用する。この場合において、第十条中「大学及び高等専門学校にあつては文部科学大臣に、大学及び高等専門学校以外の学校にあつては都道府県知事に」とあるのは「都道府県知事に」と、同項中「第四条第一項各号に掲げる学校」とあるのは「市町村の設置する専修学校又は私立の専修学校」と、「同項各号に定める者」とあるのは「都道府県の教育委員会又は都道府県知事」と、同項第二号中「その者」とあるのは「当該都道府県の教育委員会又は都道府県知事」と、第十四条中「大学及び高等専門学校以外の市町村の設置する学校については都道府県の教育委員会、大学及び高等専門学校以外の私立学校については都道府県知事」とあるのは「市町村の設置する専修学校については都道府県の教育委員会、私立の専修学校については都道府県知事」と読み替えるものとする。

② 都道府県の教育委員会又は都道府県知事は、前項において準用する第十三条第一項の規定による処分をするとき

は、理由を付した書面をもつて当該専修学校の設置者にその旨を通知しなければならない。


【沿　革】　昭五〇・七・一一法五九により新設した。

平五・一一・一二法八九により、第二項を削り、現第二項中「第一項」を「前項」に改めた。

平一〇・六・一二法一〇一により、一条繰り下げた。

平一一・七・一六法八七により、第一項に後段を加え第二項中「監督庁」を「都道府県の教育委員会又は都道府県知事」に改めた。

平一一・一二・二二法一六〇により、第一項中「文部大臣」を「文部科学大臣」に改めた。

平一四・一一・二九法一一八により、第一項中「公立又は私立の大学及び高等専門学校並びに放送大学学園の設置する大学については文部科学大臣、」を削除。

平一九・六・二七法九六により、旧八二条の一一から一三三条に移動し、「第三十四条の規定は、」を「第四十二条から第四十四条までの規定は専修学校に、第百五条の規定は専門課程を置く」に改めた。

平二三・五・二法三七により、第一項中「第十四条まで」を「第十二条まで、第十三条第一項、第十四条」に、「第十三条」を「同項」に、「同条第二号」を「同項第二号」に改め、第二項中「第十三条」を「第十三条第一項」に改めた。

【参照条文】　法一二七条、一二九条、一四三条。施行規則一八九条。私立学校法四条、五条、八条、六四条。学校保健安全法三二条。

【注　解】

一　本条一項は、法一条の学校に関する経費の負担、授業料の徴収、校長又は教員の欠格事由、私立学校の校長の届出、児童等に対する懲戒、保健、監督庁の閉鎖命令及び変更命令並びに私立学校の所管庁の規定を専修学校に準用することを定めた規定である（法一条の【注解】五参照）。また、本条二項は、都道府県教育委員会又は都道府県知事が閉鎖命令を出そうとする場合の手続規定を設けることにより、設置者の利益を保護するとともに処分の適正の確保に

資するための規定である。

二　本条一項により専修学校に準用される法の規定について、留意すべき点は、次のとおりである。

準用される法一〇条の規定により、私立専修学校の校長の届け出先は、都道府県知事である。

準用される法一二条中の「別に法律で定めるところ」としては、学校保健安全法三二条の規定があり、専修学校には、国及び地方公共団体の責務、学校保健に関する学校の設置者の責務、学校保健計画の策定等、学校環境衛生基準、健康相談、保健指導、地域の医療機関等との連携、生徒・職員の健康診断、感染症の予防、学校安全等について同法の規定が準用される。

準用される法一三条一項の規定及び読み替え規定により、市町村立専修学校については都道府県教育委員会が、私立専修学校については都道府県知事が閉鎖命令を出すこととなる。なお、都道府県知事が、私立専修学校について閉鎖命令を出す場合においては、あらかじめ、私立学校審議会の意見を聴かなければならない（私立学校法八条一項を同法六四条一項で私立専修学校に準用）。閉鎖命令に違反した者には罰則が定められている（法一四三条）。

準用される法一四条の規定により、専修学校が法令の規定等に違反したときは、市町村立専修学校については都道府県教育委員会、私立専修学校については都道府県知事が変更命令を出すこととなる。ただし、私立の専修学校には変更命令を出すことができない（私立学校法五条を同法六四条一項で私立専修学校に準用）。

準用される法四二条の規定により、専修学校は、教育活動その他の学校運営の状況について評価を行い、その結果に基づき学校運営の改善を図るため必要な措置を講ずることにより、その教育水準の向上に努めるものとされる（法四二条の準用に伴い、従前の専修学校設置基準における自己評価に関する規定（一条の二）は削除された）。

準用される法四三条の規定により、専修学校は、保護者及び地域住民その他の関係者の理解を深めるとともに、これらの者との連携及び協力の推進に資するため、教育活動その他の学校運営の状況に関する情報を積極的に提供する

ものとされる（法四三条の準用に伴い、従前の専修学校設置基準における情報の積極的な提供に関する規定（一条の三）は削除された）。

準用される法一〇五条の規定により、専門課程を置く専修学校は、当該学校の生徒以外の者を対象とした特別の課程を編成し、これを修了した者に対し、修了の事実を証する証明書を交付することができる。

なお、施行規則一八九条により、専修学校に対して準用される規定は次のとおりである（認可の申請及び届出に係る事項については、法一三〇条及び法一三一条の【注解】参照）。

(1) 出席簿の作成（施行規則二五条の準用）

(2) 生徒の懲戒（同二六条の準用）

(3) 専修学校において備えておくべき表簿及びその保存期間（同二八条の準用）

(4) 卒業証書（同五八条の準用）

(5) 授業終始の時刻（同六〇条の準用）

(6) 自己評価、学校関係者評価、学校評価結果の設置者への報告（同六六条～六八条の準用）

これらのうち、学校評価については、自己評価の実施及び結果公表が義務付けられている一方、学校関係者評価の実施及び結果公表は努力義務とされている（法四二条の【注解】参照）。ただし、文部科学大臣による職業実践専門課程の認定を受けるためには、学校関係者評価を実施し、その結果を公表していることが、要件の一つとなっている（法一二八条の【注解】七参照）。

三　本条二項の規定により、都道府県教育委員会又は都道府県知事は、専修学校の閉鎖を命ずるときは、理由を付した書面をもって当該専修学校の設置者にその旨を通知しなければならない。閉鎖を命ずる場合に理由の告知を定めたのは、設置者の利益を保護するとともに、処分の適正の確保に資するためである。すなわち、専修学校の閉鎖を命

ずる処分に対しては、設置者は、行政不服審査法に基づく不服申立てをし、又は行政事件訴訟法により取消訴訟を提起してこれを争うことが予想されるが、その場合において、当該閉鎖命令が、法一三条各号のいずれに該当するものとしてなされたか、また、具体的にどのような法令違反又は命令違反があったと判断してなされたかを設置者が了知することは、設置者がその利益を擁護する方途を講じる上で極めて重要なことである。また、閉鎖を命ずる理由を告知することは、それにより、設置者を納得せしめ、その後の無用な紛糾を避けることともなる。さらに、設置者に対する理由の告知を通じて処分の理由を公にすることを法律上要請されるということは、実際上、都道府県教育委員会又は都道府県知事の処分をより慎重ならしめ、処分の適正の確保に資することとなるものである。

なお、行政手続法が平成六年一〇月一日から施行され、同法一四条には、不利益処分をする場合の理由の提示を義務づける規定が設けられたが、その際、本条二項の規定は残されたので、専修学校に対する閉鎖命令の場合には、本条二項の規定が、行政手続法に対する「特別の定め」（行政手続法一条二項）として優先することとなる。

また、弁明及び有利な証拠の提出の機会の付与を定めていた旧本条二項の規定は、行政手続法の施行に伴う関係法律の整備に関する法律（平五法八九）により削られたので、専修学校に対する閉鎖命令の場合は、行政手続法一三条に規定する聴聞又は弁明の機会の付与の手続が行われることとなる。

第十二章　雑　則

〔各種学校〕

第百三十四条　第一条に掲げるもの以外のもので、学校教育に類する教育を行うもの（当該教育を行うにつき他の法律に特別の規定があるもの及び第百二十四条に規定する専修学校の教育を行うものを除く。）は、各種学校とする。

②　第四条第一項前段、第五条から第七条まで、第九条から第十一条まで、第十三条第一項、第十四条及び第四十二条から第四十四条までの規定は、各種学校に準用する。この場合において、第四条第一項前段中「次の各号に掲げる学校」とあるのは「市町村の設置する各種学校又は私立の各種学校」と、「当該各号に定める者」とあるのは「都道府県の教育委員会又は都道府県知事」と、第十条中「大学及び高等専門学校にあつては文部科学大臣に、大学及び高等専門学校以外の学校にあつては都道府県知事に」とあるのは「都道府県知事に」と、第十三条第一項中「第四条第一項各号に掲げる学校」とあるのは「市町村の設置する各種学校又は私立の各種学校」と、「同項各号に定める者」とあるのは「都道府県の教育委員会又は都道府県知事」と、同項第二号中「その者」とあるのは「当該都道府県の教育委員会又は都道府県知事」と、第十四条中「大学及び高等専門学校以外の市町村の設置する学校については都道府県の教育委員会、大学及び高等専門学校以外の私立学校については都道府県知事」とあるのは「市町村の設置する各種学校については都道府県の教育委員会、私立の各種学校については都道府県知事」と読み替え

るものとする。

③　前項のほか、各種学校に関し必要な事項は、文部科学大臣が、これを定める。

【沿　革】　昭二五・四・一九法一〇三により、第一項中「教育」の下に「（当該教育を行うにつき他の法律に特別の規定があるものを除く。）」を加え、第二項として「各種学校は、第一条に掲げる学校の名称を用いてはならない」という規定があったが、その「各種学校」の下に「その他第一条に掲げるもの以外の教育施設」を加えた。

昭三六・一〇・三一法一六六により、「の外」を「のほか」に改めた。

昭五〇・七・一一法五九により、「学校教育に類する教育」の下に「を行うもの」を加え、「を除く。）を行うもの」を「及び第八十二条の二に規定する専修学校の教育を行うものを除く。）」に改め、第二項を削除し法八三条の二の一項とした。

平三・五・二一法七九により、「第四条」を「第四条第一項、第五条」に改めた。

平一一・七・一六法八七により、第二項に後段を加え、第三項中「監督庁」を「文部大臣」に改めた。

平一一・一二・二二法一六〇により、第二項及び第三項中「文部大臣」を「文部科学大臣」に改めた。

平一四・一一・二九法一一八により、第二項中「公立又は私立の大学及び高等専門学校並びに放送大学学園の設置する大学については文部科学大臣」を削除。

平一九・六・二七法九六により、旧八三条から一三四条に移動し、第一項中「第八十二条の二」を「第百二十四条」に改め、「これを」を削除し、第二項中「第三十四条」を「第四十二条から第四十四条まで」に改め、「、これを」を削除。

平二三・五・二法三七により、第二項中「第四条第一項、」を「第四条第一項前段、」に、「第十三条」を「第十三条第一項」に、「第四条第一項中」を「第四条第一項前段中」に、「の区分に応じ、それぞれ」を「　」とあるのは「市町村の設置する各種学校又は私立の各種学校」と、「　」に改め、「市町村の設置する各種学校にあつては」を削り、「、私立の各種学校にあつては」を「又は」に、「同条第二号」を「同項第二号」に改めた。

【参照条文】　教育基本法三条。法一条、一二四条、一四二条、一四三条。私立学校法五条、六四条。施行令二三条、二六条の二、二七条の二、二七条の三。施行規則。各種学校規程。

【注　解】

一　各種学校とは、法一条に定める幼稚園、小学校、中学校、義務教育学校、高等学校、中等教育学校、特別支援学校、大学又は高等専門学校以外のもので、学校教育に類する教育を行うものをいう。ただし、学校教育に類する教育を行うものでも、他の法律に特別の規定のあるもの及び専修学校の教育を行うものは各種学校から除かれている。

二「当該教育を行うにつき他の法律に特別の規定があるもの」とは、当該教育施設について、その設置、目的、教科等に関し学校教育法以外の法律に特別の規定があるものをいう。除外規定に該当する教育施設の具体例としては、例えば、職業能力開発促進法に基づく公共職業能力開発施設（同法一六条）、児童福祉法に基づく保育所（同法三九条）、防衛大学校・防衛医科大学校（防衛省設置法一五条・一六条）、水産大学校、航海訓練所、航空大学校及び自治大学校などがある。国家行政組織法により、国の施設等機関は、政令の定めるところにより設置できることから、各省庁の設置法中の研修・訓練施設の設置規定は防衛大学校、防衛医科大学校についてのみ設けられ、その他は、所掌事務の規定中に「政令で定める文教研修施設において」という規定が設けられている。この規定が、本条にいう「他の法律に特別の規定」に該当するものと解され、これらの研修施設は各種学校から除外されることとなる。

なお、保健師助産師看護師養成所、保育士養成施設、栄養士養成施設、調理師養成施設などは、それぞれの法令に基づき文部科学大臣以外の関係大臣の指定を受けている施設であるが、ここにいう「当該教育を行うにつき他の法律に特別の規定があるもの」には該当せず、本条の要件に該当するものは各種学校となり、法一二四条の要件に合致するものは専修学校となるのである。

「専修学校の教育を行うもの」については、法一二四条の【注解】参照。

三　本条二項により、各種学校については、法一条に定める学校に関する本法の若干の規定が準用される（法一条の【注解】五参照）。

(1) 各種学校の設置廃止、設置者の変更その他政令で定める事項に関する監督庁の認可（法四条一項前段を準用）

なお、この規定に基づく政令で定める事項とは、施行令二三条一一号にいう「私立の各種学校の収容定員に係る学則の変更」である。

(2) 各種学校の管理及び経費負担（法五条の準用）

(3) 各種学校における授業料の徴収（法六条の準用）

(4) 校長及び教員の設置（法七条の準用）

(5) 校長及び教員の欠格事由（法九条の準用）

(6) 私立各種学校の校長の届出（法一〇条の準用）

(7) 生徒の懲戒（法一一条の準用）

(8) 各種学校の閉鎖命令（法一三条一項の準用）

なお、この場合、都道府県知事は、あらかじめ私立学校審議会の意見を聴かなければならない（私立学校法八条一項を、同法六四条一項で私立の各種学校についても準用）。

(9) 各種学校の設備、授業等の変更命令（法一四条の準用）

なお、私立各種学校については、私立学校法五条（同法六四条一項により私立の各種学校について準用）により、法一四条の規定の適用が排除されている。

(10) 学校評価（法四二条の準用）

各種学校は、教育活動その他の学校運営の状況について評価を行い、その結果に基づき学校運営の改善を図るため必要な措置を講ずることにより、その教育水準の向上に努めるものとされる（法四二条の準用に伴い、従前の各種学校規程における自己評価に関する規定（二条の二）は削除）。

⑾　情報提供（法四三条の準用）

各種学校は、保護者及び地域住民その他の関係者の理解を深めるとともに、これらの者との連携及び協力の推進に資するため、教育活動その他の学校運営の状況に関する情報を積極的に提供するものとされる（法四三条の準用に伴い、従前の各種学校規程における情報の積極的な提供に関する規定（二条の三）は削除）。

⑿　私立各種学校の所管（法四四条の準用）

四　本条三項の「文部科学大臣の定め」としては、施行規則一九〇条及び一九一条並びに「各種学校規程」（昭三一文部省令三一）がある。

第百九十条　第三条から第七条まで、第十四条、第十五条、第十九条、第二十六条から第二十八条まで及び第六十六条から第六十八条までの規定は、各種学校に準用する。この場合において、第十九条中「公立又は私立の大学及び高等専門学校に係るものにあつては文部科学大臣、大学及び高等専門学校以外の市町村（市町村が単独で又は他の市町村と共同して設立する公立大学法人を含む。）の設置する学校に係るものにあつては都道府県の教育委員会、大学及び高等専門学校以外の私立学校に係るものにあつては都道府県知事」とあるのは「市町村の設置する各種学校に係るものにあつては都道府県の教育委員会、私立の各種学校に係るものにあつては都道府県知事」と、第二十七条中「大学及び高等専門学校にあつては文部科学大臣、大学及び高等専門学校以外の学校にあつては都道府県知事」とあるのは「都道府県知事」と読み替えるものとする。

施行規則一九〇条の規定により、各種学校に対して準用される規定は次のとおりである。

(1)　各種学校設置についての認可の申請の手続（施行規則三条の準用）

(2)　学則の記載事項（同四条の準用）

(3)　各種学校の目的等の変更の届出及び私立の各種学校の収容定員に係る学則の変更の認可の申請の手続（同五条の準用）

(4) 各種学校の校地、校舎等の取得・処分等の届出の手続（同六条の準用）
(5) 各種学校の分校の設置についての認可の申請の手続（同七条の準用）
(6) 各種学校の設置者の変更についての認可の申請の手続（同一四条の準用）
(7) 各種学校又は分校の廃止についての認可の申請の手続（同一五条の準用）
(8) 認可の申請及び届出の手続に関する細則（同一九条の準用）
(9) 生徒の懲戒（同二六条の準用）
(10) 私立各種学校の校長の届出の手続（同二七条の準用）
(11) 各種学校において備えておくべき表簿及びその保存期間（同二八条の準用）
(12) 学校運営自己評価と結果公表義務（同六六条の準用）
(13) 保護者等による学校評価（同六七条の準用）
(14) 学校評価結果報告義務（同六八条の準用）

なお、市町村立各種学校については、法一四二条に基づき、施行令二六条の二に都道府県教育委員会に届け出なければならない事項（目的、名称、位置の変更、分校の設置廃止及び学則の変更）が規定されている。

また、私立各種学校については、地方分権一括法により地方自治法（二条二項）が改正され、地方公共団体が処理すべき事務を法律又は政令で明確に規定することとされたのに伴い、平成一二年に施行令二七条の三が追加され、都道府県知事に届け出なければならない事項（目的、名称、位置、学則（収容定員に係るものを除く）の変更、分校の設置廃止及び校地、校舎等の取得・処分等）が規定されている。

各種学校の施設、設備、教員組織等についての最少かつ最低の必要な事項を定めたものが、各種学校規程である。その内容は次のとおりである。

（水準の維持、向上）
第二条　各種学校は、この省令に定めるところによることはもとより、その水準の維持、向上を図ることに努めなければならない。

（修業期間）
第三条　各種学校の修業期間は、一年以上とする。ただし、簡易に修得することができる技術、技芸等の課程については、三月以上一年未満とすることができる。

（授業時数）
第四条　各種学校の授業時数は、その修業期間が、一年以上の場合にあつては一年間にわたり六百八十時間以上を基準として定めるものとし、一年未満の場合にあつてはその修業期間に応じて授業時数を減じて定めるものとする。

（生徒数）
第五条　各種学校の収容定員は、教員数、施設及び設備その他の条件を考慮して、適当な数を定めるものとする。
2　各種学校の同時に授業を行う生徒数は、四十人以下とする。ただし、特別の事由があり、かつ、教育上支障のない場合は、この限りでない。

（入学資格の明示）
第六条　各種学校は、課程に応じ、一定の入学資格を定め、これを適当な方法によつて明示しなければならない。

（校長）
第七条　各種学校の校長は、教育に関する識見を有し、かつ、教育、学術又は文化に関する職又は業務に従事した者でなければならない。

（教員）
第八条　各種学校には、課程及び生徒数に応じて必要な数の教員を置かなければならない。ただし、三人を下ることができない。
2　各種学校の教員は、その担当する教科に関して専門的な知識、技術、技能等を有する者でなければならない。
3　各種学校の教員は、つねに前項の知識、技術、技能等の向上に努めなければならない。

（位置及び施設、設備）
第九条　各種学校の位置は、教育上及び保健衛生上適切な環境に定めなければならない。
2　各種学校には、その教育の目的を実現するために必要な校地、校舎、校具その他の施設、設備を備えなければならない。
第十条　各種学校の校舎の面積は、百十五・七〇平方メートル以上とし、かつ、同時に授業を行う生徒一人当り二・三一平方メートル以上とする。ただし、地域の実態その他により特別の事情があり、かつ、教育上支障がない場合は、この限りでない。
2　校舎には、教室、管理室、便所その他必要な施設を備えなければならない。
3　各種学校は、課程に応じ、実習場その他の必要な施設を備えなければならない。
4　各種学校は、特別の事情があり、かつ、教育上及び安全上支障がない場合は、他の学校等の施設及び設備を使用することができる。

第十一条　各種学校は、課程及び生徒数に応じ、必要な種類及び数の校具、教具、図書その他の設備を備えなければならない。
2　前項の設備は、学習上有効適切なものであり、かつ、つねに補充し、改善されなければならない。
3　夜間において授業を行う各種学校は、適当な照明設備を備えなければならない。

（名称）
第十二条　各種学校の名称は、各種学校として適当であるとともに、課程にふさわしいものでなければならない。

（標示）
第十三条　各種学校は、設置の認可を受けたことを、公立の各種学校については都道府県教育委員会、私立の各種学校については都道府県知事の定めるところにより標示することができる。

（各種学校の経営）
第十四条　各種学校の経営は、その設置者が学校教育以外の事業を行う場合には、その事業の経営と区別して行われなければならない。
2　各種学校の設置者が個人である場合には、教育に関する識見を有し、かつ、各種学校を経営するにふさわしい者でなければならない。

【通　知】

○学校教育法第八三条〔現行法一三四条〕及び第八四条〔現行法一三六条〕の一部改正について（抄）（昭二五・五・二文管庶一〇八号　都道府県知事、都道府県教育委員会あて文部省管理局長通達）

一　第八三条〔現行法一三四条〕第一項の改正によって、職業安定法に基く職業補導所、児童福祉法に基く保育所等は、「当該教育を行うにつき他の法律に特別の規定があるもの」として各種学校の範囲から除外された。ここに「当該教育を行うにつき他の法律に特別の規定のあるもの」とは、労働大臣が職業安定法第二九条〔編者注：平一一法八五により同条削除〕の規定に基いて、職業補導所の規模、補導種目、補導内容及び補導期間について必要な基準を定め、教科書の編さんについて援助をなし（職業安定法施行規則第二〇条参照）、また厚生大臣が、児童福祉法第四五条の規定に基き、児童福祉施設最低基準〔現行児童福祉施設の設備及び運営に関する基準〕（昭和二三年厚生省令第六三号）第五章の規定により、保育所の設備基準、保育時間、保育内容等を定めているごとく他の法律に特別の規定あるものを意味する。なお理容師養成施設、看護婦養成所等についてはそれぞれ理容師法、保健婦助産婦看護婦法等の規定があるが、これらの法律は、単にこれらの教育施設の卒業者の資格附与の条件について規定しているものにすぎないから、当該教育を行うにつき他の法律に特別の規定をしているものとは認められない。従って、これらは従来通り

各種学校として取扱われる。

○各種学校規程の制定について（抄）（昭三一・一二・二七　文管振四五三号　文部事務次官通達）

1　制定の趣旨

(1)　各種学校が学校教育に類する教育を行うものとしてふさわしい条件を規定することにより各種学校教育の振興を図ったこと。

(2)　学校教育法第八三条第四項〔現行法一三四条三項〕および第八八条〔現行法一四二条〕に基き、各種学校の施設、設備、教員組織等について最少、かつ、最低の必要な事項を規定したこと。

(3)　従来の各種学校に関する通達が実情に則しなくなったため、都道府県監督庁における各種学校の取扱または認可の方針が区々であり、相当の差異が認められたが、これらの従来の通達を改め、各種学校に関する統一的取扱について必要な事項を示したこと。

(4)　一部の各種学校について、従来批判のあった営利的傾向について規制を加え、各種学校が良心的教育的に運営されるべきことを規定した。

2　留意すべき事項

第一条について

「その他の法令」とは、私立学校法、地方教育行政の組織及び運営に関する法律、学校教育法施行令、学校教育法施行規則等をさす。

第三条について

「簡易に修得することができる技術、技芸等の課程」とは、教育課程の内容が簡易である課程または教育課程そのものはかなり専門的なものであっても、その教育課程の内容の範囲が限定された課程、もしくは、すでに一定の基礎的な課程を修了した者を対象として設けられる課程等をいう。

第四条について

「修業期間に応じて授業時数を減じて定める」とは、修業期間が三月以上一年未満の場合に、年間六八〇時間以上の授業時数を基準として、当該修業期間に応じて定めるという趣旨であるが、実際にこれを定めるに当っては、比例して減じた時間数よりも若干増加して定めることが適当であると考えられる。

第五条について

第一項に規定する「その他の条件」とは、各種学校の経営面、地域社会の特殊事情等を意味する。

第六条について

「一定の入学資格」とは、学校教育法第一条の学校の卒業程度、各種学校の課程修了程度または年齢等によることである。また「適当な方法によつて明示しなければならない」とは、このような一定の入学資格を学則に記載すべきことはもとより、その他公告、掲示等を必要とする場合にもそれらによって明示すべきであるという趣旨である。

第七条について

「教育、学術又は文化に関する職又は業務」とは、校長の職

務の重要性にかんがみて、少なくともこれらの職または業務に従事した者でなければ校長となり得ないことを規定したものである。

第八条について

(イ) 第一項について 「課程及び生徒数に応じて」とは、教育課程の内容の高度または複雑な課程には、他の課程よりもより多くの数の教員を必要とすること、ならびに生徒数の増加に応じて当然それ相当の教員を増加することを意味する。

(ロ) 第三項について 各種学校の設置者は、積極的に教員に研修の機会を与えるべきであるが、都道府県監督庁もできるかぎりこれに協力することが望まれる。

第九条について

第二項に規定する「施設、設備」については、自己所有であることが望ましい。

第一〇条について

第一項について

実験、実習等を必要とする課程では、生徒一人当り〇・七坪〔現行二・三一平方メートル〕を上廻る坪数を必要とする。かっこ書は、生徒数が相当増加すれば、一人当りの基準坪数を減じ得ることを規定した。

第一二条について

「各種学校として適当」でなければならないとは、各種学校は学校としてふさわしい名称を使用すべきであるという趣旨であって、研究機関もしくは単なる私塾を意味するような名称は各種学校として不適当である。また学校教育法第一条に規定する学校と紛らわしい名称を用いることも同様に不適当であると考えられる。「課程にふさわしい」ものでなければならないとは、課程の内容および程度と一致しない名称を用いることが不適当であることを明らかにする趣旨である。

第一三条について

認可を受けたことを、都道府県監督庁が定めた一定の様式に従って、標示することができることを規定したものである。

第一四条について

(イ) 第一項について 従来各種学校にみられた営利的傾向を規制し、各種学校経営の自主性を確保しようとしたものであり、各種学校の経営者が学校教育以外の事業を行っている場合には、経理の区分はもとより、経営の形態についても区分して行われなければならない。

(ロ) 第二項について 各種学校の設置者の多くが個人であり、これに対しては従来なんらの規則もないので、個人が設置者である場合の要件について規定した。

3 その他の事項

(1) 通達の廃止について

(イ) 「各種学校の取扱について」(昭和二三年三月一日発学八一号学校教育局長から都道府県知事あて)の通達は、昭和三一年一二月三一日限り廃止されることになる。

(ロ) 「私立学校法の施行について」(昭和二五年三月一四日文管庶第六六号文部事務次官から都道府県知事あて)の通達中、

五、各種学校の認可基準についての部分は、昭和三一年一二月三一日限り廃止されることになる。

(2) 内規の作成等について

(イ) この規程で、都道府県監督庁の裁量に委ねられている事項について、内規を定めることはさしつかえないが、これを定めるに当っては全面的な調整を図る必要上、事前に文部省に連絡協議されたい。

(ロ) この規程の施行と同時に、この規程にていしょくする都道府県の認可基準等は速かに改廃されるよう措置されたい。

(ハ) この規程において規定された事項以外の一般的事項について都道府県監督庁が規則を制定することはさしつかえない。

【行政実例】

○学校法人でない私人も各種学校を設置できるか（昭二五・六・一五　富士宮市教育委員会教育長あて　文部省初等中等教育局長回答）

【照会】 各種学校については、学校教育法第八三条〔現行法一三四条〕に規定されているのであるが同条第三項〔現行二項〕によって同法第二条は準用されないので私立学校法の適用はないから、学校法人によらない私人も設置ができると思料するが、いささか疑義があるので承わりたい。

【回答】 各種学校の設置者について別段の制限規定はないから、私人もこれを設置することができる。

なお、学校法人又はいわゆる準学校法人がこれを設置できることについては、私立学校法第六四条第二項及び第四項を参照されたい。また『同法第二条は準用されないので私立学校法の適用はない」という解釈は誤りである。

○准看護婦養成所は各種学校か。また、その設置の認可を必要とするか（昭二七・九・三〇　秋田県教育委員会教育長あて　文部省初等中等教育局財務課長回答）

【照会】 保健婦助産婦看護婦学校養成所指定規則（昭和二六年文部省厚生省令第一号）に基く県立及びその他の公立の准看護婦養成所は、学校教育法にいう各種学校として教育委員会の認可を必要とするか。

【回答】 保健婦助産婦看護婦法及び保健婦助産婦看護婦学校養成所指定規則は、単にこれらの教育施設の卒業者又は修了者に対する受験資格賦与の条件について規定しているものに過ぎず、当該教育を行なうについて他の法律に特別の規定をしているものとは認められないので、これらの教育施設は各種学校であると解すべきである。

このように指定と認可とは関係がなく、公立のこれらの教育施設の設置については、一般に都道府県教育委員会の認可を必要とするが、県立の各種学校の設置に関することは、県の教育委員会の事務であるから、県立の場合は認可を必要としない。

〔名称の専用〕

第百三十五条　専修学校、各種学校その他第一条に掲げるもの以外の教育施設は、同条に掲げる学校の名称又は大学院の名称を用いてはならない。

②　高等課程を置く専修学校以外の教育施設は高等専修学校の名称を、専門課程を置く専修学校以外の教育施設は専門学校の名称を、専修学校以外の教育施設は専修学校の名称を用いてはならない。

【沿　革】　法制定当初は八三条二項に、「各種学校は、第一条に掲げる学校の名称を用いてはならない」と規定されていたが、昭二五・四・一九法一〇三により、「各種学校」の下に「その他第一条に掲げるもの以外の教育施設」を追加した。昭五〇・七・一一法五九により、同二項を全部改正し本条とした。昭五一・五・二五法二五により、「又は大学院の名称」を追加した。平一九・六・二七法九六により、旧八三条の二から一三五条へ移動した。

【参照条文】　法一条、九七条、一二四条、一二六条、一三四条、一四六条。

【注　解】

一　本条一項は、専修学校、各種学校その他法一条に掲げるもの以外の教育施設は、同条に掲げる学校の名称又は大学院の名称を用いてはならないことを定めている。

本条一項は、一定の教育又は研究上の設置目的を有し、法令の定める設置基準等の条件を具備する法一条に定める学校（以下「一条校」という）の教育を公認するとともに、一条校以外の教育施設が一条校の名称を用いることにより一般私人に不利益を及ぼすことのないようにするために設けられた規定である。本条二項も、専修学校に関し同様の趣旨により設けられた規定である。

「第一条に掲げるもの」とは、幼稚園、小学校、中学校、義務教育学校、高等学校、中等教育学校、特別支援学校、大学及び高等専門学校を指す。専修学校、各種学校は、「第一条に掲げるもの以外の教育施設」の例示であり、「その他第一条に掲げるもの以外の教育施設」としては、例えば、職業能力開発促進法に基づく公共職業能力開発施設、児童福祉法に基づく保育所、防衛省設置法に基づく防衛大学校、防衛医科大学校のように、当該教育を行うにつき学校教育法以外の法律に特別の規定があるもの（これらは専修学校、各種学校から除かれている）や、企業内における従業員教育施設あるいはいわゆる私塾などがある（法一二四条の【注解】三、法一三四条の【注解】二参照）。

「教育施設」でないもの、例えば、娯楽施設等が大学という名称を用いることは、本条に違反するものではない。

「同条に掲げる学校の名称」とは、幼稚園、小学校、中学校、義務教育学校、高等学校、中等教育学校、特別支援学校、大学又は高等専門学校という名称である。したがって、単に「学校」という名称を用いることは差し支えない。なお、例えば、「高等学校」という名称は、「高等」と「学校」とに切り離すことはできない単一の名称であるから、高等商業学校、高等工業学校というような名称を使用することは本条の規定に抵触するものではないが、各種学校等が一条校にまぎらわしい名称を用いることは、学校教育の公共性からいって望ましくない。

「名称を用いてはならない」とは、専修学校、各種学校その他法一条に掲げるもの以外の教育施設が、単に、一条校の名称を称することを禁止している趣旨ではなく、その名称中に当該教育施設の基本的性格を表示する部分として法一条に掲げる学校の名称の文字を用いることを禁ずる趣旨である。学校教育法を改正して高等専門学校制度を創設した際、学校教育法の一部を改正する法律（昭三六法一四四）附則三条において、名称に関する経過措置として、次のような規定を設けていた。

（名称）

第三条　この法律の施行の際、現にその名称中に高等専門学校という文字を用いている各種学校その他学校教育法第一条に掲げるものの以外の教育施設は、同法第八十三条第二項〔現行一三五条一

項〕の規定にかかわらず、昭和三十七年三月三十一日までの間――は、なお従前の名称を用いることができる。

このことは、この規定が、名称中に一条校の名称の文字を用いることを禁じていることを前提にしている。したがって、例えば、各種学校が大学校、短期大学部、高等中学校、実業高等専門学校又は専科大学と称することは本条を設けた立法趣旨に反するものである。ただし、防衛大学校等のように、本条一項の特例として、当該教育施設の名称について、他の法律により、特別の定めをする場合はこの限りでないと考えられる。

なお、国際連合大学については、「国際連合大学本部に関する国際連合と日本国との間の協定の実施に伴う特別措置法」（昭五一法七二）三条三項に本条一項の規定を適用しない旨明記されている。

二　本条二項は、高等課程を置く専修学校以外の教育施設は高等専修学校の名称を、専門課程を置く専修学校以外の教育施設は専門学校の名称を、専修学校以外の教育施設は専修学校の名称を用いてはならないことを定めている。

専門課程とその他の課程を置く専修学校は、専門学校の名称を用いることができるが（法一二六条）、この場合には、専門課程以外の課程については一般課程又は高等課程であることが明確になるよう学則等に明記する必要がある。また、高等課程と一般課程を置く専修学校も、高等専修学校の名称を用いることができるが、この場合も同様である。

専修学校の名称については、法一二六条の**【注解】**参照。

三　本条の規定に違反した者は、法一四六条の規定により、一〇万円以下の罰金に処せられる。

【通　知】

○学校教育法第八三条第二項の解釈について（学校の名称禁止規定・現行法一三五条一項）（昭四〇・二・二七　文総審一八号　労働大臣官房長あて　文部省大臣官房長通知）

学校教育法第八三条第二項（現行法一三五条一項、以下同じ）の規定（一条学校の名称使用禁止）は、一定の教育または研究上の設置目的を有し、法令の定める設置基準等の条件を具備する一条学校の教育活動を公認するとともに、一条学校以外の教育施設が一条学校の名称を用いることにより一般私人に不利益を及ぼすことのないようにするために設けられた規定である。この趣旨および下記の理由により学校教育法第八三条第二項の一条学校の名称使用禁止の規定は、各種学校その他第一条に掲げるもの以外の教育施設が、その名称中に当該教育施設の基本的性格を表示する部分として学校教育法第一条に掲げる学校の名称の文字を用いることを禁じているものと解する。ただし、防衛大学校等のように学校教育法第八三条第二項の特例として、当該教育施設の名称について、他の法律により、特別の定めをする場合は、この限りではない。

記

1　学校教育法の前身である大学令（大正七年勅令第三八六号）では、同令第二一条において「本令ニ依ラサル学校ハ勅定規程ニ別段ノ定アル場合ヲ除クノ外大学ト称シ又ハ其ノ名称ニ大学タルコトヲ示スヘキ文字ヲ用ウルコトヲ得ス」と規定していたが、学校教育法第八三条第二項は、これを継承していること。（両者の表現を比較してわかるように第八三条第二項の規定は前段より後段をより意識した規定であると考えられる。）

なお、大学令施行の際、日本女子大学校、日本大学専門部等その名称中に大学という文字を用いている専門学校があったが、これは、同令附則第二項の「本令施行ノ際現ニ大学ト称シ又ハ其ノ名称ニ大学タルコトヲ示スヘキ文字ヲ用ウル学校ニハ当分ノ内第二一条ノ規定ヲ適用セス」という規定により、特に許容されていたためである。

2　学校教育法を改正して、高等専門学校制度を創設した際、学校教育法の一部を改正する法律（昭和三六年法律第一四四号）附則第三条において、名称に関する経過措置として「この法律の施行の際、現にその名称中に高等専門学校という文字を用いている各種学校その他学校教育法第一条に掲げるもの以外の教育施設は、同法第八三条第二項の規定にかかわらず、昭和三七年三月三一日までの間は、なお、従前の名称を用いることができる」と規定したことは、学校教育法第八三条第二項の規定は、名称中に一条学校の名称の文字を用いることを禁じていることを前提にしていると考えられる。

3　学校教育法第八三条第二項の規定を、単に、一条学校の名称を称することを禁止している趣旨に解するのであれば、大学校、短期大学部、大学院は勿論のこと、高等中学校、実業高等専門学校、専科大学も違法でないことになり、この規定を設けた立法趣

旨を没却することになる。

〔専修学校、各種学校設置の勧告及び教育の停止命令〕

第百三十六条　都道府県の教育委員会（私人の経営に係るものにあつては、都道府県知事）は、学校以外のもの又は専修学校若しくは各種学校以外のものが専修学校又は各種学校の教育を行うものと認める場合においては、関係者に対して、一定の期間内に専修学校設置又は各種学校設置の認可を申請すべき旨を勧告することができる。ただし、その期間は、一箇月を下ることができない。

②　都道府県の教育委員会（私人の経営に係るものにあつては、都道府県知事）は、前項に規定する関係者が、同項の規定による勧告に従わず引き続き専修学校若しくは各種学校の教育を行つているとき、又は専修学校設置若しくは各種学校設置の認可を申請したがその認可が得られなかつた場合において引き続き専修学校若しくは各種学校の教育を行つているときは、当該関係者に対して、当該教育をやめるべき旨を命ずることができる。

③　都道府県知事は、前項の規定による命令をなす場合においては、あらかじめ私立学校審議会の意見を聞かなければならない。

【沿　革】　昭二四・一二・一五法二七〇により、「前項の都道府県監督庁は、各種学校の教育を行うものと認められるものが私人の経営に係る場合には、都道府県知事とする。」を加えた。

昭二五・四・一九法一〇三により、第一項を「都道府県監督庁は、学校又は各種学校以外のものが各種学校の教育を行うものと認める場合においては、関係者に対して、一定の期間内に各種学校設置の認可を申請すべき旨を勧告することができる。但し、その期間は、一箇月を下ることができない。②都道府県監督庁は、前項の関係者が、同項の規定による勧告に従わず引き続き各種学校の教育を行つているとき、又は同項の規定による勧告に従つて各種学校設置の認可を申請したがその認可が得られなかつた場合において引き続き各種学校の教育を行つているときは、当該関係者に対し、当該教育をやめるべ

き旨を命ずることができる。」に改め、第二項中「前項」を「前二項」に改め同項を第三項とし、「都道府県知事は、第二項の規定による命令をなす場合においては、あらかじめ私立学校審議会の意見を聞かなければならない。」を第四項として加えた。

昭三六・一〇・三一法一六六により、第一項中「但し」を「ただし」に改め、第一項及び第二項中「都道府県監督庁」を「都道府県の教育委員会（私人の経営に係るものにあつては、都道府県知事）」に改め、第四項中「第二項」を「前項」に改め、第三項を削除した。

昭五〇・七・一一法五九により、第一項中「学校又は各種学校以外のものが各種学校の教育」を「学校以外のもの又は専修学校若しくは各種学校以外のものが専修学校又は各種学校の教育」に、「各種学校設置」を「専修学校設置又は各種学校設置」に改め、第二項中「前項の関係者」を「前項に規定する関係者」に、「同項の規定による勧告に従つて各種学校設置」を「専修学校設置若しくは各種学校設置」に改めた。

平一九・六・二七法九六により、旧八四条から一三六条へ移動した。

【参照条文】　法一条、一二四条、一三四条、一四三条。私立学校法九条。

【注　解】

一　本条一項は、法一条に定める大学、高等専門学校、高等学校などの学校や専修学校、各種学校としての認可を受けているもの以外のいわゆる無認可の教育施設について、その教育施設が専修学校又は各種学校の教育に該当する教育活動を行っていると認められるときは、都道府県教育委員会又は都道府県知事は、当該教育施設に対して一定の期間内（一箇月以上でなければならない）に専修学校又は各種学校としての認可を受けるよう勧告することができることを定めたものである。

また、本条二項は、一項によって勧告を受けた教育施設が当該勧告に従わない場合又は教育施設が認可の申請を行ったが認可されなかった場合において、当該教育施設が引き続き専修学校又は各種学校の教育に該当する教育活動

を行っているときは、都道府県教育委員会又は都道府県知事は、当該教育施設に対して専修学校又は各種学校の教育に該当する教育活動を行うことをやめるよう命ずることができることを定めたものである。

なお、この命令に違反した場合には、法一四三条の罰則が適用され、六月以下の懲役若しくは禁錮又は二〇万円以下の罰金に処せられる。

本条一項及び二項のような規定を設けた趣旨は、実態上まったく同じような教育活動を行っている教育施設について、一方は認可を受けた公認の教育施設であり他方は無認可のものであるというような、教育を受ける者にとっての紛らわしさをなくすことにある。他方、教育の普及充実を図るという観点から教育施設の種類及び内容等に関し体系的に整備することにより、全国的に一定水準以上の教育を確保し、さらには公認の学校として保護育成するというような施策の遂行にも役立つこととなる。

二　「専修学校又は各種学校の教育を行うものと認める場合」とは、当該教育施設が専修学校又は各種学校としての要件（専修学校設置基準又は各種学校規程を参照）にほぼ該当しているものであると社会通念上認められる場合をいうと解される。

三　「関係者」とは、その教育施設の教育活動に実質的に関係しているすべての者を指す広い概念であると解されるが、実際には当該教育施設の教育面又は管理運営面について実質的に責任を負っている者に限って考えるべきであろう。必ずしも、名義上の代表者に限られない。

四　本条一項の勧告及び二項の命令の規定に、いずれも都道府県教育委員会又は都道府県知事に権限を付与した規定であって、義務付けているものではなく、勧告又は命令を行うか否かは裁量権の逸脱又は濫用に当たらない限りにおいて、都道府県教育委員会又は都道府県知事の裁量に委ねられていると解される。

したがって、都道府県教育委員会又は都道府県知事は、本条の規定を発動することがその教育施設に重大な影響を

与えることにかんがみ、本条の趣旨に照らして、当該教育施設を現状のまま放置することが著しく公益を害すると認められる場合などに限って本条の規定による権限を発動すべきであろう。特に、私人の経営に係る教育施設に対しては、私的自由を制限するという観点からより一層慎重な態度で臨む必要がある。

五　本条三項の規定は、都道府県知事が私人の経営に係る教育施設に対して二項の命令をなす場合には、あらかじめ私立学校審議会（私立学校法九条以下の規定参照）の意見を聞かなければならないことを定めたものである。

本条三項のような規定を設けた趣旨は、二項による命令が、私人の権利を一方的に奪うものであることにかんがみ、当該命令が公正・適切を欠き関係者の権利・利益を不当に害することのないよう、事前に、第三者である私立学校審議会の意見を聞くことにより、慎重かつ適正な処分となることを手続上確保するところにある。

〔社会教育施設の附置及び目的外使用〕

第百三十七条　学校教育上支障のない限り、学校には、社会教育に関する施設を附置し、又は学校の施設を社会教育その他公共のために、利用させることができる。

【沿　革】　平一九・六・二七法九六により、旧八五条から一三七条に移動した。

【参照条文】　憲法八九条。教育基本法一二条、一四条、一五条。社会教育法六章（四三条～四八条）スポーツ基本法一三条。学校施設の確保に関する政令。地方自治法二三八条の四第七項。公職選挙法一六一条。災害対策基本法六四条。災害救助法二六条。消防法二九条。水防法二八条。道路法六八条。

【注　解】

一　本条は、次に掲げる国民学校令三一条の規定に対応するもので、しかも、戦後の教育においては社会教育を重視する必要があるとの観点から教育基本法一二条に社会教育に関する規定が設けられたのと同一の考え方によるもの

である。

○国民学校令

第三十一条　校舎、校地、校具及体操場ハ国民学校ノ目的以外ニ之ヲ使用スルコトヲ得ズ但シ非常変災ノ場合又ハ教育、兵事、産業、衛生、慈善等ノ目的ノ為特別ノ必要アル場合ハ此ノ限ニ在ラズ

二　本法の制定当初は、本条にも学校施設を社会教育の方面に大いに利用する根拠を示すものとしての意味があったが、**【参照条文】**に掲げるような法令の規定が整備されたことにより、現在では、本条は訓示的な意味をもつに過ぎなくなってきている。

三　本条前段の「社会教育に関する施設を附置する」とは、物的な「施設設備」のことを指すのか、公開講座の開設などを意味するのか、必ずしも明確でない。また、法一〇七条（大学における公開講座）の規定と本条前段の関係も不明確である。

四　本条後段は、学校施設の目的外使用の問題であり、現在は、公立の学校については、行政財産の目的外使用の基準によって運用されている。

公立学校については、地方自治法に次のような規定があり、それに基づいて各地方公共団体で公有財産事務取扱規則、教育施設使用規則などで、具体的な使用許可基準が定められている。

（行政財産の管理及び処分）

第二百三十八条の四　行政財産は、次項から第四項までに定めるものを除くほか、これを貸し付け、交換し、売り払い、譲与し、出資の目的とし、若しくは信託し、又はこれに私権を設定することができない。

2　行政財産は、次に掲げる場合には、その用途又は目的を妨げない限度において、貸し付け、又は私権を設定することができる。

（中略）

6　第一項の規定に違反する行為は、これを無効とする。
7　行政財産は、その用途又は目的を妨げない限度においてその使用を許可することができる。
8　前項の規定による許可を受けてする行政財産の使用については、借地借家法（平成三年法律第九十号）の規定は、これを適用しない。
9　第七項の規定により行政財産の使用を許可した場合において、公用若しくは公共用に供するため必要を生じたとき、又は許可の条件に違反する行為があると認めるときは、普通地方公共団体の長又は委員会は、その許可を取り消すことができる。

五　本条後段の趣旨について、従来の解釈では、積極的要件として「社会教育その他公共のため」の使用である場合に、消極的要件として「学校教育上支障のない」のであれば、学校施設を使用させることができるのであり、その他の場合には使用させることができないと考えられていた。したがって、「社会教育その他公共のため」といえるか否かの判断を行っていた。すなわち、特定政党が学校施設を利用することは、通常の場合は、「学校教育法第八五条〔現行一三七条〕の社会教育その他公共のための利用とは認められない」という行政実例（昭二四・七・八　文部省大臣官房総務課長回答）や、公選議員の議会報告演説会のための利用について、「学校教育法第八五条〔現行一三七条〕の『社会教育その他公共のため』という規定に照らして内容的に限定するのが適当と思われる」という行政実例（昭二四・九・二　文部省大臣官房総務課長回答）などは、まさにこのような考え方に立つものであるといえる。

しかし、職員その他当該施設を利用する者のための食堂、売店を私人に経営させるために、公立学校の施設を使用させる場合は、いずれも私法契約ではなく行政上の許可処分として統一的に処理すべきものとされている。したがって、本条の従来の解釈は変更されており、本条は、「社会教育その他公共のため」にのみ使用させることができるのであって他の場合には使用させないというように限定する趣旨ではないと解すべきである。

また、本条の「学校教育上支障のない限り」というのは、地方自治法の「その用途又は目的を妨げない限度において」を、学校について言いかえたものであるに過ぎない。特に他の行政財産以上に、特別の要件を加重したとは考え

られない。もちろん学校は教育の場であるということから、「学校教育上支障のない」かどうかを判断する場合は、物理的な支障のほかに、教育的な配慮が必要となる。例えば、場所に余裕があっても、ある種の興行のようなものは、およそ教育の場で行われるにはふさわしくないような場合もありうるわけである。

六 学校施設の目的外使用の許可をめぐる問題点としては、次のような事項がある。

憲法八九条前段との関係である。宗教団体に対して、公会堂、市民グランド、市民会館といったような一般の公衆に無条件で又は一定の条件の下に自由な使用が認められている公の施設（地方自治法二四四条）を、一般の利用者と同一の条件をもって使用させることはなんら禁止されるものではない。しかし、公立の学校施設のような行政財産の目的外使用の場合には、一般的には使用を禁止されており特定の場合に限って使用を許可されるのであるから、特別の便宜供与ということになり、宗教団体に使用させるのであれば、そこで布教活動を行うのであれ、運動会を行うのであれ、憲法八九条前段に抵触することになると解される。

また、憲法八九条前段との関係で、校庭に忠魂碑や招魂社を建設することは、宗教施設とみなされやすいから、校地内に建設することは避けるべきだとされる（昭二九・八・五、昭二八・一〇・二二　文部省初等中等教育局長回答）。しかし、同窓会で、母校の一隅に勤労動員爆死学徒の記念碑を建てる場合は、宗教的色彩がないから差し支えない（昭三二・三・七　文部省初等中等教育局長回答）。

つぎに、憲法八九条後段との関係では、公の支配に属しない慈善・教育・博愛の事業には学校の施設を使用させてはならないのである。

「公の支配に属する」とは、国又は地方公共団体が、その事業の根本的な方針に影響力を及ぼすことのできるような場合である。例えば、学校法人や社会福祉法人は、国からそれほど強い監督を受けていないが、関係法令に基づき一応、公の支配に属するものと解されている。したがって、社会福祉法人の慈善バザーの会場として学校の体育館を

使用させても憲法違反の問題は生じない。

なお、この憲法の規定にいう「教育の事業」とは、①教育する者と教育される者がはっきり分かれていること、②教育される者の精神的又は肉体的な育成を図るべき目標があること、③教育する者が計画的にその目標の達成を図ること、などの要素を備えているものというふうに厳密に解されるので（昭三二・二・二二　法制局一発八号　法制局第一部長回答）、社会教育関係団体の事業でも、ある事業のみに着目すると、ここにいう「教育の事業」に当たらないことが多いから、これらの団体のそのような特定の事業に学校施設の使用を許可してもただちに憲法違反ということにはならない。例えば、体育・レクリエーションの催しの開催、社会教育関係団体の各種の大会、展示会、研究協議会などは、教育の事業に該当しないであろう。

さらに、学校の政治的中立性との関連については、教育基本法一四条二項で、「法律に定める学校は、特定の政党を支持し、又はこれに反対するための政治教育その他政治的活動をしてはならない。」と規定しているが、これは学校の教職員が学校教育活動中に又は学校を代表してなす行為について規制するもの（生徒のサークル活動等を学校当局が黙認している場合も含む）であるから、学校施設の使用を許可して、たまたまそれが政治的活動の場として使われたとしても、直接この規定に抵触するものではないのである。例えば、議会報告演説会とか政党の発会式に学校施設を使用させてもいいかどうかは、教育基本法のこの規定に違反するか否かの関係からではなく、教育委員会規則などで定めた許可基準で、そのような場合も許可できるものとして規定しているか否かによるわけである。

最近、しばしば裁判で争われる事例として、公立学校の施設（体育館、講堂など）を教職員組合の教研集会や定期大会などの会場として使用できるかという問題がある。公立学校での教研集会の開催のための使用申請を不許可とした事案について、教研集会は、学校の設置目的に沿うものとはいえないと是認した判決（最（一小）判平一九・三・一）と学校教育への影響は認められないとして、校長の裁量権の逸脱・濫用があったとした判決（最（三小）判平一九・七・二〇）

があり、最高裁内部でも判断が微妙に異なっている。
また、社会教育法四四条、スポーツ基本法一三条によれば、学校の施設を社会教育・スポーツその他公共のために使用させるべきことを奨励している。その具体的な推進については、後掲の【通知】昭和五一年六月二六日付け文部事務次官通知を参照。

七　本条とは関係なく、個々の特別の法律の規定に基づき、学校の施設が使用されることがある。
公職選挙法三九条及び六三条によって、学校の講堂や体育館等が投票所又は開票所として指定されることが多い。また、個人演説会場として使用される（同法一六一条一項）ことがある。
消防法二九条等の規定に基づき非常災害の場合その他緊急の場合に学校の施設が使用されることがある。これらの場合は、私人の施設と同じ立場で、公共の利益のためあるいは緊急の必要のために、学校の管理者等と協議することもなく、また、その許可を受けることもなしに強制的に使用や処分がなされるのである。しかしこの場合も、学校教育の実施と特別法に基づく使用の必要性との調和が図られなければならない。

【通　知】

○学校体育施設開放事業の推進について（昭五一・六・二六　文体体一四六号　各都道府県教育委員会あて　文部事務次官通知）

国民が日常生活の中でスポーツ活動に親しむことができるように、文部省では従来から学校の体育施設を学校教育に支障のない範囲において地域住民のスポーツ活動に供する事業（以下「学校体育施設開放事業」という。）を奨励援助してきたところであります。

最近におけるスポーツ活動に関する国民の要望を考慮し、学校体育施設開放事業を一層促進するため、文部省においては昭和五一年度から学校体育施設開放事業に関する予算措置等を更に充実しました。もとより、この事業につきましては各地方公共団体における創意と工夫が要請されるところでありますが、貴教育委員会におかれては、下記事項の趣旨に沿って学校体育施設開放事業を促進されるとともに、管内市町村の教育委員会その他関係方面に周知徹底を図

り、適切に指導されるようお願いします。

記

1　趣　旨

国民が健康で文化的な生活を営むためには、日常生活におけるスポーツ活動を活発にする必要があるが、近年、生活水準の向上や自由時間の増大等によりスポーツ活動に対する国民の欲求は急激に高まりつつある。このような地域住民の要請に応えるためには、公共のスポーツ施設を計画的に整備していくとともに、学校教育に支障のない限り、学校の体育施設の効率的な利用を推進する必要がある。そのため学校体育施設開放事業を推進するものとすること。

2　学校体育施設開放事業の実施主体

学校体育施設開放事業は、教育委員会が行うものとすること。

3　学校体育施設開放事業の対象となる施設

学校体育施設開放事業の対象となる施設は、公立の小学校、中学校及び高等学校の運動場、体育館、プール等の体育施設とすること。

4　施設管理

(1)　教育委員会は、学校体育施設開放事業に必要な事項を定め、学校体育施設開放を実施する場所及び時間帯を明示し、この場合において学校体育施設開放に伴う管理責任は、教育委員会にあることを明確にすること。

(2)　学校体育施設開放事業は、学校体育施設を地域住民の利用に供するものであることから、学校体育施設開放時における施設の管理責任者を指定するものとすること。

(3)　学校体育施設開放事業を実施する学校ごとに施設の管理、利用者の安全確保及び指導に当たる管理指導員を置くものとすること。

(4)　学校体育施設開放事業に関する利用者心得、施設設備の破損等に伴う弁償責任、事故発生時の措置等を定めること。

5　学校体育施設開放事業の運営

(1)　学校体育施設開放事業の運営は教育委員会が行うものとし、学校の体育施設を教育委員会に登録した団体の利用に供する形態が望ましいこと。

(2)　教育委員会は、学校体育施設開放事業を契機として、その施設を基盤とするグループが育成されるよう努めること。

(3)　教育委員会は、スポーツ関係団体と連絡を密にし、学校体育施設開放における管理指導員の選定等について協力を求め、効果的な事業の遂行を図ること。

(4)　事故防止に留意するとともに、保険制度を利用して事故発生に備えるようにすること。

6　学校体育施設開放事業に要する施設設備及び経費

(1)　学校施設について、学校体育施設開放に使用される部分とそれ以外の部分と分離できるよう必要に応じ柵等を設けるとともに、便所、更衣室等を独立して使用できるように配慮すること。また、屋外運動場の夜間照明設備もなるべく設置するよう努めること。

(2)　新しく学校の施設を計画する場合には、施設計画上支障のな

い限り利用者の便を考慮した位置に学校体育施設開放のための施設を配置すること。

(3) 学校体育施設開放事業に要する施設設備の補修費、光熱水費等の経費を予算上措置すること。なお、必要に応じ施設設備の利用、参加についても適正な料金を利用者から徴収することを考慮すること。

7 その他

上記のほか、地域及び学校の実態に即し、地域住民の要請に応え、実施方法に工夫を加えて学校体育施設開放事業の効果があがるようなものとすること。

【行政実例】

○校地内に忠魂碑を建設することは適法か（昭二九・九・三委初二九三号　滋賀県教育委員会教育長あて　文部省初等中等教育局長回答）

【照会】 今回当K村の軍人遺族会において忠魂碑建設の計画が進められ、その敷地を選定するに当り一部村民の意見としてK中学校の校地内を希望するものがありますが、これは教育環境と戦死軍人の御魂を奉祀する場所との二方面により慎重に考慮すべき問題であると思料いたしますが、かような一部村民の意見のごとく校地内に同碑を建設することの適不適について何分の御意見御教示をいただきたい。

【回答】 校地内に忠魂碑を建設することは、学校教育上の立場から、できるだけ避けることが望ましい。

○公立学校の校庭に招魂社を建設することは適法か（昭二八・一〇・二二　雑初四六八号　埼玉県教育委員会教育長あて　文部省初等中等教育局長回答）

【照会】 標記のことについて、M招魂社建設委員会においては、他に適当な敷地なきため、小学校庭の一隅に建設したい旨の申し出があったので、別紙校地見取図を相添え御照会いたしますから至急御回答賜わりたい。（別紙略）

【回答】 公立学校用地に招魂社を建設することは、直接学校教育に関係のない恒久的施設を学校構内に設けることになるばかりでなく、それが宗教施設とみなされやすい場合には、信教の自由や政教分離を規定する憲法や地方自治法の精神に反する結果になるとも考えられるから、これを学校構内に建設することは避けること。

○教具は学校施設か（昭二七・一一・一八　桑名市益世小学校長あて　文部省社会教育課長回答）

【照会】 一　社会教育法第四四条及び第四五条の「学校の施設」には、ピアノ、オルガン等の教具も含められるか。

二　音楽倶楽部等の社会教育的文化団体がコーラスの練習を行なうためピアノ等の学校施設の定期的、永続的な使用の許可を申出た場合、これをことわると社会教育法第四四条第一項の精神にもとるか。

三　前述の場合、教具の管理並びに宿直員の火気の取締及び戸締に困ることをもって学校教育上支障があると認めることはどうか。

【回答】　一　お見込みのとおり。

二　当該学校の管理機関（社会教育法第四四条第二項）が当該施設を利用に供することによって学校教育に支障がないと認めるにかかわらず使用を許可しない場合には、同条同項の精神にもとることになります。

三　学校教育上の支障の存否の判断は、現在における具体的な支障の存否の面からだけではなく将来において支障が生ずる明白な危険性の存否の面からもなされるのが適当であります。従って教具等を使用に供する場合において、その物の現状と用途及び使用を申し出た者のもつ技能熱意その他使用の程度等を参酌して総合的に判断した結果、特に著しい形質の変更、火災、盗難等のおそれがあるような場合には、学校教育上支障があると認めることは適当であると考えられます。

〔行政手続法の適用除外〕

第百三十八条　第十七条第三項の政令で定める事項のうち同条第一項又は第二項の義務の履行に関する処分に該当するもので政令で定めるものについては、行政手続法（平成五年法律第八十八号）第三章の規定は、適用しない。

【沿　革】　平五・一一・一二法八九により新設した。

平一九・六・二七法九六により、旧八五条の二から一三八条に移動し、「第二十二条第二項（第三十九条第三項において準用する場合を含む。）」を「第十七条第三項」に改め、「第二十二条第一項又は第三十九条第一項の規定による」を「同条第一項又は第二項の」に改めた。

【参照条文】　法一七条。施行令五条、一四条、二二条の二。

【注　解】

一　本条は、平成六年一〇月一日施行の行政手続法の制定の際に、処分の性質上、行政手続法の規定を適用することが適当でないものについて適用除外の措置を講じることとし、行政手続法の施行に伴う関係法律の整備に関する法

律（平五法八九）七五条の規定により新設されたものである。

二　就学義務に関しては、施行令一条から二二条までにおいて具体的に定められているが、そのうち行政手続法第三章（不利益処分をしようとする場合の事前手続に関する規定）を適用除外とする処分を政令で定めることとしている。その政令の定めとして、施行令二二条の二が追加された。

（行政手続法第三章の規定を適用しない処分）

第二十二条の二　法第百三十八条の政令で定める処分は、第五条第一項及び第二項（これらの規定を第六条において準用する場合を含む。）並びに第十四条第一項及び第二項の規定による処分とする。

すなわち本条は、法一七条三項の委任に基づく施行令五条（六条において準用する場合を含む）及び一四条の処分（児童生徒の就学すべき学校の指定等）に関しては、行政手続法第三章の規定を適用除外とするものである。

三　行政手続法において聴聞又は弁明の機会の付与の事前手続きを要する不利益処分として一般的に想定されている処分は、例えば、公共の福祉の観点から一定の事由がある場合に、権利・自由を制限する処分や特別の事情から許可、免許等の地位を剥奪する許可取消しや免許取上げ等の処分である。このような処分を受ける者の権利を保護し、不利益を被ることに関する公正・公平性を保障する観点から、事前に聴聞等の手続を課すものである。

一方、就学すべき学校の指定等は、憲法二六条一項の「すべて国民は、法律の定めるところにより、その能力に応じて、ひとしく教育を受ける権利を有する。」という国民の憲法上の権利を保障するため一律平等になされるものであり、権利の具体化という性格を有するものであって、他の一般的な不利益処分と同様の不利益性をもつものではないため、聴聞等の事前手続を設ける法的な必要性を欠くとの理由から、行政手続法第三章の規定の適用が除外された。

〔審査請求の制限〕

第百三十九条　文部科学大臣がする大学又は高等専門学校の設置の認可に関する処分又はその不作為については、審査請求をすることができない。

【沿　革】　昭三七・九・一五法一六一により全部改正した。

平一一・七・一六法八七により、「監督庁」を「文部大臣」に改めた。

平一一・一二・二二法一六〇により、「文部大臣」を「文部科学大臣」に改めた。

平一九・六・二七法九六により、旧八六条から一三九条へ移動した。

平二六・六・一三法六九により、「がした」を「がする」と改め、「処分」の下に「又はその不作為」を加え、「行政不服審査法（昭和三十七年法律第百六十号）による不服申立て」を「審査請求」に改めた。

【参照条文】　法四条、九五条、一二三条。行政不服審査法一、二、三条。

【注　解】

一　行政不服審査法においては、行政庁の処分及び不作為について、特に除外されない限り、審査請求をすることができるとの一般概括主義をとるが、本条は、その除外される場合に当たる。

本条の定めは、設置認可に当たって大学設置・学校法人審議会（法九五条・一二三条、施行令四三条）に諮問し、慎重な手続を経て認可が行われており、審査請求を認めても結局は同じ結果になるものと予想されるため、審査請求の除外事項とされているものである。

〔都の区の取扱い〕

第百四十条　この法律における市には、東京都の区を含むものとする。

【沿　革】　平一九・六・二七法九六により、旧八七条から一四〇条へ移動した。

【参照条文】　地方自治法二条七項、二八一条〜二八三条。

【注　解】

一　東京都の特別区は、特別地方公共団体として法人格を認められ（地方自治法一条の三・二条七項・二八一条）、地方自治法及びこれに基づく政令で特別の定めをするものを除くほか、「市」に関する規定が適用される（同法二八一条の二第二項及び二八三条一項）。地方自治法二八一条の二第二項の規定により、特別区は基礎的な地方公共団体として一般の市とほぼ同等の事務を処理することを建前としつつ、都及び特別区の特別な性格に基づく事務配分について特例が必要である場合には、法律又はこれに基づく政令で規定することとなっている。したがって、本条は、平成一〇年の地方自治法の改正の後、確認的な意味しかもたない。

〔学部・研究科以外の組織への学部・研究科規定の適用〕

第百四十一条　この法律（第八十五条及び第百条を除く。）及び他の法令（教育公務員特例法（昭和二十四年法律第一号）及び当該法令に特別の定めのあるものを除く。）において、大学の学部には第八十五条ただし書に規定する組織を含み、大学の大学院の研究科には第百条ただし書に規定する組織を含むものとする。

【沿　革】　昭四八・九・二九法一〇三により新設した。

平三・四・二法二三により、国立学校設置法の法律番号を削った。

平一一・五・二八法五五により全部改正した。

平一五・七・一六法一一七により、「国立学校設置法並びに」を削った。

平一九・六・二七法九六により、旧八七条の二から一四一条に移動し、「第五十三条」を「第八十五条」に、「第六十六条」を「第百条」に改めた。

【参照条文】　法八五条、一〇〇条。大学設置基準六条。専門職大学設置基準八条、大学院設置基準七条の三。

【注　解】

一　本条は、学部及び研究科以外の教育研究上の基本となる組織を置く場合の当該組織に関する法律上の取扱いについて定めているものである。

まず学部は従来、大学の基本的な構成要素であったが、昭和四八年の本法改正により、学部以外の教育研究上の基本となる組織（筑波大学の学系、学群など）も認められることになった。その組織は、性格上、学部の持つ機能を代替し得るものであることを前提とするものである以上、法令上の取扱いにおいても、これと学部とを格段に区別する理由は見あたらないため、本条において、原則として他の法令上の「学部」には、学部以外の組織を含むものであることを明らかにしているものである。平成一一年の改正で認められた大学院の研究科以外の教育研究上の基本となる組織（法一〇〇条ただし書）も他の法令上の「研究科」に含まれるものであることを明らかにしている。

二　学校教育法における「学部」に関する規定のうち、八五条の規定は、学部と学部以外の組織についての基本原則を示すものであり、この学部に学部以外の組織を含ませることは論理的に意味をなさなくなるので、本条の適用規定から除外しているが、それ以外の規定については、いずれも学部以外の組織を含ませることは問題がないものである。また、一〇〇条は研究科と研究科以外の教育研究上の基本となる組織との関係を示すもので、この研究科に研究

科以外の組織を含ませることは、論理的に意味をなさなくなるので、一〇〇条を本条の適用から除外している。

三　教育公務員特例法における「学部」に関する規定、たとえば、学部長の選考は、当該学部の教授会の議に基づき、学長が行うことを定めた規定は、学部組織をとる大学における手続を定めるものであり、ここに学部以外の組織を当然に含ませることはできないため、本条での適用規定から除外している。

四　ここでいう「法令」とは、法律と命令をあわせた意味であり、条例、規則等も含まれるものと解される。

なお、**【注解】二及び三**に掲げる法律以外の法律で「学部」に関する規定を置いているものとしては、例えば、国家公務員法五条五項（人事官の任命に当たっては、二人が同一の大学学部卒業者であってはならない）、弁護士法五条一号（弁護士の資格の特例として、法律学を研究する学部等における法律学の教授等の職にあった期間が通算して五年以上の者であることを要件の一つとして定める）等がある。

「当該法令に特別の定めのあるものを除く」とされたのは、法令の内容により学部と学部以外の組織を区分することが必要な場合には、それぞれの法令自身によってその実態に応じた特別措置をとり得るようにしたものである。

〔本法施行のための必要事項の命令への委任〕

第百四十二条　この法律に規定するもののほか、この法律施行のため必要な事項で、地方公共団体の機関が処理しなければならないものについては政令で、その他のものについては文部科学大臣が、これを定める。

【沿　革】　昭二八・八・一五法二一三により、「地方公共団体の機関が処理しなければならないものについては政令で」を追加した。
昭三六・一〇・三一法一六六により、「の外」を「のほか」に改めた。
平一一・七・一六法八七により、「監督庁」を「文部大臣」に改めた。
平一一・一二・二二法一六〇により、「文部大臣」を「文部科学大臣」に改めた。

平一九・六・二七法九六により、旧八八条から一四二条へ移動した。

【参照条文】　地方自治法二条二項、八項、九項、一一項、一二項及び一三項、二四五条の二、二四五条の三。

【注　解】

一　本法の制定当初の本条は「この法律に規定するものの外、この法律施行のために必要な事項は、監督庁が、これを定める。」とされており、監督庁は、当分の間、文部大臣とされていたので（法旧一〇六条）、本法施行のための規定は、施行規則その他の文部省令で定められていた。

本条が現行法のように改められたのは、昭和二七年九月一日に施行された地方自治法の一部改正により、地方公共団体又はその機関が処理しなければならない事務については、すべて法律又は法律に基づく政令という法形式によって規定されなければならないこととなり、この改正に適合するように「地方自治法の一部を改正する法律の施行に伴う関係法令の整理に関する法律」（昭二八法二一三）により本条が改正されたことによる。

なお、右の整理法により、本条と同時に改正された規定は、四条（設置廃止等の認可）、一二条（健康診断等）、二二条二項（現行一七条三項、義務就学の督促）、四五条（現行五四条）二項（高等学校の通信教育）であった。

したがって、従来、学校教育法施行規則において定められていた事項の一部は、「学校教育法施行令」（昭二八政令三四〇）を制定し、そこで定めることとされたのである。

その後、平成一一年の地方分権一括法により、地方自治法が改正され、国と地方の関係について、機関委任事務を廃止し、「自治事務」と「法定受託事務」に分類し、国や都道府県の関与の類型が定められた。その結果、いずれの事務であっても「法律又はこれに基づく政令」によらなければ地方公共団体は国又は都道府県の関与を受け、又は要することとされることはない（地方自治法二四五条の二）。地方公共団体の機関が処理しなければならないものについて

は、省令ではなく政令で定めるべき点は変化はない。

二　本法の施行のために必要な事項で地方公共団体の機関が処理しなければならないものは、本法中に政令に委任する旨の規定がある場合には、その規定に基づき、それ以外の事項については、本条に基づき政令で定められる。学校教育法施行令に定められている事項で、本条に基づくものは、次のとおりである。

・市町村立小中学校等の設置廃止等についての届出（施行令二五条）
・市町村立高等学校等の名称、位置、学則等の変更及び市町村立高等学校の専攻科・別科の設置廃止についての届出（施行令二六条）
・市町村立各種学校の目的、名称、位置の変更、分校の設置廃止及び学則の変更についての届出（施行令二六条の二）
・通信教育に関する規程の変更についての届出（施行令二七条）
・私立学校（大学及び高等専門学校を除く）の目的変更等の届出（施行令二七条の二）
・私立各種学校の目的変更等についての届出（施行令二七条の三）
・公立の学校の学期及び休業日（施行令二九条）
・学校廃止後の書類の保存（施行令三一条）
・認可の申請、届出及び報告の手続その他の細則についての文部科学省令への委任（施行令二八条）

なお、施行令二八条は、法四条に基づく施行令二三条及び二三条の二、法五四条に基づく施行令二四条及び二四条の二、法一三一条に基づく施行令二四条の三並びに法一四二条に基づく前述の二五条、二六条、二六条の二、二七条、二七条の二及び二七条の三の規定に基づく手続その他の細則を文部科学省令に委任するもので、純粋に法一四二条のみに基づく規定ではないのである。

三　本条に基づき、学校教育法施行のため必要な事項として学校教育法施行規則に定められている事項の例を挙げ

ると、次のとおりである。

- 私立学校の目的変更等の届出（施行規則二条）
- 指導要録（施行規則二四条）
- 出席簿（施行規則二五条）
- 私立学校長の届出の場合の添付書類（施行規則二七条）
- 備付表簿及びその保存期間（施行規則二八条）
- 職員会議の設置（施行規則四八条）
- 学校評議員の設置（施行規則四九条）
- 学年（施行規則五九条）
- 授業終始の時刻（施行規則六〇条）
- 公立小学校の休業日（施行規則六一条）
- 私立小学校の学期及び休業日（施行規則六二条）
- 非常変災等による臨時休業（施行規則六三条）
- 講師の勤務態様（施行規則六四条）
- 学校用務員（施行規則六五条）
- 学校評価（施行規則六六条・六七条・六八条）
- 高等学校等に進学する生徒の調査書等の送付（施行規則七八条）
- 中学校、高等学校、中等教育学校及び大学への準用規定（施行規則七九条・一〇四条・一一三条・一七三条）

なお、指導要録は、施行規則二四条及び二八条により校長の責任において作成、保存されるが、その様式等の決定

者は、公立学校の場合、地教行法二一条一号、四号、五号及び九号により当該学校を所管する教育委員会である。国は、公簿としての性格上ある程度の統一を図る必要があることから、地教行法四八条一項の規定に基づき参考案を示している（平三一・三・二九「小学校、中学校、高等学校及び特別支援学校等における児童生徒の学習評価及び指導要録の改善等について（通知）」三〇文科初一八四五号　文部科学省初等中等教育局長通知。法五条【通知】参照）。

【通　知】

○学校教育法施行令の制定について（抄）（昭二八・一一・七　文総審一一八号　文部事務次官通達）

昭和二八年一〇月三一日付で別添（略）のとおり、学校教育法施行令（昭和二八年政令第三四〇号）が公布され、即日施行されました。この政令の制定の趣旨等は、下記のとおりでありますので、事務処理上遺漏のないように願います。

記

1　制定の趣旨及び概要

昨年九月一日施行された地方自治法の一部改正により、地方公共団体又はその機関が処理すべき事務は、すべて法律又は法律に基く政令によることを要することとなった。この改正に適合するように、地方自治法の一部を改正する法律の施行に伴う関係法令の整理に関する法律（昭和二八年法律第二一三号）により関係法令に所要の改正が加えられ、学校教育法もその一部が改正された。そこで従来文部省令で規定されていた就学事務に関する事項、認可事項、届出事項等が新たに政令事項としてこの政令に規定されることとなった。

この政令は、大体において従来文部省令で規定されていた事項を、そのまま政令に引きあげるという方針で制定された。しかし、必要やむを得ない限度で従来の規定に多少の新しい内容を加え、又は変更を加えた。

なお、この政令の制定に伴い、近く学校教育法施行規則等に所要の改正が、なされる予定である。

第十三章　罰　則

〔学校閉鎖命令違反等の処罰〕

第百四十三条　第十三条第一項（同条第二項、第百三十三条第一項及び第百三十四条第二項において準用する場合を含む。）の規定による閉鎖命令又は第百三十六条第二項の規定による命令に違反した者は、六月以下の懲役若しくは禁錮又は二十万円以下の罰金に処する。

【沿　革】　昭二五・四・一九法一〇三により、「第八十四条第二項の規定による命令」を追加した。

昭三六・一〇・三一法一六六により、「六箇月」を「六月」に、「禁錮」を「禁錮」に改めた。

昭五〇・七・一一法五九により、「第八十三条第三項」を「第八十二条の十第一項及び第八十三条第二項」に改めた。

平一〇・六・一二法一〇一により、「第八十二条の十第一項」を「第八十二条の十一第一項」に、「一万円」を「二十万円」に改めた。

平一九・六・二七法九六により、「第八十二条の十一第一項及び第八十三条第二項」を「第百三十三条第一項及び第百三十四条第二項」に、「第八十四条第二項」を「第百三十六条第二項」に改め、「これを」を削り、旧八九条を一四三条に移動した。

平二三・五・二法三七により、「第十三条の規定（」を「第十三条第一項（同条第二項、」に改め、「含む。）」の下に「の規定」を加えた。

【参照条文】 法一三条、一三三条、一三四条二項、一三六条二項。刑法一五条。

【注　解】

一　学校閉鎖命令（専修学校及び各種学校に対するものも含む）は、事実上学校教育（専修学校又は各種学校の教育を含む）を廃絶すべきことを命ずる行政処分であり、それにもかかわらず教育を継続している場合に、本条違反となる。

形式的には、学校閉鎖命令を受けるのは学校の設置者（個人又は法人）であるが、事実上の教育の継続は、自然人たる法人の理事、校長、教職員によって行われるので、本条違反として公訴を提起されるのは、これらの自然人ということになろう。この点、罰則の規定に不備があると指摘されている（今村武俊・別府哲『学校教育法解説―初等中等教育編』一一五～一一七頁）。

二　法一三六条二項の規定による教育の停止命令は、たとえば、学習塾と呼ばれるもののうち組織規模・教育内容が専修学校教育又は各種学校教育と認められるものの関係者に発せられる可能性があり、それでもなお教育を継続している場合には、本条違反となるわけである。

三　本条と刑法一五条の規定により、本条の罰金は、「二十万円以下一万円以上。ただし、これを減軽する場合においては、一万円未満に下げることができる。」ということになる。

〔保護者の就学義務不履行の処罰〕

第百四十四条　第十七条第一項又は第二項の義務の履行の督促を受け、なお履行しない者は、十万円以下の罰金に処する。

② 法人の代表者、代理人、使用人その他の従業者が、その法人の業務に関し、前項の違反行為をしたときは、行為

者を罰するほか、その法人に対しても、同項の刑を科する。

【沿　革】　平一〇・六・一二法一〇一により、「一千円」を「十万円」に改めた。
平一九・六・二七法九六により、「第二十二条第一項又は第三十九条第一項」を「第十七条第一項又は第二項」に改め、旧九一条を一四四条に移動した。
平二三・六・三法六一により、第二項を加えた。

【参照条文】　法一七条。施行令一九条～二一条。刑法一五条。民法八四〇条。

【注　解】

一　本条は、就学義務不履行の保護者に対する罰則規定であり、義務教育の徹底を期するために、それについての自覚のない保護者から子を守り、国民として必要な最小限度の教育を保障しようという立法精神がうかがわれる。

二　義務履行の督促は、施行令二一条の規定に基づき、市町村教育委員会が、学齢児童又は学齢生徒の保護者に対して行う。しかも、就学の督促をするときは、単に書面による形式的督促だけでなく、事情に応じて具体的かつ積極的措置を講ずるべきこととされている。

三　本条と刑法一五条の規定により、本条の罰金は、「十万円以下一万円以上。ただし、これを減軽する場合においては、一万円未満に下げることができる。」ということになる。

四　第二項は平成二三年の民法等の一部を改正する法律により追加され、同改正法により未成年後見人として複数の者や法人を選任することができることとされたことに伴い、未成年後見人として選任された法人に対しても第一項の罰金を科すようにすることを規定している。

【判決例】

○就学督促を無視した母親が罰金八千円に処せられた事例（岐阜家判昭五一・二・一二）

主　文

被告人を罰金八、〇〇〇円に処する。

右罰金を完納することができないときは金一、〇〇〇円を一日に換算した期間被告人を労役場に留置する。

訴訟費用は被告人の負担とする。

理　由

（罪となるべき事実）　被告人は、×川勝（昭和四二年一二月一二日生）の親権者であるが、同人が昭和四八年一二月一二日満六歳に達し、その翌日以後における最初の学年の初である昭和四九年四月から同人を小学校に就学させる法律上の義務があり、岐阜市教育委員会から同人の就学すべき小学校を岐阜市立T小学校に指定され、同年四月から翌五〇年七月までの間数回にわたり同小学校長を通じ同校に就学させるよう督促されたにもかかわらず、昭和四九年四月八日から同五〇年七月一九日までの間、一日も右勝を小学校に登校させず、もつて保護者の就学させる義務を履行しなかつたものである。

（証拠の標目）（略）

（法令の適用）　学校教育法二二条一項、九一条、罰金等臨時措置法四条、刑法一八条、刑事訴訟法一八一条一項

〔学齢児童又は学齢生徒の使用者の義務違反の処罰〕

第百四十五条　第二十条の規定に違反した者は、十万円以下の罰金に処する。

【沿　革】　平一〇・六・一二法一〇一により、「三千円」を「十万円」に改めた。

平一九・六・二七法九六により、「第十六条」を「第二十条」に改め、「これを」を削り、旧九〇条を一四五条に移動した。

【参照条文】　法二〇条。刑法一五条。労働基準法五六条、六〇条二項、一一八条一項。

【注　解】

一　学齢児童又は学齢生徒の使用者が当該児童又は生徒の義務教育を受けることを妨げてはならない義務に違反した場合の罰則であるが、本条違反になるのは、現実にどのような状態になった場合をいうのか明確でない。法二〇条でいう「学齢児童又は学齢生徒を使用する者」というのが法人の場合には、「その使用によつて、当該学齢児童又は学齢生徒が、義務教育を受けることを妨げ」るという犯罪の構成要件は厳密さにおいて欠けるところがある。また、そのような場合、両罰規定（行為者を処罰するほか、連座的に、その行為者によって代表される法人、あるいは行為者がその代理人その他の使用人となっている法人に対しても罰金刑を科するという趣旨の規定）を設けるべきであろう。

二　本条の趣旨は、労働基準法の次のような規定によって、実質的には担保されているといえよう。労働基準法の罰則の方が厳しくなっている。

（最低年齢）

第五十六条　使用者は、児童が満十五歳に達した日以後の最初の三月三十一日が終了するまで、これを使用してはならない。

②　前項の規定にかかわらず、別表第一第一号から第五号までに掲げる事業以外の事業に係る職業で、児童の健康及び福祉に有害でなく、かつ、その労働が軽易なものについては、行政官庁の許可を受けて、満十三歳以上の児童をその者の修学時間外に使用することができる。映画の製作又は演劇の事業については、満十三歳に満たない児童についても、同様とする。

（労働時間及び休日）

第六十条

②　第五十六条第二項の規定によつて使用する児童についての第三十二条の規定の適用については、同条第一項中「一週間について四十時間」とあるのは「、修学時間を通算して一週間について四十時間」と、同条第二項中「一日について八時間」とあるのは「、修学時間を通算して一日について七時間」とする。

第百十八条　第六条、第五十六条、第六十三条又は第六十四条の二の規定に違反した者は、これを一年以下の懲役又は五十万円以下の罰金に処する。

②　（略）

第百二十一条　この法律の違反行為をした者が、当該事業の労働者に関する事項について、事業主のために行為した代理人、使用人その他の従業者である場合においては、事業主に対しても各本条の罰金刑を科する。ただし、事業主（事業主が法人である場合に

おいてはその代表者、事業主が営業に関し成年者と同一の行為能力を有しない未成年者又は成年被後見人である場合においてはその法定代理人（法定代理人が法人であるときは、その代表者）を事業主とする。次項において同じ。）が違反の防止に必要な措置をした場合においては、この限りでない。

② 事業主が違反の計画を知りその防止に必要な措置を講じなかった場合、違反行為を知り、その是正に必要な措置を講じなかった場合又は違反を教唆した場合においては、事業主も行為者として罰する。

三 本条と刑法一五条の規定により、本条の罰金は「十万円以下一万円以上。ただし、これを減軽する場合においては、一万円未満に下げることができる。」ということになる。

〔学校名称等の使用禁止違反の処罰〕

第百四十六条 第百三十五条の規定に違反した者は、十万円以下の罰金に処する。

【沿　革】 昭五〇・七・一一法五九により、「第八十三条第二項」を「第八十三条の二」に改めた。
平一〇・六・一二法一〇一により、「五千円」を「十万円」に改めた。
平一九・六・二七法九六により、「第八十三条の二」を「第百三十五条」に改め、「これを」を削り、旧九二条を一四六条に移動した。

【参照条文】 法一三五条。刑法一五条。

【注　解】

一 本条は、法一三五条に規定する学校名称等の使用禁止に違反した自然人又は法人に対して罰則をもって臨むこととし、法一三五条の規定の趣旨を実効あらしめようとするものである。

二 法一三五条では「教育施設は、……の名称を用いてはならない。」と規定しているが、どの程度のものが教育

い、施設といえるのか必ずしも明確でない。しかし、社会教育のための講座の一種として、「○○老人大学」などという名称で募集を行うようなことは、本条違反とはならないであろう。

三　本条と刑法一五条の規定により、本条の罰金は、「十万円以下一万円以上。ただし、これを減軽する場合においては、一万円未満に下げることができる。」ということになる。

四　国際連合大学本部に関する国際連合と日本国との間の協定の実施に伴う特別措置法三条では、国際連合大学でない者は、国際連合大学という名称又はこれに類似する名称を用いてはならないとし、これに違反した者については、一万円以下の過料に処するものとしている（法一三五条の**【注解】**一参照）。

附　則

一般的に法律の構成は、本則と附則からなる。本則というのは、附則以外の部分のことであって、法律の本体的部分を構成するものである。附則には、この本則に附随して、法律の施行期日、法律の施行に伴う経過措置、当該法律の施行に伴う他法律の改廃等についての規定が置かれる。

以下に説明する条項は、学校教育法の附則（原始附則といわれる）であるが、一二七五頁以降の「附則（平成〇〇年〇月〇日法律第〇〇号）」と掲記している部分は、学校教育法の一部を改正する法律あるいは何々法等の一部を改正する法律の附則（改正法律が制定施行されると、その改正内容は、元の改正された法律の中に溶け込んでしまい、形式的には、附則だけが残る）であって、学校教育法そのものの附則ではない。しかし、そのような一部改正法の附則の中にも、学校教育法の本則の規定を解釈する上で重要な意味を有するものもあるので、本書では、平成一五年四月一日以降に施行された学校教育法本文に関係する一部改正法の附則で、現在でも実質的な意味を有するものについて解説を加えた。

また、平成一九年六月二七日の学校教育法等の一部を改正する法律（平一九法九六）により、附則の全面改正が行われ、原始附則のうち既に現在では適用の余地がなくなっている条項については削除され、それ以外の条項については、規定の整備を行うとともに、附則として新たに条番号が付されている。

第一条　この法律は、昭和二十二年四月一日から、これを施行する。ただし、第二十二条第一項及び第三十九条第一

項に規定する盲学校、聾学校及び養護学校における就学義務並びに第七十四条に規定するこれらの学校の設置義務に関する部分の施行期日は、政令で、これを定める。

【沿　革】　本法制定当初における本条は、次のとおりであった。

第九十三条　この法律は、昭和二十二年四月一日から、これを施行する。但し、第二十二条第一項及び第三十九条第一項に規定する盲学校、聾学校及び養護学校における就学義務並びに第七十四条に規定するこれらの学校の設置義務に関する部分の施行期日は、勅令で、これを定める。

昭二三・七・一〇法一三三により、第一項中「勅令」を「政令」に改め、次の二項が追加された。

②　前項但書に規定する盲学校及び聾学校にかかる保護者の義務は、昭和二十三年度においては、子女の満七歳に達した日の属する学年の終りまでとする。

③　当分の間、昭和二十四年度以降における第二十二条第一項に規定する盲学校及び聾学校にかかる保護者の義務に関しては、政令で、これを定める。

昭二九・三・三一法一九により、第二項は次のように改正され、第三項は削除された。

②　第三十九条第一項に規定する盲学校及び聾学校に係る保護者の義務は、昭和二十九年度においては、子女の満十三歳に達した日の属する学年の終りまでとし、以後昭和三十年度及び昭和三十一年度において、毎年度一学年ずつ延長するものとする。

昭三六・一〇・三一法一六六により、「但し」を「ただし」に改めた。

平一九・六・二七法九六により、第二項は削除され、旧九三条から附則一条に移動した。

【参照条文】

○中学校の就学義務並びに盲学校及び聾学校の就学義務及び設置義務に関する政令（昭二三政令七九）
○中学校、盲学校及びろう学校の就学義務に関する政令（昭二四政令八七）〔昭二五政令四二で廃止〕
○盲学校及びろう学校の就学義務に関する政令（昭二五政令四二）〔昭二九法律一九号により消滅〕
○学校教育法中同法第三十九条第一項に規定する盲学校及びろう学校の就学義務に関する部分の規定の施行期日を定める政令（昭二八政令三三九）

○学校教育法中養護学校における就学義務及び養護学校の設置義務に関する部分の施行期日を定める政令（昭四八政令三三九）

【注　解】

一　本条は、本法施行の期日を定めたものである。「施行」とは、法令の規定の効力を現実に一般的に発効させることをいうのである。本法制定当初には、政令で定めるべき事項はなかった（学校教育法施行令は、昭和二八年一〇月三一日に制定公布された。法一四二条の【注解】一参照）が、施行規則（文部省令）で規定すべきことは多く、準備期間を要したためか、学校教育法施行規則は、昭和二二年五月二三日文部省令一一号として公布施行され、同施行規則附則第一条で、昭和二二年四月一日に遡及適用する旨規定している。本法の制定から施行規則の制定までに約二か月の空白期間があったわけである。

二　新制の学校は、昭和二二年四月に小学校及び中学校が、昭和二三年四月に高等学校が、そして昭和二四年度（一部の私立大学は昭和二三年度）に本格的に大学が発足した。

三　盲学校、聾学校及び養護学校の義務制の施行の経緯は、次に説明するとおりであった。なお、昭和五四年四月一日から、養護学校の義務制に関する部分が施行されたが、実に本法施行から三二年の歳月を要したわけである。

(1)　本条第一項本文によって、本法に規定する学校はすべて昭和二二年四月一日から法律上設置しうることとされ、設置義務を負う者の学校設置義務もまた学齢児童及び学齢生徒についての就学義務も同日から発効したのである。しかし、本条第一項ただし書において、これらのうち盲者、聾者その他心身障害者の就学義務（旧法二二条一項・旧法三九条一項（現行一七条））及び都道府県の盲学校、聾学校及び養護学校の設置義務（旧法七四条（現行八〇条））については、その施行期日は政令で定めることとされた。これに関して、「中学校の就学義務並びに盲学校及び聾学校の就学義

務及び設置義務に関する政令」（昭二三政令七九）二条は、次のように規定していた。

「学校教育法第二十二条第一項に規定する盲学校及び聾学校における就学義務並びに第七十四条に規定するこれらの学校の設置義務に関する部分は、昭和二十三年四月一日から、これを施行する。」

すなわちこれらの義務は小・中学校に一年遅れて、しかも盲学校及び聾学校についてのみ昭和二三年度から発足したのである。

(2) このように、昭和二三年に盲学校及び聾学校の設置義務及びこれらの学校への学齢児童の就学義務が発効したのであるが、「学校教育法及び義務教育費国庫負担法の一部を改正する法律」（昭二三法一三三）により追加した本条旧二項によって昭和二三年度においては、これらの学校の小学部第一学年該当児童についてのみ就学義務が発効することが規定されていた。

さらに、これらの学校の第二学年以上への児童の就学に関しては本条旧三項によって、別に政令で定めることとされていた。すなわち「中学校、盲学校及びろう学校の就学義務に関する政令」（昭二四政令八七）二条において、次のように規定された。

「学校教育法第二十二条第一項に規定する盲学校及びろう学校にかかる保護者の義務は、昭和二十四年度においては、子女の満八歳に達した日の属する学年の終りまでとする。」

したがって、昭和二四年度において就学義務が第二学年まで延長されたことになる。以後の措置については、「盲学校及びろう学校の就学義務に関する政令」（昭二五政令四二）が、次のように規定していた。

「学校教育法第二十二条第一項に規定する盲学校及びろう学校にかかる保護者の義務は、昭和二十五年度において子女の満九歳に達した日の属する学年の終りまでとし、以後昭和二十六年度から昭和二十八年度まで毎年度一学年ずつ延長するものとする。」

このようにして、逐年就学義務が延長され、昭和二八年度をもって、小学部の就学義務が完了した。

(3)　そして、中学部への就学義務に関しては、本条第一項ただし書の規定に基づいて、新たな政令が制定された。すなわち、「学校教育法中同法第三十九条第一項に規定する盲学校及びろう学校の就学義務に関する部分の規定の施行期日を定める政令」（昭二八政令三三九）が制定され、同政令は次のように規定していた。

「学校教育法中同法第三十九条第一項に規定する盲学校及びろう学校における就学義務に関する部分の規定の施行期日は、昭和二十九年四月一日とする。」

これにより、昭和二九年度よりこれらの学校の中学部への就学義務が発効した。昭和二九年度の中学部一年への就学義務並びに昭和三〇年度以降のこれらの学校の中学部への就学義務を逐年進行で実施していくためには、法律の規定を要することとなるので、「学校教育法の一部を改正する法律」（昭二九法一九）により、本条の旧二項及び旧三項が平一九法九六により削除される前の二項のように改められた。これにより昭和二九年度において中学部第一学年の就学義務が発効し、以後逐年進行して昭和三一年度をもって中学部の就学義務が完了し、盲学校及び聾学校への就学もここで九年の義務就学が完全に制度化された。

(4)　以上のように、特殊教育（現行特別支援教育）については、盲学校及び聾学校についてはかなり早くその就学義務及び学校設置義務が発効されたのであるが、養護学校については、その対象が知的障害者、肢体不自由者、病弱者等複雑であり、施設も不十分で、その後も長らく一律の義務制施行に踏み切れなかったのである。しかし、昭和四八年一一月に至り、「学校教育法中養護学校における就学義務及び養護学校の設置義務に関する部分の施行期日を定める政令」（昭四八政令三三九）が制定された。この政令では、「学校教育法中同法第二十二条第一項及び第三十九条第一項に規定する養護学校における就学義務並びに同法第七十四条に規定する養護学校の設置義務に関する部分の施行期日は、昭和五十四年四月一日とする。」と定め、就学義務について盲学校及び聾学校の場合のように逐年進行で実施とい

う方式をとらず、一律に、昭和五四年四月一日から義務制が施行された。

これに伴い、就学義務に関する事務手続について所要の整備等を行い、養護学校の義務制の円滑な実施を図ることを目的として、「学校教育法施行令及び学校保健法施行令の一部を改正する政令」（昭五三政令三一〇）並びに「学校教育法施行規則及び学校保健法施行規則の一部を改正する省令」（昭五三文部省令三〇）が、昭和五三年八月一八日に公布・施行された。

【通　知】

○学校教育法中養護学校における就学義務及び養護学校の設置義務に関する部分の施行期日を定める政令の制定について

（昭四八・一一・二〇　文初特四六四号　各都道府県教育委員会あて　文部事務次官通達）

このたび、別添（略）のとおり、「学校教育法中養護学校における就学義務及び養護学校の設置義務に関する部分の施行期日を定める政令」が昭和四八年一一月二〇日付け政令第三三九号をもって公布されました。

この政令は、学校教育法（昭和二二年法律第二六号）第九三条第一項〔現行法附則一条〕において政令で定めることとされている養護学校に係る保護者の就学義務及び都道府県の設置義務に関する同法の規定の施行期日を定めたものであります。

政令の内容の概要及び留意事項は下記のとおりですので、その趣旨に従い、養護学校の整備等について遺憾のないよう願います。

記

1　就学義務に関する事項

学校教育法第二二条第一項及び第三九条第一項〔現行法一七条〕に規定する保護者の就学義務のうち養護学校に関する部分は、昭和五四年四月一日から施行されること。

したがって、昭和五四年四月一日からは、精神薄弱、肢体不自由又は病弱の程度が学校教育法施行令（昭和二八年政令第三四〇号）第二二条の二〔現行二二条の三〕に定める程度の子女の保護者は、その子女の満六歳に達した日の翌日以後における最初の学年の初めから満一五歳に達した日の属する学年の終りまでこれを養護学校の小学部及び中学部に就学させる義務を負うものであること。

なお、昭和五四年四月一日において満七歳以上の年齢に達している上記の子女の保護者も、同日からその子女が満一五歳に達する日の属する学年の終りまで同様の義務を負うものであること。

2　設置義務に関する事項

(1) 学校教育法第七四条〔現行法八〇条〕に規定する都道府県の学校の設置義務のうち養護学校に関する部分は、昭和五四年四月一日から施行されること。
　したがって、各都道府県は、昭和五四年四月一日以降は、その区域内において養護学校における就学義務を負うこととなる保護者の子女を就学させるに必要な養護学校の小学部及び中学部を設置しておくべきこととなること。
(2) 各都道府県が設置すべき養護学校は、そこに就学する児童、生徒の障害の種類に応じ精神薄弱、肢体不自由及び病弱の三種の養護学校であること。
(3) 各都道府県は、昭和五四年四月一日からの養護学校における義務教育の円滑な実施を図るため、この教育の対象となる児童、生徒の実態をは握して、これに基づき、養護学校整備のための年次計画を策定する等して計画的に設置するようにすること。
　なお、養護学校の設置にあたっては、児童福祉施設、医療施設等との連携を十分考慮すること。

第二条　この法律施行の際、現に存する従前の規定による国民学校、国民学校に類する各種学校及び国民学校に準ずる各種学校並びに幼稚園は、それぞれこれらをこの法律によつて設置された小学校及び幼稚園とみなす。

【沿　革】　昭三六・一〇・三一法一六六により、「夫々」を「それぞれ」に改めた。
平一九・六・二七法九六により、旧九七条から附則二条に移動した。

【参照条文】　国民学校令一一条、四三条。施行規則附則二条。

【注　解】

国民学校、国民学校に類する各種学校及び国民学校に準ずる各種学校並びに幼稚園は、就学年齢、修業年限等が、学校教育法による小学校及び幼稚園とまったく同様であるので、それぞれこれらを小学校及び幼稚園とみなすこととしたのである。

なお、国民学校は、公立であることを原則としたので、師範学校の附属国民学校（官立又は道府県立学校の場合は、国民学校の名称が認められていた）やこの段階の教育を行う私立学校は、国民学校に準ずる各種学校として取り扱ってきた。ま

た、国民学校に類する各種学校とは、市町村又はその学校組合が設置し、地方長官が認可していたものである。

第三条 この法律施行の際、現に存する従前の規定(国民学校令を除く。)による学校は、従前の規定による学校として存続することができる。

② 前項の規定による学校に関し、必要な事項は、文部科学大臣が定める。

【沿　革】 平一一・一二・二二法一六〇により、第三項中「文部大臣」を「文部科学大臣」と改めた。
平一九・六・二七法九六により、第二項は削除されるとともに、第三項中「前二項」を「前項」と改め、同項は第二項に改め、旧九八条を附則三条に移動した。

【参照条文】 施行規則附則三条、附則四条。

【注　解】

一　従前の規定による学校とは、平成一九年法九六による改正前の法九四条及びそれを受けた平成一九年文部科学省令四〇による改正前の施行規則八二条によって廃止された旧学校令等によって設けられていた次に掲げる学校のことである。本条は、これらの学校を従前の規定による学校のまま存続させつつ、他方順次新制の学校を設けて行く新学制への切替方針に基づく経過的規定である。

「従前の規定による学校として存続する」というのは、従前の規定をそのまま凍結して、これらの学校にそのまま適用するのである（ただし、文部科学大臣は、本条二項により必要な特例規定を設けることができる）。

二　これらの学校がいつまで存続及び昇格でき、いつどういうように新制度に切り替えられるかは、文部大臣が定めるところによった。これらの事項を各学校別にみると次のとおりである。

(1)　青年学校――「青年学校令」(昭一四勅令二五四)　昭和二三年三月三一日をもって廃止(平成一九文部科学省令四〇による改正前の施行規則九〇条の二)。

(2)　中学校、高等女学校、実業学校――「中等学校令」(昭一八勅令三六)　昭和二六年三月三一日をもって廃止(平一九文部科学省令四〇による改正前の施行規則九〇条の三)。

(3)　師範学校――「師範教育令」(昭一八勅令一〇九)　青年師範学校は昭和二六年三月三一日をもって廃止(「国立学校設置法の一部を改正する法律」(昭二六法八四)による)、高等師範学校は昭和二七年三月三一日をもって廃止(「国立学校設置法の一部を改正する法律」(昭二七法二二)による)。

(4)　盲・聾唖学校――「盲学校及聾唖学校令」(大一二勅令三七五)　初等部及び予科は学校教育法による盲学校・聾学校の小学部及び幼稚部とみなし、中等部は同法によるそれぞれの学校の中等部とみなす(施行規則附則二条・附則三条)。

(5)　高等学校――「高等学校令」(大七勅令三八九)　官立高等学校は国立大学に包括され存続していたが、昭和二五年三月三一日をもって廃止(「国立学校設置法の一部を改正する法律」(昭二五法五一)による)。公私立高等学校は在学生がなくなって自然消滅。

(6)　専門学校――「専門学校令」(明三六勅令六一)　旧法九八条により従前の規定による学校として存続。官立専門学校については、昭和二五年三月三一日でもって廃止したもの(「国立学校設置法の一部を改正する法律」(昭二六法八四)による)と、昭和二六年三月三一日でもって廃止したもの(「国立学校設置法の一部を改正する法律」(昭二七法二二)による)とがある。なお、「学校教育法第九十八条の規定により従前の規定により存続する専門学校(医学又は歯学に関する専門学校を除く。)の入学資格及び修業年限についての省令」(昭二四文部省令六)により、修業年限を二年とし、昭和二八年度まで生徒募集ができたので、昭和二九年度で廃止された。

(7) 大学――「大学令」(大七勅令三八八) 昭和二八年度までに大部分廃止された。
(8) 私立学校令のみによる学校――「私立学校令」(明三二勅令三五九) 法一三四条の規定による各種学校とみなされた(施行規則附則四条)。

第四条 従前の規定による学校の卒業者の資格に関し必要な事項は、文部科学大臣の定めるところによる。

【沿　革】 平一一・一二・二二法一六〇により、「文部大臣」を「文部科学大臣」と改めた。
平一九・六・二七法九六により、旧一〇一条から附則四条に移動した。

【参照条文】 施行規則附則九条～一二条。

【注　解】
本条は、従前の規定による学校の卒業者の資格に関し必要な事項を文部科学大臣の定めに委任した規定である。文部科学大臣の定めとして、施行規則附則九条から一二条までに規定が置かれている。

第五条 削除

【沿　革】 平一五・七・一六法一一九により新設した。
平一九・六・二七法九六により、同条中「大学以外の学校」を「大学及び高等専門学校以外の学校」と改め、旧一〇一条の二から附則五条に移動した。
平二八・五・二〇法四七により削除した。

【参照条文】 法二条一項。地方独立行政法人法二一条二号、六八条一項。

【注　解】

削除前の本条は、「地方独立行政法人法第六十八条第一項に規定する公立大学法人は、第二条第一項の規定にかかわらず、当分の間、大学及び高等専門学校以外の学校を設置することができない。」と規定していた。

これは、地方独立行政法人制度の創設に当たっては、可能と考えられるものから法人化の道を開き、順次拡充を図っていくとの方針がとられたことにより、まず大学を、次に平成一九年法九六により、地方独立行政法人法二一条二号が改正され、公立大学法人は高等専門学校も設置することとされた。それ以外の学校等教育委員会所管の施設については、教育委員会がこれらの施設を設置管理する立場からどう考えるかなど関係団体の意見や、それぞれの施設の特性を踏まえて検討する必要があることから、当面地方独立行政法人制度の対象とすることを見送ることとされていたものである。

その後、地域の自主性及び自立性を高めるための改革の推進を図るための関係法律の整備に関する法律（平二八法四七）により、公立大学法人が附属学校を設置できることとしたことに伴い、本条は削除された。

第六条　私立の幼稚園は、第二条第一項の規定にかかわらず、当分の間、学校法人によつて設置されることを要しない。

【沿　革】　本法制定当初の本条は、次のとおりであった。

第百二条　第二条の別に法律で定める法人とは、当分の間、農業会その他これに準ずる公共団体又は民法による財団法人とする。但し、盲学校、聾学校、養護学校若しくは幼稚園又はこの法律施行の際、現に存する従前の規定による学校で、民法による財団法人でないもの又はその設置者が民法による財団法人でないものの設置者は、当分の間、民法による財団法人であることを要しない。

昭二四・一二・一五法二七〇により、次のように改めた。

第百二条　私立の盲学校、ろう学校、養護学校及び幼稚園は、第二条第一項の規定にかかわらず、当分の間、学校法人によって設置されることを要しない。

②　私立学校法施行の際現に存する私立学校は、第二条第一項の規定にかかわらず、私立学校法施行の日から一年以内は、民法の規定による財団法人によつて設置されることができる。

昭三六・一〇・三一法一六六により、「ろう学校」を「聾学校」に改めた。

平一八・六・二一法八〇により、「盲学校、聾学校、養護学校及び」を削除した。

平一九・六・二七法九六により、第二項は削除され、旧一〇二条を附則六条に移動した。

【参照条文】　法二条一項。私立学校法二条一項、二五条～六二条、附則一二項。私立学校振興助成法附則二条。

【注　解】

私立の幼稚園が、当分の間、学校法人によって設置されることを要しないのは、「これらの学校が多くの場合比較的小規模であって、必ずしも学校法人のようにまとまった組織を必要としないということ、また、これらの学校は発展の途上にあるものであって、現段階では、その質的な充実よりは、むしろその量的な普及が期待されるという理由に基づくものである」（安嶋　彌『学校行政法』（昭和三一年）四七頁）とされている。

このような事情を背景として、議員立法によって「私立学校法等の一部を改正する法律」（昭五〇法六〇）が成立し、これらの学校法人立以外の学校の設置者に対しても、学校法人と同様に公費助成の対象とし、しかし、補助金を受けた場合は、五年以内に学校法人となるように措置することとした（昭和五〇年八月一一日施行）。その後、この趣旨は、同じく議員立法で、昭和五一年四月一日から施行された「私立学校振興助成法」（昭五〇法六一）に引き継がれ、しかも、五年の期限の到来を昭和六〇年三月三一日まで延期したが、その後は五年の期限は厳守され、五年のうちに学校法人にならなかった場合は、補助金は打ち切られることとなった（同法附則二条参照）。

その後、盲学校、聾学校及び養護学校については、量的整備が十分に行われてきているところであり、また、学校

法人以外の者が設立する私立の盲学校、聾学校及び養護学校は存在しなくなったことから、学校教育法等の一部を改正する法律の改正（平一八法八〇）において、私立の盲学校、聾学校及び養護学校に係る設置の特例の取扱いについては廃止されることとなった。

学校法人立以外の幼稚園の所轄庁については、法二八条の【注解】一及び二参照。

第七条　小学校、中学校、義務教育学校及び中等教育学校には、第三十七条（第四十九条及び第四十九条の八において準用する場合を含む。）及び第六十九条の規定にかかわらず、当分の間、養護教諭を置かないことができる。

【沿　革】　平一〇・六・一二法一〇一により、「及び中学校」を「、中学校及び中等教育学校」に改め、「の規定」を削り、「を含む。）」の下に「及び第五十一条の八の規定」を加えた。

平一九・六・二七法九六により、「第二十八条」を「第三十七条」と、「第四十条」を「第四十九条」と、「第五十一条の八」を「第六十九条」と改め、旧一〇三条を附則七条に移動した。

平二七・六・二四法四六により、「中学校」の下に「、義務教育学校」を、「第四十九条」の下に「及び第四十九条の八」を加えた。

【参照条文】　法三七条、四九条、四九条の八、六九条。義務標準法八条。

【注　解】

法三七条一項及び法六九条一項では、養護教諭（三七条一八項及び六九条四項で、特別の事情のあるときは、それに代えて養護助教諭を置くことができるとしている）を置かなければならないとされている規定について、当分の間の例外を定めるものである。「当分の間」と規定されてはいるが、現在もなお効力を有するのである（法三七条の【注解】一参照）。

第八条 中学校は、当分の間、尋常小学校卒業者及び国民学校初等科修了者に対して、通信による教育を行うことができる。

② 前項の教育に関し必要な事項は、文部科学大臣の定めるところによる。

【沿　革】 昭二八・八・一五法二一三により、第二項に「第四条の規定により政令で定めるものとされているものを除く外」を加え、昭三六・一〇・三一法一六六により、その部分を削った。

平一一・一二・二二法一六〇により、第二項中「文部大臣」を「文部科学大臣」と改めた。

平一九・六・二七法九六により、旧一〇五条を附則八条に移動した。

【参照条文】 施行規則附則一三条。中学校通信教育規程。

【注　解】

新学制下においては中学校までが義務制であるので、旧学制下における初等教育修了者に対して、新制中学校の卒業資格を与えるため、暫定的に通信教育の方式を採用したものである。したがって、新学制下の小学校卒業者がこの方式によって中学校教育を受けることは認められていない。施行規則附則一三条では、「学校教育法附則第八条の規定による通信教育については、別に定める。」とされ、中学校通信教育規程（昭二二文部省令二五）が定められている。

第九条 高等学校、中等教育学校の後期課程及び特別支援学校並びに特別支援学級においては、当分の間、第三十四条第一項（第四十九条、第四十九条の八、第六十二条、第七十条第一項及び第八十二条において準用する場合を含む。）の規定にかかわらず、文部科学大臣の定めるところにより、第三十四条第一項に規定する教科用図書以外の教科用図書を使用することができる。

②　第三十四条第二項及び第三項の規定は、前項の規定により使用する教科用図書について準用する。

【沿　革】　昭二八・八・五法一六七により全部改正された本条は、次のとおりであった。

第百七条　高等学校、盲学校、聾学校及び養護学校においては、当分の間、第五十一条〔現行六三条〕及び第七十六条〔現行八二条〕において準用する第二十一条〔現行三四条〕第一項の規定にかかわらず、文部大臣の定めるところにより、同条同項に規定する教科用図書以外の教科用図書を使用することができる。

昭三六・一〇・三一法一六六により、「特殊学級」を加え、その他条文の整備を行った。

平一〇・六・一二法一〇一により、「高等学校」の下に「、中等教育学校の後期課程」を、「第五十一条」の下に「、第五十一条の九第一項」を加え、「同条同項」を「第二十一条第一項」に改めた。

平一一・一二・二二法一六〇により、「文部大臣」を「文部科学大臣」に改めた。

平一八・六・二一法八〇により、「盲学校、聾(ろう)学校及び養護学校並びに特殊学級」を「及び特別支援学校並びに特別支援学級」に改めた。

平一九・六・二七法九六により、「第二十一条」を「第三十四条」と、「第四十条」を「第四十九条」と、「第五十一条」を「第六十二条」と、「第五十一条の九」を「第七十条」と、「第七十六条」を「第八十二条」と改め、旧一〇七条を附則九条に移動した。

平三〇・六・一法三九により、「第四十九条」の下に「、第四十九条の八」を加え、第二項を加えた。

【参照条文】　施行規則八九条、一一三条、一三一条、一三五条、一三九条。

【注　解】

小・中・義務教育学校・高等学校及び中等教育学校並びに特別支援学校においては、必ず教科書を使用しなければならない。この場合、使用される教科書は検定教科書か文部省著作教科書でなければならない。

この原則に対する例外を定めたのが、本条の規定である。「文部科学大臣の定め」としては、施行規則に次のような規定がある。

第八十九条　高等学校においては、文部科学大臣の検定を経た教科用図書又は文部科学省が著作の名義を有する教科用図書のない場合には、当該高等学校の設置者の定めるところにより、他の適切な教科用図書を使用することができる。
2　第五十六条の五の規定は、学校教育法附則第九条第二項において準用する同法第三十四条第二項又は第三項の規定により前項の他の適切な教科用図書に代えて使用する教材について準用する。

第百十三条　（略）
2　（略）
3　第八十一条、第八十八条の三、第八十九条、第九十二条、第九十三条、第九十六条から第百条の二まで、第百一条第二項、第百二条、第百三条第一項、第百三条の二（第三号を除く。）及び第百四条第二項の規定は、中等教育学校の後期課程に準用する。この場合において、第九十六条第一項中「第八十五条、第八十五条の二又は第八十六条」とあるのは「第百八条第二項において読み替えて準用する第八十五条、第八十五条の二又は第八十六条」と、「第八十三条又は第八十四条」とあるのは「第百八条第二項において準用する第八十三条又は第八十四条の規定に基づき文部科学大臣が公示する高等学校学習指導要領」と読み替えるものとする。

第百三十一条　特別支援学校の小学部、中学部又は高等部において、複数の種類の障害を併せ有する児童若しくは生徒を教育する場合又は教員を派遣して教育を行う場合において、特に必要があるときは、第百二十六条から第百二十九条までの規定にかかわらず、特別の教育課程によることができる。
2　前項の規定により特別の教育課程による場合において、文部科学大臣の検定を経た教科用図書又は文部科学省が著作の名義を有する教科用図書を使用することが適当でないときは、当該学校の設置者の定めるところにより、他の適切な教科用図書を使用することができる。
2　第五十六条の五の規定は、学校教育法附則第九条第二項において準用する同法第三十四条第二項又は第三項の規定により前項の他の適切な教科用図書に代えて使用する教材について準用する。

第百三十五条　（略）
2　第五十六条の五から第五十八条まで、第六十四条及び第八十九条の規定は、特別支援学校の小学部、中学部及び高等部に準用する。
3～5　（略）

第百三十九条　前条の規定により特別の教育課程による特別支援学級においては、文部科学大臣の検定を経た教科用図書を使用することが適当でない場合には、当該特別支援学級を置く学校の設置者の定めるところにより、他の適切な教科用図書を使用することができる。
2　第五十六条の五の規定は、学校教育法附則第九条第二項において準用する同法第三十四条第二項又は第三項の規定により前項の他の適切な教科用図書に代えて使用する教材について準用する。

なお、本条に規定する教科書としては、高等学校及び中等教育学校の後期課程のごく限られた教科について、検定教科書でも文部科学省著作教科書でもなく、一般に市販されている図書で教科の主たる教材となりうるものを教科用図書として使うように設置者が指定するものである。

また、特別支援学校において、重複障害の児童生徒の教育又は訪問教育について特別の教育課程による場合や小・中学校又は中等学校前期課程の特別支援学級において特別の教育課程による場合にも検定教科書等以外の教科用図書の使用が認められており、当該学年用以下の検定教科書が使用されている場合が多く見られる。同じ検定教科書であっても、特定の学年の特定の教科用のものを他に用いることができるのは、本条で認められた場合に限られる。

また、障害のある児童及び生徒のための教科用特定図書等の普及の促進等に関する法律（平二〇法八一）により、教科用特定図書等（検定教科用図書を拡大したり、点字にしたりすることで複製した図書その他障害のある児童及び生徒が検定教科用図書に代えて使用しうる教材をいう）の供給及び普及を促進するために必要な措置を講ずることとされ、教科書発行者から教科用図書の電磁的記録を文部科学大臣等を通じて教科用特定図書等の発行者へ提供する等の措置が規定されている。しかし、この法律は、小・中学校及び高等学校の通常学級での障害のある児童及び生徒を対象としているもので、特別支援学校及び小・中学校及び高等学校の特別支援学級では、教科用特定図書等は、本条に規定する検定教科書以外の教科用図書として使用されることとなる。

平三〇・六・一法三九により、教科用図書の内容を記録した電磁的記録である教材、いわゆるデジタル教科書を通常の紙の教科用図書に代えて教育課程において使用できることとしたことに伴い（第三四条第二項及び第三項）、本条の教科用図書にもこれらの規定を準用した（二項）。

第十条　第百六条の規定により名誉教授の称号を授与する場合においては、当分の間、旧大学令、旧高等学校令、旧

専門学校令又は旧教員養成諸学校官制の規定による大学、大学予科、高等学校高等科、専門学校及び教員養成諸学校並びに文部科学大臣の指定するこれらの学校に準ずる学校の校長（総長及び学長を含む。）又は教員としての勤務を考慮することができるものとする。

【沿　革】　昭二五・四・一九法一〇三により新設した。
昭五一・五・二五法二五により、「第六十八条の二」を「第六十八条の三」に改めた。
平一一・一二・二二法一六〇により、第一項中「文部大臣」を「文部科学大臣」と改めた。
平一九・六・二七法九六により、第二項を削除し、「第六十八条の三」を「第百六条」と改め、「以下本条において同じ。」を削り、旧一〇八条の二を附則一〇条に移動した。

【参照条文】　法一〇六条。

【注　解】
法一〇六条の規定による名誉教授の要件では、新制大学での一定の勤務が必要となるが、本法施行に伴う学制の切替えがあった事情にかんがみ、本条により、当分の間、従前の大学令、高等学校令、専門学校令又は旧教員養成諸学校官制の規定による大学、大学予科、高等学校高等科、専門学校及び教員養成諸学校並びに文部科学大臣の指定するこれらの学校に準ずる学校の校長（総長及び学長を含む）又は教員としての勤続を考慮することができるものとしたのである。なお、法一〇六条の【注解】参照。

改正法附則

附　則　（平成一四年一一月二九日法律第一一八号）（抄）

（施行期日）

第一条　この法律は、平成十五年四月一日から施行する。ただし、次の各号に掲げる規定は、当該各号に定める日から施行する。

一　第六十九条の二の次に四条を加える改正規定及び第七十条の十の改正規定（「及び第六十九条」を「、第六十九条、第六十九条の三（第三項を除く。）及び第六十九条の四から第六十九条の六まで」に改める部分に限る。）　平成十六年四月一日

二　附則第三条の規定　公布の日

（認可の申請に関する経過措置）

第二条　この法律の施行の際現に改正前の学校教育法第四条第一項の規定によりされている大学の学部若しくは大学院の研究科又は改正前の同法第六十九条の二第二項の大学の学科の設置廃止その他政令で定める事項についての認可の申請であって、改正後の同法第四条第二項各号の規定に該当するものは、改正後の同項後段の規定によりされた届出とみなす。

（専門職大学院の設置のため必要な行為）

第三条　専門職大学院の設置のため必要な手続その他の行為は、この法律の施行前においても行うことができる。

【注　解】

大学の設置認可制度の弾力化及び違法状態の大学に対する是正措置の整備を行うとともに、専門職大学院制度及び大学等の認証評価制度を創設することとした「学校教育法の一部を改正する法律」の附則である。認証評価制度については平成一六年四月一日から、その他については平成一五年四月一日から施行された。

附　則　（平成一四年一二月一三日法律第一五六号）（抄）

（施行期日）

第一条　この法律は、平成十五年十月一日から施行する。

（政令への委任）

第十八条　この法律に規定するもののほか、新学園の設立に伴い必要な経過措置その他この法律の施行に関し必要な経過措置は、政令で定める。

【注　解】

「放送大学学園法」の附則である。同法附則一三条の規定により学校教育法が改正され、放送大学学園の学校法人への転換に伴う規定の整備が行われた。

附　則（平成一五年七月一六日法律第一一七号）（抄）

（施行期日）

第一条　この法律は、平成十六年四月一日から施行する。

（罰則に関する経過措置）

第七条　この法律の施行前にした行為及びこの附則の規定によりなお従前の例によることとされる場合におけるこの法律の施行後にした行為に対する罰則の適用については、なお従前の例による。

【注　解】

「国立大学法人法等の施行に伴う関係法律の整備等に関する法律」の附則である。同法三条により学校教育法が改正され、学校の設置者について規定する同法二条一項の「国」には「国立大学法人及び独立行政法人国立高等専門学校機構」を含むものとする等、所要の規定の整備が行われた。

附　則（平成一五年七月一六日法律第一一九号）（抄）

（施行期日）

第一条　この法律は、地方独立行政法人法（平成十五年法律第百十八号）の施行の日から施行する。

【注　解】

「地方独立行政法人法の施行に伴う関係法律の整備等に関する法律」の附則であり、平成一六年四月一日から施行された。同法三二一条の規定により、学校教育法二条一項が改正され、学校の設置者としての「地方公共団体」には

「公立大学法人」を含むものとされた。

附　則（平成一六年五月二一日法律第四九号）（抄）

この法律は、平成十七年四月一日から施行する。ただし、次の各号に掲げる規定は、当該各号に定める日から施行する。

一　第一条中学校教育法第五十五条第二項の改正規定　平成十八年四月一日

二　〔略〕

【注　解】

栄養教諭制度を創設するとともに大学の薬学を履修する課程のうち臨床に係る実践的な能力を培うことを主たる目的とするものの修業年限を六年とすることとした「学校教育法等の一部を改正する法律」の附則である。栄養教諭制度については平成一七年四月一日から施行され、薬学教育の修業年限の延長については平成一八年四月一日から施行された。

附　則（平成一七年七月一五日法律第八三号）（抄）

（施行期日）

第一条　この法律は、平成十九年四月一日から施行する。ただし、第四条、第六十八条の二及び第六十九条の二の改正規定並びに附則第三条（中略）の規定は、平成十七年十月一日から施行する。

（助教授の在職に関する経過措置）

第二条 この法律の規定による改正後の次に掲げる法律の規定の適用については、この法律の施行前における助教授としての在職は、准教授としての在職とみなす。

一 学校教育法第百六条

二〜十七 （略）

（短期大学士の学位に関する経過措置）

第三条 この法律による改正前の学校教育法第六十九条の二第七項の規定による準学士の称号は、この法律による改正後の学校教育法第六十八条の二第三項の規定による短期大学士の学位とみなす。

【沿　革】 平一九・五・一一法三六により、二条一五号中「第十六条」を「第十七条」に改めた。
平一九・六・二七法九六により、二条中「六十八条の三」を「百六条」に改めた。
平三〇・五・三〇法三三により、第二条に十七号を追加。

【注　解】

短期大学を卒業した者に対し短期大学士の学位を授与することとするほか、大学及び高等専門学校の教員組織に関し、助教授に代えて准教授を設けるとともに助教を新設することとした「学校教育法の一部を改正する法律」の附則である。

短期大学士の学位に係る改正は、平成一七年一〇月一日から施行されたが、附則三条により、施行前に短期大学を卒業した者の準学士の称号は、短期大学士の学位とみなされる。

また、大学及び高等専門学校の教員組織に係る改正については、平成一九年四月一日から施行された。附則二条は、名誉教授の称号の授与に関し、施行前の助教授としての在職を准教授としての在職とみなす旨を定めるものである。

附　則　（平成一八年六月二一日法律第八〇号）（抄）

（施行期日）

第一条　この法律は、平成十九年四月一日から施行する。

（学校教育法の一部改正に伴う経過措置）

第二条　この法律の施行の際現に設置されている第一条の規定による改正前の学校教育法（以下「旧学校教育法」という。）第一条に規定する盲学校、聾学校及び養護学校は、この法律の施行の時に、第一条の規定による改正後の学校教育法（以下「新学校教育法」という。）第一条に規定する特別支援学校となるものとする。この場合において、旧学校教育法第四条第一項の規定による当該盲学校、聾学校又は養護学校の設置の認可は、新学校教育法第四条第一項の規定による特別支援学校の設置の認可とみなす。

2　この法律の施行の際現に旧学校教育法第四条第一項の規定によりされている盲学校、聾学校又は養護学校の設置廃止、設置者の変更及び同項に規定する政令で定める事項についての認可の申請は、新学校教育法第四条第一項の規定によりされた認可の申請とみなす。

第三条　この法律の施行の際現に旧学校教育法第一条に規定する盲学校、聾学校又は養護学校を設置している私立学校法（昭和二十四年法律第二百七十号）第三条に規定する学校法人は、前条第一項の規定により当該盲学校、聾学校又は養護学校が特別支援学校となることに伴い寄附行為を変更しようとするときは、同法第四十五条第一項の規定にかかわらず、同項の規定による寄附行為の変更の認可を受けることを要しない。この場合において、当該学校法人は、遅滞なく、その旨を都道府県知事に届け出なければならない。

第四条　この法律の施行前に旧学校教育法第一条に規定する盲学校、聾学校又は養護学校を卒業した者に対する職業

安定法（昭和二十二年法律第百四十一号）第二十六条第一項及び船員職業安定法（昭和二十三年法律第百三十号）第二十条第三項の規定の適用については、その者は、新学校教育法第一条に規定する特別支援学校を卒業した者とみなす。

（罰則に関する経過措置）

第十条　この法律の施行前にした行為に対する罰則の適用については、なお従前の例による。

【注　解】

盲学校、聾学校及び養護学校を特別支援学校とする等の改正を行った「学校教育法等の一部を改正する法律」の附則である。

特別支援学校に係る改正は、平成一九年四月一日から施行されたが、附則二条により、施行前の盲学校、聾学校又は養護学校の認可は、特別支援学校の認可とみなすとともに、施行前にこれらの学校の設置の申請がなされた場合には、特別支援学校の設置の申請とみなされた。

附則三条は、盲・聾・養護学校を設置している学校法人が、当該学校が特別支援学校となることに伴う寄附行為の変更に当たっては、認可ではなく都道府県知事への届出でよいこととされた。

附則四条は、盲・聾・養護学校を卒業した者も、引き続き職業安定法及び船員職業安定法に基づく職業のあっせんを受けられることとなった。

附則一〇条は、学校の閉鎖命令違反（旧八九条、現行一四三条）、保護者の就学義務の不履行（旧九一条、現行一四四条）、学校名称等使用禁止違反（旧九二条、現行一四六条）等の罰則規定の経過措置であり、改正前になされた盲学校、聾学校及び養護学校に係るこれらの規定の罰則の適用について、改正法施行後も当該罰則の適用を可能とするものである。

附　則　（平成一九年六月二七日法律第九六号）（抄）

（施行期日）

第一条　この法律は、公布の日から起算して六月を超えない範囲内において政令で定める日から施行する。ただし、次の各号に掲げる規定は、当該各号に定める日から施行する。

一　第二条から第十四条まで及び附則第五十条の規定　平成二十年四月一日

二　〔略〕

【注　解】

教育基本法の改正を受けて緊急に必要とされる教育制度の改正のためのいわゆる教育三法の改正の一つとしての「学校教育法等の一部を改正する法律」の附則である。

副校長、主幹教諭、指導教諭の職の設置については、年度の区切りの平成二〇年四月一日から施行することとし、それ以外の各学校種の目的・目標の見直し、学校評価に関する規定の整備、大学等の履修証明制度の導入などの改正については、国民への周知期間の確保、関係政省令の整備等に一定の期間が必要であることから、政令で定める日から施行することとされ、平成一九年一二月二六日に施行された。

附　則　（平成一九年六月二七日法律第九八号）（抄）

（施行期日）

第一条　この法律は、平成二十年四月一日から施行する。ただし、次の各号に掲げる規定は、当該各号に定める日か

ら施行する。

一 第一条の規定（教育職員免許法附則第五項の表備考第一号の改正規定及び同法附則第十八項の改正規定（後段を加える部分を除く。）に限る。） 公布の日

二 第一条の規定（教育職員免許法第五条第一項第五号及び第六号の改正規定、同法第十条第一項に一号を加える改正規定、同法第十一条、第十四条、第十四条の二及び第二十三条第二号の改正規定、同法附則第五項の表備考第一号の改正規定並びに同法附則第十八項の改正規定（後段を加える部分を除く。）を除く。）、次条から附則第四条までの規定並びに附則第七条、第八条第二項、第十条、第十一条、第十三条から第十五条まで及び第十七条から第十九条までの規定 平成二十一年四月一日

【注 解】

いわゆる教育三法の改正の一つの教員免許更新制の導入等のための「教育職員免許法及び教育公務員特例法の一部を改正する法律」の附則である。教員免許更新制は、平成二一年四月一日から施行された。

附則九条により学校教育法九条を改正し、校長と教員の欠格条項として教育職員免許法一〇条一項三号による免許状の失効、同法一一条二項による取上げ処分を追加したことにより、公立学校教員の勤務成績不良又は適格性欠如に該当する分限免職による教員免許状の失効及び国立と私立の教員の分限免職に相当する処分による教員免許状の取上げ処分の場合には、校長又は教員になることができないこととなった（法九条の**【注解】四**及び**五**参照）。

附 則（平成二三年五月二日法律第三七号）（抄）

（施行期日）

第一条　この法律は、公布の日から施行する。ただし、次の各号に掲げる規定は、当該各号に定める日から施行する。

一〜四　（略）

（学校教育法の一部改正に伴う経過措置）

第三条　この法律の施行の際現に第九条の規定による改正前の学校教育法第四条第一項の規定によりされている市町村の設置する幼稚園に係る認可の申請は、第九条の規定による改正後の学校教育法第四条の二の規定によりされた届出とみなす。

2　この法律の施行前に第九条の規定による改正前の学校教育法第十三条の規定によりされた市町村の設置する幼稚園に係る閉鎖命令は、第九条の規定による改正後の学校教育法第十三条第二項の規定において準用する同条第一項の規定によりされた閉鎖命令とみなす。

（罰則に関する経過措置）

第二十三条　この法律（附則第一条各号に掲げる規定にあっては、当該規定）の施行前にした行為に対する罰則の適用については、なお従前の例による。

【注　解】

市町村立幼稚園の設置廃止等について都道府県教育委員会の認可を要しないこととするための学校教育法の一部改正を含む「地域の自主性及び自立性を高めるための改革の推進を図るための関係法律の整備に関する法律」（平成二三年法律第三七号。いわゆる第一次分権一括法）の附則である。学校教育法の一部改正部分及びその経過措置については公布の日である平成二三年五月二日に施行された。

附則第三条第一項は、法律の施行の際に、現に、都道府県教育委員会に対して市町村立幼稚園の設置・廃止等に係る認可申請をしている者については、改めて改正後の法律に基づく届出の申請を行わなくても良いよう、当該認可申請をもって改正後の届出申請があったものとみなすこととするものである。

附則第三条第二項及び附則第二三条は、学校教育法第一三条を二項立てとすることに伴う罰則に関する経過措置である。改正前の規定により市町村立幼稚園に対してなされた閉鎖命令を改正後の対応する規定によりなされたものとみなすとともに、改正規定の施行前にした行為に対する罰則の適用についてなお従前の例によることとすることにより、罰則規定の適用関係を明確にするものである。

附　則　（平成二六年六月四日法律第五一号）（抄）

（施行期日）

第一条　この法律は、平成二十七年四月一日から施行する。ただし、次の各号に掲げる規定は、当該各号に定める日から施行する。

一～四　（略）

（学校教育法の一部改正に伴う経過措置）

第二条　この法律の施行の際現に第四条の規定による改正前の学校教育法第四条第一項の規定によりされている指定都市（地方自治法（昭和二十二年法律第六十七号）第二百五十二条の十九第一項の指定都市をいう。以下同じ。）の設置する高等学校又は中等教育学校に係る認可の申請は、第四条の規定による改正後の学校教育法第四条第四項の規定によりされた届出とみなす。

【注　解】

指定都市立の高等学校に対する設置廃止等について、都道府県教育委員会の認可制から届出制に改めることとする学校教育法の一部改正を含む、「地域の自主性及び自立性を高めるための改革の推進を図るための関係法律の整備に関する法律」（平成二六年法律第五一号。いわゆる第四次分権一括法）の附則である。学校教育法の一部改正部分及びその経過措置については平成二七年四月一日に施行された。

附則第二条は、法律の施行の際、現に、都道府県教育委員会に対して指定都市立の高等学校の設置廃止等に係る認可申請を行っている場合は、改めて改正後の法律に基づく届出の申請を行わなくても良いよう、当該申請をもって改正後の規定に基づく届出があったものとみなすこととするものである。

附　則（平成二七年六月二四日法律第四六号）（抄）

（施行期日）

第一条　この法律は、平成二十八年四月一日から施行する。ただし、次条並びに附則第三条及び第二十条の規定は、公布の日から施行する。

（義務教育学校の設置のため必要な行為）

第二条　義務教育学校の設置のため必要な手続その他の行為は、この法律の施行前においても行うことができる。

【注　解】

義務教育学校制度の創設等の改正を行った「学校教育法等の一部を改正する法律」の附則である。施行日は平成二八年四月一日であるが、義務教育学校の設置のための準備行為に係る規定（附則第二条）、政令委任規定（附則第三条）

及び第四次分権一括法の改正規定（附則第二〇条）については、公布の日である平成二七年六月二四日に施行された。

附　則（平成二七年六月二六日法律第五〇号）（抄）

（施行期日）

第一条　この法律は、平成二十八年四月一日から施行する。ただし、次の各号に掲げる規定は、当該各号に定める日から施行する。

一～五　（略）

（学校教育法の一部改正に伴う経過措置）

第二条　この法律の施行の際現に第一条の規定による改正前の学校教育法第四条第一項の規定によりされている指定都市（地方自治法第二百五十二条の十九第一項の指定都市をいう。）の設置する特別支援学校に係る認可の申請は、第一条の規定による改正後の学校教育法第四条第四項の規定によりされた届出とみなす。

【注　解】

指定都市立の特別支援学校に対する設置廃止等について、都道府県教育委員会の認可制から届出制に改めることとする学校教育法の一部改正を含む、「地域の自主性及び自立性を高めるための改革の推進を図るための関係法律の整備に関する法律」（平成二七年法律第五〇号。いわゆる第五次分権一括法）の附則である。学校教育法の一部改正部分及びその経過措置については平成二八年四月一日に施行された。

附則第二条は、法律の施行の際、現に、都道府県教育委員会に対して指定都市立の特別支援学校の設置廃止等に係る認可申請を行っている場合は、改めて改正後の法律に基づく届出の申請を行わなくても良いよう、当該申請をもっ

て改正後の規定に基づく届出があったものとみなすこととするものである。

附　則　（平成二八年五月二〇日法律第四七号）（抄）

（施行期日）

第一条　この法律は、平成二十九年四月一日から施行する。ただし、次の各号に掲げる規定は、当該各号に定める日から施行する。

一～三　略

（地方独立行政法人法等の一部改正に伴う経過措置）

第二条　略

2　新地方独立行政法人法第七十七条の二第一項の規定により地方独立行政法人法第六十八条第一項に規定する公立大学法人が設置する大学に附属して設置される新地方独立行政法人法第七十七条の二第一項に規定する学校の設置のため必要な手続その他の行為は、施行日前においても行うことができる。

（以下略）

【注　解】

公立大学法人が附属学校を設置することができることとする学校教育法の一部改正を含む「地域の自主性及び自立性を高めるための改革の推進を図るための関係法律の整備に関する法律」（平成二八年法律第四七号。いわゆる第五次分権一括法。）による学校教育法の一部改正の附則である。これに関係する改正規定は平成二九年四月一日から施行され、附則第二条第二項により必要な準備行為は施行日前に行うことができることとされた。

附　則（平成二九年三月三一日法律第五号）（抄）

（施行期日）

第一条　この法律は、平成二十九年四月一日から施行する。

（以下略）

【注　解】

義務教育諸学校等の事務職員の職務内容を改める学校教育法の一部改正を含む「義務教育諸学校等の体制の充実及び運営の改善を図るための公立義務教育諸学校の学級編制及び教職員定数の標準に関する法律等の一部を改正する法律」（平成二九年法律第五号）の附則である。同法による学校教育法の改正は、平成二九年四月一日から施行された。

附　則（平成二九年五月三一日法律第四一号）（抄）

（施行期日）

第一条　この法律は、平成三十一年四月一日から施行する。ただし、次条及び附則第四十八条の規定は、公布の日から施行する。

（専門職大学等の設置のため必要な行為）

第二条　専門職大学又はこの法律による改正後の学校教育法（以下「新学校教育法」という。）第百八条第四項の大学の設置のため必要な手続その他の行為は、この法律の施行の日（以下「施行日」という。）前においても行うことができる。

（以下略）

【注　解】

専門職大学等の制度を設けた「学校教育法等の一部を改正する法律」（平成二九年法律第四一号）の附則である。同法は、平成三一年四月一日に施行され、附則第二条により、専門職大学等の設立のために必要な準備行為は、施行日の前から行うことができることとした。

附　則（平成三〇年六月一日法律第三九号）（抄）

（施行期日）

第一条　この法律は、平成三十一年四月一日から施行する。

（以下略）

【注　解】

教育課程において教科用図書に代えてその内容を記録した電磁的記録である教材、いわゆるデジタル教科書を使用することができることとした「学校教育法等の一部を改正する法律」（平成三〇年法律第三九号）の附則である。同法は、平成三一年四月一日に施行された。

附　則（令和元年五月二四日法律第一一号）（抄）

（施行期日）

第一条　この法律は、平成三十二年四月一日から施行する。ただし、第二条中国立大学法人法附則に一条を加える改正規定、第四条中独立行政法人大学改革支援・学位授与機構法第三条の改正規定及び同法第十六条第一項の改正規定並びに次条並びに附則第四条第三項及び第四項、第九条、第十一条並びに第十二条の規定は、公布の日から施行する。

（以下略）

【注　解】

認証評価において、大学等の教育研究等の状況が大学評価基準に適合しているか否かの認定を義務付けする等の改正を行った「学校教育法等の一部を改正する法律」（令和元年法律第一一号）の附則である。同法による学校教育法の改正は、令和二年四月一日に施行された。

附　則（令和元年六月一四日法律第三七号）（抄）

（施行期日）

第一条　この法律は、公布の日から起算して三月を経過した日から施行する。ただし、次の各号に掲げる規定は、当該各号に定める日から施行する。

一　（略）

二　第三条、第四条、第五条（国家戦略特別区域法第十九条の二第一項の改正規定を除く。）、第二章第二節及び第四節、第四十一条（地方自治法第二百五十二条の二十八の改正規定を除く。）、第四十二条から第四十八条まで、第五十条、第五十四条、第五十七条、第六十条、第六十二条、第六十六条から第六十九条まで、第七十五条（児

童福祉法第三十四条の二十の改正規定を除く。）、第七十六条、第七十七条、第七十九条、第八十条、第八十二条、第八十四条、第八十七条、第八十八条、第九十条（職業能力開発促進法第三十条の十九第二項第一号の改正規定を除く。）、第九十五条、第九十六条、第九十八条から第百条まで、第百四条、第百八条、第百九条、第百十二条、第百十三条、第百十五条、第百十六条、第百十九条、第百二十一条、第百二十三条、第百三十三条、第百三十五条、第百三十八条、第百三十九条、第百六十一条から第百六十三条まで、第百六十六条、第百六十九条、第百七十条、第百七十二条（フロン類の使用の合理化及び管理の適正化に関する法律第二十九条第一項第一号の改正規定に限る。）並びに第百七十三条並びに附則第十六条、第十七条、第二十条、第二十一条及び第二十三条から第二十九条までの規定　公布の日から起算して六月を経過した日

三及び四　略

（行政庁の行為等に関する経過措置）

第二条　この法律（前条各号に掲げる規定にあっては、当該規定。以下この条及び次条において同じ。）の施行の日前に、この法律による改正前の法律又はこれに基づく命令の規定（欠格条項その他の権利の制限に係る措置を定めるものに限る。）に基づき行われた行政庁の処分その他の行為及び当該規定により生じた失職の効力については、なお従前の例による。

（以下略）

【注　解】

校長及び教員の欠格事由から成年被後見人及び被保佐人を削除する学校教育法の一部改正を含む「成年被後見人等の権利の制限に係る措置の適正化等を図るための関係法律の整備に関する法律」（令和元年法律第三七号）の附則で

ある。学校教育法の改正に係る部分は、附則第一条第二号の規定により、令和元年一二月一四日に施行された。施行日前に成年被後見人又は被保佐人に該当することを理由として行われた処分や失職等の効力については、附則第二条により従前の規定によることとされている。

附　則（令和元年六月二六日法律第四四号）（抄）

（施行期日）

第一条　この法律は、平成三十二年四月一日から施行する。ただし、次の各号に掲げる規定は、当該各号に定める日から施行する。

一～三　（略）

（以下略）

【注　解】

大学院への飛び入学の資格に関する学校教育法の一部改正を含む「法科大学院の教育と司法試験等との連携等に関する法律等の一部を改正する法律」（令和元年法律第四四号）の附則である。学校教育法の改正に係る部分は、令和二年四月一日に施行された。

附属資料

I 改正経過一覧

※については、改正法案の提案理由を本書の末尾に収録している。

一 学校教育法

公布年月日	法律番号	関係法律	改正点	摘要
※昭和二二・三・三一	**二六号**	**学校教育法**		**（制定）**
二三・七・一〇	一三三号	学校教育法及び義務教育費国庫負担法の一部を改正する法律	六〇、六八、八六、九三、九六	大学設置委員会を大学設置審議会に改正 盲学校、聾学校の小学部の就学義務
二三・七・一五	一七〇号	教育委員会法	二九、三〇、三一、三三、三四、七四、一〇六、一〇七	公立の小・中・高・盲・聾・養護学校及び幼稚園の設置廃止等の監督庁を当分の間都道府県委員会とした
二四・五・三一	一四八号	教育職員免許法施行法	八、九、九九	免許法施行法の制定に伴う校長・教員の欠格条項等の手直し
※ 二四・六・一	**一七九号**	**学校教育法の一部を改正する法律**	五六、一〇九、一一〇	医・歯学部のある大学への入学資格 **短期大学の設置根拠**
二四・一二・一五	二七〇号	私立学校法	二、一五、三四、八四、一〇二	私学法の制定に伴う整理（学校法人を学校設置者と明記。私立小・中・

					高等学校等は、都道府県知事の所管である旨明記）
※	二五・四・一九	一〇三号	学校教育法の一部を改正する法律	四四、四六、五〇、五一、五八、六八の二、七〇、八三、八四、八九、九四、九六、一〇八の二	高等学校の定時制課程及び各種学校に関する規定の整理、名誉教授に関する規定の新設
※	二八・八・五	一六七号	学校教育法等の一部を改正する法律	二一、二三、二六、四九、五一、七三、七六、一〇六、一〇七	教科用図書の検定に係る法令の整備
	二八・八・一五	二一三号	地方自治法の一部を改正する法律の施行に伴う関係法令の整理に関する法律	四、六、二二、二三、三一、四五、八八、一〇五、一〇六	監督庁が定めるものとされていた事項を政令で定める旨の規定に整備
※	二九・三・三一	一九号	学校教育法の一部を改正する法律	五五、五六、九三、一〇九	医学、歯学の履修課程の修業年限を六年以上とした 盲学校・聾学校の中学部の就学義務
	二九・六・三	一五九号	教育職員免許法の一部を改正する法律の施行に伴う関係法律の整理に関する法律	八	免許法の施行に伴う規定の整備
※	三二・六・一	一四九号	学校教育法の一部を改正する法律	一〇二の二	養護学校における就学の経過措置
	三三・四・一〇	五六号	学校保健法	一二、二六	学校における健康診断の規定の改正
	三五・三・三一	一六号	国立学校設置法の一部を改正する法律	六、一〇六	国公立学校における授業料その他の費用に関する定めの他の法律への移替
※	三六・六・一七	一四四号	学校教育法の一部を改正する法律	一、四、五章の二	高等専門学校制度の新設
※	三六・一〇・三一	一六六号	学校教育法等の一部を改正する法律	四、九、二二、二三、二四、三〇、三一、三二、三三、三九、四〇、四四、四五、	高等学校の定時制・通信制課程に関する規定整備及び技能教育施設との連携、特殊教育に関する規定の整備

			四五の二、四六、五四の二、五五、六五、七〇、七一、七一の二、七二、七四、七五、七六、八四、八九、九四、九七、一〇二、一〇二の二、一〇四、一〇五、一〇六、一〇七	
三七・九・一五	一六一号	行政不服審査法の施行に伴う関係法律の整理等に関する法律	八六	大学・高専の設置認可に関する処分の不服申立ての規定
※ **三九・六・一九**	**一一〇号**	**学校教育法の一部を改正する法律**	四、六七、六九の二、一一〇	**短期大学制度の恒久化**
四二・五・三一	一八号	国立学校設置法及び国立養護教諭養成所設置法の一部を改正する法律	七〇の三、七〇の四	高等専門学校における商船に関する学科の規定
四二・八・一	一二〇号	許可、認可等の整理に関する法律	二三	就学義務の猶予・免除についての都道府県教育委員会の認可を不要とした
四四・三・二五	二号	地方自治法の一部を改正する法律	三一	学校組合に関する規定の整備
四五・五・六	四八号	著作権法	二一	著作権法の施行に伴う規定の整備
四五・六・一	一一一号	許可、認可等の整理に関する法律	四五	高等学校の通信制課程に係る認可を政令で定めるものに限定
※ **四八・九・二九**	**一〇三号**	**国立学校設置法等の一部を改正する法律**	五三、五五、五八、六八、八七の二	**（筑波大学の創設）** 学部以外の教育研究上の基本となる組織に関する定め 大学の医・歯学部の履修方法の弾力化 大学における副学長の設置、職務の規定

※	四九・六・一	七〇号	学校教育法の一部を改正する法律	二八、五〇、五〇の二、五一、七〇、七〇の九、七三の二、七三の三、七六、八一、八二	教頭の法制化
※	五〇・七・一一	五九号	学校教育法の一部を改正する法律	第七章の二、八三、八三の二、八四、八九、九二、一〇六	専修学校制度の新設
※	五一・五・二五	二五号	学校教育法の一部を改正する法律	四、六七、六八、六八の二、六八の三、七〇、七〇の九、八三の二、一〇八の二	大学院の研究科の設置廃止を認可事項とする 後期三年のみの博士課程の研究科の設置 独立大学院制度の創設
	五三・五・二三	五五号	審議会等の整理等に関する法律	七〇の七、七〇の八、七〇の九、一〇六	高等専門学校審議会を廃止
※	五六・六・一一	八〇号	放送大学学園法	二、五四の二、六四、六九の二、七六	放送大学学園による放送大学の設置に関し、学校教育法中の学校の設置者、学部等に関する規定について所要の整備を行った
	五七・七・二三	六九号	行政事務の簡素合理化に伴う関係法律の整理及び適用対象の消滅等による法律の廃止に関する法律	四五	広域の高等学校通信制課程に係る文部大臣の承認制を届出制に改めた
※	五八・五・二五	五五号	学校教育法の一部を改正する法律	五五	大学において獣医学を履修する課程の修業年限を六年とした
	五八・一二・二	七八号	国家行政組織法の一部を改正する法律の施行に伴う関係法律の整理等に関する法律	二一、六〇、六八、七〇の八	審議会の設置根拠が政令に定められることとなったことに伴う規定の整備
※	六二・九・一〇	八八号	学校教育法及び私立学校法の一部を改正する法律	六〇、六〇の二、六八、六九の三、六九の四、七〇の八	文部省に大学審議会及び大学設置・学校法人審議会を置くこととした
※	六三・一一・一五	八八号	学校教育法の一部を改正する	四五の二、四六	技能教育施設の指定を都道府県教育

		法律		**委員会が行うこととし、高等学校の定時制課程及び通信制課程の修業年限を三年以上とした**
※平成三・四・二	**二三号**	**国立学校設置法及び学校教育法の一部を改正する法律**	六三、六八、六八の二、六九の二、八七の二	**学士を学位とするとともに、大学及び学位授与機構が行う学位の授与について定めた**
※三・四・二	**二五号**	**学校教育法等の一部を改正する法律**	五五、五六、六九の二、七〇の三、七〇の四、七〇の六、七〇の七、七〇の八、一〇六	**大学の医学・歯学の教育における教育課程の区分の廃止、短期大学及び高等専門学校の卒業者に対する準学士の称号の創設並びに高等専門学校の分野を拡大し、専攻科を置くことができることとした**
三・五・二一	七九号	行政事務に関する国と地方の関係等の整理及び合理化に関する法律	四、八三、一〇六	指定都市立の幼稚園の設置廃止等に係る都道府県教育委員会の認可制を届出制に改めた
五・一一・一二	八九号	行政手続法の施行に伴う関係法律の整備に関する法律	八二の一〇、八五の二	行政手続法の施行に伴い同法の規定と重複する手続規定を削除し、同法の規定を適用除外とする処分を定めた
六・六・二九	四九号	地方自治法の一部を改正する法律の施行に伴う関係法律の整備に関する法律	三〇	地方自治法の一部改正により、地方公共団体の組合に広域連合を追加することになったことに伴い、所要の規定の整備を行った
※一〇・六・一二	**一〇一号**	**学校教育法等の一部を改正する法律**	一、四、六、三九、四七、四八、四章の二、五五の二、五六、七五、八二の三、八二の一〇、八二の一一、八九、九〇、九一、九二、一〇三、一〇六、一〇七	**中高一貫教育制度の導入 専修学校の専門課程修了者の大学への編入学に関する規定の新設 大学の学生以外の者で大学の単位を修得した者が当該大学に入学する場合に相当期間を修業年限に通算できることとした**
一〇・九・二八	一一〇号	精神薄弱の用語の整理のための関係法律の一部を改正する法律	七一、七一の二、七四、七五、一〇二の二	「精神薄弱者」という用語を「知的障害者」という用語に改めた

	年月日	号	法律	改正条項	内容
			法律		
※	**一一・五・二八**	**五五号**	**学校教育法等の一部を改正する法律**	五五の三、五八、六六、六八の三、八七の二	**大学の早期卒業（三年以上の在学で卒業を認める）制度の創設** **大学に学部長を置くことができることとした** **大学院を置く大学には研究科を置くことを常例とするが、研究科以外の教育研究上の基本となる組織を置くこともできることとした**
	一一・七・一六	八七号	地方分権の推進を図るための関係法律の整備等に関する法律	三、四、八、一〇、一一、一三、一四、二〇、二三、三八、四三、四五、四七、四八、四九、五一の七、五一の一〇、五六、五七、六〇、六〇の二、六七、六九、七三、七九、八二の八、八二の九、八二の一一、八三、一〇六削除	一〇六条を削除し、各条文中の「監督庁」の規定をそれぞれ「文部大臣」「都道府県の教育委員会」「都道府県知事」に改めた
	一一・七・一六	一〇二号	中央省庁等改革のための国の行政組織関係法律の整備等に関する法律	六九の三及び六九の四を削除	大学審議会（六九の三）及び大学設置・学校法人審議会（六九の四）の設置根拠規定の削除
	一一・一二・　八	一五一号	民法の一部を改正する法律の施行に伴う関係法律の整備等に関する法律	九、二二	「禁治産者及び準禁治産者」を「成年被後見人又は被保佐人」に、「後見人」を「未成年後見人」に改めた
	一一・一二・二二	一六〇号	中央省庁等改革関係法施行法	本則中「文部大臣」及び「文部省」の名称を含む規定、二一、六〇、六〇の二、六八の二、九八、一〇一、一〇五、一〇七、一〇八の二	「文部大臣」を「文部科学大臣」に、「文部省」を「文部科学省」に改めた 諮問すべき審議会の名称を法律で規定せず、政令で定めることに改めた
	一二・　三・三一	一〇号	国立学校設置法の一部を改正する法律	六八の二	「学位授与機構」を「大学評価・学位授与機構」に改めた
※	**一三・　七・一一**	**一〇五号**	**学校教育法の一部を改正する**	一八の二、二八、四〇、五	**小学校等におけるボランティア活動**

		法律	一、五一の九、五二の二、五四、五五、五六、五七、六六の二、六八の三、六九の二、七三の三、七六、八二の一〇	**など体験活動の促進** **出席停止制度の要件・手続の明確化、出席停止期間中の児童生徒への支援** **大学に通信教育を行う研究科・夜間授業を行う研究科を置くことができることとした** **大学・大学院への飛び入学** **寮母の名称を寄宿舎指導員に改めた**
一四・五・三一	五五号	教育職員免許法の一部を改正する法律	九	校長及び教員の欠格事由の改正
※ 一四・一一・二九	**一一八号**	**学校教育法の一部を改正する法律**	四、一四、一五、六〇、六〇の二、六五、六七、六八の二、六九の三、六九の四、六九の五、六九の六、七〇の一〇、八二の一一、八三	**大学の設置認可制度の弾力化（学位の種類・分野の変更を伴わない学部の設置等について認可制を届出制に改めた）** **違法状態の大学に対する改善勧告等の是正措置の整備** **専門職大学院制度の創設** **大学等の認証評価制度の創設**
一四・一二・一三	一五六号	放送大学学園法	二、四、一五、六四	放送大学学園の学校法人への転換に伴い、学校教育法中の放送大学学園に関する規定を削除
※ 一五・七・一六	一一二号	国立大学法人法		国立大学法人及び大学共同利用機関法人の組織及び運営について規定 （学校教育法については改正事項なし）
※ 一五・七・一六	一一三号	独立行政法人国立高等専門学校機構法		独立行政法人国立高等専門学校機構の名称、目的、業務範囲等について規定 （学校教育法については改正事項なし）
※ 一五・七・一六	一一七号	国立大学法人法等の施行に伴う関係法律の整備等に関する法律	二、六八の二、八七の二	学校の設置者としての国には国立大学法人及び独立行政法人国立高等専門学校機構を含むものとする等、国立大学法人法等の施行に伴い規定を整備

	一五・七・一六	一一九号	地方独立行政法人法の施行に伴う関係法律の整備等に関する法律	二、一〇一の二	学校の設置者としての地方公共団体には公立大学法人を含むものとする等、地方独立行政法人法の施行に伴い規定を整備
※	**一六・五・二一**	**四九号**	**学校教育法等の一部を改正する法律**	二八、五一、五一の八、五一の九、五五、七〇、七〇の一〇、八二	**栄養教諭制度の創設** **大学の薬学を履修する課程のうち臨床に係る実践的な能力を培うことを主たる目的とするものの修業年限を六年とすることとした**
※	**一七・七・一五**	**八三号**	**学校教育法の一部を改正する法律**	四、五八、五九、六八の二、六八の三、六九の二、七〇の七	**短期大学卒業者への学位授与** **大学及び高等専門学校の教員組織に関し、助教授に代えて准教授を設けるとともに助教を新設**
※	**一八・六・二一**	**八〇号**	**学校教育法等の一部を改正する法律**	一、四、六、二二、第六章、七一、七一の二、七一の三、七一の四、七二、七三、七三の二、七三の三、七四、七五、七六、一〇二、一〇二の二、一〇七	**盲学校、聾学校、養護学校を特別支援学校に一本化** **特別支援学校においては、在籍児童等の教育を行うほか、小中学校等に在籍する障害のある児童生徒等の教育について助言援助に努める旨を規定** **小中学校等においては、障害のある児童生徒等に対して適切な教育を行うことを規定**
※	**一九・六・二七**	**九六号**	**学校教育法等の一部を改正する法律**	全面的に改正。第二章義務教育を新設。第三章幼稚園に繰り上げなど	**各学校種の目的及び目標の見直し** **副校長、主幹教諭及び指導教諭の設置** **学校評価及び学校運営に係る情報の提供に関する規定の整備** **大学等の履修証明制度の創設**
	一九・六・二七	九八号	教育職員免許法及び教育公務員特例法の一部を改正する法律	九	教育職員免許法及び教育公務員特例法の改正に伴う規定の整備

二三・五・二	三七号	地域の自主性及び自立性を高めるための改革の推進を図るための関係法律の整備に関する法律	四、四の二、一三、四〇、九四、一三三、一四三	市町村立幼稚園の設置廃止等について、都道府県教育委員会の認可制から事前届出制に改めた
二三・六・三	六一号	民法等の一部を改正する法律	一四四	未成年後見人として選任された法人に対しても罰則を科すよう規定を整備
二六・五・三〇	四二号	地方自治法の一部を改正する法律	四〇	地方自治法の一部改正に伴う規定の整備
二六・六・四	五一号	地域の自主性及び自立性を高めるための改革の推進を図るための関係法律の整備に関する法律	四、四〇、五四、九四	指定都市立高等学校の設置廃止等について、都道府県教育委員会の認可制から届出制に改めた
二六・六・一三	六九号	行政不服審査法の施行に伴う関係法律の整備等に関する法律	一三九	行政不服審査法の全部改正に伴う規定の整備
※ **二六・六・二七**	**八八号**	**学校教育法及び国立大学法人法の一部を改正する法律**	九二、九三	**副学長の職務について改めた教授会の役割の明確化を行った**
二七・五・二七	二七号	独立行政法人大学評価・学位授与機構法の一部を改正する法律	一〇四	「独立行政法人大学評価・学位授与機構」を「独立行政法人大学改革支援・学位授与機構」に改めた
※ **二七・六・二四**	**四六号**	**学校教育法等の一部を改正する法律**	一、四、六、一七、三八、四〇、第五章の二、七〇、七四、八一、一二五、附則七	**義務教育学校制度の創設高等学校等の専攻科修了者の大学への編入学に関する規定の新設**
二七・六・二六	五〇号	地域の自主性及び自立性を高めるための改革の推進を図るための関係法律の整備に関する法律	四	指定都市立特別支援学校の設置廃止等について、都道府県教育委員会の認可制から届出制に改めた
二八・五・二〇	四七号	地域の自主性及び自立性を高	二、四、五四、一三〇、一	公立大学法人が大学の附属学校を設

		めるための改革の推進を図るための関係法律の整備に関する法律	三一、一三三、附則五（削除）	置することができることとした
二九・三・三一	五号	義務教育諸学校等の体制の充実及び運営の改善を図るための公立義務教育諸学校の学級編制及び教職員定数の標準に関する法律等の一部を改正する法律	三七	義務教育諸学校等の事務職員の職務内容を改めた
※二九・五・三一	四一号	**学校教育法の一部を改正する法律**	八三の二、八七の二、八八、九九、一〇四、一〇八、一〇九	**専門職大学及び専門職短期大学の制度を創設した**
三〇・五・三〇	三三号	不正競争防止法等の一部を改正する法律	学校教育法の一部を改正する法律（平成十七年法律第八十三号）附則二	学校教育法の一部を改正する法律（平成十七年法律第八十三号）による改正前の助教授としての在職を准教授としての在職とみなして適用される規定に特許法（昭和三十四年法律第百二十一号）第百九条の二を追加した
※三〇・六・一	三九号	**学校教育法等の一部を改正する法律**	三四、附則九	**いわゆるデジタル教科書を使用することができることとした**
※令和元・五・二四	一一号	**学校教育法等の一部を改正する法律**	八八の二、一〇九	**認証評価において、大学等の教育研究等の状況が大学評価基準に適合しているか否かの認定を義務付けする等の措置を講じた**
元・六・一四	三七号	成年被後見人等の権利の制限に係る措置の適正化等を図るための関係法律の整備に関する法律	九	校長及び教員の欠格事由から成年被後見人及び被保佐人を削った
元・六・二六	四四号	法科大学院の教育と司法試験等との連携等に関する法律等の一部を改正する法律	一〇二	大学院への飛び入学の資格に関する規定の整備を行った

二　学校教育法施行令

公布年月日	政令番号	関係政令	主たる改正点
昭和二八・一〇・三一	三四〇号	学校教育法施行令	（制定）
三二・六・一	一二三号	学校教育法施行令の一部を改正する政令	二三、附則2、3（養護学校に関する規定の整備）
三三・六・一〇	一七四号	学校保健法施行令	一五、一六
三三・六・三〇	二〇二号	公立義務教育諸学校の学級編制及び教職員定数の標準に関する法律施行令	二三、二四
三六・八・一七	二九一号	学校教育法施行令の一部を改正する政令	二三、二五、二六、二九、三一（高等専門学校の学科の設置及び廃止を認可事項とした）
三七・三・三一	一一四号	学校教育法施行令等の一部を改正する政令	目次、四、五、一七、一八、第二章の追加、二三、二四、二六、二六の二、二七、二八、第四章の追加（盲者等の心身の故障の程度の明定、技能教育施設の指定に関する規定）
四二・九・一一	二九二号	住民基本台帳法施行令	一、二、四（学齢簿に係る規定の整備）
四二・一二・二六	三七五号	学校教育法施行令の一部を改正する政令	三三（技能教育施設の指定基準の緩和）
四五・六・一	一五八号	学校教育法施行令の一部を改正する政令	目次、二四の二、二六、二六の二、二八（高校の広域通信教育に係る認可に当たっての文部大臣の承認事項）
四七・七・一	二六三号	許可、認可等の整理に関する政令	二六
五〇・一二・二七	三八一号	学校教育法施行令等の一部を改正する政令	二三、二四の三（専修学校に関する届出事項）
五一・三・三〇	四二号	学校教育法施行令等の一部を改正する政令	二三、二六、二六の二（私立学校の収容定員に係る学則の変更を認可事項に加えた）
五三・八・一八	三一〇号	学校教育法施行令及び学校保健法施行令の	二、五、六、六の二、七、九、一〇、一一、一二、一

		一部を改正する政令	四～二〇、二二、二三、二五、二六（養護学校の義務制の施行に伴う手続規定の整備）
五七・七・二三	二〇五号	学校教育法施行令及び文部省組織令の一部を改正する政令	二三、二四、二四の二、二六、二八（広域の高等学校通信制課程に係る文部大臣の承認制を届出制に改めることに伴う規定の整理。公立の大学・高専の名称・位置の変更に係る文部大臣の認可制を届出制に改正）
五九・六・二八	二二九号	保健体育審議会令等の一部を改正する政令	第五章（審議会）の追加
六〇・三・三〇	七〇号	学校教育法施行令の一部を改正する政令	二三、二四の三、二六（市町村立高等学校等についての認可、届出事項の簡素化）
六一・三・二五	三五号	学校教育法施行令の一部を改正する政令	二九、三一（機関委任事務の整理合理化の一環として、公私立の学校の学期の設定及び私立学校が廃止された後の書類の保存は、都道府県の事務とすることとした）
六一・五・二七	一八三号	学校教育法施行令の一部を改正する政令	一、二、三、六、一一、一二、一三（学齢簿は磁気テープをもって調製できることとした）
六二・九・一〇	三〇二号	大学設置・学校法人審議会令	四〇を削除
六三・八・九	二三九号	学校教育法施行令の一部を改正する政令	二二の二（オージオメーターに係る日本工業規格の改正に伴い、聾学校に就学する聾者の心身の故障の程度に係る聴力の基準の改正）
平成元・三・二九	八一号	学校教育法施行令の一部を改正する政令	三二、三三、三四、三五、三六、三七、三八（高等学校の定時制・通信制の課程と連携できる技能教育施設の指定を都道府県教育委員会が行うこととしたことに伴う規定の整備）
三・五・二一	一七〇号	学校教育法施行令及び地方教育行政の組織及び運営に関する法律施行令の一部を改正する政令	四、二三、二六、二六の二（市町村立の高等学校の専攻科・別科及び指定都市立の幼稚園の分校並びに市町村立各種学校の分校の設置廃止に係る都道府県教育委員会の認可制を届出制に改めた）
六・九・一九	三〇三号	行政手続法及び行政手続法の施行に伴う関係法律の整備に関する法律の施行に伴う関係政令の整備等に関する政令	二二の二を追加（行政手続法第三章の規定を適用しない処分を定めた）

六・一一・三〇	三七七号	学校教育法施行令の一部を改正する政令	一、一一（学齢簿は磁気ディスクをもって調製できることとした）
一〇・一〇・三〇	三五一号	学校教育法等の一部を改正する法律の施行に伴う関係政令の整備に関する政令	目次、五、九、一〇、一二、一九、二〇、二二、二三、二六、三九、四〇（中高一貫教育制度の導入に伴う規定の整備）
一〇・一一・二六	三七二号	精神薄弱の用語の整理のための関係政令の一部を改正する政令	五、六、六の二、九、一〇～一二、一七、一八、二二の三（「精神薄弱者」という用語を「知的障害者」という用語に、「精神発育」という用語を「知的発達」という用語にそれぞれ改めた）
一〇・一二・二八	四一八号	学校教育法施行令の一部を改正する政令	二九、三〇（大学を除く公立の学校の学期は、当該学校を設置する市町村又は都道府県の教育委員会が定めることとした）
一二・ 二・一六	四二号	地方分権の推進を図るための関係法律の整備等に関する法律の施行に伴う文部省関係政令の整備等に関する政令	二三、二四、二四の二、二四の三、二六、二七の二、二七の三、二八、三二、三三の二、三三の三、三四、三五、三六、三九（都道府県の事務として私立学校の名称・位置変更等の届出受理等を規定するなど、「地方分権推進計画」を踏まえ、従来省令で規定していた事項を改めて政令で規定）
一二・ 六・ 七	三〇八号	中央省庁等改革のための文部科学省関係政令の整備等に関する政令	目次、四〇、四一、四二（政令で定める審議会として、中央教育審議会、大学設置・学校法人審議会を規定）、本則中「文部省令」を「文部科学省令」に、「文部大臣」を「文部科学大臣」に改めた
一四・ 四・二四	一六三号	学校教育法施行令の一部を改正する政令	五、六、六の二、六の三、六の四、九、一〇、一一、一一の二、一一の三、一二、一二の二、一三、一四、一七、一八、一八の二、二二の三（盲、聾、養護学校に就学させるべき障害の程度及びそれらの者の就学手続の改正）
一五・ 三・二六	七四号	学校教育法の一部を改正する法律の施行に伴う関係政令の整備に関する政令	目次、二三、二三の二、第五章の追加（私立の大学の学部の学科の設置等のうち学位の種類・分野の変更を伴わないものについて認可制を届出制に改める等大学の設置認可制度の弾力化、大学等の認証評価の期間を

			定める等）
一五・一二・ 三	四八七号	地方独立行政法人法等の施行に伴う関係政令の整備に関する政令	二六、二七、三一（公立大学法人の設置する大学に関する規定の整備）
一七・ 九・ 九	二九五号	学校教育法の一部を改正する法律の一部の施行に伴う関係政令の整理に関する政令	二二の二（規定の整理）
一九・ 三・二二	五五号	学校教育法等の一部を改正する法律の施行に伴う関係政令の整備等に関する政令	一八の二（障害のある児童の就学先決定時における保護者からの意見聴取の義務付け）、一九、二〇、二二、二二の三（特別支援学校が対象とする児童生徒等の障害の程度についての規定の見直し「盲学校、聾学校又は養護学校」を「特別支援学校」に、「盲者」を「視覚障害者」に、「聾者」を「聴覚障害者」に、「心身の故障」を「障害」に改めた）
一九・一二・一二	三六三号	学校教育法等の一部を改正する法律の施行に伴う関係政令の整備等に関する政令	一、四、五、二一、二二の二、二二の三、二四、二四の三、二六、二七、二九、三一、三二、三三の二、四〇、四一、四二、四三（学校教育法等の一部を改正する法律（平一九法九六）の施行に伴う条ずれ等の整備）三一（公立大学法人による高等専門学校の設置に伴う規定の整備）
二三・ 五・ 二	一一八号	地域の自主性及び自立性を高めるための改革の推進を図るための関係法律の整備に関する法律の施行に伴う文部科学省関係政令の整備に関する政令	四、二三、二六（市町村立幼稚園の分校の設置廃止について、都道府県教育委員会の認可制から事前届出制に改めた）
二五・ 八・二六	二四四号	学校教育法施行令の一部を改正する政令	五、六、九、一一、一一の二、一一の三、一二の二、一三の二、一四、一七、一八、一八の二（個々の児童生徒等について、市町村の教育委員会が、その障害の状態等を踏まえた総合的な観点から就学先を決定する仕組みとした 視覚障害者等による区域外就学等や保護者及び専門家からの意見聴取の機会の拡大に係る規定の整備を行った）
二七・ 一・三〇	三〇号	地方自治法施行令等の一部を改正する政令	四（地方自治法の一部を改正する法律の施行に伴う規定の整備）

二七・一二・一六	四二一号	学校教育法等の一部を改正する法律の施行に伴う関係政令の整備に関する政令	六、七、八、九、十、十一、十二、二十二、二十五、四十一（学校教育法等の一部を改正する法律の施行により義務教育学校制度が創設されたことに伴う規定の整備）
二八・一一・二四	三五三号	地方独立行政法人法施行令等の一部を改正する政令	二三、二五、二六、二七、二九、三一（公立大学法人が設置する大学の附属学校に関する規定の整備を行った）
二九・九・一	二三二号	学校教育法の一部を改正する法律の施行に伴う関係政令の整備に関する政令	二三、二三の二（学校の設置廃止等のうち文部科学大臣の認可を受けなければならない事項に専門職大学の課程の設置及び変更を加える等の規定の整備を行った）
二九・九・一三	二三八号	学校教育法施行令の一部を改正する政令	二九（大学を除く公立の学校の休業日として、家庭及び地域における体験的な学習活動その他の学習活動のための休業日を追加する等の規定の整備を行った）
三〇・一二・二七	三五五号	学校教育法等の一部を改正する法律の施行に伴う関係政令の整備及び経過措置に関する政令	四一（学校教育法等の一部を改正する法律の施行に伴う規定の整理）
令和 元・六・二八	四四号	不正競争防止法等の一部を改正する法律の施行に伴う関係政令の整理に関する政令	二二の三（不正競争防止法等の一部を改正する法律の施行に伴う規定の整理を行った）
元・一〇・一八	一二八号	学校教育法施行令の一部を改正する政令	二三、二三の二、二七（文部科学大臣の定める分野に係る大学院の研究科の収容定員に係る学則の変更については、文部科学大臣の認可を受けなければならないこととする等の規定の整備を行った）

三　学校教育法施行規則

公布年月日	文部省令番号	関係省令	主たる改正点
昭和二二・五・二三	一一号	学校教育法施行規則	（制定）
二三・一〇・一五	一八号	学校教育法施行規則の一部を改正する省令	休業日、調査書、盲学校及び聾学校に関する規定。従前の学校からの編入。仮免許状に関する規定
二四・九・二二	三四号	学校教育法施行規則の一部を改正する省令	退学に関する規定
二四・一一・一	三九号	教育職員免許法施行法施行規則	規定の整備
二四・一二・二九	四四号	学校教育法施行規則の一部を改正する省令	師範学校予科の修業年限
二五・三・一四	一二号	私立学校法施行規則	私立学校の監督庁
二五・四・一四	一三号	学校教育法施行規則の一部を改正する省令	従前の学校からの編入
二五・九・二	二四号	学校教育法施行規則の一部を改正する省令	医・歯学部への進学課程修了者と同等以上の学力があると認められる者
二五・一〇・九	二八号	学校教育法施行規則の一部を改正する省令	認可申請又は届出の手続。就学事務に関する規定。定時制課程の主事
二六・四・二〇	八号	学校教育法施行規則の一部を改正する省令	従前の学校又は短期大学の卒業者の編入に関する規定
二六・六・二二	一三号	大学入学資格検定規程	大学の入学資格
二八・一一・二七	二五号	学校教育法施行規則等の一部を改正する省令	認可申請又は届出の手続。学校医・学校歯科医、指導要録、学齢簿、休業日、職業指導主事に関する規定
二九・六・二五	一六号	学校教育法施行規則の一部を改正する省令	医・歯学部への進学課程に関する規定

二九・七・一〇	一九号	学校教育法施行規則の一部を改正する省令	学校薬剤師に関する規定
二九・一〇・三〇	二九号	学校教育法施行規則の一部を改正する省令	私立学校の校長の資格
三〇・三・二六	六号	学校教育法施行規則の一部を改正する省令	大学院への入学資格
三一・四・一	九号	学校教育法施行規則の一部を改正する省令	指導要録に関する規定
三一・七・二五	二二号	学校教育法施行規則の一部を改正する省令	校長の資格に関する規定
三一・九・二七	二三号	学校教育法施行規則の一部を改正する省令	高等学校の入学選抜に関する規定
三一・一〇・二二	二八号	大学設置基準	規定の整備
三一・一二・五	三一号	各種学校規程	規定の整備
三一・一二・一三	三二号	幼稚園設置基準	規定の整備
三一・一二・一八	三三号	高等学校通信教育規程	規定の整備
三二・一二・四	二一号	学校教育法施行規則の一部を改正する省令	児童生徒の懲戒に関する定。教頭、実習助手、寮母、舎監に関する規定。特殊教育諸学校の教育課程に関する規定
三三・六・一三	一八号	学校保健法施行規則	保健主事に関する規定新設
三三・八・一九	二四号	学校教育法施行規則の一部を改正する省令	小学校及び中学校の組織・編制
三三・八・二八	二五号	学校教育法施行規則の一部を改正する省令	小学校及び中学校並びに盲・聾・養護学校の小・中学部の教育課程の改訂
三五・一〇・一五	一六号	学校教育法施行規則の一部を改正する省令	中学校及び高等学校の教育課程の改訂
三六・八・三〇	二二号	学校教育法施行規則の一部を改正する省令	大学における通信教育に関する規定。高等専門学校に関する規定の新設
三七・三・三一	一二号	学校教育法施行規則の一部を改正する省令	中学校の授業時数

三七・六・一	二八号	学校教育法施行規則等の一部を改正する省令	高等学校の通信制課程に関する規定
三七・九・一	三二号	高等学校通信教育規程	規定の整備
三八・二・二六	三号	学校教育法施行規則の一部を改正する省令	養護学校の小学部の機能訓練など
三八・八・二三	二一号	学校教育法施行規則の一部を改正する省令	高等学校の入学選抜に関する規定
三九・三・一九	五号	学校教育法施行規則等の一部を改正する省令	盲・聾・養護学校の小学部及び中学部の教育課程
三九・七・一一	二一号	学校教育法施行規則等の一部を改正する省令	短期大学に関する規定の整備
四〇・二・一二	五号	学校教育法施行規則の一部を改正する省令	盲・聾・養護学校の中学部の教育課程の改訂
四一・二・二一	三号	学校教育法施行規則の一部を改正する省令	盲・聾学校の高等部の教育課程の改訂
四一・七・一	三五号	学校教育法施行規則の一部を改正する省令	高等学校の入学資格
四二・八・一	一五号	学校教育法施行規則の一部を改正する省令	就学事務手続の簡素化
四二・一〇・六	一八号	学校教育法施行規則の一部を改正する省令	学齢簿
四三・七・一一	二五号	学校教育法施行規則の一部を改正する省令	小学校の教育課程の改訂
四三・一〇・一	三〇号	学校教育法施行規則の一部を改正する省令等	旧制の学校の就学の猶予又は免除者に関する規定
四四・四・一四	一一号	学校教育法施行規則の一部を改正する省令	中学校の教育課程の改訂
四五・六・一	一八号	学校教育法施行規則の一部を改正する省令	高校の広域通信教育の認可に関する規定
四五・一〇・一五	二三号	学校教育法施行規則の一部を改正する省令	高等学校の教育課程の改訂
四六・三・一三	六号	学校教育法施行規則の一部を改正する省令の一部を改正する省令	盲・聾・養護学校の小・中学部の教育課程の改訂
四六・三・三一	一七号	学校教育法施行規則の一部を改正する省令	高等専門学校の寮務主事に関する規定
四六・一二・二四	三一号	学校教育法施行規則の一部を改正する省令	進路指導主事に関する規定

四七・二・一〇	二号	学校教育法施行規則の一部を改正する省令	高等学校の入学資格
四七・三・一八	六号	学校教育法施行規則の一部を改正する省令	大学の学生の留学については、教授会の議を経て、学長が定めることとした
四七・一〇・二七	四六号	学校教育法施行規則の一部を改正する省令	盲・聾・養護学校の高等部の教育課程の改訂
四九・二・九	二号	学校教育法施行規則の一部を改正する省令	就学猶予又は免除を取り消された場合の編入の規定を新設
四九・六・二〇	二八号	大学院設置基準	規定の整備
四九・八・八	三八号	学校教育法施行規則等の一部を改正する省令	教頭の法制化に伴う規定の整備
五〇・四・二八	二一号	短期大学設置基準	規定の整備
五〇・一二・二六	四一号	学校教育法施行規則の一部を改正する省令	いわゆる主任制の制度化
五一・一・一〇	一号	学校教育法施行規則等の一部を改正する省令	専修学校に関する規定の新設
五一・四・一	一四号	学校教育法施行規則等の一部を改正する省令	私立学校の収容定員に係る学則の変更についての認可の申請の添付書類
五一・五・三一	二九号	学校教育法施行規則等の一部を改正する省令	大学院の入学資格
五一・七・二四	三二号	高等専門学校設置基準及び学校教育法施行規則の一部を改正する省令	高等専門学校の全課程修了の要件
五二・七・二三	三〇号	学校教育法施行規則の一部を改正する省令	小・中学校の教育課程の改訂
五三・五・三〇	二三号	学校教育法施行規則の一部を改正する省令	大学入学資格
五三・八・一八	三〇号	学校教育法施行規則及び学校保健法施行規則の一部を改正する省令	学齢簿を作成する時期
五三・八・三〇	三一号	学校教育法施行規則の一部を改正する省令	高等学校の教育課程の改訂
五三・一一・九	四二号	大学院設置基準の一部を改正する省令	規定の整備

五四・七・二	一九号	学校教育法施行規則の一部を改正する省令	特殊教育諸学校の教育課程の改訂
五四・八・二四	二〇号	学校教育法施行規則の一部を改正する省令	大学入学資格、高等専門学校の入学者選抜方法
五四・一〇・一	二五号	学校教育法施行規則の一部を改正する省令の一部を改正する省令	高等学校の教育課程改訂の移行措置
五六・一〇・二九	三三号	大学通信教育設置基準	規定の整備
五七・三・二三	三号	短期大学通信教育設置基準	規定の整備
五七・七・二三	二九号	学校教育法施行規則の一部を改正する省令	規定の整備
五八・四・一	一五号	学校教育法施行規則の一部を改正する省令	放送大学学園が設置する大学についての文部大臣への届出事項を定めた
五九・七・二〇	三九号	学校教育法施行規則の一部を改正する省令	公立高等学校の学力検査の方法及び転学に関する規定
六一・五・二七	三〇号	学校教育法施行規則の一部を改正する省令	磁気テープによる学齢簿の調製の方法
六三・二・三	四号	学校教育法施行規則の一部を改正する省令	高等学校及び高等専門学校の生徒の留学に関する規定の整備
六三・三・三一	五号	学校教育法施行規則の一部を改正する省令	単位制高等学校に関する制度の根拠規定の追加
六三・一〇・八	三八号	学校教育法施行規則の一部を改正する省令	帰国子女等の高等学校等への入学・編入学機会の拡大
平成元・三・一五	一号	学校教育法施行規則の一部を改正する省令	幼・小・中・高校の教育課程の改訂
元・三・二二	三号	教育職員免許法施行規則等の一部を改正する省令	教育職員免許法の改正に伴う校長、教頭の資格規定の改正
元・三・二七	四号	学校教育法施行規則の一部を改正する省令の一部を改正する省令	小・中学校の教育課程の移行措置
元・三・三一	一〇号	学校教育法施行規則の一部を改正する省令	高等学校の定時制・通信制課程の修業年限を定める

			場合の配慮規定
元・九・一	三六号	学校教育法施行規則の一部を改正する省令	大学院への入学資格の改正
元・一〇・二四	四〇号	学校教育法施行規則の一部を改正する省令	特殊教育諸学校の教育課程の改訂
元・一〇・二六	四四号	学校教育法施行規則の一部を改正する省令	獣医学修士の廃止に伴う規定の整備
元・一一・三〇	四五号	学校教育法施行規則の一部を改正する省令の一部を改正する省令	高等学校の教育課程の移行措置
元・一二・二五	四六号	学校教育法施行規則の一部を改正する省令の一部を改正する省令	特殊教育諸学校の高等部の教育課程の移行措置
三・三・一五	一号	学校教育法施行規則の一部を改正する省令	指導要録中の指導に関する記録の保存期間及び校長が送付すべき指導要録の写しに係る改正
三・六・二五	三七号	学校教育法施行規則の一部を改正する省令	大学の専攻科又は大学院の入学資格の改正並びに高等専門学校の専攻科への入学資格の規定の創設
三・一一・一四	四五号	学校教育法施行規則等の一部を改正する省令	在外教育施設認定制度の創設
四・三・二三	四号	学校教育法施行規則の一部を改正する省令	公立の小・中・高校、盲・聾・養護学校及び幼稚園の休業日に毎月の第二土曜日を加えた（平成四・九・一施行）
五・一・二八	一号	学校教育法施行規則の一部を改正する省令	通級による指導の対象にする児童生徒及び特別の教育課程並びにその場合の授業の評価についての規定の整備
五・三・三	二号	学校教育法施行規則の一部を改正する省令	公立高等専門学校の休業日に土曜日を加えた（平成五・四・一施行）
五・三・一〇	三号	学校教育法施行規則の一部を改正する省令	総合学科の設置など高等学校教育の個性化、多様化を推進するため、調査書を用いない入学者の選抜、他の高等学校の学習成果の単位認定、技能審査の成果の単位認定、専修学校の学習成果の単位認定、学年による教育課程の区分を設けない全日制の課程についての規定の整備

五・七・二九	二九号	学校教育法施行規則の一部を改正する省令の一部を改正する省令	高等学校、大学、短期大学及び高等専門学校について、指導要録の写しの送付及び保存期間の経過措置
六・一・一七	一号	著作権ニ関スル仲介業務ニ関スル法律施行規則等の一部を改正する省令	規制緩和のための許認可等の整理合理化の一環として、私立小・中・高等学校等の非常変災等による臨時休業の場合の都道府県知事への報告を廃止
六・八・一〇	三四号	学校教育法施行規則の一部を改正する省令	大学院への入学資格の改正
六・一一・二四	四六号	学校教育法施行規則の一部を改正する省令	公立の小・中・高校、盲・聾・養護学校及び幼稚園の休業日に毎月の第四土曜日を加えた（平成七・四・一施行）
六・一一・三〇	四八号	学校教育法施行規則の一部を改正する省令	磁気ディスクによる学齢簿の調製の方法
七・三・二八	四号	学校教育法施行規則の一部を改正する省令	保健主事には、教諭だけでなく養護教諭も充てることができることとした。
七・一二・二六	二一号	学校教育法施行規則の一部を改正する省令	教授会による代議員会等の設置
九・三・二四	六号	学校教育法施行規則の一部を改正する省令の一部を改正する省令	保護者が就学させる義務を猶予又は免除された子女に関する規定の整備（施行規則六三条関連）
九・七・三一	三二号	学校教育法施行規則の一部を改正する省令	数学又は物理の分野において特に優れた資質を有する者について大学の入学資格の特例を認めた
一〇・三・二七	三号	学校教育法施行規則の一部を改正する省令	ボランティア活動等に係る学修を高等学校における科目の履修とみなし単位を与えることとした
一〇・八・一四	三三号	学校教育法施行規則の一部を改正する省令	高等専門学校の卒業者及び専修学校の専門課程修了者の大学への編入学に関する規定の整備
一〇・一一・一七	三八号	学校教育法施行規則等の一部を改正する省令	中高一貫教育制度の導入に伴う規定の整備
一〇・一二・一四	四四号	学校教育法施行規則の一部を改正する省令	小・中学校の教育課程の改訂（一四・四・一施行）
一一・一・一八	一号	学校教育法施行規則の一部を改正する省令	私立の学校の学期は、当該学校の学則で定めることとした

一一・三・二三	五号	学校教育法施行規則等の一部を改正する省令	精神薄弱の用語の整理のための規定整備
一一・三・二九	七号	学校教育法施行規則の一部を改正する省令	完全学校週五日制の実施のための規定整備（一四・四・一施行）、高等学校、中等教育学校、盲・聾・養護学校の教育課程の改訂（一四・四・一施行、一五・四・一施行）
一一・三・三一	一九号	学校教育法施行規則等の一部を改正する省令	大学の学年の途中における入学・卒業に関する規定の改正
一一・六・三	三〇号	学校教育法施行規則の一部を改正する省令等の一部を改正する省令	教育課程の改訂の移行措置
一一・八・三一	三四号	学校教育法施行規則の一部を改正する省令	大学院への入学資格の改正
一一・八・三一	三五号	学校教育法施行規則等の一部を改正する省令	規定の整備
一一・九・一四	三七号	学校教育法施行規則の一部を改正する省令	大学の早期卒業のための要件を規定
一二・一・二一	三号	学校教育法施行規則等の一部を改正する省令	校長・教頭の資格の改正、職員会議及び学校評議員について規定
一二・三・九	九号	学校教育法施行規則の一部を改正する省令	地方分権一括法の施行に関連する監督庁への届出・報告に係る規定の整備
一二・一〇・三一	五三号	中央省庁等改革のための文部省令の整備等に関する省令	「文部省令」を「文部科学省令」に、「文部大臣」を「文部科学大臣」に改正
一三・三・三〇	文部科学省令四九号	学校教育法施行規則の一部を改正する省令	大学院への入学資格の改正
一三・一一・二七	八〇号	学校教育法施行規則の一部を改正する省令	大学・大学院への飛び入学に関する規定の整備
一四・三・二七	七号	学校教育法の一部を改正する法律の施行に伴う関係省令の整理に関する省令	「寮母」を「寄宿舎指導員」に改めた
一四・三・二九	一四号	小学校設置基準	小学校設置基準の制定に伴う規定の整備

	一五号	中学校設置基準	中学校設置基準制定に伴う規定の整備
	一六号	高等学校設置基準の一部を改正する省令	規定の整備
	一七号	幼稚園設置基準の一部を改正する省令	規定の整備
一五・三・三一	一三号	学校教育法施行規則の一部を改正する省令	就学校指定の際の保護者の意見聴取等
	一五号	学校教育法施行規則等の一部を改正する省令	大学の設置認可制度の弾力化、専門職大学院制度の創設に伴う所要の規定の整備
一五・九・一六	三九号	放送大学学園に関する省令	規定の整備
一五・九・一九	四一号	学校教育法施行規則の一部を改正する省令	大学、大学院及び専修学校の専門課程への入学資格に関し、各大学等における個別の入学資格審査を制度化
一六・三・一二	八号	学校教育法施行規則の一部を改正する省令	大学等の認証評価制度の創設に伴う所要の規定の整備
一六・三・三一	一五号	国立大学法人法等の施行に伴う文部科学省関係省令の整備等に関する省令	規定の整備
	二〇号	高等学校設置基準	規定の整備
	二二号	学校教育法施行規則の一部を改正する省令	連携型中学校及び連携型高等学校の教育課程の基準の特例
一六・一二・一三	四二号	学校教育法施行規則等の一部を改正する省令	大学院の入学資格等に関し、外国大学の日本校及び我が国の大学の海外校の位置付けに関する規定の整備
一六・一二・一五	四三号	学校教育法施行規則等の一部を改正する省令	大学の薬学を履修する課程のうち修業年限が六年であるものに関する規定の整備
一七・一・三一	一号	高等学校卒業程度認定試験規則	規定の整備
一七・三・三	二号	不動産登記法等の施行に伴う文部科学省関係	規定の整備

		省令の整理に関する省令	
一七・三・三一	一六号	学校教育法施行規則の一部を改正する省令	高等学校等における学校外学修の認定可能単位数の拡大、高等学校卒業程度認定試験合格科目の単位認定等
一七・四・一	二九号	学校教育法等の一部を改正する法律の施行に伴う関係省令の整備等に関する省令	栄養教諭制度の創設に伴う規定の整備
一七・七・六	三八号	学校教育法施行規則の一部を改正する省令	不登校児童生徒等を対象とした特別の教育課程の編成
一七・九・九	四〇号	学校教育法の一部を改正する法律の一部の施行に伴う文部科学省関係省令の整備に関する省令	規定の整備
	四二号	学校教育法施行規則の一部を改正する省令	専修学校専門課程修了者に対する大学院入学資格の付与等
一八・三・三〇	五号	学校教育法施行規則の一部を改正する省令	教頭の資格の弾力化等
一八・三・三一	一一号	学校教育法施行規則等の一部を改正する省令	「助教授」を「准教授」に改正、「助教」を追加
	二二号	学校教育法施行規則の一部を改正する省令	特別の指導を行う必要がある障害のある児童又は生徒に、自閉症、学習障害者及び注意欠陥多動性障害者を追加等
一九・三・三〇	五号	学校教育法等の一部を改正する法律の施行に伴う文部科学省関係省令の整備等に関する省令	「盲学校、聾学校若しくは養護学校」を「特別支援学校」に、「特殊学級」を「特別支援学級」に改正等
一九・七・三一	二二号	大学設置基準等の一部を改正する省令	規定の整備
一九・一〇・三〇	三四号	学校教育法施行規則等の一部を改正する省令	学校評価制度の創設に伴う所要の整備
一九・一二・一四	三八号	学校教育法施行規則の一部を改正する省令	大学の学年の始期及び終期の弾力化
一九・一二・二五	四〇号	学校教育法等の一部を改正する法律の施行に伴う文部科学省関係省令の整備等に関する省令	平成一九年の学校教育法の改正に伴う全般的な規定の整備

		令	
二〇・三・一〇	二号	大学設置基準等の一部を改正する省令の一部を改正する省令	規定の整備
二〇・三・二八	五号	学校教育法施行規則の一部を改正する省令	小・中学校の教育課程の改訂
二〇・六・一三	一九号	学校教育法施行規則の一部を改正する省令の一部を改正する省令	小・中学校の教育課程の移行措置
二〇・七・三一	二二号	学校教育法施行規則の一部を改正する省令	大学における共同利用、共同研究拠点の設置
二〇・八・二一	二六号	学校教育法施行規則の一部を改正する省令	学則変更の内容の明確化
二一・三・九	三号	学校教育法施行規則の一部を改正する省令	高等学校及び特別支援学校の教育課程の改訂
二一・三・二六	五号	学校教育法施行規則の一部を改正する省令	小学校等の事務長の制度化
二一・三・三一	一〇号	学校保健法等の一部を改正する法律の施行に伴う文部科学省関係省令の整備等に関する省令	規定の整備
二一・八・二〇	三〇号	学校教育法施行規則の一部を改正する省令	教育関係共同利用拠点制度の創設
二二・三・二四	八号	学校教育法施行規則の一部を改正する省令	規定の整備
二二・六・一五	一五号	学校教育法施行規則の一部を改正する省令	大学における教育研究活動等の状況並びに学生が習得すべき知識及び能力に関する情報の公表に係る規定の整備
二二・七・一五	一七号	学校教育法施行規則の一部を改正する省令	国際連合大学の課程を修了した者の大学院入学資格に関する規定の整備
二三・五・二	一八号	学校教育法施行規則の一部を改正する省令	規定の整備
二三・七・二九	二八号	学校教育法施行規則の一部を改正する省令	専門職大学院の認証評価に係る規定の整備
二四・三・一四	六号	大学院設置基準等の一部を改正する省令	博士課程の後期課程の入学資格に係る規定の整備

二四・三・三〇	一四号	学校教育法施行規則及び専修学校設置基準の一部を改正する省令	専修学校における単位制及び通信制の教育の実施に係る規定の整備
二五・一一・二九	三一号	学校教育法施行規則の一部を改正する省令	設置者の判断により、土曜授業を行うことが可能であることを明確化
二六・一・一四	二号	学校教育法施行規則の一部を改正する省令	日本語の通じない児童又は生徒に対する特別の教育課程に係る規定の整備
二六・七・二	内閣府・文部科学省・厚生労働省令二号	就学前の子どもに関する教育、保育等の総合的な提供の推進に関する法律施行規則	幼保連携型認定こども園の創設に係る規定の整備
二六・八・二九	二五号	学校教育法施行規則及び国立大学法人法施行規則の一部を改正する省令	学校教育法及び国立大学法人法の一部を改正する法律の施行に伴う規定の整備
二七・三・二七	一一号	学校教育法施行規則の一部を改正する省令	小学校、中学校及び特別支援学校小学部・中学部の教育課程における「道徳」を「特別の教科である道徳」と改正した
二七・三・三〇	一三号	就学前の子どもに関する教育、保育等の総合的な提供の推進に関する法律の一部を改正する法律等の施行に伴う文部科学省関係省令の整備に関する省令	幼保連携型認定こども園の創設に係る規定の整備
二七・四・一	一九号	学校教育法施行規則の一部を改正する省令	高等学校等におけるメディアを利用して行う授業の制度化 疾病による療養等のため、相当期間欠席すると認められる生徒に対する特例
二七・六・一	二六号	少年院法及び少年鑑別所法の施行に伴う関係法律の整備等に関する法律の施行に伴う文部科学省関係省令の整理に関する省令	少年院法の施行に伴う規定の整備

二七・八・一九	二八号	学校教育法施行規則の一部を改正する省令	国際バカロレア・ディプロマ・プログラムを提供する学校として認められた高等学校等の教育課程の特例を整備
二七・一〇・二	三五号	学校教育法施行規則の一部を改正する省令	特別支援学校の設置及び学級の編成に係る申請についての届出の規定を整備
二八・三・二二	四号	学校教育法等の一部を改正する法律の施行に伴う文部科学省関係省令の整備に関する省令	義務教育学校の授業時数及び教育課程に関する規定を新設する等の規定の整備を行った
二八・三・三〇	一〇号	学校教育法施行規則及び学位規則の一部を改正する省令	大学及び短期大学への編入学が認められる高等学校等の専攻科の基準を定める等の規定の整備を行った
二八・三・三一	一六号	学校教育法施行規則の一部を改正する省令	大学、学部又は学科若しくは課程ごとの卒業の認定、教育課程の編成及び実施並びに入学者の受入れに関する方針の策定及び公表について定めた
二八・三・三一	一九号	学校教育法施行規則の一部を改正する省令	我が国の認証評価に相当するものを受けた外国の大学等において修業年限三年以上の課程の修了により授与された学士に相当する学位を有する者に、我が国の大学院の入学資格を付与した
二八・一二・九	三四号	学校教育法施行規則の一部を改正する省令	高等学校及び中等教育学校の後期課程において、障害に応じた特別の指導を行う必要がある生徒を教育する場合に、特別の教育課程によることができることとした
二九・三・一四	四号	学校教育法施行規則の一部を改正する省令	中学校等における部活動指導員の職務を定める等の規定の整備を行った
二九・三・三一	一二号	地域の自主性及び自立性を高めるための改革の推進を図るための関係法律の整備に関する法律の一部の施行に伴う文部科学省関係省令の整備に関する省令	公立大学法人が設置する大学の附属学校に関する規定の整備を行った
二九・三・三一	一八号	学校教育法施行規則の一部を改正する省令	小学校等において、学齢を経過した者のうち、その者の年齢、経験又は勤労の状況その他の実情に応じ

			た特別の指導を行う必要があるものを夜間その他特別の時間において教育する場合に、特別の教育課程によることができることとした
二九・三・三一	二〇号	学校教育法施行規則の一部を改正する省令	小学校の教育課程について、教科に外国語を加え、各教科等の授業時数を改めた
二九・三・三一	二四号	学校教育法施行規則の一部を改正する省令	事務長、事務主任、スクールカウンセラー及びスクールソーシャルワーカーの職務規定を整備した
二九・四・二八	二七号	学校教育法施行規則の一部を改正する省令	特別支援学校の小学部の教育課程を編成する各教科に外国語を加える等の規定の整備を行った
二九・七・七	二九号	学校教育法施行規則の一部を改正する省令の一部を改正する省令	新たな教育課程への移行措置として、小学校の授業時数の標準の特例を定めた
二九・九・八	三五号	学校教育法施行規則等の一部を改正する省令	専門職大学等における実務の経験を勘案した修業年限の通算に係る要件等を定めた
二九・九・一三	三六号	学校教育法施行規則の一部を改正する省令	大学を除く公立の学校の休業日として家庭及び地域における体験的な学習活動その他の学習活動のための休業日の追加を行った学校教育法施行令の一部を改正する政令の施行に伴い、規定の整備を行った
三〇・三・二七	六号	学校教育法施行規則の一部を改正する省令	通信制の課程を置く高等学校等の学則の記載事項として、当該高等学校又は当該通信教育に協力する高等学校以外の施設で面接指導又は試験を行う施設に関する事項を加えた
三〇・三・三〇	一三号	学校教育法施行規則の一部を改正する省令	高等学校の教育課程における総合的な学習の時間を総合的な探究の時間に改めるとともに、各教科及び各教科に属する科目を改めた
三〇・五・一	一八号	学校教育法施行規則の一部を改正する省令	国際共同利用・共同研究拠点の認定に関する規定の整備を行った
三〇・八・二七	二七号	学校教育法施行規則の一部を改正する省令	特別支援学校に在学する児童等についての個別の教

			育支援計画の作成に関する規定の整備を行った
三〇・八・三一	二八号	学校教育法施行規則の一部を改正する省令の一部を改正する省令	新しい高等学校指導要領のうち、平成三一年四月一日から先行して実施するものについて必要な規定の整備を行った
三〇・一二・二七	三五号	学校教育法施行規則の一部を改正する省令	いわゆるデジタル教科書について、教科用図書の内容の全部をそのまま記録するとともに、文部科学大臣が定める基準を満たすように使用するものとすること等を定めた
三〇・一・三〇	二号	学校教育法施行規則の一部を改正する省令	履修証明制度の対象となる特別の課程の最低時間数を六〇時間以上に改めた
三一・二・四	三号	学校教育法施行規則の一部を改正する省令	特別支援学校の高等部の教育課程について、総合的な学習の時間を総合的な探究の時間に改めるほか、主として専門学科において開設される各教科を改める等の規定の整備を行った
令和元・八・一三	一一号	学校教育法施行規則等の一部を改正する省令	大学が当該大学の学生又は科目等履修生として体系的に開設された授業科目の単位を修得した者に対し学修証明書を交付すること等に関し規定の整備を行った
元・八・二一	一二号	学校教育法施行規則の一部を改正する省令	中学校等について、授業を行う教室等以外の場所で多様なメディアを高度に利用して当該授業を履修させる、いわゆる遠隔教育に関する規定を整備した
元・八・三〇	一三号	学校教育法施行規則及び大学院設置基準の一部を改正する省令	大学院について、修了の認定に関する方針の策定及び学位論文に係る評価に当たっての基準についての情報の公表に関する義務を定めた
元・一〇・三一	二一号	学校教育法施行規則の一部を改正する省令	大学院への飛び入学を認めるために必要な能力及び資質の判断を、法科大学院の行う既修者認定試験の結果に基づいて行うことができることとした
二・二・一〇	一号	高等専門学校設置基準及び学校教育法施行規	高等専門学校に係る単位互換に関する高等専門学校

		則の一部を改正する省令	設置基準の改正に伴う規定の整理を行った
二・四・一	一五号	学校教育法施行規則の一部を改正する省令	病院等で医療の提供等を受ける必要がある生徒が相当の期間高等学校等を欠席する場合等について、多様なメディアを高度に利用して行う授業により修得する単位数の制限を行わないこととした
三・二・二六	九号	大学設置基準等の一部を改正する省令	いわゆる連係開設科目の導入に関する大学設置基準等の改正に伴う規定の整理を行った
三・三・三一	一四号	学校教育法施行規則等の一部を改正する省令	高等学校に当該学校が育成を目指す資質・能力に関する方針等を定めさせること、高等学校の通信制の課程の通信教育連携協力施設について学則に定めさせること、少年院の矯正教育における学修について単位認定を可能とする措置等を定めた
三・八・二三	三七号	学校教育法施行規則の一部を改正する省令	医療的ケア看護職員、情報通信技術支援員、特別支援教育支援員及び教員業務支援員の職務等を定めた
三・九・一三	四四号	学校教育法施行規則の一部を改正する省令	退学処分の対象とすることができない学齢児童及び学齢生徒から、都道府県又は公立大学法人が設置する小学校、中学校及び義務教育学校に在学するものを除いた
三・一〇・二九	四九号	学校教育法施行規則の一部を改正する省令	大学の入学資格を得る前に科目等履修生として大学で一定の単位を修得した者について、当該大学に入学した場合の修業年限に、修得した単位数その他の事情を勘案して当該大学が定める期間を通算することができることとした

Ⅱ　学校教育法関係法提案理由

○学校教育法（昭二二・三・三一法二六）提案理由（昭和二二年三月一七日　衆議院）

○国務大臣（高橋誠一郎君）　今回上程に相なりました学校教育法案について、大略御説明申し上げます。

政府は民主的な平和国家、文化国家建設の根基をなします教育の重要性に鑑みまして、さきに内閣に教育刷新委員会を設置いたしまして、日本教育制度の根本的改革につきまして、慎重審議を煩わしてまいったのでございます。このたびの学制改革案は、この教育刷新委員会の改革案を骨子とするものでありますが、この案はまた、昨年三月に来朝いたしました米国教育使節団の勧告書の線に沿うものでありまして、従来の学制を根本的に整備いたしまして、六年、三年、三年、四年の小学校、中学校、高等学校、大学としたのでございます。政府がこの案を実施せんといたしますおもなる理由は、おおよそ次のごとくでございます。

第一に、教育の機会均等の見地から考えまして、従来の学制におきましては、国民学校の初等科六年を修了して、国民学校高等科及び青年学校に進みます者と、中等学校を経まして、高等学校、専門学校に進みます者との、二つの体系に截然と区別せられておりまして、前者は国民学校初等科修了者の七割五分を占めておりますが、彼らには、能力がありましても、高等教育を受ける機会がほとんど与えられていない実情であります。この点改正憲法に規定いたしまする、能力に応じてひとしく教育を受け得るという教育の機会均等が保障せられず、また高等教育を受ける希望を失いまするがために、国民学校高等科及び青年学校の教育そのものも効果をあげ得ないのであります。

第二に、普通教育の普及向上と男女の差別撤廃について申しますと、公民たるの資質を啓発して、文化国家建設の根基に培いますることは、文化国家建設を中外に標榜するわが国の当然の責務であります。このため義務教育の年限を九箇年に延長いたしまするとともに、その範囲を拡充いたしまして、盲聾唖、不具者にもひとしく普通教育の普及徹底をはかりたいと存じます。義務教育の年限は、戦前八箇年に延長することに決定いたしまして、昭和十八年度から実施することになっておったのでありますが、戦時中その実施が延期せられましたので、現在女子は満十二歳まで、男子は青年学校を含めまして満十九歳までとなっております。これは男女平等を規定する憲法の趣旨に抵触すると同時に、心身の発育不十分の時期から職業教育を施しまして、将来の方向を決定さしてしまうことになりま

して、個性の伸長をはかるべき教育的見地からも不適当であります。九箇年の普通教育を無償の義務教育といたしまして、男女一般に課するゆえんでございます。

第三に、学制を単純化することにつきましては、従来の国民学校、青年学校、中学校、高等女学校、実業学校、師範学校、専門学校、高等学校、大学など、複雑多岐な学制を単純化しまして、心身の発展の段階に応じまして、原則として六・三・三・四の小学校、中学校、高等学校、大学といたしたのでございます。

第四に、学術文化を進展させます見地から考えますると、大学卒業までの修業年限は、従来のごとく中学校四年修了で、高等学校に進むといたしますれば、現行制度と新制度と同年になりまするが、中学校五年卒業で高等学校に入学いたしますとすれば、一年の短縮になります。しかして大学の数を増加することによりまして、大学教育を受ける人員を増加し、さらに大学の上に大学院を充実することによりまして、高度の文化水準の維持向上も期待できると存ずるのでございます。なお欧米諸国においても、義務教育の年限は大体八箇年あるいは九箇年になっております。六・三・三・四の制度は、米国のみならず、次第に世界の趨勢に相なっておりますので、世界文化の交流の見地からいたしましても、有意義であると存ずるのでございます。

以上が、学制改革実施の主たる理由でございまするが、本案はこの六・三・三・四の学制を法制化したものでありまして、本案は従来の各学校令を一つの法律にまとめ上げたのでありますが、従来の制度と根本的に異なります点は、各種の学校系統を単一化しまして、六・三・三・四の小学校、中学校、高等学校、大学といたしましたほか、従来の教育における極端なる国家主義の色彩を払拭いたしまして、真理の探究と人格の完成を目標といたし、心身の発達の段階に応じまして、適切なる教育を施すことを目的とし、従来の教育行政における中央集権を打破いたしまして、画一的形式主義の弊を改め、地方の実情に即して、個性の発展を期するために、地方分権の方向を明確にいたし、高等学校、中学校、小学校、幼稚園及びこれに準ずる盲学校、聾学校などは、都道府県の監督に委ね、教科書、教材内容など重要な事項につきましては、当分の間文部大臣が所掌いたしますが、この権限をいつでも下級機関に委任することにいたしてあります。文部大臣は直接には大学のことのみを掌りまして、大学にはまた能う限りの自治を保障せられておるのでございます。

さらに教育の機会均等を保障いたしますがため、高等学校、大学における夜間学校を法規上正式に認めまして、通信教育を制度化し、高等学校にはパート・タイムの学校をも認めているのであります。なお私立学校の監督は、これまでも直接個々の学校校長、教員に対しまして、行政上の裁量で監督できることになっておりましたが、このたびはこれを改めまして、学校の設置基準の設定、教員免許制度の確立等の措置によりまして、法規上の間接監督に止め、私立学校の自由な発展を期待しておるのでございます。

なお本案は昭和二十二年四月一日から施行することになっておりますが、盲、聾、唖等の義務制の施行期日は、別に勅令で定めることにいたしました。また一般の義務教育に関しましては、昭和二十

二年度は、満十三歳までを義務教育の対象といたしまして、昭和二十三年度以降における義務教育の施行期日は、勅令で定めることにいたしました。そのほか経過措置といたしまして、現在の学校の存続、昇格、在学者、卒業者、教員等の処置につきましても、遺憾のないようにいたしました。

以上が本案の大要でございます。なお本案は枢密院の御諮詢を経たものであります。何とぞ慎重審議の上、速やかに御協賛くださることを切望いたします。（拍手）

*

○学校教育法の一部を改正する法律（昭二四・六・一法一七九）提案理由（昭和二四年五月七日　衆議院）

○高瀬国務大臣　ただいま議題となりました学校教育法の一部を改正する法律案につきまして、その提案理由及びこの法律案の骨子とするところを御説明申し上げます。

まず提案の理由でありますが、医学または歯学の学部を置く大学におきましては、単に練達した技術者を養成するにとどまらず、社会人としてもりっぱな医師または歯科医を養成しなければなりません。そこでその教育の改善と向上をはかりますために、これらの学校の入学資格の程度を特に高め、その目的を達成する必要があるのであります。

次に新学制の最後の段階たる新制大学につきまして、学校教育法では修業年限四年となっておりますが、この際国の現状としましては、入学志望者の側における父兄の経済的負担力の点、あるいは短期間に実務者を養成しなければならない社会的必要性等を考慮いたしますと、短かい期間に完成する、いわゆる短期大学を必要とするように考えるのであります。従って当分の間、修業年限二年または三年の短期大学の制度を認めることにより、一面すみやかに新学制の完成をはかるとともに、他面社会の要望に沿いたいと考えるのでございます。

次にこの法律案の骨子とするところを御説明いたします。

まず第一は、学校教育法の規定によれば、新制大学の入学資格は、新制高等学校卒業程度をもって原則とするのでありますが、医学または歯学の学部を置く大学に入学しようとする者の入学資格については、特例を認めて、より高い程度、すなわち他の学部において二年以上在学して、所定の課程を履修した者と定めようとするのであります。

次に新制大学の修業年限は、学校教育法に規定するごとく、四年をもって原則としますが、これを二年または三年課程に短縮した短期大学をも認めることにしようとするのであります。なお、この短期大学の取扱い方につきましては、大学院を置くことを認めないこととし、その他はすべて四年制大学に関する規定を準用するものであります。

最後に、短期大学を卒業した者のうち、さらに四年制の大学へ進学する希望を有する者については、一定の基準に従い、四年制大学の相当学年に編入する道を開こうとするものであります。

なお、短期大学の実施につきましては、諸般の準備を必要といた

しますので、昭和二十五年度より開設することといたしたいと存ずるのであります。

以上が本法律案の提案理由とその骨子とするところであります。何とぞ慎重御審議の上、すみやかに御可決あらんことをお願いいたします。

○原委員長　なお稲田政府委員より内容についての説明を求めます。

○稲田政府委員　本案の内容につきまして簡単に御説明申し上げます。

最初の規定は、医学または歯学の学部への入学資格に関する規定であります。御承知のごとく学校教育法第五十六条には、大学の入学資格が規定されておりまして、高等学校を卒業した者、もしくは通常の課程による十二年の学校教育を修了した者が、大学の入学資格になっておるわけでありますが、医学または歯学の学部に関する限り、これに対しまする例外規定をここに設けておるのでありまして、高等学校を卒業いたしました上に、医学または歯学以外の学部において二年以上在学して、監督庁の定める課程を履修することをもって入学資格といたした次第でございます。

次はいわゆる短期大学に関しまする規定でございます。学校教育法第五十五条には、大学の修業年限に関しまする一般規定が設けられております。すなわち大学の修業年限は四年とするという趣旨の規定があるのでありますが、これに対する例外といたしまして、当分の間、文部大臣の認可を受けて、大学の修業年限は二年または三年とすることができる旨を規定いたしたのであります。しかして前項の大学は短期大学と称する。さらに次の項におきましては、学校教育法第六十二条に「大学には、大学院を置くことができる。」という趣旨の規定があるのでありますが、これを排除いたしております。

それから次に第百十条といたしまして、いわゆる短期大学を卒業した者が普通の大学学部に入学する場合、編入に関しまする資格の規定を設けておるわけであります。

それから附則といたしまして、前の医学または歯学に関しまする改正規定は、ただちに公布の日から施行するのでありますが、短期大学に関しまする規定は準備の関係もありまして、明年度から実施する。しかもまた改正の準備がありますので、昭和二十五年三月一日から施行するという趣旨の規定を設けた次第であります。

＊

○学校教育法の一部を改正する法律（昭二五・四・一九法一〇三）　提案理由（昭和二五年二月二七日　衆議院）

○高瀬国務大臣　ただいま議題となりました学校教育法の一部を改正する法律案につきまして、その提案の理由及び内容の骨子を御説明申し上げます。

この法律は、従来学校教育法に規定のなかった大学の名誉教授に関する規定を新たに設け、また高等学校の定時制課程及び各種学校に関する規定を整理する等の必要に基きまして、学校教育法の一部について所要の改正を行うものでございます。

名誉教授に関しましては、従来は、官公立の学校についてだけ、単行の勅令で規定されておりまして、規定の仕方も、現在では不適切と考えられますので、この際これを称号として、広く国公私立の大学において、一定の要件に該当する者に対しまして、当該大学の定めるところに従って授与できるようにしたものでございます。

次に高等学校につきましては、その定時制課程の定義を明確単純化し、修業年限を一般の場合には三年、定時制の場合には四年以上と定めたほか、必要に応じて、養護教諭、助教諭及び技術職員を置くことができるようにする等、高等学校の実情に応じまして、所要の改正を行いました。

第三に、各種学校につきましては、その定義を明確にするとともに、認可を受けていない事実上の各種学校を、学校教育法の規定によらせることについて必要な改正を行いました。

以上が本法案の提案理由及びその内容の骨子でございます。どうか十分に御審議いただきまして、すみやかに御可決くださいますようお願いいたします。

○岡延委員長代理　あらためて委員長から皆様に申し上げます。本法案は去る二十三日、予備審査のため本委員会に付託せられたものであります。念のために申し添えます。

○稲田政府委員　法律案の内容につきまして、補足いたしまして御説明申し上げたいと思います。

今回の学校教育法の一部改正の骨子は、三点でございます。第一点は、大学の名誉教授に関する規定を新たに設けたことであります。第二点は、高等学校の定時制課程に関する規定を整理したこと、第三点は、各種学校に関する規定を整理したことでございます。なおそのほかにも、不用となりました経過規定を削除するとか、また関連の条文を整理しております。以下順を追いまして、改正の趣旨、理由に関しまして、御説明申し上げたいと存じます。

まず、第一点の大学の名誉教授につきましてであります。学校教育法に、新しくこれに関する規定を設けることになったのであります。元来名誉教授につきましては、大臣の説明にもありましたように、従来は官公立の大学、高等専門学校等についてのみ、勅令で規定せられてあったのでありますが、改廃の措置がここに必要となったのでございます。一体、名誉教授というものは、大学に教授、助教授等の教員として多年勤務して、教育上の功績があった者に対しまして、本人の退職後、その功労を表わすという意味で、当該大学が授与する栄誉的性質の称号であり、身分上または給与の上においての特権を伴うべきものではないと考えますので、この趣旨によりまして、学校教育法に新しい規定を設けたのでございます。

新しい名誉教授の要件は、第一に、大学に学長または教員として多年勤務した者であるということ、第二に、教育上または学術上特に功績のあった者であること、この二つであります。これらの要件の認定とか、称号授与の方法等については、当該大学の定めるところにまかせたのでございます。なおこの場合「大学」と申しますのは、学校教育法第一条に定める新制大学であることは当然でございますが、そうなりますと、教員として多年勤務することを要件とする名誉教授は、新制大学が発足して、これから相当の時日を経過するまで、今後当分の間は授与できないことになります。そこで大学

の勤務年数を計算する場合には、旧制の大学、高等専門学校の校長または教員としての勤務年数を通算できることといたしましたほか、当分の間は、旧制のまま残るこれらの学校におきましても、新しい規定に準じて名誉教授の称号を授与できるようにいたしたのであります。

次に、第二点の高等学校に関する規定の改正であります。この点につきまして、三つの点にわたって改正いたしたのであります。その第一点は、高等学校の定時制課程の定義を明確単純化いたしたことでございます。すなわち、従来高等学校には「通常の課程の外、夜間において授業を行う課程又は特別の時期及び時間において授業を行う課程を置くことができる。」と規定いたしておりまして、前者を「夜間の課程」、後者を「定時制の課程」と呼んで区別して参ったのであります。しかしながら実際には、時期によって昼間に授業を行い、あるいは夜間に授業を行うなど、その区別ができないことが明らかになりました。そこで今回その定義を「夜間その他特別の時間又は時期において授業を行う課程」という一本といたしました。これを「定時制の課程」と呼び、従来「夜間の課程」と呼ばれていたものをこれに包含させるようにするのでございます。

第二点は、高等学校の修業年限に関する規定を明確単純化いたしたことでございます。従来は、特別の技能教育を施す場合及び夜間の課程、並びに特別の時期及び時間において授業を行う課程にありましては、「その修業年限は、三年を超えるものとすることができる」という規定があったのであります。しかしながら実情について見ますと、特別の技能教育を施す学校の場合におきましては、三年間で高等学校としての正規の課程を終了させ、さらに必要の場合は、専攻科として特殊な教育を施す方が、新制大学へのつながりを考えます場合には好都合であることがわかり、また定時制の課程は、従来の夜間の課程においても同様であるのでありますが、三年間で高等学校として定められた教育内容を履修いたしますことは、事実上不可能である。これを強行いたしますときには、勤労青年に対して、教育上、保健上、きわめて憂うべき結果となることが明らかとなったのであります。この実情に即応いたしますために、今回の改正を行うものでございます。

第三の、高等学校に置かれる職員に関する規定を改正いたしました理由は、従来、学校教育法第五十条に「高等学校には、校長、教諭及び事務職員を置かなければならない」とだけ定められてあったのでありまして、必要に応じて置くことのできる職員に関する規定を、欠いておったのであります。ところが、実情は高等学校にも、これらの職員を置く必要がありましたし、また現に置かれておりますので、この実情に即した改正の措置を行うものでございます。なお第五十八条を改正いたしまして、大学に講師、技術職員その他必要な職員を置くことができるようにいたしたのも、同じ趣旨でございます。

次に、改正の第三点といたしまして、各種学校に関する規定改正の点であります。まず、第八十三条の改正は、各種学校の定義を明らかにいたしたものでございます。現行法によりますと、学校教育法第一条に掲げもの以外のもので、学校教育に関する教育を行うものは、各種学校とするとありますので、たとえば職業安定法に基く

職業補導所等も、すべて各種学校だというような解釈も成り立ちまして、学校教育法第四条、第九条、第十三条、第十四条等の規定が、準用されることになるのであります。しかしながら、これらの学校は、それぞれその根拠とする法律で、その管理、教育内容まで定められておりまして、学校教育法の適用される余地はほとんどありませんので、改正法案は、これら当該教育を行うにつき他の法律に特別の規定があるものを、各種学校の範囲から除くことにいたしまして、各種学校の範囲を明確にいたしました。そして各種学校及びこれらの教育施設は、学校教育法第一条に定める学校の名称を用いてはならないことといたしたのであります。

第二に、第八十四条の改正は、現行規定によりますと、事実上の各種学校に対しましては、第八十三条第三項の規定によって準用される第四条の規定によって、各種学校設置の認可を受くべき旨の通告をなすことができるようになっておりますが、この通告にもし応じなかった場合におきましては、一方的にこれを各種学校として認定できるという解釈をとらざるを得なかったのでございます。そして、この認定をした上で、場合により第十三条の閉鎖命令を発するということが考えられて来たのであります。従って、第八十四条の規定の実効性は、必ずしも保証されないうらみがありました。本条の改正は、以上述べましたように、第八十四条の規定が本来意図したところを、より明らかにしようとするものでありまして、現行規定に実体的な変更を加えるものではないのでございます。そして、改正規定による事実上の各種学校教育の停止命令に応じないものに対しては、閉鎖命令の場合と同じ罰則を適用することといたしました。これは事実上の各種学校に対する教育の停止命令は、学校の閉鎖命令と実体において同じものがあると考えられたからでございます。

最後に第九十六条を削除いたしましたが、これは、第九十六条は、中学校の就学義務の逐年延長について規定したものでありますが、中学校の完成に伴いまして不要となりますので、この際削除すべきものでございます。その他以上の改正に伴いまして、私立学校法の一部を改正する等関係条文を整理いたしました。

以上申し上げました通り、今回の一部改正は、いずれも根本的な改正ではないのでございまして、現行法の表現では不適切であると考えられるものを、適切な表現に改めることによって、学校教育法が本来意図いたしておったところを、より明確に、より適切に実現できるように所要の改正を行うものでございます。

以上大体の御説明といたします。

＊

○学校教育法等の一部を改正する法律（昭二八・八・五法一六七）**提案理由**（昭和二八年七月二日　衆議院）

○福井政府委員　今回提出の学校教育法等の一部を改正する法律案について御説明申し上げます。

この法律案は、教科用図書の検定を文部大臣において行うこととするため、学校教育法を初め、教育委員会法、私立学校法及び文部

省設置法などの関係法律の一部について改正を加えるほか、若干の規定を整備することを内容とするものであります。

申すまでもなく教科用図書は、学校教育における主たる教材として、重要な使命を持っているものであります。そこで今後一層この教科用図書の内容を充実し、初等中等教育の水準を維持し、さらにこれを向上させるためには、教科用図書の検定は、これを文部大臣において行う必要があると信ずるのであります。しかるに、従来教科用図書の検定については、先ほど申し上げました四法律にそれぞれ規定があります。すなわち、教育委員会法及び私立学校法によりますと、都道府県の教育委員会または都道府県知事が教科用図書の検定を行うこととしながら用紙割当制が廃止されるまでは、文部大臣が行うものとしているのであります。

他方、学校教育法においては、教科用図書は監督庁の検定もしくは認可を経た教科用図書または監督庁において著作権を有するものとし、その監督庁に、これを当分の間、文部大臣と定めているのであります。また文部省設置法においても、文部省の初等中等教育局において、当分の間、教科用図書の検定を行うこととしているのであります。従って、先に申し上げました趣旨にのっとり、今般これら関係法律を改正して教科用図書の検定権を文部大臣に属せしめ、その所属を明らかにしたのであります。

以上この法案の提案理由について御説明申し上げた次第であります。何とぞ慎重御審議の上、すみやかに御賛同賜わらんことをお願いいたします。

○辻委員長　続いて補足説明を聴取いたします。田中政府委員。

○田中（義）政府委員　学校教育法等の一部を改正する法律案の趣旨につきまして補足説明をいたします。

本法律案は、教科用図書の内容の充実と教育水準の維持向上をはかるため、教科用図書の検定は文部大臣において行うこととし、これに伴って関係四法律の一部に改正を加えるほか、若干の規定を整備しようとするものであります

次に各条につきまして、内容を御説明申し上げます。

法案の第一条は、学校教育法の一部改正でありますが、まず現行法について申し上げますと、学校教育法第二十一条第一項におきましては「小学校においては、監督庁の検定若しくは認可を経た教科用図書又は監督庁において著作権を有する教科用図書を使用しなければならない」とされており、この規定は第四十条によって、中学校の場合に準用されております。

従いまして、本法律案第一条は、さきに申し述べました趣旨にのっとり同法第二十一条第一項中の「監督庁の検定若しくは認可」を「文部大臣の検定」に、「監督庁において」とあるを「文部大臣において」に改めようとするものであります。認可規定を削除いたしましたのは、検定教科書が普及しました現在においては、最早この制度を存続せしめる必要がなくなったからであります。

次に司法第二十三条及び第二十六条中の「市町村立小学校の管理機関」を「市町村の教育委員会」に改め、現行第百七条を削除いたしましたのは、教科用図書の検定と直接関連するものではありません。

御承知の通り、昭和二十七年十一月一日全市町村に教育委員会が

設置されましたので、昭和二十七年十一月一日以降は、すべて各市町村におかれた教育委員会が、市町村立小学校の管理機関となりましたので、これを明確にいたしますために、改正を加えたものであります。

次に第四十九条及び第五十一条の規定の改正でありますが、これは高等学校の教科用図書に関するものであります。

現行法によれば、高等学校並びに盲学校、聾学校及び養護学校の教科用図書につきましては、第四十九条及び第七十三条の規定により監督庁がこれを定めるものとし、その監督庁は、第百六条第一項の規定により当分の間文部大臣とするとなっているのであります。この規定に基き、文部省令たる学校教育法施行規則第五十八条におきましては「高等学校の教科用図書は、文部大臣の検定を経たもの又は文部大臣において著作権を有するものを使用しなければならない。前項に規定する教科用図書のない場合に使用すべき教科用図書は、校長がこれを定める」とし、この規定は、盲学校及び聾学校にも準用されているのであります。

このように高等学校、盲学校、聾学校及び養護学校の教科用図書につきましては、学校教育法において直接規定していないのであります。しかし、教科用図書の重要性にかんがみ、小・中学校同様これを法律において規定することを適当と認め、小・中学校に関する規定を準用することといたしまして、第四十九条、第五十一条及び第七十六条に改正を加えたわけであります。

なお、高等学校の職業に関する教科等の教科用図書並びに盲学校、聾学校及び養護学校の特殊の教科用図書は、現在学校教育法施行規則第五十八条において認めているような特例措置を必要といたしますので、第百七条を新設してこの特例を認めるようにしたわけであります。

*

○学校教育法の一部を改正する法律（昭二九・三・三一法一九）提案理由（昭和二九年二月一三日　衆議院）

○大達国務大臣　ただいま議題となりました学校教育法の一部を改正する法律案につきまして、その提案の理由及び内容の概要を御説明いたします。

この法律案の第一点は、医学及び歯学教育の改善のため、昭和三十年度から大学の医学または歯学の課程の修業年限を六年以上とし、これを四年の専門の課程と二年以上の進学のための課程にわけ、特別の必要があるときは専門の課程のみを置くことができるようにいたすことであり、第二点は、盲学校及び聾学校の中学部の就学義務を昭和二十九年度から逐年実施することであります。

御承知のごとく、医学または歯学の課程を履修するために要する年限は、現在においても六年以上となっているのであります。すなわち医学または歯学の学部の修業年限は専門の課程だけの四年でありまして、その入学資格は、医学または歯学以外の学部において二年以上在学し、所定の単位を履修した者でなければならないことになっているのであります。

しかしながらこの制度実施の実情から見まして、総合大学におい

ては医学または歯学の学部に進学する希望で他学部に入学する者が相当多いため、その学部の専門の課程に進学する者が少なくなるという現象が起っておりますし、また単科大学では大学が希望するような入学者を確保することができないという事情があるようでありますので、これらの点にかんがみましてその大学の事情に適応した措置がとれるよう所要の改正をいたすものであります。

　次に盲学校及び聾学校の就学義務についての改正であります。盲学校及び聾学校の小学部の義務制は昭和二十三年度から始められ、毎年度一学年ずつ進行して昭和二十八年度に完成しました。これに引続き来年度から中学部の義務制が開始されることになっているのでありますが、この場合も小学部の場合と同様第一学年から始めて毎年一学年ずつ進行させるよう所要の改正を加えようとするものであります。

　以上がこの法律案を提出する理由であります。

＊

○学校教育法の一部を改正する法律（昭三二・六・一法一四九）提案理由（昭和三二年三月二〇日　衆議院）

○灘尾国務大臣　まず、今回政府から提出いたしました学校教育法の一部を改正する法律案につきまして、その提案の理由及び内容の概略を御説明申し上げます。

　昭和二十二年、学校教育法が制定されまして、精神薄弱、身体不自由その他心身に故障のある子女のために養護学校の制度が設けられることとなったのでありますが、御承知の通り、その義務制は、いまだ実施されるに至っておりません。

　もとより、政府といたしましては、義務制の実施を目標として、従来努力いたしておるところでありますが、去る第二十四回国会において、盲学校、ろう学校及び養護学校への就学奨励に関する法律の一部が改正されまして、養護学校に就学する児童、生徒についてもこの法律による就学奨励のための措置が講ぜられることとなり、さらには、公立養護学校整備特別措置法が制定されまして、公立養護学校の建物の建築、教職員の給与等に要する経費の負担について特別措置が講ぜられることとなったことなどによりまして、養護学校の整備は一そう促進される機運となって参ったのであります。

　一方、養護学校に子女を就学させる場合におきましては、これをその保護者の立場から考えますと、就学義務を履行しているものと同様の事情にありながら、就学義務の猶予または免除を受けて就学させておるのであります。この点から、養護学校における就学につきましては、小、中学校に就学させる場合と同様の取扱いが強く要望されてきたのであります。

　これらの事情を考慮いたしまして、政府は、今回、義務制実施までの暫定措置として、養護学校における就学を就学義務の履行とみなすことにより、養護学校への就学を容易にすることとし、このための規定を学校教育法に設けることとした次第であります。

　次に、市町村立学校職員給与負担法の一部を改正する法律案につきまして、その提案の理由及び内容の概略を御説明申し上げます。

（中略）

以上がこの両法律案を提出いたしました理由及び内容の概略でございます。何とぞ、十分御審議の上御賛成下さるようお願い申し上げます。

＊

〇学校教育法の一部を改正する法律（昭三六・六・一七法一四四）提案理由（昭和三六年四月七日　衆議院）

〇荒木国務大臣　このたび政府から提出いたしました学校教育法の一部を改正する法律案につきまして、その提案の理由及び内容の概要を御説明申し上げます。

この法律案は、工業に関する中堅技術者を養成し、もって産業の発展に寄与するために、学校教育法の一部を改正して新たに高等専門学校の制度を創設することとしたものであります。

現在、わが国における産業経済の著しい発展に伴いまして、科学技術者の需要は著しく増大し、特に工業に関する中堅技術者の不足が痛感される情勢になったのであります。

このような情勢に即応し、政府においても各方面の意見を勘案して検討を重ねました結果、このたび、新たに高等専門学校の制度を設け、社会が強く求めている有為な中堅工業技術者の養成をはかる必要があると考えた次第であります。

次に、この法律案の概要について申します。

まず、第一に、新たに高等専門学校の制度を設けることとし、これを学校教育法における学校の種類の一つとして明記したのであります。高等専門学校は、深く専門の学芸を教授し、職業に必要な能力を育成することを目的とし、高等の職業教育を行なう専門教育機関の性格を有するものであります。

第二に、高等専門学校には工業に関する学科を置くことといたしました。さきに述べましたように、高等専門学校の制度創設の理由は、中堅工業技術者に対する社会の要求にこたえることにありますから、高等専門学校の学科は、工業に関するものとすることを規定したのであります。

第三に、高等専門学校の入学資格は、中学校卒業程度とし、その修業年限は五年といたしました。このような五年制の一貫した学校制度により、専門教育の強化と基礎教育及び一般教育の効率的な実施をはかったのであります。

第四に、高等専門学校及びその学科の設置については、文部大臣の認可を必要とすることといたしましたが、この場合においては、認可の適正を期するために、高等専門学校審議会に諮問することといたしました。

第五、高等専門学校の職員についてでありますが、高等専門学校には、校長、教授、助教授、助手及び事務職員を置き、必要に応じて講師、技術職員その他必要な職員を置くことができるものといたしました。

第六に、高等専門学校を卒業した者は、文部大臣の定めるところにより、大学に編入学することができるようにし、また、公、私立高等専門学校の所轄、名誉教授、公開講座等に関しては、大学に関する規定を準用することといたしました。

なお、高等専門学校の発足につきましては、設置基準の作成、高等専門学校審議会の審査事務及び申請者の便宜等を考えて、昭和三十七年四月一日から設置することができるものといたしました。

次に、このたび、政府から提出いたしました学校教育法の一部を改正する法律の施行に伴う関係法律の整理に関する法律案について、その提案理由及び内容の概要を御説明申し上げます。

この法律案は、学校教育法の一部改正による高等専門学校の制度の新設に伴い、各関係法律に所要の改正を加えたものであります。

内容のおもなものを御説明申し上げますと、第一に、建築士法等の一部を改正しまして、大学または短期大学卒業程度を資格要件の全部または一部とする工業関係の技術者の資格規定に、高等専門学校卒業者を加えることといたしました。

第二に、文部省設置法の一部を改正しまして、高等専門学校審議会を文部省に設けることとし、また、高等専門学校に関する事務を大学学術局でつかさどることにするなど、文部省の所掌事務について所要の改正を加えることといたしました。

第三に、私立学校法の一部を改正しまして、私立高等専門学校及びこれを設置する学校法人に対する私立学校法の適用については、私立大学及びこれを設置する学校法人に準じた取り扱いといたしました。

第四に、畑地農業改良促進法等の一部を改正しまして、審議会の構成員等に大学教授とあるものについては、高等専門学校の教授を加えたことであります。

その他、学校教育法の一部改正による規定の整備に伴い、関係法律に所要の規定の準備を行ないました。

以上が、この法律案の提案理由及び内容の概要であります。

何とぞ、両案について十分御審議の上、すみやかに御賛成下さるようお願い申し上げます。

*

○学校教育法等の一部を改正する法律（昭三六・一〇・三一法一六六）提案理由（昭和三六年一〇月四日　衆議院）

○長谷川政府委員　このたび、政府から提出いたしました学校教育法等の一部を改正する法律案につきまして、その提案の理由及び内容の概要を御説明申し上げます。

この法律案は、学校教育法につきまして、高等学校の通信制の課程の整備並びに高等学校の定時制の課程及び通信制の課程と技能教育施設との連係のため所要の規定を設けるとともに、特殊教育及び就学義務関係の規定等を整備し、また、私立学校法につきまして、通信制の課程の整備に伴う学校法人にかかる認可等について所要の規定を設けることとしたものであります。

まず、学校教育法の改正といたしましては、第一に高等学校の通信による教育を行なう課程を通信制の課程として整備したことであります。

高等学校の通信による教育は、その発足当初の諸事情のため、全日制の課程または定時制の課程における教育方法として考えられ、現在まで運営されてきたのでありますが、最近に至り年々これを利

用する生徒数も増加し、関係者の努力によりその内容も充実し、定時制の課程と並んで勤労青年を対象とする教育の上に相当の役割を果たすに至ったのであります。

そこで、このたび、これを全日制の課程、定時制の課程と並ぶ独立の通信制の課程として明確に位置づけるようにするとともに、通信制の課程のみを置く高等学校の設置をも認めることといたしたのであります。また、通信による教育は、これまで都道府県を単位として行なわれていたのであり、将来もその発達を促進するとともに、最近におけるラジオ、テレビの普及に伴い、通信教育にこれらの新しい教育手段をも考慮し、全国または数都道府県を実施単位とする広域の通信制の課程をも設置し得る道を開くことといたしました。

なお、広域の通信制の課程の設置、廃止等にかかる都道府県の教育委員会または知事の認可を行なうに際し、全国的見地からの調整、教育水準の維持の必要等の見地から、あらかじめ、文部大臣の承認を受けて行なわせることとして、その適切な実施を確保しようとしたのであります。

これらの法的整備をはかるとともにさらに各般の行政施策を講じ、勤労青年の教育の機会の普及拡充に今後格段の努力をいたしたいと存ずるのであります。

第二は、高等学校の定時制の課程及び通信制の課程と技能教育施設との連係をはかったことであります。

高等学校の定時制の課程または通信制の課程に在学する生徒が、同時にまた事業内訓練施設その他の技能教育施設において相当組織的な教育を受け、その成果を上げている場合がありますが、その施設、設備、教員組織、指導内容等が高等学校と同等以上と認められるときは、これらの技能教育施設における学習を高等学校における教科の一部の履修とみなすことといたしました。このことにより学校と産業界との相互の連係を密にし、技能教育についての能率を高め、もって科学技術教育の振興に資することといたしたのであります。

第三は、特殊教育に関する規定を整備いたしたことであります。すなわち、現在盲学校、ろう学校及び養護学校の幼稚部及び高等部は、単独には設置できないこととなっておりますが、特別の必要がある場合には、これらの部をそれぞれ単独に設置し得る道を開くとともに、盲学校、ろう学校、養護学校または特殊学級において教育することが適当な児童、生徒の範囲を明確にし、もって特殊教育の振興に資することといたしたのであります。

なお、これらのほか、義務教育諸学校にかかる就学義務に関する規定等を整備することといたしたのであります。

以上提案の理由及び内容の概要を御説明申し上げました。

*

○学校教育法の一部を改正する法律（昭三九・六・一九法一一○）提案理由（昭和三九年四月一日　衆議院）

○八木政府委員　次に学校教育法の一部を改正する法律案について申し上げます。

この法律案は、従来暫定的な制度とされていた短期大学を恒久的な制度とすることとし、これに伴い、短期大学の目的を明らかにするとともに、その学科組織を明確に定める等短期大学に関する規定を整備しようとするものであります。

現行の短期大学制度は、当分の間の暫定措置として昭和二十五年度から発足したものでありますが、以来十四年間に年々その学校数は増加し、昭和三十八年度現在では、国・公・私立あわせて三百二十一校を数え、また在学生は約十二万に達し、わが国の高等教育における重要な役割を果たしているのであります。短期大学が暫定措置として置かれたものであるにもかかわらずこのような実績を示しておりますことは、この制度が四年制大学に比べ短期間の修業年限を持つ高等教育機関として、父兄、学生の経済的負担を軽減しつつ実際的な専門職業教育や女子の高等教育を施す点において、社会の要請に沿ったものであるからと考えられます。

したがいまして、このような短期大学の発展の実態と短期大学に対する社会的要請にかんがみ、この際明確な目的、性格を有する短期大学制度を確立し、より一そう充実した教育の展開をはかろうとするものであります。

次に、この法律案の概要について申し上げます。

まず第一に、従来附則に置かれていた短期大学に関する暫定規定を削除し、本則の大学の章の中において短期大学の目的、修業年限及び学科組織等について規定を設け、短期大学を制度的に安定させることといたしました。

第二に、短期大学は、深く専門の学芸を教授研究し、職業または実際生活に必要な能力を育成することをおもな目的とすることとし、短期大学の発展してきた実態に即応してその目的を明確にするとともに四年制大学に対する短期大学の性格を明らかにいたしたのであります。

第三に、短期大学の修業年限については、従来どおり二年または三年といたしました。

第四に、短期大学には、その実態に即して、学部を置かずに学科を置くことといたしました。学科の設置廃止については、文部大臣の認可を受けることを要することといたしましたが、その適正を期するため、大学設置審議会に諮問することといたしております。

第五に、短期大学を卒業した者は、文部大臣の定めるところにより、大学に編入学することができることとし、また短期大学には大学院を置かず、短期大学の卒業者には学士の称号を与えないことといたしておりますが、これらの点については従来と全く同様であります。このほか、専攻科及び別科、教職員組織、教授会、研究施設の付置、名誉教授、公開講座等の大学に関する諸規定は、すべて短期大学にも適用することといたしました。

なお、現存の短期大学は、この法律による改正後の短期大学として設置されたものとみなし、また現に置かれている学科については、あらためて文部大臣の認可を受けることを要しないことといたしました。

以上が、この法律案の提案の理由及び内容の概要であります。

何とぞ、十分御審議の上、すみやかに御賛成くださるようお願い申し上げます。

＊

○国立学校設置法等の一部を改正する法律（昭四八・九・二九法一〇三）提案理由（昭和四八年四月二五日　衆議院）

○奥野国務大臣　このたび政府から提出いたしました国立学校設置法等の一部を改正する法律案につきまして、その提案の理由及び内容の概要を御説明申し上げます。

この法律は、新しい構想に基づく筑波大学の創設を含む国立大学の新設、学部の設置その他国立学校の整備充実について規定するとともに、大学の自主的改革の推進に資するため必要な措置等について規定しているものであります。

まず、筑波大学以外の大学の設置等について御説明申し上げます。その第一は、旭川医科大学を新設するとともに、山形大学及び愛媛大学にそれぞれ医学部を設置しようとするものであります。

これは、近年における医療需要の増大と医師の地域的偏在に対処し、医師養成の拡充をはかるとともに、医学の研究を一そう推進しようとするものであります。

第二は、国立大学の大学院の設置についてであります。

これまで大学院を置かなかった埼玉大学及び滋賀大学にそれぞれ工学及び経済学の修士課程の大学院を新たに設置し、もってその大学の学術水準を高めるとともに、研究能力の高い人材の養成に資そうとするものであります。

第三は、東北大学医療技術短期大学部の新設についてであります。

近年における医学の進歩と医療技術の高度の専門化に伴い、看護婦、臨床検査技師、診療放射線技師等の技術者の資質の向上をはかるため、東北大学に医療技術短期大学部を併設するものであります。

第四は、東京医科歯科大学及び名古屋大学にそれぞれ付置する難治疾患研究所及び水圏科学研究所の設置並びに千葉大学の腐敗研究所の改組についてであります。

東京医科歯科大学の難治疾患研究所につきましては、現在同大学の医学部に付属して設けられている研究施設を整備統合し、医学の進歩にもかかわらず、現在なおその病因等が解明されていないために、治療法等が確立されていない難病についての基礎的研究を総合的に推進しようとするものであり、また、名古屋大学の水圏科学研究所は、同じく同大学の既設の研究施設を基礎とし、地球環境の諸問題の解決に資するため、大気水圏環境の構造と動態に関する総合的な研究を推進しようとするものであります。

また、千葉大学に付置されております腐敗研究所につきましては、時代の進展に伴い、腐敗という現象の究明から発展して生命科学の一分野としての生物活性全般に関する研究をさらに推進する必要があることにかんがみ、これを生物活性研究所に改組しようとするものであります。

第五は、国立久里浜養護学校の設置についてであります。

心身に障害を有する児童、生徒のうち、特に障害が重度であり、あるいは重複している者の教育の方法、内容等については、一昨年

開設された国立特殊教育総合研究所において実際的研究が行なわれているところでありますが、この実際的研究を行なう上で不可欠となる実験教育の場として、新たに、国立久里浜養護学校を設置しようとするものであります。

第六は、国立極地研究所の設置についてであります。

極地の科学に関する研究は、地球上の種々の自然現象を解明し、また地球の生成、発展の歴史を解くために不可欠でありますが、これまでの南極観測十八年の成果を踏まえ、さらに極地の総合的、科学的研究及び極地観測を推進するため、国立大学共同利用機関として、新たに、国立極地研究所を設置するものであります。

次に、後ほど御説明申し上げます筑波大学の新しい構想の実現とともに、各大学における自主的な改革の推進に資するため、大学制度の弾力化等の措置について所要の改正を行なうことといたしております。

第一に、大学成立の基本となる組織について、これを従来認められてきた学部のみに限定することなく、それぞれの大学において教育、研究上の目的を達成するため、学部以外の教育、研究のための組織を置くことが有益かつ適切であると認められる場合には、学部の設置にかえてそのような組織を置くことができることといたしております。

大学には、従来、特定の学問領域ごとに教育と研究を一体的に行なうための組織として学部が設けられ、これが大学の中心的な組織とされてきたのでありますが、近年における大学教育の拡張と学術の急速な進展に伴い、このような学部を中心とする教育と研究のあり方について再検討を求める機運が高まっており、中央教育審議会をはじめ、各方面における大学改革に関する論議の中でも、この点をめぐる各種の問題点なり提案がいろいろの角度から提起されるにいたっております。すでに海外の諸大学においても、教育研究組織の改善について積極的な検討が進められているところであり、幾つかの大学においては、新しい試みが実施に移されておりますが、わが国においても、現に多くの大学において、学部制度の改善を含め、教育及び研究の基本となる組織のあり方について真剣な検討が加えられているのであります。

そこで、これからの大学制度のあり方を考える場合、大学の基本的な構成要素を単に学部のみに限定する必要はなく、それぞれの大学における教育研究上の必要に応じ、それぞれの大学の判断するところによりさらに弾力的な組織形態をとり得る道を開くことが、大学改革を推進する上でこの際特に必要であると考えた次第であります。

筑波大学の構想はその一つの例でありますが、筑波大学の構想に限らず、今後、大学がみずからの発意により積極的に新しい適切な組織によることを希望する場合には、その内容を十分検討の上それが実現できるようにしてまいりたいと考えております。

なお、以上のことと関連し、従来は大学には、数個の学部を置くことを常例とし、一個の学部のみを置くいわゆる単科大学は特別の必要のある場合にのみこれを認めることとしていたことを改め、大学に学部を置く場合、その数については特に問わないようにすることといたしております。

第二に、医、歯学部における履修方法の弾力化について措置することといたしております。これまで医、歯学部につきましては、六年の修業年限を二年以上の進学課程と四年の専門課程に区分して履修させることとしておりました。しかし、最近における医学の高度の分化発展に伴い専門教育の一そうの充実をはかるとともに、全在学期間にわたる充実した教養教育を行なうため、六年間を通じた弾力的なかつ効率的な教育課程を編成する必要性が医学教育に携わる多くの関係者から指摘されるに至っております。そこで、各大学の判断により、従来の方式をとることも、あるいは六年間を通ずる一貫した教育を行なうことも、いずれの方式をもとり得るように制度を弾力化する道を開くことといたしております。

第三は、大学に必要に応じ副学長を置くことができるようにいたしました。最近、大学の中にはその規模が著しく拡大し、これに伴い組織、編成が複雑化しつつあるものが見受けられるようになっております。このような大学についてこれを有機的な総合体として教育、研究の両面にわたり適確に運営してまいることは、学長にとってまことに容易ならぬ職責となっております。大学改革に関する多くの意見の中でこのような学長の負担を軽減し、大学の機能的な運営をはかるため、その補佐役を設ける必要があるという指摘がなされていることはきわめて当然のことと思われるのであります。このような観点から、大学がその事情により必要があると判断した場合には学長の職務を助けることを任務とする副学長を置き得ることといたしたのであります。

以上御説明申し上げました諸点はいずれも国、公、私立を通じてすべての大学に適用される規定であり、かつ、大学がみずからの判断によってその採否を決定し得る事項であります。このような制度の弾力化を通じて大学自身の手による自主的な改革が一そうの進展を見ることを強く期待するものであります。

次に、この法律は、以上の大学制度の弾力化を踏まえた新しい構想に基づく大学として筑波大学を新設することといたしております。

この筑波大学は、東京教育大学が自然環境に恵まれた筑波研究学園都市へ移転することを契機として、そのよき伝統と特色は受け継ぎながらこれまでの大学制度にとらわれない新しい総合大学を建設しようとするものであり、かねてから東京教育大学との緊密な連携のもとに、同大学における検討の成果を基礎としつつ、他大学などの学識経験者の参加も求めて検討を進めてまいったものであります。

この大学の特色の第一の点は、従来の大学に見られる学部、学科制をとらず、学群、学系という新しい教育、研究組織を取り入れていることであります。すなわち、学群は学生の教育指導上の組織として編成され、広い分野にわたって、学生自身の希望に基づく選択の中で将来の発展の基礎をつちかうことができるよう配慮されているものであり、それぞれ幅の広い教育領域を擁する第一学群、第二学群及び第三学群並びに医学、体育及び芸術の各専門学群を置くことといたしております。同時に、これらの学群の教育に当たる教員の研究上の組織として、学術の専門分野に応じて編成する学系を置き、研究上の要請に十分対処し得る条件を整備することといたして

おります。

第二に、大学が開かれた大学として適切に運営されることを確保するため、その管理運営に当たる組織について次のような措置を講ずることといたしております。すなわち、参与会を設置し、大学の運営にあたり、大学自身の自主性を基礎としつつ、必要に応じて学外の有識者の意見を取り入れることができるよう配慮するとともに、副学長のほか、学群、学系などに属する教員により構成されるそれぞれの教員会議と緊密な連携のもとに評議会及び人事委員会等の全学的組織を設け、全学の協調を基礎とした機能的な運営をはかることといたしております。

このうち人事委員会は、学群、学系制度による教育、研究の機能的分化に対処して、教育、研究両面からの要請を勘案しながら全学的な見地に立って適正な人事を確保することを目的とするものであります。

以上のような大学の管理運営方法の改善を通じて、真の総合大学にふさわしい大学の自治の確立を目ざそうとするものであります。なお、同大学につきましては教育目的に即した総合的なカリキュラムの編成、総合的な研究計画を遂行するためのプロジェクト研究システムの導入等、教育研究のいろいろな面に創意くふうをこらしてまいる所存であります。

この筑波大学は、相当の規模の総合大学を目ざすものであり、その新構想の理念を確実に実現していくため、昭和四十八年十月に開学し以後年次計画をもってその整備を進めることといたしております。また、さきに申し上げましたとおり、同大学は、一面において東京教育大学の発展的解消により創設されるという側面を持つものでありますので、筑波大学の整備と並行いたしまして、東京教育大学については、年次的に閉学措置を進めることとし、昭和五十三年三月三十一日限りこれを廃止することといたしております。

以上のほか、この法律におきましては、国公立の大学にかかる副学長の任免その他について若干の定めをすることといたしておりま す。

その第一は、副学長という制度を新たに設けることに伴い、その任用方法等について規定したことであります。すなわち、大学に副学長を設ける場合には、その任免等の手続は、その職務の内容を勘案し、現行の部局長と同様の取り扱いにすることといたしておりま す。

第二に、学長の選考等に関する事項を扱う大学管理機関としての協議会は、これを廃止し、その権限を、評議会に移すことといたしております。これは、現在、協議会と評議会の構成員が多くの大学においてほぼ一致しているという実情にかんがみ、制度の簡素化をはかろうとするものであります。

以上がこの法律案を提出いたしました理由及びその内容の概要であります。

何とぞ十分御審議の上、すみやかに御賛成くださるようお願いいたします。

＊

○学校教育法の一部を改正する法律（昭四九・六・一法七〇）

提案理由（昭和四九年四月二五日　衆議院）

○国務大臣（奥野誠亮君）　このたび政府から提出いたしました学校教育法の一部を改正する法律案につきまして、その提案の理由及び内容の概要を御説明申し上げます。

　現在、小学校、中学校、高等学校、盲・ろう・養護学校及び幼稚園の教頭は、文部省令の規定により教諭をもって充てることとなっておりますが、各学校における実態は、校長に次ぐ重要な地位を占めるものとなっており、その職務の内容も全国的に見てほぼ定型化されてきておりますので、この際、その地位と職務内容に応じて、教諭とは別に独立の職として法律上その位置づけを明確にする必要があります。

　また、小学校、中学校、高等学校、盲・ろう・養護学校等に置かれております養護助教諭、講師、実習助手、寮母につきましても、その職務内容は、現在、文部省令に規定されているだけでありますが、市町村立学校職員給与負担法など、教育職員に関する他の諸法律の適用については、校長、教諭等と同様に取り扱われておりますので、この際、明確にこれらの職員の設置と職務内容をこの法律に規定する必要があると考え、この法律案を提案したものであります。

　次に、この法律案の概要について申し上げます。

　第一に、小学校、中学校、盲・ろう・養護学校及び幼稚園には、原則として教頭を置くこととし、その職務は、校長を助け、校務を整理し、児童、生徒の教育をつかさどることとするとともに、校長が欠けたときは、その職務を代理し、校長に事故があるときは、その職務を代行することができるようにいたしました。

　第二に、高等学校につきましては、全日制の課程、定時制の課程及び通信制の課程には、それぞれの課程に関する校務を分担整理する教頭を置くこととし、その職務については、小・中学校等の場合と同様にいたしました。

　第三に、小学校、中学校等の講師及び養護助教諭につきましては、教諭または養護教諭が得られない場合にこれらの職にかえて置かれる職であることを明らかにし、その職務を明確に規定することとするとともに、高等学校には、実習助手を置くことができることとして、その職務を規定いたしました。

　第四に、盲・ろう・養護学校に寄宿舎を置くこととし、これらの学校には、寮母を置かなければならないこととして、その職務を規定いたしました。

　第五に、この法律の施行期日を、公布の日から起算して三月を経過した日といたしました。

　以上が、この法律案の提案の理由及び内容の概要であります。

　何とぞ、十分御審議の上、すみやかに御賛成くださいますようお願い申し上げます。

＊

○学校教育法の一部を改正する法律（昭五〇・七・一一法五九）提案理由（昭和五〇年六月二六日　衆議院）

○久保田委員長　本起草案の趣旨及び内容につきまして、便宜委員長から簡単に御説明申し上げます。

現在の各種学校は、主として職業その他実際生活に必要な知識、技術を習得させる教育機関として大きな役割を果たしており、また、中学校または高等学校卒業後の青年のための教育機関として重要な地位を占めているものであります。

しかしながら、現行の各種学校制度は、その対象、内容、規模等においてきわめて多様なものを、学校教育に類する教育を行うものということで、一括して簡略に取り扱っており、制度上きわめて不備であります。

よって、この際、当該教育を行うもののうち、所定の組織的な教育を行う施設を対象として、学校教育法中に新たに専修学校制度を設けようとするものであります。

その内容の第一は、第一条に掲げる学校以外のもので、職業もしくは実際生活に必要な能力を育成し、または教養の向上を図ることを目的として所定の組織的な教育を行う施設は、これを専修学校とし、他の法律に特別の規定があるもの及び外国人学校は除くこととしております。なお、従来の各種学校の制度は、そのまま存続するものとしております。

第二に専修学校には、高等課程、専門課程または一般課程を置くこととしております。

第三は、専修学校の名称、設置等の認可、設置者等に関する規定を整備することとしております。

第四は、この法律は、公布の日から起算して六月を経過した日から施行することとし、この法律施行の際現に存する各種学校で専修学校の教育を行おうとするものは、その課程の設置認可を受けることにより、専修学校となることができることとしております。

以上が本起草案の趣旨及び内容であります。

＊

○学校教育法の一部を改正する法律（昭五一・五・二五法二五）提案理由（昭和五一年五月一九日　衆議院）

○永井国務大臣　このたび政府から提出いたしました学校教育法の一部を改正する法律案につきまして、その提案の理由及び内容の概要を御説明申し上げます。

科学技術の著しい発展と社会の複雑・高度化を背景として、近年高等教育の拡充、学術研究の高度化等の要請が高まっておりますが、このような状況のもとで、すぐれた教育・研究者の養成と高度の専門性を備えた職業人の養成とを図るため、大学院の整備充実が重要な課題となっているところであります。

このような観点から、文部省では、昭和四十九年三月に行われた大学設置審議会の答申を受けて、同年六月、大学院設置基準の制定等を行ったところでありますが、同答申中独立大学院制度の創設等法律の改正を要する重要な事項が残されておりますので、このた

び、これらの事項を中心に大学院制度の一層の整備を図るため、この法律案を提出いたしたものであります。

次にこの法律案の内容を御説明申し上げます。

第一は、大学院の研究科の設置廃止を認可事項とすることであります。

現在は、大学院の設置廃止が認可事項とされておりますが、研究科が学部にのみ依存することなく、独自に組織編成できるようにされたこととも関連し、大学院の基本となる組織である研究科の設置廃止についても、大学における学部の設置廃止及び短期大学における学科の設置廃止の場合と同様、これを認可事項としようとするものであります。

第二は、後期三年のみの博士課程の研究科の設置を可能とすることであります。

現在、大学院の入学資格は学部卒業とされており、研究科はいずれも学部卒業段階に接続するものとされているところであります。しかしながら、修士課程修了者を入学させ、もっぱら博士課程の後期課程の研究指導を行うことが大学間の交流や特定分野の研究者の養成等に資する場合があると考えられますので、このような研究科を設置することが可能となるよう、教育研究上必要がある場合においては、当該研究科に係る入学資格を修士の学位を有する者とすることもできることとしようとするものであります。

第三は、独立大学院制度の創設であります。

現在、大学には学部またはこれにかわる教育研究上の基本組織が必置とされているところでありますが、今後における教育研究上の多様な要請にこたえて大学院がその役割りを十分に果たしていけるようにするための一つの方策として、教育研究上特別の必要がある場合においては、学部を置くことなく大学院を置くものを大学とすることができるものとし、独立大学院の設置を可能にしようとするものであります。

第四は、大学院以外の教育施設は、大学院の名称を用いてはならないものとすることであります。従来、大学等の学校教育法第一条に掲げる学校については、その名称が保護されておりますが、今後大学院の重要性がますます増大することにかんがみ、大学院の名称についても、同様にその保護を行おうとするものであります。

この法律案は、第七十五回国会に提案いたしましたが、衆議院において継続審査となり、第七十六回国会において衆議院で専修学校制度の創設を内容とする学校教育法の一部を改正する法律（昭和五十年法律第五十九号）が制定されたこと等との関連で大学院の名称の保護に関する規定等について所要の整備をするための修正が行われた上、可決され参議院に送付されましたが、継続審査となり、今回修正可決されたものであります。

なお、参議院における修正は、私立学校振興助成法（昭和五十年法律第六十一号）の施行との関連で行われたものであります。

以上がこの法律案を提出いたしました理由及びその内容の概要であります。何とぞ十分御審議の上、速やかに御賛成くださいますようお願いいたします。

＊

○放送大学学園法（昭五六・六・一一法八〇）提案理由（昭和五四年四月一一日　衆議院）

○内藤国務大臣　このたび、政府から提出いたしました放送大学学園法案につきまして、その提案の理由及び内容の概要を御説明申し上げます。

わが国の高等教育は、近年急速な発展を遂げ、国際的に見ても高い普及率を示すに至っておりますが、科学技術の進歩や経済の発展に伴い複雑、高度化してきている今日の社会において、国民の高等教育の機会に対する要請は一段と高まり、かつ、多様化しつつあるところであります。

このような状況において、放送を効果的に活用する新しい教育形態の大学を設置し、大学教育のための放送を行うことにより、広く一般に大学教育の機会を提供することは、生涯にわたり、多様かつ広範な学習の機会を求める国民の要請にこたえるゆえんのものであると考えます。

さらに、この大学が既存の大学等との緊密な連携を図ることにより、大学間の協力、交流の推進、放送教材活用の普及等の面で、わが国大学教育の充実、改善にも資することとなることが期待されるものであります。

この大学の設置形態につきましては、種々検討を重ねてきたところでありますが、新たに特殊法人を設立し、これが大学の設置主体となるとともに、放送局の開設主体ともなることが適切であると考え、特殊法人放送大学学園を設立するため、この法律案を提出いたした次第であります。

この法律案におきましては、特殊法人放送大学学園に関し、その目的、資本金、組織、業務、大学の組織、財務、会計、監督等に関する規定を設けるとともに、学校教育法、放送法その他関係法律について所要の規定を整備することといたしておりますが、その内容の概要は、次のとおりであります。

まず、第一に、放送大学学園は、放送等により教育を行う大学を設置し、当該大学における教育に必要な放送を行うこと等により、大学教育の機会に対する広範な国民の要請にこたえるとともに、大学教育のための放送の普及発達を図ることを目的とするものであります。

第二に、放送大学学園は、法人といたしますとともに、その設立当初の資本金は一億円とし、政府がその全額を出資することといたしております。

第三に、放送大学学園の役員として、理事長一人、理事四人以内及び監事二人以内並びに非常勤の理事三人以内を置き、理事長及び監事は文部大臣が、理事は文部大臣の認可を受けて理事長が、それぞれ任命することとし、その任期はいずれも二年といたしております。

なお、この学園の設置する大学の学長は職務上当然理事となることといたしております。

また、この学園には、その運営の適正を期するため理事長の諮問機関として運営審議会を置くこととし、業務の運営に関する重要事項について審議することといたしております。

なお、この法人は、これらの業務を行うほか、主務大臣の認可を受けて、その目的を達成するため必要なその他の業務を行うこともできることといたしております。

第四に、放送大学学園の業務については、放送等により教育を行う大学を設置すること及びこの大学における教育に必要な放送を行うことを規定するとともに、この学園の施設、設備及び教材を他大学における教育または研究のための利用に供することもできることといたしました。

第五に、放送大学学園の設置する大学の組織等についてでありますが、この大学が、特殊法人によって設置される大学であること、放送を利用して教育を行う大学であること等をも考慮し、大学の運営が適切に行われるよう所要の規定を設けることといたしております。

まず、この大学に、学校教育法に規定する学長、副学長、教授その他の職員を置くこととし、学長は理事長の申し出に基づいて文部大臣が、副学長及び教員は学長の申し出に基づいて理事長が、それぞれ任命することといたしております。

なお、学長及び教員の任命の申し出は、評議会の議に基づいて行われなければならないことといたしております。

次に、学長、副学長及び教員の任免の基準、任期、停年その他人事の基準に関する事項は、評議会の議に基づいて学長が定めることといたしております。

また、この大学に、学長の諮問機関として評議会を置き、大学の運営に関する重要事項について審議するとともに、この法律の規定によりその権限に属させられた事項を行うこととし、学長、副学長及び評議会が定めるところにより選出される教授で組織することといたしております。

さらに、この大学においては、その教育及び研究の充実を図るため、他大学その他の教育研究機関と緊密に連携し、これらの機関の教員等の参加を積極的に求めるよう規定いたしております。

第六に、放送大学学園の財務、会計及びこれに対する主務大臣の監督等については、この学園の業務の公共性にかんがみ、一般の特殊法人の例にならって、所要の規定を設けておりますが、この法律における主務大臣は、文部大臣及び郵政大臣といたしております。

第七に、放送大学学園の設立と関連する関係法律の一部改正についてでありますが、まず学校教育法につきましては、この学園が大学の設置者となり得ることを規定するとともに、通信により教育を行う学部の設置に関する規定を設ける等所要の整備をいたすものであります。

また、放送法につきましては、この学園の放送等について、放送番組の政治的公平の確保、広告放送の禁止等所要の規定の整備をいたすものであります。

以上が、この法律案を提出いたしました理由及びその内容の概要であります。何とぞ十分御審議の上、速やかに御賛成くださいますよう心からお願い申し上げます。

*

○学校教育法の一部を改正する法律（昭五八・五・二五法五五）提案理由（昭和五八年四月二七日　衆議院）

○瀬戸山国務大臣　このたび政府から提出いたしました学校教育法の一部を改正する法律案につきまして、その提案の理由及び内容の概要を御説明申し上げます。

この法律案は、大学において獣医学を履修する課程の修業年限を四年から六年に延長しようとするものであります。

大学において獣医学を履修する課程の修業年限は四年でありますが、近年の畜産の発展、公衆衛生の拡充等による社会的要請にこたえるため、学部段階における教育内容の充実を図り、かつ、効果的な教育を実施し得るよう修業年限を六年にし、獣医学教育の改善を図るものであります。

なお、現在、獣医師の国家試験につきましては、大学院の修士課程二年を積み上げた六年の教育が受験資格として必要とされているところでありますが、この改正に伴い、これを大学において獣医学の正規の課程を修めて卒業した者に改めることといたしております。

この法律は昭和五十九年四月一日から施行することとしております。

また、この制度改正に伴い所要の経過措置を定めることといたしております。

以上がこの法律案を提出いたしました理由及びその内容の概要であります。

何とぞ、十分御審議の上、速やかに御賛成くださいますようお願いいたします。

*

○学校教育法及び私立学校法の一部を改正する法律（昭六二・九・一〇法八八）提案理由（昭和六二年五月二六日　衆議院）

○塩川国務大臣　このたび、政府から提出いたしました学校教育法及び私立学校法の一部を改正する法律案について、その提案理由及び内容の概要を御説明申し上げます。

今日、さまざまな新しい時代の要請の高まりにこたえて、大学を中心とする高等教育の改革を推進することは、我が国の将来を築く上で極めて重要な課題となっております。

そこで、臨時教育審議会の第二次答申を踏まえ、大学関係者を初め、広く各界の英知を結集して、大学等の高等教育の改革を積極的に推進するため、高等教育に関する基本的事項を調査審議する機関として、新たに大学審議会を文部省に設置しようとするものであります。

また、関連して、既存の大学設置審議会及び私立大学審議会を再編統合し、これまで大学設置審議会の所掌とされた大学等の設置の基準及び学位に関する事項につきましては大学審議会の所掌とするとともに、私立大学等の設置認可及びこれに伴う学校法人に関する寄附行為の認可を総合的に調査審議する等の機関として、大学設

置・学校法人審議会を文部省に設置しようとするものであります。

次に、法律案の内容について御説明いたします。

第一に、大学審議会につきましては、文部大臣の諮問に応じ、学校教育法によりその権限とされた事項及び大学に関する基本的事項等を調査審議して答申するとともに、必要に応じ文部大臣に勧告することをその所掌事務とし、文部大臣が内閣の承認を経て任命する二十人以内の委員で組織することといたしております。

第二に、大学設置・学校法人審議会につきましては、学校教育法、私立学校法及び私立学校振興助成法によりその権限とされた事項を調査審議して答申するとともに、必要に応じ文部大臣に建議することをその所掌事務とし、大学関係者及び学識経験者のうちから文部大臣が任命する六十五人以内の委員で組織することといたしております。

また、同審議会に、大学設置分科会及び学校法人分科会を置くことといたしております。

さらに、学校法人分科会につきましては、実質的に現在の私立大学審議会の任務を引き継ぐこととし、その組織につきましても、私立学校法の趣旨目的である私立学校の自主性に配慮し、現在の私立大学審議会と同様となるよう、組織の基準及び委員候補者の私学団体による推薦について私立学校法に定めることとしております。

以上が、この法律案の提案理由及びその内容の概要であります。

何とぞ、慎重御審議の上、速やかに御賛成くださるようお願い申し上げます。

＊

○学校教育法の一部を改正する法律（昭六三・一一・一五法八八）提案理由（昭和六三年四月二〇日　衆議院）

○中島国務大臣　このたび、政府から提出いたしました学校教育法の一部を改正する法律案について、その提案理由及び内容の概要を御説明申し上げます。

この法律案は、高等学校の定時制の課程及び通信制の課程の修業年限を弾力化すること並びにそれらの課程と連携できる技能教育施設の指定を都道府県の教育委員会において行うことについて規定しているものであります。

これは、臨時教育審議会の答申を受け、高等学校教育の多様化、弾力化等を図るためのものであり、以下、この法律案の概要について御説明申し上げます。

第一は、技能教育施設の指定を都道府県において行うことであります。

現在、高等学校の定時制の課程または通信制の課程に在学する生徒については、文部大臣の指定する専修学校、職業訓練校等の技能教育施設においてあわせて教育を受けている場合、一定の範囲内で技能教育施設における学習を高等学校での学習とみなすことができることとなっています。これは、昭和三十六年の学校教育法の一部改正によって設けられた制度であり、その当時においては、新しい制度であることなどから文部大臣が個別に指定することといたしましたが、制度発足以来既に二十五年以上経過し、今日では定着したものとなっております。そこで、指定の基準は従来どおり文部大臣

が定めることとして教育水準を確保しつつ、指定自体については都道府県の教育委員会において行うこととしようとするものであります。

第二は、高等学校の定時制の課程及び通信制の課程の修業年限の弾力化であります。

現在、これらの課程の修業年限は四年以上とされていますが、現行制度を定めてから約四十年を経過した今日では、生徒の勤労形態が多様化するとともに、定通併修、技能連携等によって履修形態の弾力化が図られております。これらのことから、定時制の課程及び通信制の課程の生徒であっても、三年間で高等学校を卒業するために必要な単位を履修できる実情が生じています。そこで、修業年限を三年以上に改めることにより、生徒の実態に応じて三年でも卒業できる道を開こうとするものであります。

以上が、この法律案の提案理由及びその内容の概要であります。

何とぞ、十分御審議の上、速やかに御賛成くださるようお願いいたします。

＊

○国立学校設置法及び学校教育法の一部を改正する法律（平三・四・二法二三）提案理由（抄）（平成三年三月一日　衆議院）

○井上国務大臣　このたび政府から提出いたしました国立学校設置法及び学校教育法の一部を改正する法律案について、その提案理由及び内容の概要を御説明申し上げます。

この法律案は、国立学校設置法において国立の大学の新設、短期大学部の設置及び廃止並びに学位授与機構の新設を行うほか、あわせて学校教育法を改正して、学位授与機構の行う学位の授与等について規定するものであります。

まず、国立学校設置法の改正について御説明申し上げます。

（中略）

第四は、学位授与機構の新設についてであります。

これは、生涯学習体系への移行及び高等教育機関の多様な発展等の観点から、高等教育段階のさまざまな学習の成果を評価して、学校教育法に定めるところにより学位の授与を行うほか、これに関し必要な調査研究及び情報提供を行う機関として、学位授与機構を本年七月一日に設置しようとするものであります。

次に、学校教育法の改正について御説明申し上げます。

第一は、学士を学位とすることについてであります。

これは、現在大学卒業者が称し得る称号として位置づけられている学士を、諸外国と同様に、大学が授与する学位として位置づけるものであります。

第二は、学位授与機構が行う学位の授与について定めることであります。

これは、大学が行う学位の授与について規定を整備するとともに、生涯学習の振興等の観点から、学位授与機構が、短期大学または高等専門学校の卒業者等で大学等においてさらに一定の学習を行った者及び大学以外の教育施設において大学または大学院に相当

する教育を受けた者に対し、その水準に応じ、学位を授与することとするものであります。

その他、この法律におきましては、以上のことと関連して、所要の規定の整備を図ることといたしております。

以上が、この法律案の提案理由及びその内容の概要であります。

何とぞ、十分御審議の上、速やかに御賛成くださるようお願いいたします。

*

○学校教育法等の一部を改正する法律（平三・四・二法二五）

提案理由（平成三年三月一二日　衆議院）

○井上国務大臣　このたび、政府から提出いたしました学校教育法等の一部を改正する法律案について、その提案理由及び内容の概要を御説明申し上げます。

この法律案は、学校教育法について、医学・歯学の教育における教育課程の区分に関する規定の廃止、短期大学及び高等専門学校の卒業者に対する準学士の称号の創設並びに高等専門学校の分野の拡大と専攻科制度の創設を図るとともに、あわせて教育職員免許法を改正して、小学校教諭等の二種免許状の基礎資格を短期大学卒業者に係る準学士の称号を有することとする等について規定するものであります。

まず学校教育法の改正について御説明申し上げます。

第一は、医学・歯学の教育における教育課程の区分に関する規定の廃止についてであります。

これは、現在、医学・歯学の教育課程については、進学課程と専門課程とに区分する場合には、進学課程は二年以上、専門課程は四年とすることを法律上規定しておりますが、このような規定を廃止し、医学・歯学の教育は、すべて六年制の課程において行うこととし、より弾力的な教育課程の編成ができるようにするものであります。

第二は、準学士の称号の創設についてであります。

これは、国際化の進展に対応し、また、関係者の要望にこたえ、短期大学及び高等専門学校の卒業者について、新たに、準学士と称することができることとするものであります。

第三は、高等専門学校の分野の拡大についてであります。

これは、現在、高等専門学校については、工業と商船に限って学科を設置できることとなっておりますが、これを改め、工業と商船以外の分野の学科をも設置できるようにするものであります。

第四は、高等専門学校の専攻科制度の創設についてであります。

これは、高等専門学校卒業者に対し、さらに高度の教育機会を整備充実するため、高等専門学校にも、短期大学等と同様に、専攻科を置くことができることとするものであります。

次に教育職員免許法の改正について御説明申し上げます。

これは、学校教育法の一部改正による準学士の称号の創設等に伴い、小学校教諭等の二種免許状授与の基礎資格を短期大学卒業者に係る準学士の称号を有することとする等、所要の規定の整備を図るものであります。

その他、この法律におきましては、以上のことと関連して、所要の規定の整備を図ることといたしております。

以上が、この法律案の提案理由及びその内容の概要であります。

何とぞ、十分御審議の上、速やかに御賛成くださるようお願いいたします。

＊

○学校教育法等の一部を改正する法律（平一〇・六・一二法一〇一）提案理由（平成一〇年五月一五日　衆議院）

○町村国務大臣　このたび、政府から提出いたしました学校教育法等の一部を改正する法律案について、その提案理由及び内容の概要を御説明申し上げます。

今日、教育改革は国政の最重要課題となっており、来るべき二十一世紀において、一人一人がそれぞれの個性や創造性を伸ばし、我が国が活力ある社会として発展していくためには、学校教育制度についても、できる限り一人一人の能力・適性、興味・関心、進路希望等に応じた多様で柔軟なものとなるよう改革を図っていく必要があります。

このような観点から、この法律案は、中等教育の多様化を推進し、生徒の個性をより重視した教育を実現するため、現行の中学校と高等学校の制度に加えて、中高一貫教育制度を導入するとともに、高等教育の段階において、専修学校の専門課程の修了者について大学に編入学できる途を開くこと等制度の弾力化を図るものであります。

次に、この法律案の内容について御説明申し上げます。

第一は、新しい学校種として中等教育学校を創設することであります。中等教育学校は、小学校における教育の基礎の上に、心身の発達に応じて、中等普通教育並びに高等普通教育及び専門教育を一貫して施すことを目的とするとともに、国家及び社会の有為な形成者として必要な資質を養うこと等の目標を定めることとしております。修業年限は六年とし、前期課程及び後期課程に区分することのほか、教科及び学科、教職員等について必要な規定を設けることとしております。

第二は、同一の設置者が設置する中学校と高等学校における中高一貫教育についてであります。地方公共団体等が中学校及び高等学校を併設し、これらの学校の間のより緊密な連携を図り、中等教育学校に準じて、一貫した教育を施すことができるものとしております。

第三は、中高一貫教育に係る行財政措置についてであります。公立の中等教育学校に関する教職員定数の算定、教職員給与費及び施設費等に係る国庫負担については、現行の中学校及び高等学校と同様の措置を講ずることとするとともに、中高一貫教育を実施する公立中学校に係る教職員給与費及び施設費について新たに国庫負担の措置を講ずることとしております。

第四は、専修学校の専門課程修了者の大学への編入学等についてであります。専修学校の専門課程で文部大臣の定める基準を満たすものを修了した者は、大学に編入学できることとするとともに、大

学の学生以外の者で大学の単位を修得した者が当該大学に入学する場合に、相当期間を修業年限に通算できることとしております。

このほか、所要の規定の整備を行うこととしております。

以上が、この法律案の提案理由及びその内容の概要であります。

何とぞ、十分御審議の上、速やかに御賛成くださるようお願いいたします。

＊

○学校教育法等の一部を改正する法律（平一一・五・二八法五五）提案理由（平成一一年四月一四日　衆議院）

○有馬国務大臣　このたび、政府から提出いたしました学校教育法等の一部を改正する法律案について、その提案理由及び内容の概要を御説明申し上げます。

二十一世紀に向けての大きな転換期にある今日、大学が、学問の進展や社会の要請に適切に対応しつつ、不断に改革を進めて、教育研究の活性化を図り、知的活動の分野において社会に貢献していくことは、我が国の未来を築く上で極めて重要な課題となっております。

この法律案は、このような状況を踏まえ、第一に、大学が教育研究上の多様な要請にこたえられるよう大学制度の弾力化を推進するため、所定の単位を優秀な成績で修得した者について三年以上の在学で大学の卒業を認めることができる制度を設け、また、大学院の研究科の位置づけを明確にするとともに、柔軟な組織編制を行うことができるようにするものであります。

第二に、大学が一体的、機能的に運営され、責任ある意思決定が行われるよう、あわせて社会に対して開かれた大学となるよう、大学の組織運営体制を整備するため、大学における学部長の設置、国立大学について、運営諮問会議及び評議会の設置、学部等の教授会の所掌事務を定め、あわせて国公立大学の教員の選考における学部長等の役割を定めるものであります。

次に、この法律案の概要について申し上げます。

第一に、新たに在学期間の特例として、卒業の要件として各大学が定める教育課程をすぐれた成績で修めた学生について、三年以上四年未満の在学で大学の卒業を認めることができる制度を設けることといたしております。

第二に、大学には学部長を置くことができるものとし、学部長は学部の校務をつかさどることといたしております。

第三に、大学院の研究科の位置づけを明確にするとともに、研究科以外の教育研究上の基本となる組織を置くことを可能とすることといたしております。

第四に、国立大学に新たに運営諮問会議を置くこととし、その委員は、当該大学の職員以外の者で大学に関し広くかつ高い識見を有するもののうちから、学長の申し出を受けて文部大臣が任命することとしております。運営諮問会議は、大学の教育研究に関する基本的な計画、大学の自己評価その他大学の運営に関する重要事項について、学長の諮問に応じて審議し、及び学長に対して助言または勧告を行うこととしております。

第五は、国立大学の評議会について、単科大学を除く国立大学には評議会を置くこととし、学長、学部長等をもって充てる評議員で組織することとしております。評議会は、大学の教育研究に関する基本的な計画、学則その他重要な規則の制定改廃、大学の自己評価等その他大学の運営に関する重要事項を審議することとしております。また、学長は評議会の議長として、評議会を主宰することとしております。

第六は、国立大学の教授会について所掌事務等を明確化することであります。国立大学の学部等の組織に教授会を置くこととし、教授会は、学部等の教育課程編成、学生の入学、卒業、学位授与、その他学部等の教育または研究に関する重要事項を審議することとしております。また、教授会の議長は学部長等とし、議長は教授会を主宰することとしております。

第七に、国立大学は、当該大学の教育研究上の目的を達成するため、学部その他の組織の一体的な運営により、その機能を総合的に発揮するようにしなければならないこととしております。

第八に、国立大学は、大学の教育研究及び組織運営の状況について公表しなければならないこととしております。

第九は、国公立大学の教員の選考等についてであります。まず、教授会が教員の選考を行う場合に、学部長等は、当該大学の教員人事の方針を踏まえ、その選考に関し、教授会に対して意見を述べることができるものとしております。また、現在、学長や教員の選考等については、当分の間の暫定的な措置として、学長、評議会または教授会が分担して行うこととされておりますが、このため、評議会、教授会に関し規定したことに伴い、所要の規定の整備を行うものであります。

このほか、所要の改正を行うこととしております。

以上が、この法律案の提案理由及びその内容の概要であります。

何とぞ、十分御審議の上、速やかに御賛成くださるようお願いを申し上げます。

＊

○学校教育法の一部を改正する法律（平一三・七・一一法一〇五）提案理由（平成一三年五月二九日　衆議院）

○遠山国務大臣〔略〕

次に、学校教育法の一部を改正する法律案について、その提案理由及び内容の概要を御説明申し上げます。

児童生徒の社会性や豊かな人間性をはぐくむ観点から、小学校等における社会奉仕体験活動、自然体験活動等の体験活動を促進するとともに、一人一人の能力、適性に応じた教育を進め、その能力の伸長を図るため、大学における飛び入学の促進等を図る必要があります。また、児童生徒の問題行動への適切な対応を図るため、出席停止制度の改善を行うとともに、男女共同参画社会の形成の促進の観点から、盲学校、聾学校及び養護学校の寄宿舎に置かれる寮母の名称を見直す必要があります。

今回御審議をお願いする学校教育法の一部を改正する法律案は、以上の観点から、学校教育の改善を図るものであります。

次に、この法律案の概要について御説明申し上げます。

第一に、小学校、中学校、高等学校等において、社会奉仕体験活動、自然体験活動等の体験活動の充実に努めるとともに、その実施に当たり、関係団体及び関係機関との連携に配慮することとするものであります。

第二に、小学校及び中学校における出席停止制度について要件を明確化し、手続に関する規定を整備するとともに、出席停止期間中の学習の支援等の措置を講ずることとするものであります。

第三に、大学が特にすぐれた資質を有すると認める者は、高等学校を卒業した者等でなくても、対象分野を問わず、当該大学に入学させることができることとするとともに、大学院へも優秀な成績を修めた者が飛び入学できることとすることであります。

あわせて、大学には、夜間において授業を行う研究科及び通信による教育を行う研究科を置くことができることを明確化するとともに、勤務年数を問わずに、名誉教授の称号を授与できるようにすることであります。

第四に、盲学校、聾学校及び養護学校の寄宿舎に置かれる寮母の名称を寄宿舎指導員に改めるものであります。

このほか、所要の規定の整備を行うこととしております。

以上が、この法律案の提案理由及びその内容の概要であります。

〔中略〕

何とぞ、十分御審議の上、速やかに御賛成くださいますようお願いいたします。

*

○学校教育法の一部を改正する法律（平一四・一一・二九法一一八）提案理由（平成一四年一〇月三〇日　衆議院）

○遠山国務大臣　このたび政府から提出いたしました学校教育法の一部を改正する法律案について、その提案理由及び内容の概要を御説明申し上げます。

大学の特性を尊重するとともに、規制改革の流れを踏まえ、各大学の教育研究水準の向上とそのための主体的な取り組みの促進を図るため、大学の設置認可制度を弾力化し、あわせて、第三者評価制度の導入及び違法状態の大学に対する是正措置の整備を行う必要があります。

また、大学院において、社会的、国際的に活躍できる高度専門職業人の養成を促進するため、法科大学院などの専門職大学院制度を整備する必要があります。

今回御審議をお願いする学校教育法の一部を改正する法律案は、以上の観点からの制度改善を図るものであります。

次に、この法律案の内容の概要について御説明申し上げます。

第一に、文部科学大臣の認可が必要とされている大学の学部の設置等について、大学が授与する学位の種類及び分野の変更を伴わないなどの場合には認可を要せず、届け出で足りることとするものであります。

第二に、各大学が、その教育研究水準の向上を図るため、教育研究等の状況について定期的に評価機関による評価を受けることとし、あわせて、これらの評価を行う評価機関に対する文部科学大臣

の認証等に関する規定を整備するものであります。

第三に、違法状態の大学に対する文部科学大臣の措置として、改善勧告等の段階的な是正措置を整備するものであります。

第四に、大学院の目的として、高度の専門性が求められる職業を担うための深い学識及び卓越した能力を培うことを明らかにするとともに、大学院のうち、これを目的とするものを専門職大学院とし、その修了者には新たな学位を授与することとするものであります。

このほか、所要の規定の整備を行うこととといたしております。

以上が、この法律案の提案理由及びその内容の概要であります。

何とぞ、十分御審議の上、速やかに御賛同くださいますようお願いいたします。

＊

○国立大学法人法（平一五・七・一六法一一二）、独立行政法人国立高等専門学校機構法（平一五・七・一六法一一三）等

提案理由（平成一五年四月三日　衆議院）

○遠山国務大臣　このたび政府から提出いたしました国立大学法人法案、独立行政法人国立高等専門学校機構法案、独立行政法人大学評価・学位授与機構法案、独立行政法人国立大学財務・経営センター法案、独立行政法人メディア教育開発センター法案及び国立大学法人法等の施行に伴う関係法律の整備等に関する法律案について、その提案理由及び内容の概要を御説明申し上げます。

知の世紀とも言われる二十一世紀にあっては、大学が学問や文化の継承と創造を通じ社会に貢献していくことが極めて重要になっています。

今回提出いたしました国立大学法人法案等の六法案は、このような状況を踏まえ、現在、国の機関として位置づけられている国立大学や国立高等専門学校等を法人化し、自律的な環境のもとで国立大学をより活性化し、すぐれた教育や特色ある研究に積極的に取り組む個性豊かな魅力ある国立大学を育てることなどをねらいとするものであります。

次に、法律案の内容の概要について、順次御説明申し上げます。

初めに、国立大学法人法案についてであります。

この法律案は、国立大学法人及び大学共同利用機関法人の組織及び運営について、次のような事項を定めるものであります。

第一に、国立大学法人及び大学共同利用機関法人は、それぞれ国立大学法人法案の定めるところにより設立される法人とし、その名称及び各国立大学法人が設置する国立大学について定めております。

第二に、国立大学法人等の業務に関して評価するための国立大学法人評価委員会の設置について定めております。

第三に、国立大学法人に役員として学長、理事及び監事を置き、予算など重要事項については学長及び理事で構成される役員会の議を経て学長が決定することとしております。また、審議機関として経営協議会及び教育研究評議会を設置するなど国立大学法人の組織について定めるとともに、役員や経営協議会の委員に学外有識者を

迎えることにより、民間的な発想を取り入れつつ学長を中心とした国立大学法人の経営体制の確立を図ることとしております。

第四に、文部科学大臣による国立大学法人の学長の任免や中期目標の策定等については、大学の自主性に配慮した仕組みを定めております。

第五に、国立大学法人の業務の範囲について定めるとともに、財務及び会計に関する規定を置き、あわせて独立行政法人通則法の規定を必要に応じ準用することとしております。

第六に、大学共同利用機関法人についても、国立大学法人と同様に、組織、業務及びその自主性に配慮した仕組み等を定めております。

第七に、国立大学から国立大学法人への移行に伴う権利義務の承継その他所要の経過措置等に関する事項を定めるとともに、この法律の施行期日を平成十五年十月一日とし、また、国立大学法人等の設立の期日は平成十六年四月一日としております。

次に、独立行政法人国立高等専門学校機構法案においては、五年制の高等教育機関である国立高等専門学校を設置する独立行政法人国立高等専門学校機構について、その名称、目的、業務の範囲等に関する事項や役員について定めるとともに、各国立高等専門学校の名称及び位置を規定しております。

また、独立行政法人大学評価・学位授与機構法案、独立行政法人国立大学財務・経営センター法案及び独立行政法人メディア教育開発センター法案は、大学評価や学位授与、財務・経営、メディア教育のそれぞれの観点から大学等を支援する業務を行う三機関を独立行政法人化するため、その名称、目的、業務の範囲等に関する事項や役員について定めるものであります。

独立行政法人国立高等専門学校機構、独立行政法人大学評価・学位授与機構、独立行政法人国立大学財務・経営センター及び独立行政法人メディア教育開発センターにつきましては、国立大学法人等と同様に、その設立の期日は平成十六年四月一日としております。

なお、国立大学法人法等の施行に伴う関係法律の整備等に関する法律案は、国立大学法人法等の施行に伴い、国立学校設置法及び国立学校特別会計法の廃止を行うとともに、学校教育法ほか五十二本の関係法律について所要の改正を行うものであります。

以上が、国立大学法人法案等の六法案の提案理由及びその内容の概要であります。

何とぞ、十分御審議の上、速やかに御賛成くださるようお願い申し上げます。

*

○学校教育法等の一部を改正する法律（平一六・五・二一法四九）提案理由（平成一六年四月一四日　衆議院）

○河村国務大臣　このたび、政府から提出いたしました学校教育法等の一部を改正する法律案について、その提案理由及び内容の概要を御説明申し上げます。

近年、児童生徒の食生活の乱れを背景として、児童生徒が望ましい食習慣を身につけることができるよう、家庭だけでなく、学校に

おいても食に関する指導の充実を図っていくことが重要となっております。このため、栄養に関する高度の専門性を有する教育職員を学校に設置できるようにする必要があります。

また、近年の医療技術の高度化や医薬分業の進展等に伴い、医薬品の安全使用や薬害の防止等についての社会的要請が高まりつつある中で、薬剤師は、医療の担い手としての役割を積極的に果たすことが求められております。このため、臨床に係る実践的な能力を有する薬剤師の養成を目的として、大学における薬学教育を改善充実する必要があります。

この法律案は、このような観点から、栄養教諭制度の創設及び大学における薬学教育の修業年限の延長を図るものであります。

次に、この法律案の内容の概要について御説明申し上げます。

第一に、学校に置かれる教育職員として栄養教諭を位置づけるとともに、栄養教諭に必要な資質を担保するため栄養教諭の免許制度を創設し、あわせて、栄養教諭の身分、定数、給与費の負担等について所要の措置を講ずるものであります。

第二に、大学の薬学を履修する課程のうち臨床に係る実践的な能力を培うことを主たる目的とするものの修業年限を六年とするものであります。

このほか、所要の規定の整備を行うこととしております。

以上が、この法律案の提案理由及びその内容の概要であります。

何とぞ、十分御審議の上、速やかに御賛成くださいますようお願いいたします。

以上であります。

*

○学校教育法の一部を改正する法律（平一七・七・一五法八三）

提案理由（平成一七年六月一日　衆議院）

○中山国務大臣　このたび、政府から提出いたしました学校教育法の一部を改正する法律案について、その提案理由及び内容の概要を御説明申し上げます。

学位についての国際的な動向等を踏まえ、短期大学卒業者に対する学位制度を創設するとともに、大学等における教育研究の活性化等を図るため、助教授及び助手の職に関して教員組織の整備を行う等の必要があります。この法律案は、このような観点から高等教育制度の改善を図るものであります。

次に、この法律案の概要について御説明申し上げます。

第一に、短期大学は、短期大学を卒業した者に対し、短期大学士の学位を授与するものとすることであります。

第二に、大学に置かなければならない職として、助教授にかえて准教授を設けるとともに、助教を新設するものであります。ただし、准教授、助教及び助手は、教育研究上の組織編制として適切と認められる場合には置かないことができることとしております。また、准教授及び助教の職務内容をそれぞれ定めるとともに、これに伴い教授及び助手の職務内容に関する規定を整備するものであります。

第三に、高等専門学校について、大学と同様に教員組織の整備を

行うものであります。

このほか、所要の規定の整備を行うこととといたしております。

以上が、この法律案の提案理由及びその内容の概要でございます。

何とぞ、十分御審議の上、速やかに御賛成くださいますようお願いいたします。よろしくお願い申し上げます。

*

○学校教育法の一部を改正する法律（平一八・六・二一法八〇）提案理由（平成一八年五月一七日　衆議院）

○小坂国務大臣　このたび政府から提出いたしました学校教育法等の一部を改正する法律案について、その提案理由及び内容の概要を御説明申し上げます。

近年、児童生徒等の障害の重複化や多様化に伴い、一人一人の教育的ニーズに応じた適切な教育の実施や、学校と福祉、医療、労働等の関係機関との連携がこれまで以上に求められております。

この法律案は、このような状況にかんがみ、児童生徒等の個々のニーズに柔軟に対応し、適切な指導及び支援を行う観点から、複数の障害種別に対応した教育を実施することができる特別支援学校の制度を創設するとともに、小中学校等における特別支援教育を推進することにより、障害のある児童生徒等の教育の一層の充実を図るものであります。

次に、この法律案の内容の概要について御説明いたします。

第一に、盲学校・聾学校・養護学校の区分を廃止して、複数の障害種別に対応した教育を実施することができる特別支援学校とし、特別支援学校においては、その学校に在籍する児童生徒等に対する教育を行うほか、小中学校等に在籍する障害のある児童生徒等の教育に関し、必要な助言または援助を行うよう努めることとするものであります。

第二に、小中学校等においては、その学校に在籍する教育上特別の支援を必要とする児童生徒等に対して、障害による困難を克服するための教育を行うこととするものであります。

第三に、盲学校・聾学校・養護学校ごとの教員の免許状を特別支援学校の教員の免許状とし、その授与の要件等を定めるものであります。

以上が、この法律案の提案理由及びその内容の概要であります。

何とぞ、十分御審議の上、速やかに御賛成くださいますようお願いいたします。

*

○学校教育法の一部を改正する法律（平一九・六・二七法九六）提案理由（平成一九年四月一八日　衆議院）

○伊吹国務大臣　ただいま議題となりました三法案について、逐次その内容を御説明申し上げます。

まず、このたび政府から提出いたしました学校教育法等の一部を改正する法律案について、その提案理由及び内容の概要を御説明申

し上げます。

昨年、約六十年ぶりに教育基本法が改正され、新しい時代に求められる教育理念が法律上明確になりました。

近年の教育を取り巻くさまざまな問題を解決し、内閣の最重要課題である教育の再生を実現するため、改正教育基本法の理念のもと、学校における教育の目標を見直すとともに、組織運営体制及び指導体制の充実を図ることが必要であります。

この法律案は、このような観点から、義務教育の目標を新たに定め、各学校種の目的等を見直すとともに、学校に置くことができる職として新たに副校長等を設ける等により、学校教育の充実を図るものであります。

次に、この法律案の内容の概要について御説明申し上げます。

第一に、改正教育基本法において明確にされた教育理念を踏まえ、義務教育の目標を定め、各学校種の目的等に係る規定を見直すとともに、学校教育法に規定する学校種の順序について、教育を受ける者の発達段階等を踏まえ、幼稚園から規定することとするものであります。

第二に、学校は、教育活動等の状況について評価を行い、改善のための措置を講ずることにより、教育水準の向上に努めるものとするとともに、保護者等との連携協力を推進するため、教育活動等の状況について情報を提供するものとするものであります。

第三に、大学等は、学生以外の者を対象とした特別の課程を修了した者に対し、証明書を交付することができることとするものであります。

第四に、学校の組織運営体制及び指導体制の充実を図るため、小学校、中学校等に置くことができる職として、新たに副校長、主幹教諭、指導教諭を設け、これらの職務内容をそれぞれ定めるものであります。

このほか、所要の規定の整備を行うことといたしております。

（中略）

以上が、この法律案の提案理由及びその内容の概要でございます。

三法案につきまして、何とぞ、十分御審議の上、速やかに御可決くださいますようお願いいたします。

ありがとうございました。

＊

○学校教育法及び国立大学法人法の一部を改正する法律（平二六・六・二七法八八）提案理由（平成二六年五月二三日　衆議院）

○下村国務大臣　このたび政府から提出いたしました学校教育法及び国立大学法人法の一部を改正する法律案について、その提案理由及び内容の概要を御説明申し上げます。

大学は国力の源泉であり、各大学が人材育成、イノベーションの拠点として教育研究機能を最大限に発揮していくためには、学長のリーダーシップのもとで戦略的に大学を運営できるガバナンス体制の構築が不可欠であり、学長を補佐する体制の強化、大学運営にお

ける権限と責任の一致、学長選考の透明化等の改革を行っていくことが重要であります。

この法律案は、このような観点から、大学の組織及び運営体制を整備するため、副学長の職務内容を改めるとともに、教授会の役割を明確化するほか、国立大学法人の学長の選考に係る規定の整備を行うなどの必要な措置を講ずるものであります。

次に、この法律案の概要について御説明申し上げます。

第一に、副学長が、学長の命を受けて校務をつかさどることとしております。

第二に、教授会は、学生の入学や学位の授与等のほか、教育研究に関する重要な事項で学長が必要と認めるものについて学長が決定を行うに当たり意見を述べること、また、教育研究に関する事項について審議するとともに、学長等の求めに応じ意見を述べることができることとしております。

第三に、国立大学法人の学長選考について、学長選考会議が定める基準により行わなければならないこととするとともに、国立大学法人は、その基準及び選考結果等を公表しなければならないこととしております。

第四に、国立大学法人の経営協議会の学外委員を過半数とすることとしております。

このほか、所要の規定の整備を行うこととしております。

以上が、この法律案の提案理由及びその内容の概要であります。

何とぞ、十分御審議の上、速やかに御可決くださいますようお願いいたします。

＊

○学校教育法等の一部を改正する法律（平二七・六・二四法四六）　提案理由（平成二七年五月二〇日　衆議院）

○下村国務大臣　このたび政府から提出いたしました学校教育法等の一部を改正する法律案につきまして、その提案理由及び内容の概要を御説明申し上げます。

我が国が将来にわたり成長、発展を続け、一人一人の豊かな人生を実現するためには、子供の発達や学習者の意欲、能力等に応じた教育を実現することが急務です。

この法律案は、そうした教育の実現に資するよう、学校教育制度の多様化及び弾力化を推進するため、小中一貫教育を実施することを目的とする義務教育学校の制度を設けるとともに、高等学校等の専攻科の修了者について、大学に編入学できる制度を創設するものであります。

次に、この法律案の内容の概要について御説明申し上げます。

第一に、新しい学校種としての義務教育学校の創設についてであります。

義務教育学校は、心身の発達に応じて、義務教育として行われる普通教育を基礎的なものから一貫して施すことを目的とし、義務教育学校における教育は、この目的を実現するため、義務教育として行われる普通教育の目標を達成するよう行われるものとしております。修業年限は九年とし、前期課程及び後期課程に区分するほか、

就学義務、設置義務の履行等について必要な規定を設けることとしております。

第二に、義務教育学校の制度化に係る行財政措置についてであります。

公立の義務教育学校に関する教職員定数の算定、教職員給与費及び施設費等に係る国庫負担については、現行の小学校及び中学校と同様の措置を講ずることとするとともに、義務教育学校の教員については、小学校の教員の免許状及び中学校の教員の免許状を有する者でなければならないこととしております。

第三に、高等学校等の専攻科修了者の大学への編入学についてであります。

高等学校等の専攻科のうち文部科学大臣の定める基準を満たすものを修了した者は、大学に編入学できることとしております。

このほか、所要の規定の整備を行うこととしております。

以上が、この法律案の提案理由及びその内容の概要であります。何とぞ、十分御審議の上、速やかに御可決くださいますようお願いいたします。

＊

○学校教育法の一部を改正する法律（平成二九・五・三一法四一）

(一) 提案理由（平成二九年四月一四日衆議院）

○松野国務大臣　このたび政府から提出いたしました学校教育法の一部を改正する法律案について、その提案理由及び内容の概要を御説明申し上げます。

我が国の社会情勢が目まぐるしく変化し、課題も複雑化していく中で、今後、職業のあり方や働き方も大きくさま変わりすることが想像されます。このような中で、我が国が成長、発展を持続していくためには、すぐれた専門技能等をもって、新たな価値を創造することができる専門職業人材の養成が不可欠です。

この法律案は、こうした状況を踏まえ、専門性が求められる職業を担うための実践的かつ応用的な能力を展開させることを目的とする専門職大学の制度を設ける等の措置を講ずるものであります。

次に、この法律案の内容の概要について御説明申し上げます。

第一に、深く専門の学芸を教授研究し、専門性が求められる職業を担うための実践的かつ応用的な能力を育成、展開することを目的とする新たな高等教育機関として、専門職大学及び専門職短期大学の制度を設けます。専門職大学等においては、文部科学大臣の定めるところにより、専門性が求められる職業に関連する事業を行う者等の協力を得て、教育課程を編成し、及び実施し、並びに教員の資質の向上を図ることとし、その卒業者には、文部科学大臣の定める学位を授与することとします。

第二に、専門職大学については、その課程を前期課程及び後期課程に区分することができることとし、前期課程修了者には、文部科学大臣の定める学位を授与することとします。

第三に、実務の経験を通じて職業を担うための実践的な能力を修得した者が、専門職大学等に入学する場合には、文部科学大臣の定めるところにより、修得した実践的な能力の水準等を勘案して専門

職大学等が定める期間を修業年限に通算できることとします。

第四に、専門職大学等にあっては、その教育課程、教員組織その他教育研究活動の状況について、専門分野の特性に応じた認証評価を受けることとします。

このほか、所要の改正を行うこととしております。

以上が、この法律案の提案理由及びその内容の概要であります。

何とぞ、十分御審議の上、速やかに御可決くださいますようお願いいたします。

＊

○学校教育法等の一部を改正する法律（平成三〇・六・一法三九）提案理由（平成三〇年四月一三日衆議院）

○林国務大臣　このたび政府から提出いたしました学校教育法等の一部を改正する法律案につきまして、その提案理由及び内容の概要を御説明申し上げます。

現在、小学校、中学校、高等学校等においては、文部科学大臣の検定を経た教科書用図書又は文部科学省が著作の名義を有する教科用図書を使用しなければならないこととなっています。

この法律案は、情報通信技術の進展等に鑑み、児童生徒の教育の充実を図るため必要があると認められる教育課程の一部において、これらの教科用図書にかえてその内容を記録した電磁的記録である教材を使用することができることとする等の措置を講ずるものであります。

次に、この法律案の内容の概要について御説明申し上げます。

第一に、教科用図書の内容を文部科学大臣の定めるところにより記録した電磁的記録である教材がある場合には、文部科学大臣の定めるところにより、児童生徒の教育の充実を図るため必要があると認められる教育課程の一部において、教科用図書にかえて当該教材を使用することができることとしております。また、障害のある児童生徒等の学習上の困難の程度を低減させる必要があると認められるときは、教育課程の全部又は一部において、教科用図書にかえて当該教材を使用することができることとしております。

第二に、文部科学省著作教科書の出版権等に関する法律の規定を、文部科学省が著作の名義を有する第一の教材にも準用することとしております。

第三に、教科用図書に掲載された著作物を権利者の許諾を得ずに第一の教材に掲載し、及び必要な利用を行うことができることとするとともに、当該著作物の掲載に係る補償金の支払い等について規定するものであります。

このほか、所要の規定の整備を行うこととしております。

以上が、この法律案の提案理由及びその内容の概要であります。

何とぞ、十分御審議の上、速やかに御可決くださいますようお願いいたします。

＊

○学校教育法等の一部を改正する法律（令和元・五・二四法一一）提案理由（平成三一年三月二〇日衆議院）

○柴山国務大臣　このたび政府から提出いたしました大学等における修学の支援に関する法律案及び学校教育法等の一部を改正する法律案について、その提案理由及び内容の概要を御説明申し上げます。

まず、大学等における修学の支援に関する法律案について、その提案理由及び内容の概要を御説明申し上げます。

（略）

次に、学校教育法等の一部を改正する法律案について、その提案理由及び内容の概要を御説明申し上げます。

社会構造の変化やグローバル化が急速に進み、社会が抱える課題も複雑化している今日において、多様な教育、研究を行い、その成果を広く社会に提供することにより社会の発展に寄与するものとされている大学に求められる役割は、より一層大きいものとなっております。

この法律案は、このような観点から、大学等の管理運営の改善等を図るため、大学等の教育、研究等の状況を評価する認証評価において、当該教育、研究等の状況が大学評価基準に適合しているか否かの認定を行うこととするとともに、国立大学法人が設置する国立大学の学校教育法上の学長の職務を行う大学総括理事の新設、学校法人の役員の職務及び責任に関する規定の整備等の措置を講ずるものであります。

次に、この法律案の内容の概要について御説明申し上げます。

第一に、大学等の教育、研究等の状況を評価する認証評価において、当該教育、研究等の状況が大学評価基準に適合しているか否かの認定を行うことを認証評価機関に義務づけるとともに、適合している旨の認定を受けられなかった大学等に対して、文部科学大臣が報告又は資料の提出を求めることとしております。

第二に、国立大学法人岐阜大学を国立大学法人名古屋大学に統合し、岐阜大学及び名古屋大学を設置する国立大学法人東海国立大学機構とするとともに、国立大学法人が二以上の国立大学を設置する場合その他、その管理運営体制の強化を図る特別の事情がある場合に、その設置する国立大学に係る学校教育法上の学長の職務を行う大学総括理事を置くことができることとする規定を整備することとしております。

第三に、学校法人における役員の職務及び責任並びに財務書類の公表等に係る規定を整備することとしております。

第四に、独立行政法人大学改革支援・学位授与機構において、国立大学法人等の運営基盤の強化を図るための情報収集、分析等を業務として追加することとしております。

以上が、これらの法律案の提案理由及びその内容の概要であります。

何とぞ、十分御審議の上、速やかに御可決くださいますようお願いいたします。

【参考文献】

○『学校教育法解説』内藤誉三郎著　ひかり出版社　昭和二二年
○『学校教育法要義』藤原喜代蔵著　自由書院　昭和二二年
○『学校教育法逐条解説』天城勲著　学陽書房　昭和二九年
○『学校行政法』安嶋彌著　良書普及会　昭和三一年
○『学校教育法』（有倉・天城編「教育関係法・・コンメンタール編・28」所収）天城勲著　日本評論新社　昭和三三年
○『私立学校法詳説』福田繁・安嶋彌著　誠文堂新光社　昭和三六年
○『学校教育法解説（初等中等教育編）』今村武俊・別府哲著　第一法規　昭和四三年
○『学制百年史』文部省　帝国地方行政学会　昭和四七年
○『教育法』（別冊法学セミナー・基本法コンメンタール所収の学校教育法）有倉遼吉編　日本評論社　昭和四七年
○『日本近代教育百年史』（第三巻～第六巻）国立教育研究所　財団法人教育振興会　昭和四九年
○『戦後教育立法覚書』安嶋彌著　第一法規出版　昭和六一年
○『学制百二十年史』文部省　ぎょうせい　平成四年

【れ】

【ろ】

【て】

【と】

【な】

【に】

【ち】

【つ】

【そ】

【た】

【す】

【せ】

【さ】

【し】

【く】

【き】

事項索引

＊複数頁についての太字は、主要な頁を表わす

編著者

鈴 木　勲（すずき　いさお）

昭和28年東京大学法学部卒業，文部省初等中等教育局教科書管理課長，千葉県教育長，文部省初等中等教育局地方課長，大臣官房総務課長，初等中等教育局審議官，大臣官房審議官，大臣官房長，初等中等教育局長，文化庁長官，国立教育研究所長，日本育英会理事長を歴任。現在，㈳日本弘道会会長。

逐条 学校教育法〈第 9 次改訂版〉

昭和55年 8 月20日　初版発行
昭和59年12月 1 日　改訂版発行
昭和61年10月15日　第 2 次改訂版発行
平成 7 年 7 月15日　第 3 次改訂版発行
平成11年 9 月25日　第 4 次改訂版発行
平成14年10月10日　第 5 次改訂版発行
平成18年 3 月25日　第 6 次改訂版発行
平成21年11月20日　第 7 次改訂版発行
平成28年 4 月 7 日　第 8 次改訂版発行
令和 4 年 8 月10日　第 9 次改訂版発行
令和 7 年 5 月15日　第 9 次改訂版 2 刷発行

編著者　鈴（すず）木（き）　勲（いさお）
発行者　光 行　明

学 陽 書 房　東京都千代田区飯田橋1-9-3　電話（03）3261-1111
https://www.gakuyo.co.jp/

ISBN 978-4-313-07609-9　C2032　東光整版印刷／東京美術紙工

＊編著者との話合いにより検印省略
＊乱丁・落丁本は，送料小社負担にてお取り替えいたします。

自治体の教育委員会職員になったら読む本

伊藤卓巳　著

定価＝２９７０円（10％税込）

自治体の教育委員会事務局に配属された職員に向けて、複雑な制度・仕組みから実務のポイントをわかりやすく解説！　教育委員会事務局の役割を正しく理解し、適切に事務処理を行うための基礎・基本を詳解。首長部局・学校現場との違いに戸惑う担当者をサポートする一冊。

逐条国家公務員法〈第2次全訂版〉

吉田耕三・尾西雅博　編

定価＝26400円（10％税込）

国家公務員法の仕組みと変遷を示すとともに、実務者に必要な各条文の沿革、詳細な規則までを含めた解釈と運用を解く唯一の定本。令和5年から段階的に引き上げられる定年延長制度等の改正を網羅した最新改訂版。

新版　逐条地方公務員法〈第6次改訂版〉

橋本勇　著

定価＝17600円（10％税込）

地方公務員法の唯一の逐条解説書。地方公務員の定年延長、会計年度任用職員の「勤勉手当」支給等を反映。過去の膨大な解釈と運用の集積を条文ごとに整理し、法条の背景や趣旨の詳細な記述と、豊富な行政実例や判決例で緻密な解説を施した定本。